ALAN LLWYD

BYD GWYNN

COFIANT

T. Gwynn Jones.

1871–1949

Argraffiad cyntaf: 2019

ISBN: 978-1-91158-427-8

Carai'r cyhoeddwr a'r awdur ddiolch o galon i deulu T. Gwynn Jones am bob caniatâd hawlfraint a chydweithrediad a gafwyd wrth lunio'r cofiant hwn. Diolch yn arbennig i Ceredig Gwynn a Nonn Davies.

Cyhoeddwyd gyda chymorth ariannol Cyngor Llyfrau Cymru.

Llun clawr: Gwasanaeth Archifau Gwynedd

Cynllun y clawr a'r dyluniad: Tanwen Haf

Cyhoeddwyd gan Gyhoeddiadau Barddas: www.barddas.cymru

Argraffwyd gan Wasg Gomer.

Byd gwyn fydd byd a gano
Gwaraidd fydd ei gerddi fo.

Arwyddair Eisteddfod Ryngwladol Llangollen

Hyd eich oes, boed i chwi hedd,
Byd gwyn a phob digonedd.

Cywydd Priodas Taldir

Cyflwynedig i Robert Rhys

Beirniad llenyddol, gwerthfawrogwr llên,
gwarchodwr Cymreictod.

DIOLCHIADAU

Mae arnaf ddyled i nifer o bobl. Gan ddechrau gyda theulu T. Gwynn Jones, hoffwn ddiolch i Nonn Davies a Ceredig Gwynn, wyres ac ŵyr T. Gwynn Jones, am roi caniatâd imi i archebu llungopïau o lythyrau T. Gwynn Jones o'r Llyfrgell Genedlaethol yn Aberystwyth ac o Archifdy'r Brifysgol ym Mangor. Diolch hefyd am lawer o wybodaeth am y teulu ac am rannu rhai lluniau personol. Diolch i Elan Owen yn y Llyfrgell Genedlaethol am drefnu popeth ar fy nghyfer a hwyluso fy ngwaith.

Cefais gymorth a gwybodaeth fuddiol gan Huw Ceiriog, Llandre, a Vernon Jones, Bow Street.

Pan glywodd Robin Gwyndaf, Caerdydd, fy mod yn gweithio ar gofiant i T. Gwynn Jones, anfonodd becyn o ddefnyddiau a dogfennau gwerthfawr ataf. Ni allaf ddiolch digon iddo.

Diolch i Jean Gwynn, Siôn Jones, Norman Closs Parry a Iestyn Hughes am dynnu lluniau o adeiladau a lleoedd a oedd yn gysylltiedig â T. Gwynn Jones mewn gwahanol ardaloedd yng Nghymru.

Diolch yn bennaf i Alaw Mai Edwards am fwrw golwg dros y gyfrol, am gynnig nifer o awgrymiadau gwerthfawr imi, ac am ei thywys drwy'r wasg; a diolch hefyd i Huw Meirion Edwards, y Cyngor Llyfrau, am ddarllen y gwaith a chynnig nifer o welliannau. Hoffwn ddiolch yn ogystal i Tanwen Haf am ei gwaith dylunio ac i Ffion Medi, cydlynydd Barddas, am bob cymwynas.

Alan Llwyd

CYNNWYS

Pennod 1

THOMAS
Y GWYNDY A BACHGENDOD, 1871–1890

Dau beth yn unig a wnaeth y Gwyndy iddo: ei eni a'i enwi; neu, yn hytrach, ef ei hun, ymhen blynyddoedd, a'i henwodd ei hun yn Thomas Gwynn Jones, gan gymryd ei enw canol oddi wrth y tŷ lle cafodd ei eni, y Gwyndy Uchaf, Betws-yn-Rhos, ger Abergele yn Sir Ddinbych. Thomas Jones oedd yr enw a roddwyd iddo gan ei rieni, ac ymunodd y plentyn newydd-anedig â'r miloedd o Domos-Jonesiaid a breswyliai yng Nghymru ar y pryd, a chyn hynny ac wedi hynny. Ond nid Thomas Jones na T. Gwynn Jones yn unig a aned yn y Gwyndy ar y degfed dydd o Hydref, 1871. Yno y ganed dwsinau o feirdd a llenorion eraill, ac o newyddiadurwyr a nofelwyr, o'r Gwyddel Fion Maceoghain i'r Cymro Gwynn ap Iwan, ac o Rurik Dhu i Rufawn. Byddai angen rhyw ddwy neu dair cofrestr i gofnodi pob un o'i enwau. Hoffai Gwynn ffugenwau.

'Fe'm ganed i ar storm, ac y mae storm yn f'ysbryd,' meddai T. Gwynn Jones yng nghyfnos ei fywyd, a pharhaodd y storm honno yn ei ysbryd drwy gydol ei oes.[1] Ei fam a ddywedodd wrtho am y storm, fel y dywedodd lawer o bethau gwerth eu cofio wrtho. Bu'n wrthryfelwr drwy'i oes, yn wrthgydymffurfiwr, yn ymgyrchwr brwd o blaid heddwch, tegwch a chyfiawnder. Casâi ormes a chreulondeb, ffieiddiai dwyll a rhagrith, a gwawdiai ffolinebau dynion. 'Yn y gân "Mab yr Ystorm" myfi yw mab y storm, er nad amdanaf fy hun y mae'r gân,' meddai.[2] Ac nid yn unig fod y storm yn ei enaid o'r dechrau, ond y mae hefyd yn gwahodd y storm i fod yn rhan o'i enaid a'i ysbryd:

> Daw awel leddf, hir, fel uchenaid
> O galon ddofn, ddistaw y coed,
> A minnau, mae'r storm yn fy enaid
> Yn cofio ei hoed ...

Mae'r gwynt yn y pellter yn rhuo –
   Mae'n awr yn chwibanu'n fy nghlust;
Rhag gwrthlam ei donnau, gan suo,
   Daw'r glaw ar fy nhalcen yn byst;
O wynt, tro dy donnau amdanaf,
   A throch fi, di law, yn dy li,
A dawnsiaf, a chwarddaf a chanaf
   Eich angerdd gwyllt chwi![3]

'It is my misfortune that I am a born rebel & pessimist too,' meddai wrth un a oedd i ddod yn un o'i gyfeillion pennaf yn y dyfodol, Daniel Rees.[4]

Ganed Thomas Jones yn y Gwyndy Uchaf, Betws-yn-Rhos, yn fab i Isaac a Jane neu Siân Jones. Ychydig fisoedd oed yn unig oedd Thomas pan symudodd ei rieni o'r Gwyndy Uchaf i ffermdy Pentre Isa ger Hen Golwyn, ond nid cwymp o'r uchaf i'r isaf, nac o arucheledd i ddistadledd, oedd y symud hwn. Yn wir, hen blasty bychan a drowyd yn ffermdy oedd y Pentre Isa, neu Bentrisa ar lafar gwlad, ac yno y treuliodd y Thomas ifanc ddeng mlynedd cyntaf ei fywyd. Dyma gartref ei blentyndod.

Ni chymerodd erioed ddiddordeb mawr mewn hel achau, a phur annelwig a bylchog oedd ei wybodaeth am ei dylwyth. Meddai wrth Thomas Jones, Cerrigellgwm, Ysbyty Ifan, un arall a oedd i ddod yn gyfaill iddo:

> Diddorol iawn oedd hanes eich ymweliad â Bob Owen. Clywais gan un arall iddo ddywedyd ei fod o'r un hil â minnau, ac ni wn i na chyfrifwn innau berthyn iddo yn fwy o anrhydedd na pherthyn i frenin Lloegr! Ni bûm i erioed ar ôl yr achau. Gwn fod teulu fy nhad gynt yn berchenogion yr Hafodydd Brithion ym Mhenmachno, ac yn berthynasau i deulu'r Esgob Morgan. Credaf iddynt gymysgu hefyd â theulu Rhys ap Maredudd a Siôn Wynn o Wydir, pennaf lleidr tir Cymru oll! Tebig fod Prysiaid Plas Iolyn yn perthyn i deulu Rhys ap Maredudd. Yr oedd y Capten Tomos Prys yn meddu rhai campau, ond nid pleser gennyf feddwl fy mod o'r un waed â'r "Doctor Coch," ac eraill o'r hil, na Siôn Wynn Leidr ychwaith![5]

A dyna restru rhai o'i hynafiaid cymysgryw. A rhaid oedd gwahaniaethu rhwng yr holl Domos-Jonesiaid hyn. Rhoi enw fferm yn enw canol iddo'i hun a wnaeth Thomas Jones y Gwyndy Uchaf, ac fel 'Thomas Jones Cerrigellgwm' y cyfeirid at ei gyfaill yn ddieithriad.[6] Meddai eto yn yr un llythyr, gan daflu rhagor o enwau i'r awyr: 'Dyn wyf i yn sicr a aned i fyw ar fynydd, fel fy nhadau o'r deutu (yr oedd fy nhaid dad fy mam o hil yr hen Gonwyaid gynt, a'i wraig, fy nain, o dylwyth y Cyffiniaid)'.[7] Y mynydd hwnnw oedd Mynydd Hiraethog, a thybiai mai yn rhywle ar y mynydd hwnnw, dan y grug a'r eithin, yr oedd ei wreiddiau, er na fu'n byw yno erioed.

Trwy Bob Owen, yr achyddwr a'r chwilotwr chwedlonol, y cafodd Gwynn gyfran sylweddol o'r wybodaeth a feddai am ei linach. Meddai wrth ŵr a oedd i ddod yn un o'i gyfeillion pennaf oll, E. Morgan Humphreys: 'Gwyddwn fod fy nhad o deulu Isaaciaid Y Parc, Llanfrothen. Dyma B.O. yn taeru bod y rheiny'n gymysg â'r Anwyliaid a theulu Edmwnd Prys, Syr John Williams yr Archesgob, a'r holl fawrion!'[8] Rhyw syniad niwlog fel yna a oedd ganddo am ei hynafiaid pell.

Pwy, felly, oedd y Thomas Jones a aned yn y Gwyndy Uchaf ym mis Hydref 1871? Enw tad Gwynn oedd Isaac Jones. Fe'i ganed ym mis Medi 1842 mewn ffermdy o'r enw y Nilig ar Fynydd Hiraethog, ychydig filltiroedd o gyrraedd y Gyffylliog yn Sir Ddinbych. Ei rieni, David ac Ellen Jones, a ffermiai'r Nilig. Taid Isaac Jones, a hen daid Gwynn, oedd Morgan Jones, a briododd ferch o'r enw Ellen Parry; ef oedd un o berchnogion yr Hafodydd Brithion ym Mhenmachno, a'r ochr hon i'r teulu a oedd yn hanu o'r Esgob William Morgan. Roedd Morgan Jones hefyd yn gyfyrder i'r pregethwr enwog John Jones, Tal-y-sarn, aelod anrhydeddus arall o'r teulu. Nid rhyfedd, felly, fod ochr tad Thomas o'r teulu yn hynod o grefyddol. Pobl grefyddol iawn oedd David ac Ellen Jones, ei daid a'i nain.

Ym 1850, gadawodd David ac Ellen Fynydd Hiraethog, ac ar ôl byw mewn dwy fferm arall yn Sir Ddinbych ar wahanol adegau, cyrraedd y Gwyndy Uchaf ym Metws-yn-Rhos yn y pen draw. Ffermwyr-denantiaid oedd llawer o ffermwyr Cymru yn y cyfnod, a symudent o fferm i fferm yn ôl chwiw a mympwy'r landlordiaid yn aml. Ar Fai 4, 1870, priododd Isaac Jones ferch o'r enw Jane Roberts. Ganed Jane ar Fai 21, 1845, felly roedd yn iau na'i gŵr o ryw dair blynedd. Erbyn hynny, roedd Isaac Jones yn rhannu tenantiaeth y Gwyndy Uchaf â'i dad, a merch o fferm gyfagos, Tŷ Isaf, oedd Jane Roberts. Ei rhieni oedd Robert (neu Robert ap Huw ap Robert) a Sarah Roberts. Y Robert hwn a berthynai i'r 'Conwyaid', chwedl Gwynn ei hun. Os gwir pob honiad ynglŷn â'i deulu, roedd Gwynn, felly, yn tarddu o linach anrhydeddus iawn o uchelwyr, fel Huw Conwy o Fryneuryn yn Llandrillo-yn-Rhos, y canodd beirdd fel Lewys Glyn Cothi, Tudur Penllyn a Gutun Owain gywyddau iddo, a Thomas Prys, Plas Iolyn, uchelwr, anturiaethwr a bardd. Roedd un aelod o'r teulu yn gyfeillgar â bardd mwy diweddar. 'Cof da gennyf am fy nhaid yn adrodd ystori am Dalhaearn (yr oedd fy nhaid ac yntau'n hen gyfeillion, wedi cyd feddwi llawer gynt!),' meddai Gwynn am dad ei fam wrth E. Morgan Humphreys un tro.[9] Bardd bohemaidd, gwyllt oedd Talhaiarn (John Jones), a chafodd fywyd cythryblus, hyd nes iddo roi terfyn ar ei fywyd ef ei hun. 'Adroddai fy mam – yr oedd ef a'm taid yn hen gyfeillion – lawer o straeon amdano,' meddai Gwynn.[10] Yn ogystal â chyfeillachu â phobl fel Talhaiarn, roedd y taid hwn yn noddwr nosweithiau llawen.

Roedd y gwahaniaeth enfawr rhwng ei ddau daid yn achos syndod parhaus i T. Gwynn Jones yr oedolyn. Dwys, sobr a chrefyddol oedd David Jones, ond ysgafnfryd a hwyliog oedd Robert Roberts, y naill yn biwritan a'r llall yn bagan. Teimlai fod y ddau daid yn rhan annatod o'i natur, a bod y ddau yn ymgiprys â'i gilydd am ei enaid. Weithiau, yn y dyfodol, byddai yn ei alw'i hun yn bagan, ac ar brydiau eraill câi byliau crefyddol dwfn, pryd y closiai at Gristnogaeth. Eisoes cyflwynwyd tri o'i gyfeillion agosaf, Thomas Jones, Cerrigellgwm, Daniel Rees ac E. Morgan Humphreys. Mae'r rhain yn rhan anhepgor o hanes bywyd T. Gwynn Jones, a byddant yn ymddangos yn gyson yn ei stori. Y mae tri arall hefyd: W. J. Gruffydd, R. Silyn Roberts ac E. Tegla Davies, a dyna'i gylch crwn o gyfeillion agosaf.

Ac yn awr dyma gyflwyno E. Tegla Davies. Anfonodd Gwynn lythyr at Tegla ym mis Mai 1934. Bu'n gweithio ar ddrama-gerdd un act o'r enw *Y Gainc Olaf* gyda'r cerddor W. S. Gwynn Williams – gŵr y byddai'n cydweithio llawer gydag ef yn y dyfodol. Perfformiwyd y gwaith am y tro cyntaf yn Llangollen ym mis Ebrill 1934, a soniodd Gwynn am *Y Gainc Olaf* wrth Tegla ryw dair wythnos yn ddiweddarach:

> O! yr ymdrech dragywydd rhwng fy nau daid, Dafydd ap Morgan Jones (puritan gonest, urddasol, cerddor wrth natur a deunydd ysgolhaig ynddo, yn ôl tystiolaeth ei fab ei hun, fy nhad, ond ddarfod i'r diwygiadau ei sbwylio) a Robert ap Huw Roberts (pagan Eglwysig, crefftwr, dawn prydydd naturiol ynddo, chwarddwr am ben ffolinebau ei gyd-ddynion ac ef ei hun)! Cedwch yr oferedd yn gyfrinach, canys weithiau bydd fy nhaid o Benmachno yn fy ngorfod i droi emynau Prudentius i'r Gymraeg, ac ysgrifennu'r "Gainc Olaf," yn rhoi dawnswyr a chanwyr y ddeunawfed ganrif dan ddylanwad "Yn y dyfroedd mawr a'r tonnau" a miwsig rhyfeddol "Cwynfan Prydain", a'r taid arall yn mynnu'r "Bore Glas" i mewn ...[11]

Lleolir *Y Gainc Olaf* ei hun mewn tŷ tafarn rywle yng Ngogledd Cymru tua chanol y ddeunawfed ganrif. Mae'r ddrama yn perthyn i'r pwynt hwnnw o amser lle mae'r Diwygiadau Methodistaidd yn cwrdd â hen Gymru'r eisteddfodau tafarn, y nosweithiau llawen, yr anterliwtiau, y talyrnau a'r ffeiriau; hynny yw, y mae Cymru'r naill daid yn trechu Cymru'r taid arall. Ceir dawnswyr a chantorion yn y gwaith, ac yn y cefndir, trwy'r chwarae, clywir emynau'r Methodistiaid. 'O!'r ynfydion llymrig!' meddai un o'r cymeriadau am y Methodistiaid.[12] Mae aelod o'r cwmni, Mari, newydd farw. Dawnswraig fedrus a llawen oedd Mari ac ynddi waed Sipsiwn, ac mae ei marwolaeth yn symbol o farwolaeth y Gymru lawen, ysgafnfryd honno a laddwyd gan y Methodistiaid. Ymhlith y cymeriadau ceir ffidler, prydydd a thafarnwraig, yn ogystal â chantorion a dawnswyr. Mae'r prydydd yn hau llinellau cynganeddol o'i gwmpas, a'r rheini i gyd yn sôn am fyrhoedledd dyn ar y ddaear, er enghraifft, 'Rhyw dro byr o'r crud i'r bedd', 'Hanner oes, fel hun yr aeth', 'Y tŷ o glai â'r to glas', 'Ni bydd dawns yn y bedd du', a 'Trist yw'r byd, trawster a bâr'.[13] Diben y llinellau hyn yw nodi pa mor fyr yw dyddiau dyn ar y ddaear, a rhaid mwynhau pob munud awr; ar y llaw arall, edrych dros y bryniau pell a wnâi'r Methodistiaid, yn hytrach na byw yn y byd hwn o amser. A hyd yn oed os oedd y ddau daid yn ceisio hawlio Gwynn, etifeddodd rai o dueddiadau a nodweddion y ddau: roedd yn gerddor ac yn ysgolhaig, fel Dafydd ap Morgan Jones, ac yn bagan, yn brydydd naturiol ac yn 'chwarddwr am ben ffolinebau ei gyd-ddynion' fel Robert ap Huw Roberts.

Ffermdy'r Pentre Isa a'r tir o'i amgylch oedd cartref a chynefin T. Gwynn Jones am y deng mlynedd cyntaf o'i fywyd. Cronicodd ei brofiadau yn ystod y blynyddoedd hyn, blynyddoedd ei blentyndod, yn y gyfrol fechan *Brithgofion*. Hogyn bach y wlad oedd Thomas pan oedd ei dad yn ffermio'r Pentre Isa. Yr oedd yn byw yn agos at natur, yn un â rhythm y tymhorau; sylwai'n fanwl ar bob newid ym myd natur, clustfeiniai am bob smic, nes i natur ddod yn rhan annatod a chynhenid ohono:

> Yn y coed o bobtu y dysgais adnabod sŵn y gwynt meiriol a ddôi i roi terfyn ar heth hir o rew ac eira, a fyddai'n gwneud bywyd yn anghysurus. Wrth edrych yn ôl, ymddengys i mi fod pob gaeaf yn heth yr adeg honno. Byddai'r rhew a'r eira yn brydferth iawn – i edrych arnynt, ond blinech yn fuan ar eu tegwch, a byddai yntau'n edwino'n ebrwydd. Byddech yn gwrando bob dydd am sŵn y meiriolwynt. Doech i adnabod ei su leddf, garedig, a dysgech adnabod coeden yn y tywyllwch wrth y sŵn a wnâi'r meiriolwynt yn ei brigau, yn enwedig yn yr yw a'r ynn, y llarwydd a'r pîn, neu'r rhewynt creulon a ddôi i lawr drwy'r Coed Uchaf yn y Cwm. Clywech ru dwfn ym mhellter y coed, a'i wich droellog, chwipiog, pan neidiai i'r llannerch fwy agored, led cae bychan o'r coedydd gyda'r afon,

fel pe buasai ef yn crino yn y llwyni eithin a'r celyn, a hyd yn oed yntau'n gorfod gweiddi gan boen wrth fynd trwy eu pigau, cyn cael gafael ar y Coed Isaf, yng nghyfeiriad y môr, a throi i arthio a rhuo eilwaith ym mrigau'r derw a'r gwern, a suo yn y ffynidwydd bongoch oedd yno.[14]

Tir a byd natur y Pentre Isa a ddarlunnir yn y gerdd 'Gwlad Hud'. Yno fe dyfai blodau o bob math, a gwyddai'r bachgen ifanc eu henwau bob un:

> Wanwyn, pan ddôi addwyn ddyddiau,
> Galwai'r blodau at ei gilydd,
> Torrai gloau eu trigleoedd,
> O'u tywyllwch neidient allan;
> Dôi Briallu yno i wenu,
> Coch a gwyn a brith a melyn;
> Briallu Mair ym môn y clawdd,
> A'r Geden Werdd a'r Gadwyn Aur;
> Ac wrth y ddôr yn swil ymagor,
> Rhos bach gwynion a melynion;
> Dail Cyrn hirion, gloew-wyrdd, irion,
> Hen Ŵr peraidd ger y pared,
> Mwsogl hefyd, Mwsg a Lafant,
> A Drysïen draw, a'u sawyr
> Gyda'r hwyr yn brwysgo'r awyr;
> Ffiled Fair yn rhuban disglair,
> Rhes fach fain o Falchter Llundain,
> Hwythau'r Cennin Pedr yn edrych
> Yno megis sêr disberod,
> Haid, am ennyd wedi mynnu
> Gado'u rhod am goed yr adar.[15]

A dyma ddisgrifiad *Brithgofion* o'r blodau a dyfai ar dir y Pentre Isa:

> Gardd a pherllan helaeth wrth y tŷ. Coeden ywen a gedwid yn bigfain bob amser, o flaen y drws, a lawnt fach rhyngddi a'r tŷ. Cnwd o glych mebyn ar y lawnt bob gwanwyn cynnar. Coed dail cyrn a lawrensteina o gwmpas y ffenestri. "Hen ŵr" yng ngwrych yr ardd, a mân goed rhosynnau coch a melyn. Pob math o flodau hen ffasiwn yn yr ardd, rhesi o holi-hocs,

rhosyn y mynydd, y fyddiged, drysi pêr, dail saeds, a blodau fel balchter Llundain, y Ffiled Fair, Botwm Gŵr Ifanc, Briallu Cochion, ac eraill na wyddwn i enwau arnynt.[16]

Ac eto, nid gwlad hud mohoni i gyd. Cofiai ddal ei frithyll cyntaf, a'r pangfeydd o euogrwydd a chywilydd a achoswyd gan y weithred honno. Dechreuodd Thomas y Pentre Isa fagu tosturi tuag at y diniwed, y diamddiffyn-agored, a thrueiniaid a gweiniaid o bob math, yn gynnar iawn yn ei fywyd:

> Cefais ef allan o'r dŵr, ond llithrodd o'm llaw yn ôl i'r afon. Cyn hir, cefais afael arno wedyn, tan garreg. Gwesgais ef yn erbyn y garreg. Ni allodd ddianc wedyn. Yr oeddwn yn falch ofnadwy o'm gorchest, ac arnaf eisiau rhedeg i'r tŷ i'w ddangos. Gorweddai'r brithyll bach ar gledr llaw yn llonydd. Yr oedd yn brydferth iawn. Ac ni chwaraeai yn y dŵr byth mwy. Aeth fy malchter i ffwrdd, a theimlwn fel llofrudd. Mor ddel oedd y brithyll bach hwnnw, yn llonydd ar fy llaw. Ni wnaethai ddrwg i mi nag i neb arall. Rhoeswn unpeth am ei weld yn chwarae eilwaith yn y dŵr. Teflais ef yn ei ôl i'r afon, ac aeth y dŵr ag ef i'w ganlyn, fel darn o bren marw. Deliais bysgod wedi hynny, mi wn, ond nid wyf yn cofio dim un ohonynt, ond y brithyll bach hwnnw ...[17]

A bu bron iddo foddi unwaith:

> Yr oeddwn wedi mynd i lawr at lan yr afon oedd yn rhedeg heibio'r tŷ, ac wedi sylwi bod y dŵr yno wedi cario pridd a gro ymaith nes bod lle gwag yn mynd i mewn i'r ddaear fel ogof, a gwraidd y coed a dyfai yno yn dorchau uwch ben a chydag ymyl yr agen. Ymwthiais i mewn i edrych pa beth oedd yno. Yr oedd hi'n dywyll yno, a neidiodd llygoden ddŵr heibio i mi gan ddisgyn i'r afon, nes bod y sŵn fel pe bai carreg yn disgyn i'r dŵr. Cefais fraw a chilio yn f'ôl yn sydyn. Bachodd fy nhroed yng ngwreiddiau'r coed ar yr ymyl, ac i lawr â mi nes bod fy mhen tan ddŵr yn y llyn islaw. Ni allwn gael fy nhraed yn rhydd na chael f'anadl. Yn sydyn, dyma gyfarthiad a sŵn Tango yn ymgladdu yn y llyn yn f'ymyl. Y funud nesaf disgynnais innau yn fy nghrynswth i'r llyn, a llusgodd Tango fi i'r lan. Ffroenodd o'm cwmpas a llyfodd f'wyneb. Daeth hynny â mi ataf fy hun. Medrais godi ar fy nhroed a chydio yng ngholer Tango. Tynnodd yntau fi i fyny i'r berllan. Cafodd Tango anwes mawr y diwrnod

hwnnw gan bawb. Os byth yr awn yn agos i'r afon wedyn ag yntau gyda mi, byddai Tango rhyngof a'r ymyl ac yn fy ngwthio oddiwrthi ei orau glas. Wylais yn chwerw pan fu Tango farw.[18]

Fferm weddol ddiarffordd oedd y Pentre Isa, ac roedd cŵn yn rhan o fywyd pob fferm. Cŵn oedd cyfeillion bore oes Thomas. Gyda'r rhain y chwaraeai, gyda'r rhain y crwydrai'r creigiau a'r coedydd a'r rhosydd, a daeth cŵn yn rhan o'i fywyd. Tango oedd enw'r ci cyntaf y gallai ei gofio, ond roedd eraill, cyn Tango ac ar ei ôl:

> Am y rheswm nad oedd blant yn byw yn agos iawn atom, cŵn oedd fy nghyfeillion cynharaf. Ac fel y dywedodd rhywun, po fwyaf a wn innau am ddynion, gorau yn y byd gennyf gŵn. Nid wyf yn cofio Pero, a fu farw pan oeddwn yn fychan iawn, ond clywais gymaint o'i hanes fel y mae'n ddiogel gennyf ei fod ef yn gyfaill i mi. Pan fyddwn yn crio yn y crud, yn ôl tystiolaeth fy rhieni, os byddai Pero o fewn ergyd clyw, dôi i'r tŷ ar garlam, rhôi gusan i mi a siglai'r crud â'i bawen.[19]

'Bu i mi lawer o gyfeillion tebyg o dro i dro, Pero II, Sam, Twrc a Mac yn eu plith, pob un ohonynt yn greaduriaid ardderchog. Gyda hwy treuliais ddyddiau eang yn yr heulwen, yn rhydd megis na bûm byth mwy,' meddai yn *Brithgofion*.[20] Lluniodd farwnadau i rai o'i gŵn, fel y farwnad honno i Pero, Pero II mwy na thebyg, a luniodd ym 1916, pan oedd dynion yn cigyddio'i gilydd, a chŵn yn bethau llawer callach na'u meistri. Trwy'i fywyd rhoddai Gwynn bris uchel ar briodoleddau fel didwylledd, onestrwydd, dewrder, ffyddlondeb a theyrngarwch. Câi anhawster i ddod o hyd i nodweddion o'r fath yn y rhan fwyaf o blant dynion, ond dôi ar eu traws mewn cŵn. Ci dewr a diystryw oedd Pero. Os ymladdai, ymladdai'n lân ac yn anrhydeddus:

> Onid pur enaid Pero?
> Ba ŵr gaed mor bur ag o?
> Mor fwyn oedd, mor fonheddig,
> Llawen, doeth, heb dwyll na dig;
> Â'i gydradd od ymladdai,
> Hynny oll yn deg a wnâi;
> Gwâr ei fodd os gorfyddai,
> Call iawn oedd os colli a wnâi;
> Ni chad yn un o'i gadau

Gastiau 'rioed nac ystryw au,
Na gerwin ddyfais gywraint,
Na dim ond ewin a daint;
A chlwyfau'r gad ofnadwy,
Ef ei hun a'u llyfai hwy.[21]

Ac fe ymladdai'n anrhydeddus pan oedd dyn yn defnyddio pob ystryw posib a phob dull llwfr i ddifa'i gyd-ddyn. Dewrder, didwylledd a ffyddlondeb a nodweddai un arall o'i gŵn, Mac, a laddwyd ym 1940, pan oedd dynion ledled y byd eto yn malurio'i gilydd:

Nid oedd inni un dim a'n diddanai,
nag a liniarai golyn hiraeth,
dim, onid wylo ein dau,
am yr un na chawsom erioed
ball ar ei ffyddlondeb ef,
na siom erioed am ei groeso mawr iawn,
un a wyliai oni ddychwelem,
a wyddai'r dydd a'r awr y doem.

A byth mwy, nid oedd obaith am ei weld,
neu gael yr hen groeso a'n disgwyliai
gynt ...
pen ar ei ffyddlondeb pur,
diwedd dewr un nid eiddo dwyll.[22]

Ac mae'r cywydd er cof am Pero yn ogystal â'r gerdd *vers libre* cynganeddol er cof am Mac yn cloi gyda dymuniad am aduniad:

Parod yr edwyn Pero
Ôl fy nhraed pan ddêl fy nhro
Ryw adeg draw i rodio
O'r llwm fyd i'r lle mae fo.[23]

A Mac:

> Ti, onid wyt ti o hyd
> yn yr haul, tu draw i'r tarth, yn rhywle,
> yn hir yn ein haros?
> A wyddost y dydd a sut y down,
> yn ein tro, pan ddown ninnau trwodd?
> O! am dy hen lawenydd –
> oni ddaw eilwaith pan ddelom,
> oddi yma hwnt, i'r distawrwydd mawr?[24]

Byddai Twrc a Sam yn cael eu hanfarwoli mewn dwy stori fer o'i eiddo yn y dyfodol. Mae brawd y llefarydd yn y stori 'Twrc' yn disgrifio'r ci 'fel Cristion – hynny ydi, yn llawer iawn gwell'.[25] Yn 'Sam', achubir y bachgen yn y stori rhag rhyw hanner dwsin o fechgyn sy'n taflu cerrig ato gan gi dieithr sy'n digwydd mynd heibio. Mae'r ci dieithr yn cyfarth yn ffyrnig ar y bechgyn ac yn eu gyrru i ffwrdd – gweithred ddewr nid annhebyg i weithred Tango wrth iddo achub Thomas rhag boddi. Ac meddai'r storïwr:

> Prin y cawswn amser i feddwl. Digwyddodd y cwbl mor sydyn. Wedi myned yr hogiau a'r ci o'r golwg, cerddais innau tuag adref, gan feddwl ynof fy hun ei fod yn beth rhyfedd iawn i gi dieithr felly gadw chware teg mor brydlon i mi. Byddwn bob amser yn ffrynd i gŵn (yr wyf felly eto), a thybiais mai rhyw gi ydoedd hwn wedi cymryd ataf yn sydyn heb unrhyw reswm arbennig dros hynny, ond mai fi oedd y gwannaf.[26]

Roedd seirff yn Eden yn sicr, a pheryglon yn y wlad hud. Y mae un digwyddiad pur arswydus na chofnodwyd mohono yn *Brithgofion*. Mae'r digwyddiad hwnnw yn nes at fyd *Great Expectations* Dickens nag at fyd y *Brithgofion* a'r gerdd 'Gwlad Hud', gan ein hatgoffa am y bachgen Pip yn dod wyneb yn wyneb â'r ffoadur o garcharor, Abel Magwitch:

> Yr wyf yn cofio Sipsiwn, herwhelwyr a physgotwyr, lleidr neu ddau go fentrus (un a fu yn y "transport," ac a ddangosodd gyllell i mi, gan ddywedyd mai honno fyddai fy niwedd os dywedwn fy mod wedi ei weled yn cerdded ar hyd canol afon rhwng caeau fy nhad a chaeau'r fferm nesaf, un tro pan oedd ar ffo am ladd defaid ei dad ei hun, ar ôl dwad yn

rhydd o'r "Transport," fel y dywedai pobl yr ardal).[27]

Ond nid condemnio'r Sipsiwn a wnâi Thomas. Dechreuodd fagu diddordeb mewn ieithoedd yn gynnar iawn yn ei fywyd. Mae'n cofio am y Sipsiwn yn *Brithgofion* hefyd:

> Dôi Sipsiwn heibio hefyd ar dro, a rhoes fy nhad gennad iddynt wersyllu ar ddarn diffaith o gornel cae. Ar ôl deall eu bod yn medru Cymraeg, collais bob ofn rhagddynt, ac awn i'w gwersyll. Yno y cefais ryw syniad am ryddid fel dull o fyw, nid peth i sôn amdano heb gredu nemor ynddo. Ni wyddwn ddim o hanes y bobl ddiddorol hyn ar y pryd, ond dysgais rai geiriau a arferent wrth siarad â'i gilydd, a gofidiais, ym mhen blynyddoedd am ein bod ni wedi ymadael o'r Hen Gartref i ardal na welid ynddi Sipsiwn onid ar ddamwain ar y ffordd fawr a minnau drwy hynny wedi colli'r cyfle i ddysgu Romani.[28]

Roedd ganddo ddiddordeb mewn ieithoedd ac mewn lleiafrifoedd yn gynnar iawn yn ei fywyd. Rhan o'r atyniad at ddieithrwch a phellter oedd y diddordeb hwn. Dyfarai nad oedd wedi achub ar ei gyfle i ddysgu Romani pan oedd y Sipsiwn yn aros ar dir ei dad. Dechreuodd ddysgu Groeg a Lladin yn ifanc hefyd. 'Am y Groeg, y mae gennyf wendid at yr hen iaith odidog honno, a blannwyd ynof yn hogyn gan hen athro o offeiriad a'i medrai'n berffaith,' meddai wrth E. Morgan Humphreys.[29]

Yn wahanol i'r rhan fwyaf o feirdd a llenorion Cymru, nid oedd gan T. Gwynn Jones unman penodol y gallai ei alw yn filltir sgwâr iddo, er cymaint y mwynhaodd grwydro'r caeau a byw'n agos at y pridd yn y Pentre Isa. Y broblem oedd mai byw'n agos at y pridd a wnâi; nid byw'n un â'r pridd a'r ddaear. Fel y dechreuodd ei wreiddyn dyfu a chydio'n dynn ym mhridd a gro a cherrig y Pentre Isa, fe'i diwreiddiwyd. Yn ei ysgrif 'Hen Gynefin' yn *Dyddgwaith*, y mae'n sôn amdano'n treulio diwrnod o haf gyda chyfaill yn Ardudwy. Brodor o Ardudwy oedd ei gyfaill, ac Ardudwy oedd Cymru iddo. Mewn gwirionedd, ei gyfaill agos, E. Morgan Humphreys, brodor o Ardudwy, oedd y cyfaill hwn. 'A welsoch chwi gyfeiriad at dro o'r fath yn y llyfryn diwethaf, o gyfres Wrecsam, "*Dyddgwaith*"?' gofynnodd i Morgan Humphreys ym 1938, flwyddyn ar ôl cyhoeddi *Dyddgwaith*, wrth geisio cael ei gyfaill i fwrw diwrnod o gerdded a chrwydro gydag ef.[30]

Roedd gormod o fudo ac o ymfudo wedi digwydd yn hanes ei hynafiaid ac yn hanes ei deulu ef ei hun iddo hawlio bod ganddo wreiddiau mewn un ardal benodol. Meddai yn 'Hen Gynefin':

> Nid cof gennyf am y tŷ y'm ganed ynddo. Llai na deng mlynedd fu cyfnod
> y cartref cyntaf i'w gofio. Trydydd a phedwerydd mewn ardaloedd digon
> pell i fod yn ddieithr. Yna, y byd mawr, trefi prysur, mwy nag un wlad,
> pobl o bob cenedl, crap ar eu harferion a rhai o'u [h]ieithoedd.[31]

'Eiddig oeddwn wrth fy nghyfaill, am fod Ardudwy eto'n feddiant iddo ef, a
minnau heb ddim ond Cymru,' meddai.[32] Ac nid Cymru yn unig ychwaith:

> A bûm o ran hynny lawn mor gartrefol yn Iwerddon neu Gernyw. Hyd
> yn oed ar y Cyfandir neu yn yr Aifft, nid am ryw fan lle byddwn un o'm
> tylwyth y byddai arnaf hiraeth, ac yng Nghymru ei hun nid oedd un man
> mwy na'i gilydd i mi.[33]

Oherwydd bod ei gyndeidiau, yn ogystal â'i dad, wedi symud o le i le, ni theimlai
fod ganddo wir wreiddiau yn unman. Gwyddai mai ym mro Hiraethog, gwlad yr
hafodydd, yr oedd gwreiddiau ei hynafiaid ar ochr ei dad, a theimlai gryn dipyn o
agosrwydd ac o gynhesrwydd at yr ardal:

> Pan awn ar ddamwain i hen gynefin fy nhadau, gwir y byddwn innau'n
> teimlo y gallaswn aros yno, er bod dwy genhedlaeth rhyngof a'r rhai a
> fu fyw a marw yno, ac a fedrai, mi glywais, ddywedyd i'r funud pa awr
> o'r dydd fyddai hi wrth oleuni'r haul ar glogwyn neu lechwedd, ac a
> gysylltai ryw ddigwyddiad yn hanes y teulu â phob lle a welid yno. Pa
> beth well a welswn innau erioed yn unman na'r noswaith lawen ar hen
> aelwyd yn y Glasgwm neu Groesor, lle'r oedd yr ymborth wrth ddefod, a
> gwasanaeth y bwrdd wrth foes cenedlaethau a fu; yr adrodd ystraeon a'r
> canu penillion yn gelfyddus o hyd; curiad y gwaed eto'n gryf, a'r awyr a
> anadlem, hithau'n llawn o gyfaredd canrifoedd? Diau, un ohonynt fyth
> oeddwn innau, ac eto, rywfodd, ar led yn yr holl fro, megis, yr oedd y
> pethau hyn i mi, onid y tair hen Hafod a fu'n feddiant i genedlaethau o'm
> hynafiaid gynt. A rhyngof a hwythau, yr oedd cartrefi eraill yma ac acw,
> fel dolennau cadwyn wedi ei thorri.[34]

A dolen mewn cadwyn wedi ei thorri oedd Thomas.

Yn sicr, roedd gan wlad Hiraethog ryw afael arno, rhyw ymwybod dwfn a dwys mai yno yr oedd gorffennol pell ei linach. Yn ei 'Ragair' i *Pitar Puw a'i Berthynasau*, sef casgliad o gerddi gan Thomas Jones, Cerrigellgwm, cyffyrddodd â'r hyn yr oedd y lle yn ei olygu iddo:

> Y mae ôl gwlad Hiraethog ar y cerddi – yr ias honno a deimlir yn ei thawelwch pan fo hwnnw'n rhyw donni ar glust dyn, fel curiad calon tragwyddoldeb; yr areulder a gwsg ar ei chefnennau hirion a'i llechweddau unig; y chwithdod hwnnw ar ei hôl a ddaw hyd yn oed tros ddyn nas ganed ynddi, pan ddêl iddo gof amdani ag yntau ym mhellter byd.[35]

A phellter yn hytrach nag agosrwydd a apeliai ato, y dieithr a'r anghyfarwydd yn hytrach na'r cynefin a'r cyfarwydd. Yn ei ysgrif 'Pellter' yn *Dyddgwaith* y mae'n sôn am atyniad pellter iddo. Roedd arno ddyhead i weld lleoedd pell a dieithr. Sonia fel yr oedd lle o'r enw Cil Erwain, 'nad oedd lawn dri lled cae o'm cartref', yn bell iddo.[36] Cofiai am y tro cyntaf iddo fynd yno, ac ymgolli yn nieithrwch y lle, ac wrth iddo ddechrau darganfod rhyfeddodau Cil Erwain, 'âi'r lle pell yn bellach'.[37] Roedd Cil Erwain – neu unrhyw le anghyfarwydd – yn borth i fydoedd dieithr a rhyfeddol:

> Rywfodd, yr oedd gogoniant Cil Erwain fel pe buasai'n ymgolli yn y pethau hyn y naill ar ôl y llall, a'r pell yn mynd o hyd yn bellach. Dechreuodd gymryd enwau newyddion, dieithr, pell – India, Affrig ... Llawer enw, dim ond enw, na wyddid na'i ystyr na'i hanes, dim ond clywed ei sŵn ac araf lunio o'r seiniau hynny bethau a welid, nid â'r tu blaen i'r llygaid, ond megis â'r tu cefn iddynt, neu â rhywbeth yn eu canol. Paham yr oedd pob godidowgrwydd yn y lleoedd hynny, yn y gwledydd pell, yn eithafoedd byd, ac awydd anesmwyth yng nghalon dyn o hyd am fynd ar eu holau?[38]

Ac y mae'n rhestru rhai o'r lleoedd hynny, gwirioneddol a dychmygol, lle'r oedd y godidowgrwydd pell hwnnw yn ymguddio, lleoedd fel Cil Erwain, Eldorado, Elysium, Afallon, Tir na N'og, Broséliâwnd, a Ros Ailithir, Ros Aluinn a Cuan Dor. Tref fechan yn Swydd Corcaigh (Cork), Gweriniaeth Iwerddon, a oedd yn ganolfan dysg bwysig o'r chweched ganrif ymlaen oedd Ros Ó gCairbre (Rosscarbery), a elwid hefyd yn Ros Ailithir ('Coed y Pererinion'), oherwydd bod y dref yn atynfa i bererinion o bedwar ban byd. Nodwyd hyn gan Gwynn ei hun yn y llawysgrif o'i gerddi a gyflwynodd i Dr Thomas Jones, cyfaill iddo a Chadeirydd Gwasg Gregynog ar y pryd, a oedd am gyhoeddi casgliad o'i gerddi.[39]

Hyd yn oed ym mlynyddoedd ei fachgendod yn y Pentre Isa, byddai'r hyn a oedd yn gyfarwydd yn ei arwain at yr hyn a oedd yn anghyfarwydd yn aml, fel y cofnododd yn *Brithgofion*:

Tyfai coed o bob math o bobtu i'r ddwy afon am filltiroedd o bellter, derw ac ynn, bedw, lla[rw]ydd a rhai pinwydd a ffawydd. Haf a gaeaf, ardderchog fyddai'r coed, lle gallai un grwydro am ddyddiau a gweld rhyw ryfeddod bob tro y gwnâi hynny. Ni fedrech gyfrif y dail a'r blodau gwylltion a welech yno, a chymerai amser i chwi adnabod yr adar a'r creaduriaid a fyddai yno. Clywech hwy o'ch gwely yn gynnar yn y bore yn canu oll gyda'i gilydd, peth rhyfeddol i'w glywed. Yn y dydd hefyd clywech hwy'n trydar, ond y seiniau a garwn yn enwedig fyddai grŵn gwenyn a chacwn a mân wybed eraill. Âi'r sŵn bach hwnnw yn un â'i gilydd, megis, yn un canu tyner, pell, fel pe buasai'n dyfod o bellter yr oesau neu o fyd arall. Ar brynhawn cysglyd, mwll, yn yr haf y clywech y canu hwnnw orau. Rhaid mai nid myfi fy hun yn unig fyddai'n ei glywed fel canu o rywle arall, canys byddai pobl yn ei alw yn "ganu'r Tylwyth Teg." Ym mhen blynyddoedd, deuthum i wybod ei fod yn hysbys yn Iwerddon wrth enw tebyg, "ceol sidhe," canu'r Tylwyth Teg. Yr wyf yn cofio hefyd mai canu tyner felly fyddai'n peri i mi feddwl am bethau pell, wedi bod unwaith ac wedi darfod am byth, nes byddwn yn mynd yn drist.[40]

Yn ei nofel *Lona*, y mae'r prif gymeriad, Merfyn Owen, yn edrych ar yr olygfa o'i flaen o ben clogwyn ar lan y môr, ac yn gweld oddi yno 'ambell hwyl yn disgleirio yn y pellter, gan beri i ddyn feddwl am wledydd pell a phethau dieithr'.[41]

Roedd ei hynafiaid ar ochr ei dad hefyd wedi crwydro pedwar ban byd. Roedd y pell wedi eu denu. Cedwid hanesion rhai o'r crwydriaid hyn o fewn y teulu, o fewn cof y llinach. Roedd elfen gref o ramant ynghlwm wrth yr hanesion hynny, gan beri bod y pell yn fwy deniadol fyth i un o ddisgynyddion y cyndeidiau hynny:

Ni bûm hanner dwsin o weithiau erioed yn hen gynefin fy nhadau. Bedair cenhedlaeth a mwy yn ôl, dechreuasant hwy symud, ac aethant ar led y byd. Adroddid hanes rhai ohonynt ym mrwydr Waterloo; un arall a brynwyd o'r fyddin gan ei dad a'i fam, ond a oedd yn filwr yn ei ôl cyn pen y mis, ac a fu farw ar ei ffordd adref o Rwsia. Byddai llythyrau'n dyfod oddi wrth rai o'r crwydriaid weithiau oddi yma ac oddi acw. Cedwid a danfonid hwy o law i law i'w darllen. Clwyfwyd a lladdwyd rhai o'r hil yn America yn y rhyfel rhwng taleithiau'r De a'r Gogledd. Yr oedd rhyw ramant i ni gynt mewn llythyr a gadwyd, a sgrifennodd un ohonynt â'i law ei hun at ei chwaer, fy nain, yn adrodd hanes ei glwyfo yn y rhyfel hwnnw – ei saethu drwy ei law nes syrthio ohono oddi ar ei farch; carlamu ymaith o'r march; gorwedd ohono yntau lle syrthiasai, fel marw; tybio o'r gelyn mai marw ydoedd a gadael iddo; ymlusgo ohono yntau wedyn at lwyn gerllaw, a dodi ei law glwyfus yn nwfr ffynnon oedd yno i oeri; yna colli gwybod arno'i hun. O'r diwedd, dyfod o hyd iddo gan rai o'i blaid ei hun, yn ddiymwybod yno, a'r ffynnon yn goch gan ei waed.[42]

Methai aelodau eraill o'r teulu a oedd wedi ymfudo i America ddirnad 'pam yr oedd neb o'r tylwyth mor ffôl ag aros yn yr hen wlad i dalu rhenti a threthi at gadw ffyliaid a chnafon'.[43] 'O blaid mynd ar eu holau y byddai'r gwaed ifanc, wrth gwrs,' meddai Gwynn, gan gyfeirio at gyfnodau yn ei fywyd pryd yr oedd yntau hefyd yn ystyried ymfudo i America.[44]

Daeth diwedd ar ryddid Thomas Jones i grwydro'r wlad fel y mynnai pan anfonwyd ef i'r ysgol yn chwech oed. Ysgol eglwysig fechan yn Llanelian, Hen Golwyn, oedd yr ysgol honno:

Ysgol Eglwysig yn y wlad oedd y gyntaf y bûm ynddi. Ymladd noeth oedd yn digwydd fynychaf yno, canys dôi bechgyn o ddau neu dri phlwyf iddi. Byddai yno hogiau cryfion, tua deunaw oed, wedi dyfod i "ddysgu tipyn o Saesneg." Prin y dysgid dim yno, canys nid oedd yno ronyn o ddisgyblaeth. Ni chosbid neb am siarad Cymraeg yno am y rheswm, yn ddiamau, na feiddiai'r athro ei hun ddim cynnig gwneud y fath beth tra byddai'r bechgyn cryfion yno – un bach go eiddil ydoedd ef, a thipyn o brydydd Cymraeg hefyd.[45]

Profiadau pur annifyr a gafodd Thomas yn ei ysgol gyntaf. O safbwynt addysg, ni ddysgodd fawr ddim o werth yno, ond o safbwynt arferion cymdeithasol a thueddiadau dynol, dysgodd lawer. Yn yr ysgol eglwysig hon y gwelodd fod i ddyn ei briod le oddi mewn i gymdeithas, a bod y mawrion a'r cyfoethogion yn rheoli; ond roedd y rhai a oedd yn plygu i'w gwell yn dirmygu eu gwaeth, ac yn yr ysgol hon y plannwyd ynddo'r gynneddf honno a fynnai amddiffyn y gwan rhag gormes ac erledigaeth o du rhai cryfach, cynneddf a nodwedd a gadwodd drwy gydol ei fywyd:

Rhoeswn fy nghas arni o'r dechrau. Nod[d]id hi gan deulu wedi gwneud arian rywsut, a dysgid y plant i gapio a gostwng g[w]arrau iddynt. Gwnaent hynny'n ufudd ac yn ddistaw, ond ymhlith ei gilydd byddent greulon at rai gweiniaid, a llysenwent rai â rhyw anaf arnynt, rhai na fedrent ymdaro drostynt eu hunain. Yr oedd yno un eneth fechan o gorff, rhyw dipyn o gloffni arni a'i llygaid yn weiniaid. Byddai ganddynt lysenw cas arni, tynnent ei gwallt ac ni chadwai neb chwarae teg iddi, ond dau fab i weithiwr y byddwn i'n cael fy nghinio yn eu cartref. Dyn da iawn oedd tad y ddau hynny ac yr oedd ei natur yn ei feibion, dau ddiniwed ddigon, ond dewr yn y bôn. Un tro cafodd y ddau frawd a minnau gurfa go dost am gadw chwarae teg i'r fechan pan oedd yn crio'n arw am rywbeth a wnaethid iddi. Caseais y lle yn aruthr, a byddai'r ddau frawd a minnau'n "chwara triwal" yn aml yn lle mynd yno.[46]

Gan gymaint y casâi'r bachgen yr ysgol eglwysig hon – a magu atgasedd at Eglwys Loegr yng Nghymru ar yr un pryd – gofynnodd Thomas i'w dad a gâi newid ysgol. Cydsyniodd Isaac Jones a chafodd ei fab le mewn ysgol arall yn Hen Golwyn, ei ail ysgol. Yn yr ysgol hon, gwelodd ormes o fath gwahanol, a gormes llawer iawn creulonach:

Yr oedd dwy ysgol yn y pentref ... a chyn hir danfonwyd fi i'r Ysgol Fwrdd yno. Y bore cyntaf yr euthum i'r ysgol honno, dodwyd fi i sefyll ar fy nhraed ar fainc am siarad Cymraeg, gyda chennad i fynd i lawr os achwynwn ar rywun arall a droseddai drwy wneud yr un peth. Yr oeddwn wedi fy nysgu erioed mai peth salw oedd achwyn ar eraill am beth a wnaech eich hun, ac er i mi glywed plant yn siarad Cymraeg tan eu llais ag eraill, ar y fainc y bûm drwy'r bore. Cyn ein gollwng allan ganol dydd, dyma'r Meistr yn dyfod â chansen yn ei law ac yn peri i mi ddal fy llaw allan. Fy awydd oedd gwrthod, ond deliais fy llaw, braidd yn ofnog. Heb fwriadu hynny, efallai, trawodd fi ar fôn fy mawd a pheri loes i mi. Rhwng y loes a'r sarhaed, ofnaf imi golli fy nhymer ac yn fy ngwylltineb anelais gic ato. Wrth ysgoi, maglodd yntau ar draws cadair ac aeth i lawr. Ni wn yn iawn ba amcan oedd gennyf wedyn, ond neidiais oddiar y fainc. Y tebyg yw ei fod ef wedi deall ei fod wedi achosi mwy o boen i mi nag oedd ddyledus ... Pan euthum adref gyda'r hwyr dywedais nad awn i byth i'r ysgol honno wedyn. "Pam?" meddai fy nhad. Dywedais innau'r hanes, gan deimlo mai neidio o'r ba[d]ell ffrio i'r tân fu'r newid ysgol.

"O," meddai yntau, dyna'r cwbl. Ni wn yn iawn beth a ddigwyddodd, ond ni chosbwyd neb am siarad Cymraeg yno wedyn.[47]

Yn wahanol i'w ysgol gyntaf, roedd yr ysgol hon yn gweithredu polisi'r 'Welsh Not', y gwaharddiad barbaraidd hwnnw ar siarad Cymraeg yn ysgolion Cymru, ond y gosb am siarad Cymraeg oedd gorfod sefyll ar fainc, nid gwisgo'r darn pren dieflig hwnnw â'r llythrennau 'W.N.' arno. Un peth oedd plygu glin i feistri cyfoethog, peth arall oedd gorfod derbyn cosb am siarad eich iaith eich hun. Pam na châi'r plant siarad eu hiaith eu hunain?

Ysgol ddiddisgyblaeth hollol oedd ail ysgol Thomas:

Nid oedd nemor ddisgyblaeth yn yr ysgol honno chwaith, ond pan fyddai'r Meistr i mewn. Pan fyddai ef allan – a byddai yn bur aml – byddai'n fedlam wyllt. Byddai un disgybl-athro yn gosod dau hogyn i ymladd, a byddai yno sŵn byddarol. Dôi'r Meistr i mewn yn ddiddisgwyl. Byddai'r hogyn fyddai'n gwylio wrth y ffenestr wedi esgeuluso'i ddyletswydd. Distawrwydd sydyn. Âi'r Meistr at ei ddesg, tynnai gansen arbennig allan. Dechreuai yn y pen nesaf i ddrws yr ysgol a rhôi gurfa i bob bachgen a geneth yn ddiwahaniaeth. Un tro, pan oedd ef wrthi yn y pen arall, a'r genethod i gyd yn crio, a hogyn go gryf yn gwrthod tynnu ei law o'i boced, dihangodd y rhan fwyaf o'r plant allan o'r ysgol. Yr oedd hynny yn yr haf, yn tynnu at amser y gwyliau. Pan agorwyd yr ysgol ar ôl y gwyliau, yr oedd yno Feistr newydd, dyn bach tawel ac eithaf caredig. Dysgem dipyn gyda hwnnw ...[48]

Gadawodd ei ddwy ysgol gyntaf eu hôl ar y Thomas ifanc. Sefydliadau gorthrymus oedd y rhain. Yn y cyfnod, byddai'r ysgolion Sul yn dad-wneud llawer o'r drwg a wneid gan yr ysgolion. Er mai crefyddol yn unig oedd yr addysg yn yr ysgolion Sul, y Gymraeg yn unig a ddefnyddid i ddysgu'r plant. Ond y gwir yw, gallai Thomas ddarllen Cymraeg yn ogystal, a bron cystal â Saesneg, cyn iddo fynychu'r un ysgol Sul. 'Nid oes gennyf gymaint o gof am yr Ysgol Sul yn fy mlynyddoedd cyntaf, canys yr oeddwn wedi dysgu darllen Cymraeg a Saesneg syml gan fy mam cyn y bernid fy mod yn abl i gerdded yn ôl a blaen ar bob tywydd,' meddai yn *Brithgofion*.[49] Ac offeiriad difywoliaeth, yr 'hen athro o offeiriad', gŵr graddedig o Goleg Iesu, Rhydychen, y Parchedig Henry Hughes, a ddechreuodd ddysgu Groeg iddo, a Lladin hefyd o ran hynny. Câi fwy o addysg a diwylliant ar yr aelwyd ac yn ei gynefin nag a gâi mewn ysgolion.

Bwriodd ei lid a'i lach ar y gyfundrefn addysg sawl tro. Ni charthodd ei brofiadau yn ei ddwy ysgol gyntaf o'i gyfansoddiad erioed. Roedd y gyfundrefn addysg nid yn unig yn gyfundrefn estron ond hefyd yn gyfundrefn greulon. Cosbid y plant yn gorfforol ac fe'u gormesid yn feddyliol ar yr un pryd. Y mae ymosodiad huotlaf T. Gwynn Jones ar y gyfundrefn addysg uffernol honno i'w gael, nid mewn cerdd nac mewn ysgrif, ond yn ei nofel gyntaf, *Gwedi Brad a Gofid*, a gyhoeddwyd ym 1898. Yn y bennod 'Yr Ysgol Bob Dydd' y ceir yr ymosodiad hwnnw, ond mae'r arddull a'r mynegiant yn y bennod hon o'r nofel yn nes at ryddiaith ffeithiol nag at ryddiaith greadigol. Mewn gwirionedd, manteisiodd ar y cyfle i ddadlennu erchyllterau'r gyfundrefn addysg, ac i ddial ar y rhai a'i hyrwyddai ac a'i cynhaliai am achosi'r fath ing i blant bach uniaith y wlad, ac am droi'r plant hynny yn fradwyr wrth geisio difa'r Gymraeg. 'Ar ddechre'r bennod hon, mi a fynnwn i'r sawl a'i darllenno gadw mewn cof fod y darlun a roir ynddi o ysgolion Cymru'n wir bob gair, nid yn unig yn "seiliedig ar ffaith," fel y dywedir, ond yn ffaith anwadadwy,' meddai ar ddechrau'r bennod.[50] Roedd hi'n gyfundrefn y dylai pob Sais a Chymro gywilyddio o'i phlegid, y Sais oherwydd mai ef a ddyfeisiodd y dull arbennig hwn o ddifa'r Gymraeg, a'r Cymro am weithredu'r dull hwnnw:

> Mae'n debyg nad oes yn hyn o fyd ddim mwy digynnydd a phendew na Llywodraeth Seisnig, boed hi o'r blaid bolitegol y b'o. Nid dweyd fy nheimlad ar bwys fy nghenedlgarwch na'm daliadau gwleidyddol, yr wyf, ond mynegu ffaith na ddichon neb mo'i gwadu, ffaith a bair i Gymro wrido, dan deimlad o gam; ac a ddylai wneyd i Sais wrido, o gywilydd. Mae'n wir na fu gan unrhyw wlad gyfundrefn ffolach a mwy direswm o addysg nag a fu gan Gymru hyd yn ddiweddar.
>
> Nid dychymmyg benboeth, ond ffaith brofedig erbyn hyn yw ddarfod i Loegr wneyd ei goreu drwy bob moddion a allai ddychmygu, o'i hathrawon ysgol mwyaf diddawn i lawr hyd at ei hesgobion mwyaf rhagfarnllyd, i geisio difodi'r Gymraeg. Mi a gydnabyddaf yn rhwydd nad oes gennyf fi ddim yn erbyn ei hymdrech i gael gennym ddysgu Saesneg; ond nid dyna oedd ei hunig a'i gwir amcan, eithr, yn hytrach, ceisio lladd ein hiaith ni, a thrwy hynny ddifodi ein cenedligrwydd. Hi a fethodd, diolch i'r nefoedd, a dyma ni'n fyw eto i adrodd hanes yr ymdrech ddianrhydedd honno, ac i weled ein gwrthymdrech ninnau yn derbyn coron y llwyddiant a wir haeddodd.[51]

'Esgeuluswyd ein haddysg i fesur gwaradwyddus, ac am hynny a roddwyd i ni, yr oedd y system yn gwneyd i bo[b] plentyn o Gymro druan osod ei gas yn hytrach na'i gariad ar yr ysgol,' meddai.[52] Ffieiddbeth oedd addysg.

Daeth â'i brofiadau ef ei hun yn yr Ysgol Fwrdd yn Hen Golwyn i mewn i'r nofel:

Ceisiwyd lladd ein hiaith ni drwy ddysgu i ni iaith estronol, a'r modd y ceisiwyd dysgu honno i ni oedd drwy ei chyfrwng hi ei hun, ac nid drwy gyfrwng iaith a fedrem eisoes. Cospid pob bachgen a geneth a siaradai Gymraeg, a hynny pan wyddid na fedrent siarad unrhyw iaith arall. Mae eto luaws sy'n cofio dyddiau'r "Welsh Note," – yr arwydd hwnnw o gywilydd a ddefnyddid i ddysgu plant i ffieiddio a chashau eu cenedl a'u h[i]aith eu hunain, ac i'w gwneyd yn gelffaint cynffonllyd a diyni. Y mae eraill ohonnom nad ydym yn cofio dyddiau yr ormes honno, ond cofiwn beth cyffelyb: yn wir, ffurf ddiweddarach ar yr un trais. Yn fy nyddiau ysgol i, dros ugain mlynedd yn ôl, y gosp am siarad Cymraeg oedd sefyll ar y fainc, a dysgid ni i fod yn llechgwn drwy ein rhyddhau rhag cosb os dywedem bwy arall a siaradai iaith ei fam, fel y gosodid y pechadur hwnnw i sefyll yn ein lle, a hwnnw a gospid oni chaffai hyd i droseddwr arall i gymmeryd ei le yntau drachefn. Clywais rai'n dweyd celwydd er ysgoi'r gosp; a pha werth oedd ar system addysg ag un o'i heffeithiau cyntaf yn dysgu'r plant i ddweyd anwiredd? Nid yw ond fel doe gennyf gofio'r tro cyntaf y cefais fy nghuro, ac am siarad Cymraeg y bu hynny. Cawsom wers mewn llyfr Saesneg bychan, ond ni fedrwn i mo'i ddeall, a gofynnais yn Gymraeg beth oedd, am yr hyn y'm c[u]rwyd gan y bachgen a'm dysgai. Collais fy nhymmer, a thorrais ffrâm fy llechen drwy ei dwyn i gyffyrddiad rhy drwm â phen yr athraw cas hwnnw, a galwyd y meistr yno i'm curo ragor. Gofynnodd hwnnw beth fu'r helynt, a minnau a ddywedais. "O, fiw i chi siarad Cymraeg yn yr ysgol – dwad yma i ddysgu Seusneg yr ydech chi," oedd y cyssur a gefais. Yr oeddwn yn methu â deall sut y dysgwn Saesneg byth oni ddwedai rhywun yn Gymraeg wrthyf beth oedd ystyr y geiriau, a dywedais hynny wrth y meistr. Chwarddodd yntau ac aeth ymaith. 'Doedd yr athraw hwnnw ddim yn ffŵl, eithr yr oedd o'n llwfryn.[53]

Ac roedd y cam a gafodd yn yr ysgol honno yn fyw yn y cof:

Cefais fy nghuro lawer tro ar ôl hynny am yr un pechod. Dysgais adrodd cannoedd o linellau Seisnig na ddeallwn air ohonnynt, ac na fedrwn mo'u swnio yn iawn, ac mi fedrwn heddyw chwerthin am ben y sŵn a roddwn i ambell air, onibae fy nicced wrth feddwl am y cam a gefais a'r annhegwch dybryd y dioddefaf hyd heddyw o'i blegyd.[54]

Addysg ddiffaith ac athrawon anghymwys a geid yn yr ysgolion hyn:

Dyna'r hyn y daeth Cymru drwyddo, ac y mae ôl y cam arni hyd heddyw. Hen filwyr wedi colli coes neu fraich, hen glochyddion a dynionach o'r fath, a fyddai ei hathrawon, a'u hunig gymmwyster i fod yn athrawon a fyddai eu hanallu i ennill tamed mewn unrhyw ffordd arall.[55]

Prif gymeriad *Gwedi Brad a Gofid* yw Ivor Llwyd, a rhyw fath o gysgod egwan o Thomas y Pentre Isa yw hwnnw. Carchar oedd yr ysgol i'r ddau. 'Yr oedd ar ei galon ofn parhaus rhag mynd yno, a wylai'n ddistaw wrth feddwl fod ei ryddid i chware a rhedeg rhwng y creigiau a'r coed a'r blode bron ar ddarfod,' meddir am Ivor Llwyd, a gwir hynny am awdur y nofel hefyd.[56]

O safbwynt dinoethi'r ynfydrwydd o geisio addysgu plant bach uniaith Gymraeg o'r wlad drwy gyfrwng y Saesneg, iaith na ddeallent mohoni, mwy effeithiol o lawer na'r traethu a'r taranu mewn rhyddiaith ffeithiol yw'r modd y condemnir y gyfundrefn addysg trwy wawd a dychan:

Wedi hynny, gorchmynnodd [y person plwyf] i'r plant godi ar eu traed, a rhoddwyd hwy drwy gwrs o ymarferion milwrol, gan wneyd iddynt gydgerdded bob yn ddau o gwmpas yr ysgol. Plethai'r plant eu breichiau ar eu mynwesau, plygent dippyn ar eu g[w]arrau, ac estynnent eu gyddfau ym mlaen, rywbeth yn debyg i haid o wyddau, ac yn y dull digrifol hwnnw cydgerddent tra'r oedd Jo [Joseph Brown, yr ysgolfeistr] wrthi'n rhoi ei orchmynnion gyda llais digon awdurdodol i gyfarwyddo byddin ar faes y gwaed. Wedi myned drwy'r oruchwyliaeth hon am ennyd, gwnaed i'r plant sefyll, a rhoed gorchymyn iddynt ganu. Mae'n debyg mai o barch i'r person y gwnaed iddynt ganu emyn [c]refyddol. Yr emyn a ddewiswyd oedd yr emyn hwnnw o waith Milton sy'n dechre hefo'r geiriau –

"Let us with gladsome mind."

Gwnaeth Jo ryw sŵn tebyg i'r hyn a elwir "taro tôn," a dechreuodd y plant ganu –

"Lettus gwydde glâs a maip, &c."[57]

'Dychrynnodd Ivor gymmaint nes penderfynnodd ar unwaith mai lle i guro bechgyn oedd yn yr ysgol,' meddir, eto yn ddychanol.[58]

Cafodd Thomas ei fagu ar aelwyd ddiwylliedig, a bu i'r fagwraeth honno wrthweithio llawer o'r drwg a wneid gan yr ysgolion. Cafodd ei rieni beth addysg elfennol, ac roedd y ddau yn awyddus i'w mab ddysgu darllen yn gynnar iawn yn ei fywyd. Pan feistrolodd y gamp o ddarllen agorodd bydoedd o'i flaen. 'Aruthr oedd balchter a rhyfeddod y darganfyddiad hwnnw,' meddai amdano ei hun yn medru darllen.[59] Ond nid y darllen ei hun oedd y gamp a'r rhyfeddod a'r wefr, ond bod y fath bethau i'w darllen. Roedd yn byw popeth a ddarllenai, a gallai ei uniaethu ei hun â phob cymeriad a lleoliad a digwyddiad a geid yn y llyfrau a ddarllenai. Daeth profiadau pobl eraill yn brofiadau iddo yntau yn ogystal, a gadawai i'w ddychymyg redeg yn wyllt. Dôi pethau pell yn bethau agos, wrth iddo ymdeimlo â rhin a chyffro mannau pell a dieithr:

Os byddai'r llyfr yn sôn am graig mewn lle na byddai ynddo'r un graig yn eich coed chwi, gallech ddywedyd wrthych eich hunan fod yno graig felly yn union yn y fan honno, a gallech ei gweled yno, er ei bod hi mewn gwirionedd yn digwydd bod filltir oddi yno, mewn lle nad oedd goed o gwbl. Os byddai'r llyfr yn sôn am aderyn yn gwneud sŵn tebyg i'r geiriau "whip-poor-will," gallech glywed y gri honno'n glir, gan aderyn a welsech lawer gwaith. Teimlech y gallech fod yn y fan a fynnech, clywed popeth, gweled popeth.[60]

Ac yn sicr, roedd gan y bachgen ddychymyg. Arweiniai luoedd anweledig i ferw'r drin a chwiliai am Arthur ymhob ogof, yr Arthur hwnnw a fyddai'n dod â bri iddo yn y dyfodol:

When a small boy, I organised hundreds of imaginary armies, and won as many battles. Every cave seemed to be the possible resting-place of Arthur – I explored every one I knew or could find. Distant thunder, and every loud, unexplained noise, suggested battle and a war which was to defeat the enemy. This in a boy surely under ten years of age.[61]

Croniclwyd y brwydrau dychmygol hyn yn 'Gwlad Hud':

A'r Brain hwythau, ddiwyd lwythau,
Oedd â'u trigfa yn y wigfa,
Adref deuent a chwedleuent
O'r canghennau uwch ein pennau
Am eu llafur ym mhellafoedd
Tir eu gwlad, er glas y bore.

Clywais yno gyngor cryno,
Llys a rhaith a dadl ac araith,
Gwrando cwyn rhag un fu anfwyn,
Un nad ufudd dan eu defod,
A'i alltudio oddi yno,
Fel ym mywyd dynion hefyd.

Hon, fy mranes oedd a'i hanes
Megis honno gynt oedd eiddo
Dewr fab Urien; minnau'n unben
Arni hithau i'm terfynau;
'Roedd yr osgordd ysgafn, lathraid,
Yn gyfrwyog feirch adeiniog,
A marchogion eurdorchogion
Arnynt hwy uwch ben yn tramwy;
A golau'r hwyr wrth gilio'r haul
Yn toi eu heirf â rhamant aur;
A'u hadanedd yn ymdonni
Mor osgeiddig a mawreddig!
Nid oedd elyn fry i'w canlyn,
Eiddynt ryddid nas gorfyddid –
Meddwl dyn a chorff ederyn![62]

Cyfeirir yma at yr hen goel fod brain yn cynnal llysoedd barn i roi troseddwyr ar brawf, ac yna'u cosbi yn ôl eu haeddiant. Hen goel neu beidio, roedd un o gyfeillion Thomas yn y dyfodol, y bardd Alafon, cyfaill adar ac anifeiliaid, wedi gweld llys barn o'r fath. 'Cofiaf ddywedyd fy mod wedi darllen yn rhywle bethau rhyfedd am arferion brain,' meddai wrth ei gyfaill, ac meddai yntau:

Lle bydd brain yn cartrefu, cewch lawer o bleser wrth eu gwylio. Adar call iawn ydynt, a phe bae dynion yn deall eu harferion yn iawn, nid wyf yn ameu na ddysgem lawer oddiwrthynt. Y mae'n wir, gredaf i, fod ganddynt gyfraith yn perthyn i'r haid, a'u bod yn profi ac yn cosbi'r brain a'i torr[o]. Pan fo'r llys yn profi troseddwr, gwelwch y carcharor yn y canol, a'r lleill o gwmpas ar y coed, a dyna lle byddant yn crawcian am hydion, yn union fel pe baent yn tystiolaethu ac yn dadleu ac yn rhoi barn. Gwelais hynny droion fy hun, ac unwaith, gwelais y carcharor yn cael ei droi ymaith o blith yr haid. Yr oedd yno sŵn ofnadwy, a phob brân fucheddol â'i phigiad ar y frân ddrwg nes aeth hi o'r golwg. Yr wyf yn cofio sôn am y peth wrth hen goedwr ar ystad Y Faenol, a dywedodd yntau fod yn ddigon gwir bod y brain yn cosbi troseddwyr. Gwelodd brawf felly ei hun, meddai, a'r diwedd fu i'r frân a dorrodd y gyfraith gael ei chrogi a'i phigo i farwolaeth. Gosododd y lleill ei gwddw rhwng dau frigyn, meddai, a phob un yn ei phigo yn ei dro, ac yno y bu ei chorff nes pydru.[63]

Wedi darllen am arferion y brain yr oedd Gwynn, nid wedi bod yn llygad-dyst i lys barn y brain, fel ei gyfaill Alafon. Ai benthyg tystiolaeth Alafon a wnaeth yn 'Gwlad Hud', a'i throi i fod yn brofiad iddo ef ei hun – o gofio mai ym 1919 y lluniwyd y fersiwn cyntaf o'r gerdd? Cyfeirir yn y darn hwn am y brain yn 'Gwlad Hud' at frain Owain ab Urien yn y chwedl Arthuraidd *Breuddwyd Rhonabwy* yn ymladd â marchogion Arthur, tra bo Owain ac yntau yn chwarae gwyddbwyll.

Gadawodd Thomas gofnod o'i ddeunydd darllen cynnar yn yr ysgrif 'Llyfrau Ieuenctid', a gyhoeddwyd yn *Astudiaethau*:

> Nid wyf yn cofio enw fy stori gyntaf na nemor o'r digwyddiadau bellach, ond cofiaf fel y byddwn, ar ddiwrnod gwlyb, yn eistedd wrth ffenestr cegin helaeth hen blasty wedi ei droi'n ffermdy, ac yn darllen yr ystori honno, bob yn ail ag edrych ar y glaw yn mynd heibio fel cynfas drwy'r awyr o flaen y gwynt. Yn ddiweddarach beth, daeth hanes "Albert Maywood," cyfieithiad o ystori Americanaidd, allan yn y "Y Drysorfa," â hyfrydwch diderfyn o'i ddarllen. Yr oedd coed o bobtu i'n tŷ ni, yn ymestyn am rai milltiroedd. Yn y coed hynny y byddai anturiaethau Maywood i gyd, ond diddorol yw cofio fel y byddai'r meddwl yn dwyn i mewn i'r coed bethau nad oeddynt yno, megis craig uchel; neu yn helaethu darn bychan o dir ar lan afon yn daith diwrnod o faint. Synnais lawer tro wedyn fel y medrais wasgu'r ystori i ryw hanner milltir o goed.[64]

Ymddangosodd dwy bennod gyntaf 'Albert Maywood neu Fywyd ymysg Indiaid America' yn rhifyn mis Ionawr 1879 o *Trysorfa y Plant*, felly, wyth oed oedd Thomas ar y pryd, ond gallai ddarllen ymhell cyn hynny. Mae'n sicr fod darllen am anturiaethau Albert Maywood wedi cyffroi'r bachgen a thanio'i ddychymyg, ond eto, ceir elfennau pur atgas yn y stori. I ba raddau y treiddiodd rhai o'r elfennau hynny i mewn i isymwybod Thomas? Ceir agoriad creulon iawn i'r stori. Darlunnir brodorion naturiol America fel anwariaid cyntefig, a chyfiawnheir yr hil-laddiad yr oedd y gwynion yn gyfrifol amdano:

> Ni fyn yr Indiaid hyn weithio; a phan bydd cenedl wedi darfod gweithio, y mae yn bryd iddi ddarfod bod. Ac y mae yn ddigon tebyg, ymhen canrif neu ddwy eto, y bydd Indiaid Cochion America i'w rhifo ymysg y pethau a fu. Cawsom y dyddordeb annifyr o dreulio rhan o ddiwrnod unwaith mewn gwersyll Indiaidd mewn coedwig fawr ar lan afon Mississippi; yr oedd y rhei'ny yn rhyw hanner gwaraidd, ond nid i ymddiried nemawr ynddynt. A phed aethem ychydig ymhellach, at lwyth arall, ni fuasai fawr gobaith am ein dychweliad. Y mae yn awr ymysg yr Indiaid hyn lawer o blant dynion gwynion, wedi eu lladrata o fysg y trefedigwyr ar y cyffiniau, ac wedi eu dwyn i fyny heb wybod dim am eu perthynasau na'u cyfeillion.[65]

O gofio am y modd y byddai Thomas yr oedolyn yn ochri â lleiafrifoedd, o Wyddelod i Sipsiwn, yn erbyn grym a gormes gwledydd cryfach, mwy ymerodraethol, a sylweddolai, yn yr oedran ifanc hwnnw, mai pobl erlidiedig a gorthrymedig oedd brodorion America?

Yn ôl Thomas ei hun, yn y Pentre Isa y dechreuodd farddoni, cyn cyrraedd ei ddeg oed. Roedd ei dad yn barddoni, a pheth digon naturiol oedd i'r mab ei ddilyn yn hyn o beth. Cyhoeddodd Isaac Jones gyfrol o'i gerddi, *Y Blaenffrwyth*, ym 1858, ond cynnyrch digon nodweddiadol o fân feirdd y dydd oedd ei gynnyrch. Dyma ddau bennill cyntaf un o'i gerddi, 'Wele Fi'n Sefyll wrth y Drws, ac yn Curo':

> O! croesaw, croesaw, oddi fewn
>   Yr annedd ddrudfawr, bwysig,
> Yn rhwydd dderbyniai'r bradwr du,
>   A'i farwol saeth guddiedig;
> Isel, isel, wrth ei draed
>   Mae Arglwydd gwych y drigfan,

Yn rhoi ufudd-dod di-nacâd
   I'w fradwr erch ei hunan.

O cadarn, cadarn, yw y tŷ,
   A'i ddrws tan glo'n gauedig,
Ond clo a'r gelyn oddi fewn
   Wna'r clo ei hun yn bwysig;
Cael cenad gan y perchen yw
   Yr unig allwedd iddo,
Ond yr hen fradwr, gyda'i wên,
   Sy'n troi yr allwedd hono.[66]

Ym 1882 roedd Isaac a Jane Jones yn newid aelwyd unwaith yn rhagor. Gadawsant y Pentre Isa ac aethant i ffermdy o'r enw Plas-yn-Green neu Blas-yn-Grin ar gyrion tref Dinbych. Erbyn hyn roedd y teulu wedi cynyddu. Ganed brawd i Thomas, David, ar Fai 25, 1874, a brawd arall, Robert, ar Fawrth 12, 1876. Plant y Pentre Isa oedd y rhain. Byddai'n rhaid aros am bron i ddeng mlynedd arall cyn y byddai unig ferch Isaac a Siân, Sarah Ellen, yn cyrraedd, a byddai hithau yn cael ei geni mewn lle gwahanol eto, a hynny ar Chwefror 20, 1887.

Ac felly, aeth Thomas Jones i ysgol newydd, sef Ysgol Fwrdd Love Lane, neu Lyf Lôn, Dinbych, ysgol a godwyd ym 1844, a'i harchwilio gan gomisiynydd y Llyfrau Gleision dair blynedd yn ddiweddarach.[67] Dysgid tua 190 o ddisgyblion yn yr ysgol pan aeth Thomas yno. Roedd pethau'n well yn yr ysgol hon, ond nid yn gwbl foddhaol o bell ffordd:

> Un flwyddyn, mewn ysgol arall, lle nad oedd gosb am siarad Cymraeg, o
> leiaf, yr oedd yn rhaid i ni ddysgu can' llinell o brydyddiaeth Saesneg ar
> dafod leferydd. Darn o ganol "Lady of the Lake" Walter Scott oedd y darn
> dewis. Nid oedd dechrau na diwedd y gerdd yn y llyfr, ond cyn darllen
> y darn ddwywaith, nid oedd amheuaeth nad dyna'r brydyddiaeth orau a
> ddarllenswn i eto.[68]

Daeth blys arno i ddarllen y gerdd yn ei chrynswth a tholiodd bris y cinio yn yr ysgol bob dydd nes cael digon o arian i brynu llyfr o waith Scott a gynhwysai 'The Lady of the Lake'. 'Daeth Scotland felly yn wlad rhamant i mi, mewn modd na ddaethai Cymru eto,' meddai, ac nid rhyfedd hynny.[69] Barddoniaeth Saesneg a ddysgid i'r plant, nid barddoniaeth Gymraeg. O leiaf fe allai Gwynn gael cryn dipyn o foddhad trwy ddarllen barddoniaeth beirdd fel Scott. Roedd rhyw fath o bwrpas i addysg wedi'r cyfan. Ond addysg Seisnig oedd hi er hynny; barddoniaeth Saesneg a hanes Lloegr a ddysgid i'r plant, a hyn oedd diffyg pennaf Ysgol Love Lane:

> Cefais ran o'm haddysg yn nhref Dinbych fy hun, ond ni chlywais gymaint ag un athraw erioed yn sôn am William Middleton, Humphrey Llwyd, Syr Huw Middleton, Bardd Alaw, Caledfryn, na neb arall o feibion enwog y dref. Gallasai unrhyw dref yn y byd fod yn falch o bob un o'r rhai a nodwyd, ond nid oeddynt werth eu crybwyll wrthym ni yn blant.[70]

Nid anwybyddu hanes lleol oedd unig wendid yr addysg a geid yn Love Lane; diystyrid hanes Cymru yn ogystal. Awchu am gael gwybod hanes ei wlad ei hun yr oedd Gwynn:

> Yr ydwyf yn cofio syched am wybod hanes Cymru; a chymmaint a fedrwn ei gael ydoedd hyny a ddywedai hanesyddion Saesnig rhagfarnllyd, wedi cael ei gamliwio, a hyny a fedrai y creigiau a'r mynyddoedd ddyweyd. Pa fodd y mae yn bossibl i feddwl bachgen o Gymro fod yn naturiol? Y mae gan ei galon gariad at ei wlad; a sycheda am gael ei hanes ond llenwir ei feddwl yn ystod dyddiau ei ieuengctid â hanes gwroniaid Saesnig a Normanaidd; a lliwir gwroniaid ei wlad ei hun – gwroniaid y wlad a gâr ei galon – fel rhyw hanner anwariaid annheilwng o sylw nac edmygedd.[71]

A phan geid unrhyw grybwyll am arwyr Cymru yn y llyfrau gosod, yn ddirmygus y cyfeirid at yr arwyr hynny:

> I remember the school books of not more than twenty years ago, which described Owen Glyndwr as a disreputable rebel, and I know that books have been used in Carnarvonshire Schools, within the last two years, in which the children were told that, before the coming of the "Anglo-Saxons," this country was "inhabited by savages called ancient Britons." In my own case, I had read "Drych y Prif Oesoedd" before I ever read the school "histories," but I question whether there was another boy in that school who had any antidote. Most of them have not unto this day got rid of the effects of the poison.[72]

Yn ddiweddarach, daeth O. M. Edwards i'r adwy, ac er bod dyddiau ysgol Thomas ar ben erbyn hynny, o leiaf fe allai cenedlaethau'r dyfodol fanteisio ar y ddau gylchgrawn, *Cymru* a *Cymru'r Plant*, a rôi eu hanes cynhenid i'r Cymry:

> Dyma yr ystraeon y bûm yn hiraethu am danynt, ac yn darllen pob llyfr Cymraeg hen a diweddar y cawn afael ynddo er ceisio cael hyd iddynt; ac wedi ymchwil ofer, y rhai y bûm yn breuddwydio am danynt, a'r hyn a barodd i mi gashau hanes Saesnig fel na ddysgwn mo hono ond yn berffaith groes i'r ewyllys; a byddai hanes Gwyddelod ac Ysgotiaid, neu rhyw Geltiaid eraill, yn iachâd dirfawr.[73]

Er gwaethaf gogwydd Seisnig a Phrydeinig addysg Ysgol Love Lane, cafodd Thomas well athrawon yn yr ysgol honno nag yn ei ddwy ysgol flaenorol. Roedd tri o'r rhain yn arbennig wedi dylanwadu arno, Gruffydd Parry Williams, Isaac Davies a Henry Davies, Henry Davies yn enwedig. Yn anffodus, ni chafodd y bachgen ei ddysgu gan y rhain yn hir. Yn ôl y *Denbighshire Free Press* ym mis Rhagfyr 1883, pan oedd Thomas yn ddeuddeg oed:

> 'Mr. Parry wrote as to necessary alterations in his teaching staff, and as G. Parry Williams was going to College, and Henry Davies, the assistant master had resigned, it was agreed to advertise for others to take their places'.[74]

Ond yn y pen draw, nid oedd y tri athro a ddylanwadodd arno fwyaf, hyd yn oed, yn ateb y diben yn llwyr:

> I hated all the schools I ever attended, because I felt they insulted me and everything I cared for; because the teachers never mentioned a word about Arthur or Gruffudd ap Cynan, Llywelyn ap Gruffudd or Owain Glyn Dwr, and scores of other heroes, of whom my father had told me, or of whom I read in the pages of *Drych y Prif Oesoedd* and the *Cymru* of Owen Jones. The only English literature I ever loved, during my school days, was Scottish – the poems of Scott, *The Lady of the Lake* and *The Lay of the last Minstrel*. Why on earth the blockheads who then organised education allowed us to read those poems, I do not know. At eleven, however, I knew every line of both of them by heart, and to this day I cannot stand the critics of Scott's poetry. So I learnt English, in a way,

certainly against my wish at the time, and it naturally took me ten times
the period and effort it took me afterwards to learn French or German.[75]

Gadawodd Thomas yr ysgol ym 1885, pan oedd yn bedair ar ddeg ac yn byw ym
Mhlas-yn-Grin. Ac ym Mhlas-yn-Grin y dechreuodd gymryd diddordeb o ddifri
mewn barddoniaeth er iddo geisio astudio rheolau'r gynghanedd pan oedd y
teulu yn byw yn y Pentre Isa. Atgofion am ei gyfnod yn y Pentre Isa yn unig a geir
yn *Brithgofion* ac yno y mae'n sôn am ddyn yn galw heibio i'w dad i gael barn ar
englyn a oedd ar y gweill ganddo. Tua'r un adeg, meddai: 'Yr oedd y gynghanedd
wedi dechrau cymryd gafael ynof innau erbyn hyn, ac yr oeddwn yn ceisio dysgu'r
rheolau o Ramadeg Bardd Nantglyn, oedd gan fy nhad er pan oedd ef yn ddisgybl
i Risiart Ddu o Wynedd yn ei lencyndod yn Nyffryn Clwyd'.[76] Ni chafodd Thomas
ddim help o gwbl gan ei dad, oherwydd credai, fel nifer o rai eraill, mai ar y
gynghanedd yr oedd y bai am na lwyddodd Cymru i gynhyrchu'r un bardd mawr.
Yn eironig iawn, roedd Isaac Jones yn well bardd ar gynghanedd nag yr oedd yn y
mesurau rhydd, fel yr englyn hwn i fwrdd crwn a oedd yn ei feddiant:

> Bwrdd hwylus a bwrdd helaeth, – a bwrdd cryf,
>   Bwrdd crwn nerthol odiaeth:
>   Deil hwn ei lond o luniaeth,
>   Tunnell neu ddwy neu fwy o faeth.[77]

Troi at y gynghanedd a wnaeth y mab, fodd bynnag. Erbyn yr oedd yn bedair ar
ddeg oed, gallai gynganeddu. Enillodd wobr am lunio englyn i'r 'Bytaten' mewn
cystadleuaeth yn *Trysorfa y Plant* ym 1886, dan feirniadaeth bardd o'r enw Ifon.
Hwn oedd yr englyn buddugol:

> Taten mewn dae'ren mwyn doraeth – gawsom
>   Hoff gysur Rhagluniaeth;
>   Yn dra mwyn gwn drwy ei maeth
>   Cawn olud er cynnaliaeth.[78]

Anfonodd o leiaf ddau englyn i'r gystadleuaeth. Credai yn ei henaint mai'r englyn
hwn a wobrwywyd, englyn sy'n cynnwys yr un odlau yn union ag englyn ei dad
i'r bwrdd crwn:

Enwog lawenog luniaeth – byd ydyw'r
   Bytaten dda odiaeth;
  Â'i llawn fwyd, sy'n llawen faeth,
  E hulir byrddau helaeth.[79]

Ym mis Hydref 1886 cododd Isaac Jones ei bac eto, a symud y tro hwn i fferm o'r enw Tyddyn Morgan ar Ystad Cinmel, ger tref Abergele. Ar ôl gadael yr ysgol bu Thomas yn gweithio mewn siop gigydd am ysbaid, ac yna cafodd waith fel clerc yn swyddfa Ystad Cinmel. Gadawodd y swydd honno ac aeth i helpu ei dad ar ei fferm newydd. A barddoni.

Ym 1885 y cyhoeddwyd cerdd o'i eiddo am y tro cyntaf, a cherdd rydd oedd honno. Fe'i cyhoeddwyd yn rhifyn Ionawr 21, 1885, o'r *Faner*. Cerdd yw hi i Emrys ap Iwan, Robert Ambrose Jones, llenor, beirniad llenyddol, gwladgarwr, gramadegwr a chwyldroadwr mawr. Ganed Emrys ym mis Mawrth 1851 ger Abergele. Roedd hen daid iddo wedi priodi Ffrances, a rhoddodd hynny olygwedd wahanol ar bethau iddo. Treuliodd gyfnodau yn Ffrainc ac yn yr Almaen, a gallai siarad Ffrangeg ac Almaeneg yn rhugl. Gweinidog gyda'r Methodistaid Calfinaidd oedd Emrys ap Iwan, er i'r Hen Gorff wrthod ei ordeinio yn Llanidloes ym 1881 oherwydd ei wrthwynebiad agored i godi capeli Saesneg mewn ardaloedd Cymreig, a thrwy hynny, fygwth dyfodol y Gymraeg. Ar ôl llawer o ddadlau cyhoeddus, ordeiniwyd Emrys yn yr Wyddgrug ym 1883, a bu'n bugeilio eglwysi yn Rhuthun, Trefnant a'r Rhewl. Credai y dylai Cymru ac Iwerddon eu llywodraethu eu hunain, ac ef a fathodd y gair 'ymreolaeth', sef hunanlywodraeth. Bu'n ymgyrchu o blaid urddas a glendid y Gymraeg yn ogystal â'i ffyniant a'i pharhad, a chyhoeddodd wersi ar arddull raenus a chywirdeb gramadegol. Credai Emrys mai gwaith pwysicaf gweinidog oedd gofalu am y plant a'r bobl ifainc. Y rhain oedd dyfodol Cymru, dyfodol yr iaith a dyfodol crefydd yn y wlad. Daeth Thomas yn un o'i ddisgyblion mwyaf pybyr ac addawol, ond gwyddai amdano ymhell cyn i Emrys ei gymryd dan ei adain ar ôl i'r teulu symud i gyffiniau Abergele. O 1876 ymlaen, cyhoeddid ysgrifau a llythyrau o eiddo Emrys yn gyson yn *Y Faner*, papur radicalaidd hynod ddylanwadol Thomas Gee yn Ninbych, ac roedd Isaac Jones yn derbyn ac yn darllen y papur yn rheolaidd, yn ogystal â chyfrannu iddo ambell waith. Roedd Emrys yn trafod pynciau llosg ryfeddol yn ei gyfraniadau i'r *Faner*, fel ymreolaeth i Gymru ac Iwerddon, codi capeli Saesneg mewn ardaloedd Cymreig, taeogrwydd a Saisaddoliaeth y Cymry. Y mae'n go sicr fod Isaac Jones, a oedd yn Rhyddfrydwr mawr o ran ei wleidyddiaeth, wedi trafod safbwyntiau a daliadau Emrys ar yr aelwyd, a cheir peth prawf o hynny.

Gartref, ar yr aelwyd, bu llawer o gwestiynu a gwyntyllu. Daeth y Thomas ifanc i ddeall ystyr geiriau fel 'gormes', 'annhegwch' ac 'anghyfiawnder' yn gynnar iawn yn ei fywyd. Gwyddai fod ei dad dan fawd landlordiaeth, ac mai Saesneg oedd iaith y landlordiaid hynny. A Saesneg oedd iaith yr ysgolion y bu'n eu mynychu. Meddai, wrth edrych yn ôl ar ei fywyd:

> ... gartref, yr oedd rhai meddyliau yn dechrau sylwi ar bethau digon rhyfedd iddynt hwy. Paham yr oedd un dosbarth o drigolion gwlad yn estroniaid i'r lleill, heb wybod mwy am eu cydwladwyr na phe bai môr rhyngddynt? Sut yr oedd un dosbarth balch o'i achau gynt heb gywilyddio na allai ac na fynnai ddeall prydyddiaeth rhai o'i hynafiaid ei hun, na siarad ag un ohonynt pe daethai yn ei ôl ryw noswaith o rywle yn y byd arall. Sut yr oedd dosbarth arall, awyddus iawn am barch i'w grefydd ei hun, yn sôn am grefydd ei hynafiaid fel pe na buasai ynddi ddim yn y byd onid ofergoeledd noeth a thwyll bwriadol? Paham yr oedd pob peth oedd yn perthyn i'r bobl Gymreig eu hunain yn bethau nad gwiw sôn amdanynt yn yr ysgolion, pa enw bynnag a roddid arnynt, "ysgolion Brutanaidd" yn eu plith? Paham y dioddefem ninnau ein cosbi ynddynt am lefaru'n iaith ein hunain? Pa un ai ar grefydd ai ar lywodraeth gwlad yr oedd y bai am anundeb a rhaniadau'r bobl?[80]

Ac Emrys oedd y gwaredwr:

> Emrys ap Iwan oedd y pen holwr yn y pethau dyrys hyn, gŵr a glywais wedi hynny yn llefaru teiriaith neu bedair yn rhugl, ac a'm rhoes innau, megis eraill lawer, ar ben y ffordd i ddysgu ieithoedd nad oedd gyfle i ni gael cymaint â chrap arnynt yn ein gwlad ein hunain y pryd hwnnw. Cafodd yntau gryn erledigaeth, a chacennau o dom gwartheg gyda'r post hyd yn oed o wledydd tramor, heb sôn am gartref, am na fynnai dewi a bod "fel rhywun arall."[81]

I Emrys ap Iwan y cyflwynir y gerdd 'Shôn Gorph'. 'Yr Hen Gorff' y gelwid Eglwys Methodistiaid Calfinaidd Cymru, a dyna'r 'corff' yn y teitl. Cerdd i gefnogi Emrys yn ei safiad yn erbyn 'yr Inglis Côs' yw hon:

Mae'r byd i gyd yn gwybod
    Mai Cymro glân ei glod
Y câdd 'Shôn Gorph' ei eni,
    A Chymro oedd i fod;
A thra parhaodd felly
    Câdd groeso heb nacâd:
Ffordd rwydd i galon Cymro
    Yw parchu iaith ei wlad.

Ond plant 'Shôn Gorph' sydd heddiw
    A honant yn gyttûn
Mai troi yn Sais a ddylai
    Er mwyn ei les ei hun;
Fod Cymro a thylodi
    Bob amser yn cydfyw,
A phob rhyw ddyn cyfoethog,
    Wel, Sais heb eithriad yw.

Cyfrifant gyda'u ffigiwrs
    Nad oes yng Nghymru fawr
O Gymry, uniaith hollol,
    Yn trigo ynddi 'nawr;
Fe geir chwe chant o filoedd
    Sy'n arfer 'Yes' a 'No',
A thri chan mil sydd wedi
    Troi'n Saeson er ys tro.

Yn[g] ngwyneb y fath brofion
    Pa'm rhaid petruso mwy?
Cefnoger yr achosion
    A wna y 'corph' yn fwy;
Heblaw hyn gwelir Saeson
    Yn llifo yn barhaus
I'n gwlad i ymgartrefu,
    A rhaid rhoi parch i Sais.[82]

Ac mae'r gerdd yn diweddu gydag edmygedd o Emrys ap Iwan am ei safiad dewr, a'r modd y gwrthodwyd ei ordeinio yn Llanidloes:

> Ond gwae y dewrddyn hwnw,
>   Mae'r brodyr yn gyttûn
> Am wthio hwn o'r teulu
>   I ynys wrtho'i hun;
> Mae'n rhaid i'r achos lwyddo,
>   'Does neb i rwystro'r cais;
> Gorfodir yr hen Gymro,
>   'Shôn Gorph', i droi yn Sais.[83]

'G' yn unig a geir wrth gwt y gerdd yn *Y Faner*. Roedd Thomas ar fin ychwanegu 'Gwynn' at ei enw.

Dysgodd Thomas yn gynnar fod Cymro a thlodi bob amser yn cyd-fyw. Byd caled oedd byd y ffermwr:

> Ffermydd heb fod yn rhai mawr iawn oedd yn yr ardal, a thenantiaid oedd y ffermwyr bron i gyd, mi gredaf. Gweithient i gyd yn ddigon caled hefyd, a diau nad peth hawdd bob amser fyddai cael y rhent at ei gilydd mewn pryd. Digon traws fyddai'r meistradoedd tir, a thrawsach fyth y corachod estron a ddewisent yn stiwardiaid.[84]

Magwyd Thomas mewn cymdeithas glòs yn sicr, ac etifeddodd werthoedd y gymuned amaethyddol y perthynai ei dad iddi. Meddai yn *Brithgofion*:

> Ffynnai cryn lawer o gyd-weithrediad rhwng y ffermwyr a'i gilydd ... cynorthwyent ei gilydd gyda rhai gorchwylion, a phan gâi un ohonynt golledion byddai'r cymdogion oll yn "cymortha," fel y dywedid. Cof gennyf am un cymydog i ni a gollodd ddau geffyl un tymor, adeg trin tir at hau ŷd gwanwyn. Un bore, heb ei fod ef yn gwybod dim am y peth, yr oedd chwech o weddoedd yn un o'i gaeau ac wedi ei droi i gyd cyn y nos. Yr un modd trowyd caeau eraill iddo gan yr un cymdogion. Pan gollai tyddynnwr fuwch neu lo, rhoddai cymydog lo neu ddeunydd buwch iddo, fel dyletswydd. Tebyg mai gweddillion hen ddefod gynt oedd pethau fel hyn, canys hwyrfrydig iawn fyddai'r ffermwyr fel dosbarth i gyd-weithredu drwy gyd-brynu neu gyd-werthu pethau, neu sefyll gyda'i

gilydd i amddiffyn un o'u dosbarth rhag cam oddiar law meistr tir neu stiward. Clywid, yn wir, am ambell un yn cymryd fferm "wrth ben" un arall, pan fyddai hwnnw wedi rhoi rhybudd i ymadael am fod y rhent yn rhy uchel, neu am na châi drwsio tŷ neu feudy gan y meistr tir fel y gellid byw'n weddol gysurus neu gadw anifeiliaid ynddynt. Eto, byddai cydwybod y ffermwyr fel dosbarth yn erbyn y gŵr a gymerai dir tros ben un arall. Pan ddigwyddai hynny, byddai'r sawl a'i gwnâi yn un nad ymwnâi'r cymdogion nemor ddim ag ef am flynyddoedd.[85]

Y gwir yw fod Thomas wedi treulio ei fachgendod a'i lencyndod mewn Cymru a oedd yn ferw o gyffroadau gwleidyddol, ac roedd dau o benseiri'r Gymru fodern yn byw yn Sir Ddinbych, Emrys ap Iwan a Thomas Gee. Dyma ddau Gymro mwyaf Oes Victoria. Roedd Gwynn eisoes yn ddisgybl ac yn gyfaill i un o'r ddau, Emrys ap Iwan, a buan iawn y byddai yn dod i gysylltiad agos â'r llall. Ychydig a wyddai ar y pryd y byddai, yn y dyfodol, yn gofiannydd i'r ddau.

Y Blaid Ryddfrydol oedd y blaid gryfaf yng Nghymru yn ystod ail hanner y bedwaredd ganrif ar bymtheg. Rhyddfrydwr oedd tad Gwynn a Gwynn yntau i'w ganlyn. Un o brif arweinwyr y Blaid Ryddfrydol yng Nghymru oedd Thomas Gee. Defnyddiai ei bapur, *Baner ac Amserau Cymru*, i ledaenu neges ac amcanion y Blaid Ryddfrydol. Radicaliaeth Anghydffurfiol oedd radicaliaeth Thomas Gee. Gwerthai pob rhifyn o'r *Faner* 50,000 o gopïau yn awr ei anterth, ac roedd yn arf gwleidyddol grymus yn ei ddydd. Arddelai Thomas Gee werthoedd a pholisïau'r Blaid Ryddfrydol, a hyrwyddai'r polisïau hynny drwy gyfrwng *Y Faner*. Cyn diwedd y ganrif, byddai Rhyddfrydiaeth Gymreig wedi esgor ar y mudiad byrhoedlog hwnnw, Cymru Fydd. Fel y dywedodd Gwynn amdano:

> Erbyn hyn [1862], yr oedd enw Mr. Gee yn hysbys trwy'r wlad fel y Radical mwyaf blaenllaw yng Nghymru, a phrin y byddai symudiad gwleidyddol ar dro nad ysgrifennid ato am ei gyngor a'i gymorth. Nid gwleidyddiaeth plaid yn unig oedd yn mynd â'i fryd ychwaith. Er ei fod ar hyd ei oes yn gadarn dros y blaid y perthynai iddi, eto ni bu erioed yn gul ei gydymdeimlad na di-newid yn ei farn. Yn hytrach, yr oedd yn un o'r dynion mwyaf blaengar a fu erioed.[86]

Brwydrodd Gee yn ddygn dros hawliau'r tenantiaid amaethyddol. Gweithiodd yn galed i ddiddymu gormes y tirfeddianwyr Anglicanaidd a Seisnigedig ar wleidyddiaeth Cymru, yn y Senedd ac ar raddfa leol. Roedd ffermwyr-denantiaid yn meddu ar yr hawl i bleidleisio, ond mynnai'r tirfeddianwyr fod eu tenantiaid yn bwrw eu pleidlais o'u plaid hwy, eu meistri Torïaidd. Gan fod y bleidlais yn agored, gwyddai'r tirfeddianwyr yn union pwy a oedd wedi pleidleisio yn eu herbyn, ac fe'u cosbid drwy eu gyrru o'u ffermydd. Dyna pam y bu'n rhaid i Isaac Jones adael y Gwyndy Uchaf ym 1871. Heriodd y tenantiaid eu meistri yn Etholiad Cyffredinol 1868, pryd yr enillodd y Rhyddfrydwyr, dan arweiniad William Ewart Gladstone, 387 o seddau ar draul 271 o seddau i'r Blaid Geidwadol, dan arweiniad Benjamin Disraeli. Trowyd nifer helaeth o denantiaid Cymru o'u ffermydd o ganlyniad i'r etholiad. Gweithiai'r Blaid Ryddfrydol i gael amodau gwaith tecach i'r ffermwyr. Roedd y rhenti yn uchel, ac ar adegau o ddirwasgiad amaethyddol, fel y gystadleuaeth i amaethyddiaeth Prydain o gyfeiriad Canada ac America yn y 1880au, roedd hi'n anodd iawn i ffermwyr gael deupen y llinyn ynghyd. Ni chaent arian gan y tirfeddianwyr i wneud gwelliannau i'w tai na'u tir. Byddai'n rhaid i'r arian hwnnw ddod o'u pocedi hwy eu hunain.

Gan wybod am ddialedd y tirfeddianwyr ar eu gweithwyr am wrthod pleidleisio i'w meistri, brwydrodd Thomas Gee i sicrhau bod y bleidlais yn un gudd, a deddfwyd hynny ym 1871. Roedd Gee hefyd yn un o'r rheini a ymgyrchai'n frwd o blaid Datgysylltu a Dadwaddoli'r Eglwys Anglicanaidd yng Nghymru, a bu'n flaenllaw hefyd yn y frwydr i ddiddymu'r degymau y bu'n rhaid i ffermwyr Anghydffurfiol Cymru eu talu i'r Eglwys Anglicanaidd. Sefydlodd y Gymdeithas er Cynorthwyo Gorthrymedigion y Degwm yn Rhuthun ym 1886. Credai y dylai'r arian a delid i'r offeiriaid gael ei ddefnyddio er budd y gymdeithas gyfan, nid er lles yr Eglwys Anglicanaidd yn unig. Brwydrai hefyd i sefydlu addysg anenwadol yng Nghymru, i sefydlu prifysgolion Cymreig, ac i ymestyn y bleidlais, er mwyn llacio gafael y tirfeddianwyr ar eu tenantiaid am byth. Dywedodd Gwynn mai Emrys ap Iwan oedd y cyntaf i sôn am annibyniaeth i Iwerddon, ond roedd ymreolaeth i Iwerddon, yn ogystal ag i Gymru, yn un o brif bolisïau'r Blaid Ryddfrydol.

Dyma'r cefndir y magwyd T. Gwynn Jones ynddo, ac nid rhyfedd iddo ddefnyddio ei awen gynnar i hybu gwerthoedd Rhyddfrydiaeth Anglicanaidd Cymru ac i ledaenu'r fflam wladgarol. Roedd deffroad yn y gwynt, yn sicr. Heuwyd hadau chwyldro. Roedd ganddo, yn llanc ifanc yn Abergele, ddau lwyfan i'w waith cynnar, a dau fath o gymhelliad iddo fwrw ati, cymhelliad y cyfarfodydd llenyddol lleol a chymhelliad y papurau newydd, *Y Faner* yn enwedig. Defnyddiodd y rhain i ymarfer ei ddawn a'i grefft ac i fwrw ei brentisiaeth fel bardd. Clywai ei dad a'i gyfeillion yn trafod pynciau mawr gwleidyddol a chrefyddol y dydd beunydd beunos, ac nid rhyfedd iddo ganu am y materion hyn. Lluniodd gerdd gynganeddol hir i brotestio yn erbyn y Degwm ar gyfer cystadleuaeth arbennig a drefnwyd gan

Y Faner, a Gwynn, dan y ffugenw 'Gwalch', oedd un o'r ddau enillydd. Cerdd i'w chanu ar alaw 'Rhyfelgyrch Gwŷr Harlech' yw hon, ac mae'r cynganeddion ynddi yn gywrain ryfeddol:

Onid trais tu hwnt i reswm
Ydyw agwedd *criw* y degwm?
I laweroedd eu halarwm
   Wedi seinio sydd;
Dysgu *lordiaid* ysgelerder
Yn[g] nghyfundeb anghyfiawnder
Raid yn hyglyw; heddyw, gwaedder
   Mynwn rodio'n rhydd;
 Rhyfyg raid arafu,
  Gwarthus ydyw gwerthu
Am y degwm fel y gwŷr [*sic*]
  Amaethwyr sydd bron methu;
Gyru'n hwyliog ar ein holau
Wna byddinoedd y buddiannau,
Heddiw'n unol byddwn ninnau
   Wedi cario'r dydd.

Dyfal una'r gâd fileinig
Mewn tost ofnau, mintai 'styfnig;
Sen gorfodaeth sy'n gerfiedig
   Ar eu baner hwy;
Daw gwroniaid hy' gwerinol
Â phawenau amddiffynol,
A'u dwrdiadau awdurdodol
   Deimlir yn mhob plwyf;
 Tyrfa ddônt o Arfon,
  Mawr fydd mintai Meirion,
Dinbych, Maldwyn, Fflint, a Môn,
  I gyd i'r Armagedon;
Hunlle'n ormes yn Llanarmon
Ydyw'r degwm cwlwm calon:
Eisiau'i gaerau yn ysgyrion
   Mae holl Gymru mwy.[87]

Daw'r Degwm dan ei lach eto mewn cerdd a gyhoeddwyd yn *Y Faner* ym mis Awst 1888, yn ogystal â dyhead i ddatgysylltu oddi wrth Eglwys Loegr yng Nghymru, y tro hwn dan y ffugenw Gwynnvre ap Isac:

> I bla dygir hen blaid degwm – hi chwâl,
>   A chwymp ei holl orthrwm;
> Ei holl drais a fu'n hyll drwm,
> Cyn hir ysir canu rheswm! ...
>
> Daw gwŷs wyllt y Dadgyssylltiad – i ben
>   Yn dda lawen fal newydd leuad!
> Y dirywiol darawiad – ladd alon!
> Daw dydd hylon y Dadwaddoliad![88]

Ddwy flynedd yn ddiweddarach, dan ffugenw arall, Mac Ewan, cyhoeddwyd tri englyn ar Ryfel y Degwm ganddo. Dyma'r trydydd englyn:

> Y DEGWM du a dagir – yr Eglwys
>   Mewn rhyw wagle gleddir;
> Ein hen bau yn glau glywir
> Yn swnio clod mewn seiniau clir.[89]

Yn *Y Faner* ym mis Awst 1887, cyhoeddwyd cerdd fer o fawl o'i eiddo, 'Cynlas', cerdd i T. E. Ellis, y mwyaf blaenllaw o'r Rhyddfrydwyr Cymreig, dan y ffugenw 'Meilyr ab Iwan', wedi i Tom Ellis gael ei ethol i gynrychioli Meirionnydd yn y Senedd yn Etholiad Cyffredinol 1886:

> I'w wlad addien wleidyddwr,
> A gwladgarwr o glyd goron;
> Yn ei galon hwn yw'n gwyliwr
> A dyngarwr ydyw'n gwron ...
>
> Mawr enw i Meirionydd – a'i mab dewr
>   Y'mhob dawn sy' gelfydd;
> Syw allu'i dewr esillydd,
> I'n gwlad fwyn yn glod a fydd.[90]

Cafwyd nifer o gerddi gwladgarol ganddo yn ystod y cyfnod hwnnw, fel 'Môr o Waed dros Gymru Wen', dan yr enw Gwynn ap Iwan. Dyma un pennill:

> Hywel! gwêl elynion Gwalia –
>   Hefo'n gwŷr i fan y gâd!
> Gerwin sŵn yr udgorn seinia –
>   "Codwn glêdd er cadw'n gwlad!"
> Hywel! Hywel! tafl dy delyn,
>   Codi'r nwyd wna'r cedyrn eirf;
> Rhua Gwalia ar ei gelyn –
>   "Dos! hwnt dos! nid oes a'n teirf!"[91]

Ac wrth gwrs, cerdd ar gynghanedd gyflawn yw hi.

Bardd ifanc iawn yn teimlo'i ffordd ac yn ymarfer ei grefft yn gyson a anfonai'r cerddi gwladgarol hyn at y papurau, ond er mor ifanc oedd Gwynn ar y pryd, roedd wrthi yn arbrofi â ffurfiau mydryddol. Roedd wrthi hefyd yn magu geirfa, er y gallai'r eirfa honno fod braidd yn hynafol ar brydiau, fel yn y gerdd 'Cadlef Cymru Fydd', un o gerddi Gwynn ap Iwan:

> Clywch dôn ein hyfion hynafiaid,
> A grawg y gorenwawg wroniaid:
>   Yn gwahawdd i'r gâd
>   Hen gleddyf ein gwlad,
>   I'w dwyre o frâd i wir fri!
> Corn y gâd a'i groch alwad – grach elyn
> Ymaith ffo! draw mae'n deffro'n mhob dyffryn
>   Luyddwyr, dewr aerwyr di-ri'!
> Glew udgyrn y lluon pur gwladgar
> Acw seiniant, a llefant yn llafar;
> Croch-floeddio mae meibion pur glewion ein gwlad,
>   I'w dwyre o frâd i wir fri![92]

Un arall o gerddi Gwynn ap Iwan oedd 'Codwn Gledd er Cadw'n Gwlad!', cerdd ymfflamychol-rethregol a charlamus ei mydr; ond ymhob un o'r cerddi cynnar hyn, y mae ei afael ar y gynghanedd yn rhyfeddol. Dyma'r gerdd:

Gwyliwn ein gwlad! y mae gelyn yn y glyn,

Ffleimie trais a brâd sy'n fflamio tros y bryn;

Ymwibio wna'r sŵn – mae benyr y Sais

Yn feichiog o frâd ac o greulon drais:

  ARTHUR, ARTHUR, ai dolur a'n dalia,

  LLEWELYN, LLEWELYN, ga'r gelyn guro Gwalia?

   'Na chaiff! tra fyddo ei meibion a'i chledd

   I ymroddi dan fâr am ryddid neu fedd!'

Dylifant drwy y cwm – dolefant draw eu cyrn

Ar aden y chwaf eu twrw hed yn chwyrn

Deffro enwog gledd, y mae'r dyffryn glân,

Is carne'u meirch yn yscyrion mân!

  OWAIN, OWAIN, i'n darwain ni, dwyre,

  GLYNDWR, enwog LYNDWR, hoff arwr, gawn ni'n ffwyre?

   'Na chawn!' medd lleisiau o waelod y bedd –

   'Bri, a chadw'n gwlad tra fo braich dyno gledd!'

Yn eofn herir draw holl faneri'r Dreig,

A glywch-chwi, crain yw'r cri sy'n crynu'r creig;

Ië, dyna'u trwst, ond nid awn dan eu traed

Heno, hunant obry yn eu gwely gwaed!

  Rhuthrwn, hwnt hwyliwn, pwy a'n hattalia:

  Cwympo yn ei ddychryn wna gelyn truan Gwalia.

   Llefa'n gwroniaid tra chodant o'r bedd —

   'Bri, a chadw'n gwlad tra fo braich dyno gledd!'[93]

Nid cerddi gwleidyddol yn unig a luniwyd ganddo yn ystod y cyfnod hwn. Cyhoeddwyd awdl fer o'i eiddo, 'Allwyn Coll', er cof am '[y] diweddar fardd awen-bêr a gwladgarol JOHN CEIRIOG HUGHES', yn *Y Faner* ym mis Rhagfyr 1887, dan y ffugenw S. Gwynfre Jones, o Abergele. Roedd yn un ar bymtheg oed ar y pryd. Dyma'r englyn sy'n cloi'r awdl:

O'r golwg er ei giliaw – gwyn wridog,

  Anrhydedd fydd iddaw;

  Bro Salem mae'n breswyliaw,

  Â dwys bryd, lle nad oes braw.[94]

Roedd hwn yn gyfnod o ymbrentisio, yn sicr, ond roedd yn gyfnod o arbrofi ar yr un pryd, arbrofi â'r gynghanedd yn ogystal ag arbrofi â'r mesurau. Yn wahanol i feirdd eraill, a fyddai'n llwyr feistroli'r gynghanedd cyn mentro i arbrofi, roedd y ddau beth yn digwydd ar yr un pryd yn achos T. Gwynn Jones.

Cyhoeddwyd cerdd hynod o ddiddorol gan Gwynnvre ap Iwan yn *Y Faner* ym mis Medi 1889. Cerdd ar ffurf cwpledi cywydd yw 'Y Misoedd', ac enwir y misoedd yn ôl eu trefn ymhob cwpled, ond mae'n llawer mwy dyfeisgar na hynny. Enwir dilledyn ymhob cwpled, a phob dilledyn yn gweddu i'r mis a nodir ymhob cwpled:

CATTO Fi! rhaid cael côt fawr
Rhag hinon rhewog IONAWR!

Yn CHWEFROR, hynt gwynt sy'n gwau –
Dan hwtian, a dwyn hetiau!

Ow! oer FAWRTH, rhaid, ebre fo,
Ro'i y gôt am 'r hawg etto!

Llêd ei wrês, EBRILL, drosot –
Dyna'r gwir, cei dynu'r gôt!

Daw haul cadarn MAI arnom –
Cei dy wrês heb siaced drom!

Yn haul MEHEFIN eilwaith,
Ha! tyn dy gôt i wneyd gwaith!

A phan rydd GORPHENA' 'i rawd,
Diosga i ffwrdd dy wasgawd!

Estyn ŷd wna AWST yn iach –
Gwed'yn, i ffwrdd â'th gadach!

Rhwym dy glôg tra MEDI glau,
Rhag naws barug nos a borau!

Wele HYDREF a'i lwydrew,
Ac O! dos am siaced dew!

Ow! TACHWEDD! rhag it' duchan,
Lled glyd a f'ai dillad gwlân!

Afrywiog RAGFYR rüa –
Rho y gôt rhag rhew ac iâ!

Ni gawn anwyd: gan hyny,
Mwyn yw tân llawn gwrês mewn tŷ.[95]

Cynganeddu llinellau decsill a wneir yn 'Y Lloer', a ymddangosodd yn *Y Faner*, ym mis Tachwedd 1889, y tro hwn dan yr enw Gwynn ap Iwan:

Ond i ba le y crwydraf, lanaf LOER? –
Â'th firain wawl, wyt brydferth forwyn IÔR!
Rhyw genad oesol, ganaid, iesin wyt,
I'w gartre' 'n ôl i ddilys dywys dyn:
Yn deffro dyfnder CRYFDER ENAID CRYF,
Nes fry y rhydd, o'i agwedd lonydd, lam –
Hwnt i'r Dirgelwch – gan fflwch ysu'n fflam![96]

Ym 1888, penderfynodd Gwynn y byddai'n cystadlu am Gadair yr Eisteddfod Genedlaethol. Er bod hyn yn ymddangos braidd yn rhyfygus ar ei ran, os nad trahaus, mwy na thebyg mai cael barn beirniaid cenedlaethol ar ei waith oedd y pwrpas, hynny a dim mwy. Testun y Gadair yn Eisteddfod Genedlaethol Wrecsam y flwyddyn honno oedd 'Peroriaeth', a'r beirniaid oedd Elis Wyn o Wyrfai, Hwfa Môn a Dyfed, tri o bileri mawr yr Eisteddfod ar y pryd. Tudno a gadeiriwyd gan y tri beirniad, a thua nawfed oedd Gwynn, allan o ugain o gystadleuwyr. Ei ffugenw oedd 'Träumer', ac ni chafodd feirniadaeth ffafriol na chalonogol. Awdl anghytbwys ac astrus oedd awdl 'Träumer', a pha ryfedd hynny o gofio mai bachgen un ar bymtheg oed oedd yr awdur? Yn ôl beirniadaeth gyfun y tri beirniad:

Breuddwydiol iawn ydyw rhanau helaeth o'r awdl hon. Y mae yn debyg
i sŵn annealladwy yn y pellder. Yr ydym yn clywed rhywbeth, ond yn

methu dyfod yn ddigon agos i ddeall beth ydyw ... Y mae yn anhawdd deall sut y gallodd y bardd ddwyn y fath dlysni ar y naill law, a'r fath hagrwch ar y llaw arall, i fewn i'r un cyfansoddiad.[97]

Nodwyd bod pum cynghanedd anghywir yn yr awdl. Fodd bynnag, o'r pump, y mae tair cynghanedd yn berffaith gywir, heb nam ar eu cyfyl: 'Bu Tëyrn pob cedyrn yn cau', 'Y traeth a pheroriaeth ffrwd' a 'Ffraeth yw dewiniaeth y don'.[98] Roedd y bachgen un ar bymtheg oed hwn yn gwybod rheolau'r gynghanedd yn well na beirdd a beirniaid cenedlaethol.

Gwelid rhai o'i wahanol enwau'n aml mewn adroddiadau ar gystadlaethau llenyddol a cherddorol Abergele, er enghraifft:

> On Thursday, a Chair Eisteddfod was held at the Town Hall, Abergele, in connection with the Vale of Clwyd Lodge of Independent Order of Good Templars, and was well attended ... The morning meeting was presided over by the Venerable Archdruid, Clwydfardd ... After a pianoforte solo by Mr Parry, a prize for the best satiric poem upon "The Interferer" was awarded to Mr Thomas Jones (Gwynfre ap Iwan), Abergele, out of six candidates.[99]

Ac eto:

> Nawn dydd Nadolig, cynnaliwyd cyfarfod llenyddol a cherddorol gan y Trefnyddion Calfinaidd ... cafwyd ... Anerchiad ar y Cyfarfodydd Llenyddol a'u dybenion, gan Mr. Isaac Jones, Tyddyn Morgan. Anerchiadau gan y beirdd: Gwynn ap Iwan, Garmonydd, a Mr. E. Roberts ... Beirniadaeth Garmonydd ar y farddoniaeth; goreu, Gwynn ap Iwan ... Beirniadaeth Garmonydd ar yr englyn 'Syr Sion Heidden;' goreu, Gwynn ap Iwan.[100]

Erbyn dechrau 1889, ac yntau'n ddwy ar bymtheg oed ar y pryd, daeth yn amser i Gwynn ddechrau meddwl o ddifri am ei ddyfodol. Roedd yn llanc ifanc anghyffredin o alluog a disglair, ac roedd y brifysgol, yn sicr, yn cymell ei gamau. Sylwodd sawl un ar ei athrylith ifanc. Un o'r rheini oedd John Herbert Roberts, aelod pybyr o'r Blaid Ryddfrydol a blaenor yn Eglwys Mynydd Seion, Abergele. Roedd hefyd yn athro ar ysgol Sul y capel, ac roedd Gwynn yn aelod o'i ddosbarth. Mab i John Roberts, Lerpwl a Bryngwenallt, Abergele, oedd J. H. Roberts, sef yr Aelod Seneddol dros Fwrdeistref Fflint, 1878–1892. Ym 1892 byddai'r mab, J. H.

Roberts, yn cael ei ethol yn Aelod Seneddol dros Orllewin Sir Ddinbych, gan gynrychioli ei etholaeth yn y Senedd hyd at 1918.

Yn wir, i J. H. Roberts y canodd Gwynnvre ap Isaac un o'i awdlau cynharaf, a hynny ar achlysur arbennig:

> Nos Wener, Mehefin 29ain, cynhaliwyd cyfarfod i agor yr ysgoldy a adeiladwyd gan J. Herbert Roberts, Ysw., Bryngwenallt, yn rhodd at wasanaeth y Trefnyddion Calfinaidd yn y dref. Yr oedd y cynulliad yn lliosog, a llywyddwyd gan y Parch. Francis Jones, gweinidog ... Yna, galwyd ar Mr Isaac Jones, Tyddyn Morgan, i gynyg diolchgarwch gwresocaf y cyfarfod, yr Ysgol Sabbothol, a'r eglwys yn gyffredinol i Mr Roberts am ei haelioni ... Galwyd ar Gwynnvre ap Isaac i ddarllen anerchiad barddonol ...[101]

Roedd J. H. Roberts yn gyfarwyddwr cwmni o adeiladwyr a masnachwyr coed yn Lerpwl, busnes a sefydlwyd gan ei daid, a disgrifir y gwaith o adeiladu'r ysgol yn fedrus ryfeddol gan y bardd ifanc un ar bymtheg oed o Dyddyn Morgan:

> O fewn y muriau, rhyw feini mawrion
> Gaent yna eu gosawd, gant, yn gyson;
> Ei uthr seiliau wnaed â throsolion,
> A mawr a thelaid yw gwaith y morthwylion –
> Ac hefyd, caner, cafwyd y cynion
> Yn naddu cerrig yn hawdd o'u cyrion –
> Lluoedd yn llenwi'u lleoedd yn llawnion,
> Trwy y gwaliau – nid ydynt rai gwaelion;
> Ys tra gloyw ffenestri goleuon
> Oll er urddas a roed yn llwyr heirddion;
> A choed, lwythi; llechau del, weithion,
> Yma a ddygwyd, hwyliwyd yn haelion ...[102]

Ychydig fisoedd ar ôl y cyfarfod i anrhydeddu J. H. Roberts ac i ddiolch iddo am ei haelioni, ar ddydd Nadolig 1888, cynhaliodd Trefnyddion Calfinaidd Abergele eu gŵyl lenyddol a cherddorol. Yn ôl adroddiad ar yr ŵyl:

> Er fod y tywydd braidd yn anffafriol, yr oedd yr hen gapel yn llawn erbyn hanner awr wedi pump, pryd y dechreuid. Llywyddid gan John Roberts,

YSW., A.S., Bryngwenallt ... Yna, anerchodd y llywydd urddasol y dorf yn fyr a phwrpasol, gan fod y rhaglen yn fawr iawn i un cyfarfod ac yna, aed yn mlaen gyda'r gweithrediadau. Beirniadaeth y Parch. Emrys ap Iwan ar y traethodau – 'Gwyrthiau Crist, eu dilysrwydd, eu gwasanaeth i grefydd, a'u rhagoriaeth ar wyrthiau pawb eraill;' neb yn deilwng o'r wobr.[103]

John Roberts, wrth gwrs, oedd tad J. Herbert Roberts, ac roedd Emrys ap Iwan hefyd yn cymryd rhan yn yr ŵyl. Un o gystadlaethau'r cyfarfod oedd llunio 'Englynion i'r ysgoldy newydd', dan feirniadaeth Garmonydd (H. B. Jones), ysgolfeistr yn Llanarmon-yn-Iâl, a Gwynnvre a enillodd y gystadleuaeth honno. Enillodd hefyd ddwy gystadleuaeth arall, sef llunio cerdd ar y testun 'Dyddiau y Parch. Richard Owen', a hynny 'gyda chanmoliaeth uchel', a darn o farddoniaeth ar y testun 'Y dyn-blentyn a'i bleserau'.[104] 'Dylem grybwyll yma, gan i ni esgeuluso yn y dechrau, fod Mr. Isaac Jones, Tyddyn Morgan, a Gwynnvre ap Iwan, wedi traddodi anerchiadau barddonol a barasant fwynhâd a bywyd mawr yn y cyfarfod,' meddai adroddiad *Y Faner* ar y cyfarfod.[105]

J. H. Roberts a awgrymodd i Isaac Jones y dylai ei fab sefyll arholiad y 'Matríc' ar gyfer mynd i Brifysgol Rhydychen, er mai yng Nghaergrawnt y graddiodd ef ei hun. Cafodd gymorth gan y Parchedig Henry Hughes i loywi ei Ladin a'i Roeg. Ond aeth Gwynn yn wael, a bu'n wael am wythnosau. Cafodd ffliw lloriol ac annwyd trwm ar ei ôl. Ni allai ei dad roi unrhyw fath o help ariannol iddo, a chollodd y cyfle i fynd i Rydychen am byth. Arhosodd y siom gydag ef trwy weddill ei fywyd, a cheir cyfeiriadau at y siomedigaeth honno mewn sawl stori o'i eiddo, y stori 'Deio Bach' yn un.

Plentyn bregus ei iechyd, fel Gwynn, oedd Deio Bach, ond cafodd fam dda:

Nid oes debyg yn y byd i ofal mam, ac ni chafodd neb erioed well mam nag a gafodd Deio, na chystal, ond odid. Gweithiodd yn galed i'w fagu a chael iddo bob peth a fyddai angen. Ac yr oedd angen llawer o bethau ar Deio druan pan oedd yn blentyn. Etifeddodd wendid ei dad, a byddai o annwyd i annwyd a ch[lef]yd i glefyd am flynyddau cyntaf ei einioes yn yr hen fyd yma. Ond ni adawai ei fam fod arno eisiau dim byd y gallai hi ei gael. Ac nid gwaith bychan iddi hi oedd ennill yr arian angenrheidiol i gael popeth y byddai y meddyg yn dywedyd fod yn rhaid i Deio ei gael. Bu ar ei thraed ddydd a nos am wythnos laweroedd o weithiau yn golchi a smwddio, pwytho a gweu i ennill tipyn o arian dros ben at gael ffisig neu faeth i Deio Bach.

> Yn araf, daeth Deio yn gryfach ac yn iachach, a thrwy ei fod yn cael rhedeg o gwmpas ar hyd y dydd ac yn cael digon o laeth, beth bynnag arall a fyddai ar ôl, daeth Deio o'r diweddaf o leiaf cyn iached â'r cyffredin o blant o'i oed.[106]

Mae'n bur debyg mai talu teyrnged i'w fam ei hun a wna Gwynn yma. Fodd bynnag, y fam sy'n colli ei hiechyd yn y stori, nid y mab. Roedd y fam a'r mab wedi gobeithio y byddai Deio yn ennill ysgoloriaeth i fynd i'r Brifysgol un diwrnod, ond dryswyd eu cynlluniau i gyd:

> Yr oedd Deio wedi dechreu meddwl am ddyfod yn ei flaen, ac yn dyfod hefyd. Gobeithiai allu ennill ysgoloriaeth yn un o'r colegau fel y gallai ddal i fynd yn ei flaen yn uwch fyth, ond aeth ei fam yn sâl, a bu raid iddo yntau aros adref o'r ysgol am ysbaid yn ystod salwch ei fam. Canlyniad hyn f[u] iddo fethu ag ennill yr ysgoloriaeth yr oedd efe ei hun a'i athrawon yn yr ysgol yn gobeithio y buasai yn ei hennill.[107]

Y mae'n sicr mai profiad personol torcalonnus Gwynn a geir yn y stori:

> Ac yn y fan hon y dechreuodd Deio dorri ei galon. Nid allai aros yn yr ysgol ramadegol yn hwy, am fod tymor yr ysgoloriaeth wedi darfod, a chan nad oedd yntau wedi enill yr ysgoloriaeth a ddisgwyliai i gael mynd yn ei flaen, bu raid iddo droi i feddwl am rywbeth arall, yn enwedig gan nad oedd iechyd ei fam byth wedi dyfod fel y byddai cyn y salwch a gafodd hi.[108]

Ac fel awdur y stori, cael swydd fel clerc a wnaeth Deio Bach. Roedd yn ennill cyflog, fel y gallai helpu ei fam, ond ennill cyflog oherwydd iddo golli cyfle a wnaeth. Cariai'r siom gydag ef i bobman: 'Eto yr oedd Deio yn gofidio o hyd ei fod wedi methu mynd ymlaen ar y llwybr yr oedd efe wedi ei ddewis iddo ei hun'.[109] Creadur unig braidd oedd Deio. 'Nid oedd ganddo ond ychydig o gyfeillion, a bywyd distaw, prudd yr oedd efe yn ei arwain bob amser'.[110]

Gellir dychmygu mai bywyd distaw a phrudd oedd bywyd y Thomas ifanc, prudd oherwydd fe afaelodd y felan ynddo yn gynnar yn ei fywyd; bywyd hefyd o ddarllen eang a dwfn, ac o ymarfer y grefft o farddoni, trwy gyfrwng y gynghanedd yn bennaf. Ond roedd ganddo gyfeillion, a chefnogwyr. Un o'i gyfeillion agosaf wedi i'w rieni symud i Dyddyn Morgan oedd bachgen o'r enw R. S. Rowlands.

Cyfaill arall iddo oedd Robert Osborne Jones, disgybl yn Ysgol Pwll y Grawys, Dinbych. Collodd gysylltiad ag R. S. Rowlands, a aeth yn filfeddyg, i raddau ar ôl cyfnod eu llencyndod, ond cadwodd gysylltiad agos â Robert Osborne Jones, a aeth yn brifathro Ysgol Ystrad Meurig.

Ac yntau'n bedair ar bymtheg oed ym mis Hydref 1890, ni wyddai Gwynn beth i'w wneud. Cafodd sylfaen dda, ond trwy unigolion, nid ysgolion, y cafodd y sylfaen dda honno. Yr hen offeiriad diofalaeth a'i trwythodd mewn Groeg a Lladin, a phlannodd Emrys ap Iwan ynddo ddiddordeb mewn ieithoedd estron, yn ogystal â gloywi a chaboli ei Gymraeg a dysgu elfennau ac egwyddorion cenedligrwydd iddo. Cafodd feistr dihafal yn hyn o beth. Ond, ac yntau wedi colli'r cyfle i fynd i Brifysgol, ymhle a sut y gallai barhau i astudio a dysgu?

Cafodd hefyd fagwraeth symudol. Ymhell cyn iddo gyrraedd ei ugain oed, roedd wedi bod yn byw mewn pedwar lle, ac ni fedrodd fagu gwreiddiau yn unman yn iawn. O safbwynt ymwreiddio, y Pentre Isa a ddaeth agosaf ati. Ond bu'n rhaid i Isaac Jones godi ei bac ddwywaith oherwydd ei sefyllfa gyda'i landlordiaid. Roedd yn ŵr a chanddo asgwrn cefn yn sicr, ac etifeddodd y mab ddewrder ac annibyniaeth barn y tad. Trwy gydol ei oes, casâi daeogrwydd y Cymry, a hynny oherwydd iddo gael ei fagu mewn cymdeithas wrol a heriol. Yn ôl ŵyr Gwynn a gor-ŵyr Isaac, Emrys Wynn Jones:

> Yr oedd Isaac Jones, fy hen daid, yn gymeriad diddorol ac yn ŵr o allu a gwreiddioldeb. Nid oedd yn amaethwr o fri, ac amharwyd ar ei fywoliaeth fel amaethwr ddwy waith pan gollodd ei ddenantiaeth yn y Gwyndy Uchaf, Betws-yn-Rhos ac wedi hynny Plas-yn-Green ger Dinbych, trwy weithredu yn ôl ei gydwybod yn lle dymuniad y meistr tir. Ond enillodd barch ei gymdogion trwy ei foneddigeiddrwydd tawel a'i wreiddioldeb.[III]

Yn nhraddodiad y radicaliaeth Anghydffurfiol honno a oedd mor gryf yn Sir Ddinbych y magwyd Isaac Jones. Roedd yn flaenor gyda'r Hen Gorff, yn athro ysgol Sul ac yn bregethwr cynorthwyol, ac, wrth gwrs, roedd yn barddoni. Wrth droi at farddoni ei hun, dilyn ei dad a wnaeth Gwynn. Ni chafodd unrhyw fardd lleol ddylanwad arno, a thorri ei lwybr ei hun a wnaeth. Er bod Clwydfardd (David Griffith), Archdderwydd cyntaf Gorsedd y Beirdd, yn byw yn Abergele pan oedd Gwynn yn laslanc yno, ac er i Gwynn lunio cerdd iddo ar achlysur cyflwyno Anrheg Genedlaethol iddo, bardd eisteddfodol ydoedd, ac nid oedd unrhyw werth i'w waith o gwbl, dim byd y gallai ei efelychu i wella'i waith ei hun. Fel y dywedodd Gwynn ei hun:

> Nid adnabûm i yn fy machgendod gymaint ag un bardd clodwiw na llenor galluog. Nid oes gennyf ond cof am ddau o'r beirdd, ac nid oedd (ac nid oes) gennyf nemor feddwl o'r rheiny. Yn fuan, euthum i hoffi barddoniaeth Saesneg yn llawer mwy na barddoniaeth Gymraeg, ac yr oeddwn yn gallu darllen Lladin yn weddol cyn i mi gael cyfrol Ffoulkes Lerpwl o'r cywyddau a briodolir i Ddafydd ap Gwilym, a blynyddoedd cyn i mi drawo ar y Myfyrian a gwaith y Gogynfeirdd.[112]

A dyma'r gwerthoedd a fabwysiadodd y mab. Daeth y Thomas ifanc i ddeall bod cymdeithas wedi ei rhannu a bod hollt enfawr rhwng y breintiedig a'r anfreintiedig, y tirfeddianwyr a'r tenantiaid, y cyfoethogion a'r tlodion. Daeth i ddeall ystyr gormes ac anghyfiawnder yn gynnar iawn yn ei fywyd: gormes ar yr iaith Gymraeg, gormes ar amaethwyr diwyd Sir Ddinbych a gormes ym myd addysg. Trwy ei fywyd, byddai'n ochri â'r rhai a gâi eu mathru a'u cam-drin, ochri â'r bach yn erbyn y mawr, amddiffyn a chefnogi'r gwas yn erbyn y meistr.

Ac roedd ganddo allu digamsyniol ac awch am addysg, ond oherwydd ei fod yn perthyn i'r dosbarth anfreintiedig, nid oedd fawr obaith y câi fynd i unrhyw brifysgol. Yn anffodus, i'r dosbarth cefnog mewn cymdeithas y perthynai'r fraint o gael addysg uwch mewn Prifysgol. Arian, ac nid gallu, a balmentai'r ffordd i gyfeiriad y byd academaidd. I droi'n ôl at y stori 'Deio Bach' am eiliad:

> Anfonwyd Deio i'r ysgol ramadegol, ond nid oedd yno le hyfryd iddo ef. Plant pobl â digon o foddion ganddynt a fyddai yn mynd yno, a phan ddaeth Deio yno â chlos rhesog bras am dano a chlytiau ar hwnnw, yr oedd yr hogiau yn edrych i lawr yn arw arno ... Eto, er fod y plant yn edrych i lawr arno, yr oedd Deio yn hogyn â digon o blwc ynddo. Ni chymerai sylw ohonynt – o leiaf, ni ddanghosai ei fod yn teimlo pan fyddent yn ei ddirmygu. Yn yr ysgol hon fel yn y llall, yr oedd efe ar y blaen, a chyn hir, yr oedd ei lwyddiant fel ysgolhaig wedi tynnu sylw yr athrawon – sicrhau iddo barch a chefnogaeth ganddynt hwy, er gwaethaf y ffaith fod clytiau ar ei ddillad.[113]

Byddai'n rhaid i Gwynn aros yn hir iawn cyn y câi wir lwyddiant fel ysgolhaig.

Ac eto, gyda 1890 yn prysuro i'w therfyn, ac er gwaethaf pob siom ac anobaith, roedd drws ar fin agor iddo.

NODIADAU

1   'Il T. Gwynn Jones', *Y Bardd yn ei Weithdy: Ysgyrsiau gyda Beirdd*, Cyfres Pobun rhif XVI, Golygydd: T. H. Parry-Williams, 1948, t. 16.

2   Ibid.

3   Ibid. Cyhoeddwyd y gerdd yn wreiddiol yn *Ymadawiad Arthur a Chaniadau Ereill*, 1910, t. 33, ac wedyn yn *Manion*, 1932, tt. 15–16.

4   Papurau T. Gwynn Jones yn y Llyfrgell Genedlaethol, B50, llythyr oddi wrth T. Gwynn Jones at Daniel Rees, Mawrth 18, 1906; 'LLGC TGJ' o hyn ymlaen. Cyflwynwyd y llythyrau hyn i'r Llyfrgell Genedlaethol gan fab Daniel Rees, ac fe'u cedwir gyda phapurau T. Gwynn Jones.

5   Casgliad Robin Gwyndaf, llythyr oddi wrth T. Gwynn Jones at Thomas Jones, Mehefin 26, 1929; 'CRG' o hyn ymlaen.

6   'Cerrigelltgwm' yw'r enw iawn ar y fferm, ond fel 'Thomas Jones Cerrigellgwm' yr adwaenid ef ar lafar gwlad.

7   Ibid.

8   Papurau E. Morgan Humphreys yn y Llyfrgell Genedlaethol, A/2115, llythyr oddi wrth T. Gwynn Jones at E. Morgan Humphreys, Ebrill 20, 1931; 'LLGC EMH' o hyn ymlaen.

9   Ibid., A/2043, llythyr oddi wrth T. Gwynn Jones at E. Morgan Humphreys, Mai 30, 1922.

10 'Rhagair', *Talhaiarn: Detholiad o Gerddi*, 1930, t. 8.

11 LLGC TGJ, 21672C, 44, llythyr oddi wrth T. Gwynn Jones at E. Tegla Davies, Mai 12, 1934.

12 *Y Gainc Olaf: Drama-ganu Un Act*, T. Gwynn Jones a W. S. Gwynn Williams, 1934, t. 25.

13 Ibid., tt. 13, 13, 15, 20, 34.

14 *Brithgofion*, 1944, t. 14.

15 'Gwlad Hud', *Caniadau*, tt. 158–9.

16 *Brithgofion*, t. 8.

17 Ibid., t. 9.

18 Ibid., t. 18.

19 Ibid., t. 17.

20 Ibid., t. 18.

21 'Pero', *Manion*, 1930, t. 52.

22 'Mac', *Cyfres y Meistri 3: T. Gwynn Jones*, Golygydd: Gwynn ap Gwilym, 1982, t. 505. Cyhoeddwyd yn wreiddiol yn Y Wawr, cyf. lll, rhif 3, 1949, tt. 50–1.

23 'Pero', t. 53.

24 'Mac', t. 505.

25 'Twrc', *Brethyn Cartref: Ystraeon Cymreig*, 1913, t. 8.

26 'Sam', Ibid., t. 24.

27 LLGC EMH, A/2139, llythyr oddi wrth T. Gwynn Jones at E. Morgan Humphreys, Chwefror 25, 1937.

28 *Brithgofion*, t. 21.

29 LLGC EMH, A/1967, llythyr oddi wrth T. Gwynn Jones at E. Morgan Humphreys, Medi 18, 1913.

30 Ibid., A/2143, llythyr oddi wrth T. Gwynn Jones at E. Morgan Humphreys, Awst 12, 1938.

31 'Hen Gynefin', *Dyddgwaith*, 1937, t. 59.

32 Ibid., t. 61.

33 Ibid., t. 60.

34 Ibid., tt. 60–1.

35 'Rhagair', *Pitar Puw a'i Berthynasau*, 1932, t. 6.

36 'Pellter', *Dyddgwaith*, t. 39.

37 Ibid., t. 41.

38 Ibid., tt. 41–2.

39 'Nodiadau T. Gwynn Jones ar *Caniadau*', R. I. Aaron, *Y Llenor*: Rhifyn Coffa Thomas Gwynn Jones, cyf. XXVIII, rhif 2, Haf, 1949, t. 123. Mae'n nodi mai 'Rôs Ailithir, neu Rôs Cairbre, yn Iwerddon, lle'r oedd ysgol enwog yn y ddegfed ganrif' oedd 'Rhos y Pererinion'. Cyhoeddwyd *Detholiad o Ganiadau* gan Wasg Gregynog ym 1926.

40 *Brithgofion*, tt. 9–10.

41 *Lona*, 1923, t. 13.

42 'Hen Gynefin', *Dyddgwaith*, tt. 58–9.

43 Ibid., t. 59.

44 Ibid.

45 *Brithgofion*, t. 33.

46 Ibid., tt. 33–4.

47 Ibid., t. 34.

48 Ibid., tt. 34–5.

49 Ibid., t. 47.

50 *Gwedi Brad a Gofid*, 1898, t. 54.

51 Ibid., tt. 54–5.

52 Ibid., t. 55.

53 Ibid., tt. 55–6.

54 Ibid., t. 56.

55 Ibid.

56 Ibid., t. 57.

57 Ibid., t. 61.

58 Ibid., t. 59.

59 'Darllen', *Dyddgwaith*, t. 71.

60 Ibid., tt. 71–2.

61 'Nationality and Patriotism', *The Welsh Outlook*, cyf. III, rhif 4, Ebrill 1916, t. III.

62 'Gwlad Hud', tt. 165–6.

63 'Alafon: Atgofion', *Y Goleuad*, Chwefror 18, 1916, t. 5.

64 'Llyfrau Ieuenctid', *Astudiaethau*, 1936, tt. 161–2.

65 'Albert Maywood neu Fywyd ymysg Indiaid America', *Trysorfa y Plant*, cyf. XVIII, rhif 205, Ionawr, 1879, t. 15.

66 'Wele Fi'n Sefyll wrth y Drws, ac yn Curo', *Y Faner*, Ionawr 2, 1901, t. 11.

67 *Crwydro Gorllewin Dinbych*, Frank Price Jones, 1969, t. 251.

68 'Llyfrau Ieuenctid', t. 164.

69 Ibid., t. 165.

70 'Llyfrau a Llenorion', *Y Cymro*, Mehefin 20, 1907, t. 5.

71 'Nodion Llenyddol', *Y Faner*, Mehefin 8, 1892, t. 9.

72 'Welsh History'/'Owen Rhoscomyl's New Book', *Carnarvon and Denbigh Herald*, Hydref 6, 1905, t. 3.

73 'Nodion Llenyddol', *Y Faner*, Mehefin 8, 1892, t. 9.

74 'School Board Meeting', *Denbighshire Free Press*, Rhagfyr 8, 1883, t. 6.

75 'Nationality and Patriotism', t. 11.

76 *Brithgofion*, t. 52.

77 Cefais yr englyn hwn gan Ceredig Gwynn Jones, ŵyr T. Gwynn Jones. Fe'i cafwyd dan fwrdd a

oedd ym meddiant Eirlys Jones, nith T. Gwynn Jones, merch Sarah Ellen.

[78] 'Englyn i'r Bytaten, i unrhyw oed', *Trysorfa y Plant*, cyf. XXV, rhif 292, Ebrill 1886. t. 94.

[79] Arthur ap Gwynn, 'Thomas Gwynn Jones; Dyddiau a Gweithiau Cynnar', *Cyfres y Meistri 3*, t. 42.

[80] 'Edrych yn Ôl', *Trafodion Anrhydeddus Gymdeithas y Cymmrodorion*, 1942, Gwahanlith 1944, t. 125.

[81] Ibid.

[82] 'Shôn Gorph', *Y Faner*, Ionawr 21, 1885, t. 5.

[83] Ibid.

[84] *Brithgofion*, t. 55.

[85] Ibid., tt. 55–6.

[86] *Cofiant Thomas Gee*, 1913, t. 210.

[87] 'Caneuon y Degwm', *Y Faner*, Ebrill 20, 1887, t. 5.

[88] 'Aerflawdd: Degwm v. Dadgyssylltiad', Ibid., Awst 22, 1888, t. 5.

[89] 'Rhyfel y Degwm', Ibid., Awst 31, 1889, t. 6.

[90] 'Cynlas', Ibid., Awst 24, 1887, t. 5.

[91] 'Môr o Waed dros Gymru Wen', Ibid., Gorffennaf 24, 1889, t. 5; *Y Drych*, Hydref 17, 1889, t. 1; hefyd yn *Dyddiau y Parch. Richard Owen, gyda chynyrchion buddugol ereill*, 1891, tt. 26–7.

[92] 'Cadlef Cymru Fydd', *Y Faner*, Rhagfyr 18, 1889, t. 5; *Y Werin*, Gorffennaf 19, 1890, t. 4.

[93] 'Codwn Gledd er Cadw'n Gwlad!', *Y Faner*, Tachwedd 26, 1890, t. 11; *Y Werin*, Tachwedd 29, 1890, t. 3; *Cyfaill yr Aelwyd*, cyf. XI, rhif 2, Chwefror 1891, t. 51. Ni nodir iddi ymddangos yn *Y Werin* yn *Llyfryddiaeth Thomas Gwynn Jones*, D. Hywel E. Roberts.

[94] 'Allwyn Coll', *Y Faner*, Rhagfyr 14, 1887, t. 5.

[95] 'Y Misoedd', Ibid., Medi 25, 1889, t. 5.

[96] 'Y Lloer', Ibid., Tachwedd 13, 1889, t. 5.

[97] Cystadleuaeth y Gadair: beirniadaeth Elis Wyn o Wyrfai, Hwfa Môn a Dyfed, *Cofnodion a Chyfansoddiadau Buddugol Eisteddfod Gwrecsam, 1888*, golygydd: E. Vincent Evans, tt. 6–7.

[98] Ibid., t. 7.

[99] 'Chair Eisteddfod at Abergele', *Denbighshire Free Press*, Mai 11, 1889, t. 8.

[100] 'Abergele', *Y Faner*, Ionawr 8, 1890, t. 12.

[101] 'Abergele', *Y Goleuad*, Gorffennaf 12, 1888, t. 11.

[102] Ibid.

[103] 'Abergele', *Y Faner*, Ionawr 9, 1889, t. 7.

[104] Ibid.

[105] Ibid.

[106] 'Deio Bach', *Papur Pawb*, Chwefror 16, 1907, t. 5; *Yr Herald Cymraeg*, Chwefror 19, 1907, t. 2.

[107] Ibid.

[108] Ibid.

[109] Ibid.

[110] Ibid.

[111] '"Rhai o Feddyliau'r Hil": Edrych yn Ôl ar T. Gwynn Jones', *Taliesin*, cyf. 94, Haf 1996, t. 79.

[112] LLGC EMH, A/2139, llythyr oddi wrth T. Gwynn Jones at E. Morgan Humphreys, Chwefror 25, 1937.

[113] 'Deio Bach', t. 2.

Pennod 2

RURIK DHU, GWYNN AP IWAN AC ERAILL
YN SWYDDFA'R *FANER* A'R *CYMRO* 1891–1894

Erbyn diwedd 1890, ar drothwy blwyddyn newydd, roedd dyfodol ansicr yn wynebu Gwynn. Gartref yn Nhyddyn Morgan yr oedd o hyd yn helpu ei dad i ffermio, heb unrhyw ragolygon am swydd. Ond nid cyfnod segur-ofer oedd y cyfnod hwnnw. Parhâi i farddoni ac i arbrofi â'r gynghanedd ac â gwahanol fesurau, astudiai Ladin a Groeg, a darllenai'n helaeth. Ac yna, daeth gwaredigaeth. Anfonodd Thomas Gee, perchennog Gwasg Gee a *Baner ac Amserau Cymru* yn Ninbych, lythyr at Isaac Jones yn gofyn iddo a hoffai ei fab ymuno â staff *Y Faner*. Yng ngeiriau Gwynn ei hun:

> Tua'r flwyddyn 1890 fe'm cefais fy hunan, gyda chryn foddhâd a hyder, yn is-olygydd yn Swyddfa'r Faner, wedi anobeithio bron ar ôl deufis neu dri o ddioddef gan chwiw'r 'anwydwst' fel y gelwid y 'ffliw' yng ngholofnau'r Faner. Yr oedd y byd yn dechrau edrych yn fwy gobeithiol bellach a hen freuddwyd am fynd i Rydychen wedi cilio o gyrraedd hynny o amynedd a roed i mi. Onid oeddwn innau bellach ar lwybr oedd yn mynd i rywle?[1]

Gwyddai Thomas Gee am Gwynn. O 1887 ymlaen, pan oedd yn un ar bymtheg oed, dechreuwyd cyhoeddi cerddi o'i waith yn rheolaidd yn *Y Faner*, cerddi gwleidyddol eu naws a'u neges yn bennaf. Un o gyfranwyr cyson *Y Faner* oedd Emrys ap Iwan, a fu hefyd yn cynorthwyo Thomas Gee pan oedd *Baner Cymru* a

Baner ac Amserau Cymru yn eu babandod, ac efallai fod Emrys wedi cymeradwyo Gwynn i Thomas Gee. Gwyddai Thomas Gee am ddaliadau gwleidyddol Isaac Jones, ac yntau'n gyfrannwr ysbeidiol i'r *Faner* ac yn aelod pybyr o Gymdeithas Amaethwyr Dinbych a'r Cyffiniau, cymdeithas Ryddfrydol yn ei hanfod y cyhoeddid adroddiadau am ei chyfarfodydd yn *Y Faner*. Mynychai Thomas Gee ei hun rai o gyfarfodydd y Gymdeithas. 'Sylweddolwn mai am fy mod yn fab i dad a fyddai ar dro'n ysgrifennu i'r *Faner* ar bwnc y tir, yr oeddwn innau lle'r oeddwn bellach,' meddai Gwynn.[2]

Nododd, yn amwys braidd, mai oddeutu'r flwyddyn 1890 yr ymunodd â staff *Y Faner*, ond yn Abergele yr oedd o hyd ddiwedd 1890 a dechrau 1891. Anfonodd gerdd i'r *Faner* er cof am ddau o lenorion y dydd, Meudwy Môn a Gweirydd ap Rhys, ym mis Tachwedd 1890, ac o Abergele y gyrrwyd y gerdd i'r papur. Bu farw Meudwy Môn (Owen Jones), golygydd *Cymru, yn Hanesyddol, Parthedegol, a Bywgraphyddol* (1875), a *Ceinion Llenyddiaeth Gymreig* (1875 eto), ar Hydref 11, 1889. Fesul rhifyn y cyhoeddwyd *Cymru* i ddechrau, cyn casglu'r holl rifynnau hyn ynghyd i'w cyhoeddi'n llyfr, a daeth Gwynn ar draws y rhifynnau hynny ymhlith llyfrau ei dad. Cafodd *Cymru* Meudwy Môn ddylanwad aruthrol ar y Gwynn ifanc:

> Dichon mai dyma'r llyfr a gafodd fwyaf o ddylanwad arnaf i o bob llyfr a ddarllenais erioed, er nad yw ond math o eiriadur a bod ei arddull yn bopeth ond Cymreig. Ei rinwedd oedd bod ynddo ystraeon am Gymru a'i thrigolion. Bu'r llyfr hwn yn gydymaith am flynyddoedd. Am ryw reswm cudd, glynodd pob darn o hen brydyddiaeth Gymraeg sydd ynddo yn y cof, pa un bynnag a ellir ei ddeall ai peidio. Yr oedd rhyw ysblander tynghedfennol o gwmpas y dyfyniadau hynny, megis y sydd mewn ystorm o fellt a tharanau.[3]

Llenor a hanesydd oedd Gweirydd ap Rhys (Robert John Pryse), awdur *Hanes y Brytaniaid a'r Cymry* (1872–1874), llyfr arall a agorodd fydoedd newydd i'r Gwynn ifanc. Roedd gan Gweirydd ap Rhys gysylltiad â Gwasg Gee. Ym 1857 symudodd gyda'i deulu lluosog o Lanrhyddlad i Ddinbych, i weithio ar gampwaith mawr Thomas Gee, *Y Gwyddoniadur*, ac ar eiriaduron. Bu farw Gweirydd ap Rhys ar Hydref 3, 1889, ychydig ddyddiau o flaen Meudwy Môn, a lluniodd Gwynn farwnad i'r ddau ar y cyd, 'Meudwy Môn, a Gweirydd'. Bu farw'r ddau dair blynedd ar ôl sefydlu Cymru Fydd, a gresynai Gwynn eu bod wedi marw ar adeg mor gyffrous yng Nghymru:

Ah! dwyre'n wiw a wnâi y dirion wawr
  Ddisgwylient hwy; rhydd wisg o oleuni têr
I'n Gwalia mwy – ond O! y gwagle mawr
  A deimla hi ar ôl ei siriol sêr!
Ah! Meudwy Môn! pa'm gwnaet ymadaw 'mhell
  A suddo i lawr i gôl dy farwol fedd,
Ban ydoedd gwawr uwch ben, a dyddiau gwell,
  A llachar dân eu llewych ar dy wedd?
Ti Weirydd hoff! pa'm aet i orwedd hwnt,
  Draw i dy gell pan bron yn doriad gwawr –
O'i gerth rym broch pan syrthiai gorthrwm brwnt,
  Rhag eurwawr Rhyddid, yn ei lid, i lawr?[4]

Roedd gwawr well ar fin torri a sŵn rhyddid yn y gwynt, ond bu farw'r ddau gymwynaswr hyn cyn i gyfnod cyffrous newydd wawrio ar Gymru:

Chwi arwyr dewr! y rhai fu'n chware'r dyn –
  Yn codi awchog gledd er cadw'ch gwlad –
Och! waelaf wae, pa'm aech i'ch olaf hûn
  Cyn d'od o'r wawr yn ddydd, eur ddydd rhyddhâd![5]

Pedair ar bymtheg oed oedd Gwynn pan luniodd y farwnad ddeuol hon, a pharhâi i arbrofi â chynghanedd a mesur, pan oedd beirdd caeth Cymru yn glynu fel gelen wrth yr hen fesurau traddodiadol, gan lurgunio a llofruddio'r gynghanedd ar yr un pryd. Cerdd gynganeddol yw 'Meudwy Môn, a Gweirydd', gyda chynghanedd gyflawn ymhob llinell, a'r rheini'n llinellau decsill yn odli bob yn ail i'w gilydd. Ar un ystyr, mesur y soned heb y cwpled clo odledig a geir yma.

Wrth gwt 'Meudwy Môn, a Gweirydd' ceir 'Abergele/Gwynn ap Iwan'. Ar yr un dudalen yn yr un rhifyn o'r *Faner* y cyhoeddwyd 'Codwn Gledd er Cadw'n Gwlad!' – un arall o 'gerddi Cymru Fydd' Gwynn – y cyfeiriwyd ati eisoes.

Cyhoeddwyd dwy gerdd ganddo yn rhifyn Ionawr 14, 1891, o'r *Faner*, a cheir 'Abergele/Gwynn' wrth gwt un ohonynt, 'Anobaith', cerdd a oedd eisoes wedi ymddangos yn *Y Faner* ryw fis ynghynt, eto gydag 'Abergele/Gwynn' wrth ei chwt. Mae'r gerdd yn adlewyrchu cyflwr ei feddwl ar y pryd, wrth iddo anobeithio am ei ddyfodol:

Teimlwch adgo'n toddi
  Poen yn fwyniant pûr,
Ond ar fyr yn boddi
  Mewn angerddol gûr:
Fry rhowch ddofn ochenaid
  Ond i b'le y dring?
Dychwel, ac â'ch enaid
  Yn uffern poen ac ing!

Pan fo'r hwyr yn dawel,
  Sefwch ar y bryn,
Gwedi threngo'r awel
  Yn[g] ngwyrddlwyni'r glyn;
Tua gwynfa crwydrwch –
  Man mae'i hysbryd hi –
Efo uffern brwydrwch
  Pan ddilynwch fi![6]

Roedd y gerdd fechan hon yn bur wahanol i'r math o gerddi a gyhoeddid ym mhapurau a chylchgronau Cymru ar y pryd. Yn un peth, roedd yn fwy celfydd ac yn fwy meddylgar na'r rhelyw o gerddi'r cyfnod. Y ffin denau rhwng gorfoledd a gwewyr, rhwng gwae a gwynfyd, yw thema'r gerdd, ac fel y mae ing a llawenydd yn ymdoddi mor rhwydd i mewn i'w gilydd. Anodd osgoi'r argraff hefyd mai cerdd am iselder ysbryd yw hi, y pruddglwyf hwnnw a fu'n plagio Gwynn er pan oedd yn ifanc iawn. Yn y gerdd, ceir ymdrech i gyrraedd llawenydd a thawelwch meddwl, ond mae tristwch a phoen yn difa pob hapusrwydd. Er bod atgofion yn toddi poen yn fwyniant pur, yr atgofion hynny sy'n dileu popeth annymunol am gyfnodau arbennig yn ein bywydau ac yn cadw'r ymdeimlad o hapusrwydd yn unig, buan iawn y daw'r pethau annymunol yn ôl i ddifetha popeth. Os gollyngir ochenaid o ryddhad i'r awyr, daw yn ôl â'r hen boen i'w chanlyn. Ni ellir dianc rhag y tristwch hwn er pob cais i wneud hynny. Rhaid brwydro ag uffern i gyrraedd gwynfyd.

Erbyn diwedd mis Mawrth, fodd bynnag, yr oedd yn cyfarch un o drigolion Dinbych, Dr Evan Pierce, ar achlysur ei ben-blwydd yn 82 oed, ac roedd yn parhau i arbrofi â chynghanedd a mesur. Cerdd ac iddi gwpledi decsill odledig yw'r gerdd honno:

Gorau awenwaith er ei goroni
Ag urdduniant am gywir ddaioni!
Ah! pêr hefyd fo'n cân i'n peryfon,
Na aller rhifo ei holl lawryfon! ...[7]

Yn ystod haf 1891 dechreuodd yr enw Rurik Dhu ymddangos yn *Y Faner*, a Gwynn oedd hwnnw. Un o gyfraniadau cyntaf Rurik Dhu i'r *Faner* oedd llythyr dan y pennawd 'Arglwyddi Tir Cymru', a hawliau tenantiaid oedd byrdwn y llythyr hwnnw, gan ddilyn a pharhau egwyddorion a pholisïau Rhyddfrydol ei dad a'i bennaeth, Thomas Gee. Codai'r tirfeddianwyr renti uchel ar eu tenantiaid, er bod y tenantiaid hynny wedi trin y tir a gofalu amdano. Roedd llawer o alw am dir, a'r galw hwnnw yn rhoi esgus perffaith i'r landlordiaid i godi rhenti afresymol ar y tirddeiliaid. Twyllid y tenantiaid o'u tir yn aml. Cwynodd Gwynn fod y Cymry yn colli eu gwlad yn raddol:

> Tri pheth a wyddom; sef, fod y lle a eilw y Cymro yn 'Hen Wlad ei dadau' yn prysur fyned yn eiddo estroniaid; fod yr estroniaid hyny yn gormesu yn annynol; ac hefyd, fod y Cymry yn ddigon o ynfydion i ddioddef unrhyw beth.[8]

Cymerid y tir oddi ar y Cymry trwy dwyll:

> ... gwyddys am gyfreithiwr o Sais a drigai yn[g] nghanol ardal Gymreig; lawer o flynyddoedd yn ôl, yr oedd y mynyddoedd yn berchenogaeth gyffredin i amaethwyr yr ardal, yn cael ei ranu cydrhyngddynt, yn ôl maint eu ffermydd. Cafodd y cyfreithiwr uchod ei bennodi i'r gwaith o drefnu y rhaniad. Aeth o gwmpas ei waith yn y modd mwyaf dichellgar, drwy roddi llai o fynydd o ddeng erw i hwn a'r llall drwy yr ardal, a'u cyfrif at fferm fechan, yn mha un y trigai hen ŵr diniwed a di-ddrwgdyb. Yr oedd yr hen ŵr yn byw ar ei dir ei hun; ac felly, efe oedd pïa yr hawl ar hyny a ddigwyddai iddo ef. Ar ôl y gorchwyl uchod, aeth y cyfreithiwr at yr hen ffermwr, gan ofyn pa faint a gymmerai efe am y mynydd-dir oedd yn digwydd iddo ef?[9]

Gwerthodd yr hen ffermwr y mynydd-dir am chwephunt. Y canlyniad oedd

> ... fod y Sais hwnw, neu rywrai o'i deulu, yn meddiannu y tir hwnw hyd
> heddyw. Dyma enghraifft deg o dir-ladrad; ac y mae yn yr ardal hono
> bobl yn talu rhent am dir sydd yn eiddo iddynt eu hunain, a hyny o
> herwydd eu gwiriondeb a'u diniweidrwydd, ac ystrywiau cyfrwys-ddrwg
> yr estroniaid.[10]

Nododd fod mwyngloddiau a chwareli Cymru i gyd yn perthyn i estroniaid, am
y rheswm syml fod yr dieithriaid hyn yn fwy mentrus na'r Cymry gochelgar.
Priodolodd y diffyg anturio hwn, yng Nghymru ac yn Iwerddon, i'r ffaith fod
canrifoedd o orthrwm wedi cyflyru'r ddwy wlad i fod yn ofnus-ochelgar:

> Pa fodd y dygwyd hyn oddi amgylch? Yr unig atteb a ellir ei roddi i'r
> gofyniad yw hwn, fod hir ormes a gorthrwm wedi gyru y ddwy genedl
> fel adar mewn cewyll – i gŵynian, ac i golli rhan fywiog ac ymarferol eu
> natur. Nid aeth, y mae yn wir, â'r holl wroldeb neu ddewrder ymaith, ond
> aeth y gwronedd yn farwaidd. Collwyd y gaingc hon o'n cerddoriaeth:
> tawodd y tant yma yn ein telyn; a darfu yr ysbryd hwn o'n cerddi.
> Difyrwch y genedl, o hyn allan, oedd cŵynfan galarus, ac ymhyfrydai hyd
> yn oed yn y boen a barai adgof am y dyddiau fu. Dysgodd y bobl leddfu
> eu gofid gyda dyrïau masweddol a cherddi serch; daeth yn wasaidd, yn
> oddefgar, ac yn ddidaraw.[11]

Lladdwyd ysbryd ac afiaith y genedl gan ganrifoedd o ormes:

> Yr oedd yr annibyniaeth wedi myned; yr oedd y syniad o urddas wedi ei
> anghofio; ac nid oedd waeth pwy a arglwyddiaethai arnom. Yr oeddym
> mewn rhyw fath o ddi-deimladrwydd ...[12]

Ond roedd yn rhaid i'r genedl rygnu ymlaen, rywfodd neu'i gilydd:

> O'r pryd yna yn mlaen, nid yw hanes y wlad yn ddim amgen na gormes
> creulawn a dioddef tawel, gorthrwm annynol, a di-deimladrwydd, neu
> gysgadrwydd parhaus. Oferedd fu pob ymgais i ddeffro y werin, gan eu
> bod mor lwfr a gwasaidd.[13]

'I beth y sonir am arglwyddi tir cyfiawn a theg? Y maent mor brinion ag angylion yn ein byd ni,' meddai.[14] Roedd y llythyrwr, mewn gwirionedd, yn hau hadau chwyldro yn y tir:

> Pa un yw y mwyaf anrhyddeddus, ai y llwfrddyn a fyno fyw m[e]wn caethiwed a gormes, ai y dewrddyn a fyno farw dros egwyddor? Beth ydyw dïaledd rhyw ddyrnaid o feistri tir, pan fyddo dyn ar ochr egwyddor? Yr unig beth a all ddeilliaw o hono yw, lles cenedl, a gwae yr hwn a fyno ymostwng yn wasaidd, yn hytrach na syrthio yn anrhyddeddus, a dioddef dros ei wlad.[15]

Cyffyrddodd fwy nag unwaith â'r mater hwn o gipio tir oddi ar y werin trwy dwyll yn ei weithiau llenyddol. Yn 'Brad Rhos Ddafydd', stori yn y gyfres 'Streuon Taid', sonnir am gapten o Sais yn plannu coed ar ddarnau o dir yr oedd wedi eu lladrata oddi ar ffermwyr lleol, ar gyfer magu llwynogod a phetris a ffesantod, i'w hela a'u saethu. 'Mi gymerodd ddarne o amryw ffermydd at y pwrpas, ac mi anghofiodd ostwng dim yn y rhent wedyn hefyd yn ôl yr hanes'.[16]

Rhoddodd ei swydd newydd gyfle delfrydol i Gwynn i ledaenu egwyddorion a pholisïau Cymru Fydd a'r Blaid Ryddfrydol, i hyrwyddo cenedlaetholdeb ac i herio safonau llenyddol Cymru, safon ei barddoniaeth gynganeddol yn enwedig. Roedd angen chwyldro ar y wlad, yn wleidyddol ac yn llenyddol, ond o leiaf roedd y chwyldro gwleidyddol wedi hen gychwyn. Llefarai â holl hyder ac afiaith llanc ifanc a oedd wedi cael ei gyffroi i'r byw gan y deffro newydd hwn ym mywyd gwleidyddol Cymru. Gellir synhwyro'r cyffro hwnnw yn ei eiriau. Mae'n rhaid cofio mai llanc ifanc pedair ar bymtheg oed oedd Gwynn ym 1891– hyd at Hydref 10 – ac y byddai llawer yn dehongli ei frwdfrydedd a'i eiddgarwch fel haerllugrwydd a hyfdra ar ran rhywun mor ifanc, ond roedd ei aeddfedrwydd ymhell y tu hwnt i'w oedran.

Yn ail hanner 1891, cymerodd Gwynn ran mewn nifer o'r amryfal gyfarfodydd llenyddol a diwylliannol a gynhelid yn Ninbych a'r cyffiniau. Cynhaliwyd cyfarfod cystadleuol gan Ysgol Sabothol Cefn Berain gyda'r hwyr ym mis Awst, ac un o feirniaid y gwahanol gystadlaethau oedd 'Gwynn ap Iwan'.[17] Gwynn oedd beirniad yr unig gystadleuaeth farddoniaeth mewn cyfarfod cystadleuol a gynhaliwyd yn Ninbych ym mis Tachwedd,[18] ac yng nghyfarfod adloniadol y Temlwyr Da a gynhaliwyd ym Modawen ym mis Rhagfyr, canodd ddeuawd, 'Y Ddau Wladgarwr', ac unawd, 'cân, "A Thyna Beth Yw Cariad", T. Gwynn Jones', sef cerdd o'i waith ei hun.[19] Ond nid dyna'r peth mwyaf arwyddocaol am y cyfarfod hwnnw, ond yn hytrach y ffaith mai fel T. Gwynn Jones y cyfeiriwyd ato yn adroddiad *Y Faner* ar Ragfyr 9, 1891, ar y cyfarfod. Felly, pan oedd newydd gael ei ben-blwydd yn ugain oed y dechreuodd ei alw ei hun yn T. Gwynn Jones, nid ar ei ben-blwydd yn un ar hugain oed, fel y maentumir gan eraill.[20] Cymerodd ran hefyd mewn cyfarfod adloniadol a gynhaliwyd yng Nghapel y Fron, Dinbych, eto ym mis Rhagfyr, i godi arian i ddileu dyled y capel.[21] Yn Eisteddfod Gadeiriol Temlwyr Da Dinbych, a gynhaliwyd yn y Drill Hall yn Ninbych ym mis Medi, cyflawnodd swyddogaeth anghyffredin:

> Beirniadaeth ar destyn y gadair – pryddest, 'O herwydd ei fod yn Fab dyn;' gwobr, cadair dderw, gwerth 5*p*. Yr oedd saith o gyfansoddiadau wedi dyfod i law ar y testyn hwn. Darllenodd Taliesin Hiraethog ei feirn[i]adaeth ef a Phedr Mostyn ar y pryddestau; a dywedodd mai eiddo 'Talyddon' ydoedd yr oreu. Hysbyswyd mai Mr. H. Parry Williams, Ysgol y Bwrdd, Rhyd-ddu, Caernarfon, ydoedd 'Talyddon,' pryddest yr hwn a dderbyniodd ganmoliaeth uchel gan y beirniaid. Cadeiriwyd ei gynnrychiolydd – Gwynn ap Iwan, swyddfa'r FANER, Dinbych ...[22]

H. Parry-Williams, wrth gwrs, oedd tad T. H. Parry-Williams, sef y bardd a fyddai yn ennill Cadair Eisteddfod Genedlaethol Eryri ym 1915, a Gwynn yn un o feirniaid y gystadleuaeth honno, a gŵr hefyd a fyddai un diwrnod yn gyd-weithiwr i Gwynn yng Ngholeg Prifysgol Cymru, Aberystwyth.

Ym 1891 y cyhoeddodd Gwynn ei lyfr cyntaf, ar y cyd â William Meredith Jones, er mai llyfryn bychan ydoedd mewn gwirionedd. Teitl y llyfryn oedd *Dyddiau y Parch. Richard Owen gyda chynhyrchion buddugol eraill* gan Gwynvre ap Iwan a Gwilym Meredydd. Cyfeiriwyd eisoes at yr ŵyl lenyddol a cherddorol a gynhaliwyd ar ddydd Nadolig 1889 gan y Trefnyddion Calfinaidd yng Nghapel y Methodistiaid Calfinaidd yn Abergele. Yno yr enillodd Gwynn dair o gystadlaethau'r cyfarfod a llunio cerdd ar y testun 'Dyddiau y Parch. Richard Owen' yn eu plith, a'r gerdd honno a roddodd i'r gyfrol fechan ei theitl.

Dechreuodd gyhoeddi straeon byrion yn *Y Faner*. Ym mis Awst 1891 ymddangosodd stori o'r enw 'Cyfrinach y Bedd' yn y papur, a phrif gymeriad y stori yw Ivor Llwyd, yr un enw â phrif gymeriad ei nofel gyntaf, *Gwedi Brad a Gofid*, Ivor Llwyd. Mae hi'n stori gymysglyd braidd. Un noson braf ym mis Medi, mae Ivor Llwyd, wrth gerdded hen lwybrau'r cynefin a adawsai un mlynedd ar bymtheg ynghynt, yn baglu ar draws carreg enfawr ac yn bwrw'i ben yn ei herbyn, nes ei fod 'am ennyd fel pe mewn breuddwyd annhymmig, heb allu synio yn gywir, na meddwl am ddim ond mewn rhyw fath o hûn boenus'.[23] Ar ôl dod ato'i hun, y mae'n dechrau meddwl am ei 'hanes pruddaidd':

> Un mlynedd ar bymtheg i'r noson hono, yr oeddwn yn fachgen ieuangc deunaw mlwydd oed; nid oedd dim erioed wedi fy mhoeni yn wir ddifrifol cyn hyny – yr oedd fy nghalon mor ysgafn â'r gwawn, a'm dychymyg mor glir â'r nefoedd. Trigwn gyda fy rhieni, mewn tyddyn heb fod yn neppell o'r llanerch lle yr eisteddwn. Yn y dref gyfagos, yr oedd geneth ieuangc o ddeutu yr un oed â mi, yr un duedd â mi, ac yn amlach na neb arall byddai yr un llwybr neu yr un ffordd â mi. Yr oeddwn yn hoff o honi – yn orhoff o hon; a thybiais ei bod hithau yn orhoff o honof finnau.[24]

Ar ôl cyrraedd cartref y ferch, Gwladys wrth ei henw, y mae'n clywed sgwrs rhyngddi hi a'i thad. Mae ei thad yn mynnu ei bod yn priodi rhywun arall, ac mae hithau'n ufuddhau i'w orchymyn. Yn ei siom a'i dristwch o golli ei gariad, mae Ivor Lloyd yn gadael Cymru. Mae'n treulio un mlynedd ar bymtheg yn yr Eidal cyn dychwelyd i Gymru. Bu farw ei rieni pan oedd yn yr Eidal, ac nid yw ei frawd yn ei adnabod. Mae pawb a phopeth wedi newid: 'Dynion a gofiwn yn siongc a hoyw yn ceisio cymmhorth gan ffon neu ddwy'.[25] Ac mae'n holi am Gwladys. Ni ŵyr neb fawr ddim amdani ac eithrio'r ffaith ei bod 'wedi gadael y lle, ar ôl i fachgen ieuangc adael y wlad un mlynedd ar bymtheg yn ôl; ac ni welwyd yr un o'r ddau mwyach!'[26]

Un noson y mae'n dod at 'le prydferth, rhamantus, rhwng bryniau ysgythrog Cymru'.[27] Mae porth mynwent y pentref ar agor, ac mae'n mynd i mewn i'r fynwent ac yn crwydro o amgylch y beddau. Tybia fod presenoldeb arall yn y fynwent, ond yr hyn sy'n rhoi plwc i'w galon yw darllen yr arysgrif ar un o feddfeini'r fynwent:

> Er Cyssegredig Goffadwriaeth am IVOR LLWYD, yr hwn a fu farw Mai 8fed, 18 – –. Ganwyd yn NHYDDYN IVOR, A– –, Hydref 10fed, 18 – –.[28]

Ei enw ef ei hun a dorrwyd ar y garreg. Wrth iddo geisio dod ato'i hun ar ôl y fath ysgytwad, gwêl 'fenyw ledrithiol' yn agosáu at y bedd, ac yn rhoi torch o flodau arno.[29] Pan ddaw'r ddau wyneb yn wyneb â'i gilydd, meddai hi yn ei dagrau: 'Ydych chwi wedi dyfod i'm mhoeni fi heno etto? Ewch yn ôl! O! lle'r wyt ti – y ti?'[30] Y mae yntau'n ateb:

> 'Estron ydwyf fi yn y lle hwn. Digwyddais ddyfod i'r fynwent yma; a phan

ddeuais at y gareg hon,' ymnyddai yr eneth gan boen wrth i mi sôn am
y gareg, a wylai, a gwasgai ei phen, 'synwyd fi yn ddirfawr drwy weled fy
enw, fy oed, fy nghartref, a'r oll arni fel pe buaswn wedi fy nghladdu oddi
tani; a dyma fi yn fyw ac yn iach!'[31]

Mae'r fenyw yn llewygu, ac yna mae Ivor Llwyd yn sylweddoli pwy yw hi:
'Dychrynais, wylais, a chusenais hi; canys Gwladys ydoedd'.[32] Awgrymodd David
Jenkins mai darn o brofiad gwir yw'r stori, a bod y stori yn coffáu merch o'r enw
Mary Parry, merch gof Abergele, a fu farw tua 1890.[33] Yn ôl Sarah Ellen, chwaer
Gwynn, bu ei brawd yn canlyn y ferch hon yn ei ieuenctid. Ond nid yw hynny'n
esbonio pam mai manylion am Gwynn a geir ar garreg fedd Ivor Llwyd, oni bai
mai awgrymu y mae iddo farw o dorcalon.

Yr awgrym yw fod Ivor Llwyd wedi marw un ar bymtheg o flynyddoedd yn ôl,
ac mai ysbryd ydyw. Drwy'r holl flynyddoedd hyn, bu Gwladys yn rhoi blodau ar
ei fedd, yn ffyddlon. Ond awgrymir hefyd ei bod hithau wedi lled-wallgofi yn ei
gofid.

Yn awr, beth yw arwyddocâd y stori fach ryfedd hon, os oes iddi arwyddocâd?
Nid Ivor Llwyd yn unig sy'n edrych ar ei fedd ei hun, ond T. Gwynn Jones yn
ogystal. Mae'n amlwg mai chwarae ar enw cartref ei dad a'i fam, Tyddyn Morgan,
Abergele, a geir ar y garreg, a dyddiad geni Gwynn ei hun – Hydref 10 – a geir ar y
garreg hefyd, er nad yn Nhyddyn Morgan y cafodd ei eni. Cyhoeddwyd stori arall
o'i eiddo, 'O Blith y Meirw', dan y ffugenw Rurik Dhu yn rhifyn dydd San Steffan
1891 o'r *Faner*. Stori arswyd yw hon, ond stori gwbl anghredadwy er hynny.

Parhâi i gymryd rhan mewn cyfarfodydd diwylliannol yn y flwyddyn newydd.[34]
Yn y cyfarfodydd llenyddol hyn y bwriodd Gwynn ei brentisiaeth gynnar fel bardd
a llenor. Serch hynny, ni chyfyngai ei ddiddordebau i fyd llên a cherddoriaeth yn
unig. Ambell waith cymerai ran mewn cyfarfodydd gwleidyddol a gynhelid gan y
Blaid Ryddfrydol yn Ninbych. Ni chymerodd lawer o amser iddo i gael ei draed
dano yn Ninbych. Bellach, yn ugain oed, 'Mr. T. Gwynn Jones, Swyddfa'r Faner,
Dinbych,' oedd Gwynn yn ôl y papurau. Efelychu ei athro a'i gyfaill, Emrys ap
Iwan, yr oedd trwy ei alw'i hun yn Gwynn ap Iwan. Roedd yr ymchwil am enw
addas yn ymchwil am hunaniaeth yn ogystal.

Cymerodd ran mewn cyfarfod ym Mhrion ger Dinbych i gefnogi ymgeisiaeth
J. Herbert Roberts am sedd Gorllewin Dinbych ddechrau mis Gorffennaf 1892.
Yn ôl adroddiad *Y Faner*:

Mr. T. Gwynn-Jones, Dinbych, a gefnogodd y penderfyniad. Yr oedd cwestiwn yr Iwerddon bron mor bwysig i'r Cymro â'i gwestiwn ef ei hun. Yr oedd yr un anianawd Geltaidd a'r un dyhëad am ryddid yn y ddwy genedl, ac yr oedd hwnw yn awr wedi ymuno i wrthwynebu syniad Teutonaidd y Sais, ac i ymladd dros ryddid cenedlig. Y Gwyddel oedd wedi dangos y ffordd, ac wedi llusgo y Cymro yn ei flaen. Yr oedd yn ddyledswydd ar y Cymro ei helpu, ac yr oedd am wneyd hyd yn oed ar draul aros ei hun. Ond nid oedd raid iddo aros yn hir, yr oedd yr eglwys fu yn ei ormesu ef, y Cymro, druan ar hyd y canrifoedd – yr eglwys oedd wedi bod yn gryd i siglo a süo cydwybodau gwerthwyr eu gwlad, a bradychwyr eu cenedl, lladron ac ysbeilwyr, ie, a llofruddion y canoloesoedd. Yr oedd yr eglwys hon ar ben ei thynged, a'r amser i lefelu wedi dyfod ... Cyn hir, ni fyddai gan yr Eglwys hon hawl i ddyweyd wrth grefyddwyr Cymru mai drwy ei goddefiad hi yr oeddynt yn cael plygu eu gliniau i weddïo ar eu Duw yn ôl argyhoeddiad eu cydwybodau ...[35]

Roedd Gwynn yn un o'r siaradwyr mewn cyfarfod a drefnwyd gan y Blaid Ryddfrydol yn Llannefydd ym mis Gorffennaf 1892. Mewn cynhadledd a gynhaliwyd yn Newcastle ym 1891, ar drothwy Etholiad Cyffredinol 1892, amlinellodd y Blaid Ryddfrydol ei pholisïau ar gyfer y dyfodol. Rhoddwyd y flaenoriaeth i Ymreolaeth i Iwerddon, gyda Datgysylltu'r Eglwys yng Nghymru oddi wrth Eglwys Loegr hefyd yn uchel ar restr y blaenoriaethau. Un o amcanion pennaf Cymru Fydd, a'r Blaid Ryddfrydol yn gyffredinol, oedd cefnogi hawl Iwerddon i'w rheoli ei hun, yn annibynnol ar Loegr. 'The agencies at work to destroy the nationality of Ireland have been recognised by us as precisely identical with those which have sought to kill the same patriotic sentiment in Welsh hearts,' meddai Adfyfyr (Thomas John Hughes), golygydd *Cymru Fydd*, yn y rhifyn cyntaf oll o'r cylchgrawn.[36] Teimlai arweinwyr ac aelodau Cymru Fydd fod Cymru ac Iwerddon yn chwiorydd, gyda Lloegr, y fam greulon, yn gorthrymu'r ddwy. Un o'r bwganod mwyaf oedd landlordiaeth. 'When we have read of Irish evictions, we have remembered Cardiganshire and Carmarthenshire, Merionethshire and Carnarvonshire in '68, and afterwards,' meddai Adfyfyr eto.[37] Yn Etholiad Cyffredinol 1868, pan oedd y bleidlais yn agored, gorfodwyd i gannoedd o denantiaid adael eu ffermydd fel cosb am iddynt bleidleisio i'r ymgeiswyr Rhyddfrydol yn hytrach na'r ymgeiswyr Ceidwadol.

Nid y ffaith fod peth gwaed Gwyddelig yn ei wythiennau yn unig a wnaeth i'r Gwynn ifanc ochri â'r Gwyddelod yn eu hymgyrch i ennill annibyniaeth i'w gwlad. Dilyn Emrys ap Iwan a wnaeth yn hyn o beth. Ymhen rhai blynyddoedd, byddai

Gwynn, yn ei gofiant i Emrys, yn dyfynnu'r hyn a ddywedodd mewn llythyr yn *Y Faner* ym 1881: 'Nid oes gan na Saeson na Thyrciaid, nac unrhyw genedl ormesol arall, ddim mwy o hawl i ddal y Gwyddelod yn gaeth yn erbyn eu hewyllys nag sydd gan feistr cyffredin i ddal ei was yn erbyn ei ewyllys yntau'.[38]

Cyhoeddodd *Y Faner* gynnwys anerchiad Gwynn yn y cyfarfod yn Llannefydd:

> Yr oedd cyfnewidiad mawr wedi dyfod dros berthynas y Cymro a'r Gwyddel â'u gilydd erbyn ein hoes ni. Buont gynt yn elynion; yr oeddynt yn gyfeillion, ac yn ymladd am yr un peth, sef am eu rhyddid. Yr oedd pethau wedi arfer bod mewn cyflwr truenus yn yr Iwerddon, anghydfod a helynt barhaus ydoedd hi, a gwnaeth y Gwyddelod lawer o bethau nad oedd y Cymry yn gallu cydweled â hwy; ond pe buasent hwythau tan yr un amgylchiadau, ni fuasent nemawr gwell, a llywodraeth Loegr oedd yn gyfrifol am ba faint bynag o erchyllderau a gyflawnwyd yn yr Iwerddon, drwy ei thrais a'i gormes annioddefol. Erbyn hyn, yr oedd dyhëad calon y Gwyddel wedi cymmeryd y ffurf o hawl am Ymreolaeth, ac yr oedd Cymru yn myned i'w helpu i'w gael.[39]

Parhâi i ddadlau yn gryf o blaid Datgysylltu'r Eglwys yng Nghymru:

> Nid oedd o un dyben i'r Eglwys estronol wthiwyd arnynt drwy rym arfau a hyny er mwyn medru cael awdurdod ar y wlad i'w threisio a'i gormesu; nid oedd o un dyben i'r eglwys hon geisio twyllo Cymru yn hwy. Yr oedd y bobl yn gwybod mai hi noddodd eu gormeswyr, eu bradychwyr, eu gwerthwyr, eu gwawdwyr, ïe, a phethau gwaeth na hyny, drwy y canrifoedd; a gwyddant mai ei phrif amcan a'i hymdrech ydoedd ceisio lladd cenedligrwydd y Cymry. Yr oedd dydd y cyfrif wedi dyfod, a thaered Torïaid a daeront, yr oedd cwestiwn y dadsefydliad fel tân yn mynwes pob Cymro; ac yn mhellach, yr oedd yn ail ar raglen Newcastle – rhaglen y blaid Ryddfrydig, ddywedasai Mr. Osborne Morgan y dydd o'r blaen – fod ganddo ef syniad y byddai y cyfiawnder hwn i Gymru yn cael ei estyn yn gyfochr âg Ymreolaeth i'r Iwerddon.[40]

George Osborne Morgan oedd yr Aelod Seneddol dros Ddwyrain Sir Ddinbych ar y pryd, ac un o'r Rhyddfrydwyr mwyaf brwd o blaid Datgysylltu'r Eglwys yng Nghymru. Yr oedd yn siarad o blaid Datgysylltu yn Rhosllannerchrugog ar y diwrnod cyntaf o Fehefin 1891, ac meddai, yn ôl adroddiad *Y Faner* ar y cyfarfod:

Parthed y cwestiwn mawr o Ddadgyssylltiad yr Eglwys, gallai ddyweyd cymmaint â hyn – pe buasai efe, neu rywun arall, wedi prophwydo chwech neu saith mlynedd yn ôl y buasai y cwestiwn yn cael ei osod ar ffrynt y rhaglen Ryddfrydig, y gwnaethid gwawd o honynt. Ond i bwy, attolwg, yr oeddynt i briodoli y cyfnewidiad a'r cynnydd mawr oedd wedi cymmeryd lle? Yn benaf i 'Gymru Fydd,' ond i raddau, hefyd, i weithredoedd ac areithiau personau pennodol oeddynt yn arweinwyr yr Eglwys yn[g] Nghymru, a pha rai oeddynt wedi gwneuthur eu goreu i chwalu eu nyth eu hunain.[41]

Roedd Osborne Morgan yn areithio yn Rhosllannerchrugog eto ym mis Tachwedd. Prif fyrdwn ei araith y tro hwnnw oedd y Mesur Wyth Awr, un arall o fesurau chwyldroadol y Blaid Ryddfrydol, sef cyfyngu ar oriau gwaith y glowyr i wyth awr y dydd. Gweithiai'r glowyr oriau maith ym mherfeddion y ddaear, ac arweiniai meithder, trymder a blinder y gwaith at farwolaethau annhymig. Lluniodd Gwynn adroddiad ar y cyfarfod yn y Rhos. Yn naturiol, gyda'r glowyr yr oedd ei gydymdeimlad ef. Gwaith peryglus oedd gwaith y pyllau glo, a gallai cwtogi ar yr oriau gwaith leihau damweiniau a lleihau marwolaethau:

> Dyna'r cartref oedd gynneu yn hapus ac yn gyfan wedi ei chwalu; a phan ddygir y tad adref, nis gall ei wraig a'i blant ei hun ei adnabod, gan mor erchyll yw yr olwg arno! Dyna newydd a marwolaeth yn eu gwedd fwyaf erchyll yn hylldremio yn eu gwynebau, a boneddigion, ac eraill, calon-galed ein gwlad yn dyweyd fod wyth awr o weithio yn[g] ngholuddion y ddaear, yn[g] nghrafangc angeu, yn beth afresymol![42]

Condemniodd y cyfalafwyr yn ddiarbed. Roedd y rhain yn pesgi ar waed dynion, yn ffynnu ar ddioddefaint eraill, yn troi ysglyfaethau'n foeth a blinder yn ysblander:

> Yn araf, gyfoethogion! yr ydych yn byw ar waed eich cydgreaduriaid. Y mae gormodedd yn eiddo i chwi, o herwydd fod rhy fychan yn eiddo iddynt hwy. Ac a ellwch chwi ddyweyd yn gyhoeddus fod cwestiwn llafur yn rhy anaddfed yn y wlad, tra y mae gwaed yn cael ei golli yn feunyddiol er mwyn eich pleserau chwi, a thra y demnir miloedd o herwydd eich esgeulusdod chwi? A roddodd Duw hawl i chwi ddyweyd pa faint o gyflog delwch, a pha faint o amser raid i'ch gweithwyr lafurio; ac a adawodd efe hwy heb hawl i ddyweyd pa faint o amser a lafuriant, ac am ba faint o

gyflog y gwnânt hyny? Naddo. Y mae Duw yn ein dysgu ei fod ef yn un cyfiawn, ac ni wnaeth efe wahaniaeth rhwng un ac arall.[43]

Beiodd y Llywodraeth am adeiladu tafarndai yn lle ysgolion. Gallai'r glöwr ddiwallu ei syched a charthu'r baw a'r llwch o'i lwnc trwy fynychu tafarnau, a throsglwyddo enillion ei lafur yn ôl i'r cyfalafwyr, gan ychwanegu'n sylweddol at goffrau'r Llywodraeth ar yr un pryd, gan fod treth ar ddiodydd. 'Hawdd iawn y gellir dyweyd mai efe ei hun a wariodd ei ennillion; ond pwy a ddarparodd dafarndai at ei wasanaeth?' gofynnodd Gwynn.[44] Roedd angen amddiffyn y gweithiwr cyffredin rhag y rhai a'i defnyddiai i'w dibenion eu hunain. Ac roedd angen yswiriant neu bensiwn i ofalu am eu rheidiau yn eu henaint. 'A phaham na fuasid yn ffurfio math o gymdeithas dan nawdd y llywodraeth, i'r hon y gallasai efe dalu ei ennillion ar gyfer henaint?' gofynnodd eto.[45]

Ni chollai Gwynn gyfle i gondemnio'r cyfoethogion ac i gydymdeimlo â'r gweithiwr tlawd yng ngholofnau'r *Faner*. Roedd ganddo gydwybod gymdeithasol gref. Meddai, dan y ffugenw Collwyn, yn *Y Faner* ym mis Medi 1892:

> Y mae pob peth yn ffafrio y cyfoethog, a'r cyfoethog yn gwneyd yr oll yn ei allu i ffafrio dioddefaint ac angen yn mhlith y dosbarthiadau tlodion a chanol ... Y mae y diwygiadau yn dyfod yn raddol ac yn araf iawn, ac fe ddeuant bob yn dipyn; codi ei hun y mae dynoliaeth yn barhaus; i fyny y mae hi yn myned; ac nis gall yr un arglwyddyn nac esgobyn pendew, na thrahausfeilch attal ei chwrs, er eu holl raib anniwall, a'u holl ddyhëad cythreulig am gadw y werin i lawr![46]

Fel Osborne Morgan, mawr oedd ei gydymdeimlad â glowyr Cymru. Gan gyfeirio at Danchwa Ton-du, Morgannwg, sef y danchwa ddifrifol a ddigwyddodd yng nglofa Parc Slip ym mis Awst 1892, pan gollodd 112 o ddynion a bechgyn eu bywydau, 'Pa beth a ŵyr ein mawrion, a'n pendefigion, am y peryglon hyn; a pha hawl sydd ganddynt i fyw yn fras ar fywydau dynion?' gofynnodd.[47] Ac onid y Wladwriaeth, yn hytrach na'r cyhoedd, a ddylai gynnal y gweddwon a'r plant amddifad pan gollid y penteuluoedd mewn damweiniau o'r fath:

> Nid y cyhoedd a ddylent orfod gofalu am gronfeydd i gynnal y gweddwon a'r amddifaid, druain! ... fe ddylid chwalu tipyn o'r arian a bentyrir gan ein segur-swyddwyr tuag at leddfu y dioddefaint hwn; ac fe ddylai y wladwriaeth ofalu am y trueiniaid a adewir ar ôl i ddioddef yn gystal

ag y dylent ofalu fod darpariadau priodol yn cael eu gwneyd ar gyfer iechyd a bywydau y dynion gwrol sydd yn llafurio yn galed er ein cysur cyffredinol, rhyw gannoedd o latheni o dan wyneb y ddaear![48]

'Gyda'r teyrndollau a'r trethi llethol gormesa y llywodraeth feistr a gweithiwr; a chyda'i ddiofalwch a'i galedi, gormesa y meistr y gweithiwr nes y terfyna ei ormes mewn trychineb arswydus,' meddai.[49]

O safbwynt ffurfio'i ddyfodol, roedd ei gyfraniadau llenyddol i'r *Faner* yn bwysicach o lawer na'i drafodaethau ar wleidyddiaeth y dydd. Rhoddodd ei waith ar *Y Faner* gyfle iddo i drafod materion llenyddol, a rhoi ei farn ar feirdd a barddoniaeth Cymru a'r byd. O ddechrau Mawrth 1892, yr oedd ganddo'i golofn lenyddol ef ei hun yn *Y Faner*, 'Nodion Llenyddol', ac yn ei golofn gyntaf, canodd glodydd *Cymru*, cylchgrawn chwyldroadol O. M. Edwards, yn enwedig gan fod y cylchgrawn yn cyflwyno hanes Cymru i'r Cymry, gan ddad-wneud, i raddau, y drwg a wnaed gan addysg Seisnigaidd, Loegr-ganoledig, y dydd:

> Dyma'r hanes sydd yn[g] ngholl; dyma'r hanes yr ydym fel cenedl wedi bod yn ei ddisgwyl ar hyd y blynyddoedd, a dyma'r hanes sydd i wneyd mwyaf o bob hanes Cymru 'i godi'r hen wlad yn ei hôl!' Y mae ysgol ardderchog o lenorion a beirdd a cherddorion ar fin cael ei sefydlu gan Mr. O. M. Edwards. Arwyddair yr ysgol yw addysg a gwybodaeth. Yn gyntaf, hanes ein gwlad ein hunain; ac yn[g] nghwt yr addysg hono, hanes gwledydd eraill gwerth gwybod eu hanes. Hanes tlysni a thynerwch, a hanes echryslondeb a thrais, a'r frwydr farwol rhyngddynt ar hyd yr oesau. Hanes enaid a chalon ein hen genedl, ac enaid a chalon cenedloedd eraill, a'r oll 'i godi'r hen wlad yn ei hôl!' Yr ydym yn teimlo awydd diolch i Geiriog am ffurfio'r llinell anfarwol uchod – 'I godi'r hen wlad yn ei hôl.' Onid yw'n cynnwys enaid Cymru Fydd?[50]

Ie, Cymru Fydd oedd popeth iddo yn ystod y cyfnod cyffrous hwn.

Thema gyson ganddo oedd anwybodaeth y Cymry ynghylch eu hanes a'u llenyddiaeth. Roedd eisoes wedi tynnu sylw at y diffyg hwn ym mis Chwefror, 1892:

> ... nid oes ond ychydig o feibion Gwyllt Walia yn gwybod cynnwys y *Godod[d]in* a'i wersi, nac erioed wedi breuddwydio fod yn y gân arwrol hono rywbeth heb law sŵn geiriau. Y mae hanes y genedl heb ei ysgrifenu etto. Nid oes ond ei phrif ddigwyddiadau – y brwydrau lle yr ennillodd ac

y collodd, lle y cwympodd y tywysog yma, ac y goresgynodd y llall. Dyna'r hanes sydd ar gael ond nid ydym wedi cael hanes y genedl etto ... Yr ydym yn disgwyl am yr hanes hwn – hanes cymeriad y genedl Gymreig – hanes ei henaid a'i chalon.[51]

Yn ei 'Nodion Llenyddol' ar ddechrau mis Ebrill 1892, cyfeiriodd at benderfyniad pwyllgor Eisteddfod Genedlaethol y Rhyl i gynnig gwobr am gerdd er cof am Albert Victor, ŵyr y Frenhines Victoria. Penderfyniad anffodus oedd hwn. 'Y mae'r awen Gymreig wedi anghofio sut i alaru am dywysogion erbyn hyn; a phan ydoedd hi'n medru, hi fedrai yn ddihafal hefyd,' meddai, gan ddyfynnu rhan o farwnad Gruffudd ab yr Ynad Coch er cof am Lywelyn ap Gruffudd.[52] 'Cyn y gall hi ganu fel yr uchod etto, rhaid iddi golli tywysog fel Llewelyn, ag yr oedd ei wlad yn dibynu arno fel tywysog ac nid efe fel tywysog yn dibynu ar y wlad,' meddai, braidd yn chwyrn.[53] Gwyddai mai cystadleuaeth wael a diangen fyddai cystadleuaeth o'r fath, gan nad oedd marwolaeth Albert Victor yn berthnasol o gwbl i'r Cymry. Ac ni allai Gwynn oddef yr eilunaddoli hwn ar deulu brenhinol Lloegr.

Cwynodd yn yr un golofn fod y Cymry yn esgeuluso eu llenyddiaeth orau, fel gwaith Goronwy Owen a Dafydd ap Gwilym:

> Y mae cyfansoddiadau Goronwy, druan! y pethau goreu yn ein hiaith; ac etto, ychydig iawn o ddarllen sydd arnynt, heb law yn mhlith y beirdd a'r llenorion. Cwynir eu bod yn rhy ansathredig ac anhawdd eu deall i Gymro gwerinaidd. Nid yw y gŵyn hon yn ddim ond clôg dros ddiogi. Pa fodd y deallai Sais gwerinaidd waith Shakespeare neu Filtwn? Y ffaith am dani yw, fod iaith y ddau uchod yn cael ei gwneyd yn astudiaeth; ac wedi i efrydydd ei meistroli, fe all wynebu ar lenyddiaeth Saesnig gyda gobaith o fedru ei deall yn weddol wych. Yr un fath fyddai gyda llenyddiaeth Gymreig, pe rhoddid iaith Dafydd ap Gwilym a Goronwy, dyweder, yn astudiaeth yn ein hysgolion dyddiol – yr hyn yr ydym yn gobeithio a wneir yn fuan. Pe gwneid hyn, nid yn unig gallem ddisgwyl gwell Cymry, ond gwell Saeson, a gwell ieithyddion drwodd a thro.[54]

Roedd Gwynn bellach yn dechrau dod yn gyfarwydd â'r traddodiad barddol Cymraeg ac â chyfoeth llenyddol y gorffennol. Cedwid y traddodiad hwnnw yr un mor guddiedig â hanes Cymru gan gyfundrefn addysg Seisnig y dydd. Prynodd gopi o *Gronoviana: Gwaith y Parch. Goronwy Owen, M.A.*, sef y casgliad o waith Goronwy Owen a olygwyd gan E. Jones ac O. Williams, ac a gyhoeddwyd ym 1860 gan J. Jones, Llanrwst, 'am swllt gan werthwr hen lyfrau ar yr heol', a phrynodd gopi o olygiad Isaac Foulkes (Llyfrbryf) o waith Dafydd ap Gwilym, 'a gorfod saethu nifer o ffesaint y meistr tir i dalu amdano'.[55]

Yn wir, ni chollai gyfle i amddiffyn y Gymraeg, a Chymreictod yn gyffredinol, a fflangellai'r Cymry yn bur ddidostur am eu dihidrwydd o'u hiaith. Meddai yn ei golofn ym mis Mai:

> Y mae yn anhawdd i Gymro gweddol beidio ffieiddio ei genedlaeth, ac amryw genedlaethau o flaen yr hon y mae efe ei hun yn byw ynddi, wrth weled enw pob heol mewn tref, a phentref, a llan, yn gybolfa o Gymraeg a Saesneg, ac enwau y trefi eu hunain yn cael eu troi a'u hanffurfio rywfodd i atteb anallu rhyfeddol peiriannau cynghanol Saeson a hanner Saeson, a lledfegynod o Ddic Siôn Dafyddion sydd yn pleidio yr achosion Saesnig am nad ydynt yn deall Cymraeg; a phe dywedent hwy y gwir, am nad ydynt yn deall Saesneg, nac unrhyw iaith arall chwaith. Peth arall eisieu ei alltudio o Gymru ydyw yr Iuddewiaeth sydd wedi llenwi y wlad. Rywfodd, y mae Iuddewiaeth wedi cael dylanwad ar feddwl ac ar enwau Cymru. Y mae y dylanwad hwnw yn myngreleiddio y meddwl a'r enwau, a'r diwedd yw fod beirdd Cymru yn gwybod mwy am draddodiadau a mân-chwedlau di-reswm Iuddewig nag a wyddant am draddodiadau a chwedlau eu gwlad eu hunain; ac ni thybir pa mor erchyll o hyll ydyw enw fel 'Lot Jones' neu 'Solomon Hughes' ...[56]

Dengys y colofnau hyn pa mor eang oedd darllen Gwynn yn llanc ifanc ugain oed. Trafodai waith beirdd a llenorion fel Walt Whitman, Shelley, Oliver Goldsmith, a sawl un arall. Fel beirniad llenyddol yr oedd ymhell o flaen ei oes. Meddai am Walt Whitman, a fu farw ddiwedd Mawrth 1892: 'Yn mhen rhai blynyddoedd etto, bydd ei ysgrifeniadau yn uwch eu bri nag y buont ac nad ydynt yn awr, o blegid y maent yn llawn o'r ysbryd sydd yn araf gymmeryd gafael ar y byd yn y dyddiau hyn'.[57] Ysbryd rhyddid ac ysbryd chwyldro oedd yr ysbryd hwnnw, ac roedd cyfrwng newydd a dull mynegiant newydd Whitman yn America bell yn nodweddiadol o ysbryd yr oes.

Roedd o flaen ei oes gyda llenyddiaeth menywod hefyd. Ym 1892 cyhoeddwyd *The Poets and the Poetry of the Century: Joanna Baillie to Mathilde Blind* dan olygyddiaeth Alfred H. Miles, sef y seithfed gyfrol yng nghyfres *The Poets and the Poetry of the Century*. Cymeradwyo'r syniad a wnaeth Gwynn, a gofyn a fyddai modd cyhoeddi cyfrol debyg yn y Gymraeg:

Beth fuasai cael cyfrol o waith barddonesau Cymru? ... A gawsai cyfrol yn cynnwys detholion o weithiau Gwerfil Fychan, Elen Egryn, Ann Gruffydd, Cranogwen, &c., dderbyniad, tybed? Y mae barddonesau Cymru oll yn dda – hyny yw, yn barddoni yn dda, yn hyn o beth y maent yn well na'n beirdd, a dyddorol fuasai edrych i mewn i feddyliau yr oes yn mha un yr oedd y gwahanol awduresau yn byw; ac yn ddïau, cawsid llawn cystal syniad o weithiau y barddonesau ag o unman.[58]

Y broblem gyda Gwynn fel un o olygyddion *Y Faner* yw'r ffaith fod llawer o'i gyfraniadau a'i adroddiadau i'r papur heb enw ynghlwm wrthynt. Rhwng y ffugenwau a'r diffyg enwau, ni fydd yr un llyfryddiaeth o'i waith byth yn gyflawn. Y mae'n amlwg mai Gwynn a luniodd yr adroddiad ar Eisteddfod Genedlaethol y Rhyl yn *Y Faner* ym mis Medi 1892. Ymosodir ar rai o'i gasbethau yn yr adroddiad hwnnw, gyda'r dweud plaen a diflewyn-ar-dafod a oedd mor nodweddiadol ohono.

Ymosododd, i ddechrau, ar bwyllgor yr Eisteddfod am feiddio ystyried gwahodd Tywysog Cymru i'r ŵyl, gan ddangos, unwaith yn rhagor, ei atgasedd tuag at deulu brenhinol Lloegr. Ac meddai, yn bigog ddychanol:

> ... un o'r pethau cyntaf wneid gan y pwyllgor ydoedd ceisio cael addewid gan Dywysog CYMRU i ddyfod i'r Eisteddfod. Pa hyd y parheir i ymddarostwng i wneyd hyn, nis gŵyr neb, mae'n debyg; ond hyn sy'n ffaith, nad ydyw o ddyben yn y byd gofyn iddo ef na'r teulu brenhinol roddi eu presennoldeb yn yr eisteddfod hyd oni fydd y pwyllgorau yn ddigon ystyriol i ddarparu cystadleuaeth mewn chwareu baccarat, neu redegfa feirch, a hèr ymladdfeydd.[59]

Collfarnodd, unwaith yn rhagor, y Seisnigeiddio a fu ar enwau a chyfenwau Cymraeg, a beirniadodd hefyd y rhieni hynny a fynnai roi enwau Beiblaidd i'w plant yn hytrach nag enwau Cymraeg. O leiaf roedd yr Eisteddfod, gyda'i henwau gorseddol, yn gwrthweithio'r drwg hwnnw i raddau:

> Er mor r[h]yfedd yr ymddengys defion yr orsedd i rai, ac er mor ffôl yr ymddengys y ffug enwau i eraill, etto, ni waeth heb wadu, mae gan ffugenwau Cymru rywbeth i'w wneud â chadwraeth ei thalent yn Gymreig. Tybier am ei beirdd enwog, y mae pob un o honynt yn ddyledus am rywbeth i'r ffug enwau Cymreig a wisgent, o blegid mae ein henwau fel cenedl yn bobpeth ond Cymreig ...[60]

Ond dyna ben ar ei ganmoliaeth i'r Orsedd. Fe'i beirniadodd yn hallt am ei dewis o destunau ar gyfer ei harholiadau am urddau. Meddai, gan adleisio un o'i gwynion yn ei 'Nodion Llenyddol':

> Un peth sydd gennym yn erbyn awdurdodau yr orsedd yw eu gwaith yn rhoddi darnau awdwyr diweddar yn destynau yr arholiadau am urddau, tra gwaith GWALCHMAI AP MEILIR, DAFYDD AP GWILYM, DAFYDD AP EDMWNT, a GORONWY OWAIN, o Fôn, ar gael genym. Yn yr arholiadau am urdd bardd, ceir fod awdl DYFED ar 'Noddfa,' a phryddest ELFED ar 'Lyn Cysgod Angau,' yn cael eu rhoddi yn destynau arholi. Pell ydym oddi wrth daflu anfri ar DDYFED ac ELFED; ond a meddwl yn ddifrifol, oni fuasai yn edrych yn well rhoddi gweithiau rhai o'r hen feirdd a enwyd yn destynau arholi, fel ag y rhoddir gweithiau y cyn-feirdd yn destynau astudiaeth yn mhob iaith arall, gydag ychydig eithriadau ...[61]

Un o'r llyfrau a astudid ar gyfer arholiadau'r Orsedd oedd *Yr Ysgol Farddol* gan Dafydd Morganwg, ac fe'i disgrifiwyd gan Gwynn fel y 'llyfr goreu ar y sothach a elwir yn "Bedwar mesur-ar-ugain Cerdd Dafawd!"'.[62] Ymosod ar y pedwar mesur ar hugain yr oedd Gwynn. Ac yntau eto i gyrraedd 21 oed, gwyddai mai hollol ddi-fudd oedd y rhan fwyaf o'r mesurau traddodiadol. Rhyw fath o dasg arholiadol i brofi meistrolaeth y beirdd ar gynghanedd a mesur oedd y mwyafrif helaeth o'r pedwar mesur ar hugain. Roedd mesurau eraill, fel y ddau fesur a ddyfeisiodd Dafydd ab Edmwnd, gorchest y beirdd a thawddgyrch cadwynog, yn llawer rhy gymhleth a rhy gywrain i fod o unrhyw werth artistig. Ymosododd Gwynn ar ddau fesur Dafydd ab Edmwnd hyd yn oed yn un o golofnau natur *Y Faner*, dan ei ffugenw Rurik Dhu, ym mis Gorffennaf 1891:

> Maes dyddorol i efrydydd da ydyw natur. Amgenach maes o lawer na chynghaneddion Cymreig dyryslyd Dafydd ap Edmwnt, a maes all gystadleu âg ef am gywreinrwydd unrhyw ddydd hefyd, er cywrienied ydyw 'gorchest y beirdd,' a 'thawddgyrch cadwynawg,' a'u rheolau manylion.[63]

Gwyddai, yn gynnar yn ei yrfa fel bardd, y byddai'r mesurau traddodiadol yn annigonol ar gyfer llunio cerddi a oedd yn eang eu rhychwant a'u meddylwaith. Ac eto, er bod Gwynn yn collfarnu'r pedwar mesur ar hugain, y mae'n ymddangos iddo ddechrau amau gwerth y gynghanedd ei hun yn ystod ei ugeiniau cynnar, sef cyfnod *Y Faner*. Wrth adolygu'r cylchgrawn misol Saesneg *Versification* yn *Y Faner* ym mis Tachwedd 1891, dywedodd y byddai 'i'r cyhoeddiad bychan hwn wneyd llawer o les i feirdd ieuaingc Cymru, drwy eu dysgu i gredu fod yn bossibl barddoni'n dda heb gynghanedd, ac hefyd drwy eu cydnabyddu â phriod-ddull y Saesneg'.[64] Roedd y farddoniaeth eisteddfodol glogyrnaidd a gwag a ysgrifennid ar y pryd yn peri i fardd ifanc fel Gwynn amau gwerth y gynghanedd, ei gwerth cynhenid yn ogystal â'i gwerth fel cyfrwng mynegiant i thema neu destun eang, uchelgeisiol. Byr oedd llinell o gynghanedd – rhwng seithsill a decsill, fel arfer – a mesurau byrion oedd y pedwar mesur ar hugain. Yr oedd i'r gynghanedd gyfyngiadau.

Hyd yn oed pan oedd yn ifanc iawn, felly, roedd Gwynn yn myfyrio ar bosibiliadau'r gynghanedd, ac ar swyddogaeth a diben y gynghanedd a'r mesurau traddodiadol. Ym 1893, enillodd Dyfed gadair Eisteddfod Chicago am ei awdl i 'Iesu o Nazareth', awdl enwog iawn yn ei dydd. Un o ddadleuon llenyddol mawr y bedwaredd ganrif ar bymtheg oedd y ddadl ynghylch anaddasrwydd y gynghanedd a'r mesurau traddodiadol i fynegi meddyliau aruchel. Man cychwyn y ddadl oedd yr amheuon a fwriai Goronwy Owen yn y ddeunawfed ganrif ar addasrwydd y gynghanedd a mesurau traddodiadol Cerdd Dafod fel cyfrwng mynegiant i arwrgerdd. Ni allai llinellau seithsill, na hyd yn oed rai decsill, fynegi meddyliau eang ac aruchel. Chwiliodd Goronwy am fesurau addas ar gyfer yr arwrgerdd fawr Gymraeg yng ngwaith y Gogynfeirdd, a chredai y byddai lled-gynghanedd yn gyfrwng llawer mwy effeithiol na chynghanedd gyflawn mewn cerdd o'r fath. Roedd Gwynn yn gyfarwydd iawn â'r dadleuon hyn ynghylch cyfyngiadau'r gynghanedd a'r mesurau caeth oherwydd bod ei dad yn arddel yr un safbwynt gwrthgynganeddol. Ac meddai yn ei golofn 'Nodion Llenyddol':

> Dywedir fod awdl Dyfed yn gyfansoddiad ysblenydd; gresyn fod y fath destyn wedi ei gyfyngu i awdl, o blegid gwawd ar feddyliau mawreddog, fel a ddisgwylid ar destyn mor oruchel, yw eu darostwng i fympwy duwies cynghanedd. Mi fedr Dyfed ganu ar y mesurau caethion, ond anhawdd iawn credu nad yw ei feddyliau yn gorfod dioddef oddi wrth yr hualau: ac am hyny, credaf fi mai mantais i'n llenyddiaeth fuasai rhoi'r rhyddid ëangaf i ganu ar y fath destyn â 'Iesu o Nazareth.' Ys gwn i a ddaw'r awdl oreu rywle'n agos i bryddest Golyddan ar yr un testun?[65]

Ac eto, ni fynnai gefnu ar y gynghanedd:

> Er lladd ar yr hen gynghanedd gaeth, y mae ynddi ryw swyn a thlysni, rhaid addef: a chredaf y gellid gwneyd defnydd da o honi pe'r elem 'o dde' o gwmpas y gwaith – ei chadw yn ei lle priodol, fel na chwttogo ar feddwl, megys ag y gwna yn rhy fynych. Medrir dyweyd rhai pethau'n dlws iawn drwyddi: ac onid gwell fyddai ei chadw at hyny yn unig?[66]

Roedd Gwynn wedi ymosod ar feirdd fel Dyfed – a Dyfed yn enwedig – ym mis Awst, 1891, dan y ffugenw 'Kallon wrz gallon'. Enillodd Dyfed gadair Eisteddfod Daleithiol Gwynedd, a gynhaliwyd yn Llanrwst, ym mis Awst y flwyddyn honno, a bwriodd Gwynn ei lach ar feirdd y mynych gadeiriau. '[G]well o lawer a fyddai anghofio y gadair, a chofio barddoniaeth – gadael cynghanedd, ac ymgeisio am feddwl mewn iaith lefn ac urddasol,' meddai.[67] Beirniadwyd Dyfed yn y wasg am gystadlu am gadair mewn eisteddfod daleithiol ac yntau'n Brifardd gyda thair cadair genedlaethol i'w enw. Yn ôl Gwynn, creu barddoniaeth dda oedd y nod, nid hel cadeiriau. Gwyddai pa mor ddiffygiol oedd barddoniaeth eisteddfodol. Nid oedd llawer o'r awdlau cadeiriol diweddar yn ddim mwy nag 'athroniaeth a duwinyddiaeth mewn cynghanedd'.[68] Ac meddai mewn rhifyn arall o'r *Faner*:

> Traethodau duwinyddol wedi eu cynghaneddu ydyw'r rhan fwyaf o'n hawdlau diweddar, ac athroniaeth foel ar gân ydyw lliaws mawr o'r pryddestau, a gadewir i'r bywyd gwledig Cymreig ymdaraw gystal ag y medr (ac fe fedr yn o lew), mewn ambell ddyri anghelfydd a phennillion telyn disylw. Er hyny, byddaf fi'n diolch am y dyrïau a'r pennillion telyn, er trwsgled llawer o honynt, gan fod mwy o farddoniaeth ynddynt nag yn y traethodau cynghaneddedig.[69]

Ar y syml a'r naturiol y rhôi'r pwyslais, ac ar wir farddoniaeth.

Cododd mymryn o anghydfod yn Eisteddfod Genedlaethol y Rhyl, a'r anghydfod hwnnw yn profi'n eglur i Gwynn fod safon beirniadaeth eisteddfodol – a beirniadaeth lenyddol – yn bur isel yng Nghymru. Y ddau fardd gorau yng nghystadleuaeth y Gadair oedd E. Gurnos Jones (Gurnos) ac R. E. Hughes (Elfyn), a thra oedd un o ddau feirniad y gystadleuaeth, Gwynedd, yn ffafrio awdl R. E. Hughes, roedd y llall, Watcyn Wynn, yn ffafrio awdl E. Gurnos Jones. Gofynnwyd i Hwfa Môn ddyddio rhwng y ddau, a dewisodd awdl Gurnos. Ond roedd y modd y dewisodd Hwfa Môn yr awdl orau yn amlygu rhai o wendidau beirniadaeth eisteddfodol yn nhyb Gwynn, anghysondeb yn enwedig:

Wrth draethu ei sylwadau fel canolwr, dywedodd HWFA MÔN ei fod wedi darllen y ddwy awdl yn fanwl heb weled nemawr o wahaniaeth rhyngddynt; ond cyn diwedd ei druth nodedig (am y llais a'i traddodai, a dim arall) dywedai fod y naill awdl yn ysgafn ac arwynebol, fel aderyn yn nofio ar wyneb y lli, ond yr oedd y llall yn suddo i'r dyfnder, ac yn dwyn i fyny berlau gwerthfawr; ac weithiau yn dyfod allan fel angel gwyn o ganol y cymmylau! Ni raid i neb drafferthu i ganfod yr anghyssondeb, ac y mae geiriau fel yr uchod yn eithaf barddonol; ond nid oes mwy o feirniadaeth ynddynt nag sydd mewn niwldarth nos ar ddolydd Dyffryn Clwyd.[70]

Maentumiodd fod beirniadaethau o'r fath 'yn milwrio yn erbyn yr eisteddfod; ac y mae'r beirniadaethau di-werth, llipa, hyn yn gwneyd annhraethol fwy o ddrwg nag o les i farddoniaeth'.[71]

A dyna'r Gwynn ifanc yn strancio yn erbyn safonau ei oes. Pe gwyddai pobl ar y pryd mai bachgen ifanc ugain oed oedd awdur y sylwadau tra beirniadol hyn ar feirdd a beirniaid y dydd, mae'n debyg y byddai sawl aelod blaenllaw o'r byd llenyddol, ac eisteddfodwyr a gorseddogion yn enwedig, wedi llenwi colofnau'r *Faner* â llythyrau yn ei geryddu; ac eto, ni lwyddodd i arwain drwy esiampl ym Mhrifwyl y Rhyl. Anfonodd gywydd ar y testun 'Morfa Rhuddlan' i'r Eisteddfod, ond barnai Clwydfardd a Thaliesin Hiraethog, y ddau feirniad, fod cywydd 'Glan yr Afon Clwyd' yn annhestunol ac yn sathredig mewn mannau.

Roedd Gwynn â'i lach ar yr Orsedd eto ym mis Tachwedd. Wrth groesawu rhifyn mis Hydref o *Cymru*, diolchodd i un o gyfranwyr y cylchgrawn am ymosod ar 'ffwlbri'r Orsedd' yn Eisteddfod Genedlaethol y Rhyl.[72] Yn yr eisteddfod honno clywodd un o'r gorseddogion yn adrodd darn o gywydd llwyr annealladwy yn un o gyfarfodydd yr Orsedd. 'Cyfansoddiad un o feirdd y gwallt mawr,' oedd y darn cywydd, 'ac adroddwyd ef gyda'r difrifwch mwyaf, a'r llais mawreddocaf a glywais er's talm'.[73]

Yn ystod y cyfnod hwn yn ei fywyd, mynychai Gwynn gyfarfodydd cangen Dinbych o Gymdeithas Cymru Fydd. Mewn cyfarfod yn y Clwb Rhyddfrydig yn Ninbych ym mis Hydref 1892, fe'i penodwyd yn drysorydd y Gymdeithas. Darllenodd bapur ar 'Yr Eisteddfod' yn Narllenfa'r Clwb Rhyddfrydig ym mis Tachwedd 1892,[74] a chymerodd yr ochr gadarnhaol yn y ddadl 'Ai manteisiol fyddai ffurfio plaid Gymreig yn y senedd?' ym mis Chwefror 1893.[75] Yn wir, propaganda gwleidyddol oedd llawer iawn o'r caneuon o'i waith a gyhoeddwyd yn *Y Faner* pan oedd yn aelod o staff y papur, fel y gân etholiadol a gyhoeddwyd yn *Y Faner* ar ddechrau Gorffennaf 1892:

Chwi etholwyr Bwrdeisdrefi
  Dinbych, byddwch bur;
Mynwch ryddid i'ch cartrefi,
  Sefwch fel y dur!
Byddwch bur i'ch egwyddorion,
  Fel y Cymry gynt,
Baner rhyddid a'i ragorion
  Chwyfiwch yn y gwynt!

Daliwch afael mewn egwyddor,
  Mynwch fod yn rhydd;
Deuwch allan oll i chwyddo'r
  Floedd dros Gymru Fydd![76]

Ym 1893 dechreuodd ddefnyddio ffugenw newydd yn *Y Faner*, a chyhoeddodd ddrama a cherddi chwyldroadol eu naws a'u natur dan y ffugenw Vernon Glyndour/Glyndwr. Roedd gan y Gwynn newydd hwn ei thema ei hunan, sef tlodi a chyni'r werin-bobl dan law'r tirfeddianwyr a'r meistri gwaith. Ganol mis Ionawr cyhoeddwyd y gyntaf o'r 'Caneuon i'r Lliaws' yn *Y Faner*, a cherdd a oedd yn cydymdeimlo â thlodion ac anffodusion cymdeithas oedd honno. Dyma un pennill:

Mae dy law di'n galed, druan frawd!
Ond diolch i DDUW nad yw calon y tlawd
Ddim yn oer fel maen, nac yn nythle gwawd,
  Fel mae calon y coegfalch brwnt![77]

Dilynwyd y gerdd i'r tlodion gan gerdd arall, a honno'n fwy chwyrn o lawer, ac yn sicr mae ynddi ymgais i ysgogi gwrthryfel. Darlunnir y cyfalafwyr fel fampiriaid rheibus sy'n ymfrasáu trwy fwyta cnawd a sugno gwaed y gweithiwr cyffredin:

Och! oddi ar dy blant a'th weddwon,
Gaiff gormeswyr segur, meddwon,
  Sugno brasder a mwynhâd?
Gaiff dy feibion hyd nes pallan'
Weithio mêr eu hesgyrn allan
  Er eu cadw mewn mawrhâd?

Na! mae myrddiwn o ysbrydoedd
Yn[g] nghornelau d'holl ystrydoedd,
   Oll yn gwylio'r tlodi prudd;
Gwyliant hefyd gryndod iasau
Bair gormeswyr dy balasau,
   Efo'u bryntion balfau rhudd!

Rhudd yw rhai'n o gochwaed gwirion,
Sugnwyd, Och! am oesau hirion,
   O wythienau'r truan tlawd;
Ond mae rhyddid yn cyfodi,
Ac yn gwasgar drwy'r tylodi
   Gysur i bob egwan frawd.

Ciliwch, holl ragrithwyr clauar,
Lladron tir, a melldith daear –
   Daear anwyl Cymru wen –
Fu ar waed yn cyfoethogi;
Llym gyfiawnder sydd yn hogi,
   Hogi'i gleddyf uwch eich pen![78]

Cyhoeddwyd cerdd o'r enw 'Uwch Ben Hen Ddyffryn Clwyd' yn *Y Faner* ym mis Mai, eto dan y ffugenw Vernon Glyndwr. Yn y gerdd hon eto, ymosodir ar yr estroniaid sy'n dwyn tir Cymru:

Uwch ben hen Ddyffryn Clwyd
Ryddid hoff! wylo'r wyt
Wrth weled estron yn ei ddwyn!
  I ddechreu'r frwydr fawr,
  P'le rhoi di'th droed i lawr? –
Yr estron bia'r tir fedd iti fythol sŵyn![79]

Teitl y ddrama oedd 'Eglwys y Dyn Tlawd', ac fe'i cyhoeddwyd yn *Y Faner* rhwng Chwefror 22 a Mai 10. Propaganda o blaid Datgysylltiad a Dadwaddoliad yr Eglwys Wladol yng Nghymru a diddymu'r taliadau Degwm i'r Eglwys Sefydledig a orfodid ar amaethwyr Cymru yw'r ddrama. Ceir 'Rhagarawd' – prolog – i'r ddrama, lle mae'r Diafol yn annerch ei weision yn Annwn. Ceir crynodeb o hanes Cymru gan y Diafol a'i weision, a hanes crefydd yng Nghymru yn enwedig. Llanwodd y Diafol galonnau'r personiaid eglwysig â chasineb angerddol tuag yr Ymneilltuwyr, ond,

> Er gwaethaf y parsoniaid oll i gyd,
> Y bobol ddeallasant nad oedd iawn
> I'r lliaws gynnal eglwys estron – un
> A geisiodd ladd eu hiaith, a'u cenedl hwy;
> Ac erbyn hyn, y mae'r amaethwyr oll
> Yn gwrthod talu'r degwm![80]

Rhoir y broblem yn gryno ac yn groyw yng ngenau un o'r cymeriadau:

> Mi wyddoch oll, yn eitha' da, heb i mi dd'eyd wrthoch chi, fod yma ddyn yn yr ardal yma a elwir yn 'olynydd yr apostolion,' neu barson, fel y bydd o yn cael 'i alw amla'. Yrwan, mae'n rhaid i ni dalu swm o arian bob hanner blwyddyn i'r gŵr hwn; sef, degwm. Nid oes yr un dewin, o ddewinied yr Aipht hyd 'Jack Ffynnon Elian,' a feder dd'eyd am beth yr yden ni'n talu'r arian hyn. Nid oes yma'r un o honon ni'n myned i'r eglwys ddydd mewn blwyddyn; a phe tae ni yn myn'd yno, mi fydde gynnon ni gystal siawns am foddion gras â phe tae ni yn myn'd i ben yr Wyddfa i chwilio am benwig cochion! Ac etto, wedi'r cwbl, rhaid i ni dalu i gadw'r parson hwn – rhyw lwmp o lygredigaeth, yn gwneud dim heb law myn'd i'r eglwys ar y Sul i ragrithio darllen llithoedd a *Llyfr Gweddi Cyffredin*; a[c] ar ddyrnodie er'ill yn yfed cwrw a gwin, canlyn cŵn hela, ac ysgwyd ei gynffon o flaen crachfoneddigion difenydd, digydwybod![81]

Condemniad hallt, os bu un erioed. Roedd Gwynn wedi darllen am y modd y cafodd Goronwy Owen ei gam-drin gan Eglwys Loegr yn y *Gronoviana*, a dyna reswm arall dros gasáu'r sefydliad annynol hwn. 'Ei hyntio o le i le, i Loegr, lle bu'n darn lwgu ac ar fin trengu, yn hiraethu am ei wlad, lle y dylasai fod yn esgob,' a wnaeth yr Eglwys, a'i erlid yr holl ffordd i America erbyn y diwedd.[82] Dywed un arall o'r cymeriadau fod y Beibl wedi ei ddysgu 'fod cyssylltu eglwys â gwladwriaeth yn beth hollol anghyfiawn, ac yn groes i ddysgeidiaeth ein Gwaredwr mawr'.[83]

Hanner Cymraeg a hanner Saesneg yw iaith y 'Parson' yn y ddrama. Dim ond rhyw ddeg o bobl sy'n dod i'w eglwys, ac mae'r person yn taro ar gynllun gwych, sef denu tlodion yr ardal i'r eglwys trwy roi ambell geiniog i'r hen wragedd a chwrw i'r dynion, a chael eglwyswyr cefnog y fro i roi gwlanenni a glo iddynt. "Dawn i byth o'r fan yma, mi 'neiff *humbug*, a *sham*, a *lager beer*, a gwlanen, a glô, lenwi'r hen eglwys cyn hir; a fydd gan y *Liberationists* ddim *effrontery* digon *brazen* i dreio dwyn y degwm wed'yn!' meddai'r person.[84] Cyn iddo gael cyfle i weithredu ei gynllun mae dirprwyaeth o amaethwyr lleol yn mynd i'r ficerdy i ofyn iddo am ostyngiad o ddeg y cant yn y degwm, ond croeso oeraidd ac ateb negyddol a gânt gan y person.

Yr unig beth y gall y ffermwyr lleol ei wneud bellach yw codi mewn gwrthryfel yn erbyn yr Eglwys yng Nghymru. 'Be' 'di'r dirwasgiad ar amaethwyr y'n gwlad ni, a be' 'di traha'r mân arglwyddi tir, a'r mân barsoniaid, a'r ciwratiaid 'ma ond gwaith Duw'n trymhau y'n caethiwed, er mwyn y'n dwyn ni i'w deimlo, ac ymladd yn ei erbyn?' gofynna un o'r ffermwyr.[85] Ac anfonant lythyr at y person i ddweud wrtho eu bod yn gwrthod talu'r un geiniog o ddegwm iddo.

Mae un o ffermwyr y ddrama, ffermwr claf o'r enw Dafydd Tomos, yn cwympo'n gelain yn llofft ei fferm, Bryn Celyn. Mae gŵr o'r enw John Smith, yn awr fod y tenant wedi marw, â'i lygad ar y fferm, ac mae'n gofyn i'r person am ei gymorth yn hyn o beth. '[M]i fyddwch yn siŵr o gael y *farm*, achos mae o'n *understood* er's amser fod pob ymdrech i gael ei gwneyd i *supplantio* tenantiaid presennol Mr. Brazenface â *Tory Churchmen*,' yw'r ateb a gaiff gan y person.[86] Ac mae'r goruchwyliwr tir yn addo'r fferm iddo. Nid oes gan y person na John Smith yr un gronyn o gydymdeimlad â gweddw Dafydd Tomos – 'fydde fo ddim ond *foolery* i ni adel i'w weddw fo dreio aros yn y *farm*, gan mae'n bur debyg mai'r plwy' fydd raid 'i chadw hi cyn hir,' meddai'r goruchwyliwr.[87]

Mewn golygfa arall, ar fuarth fferm Bryn Celyn, rhoir tas wair y fferm ar werth, oherwydd bod Dafydd Tomos heb dalu'r degwm, ac fe gynhelir yr arwerthiant ar ddiwrnod ei angladd. Mae gweddw Dafydd Tomos bellach heb geiniog ar ei helw, a daw swyddogion y gyfraith i'w hel hi a'r plant allan o'r tŷ. 'Ai nid y'n teulu ni oedd bïa Bryn Celyn yn amser 'nhaid, ac ai nid ei dwyn hi ddaru'r lleider ydach chi'n alw'n fistar tir?' gofynna'r mab hynaf i'w fam, a dyna'r anghyfiawnder mwyaf.[88] Y mae'r mab hwnnw yn un heriol a gwrthryfelgar, ac mae'n taro un o'r plismyn sydd wedi dod i'w gyrru allan o'r tŷ â phastwn. Anfonir y mab i'r carchar am ymosod ar y plismon, felly, mae'r fam wedi colli'r unig un a allai fod yn ffon fara i'r teulu. Bu'n byw mewn bwthyn tlawd oddi ar iddi hi a'i phlant gael eu gorfodi i adael Bryn Celyn. Rhyddheir y mab o'r carchar ar y diwrnod y mae'i fam yn marw, ac mae'n cyrraedd ei gwely angau mewn pryd i ffarwelio â hi. Mae'r fam yn marw ym mreichiau ei mab. Ac i'r mab y rhoir brawddeg olaf y ddrama:

'A dyma ydyw gwaith "Eglwys y Dyn Tlawd?"'[89]

Darn o bropaganda noeth yw'r ddrama wrth gwrs, ond mae'r ddeialog yn rhyfeddol o ystwyth a naturiol, yn enwedig o gofio'r cyfnod y perthynai'r ddrama iddo. Ac roedd iddi ddifrifwch amcan, yn sicr. Roedd yn hybu achos y rhai a ymgyrchai o blaid Datgysylltu'r Eglwys yng Nghymru, ac yn ysgogi gwrthryfel. Ceir ynddi ddarlun byw o'r gwrthdaro a geid rhwng eglwysyddiaeth ac Anghydffurfiaeth yng Nghymru ar y pryd, ond plant y Diafol yw'r eglwyswyr ynddi. Mae hi hefyd yn cenhadu o blaid Cymru Fydd, ac mae Gruffydd, mab Bryn Celyn, yn ymgorfforiad o ysbryd herfeiddiol a chwyldroadol y mudiad. Swyddogaeth ddigon tebyg sydd i'r ddrama hon ag i'r hyn sydd i ddrama W. B. Yeats, *The Countess Cathleen* (1892), sef cydymdeimlo â'r werin yn ei chyni a'i chaledi. Roedd y Gwynn ifanc yn sicr yn dechrau mentro i fyd rhyddiaith yn ystod ei gyfnod ar staff *Y Faner*. Yn ystod mis Ionawr 1893, cyhoeddwyd stori gyfres o'i waith, 'Lleian Cwm Cleurwy', stori ddramatig am fab i bendefig yn priodi ei chwaer ei hun, yn ddiarwybod iddo. Ffrwyth godineb ar ran y tad yw'r mab, a lleian Cwm Cleurwy yw ei fam. Mae'r mab anghyfreithlon hwn yn priodi ei chwaer gyfreithlon, ac mae Gwynn, unwaith yn rhagor, yn peri i bendefigion a chrachfoneddigion ymddangos mewn goleuni anffafriol. Mae'r stori hon hefyd, o ran thema, yn rhagargoeli'r clwstwr o nofelau a oedd i ddilyn.

Mae'n sicr fod Gwynn yn wleidyddol ei feddwl yn y cyfnod hwn. Cyhoeddwyd llythyr o'i eiddo at 'ddemocratiaid Cymru' yn *Y Faner* ar Fedi 13, 1893. O ganlyniad i Ddeddf Ddiwygio 1867, estynnwyd yr hawl i bleidleisio o'r trefi a'r dinasoedd i gefn gwlad. Rhoddwyd yr hawl i bleidleisio i berchnogion tai ac i rai a rentai dir am ddâl o £10 neu ragor yn yr etholaethau bwrdeistrefol, yn ogystal â rhoi'r bleidlais i dirfeddianwyr a thenantiaid a amaethai lai o dir mewn ardaloedd gwledig. Estynnwyd yr hawl i fwy o ddynion i bleidleisio drwy Ddeddf Cynrychiolaeth y Bobl, 1884. Roedd y ddeddf yn gam mawr ymlaen tuag at gymdeithas ddemocrataidd lawnach, ac roedd mwy na phum miliwn a hanner o ddynion ym Mhrydain bellach yn gallu bwrw pleidlais mewn etholiadau. Yn Etholiad Cyffredinol 1868, enillodd y Blaid Ryddfrydol, dan arweiniad William Ewart Gladstone, 387 o seddau, gan drechu'r Ceidwadwyr, a enillodd 289 o seddau. Dyma'r etholiad cyntaf i gael ei gynnal ar ôl i Ddeddf Ddiwygio 1867 ddod i rym. 'Bu amser yn ein hanes pryd y penderfynai ysweiniaid y sir pwy a'n cynnrychiolai yn y senedd,' meddai Gwynn yn ei lythyr, gan gofio eto fyth am y modd annheg y cafodd ei dad ei drin gan y tirfeddianwyr, ond 'yn 1868, troes y glorian, ac aeth Cymru yn Rhyddfrydicach na'r un rhan o'r deyrnas bron'.[90]

Cymeradwyai Gwynn y diwygiad gwleidyddol hwn, ond fel Cymro, nid fel Prydeiniwr, y gwnâi hynny:

> Y mae genyf bob rheswm dros gredu mai yn mhlith y ddemocratiaeth y mae nerth a chryfdwr, gobaith a dyhëad Cymru, nid yn unig fel gwlad, fel cymmundeb o bobl, ond fel cenedl hefyd; a phan fyddo cenedligrwydd cenedl wedi gwreiddio yn[g] nghalon ei democratiaeth, gormod o waith, hyd yn oed i gyfymdrech y Saeson Philistaidd a bradwyr y genedl ei hun, fydd ei orchfygu.[91]

Roedd yn hollbwysig fod Cymru yn cadw ei henaid a'i hunaniaeth. Pan oedd llawer iawn o Gymry yn ddigon balch a bodlon i ymgolli yn yr Ymerodraeth Brydeinig, mynnai Gwynn arddel ei Gymreictod yn llawn. Pe bai Cymru yn colli ei chenedligrwydd, rhyw fath o ddinesydd eilradd fyddai'r Cymro, ac ni fyddai'n perthyn i unrhyw genedl. Byddai wedi colli ei genedl ei hun ac ni allai byth bythoedd berthyn i Loegr:

> Dysg hanes y byd i ni nad allwn byth ymgolli yn y genedl Saesnig, os na fynwn golli llawer iawn, a bod heb ennill dim; canys pe gwnaem, ni fyddem ond y salaf o wehilion y genedl hono; o herwydd byddem wedi colli ein nodwedd ein hunain, ac nis gallem byth ennill nodwedd y Sais.[92]

Ymosododd ar enwadaeth ac ar Eglwys Loegr yn y llythyr. '[Y]r oedd Eglwys y Sais yn sugno ein gw[a]ed, ac yn gwneyd pob ymdrech a allai i ladd ein cenedligrwydd,' meddai.[93] Ac er bod y ddemocratiaeth newydd, sef ymestyn yr hawl i bleidleisio, yn gam aruthrol o bwysig ymlaen, dylid rhoi cenedligrwydd yn uwch na gwleidyddiaeth, neu 'bleidyddiaeth', meddai Gwynn.[94] Dylai Cymru gael ei phlaid ei hun yn y Senedd, sef plaid genhedlig o ryw fath, plaid y byddai ei haelodau yn 'tyngu llŵ o ffyddlondeb i'w cenedl, ac nid i neb arall'.[95] Sefydlu plaid o genedligwyr oedd yr 'unig ffordd i ni gael ein hiawnderau o ddwrn haearnaidd John Bull, yr hwn sydd gâs ganddo yn ei enaid glywed sôn am genedligrwydd, pa un ai eiddo y Gwyddel ai ynte y Cymro fyddo!' meddai.[96]

Parhaodd i drafod y syniad o 'blaid Gymreig' bythefnos yn ddiweddarach yn *Y Faner*. Pwysleisiodd unwaith yn rhagor fod angen un blaid wleidyddol wirioneddol Gymreig, a gwladgarol Gymreig at hynny. Roedd o leiaf dri math o Ryddfrydwyr, meddai, sef 'y Rhyddfrydwyr Seisnig arafaidd, y Rhyddfrydwyr mympwyol, a'r cenedligwyr gwirioneddol'; ac roedd angen 'gwir undeb rhyngddynt oll fel plaid'.[97]

Cenedlaetholwr ifanc, tanbaid oedd Gwynn yn ei ugeiniau cynnar. Yr iaith Gymraeg a'i llenyddiaeth a lywiai ei fywyd. Roedd ei gariad at ei iaith yn amlwg yn ei hir-a-thoddaid, 'Yr Iaith Gymraeg':

> Iaith felusber, a thyner iaith enwog;
> Iaith hynod ydyw, iaith hen, odidog;
> Iaith riawl, hydwyth, iaith wir oludog;
> Iaith gref a rhwydd, iaith groyw, fawreddog;
> A thrwyadl gu iaith rywiog—ei geiriau,
> Iaith o ewynau, teithi awenog.[98]

Roedd cyfnod *Y Faner* hefyd yn gyfnod o fyfyrio ar farddoniaeth a llenyddiaeth, ac ar y gynghanedd yn enwedig. Er mor ifanc ydoedd, roedd yn dechrau magu chwaeth a barn aeddfed. Gwyddai nad oedd fawr o bwrpas i'r math o gynganeddu a geid gan feirdd eisteddfodol y dydd. Gan mor aruthrol o wael oedd awdlau eisteddfodol y cyfnod, dechreuodd amau gwerth y gynghanedd ei hun. Daeth i'r casgliad, dros dro beth bynnag, fod y gynghanedd yn gweddu'n berffaith i rai mathau o ddweud, canu epigramatig er enghraifft, neu ddisgrifiadau o natur, ond a allai'r gynghanedd roi mynegiant grymus a graenus i themâu ehangach, mwy uchelgeisiol? Ni allai'r pedwar mesur ar hugain wneud hynny, yn sicr.

Roedd Gwynn yn ymwybodol o draddodiad barddol ei ardal er pan oedd yn ifanc iawn. 'Byddai traddodiad llenyddol yn yr ardal, yn mynd yn ôl rai canrifoedd, fel y deuthum i wybod wedyn,' meddai yn *Brithgofion*, wrth sôn am brydyddion yr ardal, fel John neu Siôn Parri ac Ifan Hobwrn.[99] Cyhoeddwyd ysgrif o'i eiddo ar 'John Parri Llanelian' yn *Y Geninen* ym mis Ionawr 1893 ac ymfalchïai yn y ffaith iddo gael ei fagu 'yn yr un ardal ag y maged John Parri, ac yn hen gartre chwaer iddo'.[100] Bachgen ysgol oedd Gwynn pan ddarganfu'r gynghanedd:

> ... dyma ddarganfod cyn hir nad yr ateb hwnnw ar ddiwedd llinellau oedd yr unig beth pleserus mewn prydyddiaeth Gymraeg, nad oedd i'w gael, hyd y gwyddwn i, mewn prydyddiaeth Saesneg. Nid diwedd llinellau yn unig oedd yn ateb yn Gymraeg – yr oedd y geiriau'n clymu â'i gilydd mewn modd rhyfeddol.[101]

Hynny yw, nid odl yn unig a nodweddai farddoniaeth Gymraeg, ac oherwydd y clymiadau mewnol hyn mewn llinellau o farddoniaeth, bron nad oedd hynny yn ddigon, ac nad oedd angen odl ar ddiwedd llinellau. Clywodd, meddai,

... rai hŷn na mi, wrth sôn am waith Thomas Edwards o'r Nant, neu John Parri, Llanelian, yn dywedyd bod eu penillion hwy "yn clymu" – dyna air ein gwlad ni'r pryd hwnnw – ac o'r diwedd, dechreuais innau glywed y clymau, yn enwedig yng ngherddi John Parri, un y clywswn lawer o sôn amdano, gan mai un a fu gynt yn byw yn yr ardal ydoedd. Dysgu adnabod y peth wrth y glust wedyn, cyn gwybod dim am y rheolau, a chael allan yn y man mai "cynghanedd" oedd y term dysgedig am y peth a alwai pobl gyffredin yn "gwlwm." Yna, daeth cyfnod o ddotio at gynghanedd, ac o ddarllen hen brydyddiaeth, lle bynnag y ceffid hyd iddi – chwilio am bethau newydd yng nghanol yr hen, am wn i.[102]

Felly, y 'cwlwm', sef y gynghanedd, oedd yn bwysig, nid odl, ac nid y mesurau traddodiadol. O gofio bod Gwynn yn darllen barddoniaeth ddi-odl Walt Whitman yn y cyfnod hwn, a'i fod yn myfyrio'n gyson ar natur, swyddogaeth a phosibiliadau'r gynghanedd a'r mesurau traddodiadol, yr oedd eisoes wedi sylweddoli, o safbwynt creu cerddi hir, uchelgeisiol, nad y gynghanedd oedd y rhwystr ond y mesurau. Dyna pam yr oedd yn amheus o awdl Dyfed i 'Iesu o Nazareth', cyn iddo ei ddarllen. A allai mesurau traddodiadol Cerdd Dafod roi mynegiant grymus a thrawiadol i bwnc mor eang, mor ddwys ac mor aruchel? Roedd cerddi mawr di-odl y dyfodol yn dechrau gwaelodi yn ei feddwl.

Tua diwedd 1893, gadawodd Gwynn Ddinbych, ac aeth i Lerpwl i weithio ar bapur arall, *Y Cymro*. Golygydd, sefydlydd a pherchennog *Y Cymro* oedd Isaac Foulkes, a phapur yn ei fabandod oedd *Y Cymro* ar y pryd. Ym mis Mai 1890 y cyhoeddwyd y rhifyn cyntaf ohono. Roedd Isaac Foulkes yn chwilio am is-olygydd i'w bapur, a gwahoddodd Gwynn i ymgymryd â'r gwaith, ar raddfa ran-amser. Awgrymodd y gallai weithio hefyd fel gohebydd llawrydd i rai o bapurau Saesneg Lerpwl a Manceinion, fel y *Liverpool Mercury*, y *Liverpool Post* a'r *Manchester Guardian*. Roedd Gwynn yn barod am her newydd yn ei fywyd, a derbyniodd wahoddiad Isaac Foulkes.

Parhâi i lenydda ar ôl iddo ymuno â staff *Y Cymro*. Ac yntau newydd gyrraedd Lerpwl, dechreuodd gyfrannu straeon i'r papur, a'r rheini'n straeon gwleidyddol eu naws. Y tirfeddianwyr a oedd dan yr ordd eto. Cyhoeddwyd 'Atgofion' ('stori wir' rhwng cromfachau) yn rhifyn Rhagfyr 21, 1893, o'r *Cymro*. Yn y stori hon mae ffermwr cefnog, Morys Owen yr Hendre, yn rhoi mis o rybudd i rai o'i weision a'i forwynion oherwydd y gostyngiad mawr ym mhrisiau anifeiliaid. Un o'i weision yw Enoch, gŵr crefyddol iawn, ac er nad yw Morys Owen ei hun yn ŵr crefyddol, 'yr oedd ganddo barch i grefyddwyr, ac ofn garw gwneud dim a dynai farn arno ei hun mewn unrhyw gysylltiad'.[103] Un bore mae Enoch yn darllen pennod o'r Beibl yn uchel, yn ôl ei arfer. Y tro hwn, mae'n darllen y bumed bennod yn Llyfr y Proffwyd Eseia, sef y bennod sy'n cynnwys adnodau â'r gair 'gwae' yn air cyntaf iddynt, er enghraifft, 'Gwae y rhai sydd yn cysylltu tŷ at dŷ, ac yn cydio maes wrth faes, hyd oni byddo eisiau lle, ac y trigoch chwi yn unig yng nghanol y tir' (5:8). Wrth ddarllen y bennod, mae Enoch yn gollwng dwy adnod ffug i ganol yr adnodau gwreiddiol, gan gymryd arno mai eu darllen y mae, a chan anelu'r ddwy adnod at ei feistr. 'Gwae y tirfeistr a ormeso ei denantiaid, ei wningod a drengant, ei gŵn a gloffant, ei winoedd a surant, a'i ffesants a ehedant ymaith' yw'r adnod ffug gyntaf, ac yna mae'n cloi'r bennod gyda'r ail adnod ffug, 'Gwae yr amaethwr a wnelo gam â'i weision; ei foch a drengant, ei ddefaid a gloffant, ei ieir ni ddodwyant, a'i wyddau a ehedant ymaith'.[104] Mae'r darlleniad yn cael cryn dipyn o effaith ar Morys Owen, ac o ganlyniad i hynny, mae'n dweud wrth y gweision a'r morwynion y bwriadai eu diswyddo y cânt barhau i weithio iddo. Rhoddodd fis o rybudd iddynt, meddai, 'i edrych sut y cymerent y peth – mai ysmalio yr oedd ef'.[105]

Cyhoeddwyd stori fer o'i eiddo yn *Y Cymro* rhwng y Nadolig a'r flwyddyn newydd. Stori ysbryd a stori wirioneddol arswydus oedd honno, ac ynddi'r ysbrydion mwyaf erchyll a grëwyd erioed yn y Gymraeg. Prif gymeriad y stori, 'Cyflafan yr Ysbrydion', yw Iorwerth Rhys, meudwy sy'n byw ar ei ben ei hun mewn bwthyn ar ochr mynydd. Ei waith yw bugeilio defaid Syr Gruffydd Llwyd, y pendefig lleol. Mae hi'n noswyl y Nadolig, ac mae meddyliau Iorwerth yn troi o amgylch rhywbeth a ddigwyddodd ddeng mlynedd ynghynt, sef diflaniad sydyn ei gariad, Gwenfron; ac wrth iddo ddechrau hel meddyliau fel hyn, mae ysbryd yn ymddangos yn ei fwthyn, menyw mewn gwisg wen a chanddi len ar draws ei hwyneb, ac mae hi'n annog Iorwerth i'w dilyn at hen furddun a oedd yn llys urddasol unwaith. Mae'n ei dywys at yr ystafell wledda, ac yno y mae pob math o ysbrydion erchyll wrthi'n gloddesta. Gorfodir Iorwerth i gydwledda â'r ysbrydion:

> Dechreuwyd ar y wledd, a chan na wyddai beth i'w wneud, darparodd Iorwerth ei hun i fwyta ac yfed efo hwy. Ar ei gyfer yr oedd pob math o seigiau a danteithion, a chawg gwin anferth, a meddgyrn aur ac arian yn britho'r bwrdd. Ceisiodd brofi tamaid o'r saig osodasid o'i flaen, ond llithrai ei law drwy'r danteithion, y bwrdd a'r cwbl, a disgynai ar ei lin, fel pe na fuasai'r oll ond cysgod! Ceisiodd afael ar un o'r meddgyrn, ond elai ei law drwy hwnw yn union yr un fath, a llenwid ei ffroenau âg arogl brwmstanaidd nes bron ei daro i lawr. Ni sylwai'r bodau rhyfedd

rithyn ar ei benbleth, ond gwleddent yn brysur ar y danteithion a'r gwin a'r medd, mewn dirfawr lawenydd, yn ôl pob golwg. Er nad oedd air i'w glywed, moesgryment, chwarddent, ac ymystumient fel pe'n ymddyddan gymaint fyth y naill efo'r llall. Pan chwarddent, dychrynllyd oedd yr olwg ar eu gwynebau llymion – y genau fel gogof anferth, y dannedd yn ysgythru yn ffyrnig, a'r llwch melyn yn chwalu nes llenwi'r awyr! Er dygn fwyta ac yfed, nid elai'r danteithion na'r diodydd disylwedd fymryn llai, ac o'r diwedd, gorphenodd y bodau annaearol eu gwledd echrys.[106]

Ar ôl y wledd, mae'r ysbrydion yn ymnyddu drwy'i gilydd mewn dawns orffwyll, ac ar ôl i delynor a feddai ar y llais pereiddiaf a glywodd dyn erioed ganu cân i gyfeiliant ei delyn, mae drws yr ystafell yn agor, ac mae 'nifer o fodau mygydog' yn dod i mewn i'r ystafell, ac yn dechrau ymladd â'r ysbrydion.[107] Yna,

> ... [p]an oedd y gyflafan ar ei gwaethaf, agorodd drws gwichlyd y neuadd islaw, llefodd Iorwerth yn ei ddychryn anaele nes oedd yr ystefyll gweigion yn diaspedain; clywid rhywun yn d'od i fynu'r grisiau, agorwyd y drws, a daeth Syr Gruffydd Llwyd drwyddo. Gyda'i fod i fewn, torodd gwaed[d] frawychus dros ei wefusau gwelwon, syrthiodd ar ei liniau gan ymgroesi a llefain, "O!'r Wyryf Santaidd, maddeu!" Diflanodd yr ysprydion maluriedig yn un cwmwl, a gadawyd y bugail a'i feistr yn unig yn yr ystafell, tra glasai gwawr dydd Nadolig gan ymlid gwyll y nos ddychrynllyd ymaith. "O maddeu, maddeu!" llefai Syr Gruffydd, gan blethu ei ddwylaw, a'i wyneb cyn welwed â chysgod.[108]

Ac mae Iorwerth yn gofyn iddo: 'Ai ti a luniodd y brad ddeng mlynedd yn ôl, pan gollais i fy Ngwenfron, a phan ddygaist tithau ei thiroedd drwy ystryw?'[109] Mae Gruffydd Llwyd yn cyfaddef iddo ddwyn tir oddi ar Gwenfron drwy dwyll, ond mae Gwenfron yn fyw. Am ddeng mlynedd, fe'i cadwyd gan Syr Gruffydd Llwyd yn gaeth mewn ystafell gudd dan y palas. Ailunir Iorwerth a Gwenfron, a lleddir Syr Gruffydd gan ysbryd anweledig. Tybed nad yw Gwenfron yma yn symbol o Gymru ei hun, y Gymru a gedwid mewn caethiwed a than draed gan landlordiaid crafangog?

Ymosodiad arall ar y tirfeddianwyr am ddwyn tiroedd y werin trwy dwyll a geir yn 'Cyflafan yr Ysbrydion', sef enghraifft arall o 'ystrywiau cyfrwys-ddrwg yr estroniaid', fel y dywedodd yn ei lith ar 'Arglwyddi Tir Cymru' yn *Y Faner* ym mis Gorffennaf 1891. Arhosodd y camwri hwn o estroniaid yn dwyn tir y Cymry gyda

Gwynn drwy gydol ei oes. At hynny y cyfeirir yn yr englyn milwr hwn a luniwyd ddegawdau yn ddiweddarach:

> Daear ein tadau eon,
> i bwy'r oedd hawl ar bridd hon? –
> ai trwy ystryw i estron?[110]

Roedd *Y Cymro* ar ganol cyhoeddi un o nofelau Daniel Owen, *Gwen Tomos*, fesul pennod pan ddechreuodd Gwynn weithio ar y papur, ac roedd hynny, yn sicr, yn brofiad cyffrous i'r newyddiadurwr ifanc. Cyn hir byddai Gwynn ei hun yn cyhoeddi nofelau fesul pennod neu benodau yn y papurau. Ond ym 1893 newyddiadurwr ydoedd, a'i waith oedd casglu newyddion a chyhoeddi ambell stori yn y papur. Ac mae ôl ei law yn amlwg ar rai o'r pytiau newyddion a gyhoeddwyd yn *Y Cymro*. Er enghraifft, y mae'n sicr mai ef oedd yn gyfrifol am newyddion Dyffryn Clwyd yn rhifyn Tachwedd 23 o'r *Cymro*. Mae'r is-bennawd cynganeddol sydd ganddo ar un pwt o newyddion, 'Gwneud enbyd ar gŵn Dinbych', yn awgrymu mai Gwynn a ysgrifennodd y darn hwnnw o newyddion, ond mae pwt arall o newyddion o Ddyffryn Clwyd yn cynnig tystiolaeth ddiymwad mai ef yw'r awdur:

> "Cymru Fach Dlawd" medd y Sais gwyneb pres, bob amser, ac mi deimlwn ar fy nghalon ei yru i'w "aped" yn syth am ei haerllugrwydd! Yn ystod y flwyddyn ddaeth i ben ar Ŵyl Fair, 1893, rhoed cymhorth i 2,755 o grwydriaid yn Rhuthyn, y rhan fwyaf o beth anferth yn Saeson. Yn ystod y pythefnos diweddaf, galwodd 142 o'r boneddwyr crwydrad yn Rhuthyn, ac yr oedd 15 ohonynt yn Gymry, 104 yn Saeson, 21 yn Wyddelod, a 2 yn Ysgotiaid. A chymeryd yr un cyfartaledd at y nifer fu yn y tlotty yn ystod y flwyddyn, chwi gewch ryw 326 yn Gymry allan o'r 2,755, a llai fyth o Wyddelod ac Ysgotiaid, felly, dyna drethi undeb Rhuthyn yn myn'd i gadw gwaddod cymdeithas Seisnig. Nid digon gan y Sais ladrata ein tir, ond gyr ei grwydriaid i ni eu cadw, a geilw'n gwlad yn "Gymru fach dlawd" wedi'r cwbl! Pryd y deffry "Gorfodoglu Arthur?"[111]

Dyna ymosodiad arall ar y lladron tir twyllodrus, a Gwynn yn unig a fyddai'n defnyddio'r gair 'gorfodoglu'. Ni ddefnyddiwyd mohono gan yr un newyddiadurwr arall yn y cyfnod, ac yn ei gopi o *Gronoviana* y daeth o hyd i'r gair.[112] Mae'n amlwg fod Isaac Foulkes yn rhoi digon o ryddid i Gwynn, nid i draethu ei farn yn union, ond i wyntyllu ei ragfarnau! Defnyddiodd Gwynn y gair 'gorfodoglu' mewn cerdd o'r enw 'Gymru Anwyl' a gyhoeddwyd yn *Y Faner* ym mis Medi 1891, dan ei ffugenw Rurik Dhu:

> Gwawdio'r llwfr mae ecco'r creigiau
>   Wrth ymdori gyda grym;
> Llosgi'r bradwr y mae'r dreigiau
>   Efo thân eu llygaid llym;
> Gorfodoglu ARTHUR Frenin
>   Ddeffry bloedd y creigiau;
> Llym yw'r cledd a byw 'di'r cenin –
>   Chwyfiwn etto'n Dreigiau.[113]

Yn yr un rhifyn o'r *Cymro* ceir adroddiad am y ddarlith a draddododd Emrys ap Iwan ar 'Y Clasuron Cymreig' gerbron Cymdeithas Genedlaethol Gymreig Lerpwl ym mis Tachwedd. A oedd Gwynn yn bresennol yn y cyfarfod hwnnw ac ai ef a luniodd yr adroddiad ar y noson?

Parhâi i lunio cerddi gwladgarol, gan weithredu fel Prifardd answyddogol Cymru Fydd. Er ei fod yn byw yn Lerpwl ac yn gweithio i'r *Cymro*, cadwodd gysylltiad â'r *Faner*. Dan y ffugenw Kynan Meredyth, cyhoeddwyd cerdd Saesneg o'i eiddo, wedi ei hanfon o Lerpwl a'i llunio ar Fai 3, yn *Y Faner* ym mis Awst 1894. Dyma'r pennill olaf:

> Weird tales of the gromes [*sic*] in their rock-bound homes,
>   Tales only told in the heart of the hills;
> Songs, sweet and amorous float through the clamorous
>   Roar of the streamlets and rills,
>   As the silent night it thrills
> Land of legend and song, where the mighty and strong
>   Have lived and died in the heart of the vales;
> Ever I cling to thee fondly, and sing to thee,
>   Fatherland! loveliest Wales![114]

Yn *Y Faner* hefyd y cyhoeddwyd llythyr ganddo dan yr enw cyfarwydd, Collwyn, ddiwedd mis Mai, 1894. Nodir mai yn Lerpwl, ar Fai 19, y lluniwyd y llythyr, dan y pennawd 'Lord Rosebery'. Archibald Philip Primrose, pumed Iarll Rosebery ac aelod blaenllaw o'r Blaid Ryddfrydol, oedd y Prif Weinidog ar y pryd. Er bod y Blaid Geidwadol wedi ennill y rhan fwyaf o'r seddau yn Etholiad Cyffredinol

1892, nid oedd ganddi ddigon o fwyafrif i lywodraethu. Roedd y Blaid Ryddfrydol, dan arweiniad William Ewart Gladstone, wedi ennill 80 o seddau oddi ar y Ceidwadwyr, ac wedi llwyddo i ffurfio llywodraeth fechan trwy glymbleidio â'r cenedlaetholwyr Gwyddelig. Roedd gan Gymru ran flaenllaw yn llwyddiant y Blaid Ryddfrydol yn yr etholiad. Yn y cyfarfod hwnnw a gynhaliwyd yn Newcastle ym 1891, ar drothwy'r etholiad, roedd y blaid, wrth amlinellu ei pholisïau, wedi addo rhoi'r flaenoriaeth i Ymreolaeth i Iwerddon a Datgysylltu'r Eglwys yng Nghymru oddi wrth Eglwys Loegr, ond aeth yn ôl ar ei gair. Yn y llythyr, cwyno roedd Gwynn fod yr Aelodau Seneddol Rhyddfrydol wedi gwthio mân fesurau a deddfau drwy'r Senedd, ar ôl addo y câi'r Mesur Cymreig flaenoriaeth pe bai'r Blaid Ryddfrydol yn ennill; cwynai hefyd fod yr Aelodau Seneddol Cymreig wedi caniatáu i hyn ddigwydd heb unrhyw fath o wrthwynebiad. Siom enfawr i Gwynn oedd y modd y torrodd y Blaid Ryddfrydol ei haddewid:

> I have heard from a reliable source that one of the measures given by ministers in defence of their action is, that Wales cannot possibly make any material increase in its majority. As one who assisted in the last campaign, I can assure these gentlemen of honour that a further improvement is not only possible, but, probable; but it is one which will not add to their support except on the express condition that our wants are attended to – we will return an Independent National Party. One advantage of the present crisis is, that it will teach us to what extent to value similar promises in future.[115]

Yn ystod ei gyfnod yn Lerpwl, mynychai Gwynn Gapel Fitzclarence Street, un o gapeli Cymraeg y ddinas, a thraddododd o leiaf ddwy ddarlith gerbron aelodau o Gymdeithas Lenyddol y capel. Darlith wleidyddol oedd un o'r darlithoedd hynny, 'Rhagolygon a Manteision Cymru Fydd', ac fe'i cyhoeddwyd yn *Y Mis*, sef cylchgrawn Cymry Lerpwl. Roedd y deffroad gwleidyddol newydd yng Nghymru wedi ei gyffroi i'r byw:

> ... y mae hanes Cymru o'r flwyddyn 1868 hyd yn awr yn wers mewn cynnydd gwleidyddol. Yn 1868 y dododd gwerin Cymru ei nod cyntaf ar gadwen trais y bendefigaeth a'r meistradoedd tir, ac y mae'n hyspys i chwi gymmaint a ddioddefodd ameuthwyr a gweithwyr Cymru dros annibyniaeth barn a rhyddid gweithred ar ôl etholiad y flwyddyn hygof honno. O etholiad i etholiad, codi a wnâi'r llanw cenedlaethol

yn ein gwlad, ac erbyn heddyw, wele ni bron yn unfryd yn ein hawl am gyfiawnder a thegwch.[116]

Ac wrth gwrs, roedd Isaac Jones yn un o'r amaethwyr hynny a ddioddefodd dros annibyniaeth barn a rhyddid. Mae'n cloi ei ddarlith yn heriol ac yn hyderus:

> Y mae'n ddiau i Gymru ragolygon gwych; gwnawn oll ein dyledswydd
> dros ein gwlad a thros ei chynnydd; yr hwn a wado'i genedl a wadai
> hefyd ddynoliaeth pe gallai, a'r sawl a garo'i genedl a ddyry anrhydedd ar
> ddynoliaeth, ac a wna'i ran i ddyrchafu'r byd i'r cyflwr dedwydd a'i herys
> ac a ddaw pan ddysg pawb wneyd ei ddyledswydd.[117]

A dyna optimistiaeth y Gwynn ifanc ar waith, cyn i siomedigaethau bywyd ladd pob optimistiaeth, yn raddol ond yn sicr.

Cafodd bwl arall o dostrwydd ganol haf 1894, pwl trwm o annwyd na allai yn ei fyw gael gwellhad rhagddo. Ym mis Rhagfyr roedd wedi cyrraedd Tyddyn Morgan eto. Ar ddydd Nadolig, 1894, cymerodd Gwynn a'i frawd Dafydd ran amlwg yn un o gyfarfodydd llenyddol Abergele, prawf arall mai aelwyd ddiwylliedig oedd aelwyd Tyddyn Morgan:

> Yn y prydnawn a'r hwyr, cynnaliodd y Methodistiaid Calfinaidd eu tê
> parti a'u cyfarfod llenyddol ... Ennillwyd y gwobrau fel y canlyn ... Rhoddi
> ystyr geiriau o'r 'Bardd Cwsg,' a nodi lle ceir hwynt: goreu, Mr. Dafydd
> Morgan ap Iwan, Tyddyn Morgan ... Hir a Thoddaid, 'Beddargraph i'r
> diweddar Mr. John Robert, Bryngwenallt,' a thuchangerdd 'Y Trafaeliwr
> Sul': goreu, Mr. T. Gwynn ap Iwan, Tyddyn Morgan ... Beirniadwyd gan
> y Parchn. Francis Jones, J. J. Roberts (Iolo Caernarfon), Emrys ap Iwan ...
> a Gwynn ap Iwan.[118]

Roedd Gwynn yn ôl yn ei gynefin eto, ond am ba hyd?

NODIADAU

1 'Canmlwyddiant "Y Faner"', *Y Faner*, Awst 25, 1943, t. 5.

2 Ibid.

3 'Llyfrau Ieuenctid', *Astudiaethau*, tt. 163–4.

4 'Meudwy Môn, a Gweirydd', *Y Faner*, Tachwedd 26, 1890, t. 11. 'A llachar dân eu llewyrch ar dy wedd' a geir yn *Y Faner*, ond mae'r gynghanedd yn hawlio 'llewych' yn hytrach na 'llewyrch'.

5 Ibid.

6 'Anobaith', *Y Faner*, Ionawr 14, 1891, t. 11; 'Rhoddwch Bwys eich Pen!', Ibid., Rhagfyr 17, 1890, t. 11.

7 'Dr. Evan Pierce, Salisbury Place, Dinbych', Ibid., Mawrth 25, 1891, t. 11.

8 'Arglwyddi Tir Cymru', Ibid., Gorffennaf 8, 1891, t. 5.

9 Ibid.

10 Ibid.

11 Ibid.

12 Ibid.

13 Ibid.

14 Ibid.

15 Ibid.

16 'Brad Rhos Ddafydd' ('Streuon Taid', X), *Papur Pawb*, Gorffennaf 6, 1907, t. 6; *Yr Herald Cymraeg*, Gorffennaf 9, 1907, t. 3.

17 'Cefn Berain, ger Dinbych', *Y Faner*, Medi 2, 1891, t. 10.

18 'Dinbych', Ibid., Tachwedd 14, 1891, t. 6.

19 'Dinbych, Cyfarfod Adloniadol y Temlwyr Da', Ibid., Rhagfyr 9, 1891, t. 4, a Rhagfyr 12, 1891, t. 5. Cyhoeddwyd 'A Thyna Beth Yw Cariad', dan yr enw Gwynn, yn *The Abergele and Pensarn Visitor*, Mehefin 20, 1891, t. 3; fe'i cyhoeddwyd hefyd dan y teitl 'A Dyna Beth Yw Cariad' yn *Papur Pawb*, Tachwedd 9, 1907, t. 12, dan y ffugenw 'Hen Lanc'.

20 *Thomas Gwynn Jones: Cofiant*, David Jenkins, er enghraifft.

21 'Dinbych, Capel y Fron', *Y Faner*, Rhagfyr 23, 1891, t. 11; gw. hefyd *Y Faner*, Rhagfyr 19, 1891, t. 5.

22 'Eisteddfod Gadeiriol Temlwyr Da Dosbarth Dinbych', Ibid., Medi 26, 1891, t. 5.

23 'Cyfrinach y Bedd', Ibid., Awst 12, 1891, t. 11.

24 Ibid.

25 Ibid.

26 Ibid.

27 Ibid.

28 Ibid.

29 Ibid.

30 Ibid.

31 Ibid.

32 Ibid.

33 *Thomas Gwynn Jones: Cofiant*, David Jenkins, 1973, tt. 56–7.

34 Er enghraifft, roedd yn un o feirniaid y gystadleuaeth adrodd mewn cyfarfod cystadleuol, llenyddol a cherddorol a gynhaliwyd yn y Neuadd Goffa yn Ninbych ar ddydd Calan 1892. Cyfeiriwyd ato mewn adroddiad ar y cyfarfod fel 'Thomas Jones (*Gwynn ap Iwan*), swyddfa'r FANER'. Gw. 'Cyfarfod Cystadleuol, Llenyddol, a Cherddorol', *Y Faner*, Ionawr 6, 1892, t. 10. Roedd hefyd yn un o feirniaid yr 'amrywion' mewn cyfarfod llenyddol a gynhaliwyd yng Nghapel y Methodistiaid Calfinaidd yn Brookhouse, ger Dinbych, ym mis Chwefror 1892. Gw. 'Brookhouse, ger Dinbych',

Ibid., Chwefror 27, 1892, t. 4. Mewn cyfarfod adloniadol a gynhaliwyd eto ym Modawen, ym mis Ebrill, canodd ddwy gân ar ei ben ei hun, canodd gân arall mewn triawd, a chymerodd ran yn y ddadl ddirwestol. Gw. 'Dinbych, Cyfarfod Adloniadol', Ibid., Ebrill 20, 1892, t. 10.

35 'Prion'/'Ymgeisiaeth Mr Herbert Roberts', *Y Faner*, Gorffennaf 6, 1892, t. 6.

36 *Cymru Fydd*, cyf. I, rhif 1, Ionawr 1888, t. 33.

37 Ibid., tt. 33–4.

38 *Emrys ap Iwan: Cofiant*, 1912, t. 219.

39 'Llannefydd, Cyfarfod Rhyddfrydig', *Y Faner*, Gorffennaf 13, 1892, t. 7.

40 Ibid.

41 'Mr. Osborne Morgan, A.S., yn Rhos', Ibid., Mehefin 3, 1891, t. 6.

42 'Gair o Blith y Werin', Ibid., Tachwedd 25, 1891, t. 5.

43 Ibid.

44 Ibid.

45 Ibid.

46 'Llith Ben-Agored', Ibid., Medi 28, 1892, t. 6.

47 Ibid.

48 Ibid.

49 Ibid.

50 'Nodion Llenyddol', Ibid., Mawrth 2, 1892, t. 12.

51 'Gwyllt Walia', Ibid., Chwefror 17, 1892, t. 14.

52 'Nodion Llenyddol', Ibid., Ebrill 6, 1892, t. 12.

53 Ibid.

54 Ibid.

55 'Canmlwyddiant "Y Faner"'.

56 'Nodion Llenyddol', Ibid., Mai 18, 1892, t. 7.

57 'Marwolaeth Walt Whitman', Ibid., Ebrill 6, 1892, t. 12.

58 'Nodion Llenyddol', Ibid., Mai 18, 1892, t. 7.

59 'Yr Eisteddfod Genedlaethol', Ibid., Medi 17, 1892, t. 4.

60 Ibid.

61 Ibid.

62 Ibid.

63 'Colofn Natur', Ibid., Gorffennaf 29, 1891, t. 7.

64 'Adolygiad y Wasg', Ibid., Tachwedd 14, 1891, t. 7.

65 'Nodion Llenyddol', Ibid., Medi 27, 1893, t. 12.

66 Ibid.

67 'Cadeiriau Eisteddfodol', Ibid., Awst 19, 1891, t. 5.

68 Ibid.

69 'Y Byd Llenyddol', Ibid., Hydref 26, 1892, t. 13.

70 'Yr Eisteddfod Genedlaethol'.

71 Ibid.

72 'Y Byd Llenyddol', Ibid., Tachwedd 9, 1892, t. 14.

73 Ibid.

74 'Dinbych'/'Cymdeithas Cymru Fydd', Ibid., Tachwedd 23, 1892, t. 4.

75 'Dinbych'/'Cymdeithas Cymru Fydd', Ibid., Chwefror 1, 1893, t. 14.

76 'Cân Etholiadol', Ibid., Gorffennaf 6, 1892, t. 7.

77 'Caneuon i'r Lliaws', Ibid., Ionawr 18, 1893, t. 11.

[78] Ibid., Chwefror 1, 1893, t. 11.

[79] 'Uwch Ben Hen Ddyffryn Clwyd', Ibid., Mai 10, 1893, t. 11.

[80] 'Eglwys y Dyn Tlawd', Ibid., Chwefror 22, 1893, t. 12.

[81] Ibid.

[82] Ibid.

[83] Ibid.

[84] Ibid., Mawrth 15, 1893, t. 6.

[85] Ibid., Ebrill 5, 1893, t. 7.

[86] Ibid., Ebrill 26, 1893, t. 7.

[87] Ibid.

[88] Ibid., Mai 3, 1893, t. 7.

[89] Ibid., Mai 10, 1893, t. 7. Cyhoeddodd Vernon Glyndour gerdd wladgarol o'r enw 'Pa Le Mae'r Un Wlad Fel Tydi' yn *Y Faner*, Chwefror 8, 1893, t. 11, a cherdd Saesneg yn dwyn y teitl 'My Native Land' yn *Y Faner*, Ebrill 12, 1893, t. 11. Protest oedd honno yn erbyn y Saeson a fynnai mai rhan o Loegr oedd Cymru.

[90] 'Llythyrau Cyhoeddus at Ddemocratiaid Cymru', Ibid., Medi 13, 1893, t. 5.

[91] Ibid.

[92] Ibid.

[93] Ibid.

[94] Ibid.

[95] Ibid.

[96] Ibid.

[97] 'Llythyrau Cyhoeddus. Llythyr II. At yr Aelodau Cymreig', Ibid., Medi 27, 1893, t. 11. Dan y ffugenw Collwyn yr ymddangosodd y ddau lythyr hyn yn *Y Faner*.

[98] 'Yr Iaith Gymraeg', *Y Geninen*, cyf. X, rhif 3, Gorffennaf 1892, t. 144.

[99] *Brithgofion*, t. 51.

[100] 'John Parri Llanelian', *Y Geninen*, cyf. XI, rhif 1, Ionawr 1893, t. 56.

[101] 'Prydyddiaeth', *Dyddgwaith*, t. 83.

[102] Ibid., t. 84.

[103] 'Atgofion (Stori Wir)', *Y Cymro*, Rhagfyr 21, 1893, t. 6. Ni chynhwyswyd y stori hon yn *Llyfryddiaeth Thomas Gwynn Jones*, D. Hywel R. Roberts. Ceir yr 'G' arferol wrth gwt y stori.

[104] Ibid.

[105] Ibid.

[106] 'Cyflafan yr Ysbrydion', Ibid., Rhagfyr 28, 1893, t. 2.

[107] Ibid.

[108] Ibid.

[109] Ibid.

[110] 'Yn y Gwaed', *Y Dwymyn*, 1944, t. 14.

[111] 'Dyffryn Clwyd', *Y Cymro*, Tachwedd 23, 1893, t. 5.

[112] 'Cynt y rhown goel ar y Brut sy'n addaw dyfodiad Owain Lawgoch a'i orfodawglu, nag y disgwyliwn weled byth Gymro uwch bawd na sawdl mewn unrhyw ragorbarch gwledig nag eglwysig', *Gronoviana*, Llythyr 14, 1860, t. 218.

[113] 'Gymru Anwyl', *Y Faner*, Medi 9, 1891, t. 11. Fe'i cyhoeddwyd hefyd yn *Y Drych*, Hydref 15, 1891, t. 3, dan y ffugenw Ruric Ddu; yn *Y Llan*, Tachwedd 20, 1891, t. 2, dan y ffugenw Rubric Ddu, ac yn *Y Werin*, Chwefror 13, 1892, t. 2, dan y ffugenw Rodrig Ddu.

[114] 'Fatherland', *Y Faner*, Awst 8, 1894, t. 11.

[115] 'Lord Rosebery', Ibid., Mai 30, 1894, t. 13.
[116] 'Rhagolygon a Manteision Cymru Fydd', *Y Mis*, cyf. III, rhif 2, Rhagfyr 1894, tt. 45–6.
[117] Ibid., t. 50.
[118] 'Y Nadolig', *Y Faner*, Ionawr 2, 1895, t. 9.

Pennod 3

COLLWYN, KYNAN MEREDITH A GWYNN
'NOFELWR ENWOG'
1895–1901

Yn Nhyddyn Morgan yr oedd Gwynn pan wawriodd y flwyddyn newydd, 1895. Gyda gwleidyddiaeth o hyd ar ei feddwl, ym mis Mawrth cymerodd ran mewn digwyddiad gwleidyddol:

> Cymru Fydd – Nos Wener ddiweddaf, yn hen gapel y Methodistiaid, cynnaliwyd cyfarfod i sefydlu cangen o Gynghrair Cymru Fydd yn y dref ... ar gynnygiad Mr. John Williams, Tŷ Mawr, Tywyn, yn cael ei eilio gan Mr. Abel Jones, cigydd, Abergele, a'i gefnogi gan Mr. T. Gwynn Jones, penderfynwyd sefydlu caingc o'r cynghrair yn Abergele ... Deallwn fod lliaws nas gallasent ddyfod i'r cyfarfod nos Wener yn amlygu eu parodrwydd i ymuno.[1]

Erbyn mis Ebrill roedd yn ôl yn Ninbych. Cafodd ei hen swydd yn ôl gan Thomas Gee, a disgwylid iddo hefyd roi cymorth i olygydd y *North Wales Times*, John Lloyd Williams, papur yr oedd Thomas Gee a'i fab, Howel, newydd ei sefydlu. Ddiwedd Ebrill roedd Gwynn yn cymryd rhan mewn 'gwledd dê' a gynhaliwyd yng Nghapel y Fron 'gan amryw foneddigesau ieuaingc perthynol i'r Ysgol Sul', ond canu am ei fwyd a wnaeth y tro hwn, nid barddoni.[2]

Parhâi i gymryd rhan mewn cyfarfodydd gwleidyddol. Roedd yn bresennol yn y cyfarfod a gynhaliwyd i gefnogi ymgeisiaeth J. Herbert Roberts dros Orllewin Sir Ddinbych yn y Garnedd, ger Llangernyw, ym mis Gorffennaf, a bu'n annerch mewn cyfarfod arall i gymeradwyo'r un ymgeisydd yng Nghapel y Methodistiaid yng Nghefn Meiriadog yn yr un mis.

Gweithiai ar *Y Faner* yn bennaf wedi iddo ddychwelyd i weithio yng Ngwasg Gee, ond roedd gweithio ar y *North Wales Times* hefyd yn rhan o'i ddyletswyddau. Gadawodd ei ôl ar *Y Faner* yn syth. Cynganeddai ambell bennawd gan ymarfer ei grefft dan drwyn ei bennaeth, er enghraifft, 'Y Gwŷr mewn Dig er Mwyn y Degwm', cynghanedd gywrain ryfeddol.³ Ni châi lawer o amser i farddoni. Cyfrannodd straeon byrion Saesneg i'r *North Wales Times* ac i *Wales*, cylchgrawn O. M. Edwards, dan yr enw Kynan Meredith. Cyhoeddwyd stori fer o'i eiddo yn rhifyn Ebrill 1895 o *Wales*, 'John Creigben Jones'. Rhyw fath o ragflaenydd i un arall o gymeriadau Gwynn, John Homer, oedd John Creigben Jones. Stori ddychanol yw 'John Creigben Jones', a dychanu'r mân feirdd eisteddfodol a'u cenfigen chwerthinllyd tuag at ei gilydd a wneir yn y stori. Beirdd bol clawdd oedd beirdd o'r fath. Cymerent eu gwaith o ddifri er mai rhyfeddol o isel o ran safon oedd y gwaith hwnnw. Ac mae'r stori'n cloi yn ddychanol bigog:

> It is singular how, in this world of ours, geniuses have always been so persecuted by that green-eyed monster – envy. Poets have especially been its victims, and no one will wonder when we say that John is no exception. But there are a few who, in spite of its insults and injuries, defend themselves much more bravely than others, and John must be reckoned one of their number. Not long ago, a prize of one and sixpence was offered for the best stanza (englyn) to "The Pin." John competed, but was not awarded the prize, merely through the envy of the adjudicator, whom John had previously beaten in a competition for two stanzas to "The Ink Bottle," and who must have known John's handwriting, and consequently took this opportunity for revenge. The prize stanza was shortly published, and the third line undoubtedly discovered the fault "rhy debyg." This, of course, was not to be endured, and John figured prominently in the next issue of the local print, defending himself with tremendous vigour against this piece of flagrant injustice and envy. A protracted paper war ensued, and it is a fact worth recording that John wrote no less than thirty columns, in which he made use of all the adjectives contained in Pughe's dictionary with telling effect; and finally, he completely crushed his opponent. They met a few days afterwards, and shook hands – in inconveniently close proximity to each other's noses. John felt strangely ill that night, but then he was no pugilistic

poet, which explains all. He now walks about with the aid of two sticks, and his effusions are extremely bellicose.[4]

Fel bardd ar ei dwf, roedd llawer o bethau ym myd llên Cymru, ac ym mywyd crefyddol Cymru hefyd o ran hynny, na allai Gwynn ddygymod â hwy. Parhâi i ymosod ar yr Orsedd ym 1895, gan dynnu mwy a mwy o wŷr llên ac eisteddfodwyr y dydd i'w ben. Ymddangosodd llythyr ganddo, dan yr enw Collwyn, yn *Y Faner* ym mis Awst 1895. Ymosododd ar ddau o'i gasbethau, enwadaeth a'r Orsedd, yn enwedig gan fod enwadaeth yn rhemp yn yr Orsedd:

> Yr oeddwn i bob amser yn barotach fy nghâs na'm cariad tuag at yr Orsedd, a'r ffwlbri a draethir ynddi, a'r dillad erchyll a wisgir ynddi, yn enwedig er achos chwerthin a chrechwen rhesymol ddigon i Saeson o bob math, a Chymry o fath neillduol; eithr pan welais enwadaeth yn gwthio ei gwep surllyd eiddigeddus i'r golwg ynddi, fe ddaeth i'm meddwl nad oedd dim yn hanes fy ngwlad ag y medrwn ei garu a balchïo ynddo. Yn ffodus, mi a ymddidwyllais wrth fyfyrio ar hanes Cymru Fu; ond y mae fy mharch i Orsedd y Beirdd cyn lleied ag ydyw i orsedd Lloegr.[5]

Treuliodd ran o wyliau Nadolig 1895 yn Nhyddyn Morgan gyda'i fam a'i dad. Ar ddydd Nadolig, Gwynn oedd llywydd cyfarfod llenyddol Methodistiaid Calfinaidd Abergele, yn yr Hen Gapel, yn y prynhawn. Prin y gwyddai ar y pryd mai Nadolig 1895 fyddai'r Nadolig olaf i'r teulu ei ddathlu fel teulu llawn.

Prin oedd ei gynnyrch ym 1895, ac yn Saesneg yr oedd llawer o'r cynnyrch hwnnw. Ym 1896, daeth y cerddi yn ôl a daeth Gwynn ap Iwan yn ôl. Cyhoeddwyd cerdd serch ganddo yn *Y Faner* a'r *Llan* ar ddechrau'r flwyddyn. Cerdd gan fardd ifanc mewn cariad â chariad oedd y gerdd honno, 'Pa'm?':

> Cerais hi cyn ei gwel'd –
>   Gwyddwn y gwelwn hi rywbryd,
> Gwyddwn y byddai'n llawn
>   O serch, ac y byddai'n wiwbryd.
>
> Gwelais a cherais hi,
>   Cerais hi nes ei haddoli;
> Fel yr awel dynera'i si
>   Oedd ei llais, a gwirionai 'nghôl i.

> Cerais nes collais hi,
>> Tynged front a'm galara fi,
> Ond gwawdiaf farwolaeth oer,
>> Ac er gwaethaf y bedd fe'i caraf hi.[6]

Yna, ar Awst 13, 1896, daeth profedigaeth fawr i'w ran. Bu farw'i fam yn 51 oed. Ei fam a ddysgodd iddo ddarllen Cymraeg a Saesneg, ac efallai iddi gael ei siomi'n ddirfawr gan fethiant ei mab disglair i fynd i Rydychen. Rhaid ei bod hithau hefyd wedi breuddwydio y byddai Gwynn yn mynd i'r Brifysgol, ond nid y siom a gafodd yn aflwyddiant ei mab oedd yr hyn a'i lladdodd, yn ôl y mab ei hun, mewn llythyr at E. Morgan Humphreys:

> Yr oedd fy nhad fy hun yn un o ferthyron '68, a chollodd ddwy ffarm o achos lecsiwn ar ôl hynny. Torrodd fy mam ei chalon a bu farw; ysigwyd fy nhad yn ei amgylchiadau am byth, damniwyd fy ngyrfa innau ar ei chychwyn gan y landlordiaid diawl, ni waeth gen i pwy a'i gŵyr.[7]

Nid rhyfedd, felly, fod Gwynn yn casáu landlordiaid. Gormes landlordiaeth a laddodd ei fam, meddai, a difetha'i ddyfodol yntau yn y fargen. '[B]yddaf yn meddwl am fy mam bob amser fel y byddai gynt, yn iach a llawen, ac nid yw fy nghalon bellach mor glwyfus, wrth feddwl nad oes dim yn ei phoeni mwy,' meddai mewn llythyr arall at yr un cyfaill, awgrym pendant arall fod colli'r ddwy fferm wedi cael effaith andwyol ar ei hiechyd.[8]

Ar ddechrau 1896 roedd mewn tymer ymosodol unwaith yn rhagor. Yr Ymerodraeth Brydeinig a oedd dan yr ordd ganddo y tro hwnnw. Ymerodraeth ysbeilgar, dreisgar oedd yr Ymerodraeth Brydeinig. Gwyddai yn iawn mai trwy ladd a lladrata y sefydlwyd yr Ymerodraeth. Ymgyrchwr yn erbyn pob math o drais a gormes oedd y Gwynn ifanc. Fel y gormesid y Gymraeg yn yr ysgolion, ac fel y gorthrymid ffermwyr Cymru gan y tirfeddianwyr, gormesid cenhedloedd bychain gan Loegr. Roedd angen annibyniaeth barn a gweledigaeth glir i ddangos gwrthwynebiad i'r Ymerodraeth Brydeinig. Rhaid cofio bod Cymry blaenllaw fel Owen M. Edwards a John Morris-Jones – dau a anrhydeddwyd ag urdd marchog gan yr Ymerodraeth cyn diwedd eu gyrfa – yn canu clodydd Prydeindod i'r entrychion. Ond nid felly Gwynn. Meddai, mewn llythyr a gyhoeddwyd yn *Y Faner* ym mis Ionawr 1896:

Ni fedrais i hyd yma weled dim anrhydeddus iawn mewn llofruddio mân genhedloedd barbaraidd a lladrata eu tiroedd; ni fu'r esboniad a ddysgais i ar y gair cyssondeb yn gyfryw ag a addawai [adawai?] i mi gymmeradwyo castiau'r bobl a fedrai basio deiseb o blaid y cy[f]lafareddiad, a'i hanfon i ddinas senedd llywodraeth arall, ac yna, yn mhen ychydig amser, wrthod dilyn eu cynghor eu hunain; yn wir, er i mi gael fy magu ar aelwyd Gristionogol, ni fedrais i erioed gredu yn y Gristionogaeth a wrthyd arbed cenedl ddiniwed rhag ysbail, llofruddiaeth, a thrais, o herwydd ofn drygu masnach, ac am nad ellir cyttuno sut i ranu'r ysbail; ac ni ellais i erioed ond dirmygu'r rhai a honant gyda gwynebgaledwch mor waradwyddus mai Prydain yw asgwrn cefn Cristionogaeth y byd. Fe ystyriwn i fod y sawl a'm galwai i yn Sais yn fy sarhau cyn dosted â phe'm galwai yn lleidr ac yn rhagrithiwr, o blegid beth a wna'r Saeson yn Affrica ond lladrata, a pheth yw eu proffes o Gristionogaeth ond rhagrith, yn[g] ngwyneb eu hymddygiad at yr Armeniaid?[9]

Prin y gallai neb, yn nyddiau anterth yr Ymerodraeth Brydeinig, ragweld cwymp yr ymerodraeth honno, ond proffwydo'i chwymp a wnaeth Gwynn:

Os mynir gweled ymherodraeth Prydain yn rhywbeth amgen nag adfail a charnedd yn mhen canrif neu lai, rhaid i'r Sais ddysgu cyd-fyw yn gyfartal â'i gymmydogion, rhaid iddo roi'r goreu i'r meddwl mai ef yw meistr holl waith llaw Duw, byw yn ei ffordd ei hun heb geisio gwthio y ffordd hono ar neb arall, a dysgu'r gwahaniaeth rhwng cyweithasrwydd a haerllugrwydd.[10]

Ceir ymosodiad arall ar yr Ymerodraeth Brydeinig – ac ar Gristnogaeth – ganddo mewn cerdd Saesneg o'i eiddo, 'My Conversion', a gyhoeddwyd yn y *Carnarvon and Denbigh Herald* ym mis Mawrth 1900, dan y llythrennau 'T.G.J.' y tro hwn. Cerdd wrthryfelgar yw hon eto, ond yr hyn sy'n wirioneddol ddiddorol amdani yw'r modd y mae'r awdur yn gweu ei hanes personol i mewn i'r gerdd, nes ei bod yn gofnod cywir o'i fywyd cynnar. Ond nid cerdd amdano'i hun mohoni ond, yn hytrach, cerdd am fradwr sydd wedi ymwrthod â'i werthoedd cychwynnol a chreiddiol ef ei hun ac wedi cael ei lyncu gan Seisnigrwydd a chan yr Ymerodraeth Brydeinig. Portread o'r Gwynn ifanc a geir yn y gerdd, a'i werthoedd a'i ddaliadau ef a restrir ynddi. Ond yn wahanol i'r llefarydd yn y gerdd, ni werthodd y gwerthoedd na'r daliadau hynny. Dychanu'r Prydeiniwr a'r ymerodraethwr a wneir.

Er iddo gael magwraeth grefyddol ac er iddo fynychu'r moddion yn rheolaidd, daeth i sylweddoli mai arian a golud, nid ffydd nac unrhyw ddysgeidiaeth Gristnogol, a reolai bopeth, gan gynnwys crefydd:

> Thus I remained, I'm sure, for many years,
>   An honest Christian, for I never missed
> A single service, and right oft the tears
>   Would fill my earthly eyes with heavenly mist!
> But somehow, when I grew a little older,
>   Although I still kept sacred every Sunday,
> I felt myself the slightest trifle bolder
>   Especially when, looking round on Monday,
> I found that, Sunday, you might for men pray,
> And then, on Monday, you might on them prey.
>
> I found that though I might have grace in plenty,
>   I must have money, if I would be wise,
> That for my ten I must at least have twenty,
>   And so I closed my heart and oped my eyes;
> I shortly graduated in the art
>   Of speculation, alias annexation;
> I found it easier to play the part
>   By calling it the march of civilisation;
> 'Tis easily done. You add an ell to God,
> The which makes Gold. See? Yes. I know that nod![11]

Arferai'r llefarydd yn y gerdd berthyn i'r Blaid Ryddfrydol, gan arddel egwyddorion a pholisïau'r blaid honno; credai mewn ymreolaeth, casâi ryfel, carai heddwch a phrotestiai yn erbyn camweddau landlordiaeth; ac fe garai ei wlad a'i hiaith:

> I was a Welshman once, and quite patriotic,
>   I loved my land, my language, and my nation;
> But now I find it simply idiotic
>   To waste on such a lot my admiration;
> I worship that great race, the Anglo-Saxon,
>   Upon whose Empire never sets the sun,

I am quite willing they should put a tax on
  Each struggling nation, till earth's race is run;
All hail, ye mighty lords of God's creation,
To fight, to die for you is my vocation![12]

Corddi'r dyfroedd oedd nod y gerdd trwy ddychanu'r Cymry hynny a oedd mor barod i glodfori a hyrwyddo'r Ymerodraeth Brydeinig.

Roedd Prydeindod yn ogystal â chrefydd gyfundrefnol dan ei lach mewn llythyr ar 'Y Genedl Fawr Hon'. Aeth trwy gyfnod o wrthryfela yn erbyn crefydd yn ei ugeiniau hwyr, gan ymwrthod â'i fagwraeth grefyddol, gapelyddol ef ei hun i raddau. Nid ei dysgeidiaeth na'i chredoau oedd yr hyn a'i poenai ynghylch y ffydd Gristnogol fel y cyfryw, ond yn hytrach ei phrotocol, ei deddfau haearnaidd, o wneuthuriad dyn, a'i rhagrith anfaddeuol. Y broblem gyda Christnogaeth oedd yr elfen Anghristnogol ynddi. Cyhoeddodd ddwy soned Saesneg, 'Betrayed!', eto yn y *Carnarvon and Denbigh Herald*, ym mis Mai 1900, ac uwchben y ddwy soned ceir y nodyn esboniadol hwn, sef cynnig a basiwyd mewn cynhadledd Archddiaconaidd yn Amwythig: 'That this conference, while it deplores the suffering which war brings, recognises the moral value of devotion to duty, which military discipline impresses on character, and maintains the principle that war, in the last resort, when the forces of persuasion fail, under the present condition of human life, is a righteous means of redressing wrongs or of defending rights'. Hynny yw, roedd y gynhadledd yn Amwythig yn cyfiawnhau rhyfel a disgyblaeth filwrol, tra oedd Crist, a gwir Gristnogaeth, yn pregethu cariad, brawdgarwch a thangnefedd. Rhaid cofio bod Ail Ryfel y Boeriaid yn Ne Affrica yn rhuo rhwng llinellau'r cerddi hyn. Dyma'r ail soned o'r ddwy:

Even so, thou Man of Sorrows, e'er denied
  By shallow votaries of lifeless creeds,
  Who for dead forms have bartered living deeds,
Thy Name belauded, but thy Word belied;
But through the ages hast thou suffered, died,
  And still thy sorrowing heart in pity bleeds,
  And still redeems to higher life, nor needs
The lying cant of state and creed to bide
The fulness of the time, the living tide
  Of love, which, rising, sweeps the dastard sway
Of priest-invented, state-imposed decrees

Upheld by hatred, force, and war, away
Out of the world, a churchless world, which sees
The law and love of God and man display
Themselves in perfect brotherhood and peace.[13]

A 'T.G.J.', nid Kynan Meredith na neb arall, a luniodd y ddwy soned.

Cyhoeddwyd swp o gerddi ganddo ym mhapur newydd *Y Llan* ym 1896. Un o'r rheini oedd y gerdd dyner a luniodd er cof am Annie, merch fach bedair oed Elldeyrn (Griffith Jones), Nantglyn, Dinbych, ysgolfeistr, llenor a bardd a golygydd Colofn Farddol *Y Llan* ar y pryd. Cyhoeddodd gyfrol o farddoniaeth, *Oriau Hamddenol, sef Caniadau gan "Elldeyrn"*, ym 1875. Derbyniodd Elldeyrn nifer o gerddi er cof am Annie i'w golofn, ond cerdd Gwynn ap Iwan, yr ieuengaf o'r holl feirdd hyn, oedd y gerdd orau o bell ffordd. Hawdd credu bod marwolaeth ei fam yn drwm ar ei feddwl pan luniodd y gerdd er cof am Annie:

Gwelais lân elili,
    Dyfai ar y fron,
    Pwy a liwiodd hon?
Harddwch, p'am y cili?
    Pwy ddistrywiodd hon?

Gwyliais lân elili,
    Wynder cain ei bron,
    Pwy a grëodd hon?
Serch, yn ofer chwili
    Pwy ddilëodd hon.

Gwyliais lân elili,
    Angeu'n llwydo'i bron,
    Er nad claf oedd hon;
Alar, ofer wyli –
    Plentyn haf oedd hon.

Gwenodd lân elili,
  Gwynfyd lanwai'i bron;
  Nid marwoldeb hon;
Draserch, ti anwyli
  Gof dwyfoldeb hon.

Gwywodd, lân elili,
  Gwywodd gwyndra'i bron,
  Er nad claf oedd hon;
Alar, oni weli –
  Plentyn haf oedd hon![14]

Hyd yn oed yn yr oedran hwn, roedd yn arbrofi â ffurfiau mydryddol drwy'r amser. Dim ond yn y bedwaredd linell ymhob pennill y ceir odl wahanol ganddo, a phob un o'r rhain yn odli â'i gilydd; ac y mae pob pennill yn agor gyda berfenw a'r ddwy lythyren 'Gw–' ar y dechrau: 'gwelais', 'gwyliais' (ddwy waith), 'gwenodd', 'gwywodd'.

Dyfarnwyd cyfieithiad 'Mr T. Gwynn Jones (Gwynn ap Iwan)' o 'I Do Not Ask, O Lord', Adeilade Anne Procter, yn gydradd fuddugol â chyfieithiad arall yng Ngholofn Farddol *Y Llan* gan Elldeyrn ym mis Hydref 1896:

Ni cheisiaf, Arglwydd, fod o'm bywyd i
  Yn rhodfa fwyn;
A dim o'i lwyth ni cheisiaf genyt Ti
  I ffwrdd ei ddwyn.

Ni cheisiaf darddu dan fy nhraed bob math
  O flodeu têr;
Rhy dda y gwn am wenwyn ac am frath
  Pob peth rhy bêr.

Am un peth, Iôr, yn unig, erfyn wnaf,
  Drwy Hedd dwg fi –
Er pallu'm nerth, er gwaedu 'nghalon glaf –
  I'th Oleu Di.

Ni cheisiaf yma gael disgleirdeb llawn,
  O! Iôr, ar daen;
Rho ronyn bach o hedd, fel cerddwy'n iawn
  Heb ofn ym mlaen.

Cael dallt fy nghroes, na gwel'd fy llwybr draw
  Ni cheisiaf fi;
Gwell mewn tywyllwch ddim ond teimlo'th law
  A'th ddilyn Di.

Llawenydd megis dydd diorphwys sydd,
  Ond dwyfol hedd
Fel tawel nos; drwy Hedd dwg fi hyd ddydd,
  I wawl dy wedd.[15]

Bellach, roedd cyfieithu barddoniaeth yn rhan o'i holl *repertoire* fel bardd, a bu'n gyfieithydd penigamp trwy'i oes.

Cafodd nerth o rywle, yng nghanol ei alar, i lunio awdl ar y testun 'Tlodi' ar gyfer Eisteddfod Gŵyl y Banc, Corwen. Anfonwyd 13 o awdlau i'r gystadleuaeth, ac Elfyn (R. O. Hughes) a enillodd y gystadleuaeth, gyda Hwfa Môn ac Alafon, a oedd i ddod yn un o gyfeillion pennaf Gwynn, yn beirniadu. Nid oes sicrwydd fod Gwynn wedi anfon ei awdl i'r gystadleuaeth. Dengys ansawdd y canu ei fod yn prysur feistroli'r cynganeddion:

O! fy Iôr, arbeda fi
Attal adyn rhag Tlodi
Tragyfyth cartre gwaefyd
Sydd â'i bwys fel oesoedd byd
Yn suddo byth, byth, heb baid,
I wyll annwn, goll enaid;
Y dydd y b'o diwedd byd,
Dydd y derfydd daiarfyd
A'i gyfoeth brau, gaf i'th brid
Olud, Dduw! 'nôl d'addewid?
Iôr fy hedd! na fwrw fi
Dan dy lid – dyna dlodi![16]

Yn Heol y Capel, Dinbych, y lletyai pan weithiai ar *Y Faner* a'r *North Wales Times*. Ni pharhaodd y cyfnod hwn yn hir. Ymddangosodd y pwt hwn o newyddion yn y *North Wales Times* ym mis Ebrill 1898:

> Appointment – Mr. T. Gwynn Jones, of this office, has been appointed sub-editor of the *Carnarvon and Denbigh Herald*, the *Herald Cymraeg*, and other papers published at the Herald Office. Whilst regretting his departure (which will be in a week or two), his many friends in Denbigh heartily congratulate him upon his promotion.[17]

Cododd ei bac eto, a symudodd i Gaernarfon i weithio fel is-olygydd y *Carnarvon and Denbigh Herald* a'r *Herald*, ac i weithio hefyd ar *Papur Pawb*.

Ers tro, bu Gwynn yn canlyn merch o Ddinbych o'r enw Margaret Jane Davies (Megan). Cigydd yn y dref a chanddo fusnes llewyrchus oedd ei thad, Thomas Davies, cyn ei farwolaeth. Yn wir, roedd Margaret Jane wedi colli ei mam a'i thad cyn iddi briodi Gwynn. Bu farw ei mam, Annie, ar Awst 14, 1893, yn 53 oed. Priodwyd Gwynn a Margaret Jane ar Fehefin 8, 1899, gyda Dafydd Morgan Jones, brawd Gwynn, yn was priodas iddo. Yn ôl un adroddiad ar y briodas:

> Yn y Capel Mawr, y lle uchod, dydd Iau, priodwyd Mr T. Gwynn Jones, Caernarfon (awdwr "Gwedi Brad a Gofid," &c.), a Margaret Jane ail ferch y diweddar Gynghorwr Thomas Davies, Bryn Hyfryd, Dinbych. Y "morwynion priodas" oedd Miss C. A. Davies a Miss M. E. Davies (chwiorydd y briodferch), a Miss Katie Williams, Abertawe (cyfnither y briodferch), a gwasanaethai Mr Dafydd M. Jones, Abergele (brawd y priodfab), fel "gwas priodas." Rhoid y [b]riodferch gan ei brawd (Mr T. W. Davies). Gwasanaethid gan y Parch Emrys ap Iwan, Trefnant, a'r Parch Evan Jones, Dinbych, yn ei gynorthwyo. Yr oedd tua 30 o wahoddedigion yn y brecwest yn[g] nghartref y briodferch. Ymadawodd y pâr ieuanc yn y prydnawn am yr Abermaw ac Aberystwyth. Derbyniwyd lluaws o anrhegion.[18]

Daeth canrif newydd â rhodd newydd i Gwynn a Megan. Ar Fehefin 5, 1900, a hwythau bellach yn byw yn 25 Stryd Dinorwig, ganed merch iddynt, a'i henwi yn Eluned. Cafodd wobr yn ogystal â rhodd y flwyddyn honno. Enillodd wobr am gyfieithu 'Fede e Avvenire' – 'Ffydd a'r Dyfodol' – traethawd y gwleidydd a'r cenedlaetholwr o'r Eidal, Giuseppe Mazzini, yn Eisteddfod Genedlaethol Lerpwl.

Cyfnod y nofelau oedd y cyfnod hwn yn ei hanes, gymaint felly nes i'r adroddiad ar briodas Gwynn a Megan gyfeirio at y priodfab fel 'nofelwr enwog'. Cyhoeddwyd pedair nofel o'i eiddo fesul pennod neu ddwy yn y papurau. Cyhoeddwyd *Gwedi Brad a Gofid* yn *Y Genedl Gymreig* rhwng Medi 14, 1897 ac Awst 30, 1898; *Camwri Cwm Eryr* yn *Papur Pawb* rhwng Rhagfyr 17, 1898, a Mehefin 3, 1899; a *Gorchest Gwilym Bevan* yn *Yr Herald Cymraeg* rhwng Mehefin 13, 1899, a Hydref 10 yr un flwyddyn (ac yn *Y Cymro*, rhwng Tachwedd 22, 1906, ac Ebrill 18, 1907). Rhwng Awst 31, 1901, a Rhagfyr 28 yr un flwyddyn, cyhoeddwyd nofel arall ganddo, *Rhwng Rhaid a Rhyddid*, yn *Papur Pawb* – pedair nofel mewn pedair blynedd, mewn gwirionedd. Roedd nofelydd newydd wedi cyrraedd Cymru, yn sicr. A dyma fwrw golwg dros ei bedair nofel, fel enghreifftiau o'i waith yn y *genre* hwn.

Gwedi Brad a Gofid oedd ei nofel gyntaf. Bu'r nofel hon ar y gweill ganddo cyn iddo ddychwelyd i Ddinbych i weithio yng Ngwasg Gee. Ailgydiodd yn y nofel yn fuan ar ôl iddo ailymuno â staff y wasg. Gwerthodd y nofel i Ellis Owen, goruchwyliwr argraffu Cwmni'r Genedl, a dechreuodd ymddangos yn *Y Genedl Gymreig* fesul pennod bob wythnos, gan ddechrau ar Fedi 14, 1897. Nofel gymunedol yw hon yn yr un wythïen â nofelau fel *Y Dreflan, ei Phobl a'i Phethau*, Daniel Owen, *Cranford*, Elizabeth Gaskell, a *Middlemarch*, George Eliot. Cyflwynodd y nofel i goffadwriaeth ei fam. Portread o dref Abermorfa a'i thrigolion – 'tref fechan led wledig' – a geir yn y nofel.[19] 'Ceisir yma ddisgrifio bywyd Cymru yn ei lyfn a'i arw, a chymmeriadau Cymreig yn eu teg a'u hagr,' meddai'r awdur mewn nodyn rhagarweiniol.[20]

Adlewyrchir pryder yr awdur ynghylch dyfodol y Gymraeg a'r hen ffordd Gymreig o fyw yn y nofel. Cyflwynir un o brif gymeriadau'r nofel, John Llwyd, fel 'hen Gymro gwledig, a rhadlon, a chartrefol ... ei wyneb yn Gymreig, ei gerddediad a'i ffon yn Gymreig'.[21] Ond math o gymeriad sy'n darfod o'r tir yw John Llwyd: 'Edrychwch arno, welwch chwi fawr o'i debyg eto, canys y mae gwareiddiad y bobl sy'n siarad Saesneg yn dod, ac ni ddichon yr hen bobl gartrefol, a'u dulliau syml, sefyll ger gŵydd ei fawredd'.[22] Fe'i disgrifir hefyd fel '[u]n o weddillion yr oes o'r blaen'.[23]

Crydd wrth ei alwedigaeth yw John Llwyd. Mae'n briod â Marged, ond priodas ddi-blant yw priodas y ddau. Un noson mae John Llwyd yn clywed plentyn yn llefain ar lan yr afon yn Abermorfa, ac mae'n dilyn y sŵn. Er syndod dirfawr iddo, mae'n canfod plentyn blwydd a hanner oed wrth fôn derwen ar lan yr afon. Er chwilio a chlustfeinio, ni wêl ac ni chlyw neb yn unman, dim ond y plentyn. Sylweddola fod y plentyn wedi cael ei adael yno gan ei fam neu gan ei rieni. Mae'n cymryd y plentyn yn ei freichiau ac yn mynd ag ef adref at ei wraig, Marged. Mae hithau yn gwirioni arno, ac mae'r ddau yn penderfynu ei fagu, hynny yw, os na ddaw rhywun i'w hawlio. Ni ddaw neb i'w hawlio, ac mae'r ddau yn ei gadw. Mewn gwirionedd, stori nid annhebyg i *Silas Marner*, George Eliot eto, a geir yma.

Un prynhawn Sadwrn mae hen wreigan â golwg fel hen wrach arni yn galw heibio John a Marged Llwyd. Disgrifir yr hen wrach gydag afiaith Dickensaidd braidd:

> Safai yr hen wrach ar ganol y llawr. Yr oedd arni olwg erchyll. Yr oedd ei gwyneb yn hyll tuhwnt i ddesgrifiad, ac yn debyg o ran ei liw i afal wedi pydru. Yr oedd ei llygaid fel pe'n ceisio ymguddio ym mhen draw ei phen, gan ddod i'r golwg weithiau yn llechwraidd, ac yna lithro yn ôl drachefn, fel y gwelsoch lygoden fach mewn agen yn y wal. Ac yn wir pan ddeuai'r llygaid i'r golwg, nid oeddynt yn debyg i lygaid cyffredin; meddyliai John Llwyd eu bod yn debycach o lawer i bâr o "fale tatws." Yr oedd ei bochau, neu yn hytrach, lle bu ei bochau, wedi crebychu i'w gilydd, gan adael dau bant dwfn, digon o faint i ddal peint o ddŵr, a'r rhychau ar hyd ei gwyneb fel cynifer o ffosydd o bob cyfeiriad, i gario dwfr i'r corbyllau oedd wedi dwyn lle'r bochau gynt.[24]

Mae'r hen wrach yn datgelu ychydig fanylion am y plentyn am dâl. Dywed mai mab anghyfreithlon i ŵr bonheddig ac i ferch ifanc barchus yw'r plentyn, ond ni allai'r tad briodi mam y plentyn, oherwydd ei fod ar fin priodi merch i fistar tir mawr, ac roedd yn rhaid cael gwared â'r plentyn rywsut neu'i gilydd.

Wrth ddisgrifio noson oer, aeafol, ailadroddir rhai cytseiniaid, fel 'll', 'ch', 'g', 'r' ac 'rh' er mwyn cyfleu sŵn a rhyndod y gwynt:

> Yr oedd hi'n noson oer yn nhrymder y gauaf. Rhuai'r rhewynt cethin fel llew newynllyd; chwipiai'n chwyrn am gornelau'r ystrydoedd, gan chwiban a chwynfan yn chwerw, a chwyrnu'n ffyrnig drwy'r agennau yn nannedd y creigiau, ac ym mrigau'r coed trwchus uwchlaw'r dref. Yr oedd hi mor dywyll fel na welai ddyn ddwylath o'i flaen, a dechreuai'r eira ddawnsio a chwyrlïo o flaen y gwynt. Yr oedd eirias o dân gwresog a siriol ym mharlwr y Ship, ac eisteddai'r cwmni o'i gwmpas fel arfer, gan yfed, smoccio, a dweyd streuon.[25]

Mae'r bennod ar enwi'r plentyn yn dychanu'r bobl hynny a fynnai roi enw Beiblaidd neu enw Seisnigaidd i'w plant. Un o gasbethau Gwynn oedd arfer y

Cymry o roi enwau o'r fath i'w plant, fel y nododd yn ei 'Nodion Llenyddol' yn *Y Faner* ym 1892 ac mewn mannau eraill. 'Edrychodd drwy lyfrau'r Cronicl bron i gyd,' meddir am John Llwyd, 'ond barnai'n gydwybodol mai enwau ar wartheg a ddylasai'r enwau oedd yn y llyfrau hyny fod, a diamau, pe buasai o'n gowmon, y cawsai'r gwartheg hyny eu llysenwi'n warthus hefyd'.[26] Mae'n penderfynu mynd at y gweinidog lleol i ofyn am ei gymorth a'i gyngor. Nid yw'r gweinidog gartref, felly, mae ei fab direidus, Evan, yn penderfynu ei helpu i gael enw i'r bachgen, gyda llawer o hwyl. Wrth gwrs, chwerthin am ben yr arferiad ynfyd o roi enwau Beiblaidd anghydnaws ac anghyfiaith oedd diben yr awdur:

> Mae'r fath enwe ag Adda, Moses, Isaac, Jacob, a Brwchan yn rhy gommon ac anystwyth, yn y marn i," meddai Evan, "ac ni fase Aaron, Mwrchath, Jezebel, Brychmael, a Macsen Wledig ddim yn gweddu'n dda iawn chwaith; yn Llyfr y Brenhinoedd, fel y gwyddoch chi, y mae'r rhan fwyaf o'r henwe ac mi fase'n llawn well gen i henw tippyn yn ddiweddarach. Be' 'ddyliech chi o Joel, Jeremiah, Lot, Ceturah ...[27]

Ac yna, mae Evan yn awgrymu rhoi Beelzebub yn enw ar y bachgen:

> "Dyma fo!" meddai, "rydw i wedi chwilio mwy na mwy am dano fo – Beelzebub! Mae o'n enw neis, hawdd i'w ddeyd, a 'does yma neb yn y wlad 'ma'n 'i wisgo fo. Fase ddim possib cael un gwell tase ddyn yn chwilio am flwyddyn gron, ac mi gymra fy llw na fase 'nhad byth yn medru cael 'i well o.[28]

Wrth awgrymu rhoi Beelzebub yn enw ar y bachgen, mae Marged bron â mynd drwy'r to. Mae hi'n egluro wrth ei gŵr mai 'pennaeth y cythreuliaid' yw Beelzebub.

Roedd arferiad y cyfnod o roi enwau Seisnig a Seisnigedig i blant yr un mor hurt â gorfodi'r Cymry i fod yn Iddewon:

> Mae'r bobol fel tae nhw wedi drysu rwan efo'u henwe. Ers talwm mi fydde Siôn yn henw digon parchus, ond yrwan, mae pob cidwm yn mynd yn John Richard Jones, a phob Rhisiart Dafydd yn Richard John Davies; a gwaeth na'r cwbwl, 'tydi ddim yn ddigon gynnyn nhw Seisnigeiddio'r henwe, ond rhaid iddyn nhw gael mynd am dro at yr Iddewon, a dwyn henwe 'rheini a'u cymmysgu hefo phob math o enwe![29]

Cymerodd Gwynn bennod gyfan yn unig i enwi'r plentyn er mwyn condemnio'r arfer gwrthun a gwirion o roi enwau anghymreig i blant Cymru. Enwir y plentyn yn y pen draw yn Ivor Llwyd, ac Ivor yw arwr y nofel.

Mae'n bwrw'i linyn mesur ar bob math o bethau yn y nofel, fel y frenhiniaeth, y 'bobol fawr' a'u hagwedd at y Gymraeg, a dewis yr Eisteddfod Genedlaethol o lywyddion yn ogystal â thaeogrwydd Eben Fardd:

> Y mae, fe ddichon, rai cannoedd o flynyddoedd er pan gafodd yr hen iaith Gymraeg ei llefaru gan Iarll, ac y mae agos yn sicr na lefarwyd mo'ni'n gywir gan neb o'r "bobol fawr" er's amser maith bellach. Mae'n wir y dywedir ddarfod i'r Frenhines Victoria unwaith ddweyd, "Diolch yn fawr i chi," neu rywbeth cyffelyb, ac fe fu agos i'r Gymraeg ddod yn iaith ffasiynol y pryd hwnnw, canys fe groniclwyd y ffaith ym mhapurau'r bobol fawr, fel un o weithredoedd grasolaf y foneddiges Deutonaidd y bu Eben Fardd yn gorfoleddu am ei bod yn "ferch haeddiannol i Farchudd o Wynedd." Y mae yn wir hefyd ddarfod i fwy nag un arglwydd lefaru rhyw ddeuair neu dri o Gymraeg glân gloyw yn yr Eisteddfod, ac fe groniclwyd hynny ym mhlith gorchestion y cyfryw bobol fawr.[30]

Un o haenau amlycaf a phwysicaf y nofel yw carwriaeth Ivor Llwyd a Myfanwy Bowen. Mae'r nofel yn llawn digwyddiadau a dadleniadau, troeon trist a throeon trwstan. Dadlennir yn union pwy yw rhieni Ivor yn y nofel, a dadlennir hefyd nad ei dihiryn o dad yw tad go iawn Myfanwy. O'i gosod yn ei chyfnod, pwysigrwydd a chryfder y nofel yw ystwythder ei deialog, coethder ac amlder ei Chymraeg, a'i harddull lifeiriol, ddarllenadwy. Daeth ar ei ôl nofelwyr yr oedd eu deialog yn llawer mwy ffurfiol ac anystwyth. Nid oes gan awdur *Gwedi Brad a Gofid* ofn defnyddio ambell reg, hyd yn oed yn y cyfnod gorbarchus hwnnw. 'Gad i mi ddeud wrthot ti rwan na waeth itti roi'r gore'n fuan nag yn hwyr i feddwl am y bastard clarc ene,' meddai un o gymeriadau'r nofel.[31] Ie, a chlerc, fel Gwynn ei hun ar un cyfnod yn ei fywyd, yw Ivor Llwyd am gyfran o'i fywyd yntau.

Ymddangosodd dwy bennod gyntaf *Camwri Cwm Eryr* yn rhifyn Rhagfyr 17, 1898, o *Papur Pawb*. Lleolir y stori yn nhref Abercwm a phentref Blaenycwm, ryw dair milltir o bellter uwchlaw Abercwm. Yna cyflwynir y prif gymeriad, bachgen tua phymtheg oed o'r enw Dafydd Owen. Y mae'n cerdded ar hyd y llwybr sy'n croesi'r cwm o gyfeiriad y pentref, ac ar ôl dod at gamfa rhwng dau gae, mae'n eistedd arni i gymryd seibiant. Oddi yno, gwêl eneth fechan 'wael ei gwedd a charpiog ei gwisg' yn rhedeg nerth ei thraed tuag ato.[32] Merch i un o'r gweithwyr ar fferm ei dad yw hon. Mae bachgen arall yn neidio dros y gwrych ac yn sefyll o flaen yr eneth, i'w rhwystro rhag mynd heibio, ac wedyn yn ei churo ac yn ei hyrddio i'r llawr. Mae Dafydd Owen yn neidio oddi ar y gamfa ac yn rhuthro i amddiffyn y ferch, a oedd ar y ffordd i ddweud wrth ei thad fod ei mam yn wael. Mab y meistr tir, Norman Jackson, yw'r bachgen hwn, a rhoddodd gurfa i'r eneth oherwydd ei bod hi'n tresbasu ar dir ei dad. 'Wyddost ti dy fod di'n siarad hefo mab dy fistar tir?' gofynna i Dafydd Owen; ac yma, wrth i Dafydd Owen ateb Norman Jackson, y mae atgasedd T. Gwynn Jones tuag at y meistri tir yn codi ei ben eto: 'Raid i ti ddim myn'd i gymaint o drafferth i ddeyd pwy wyt ti; fase neb ond mab i fistar tir yn gneyd tro mor sâl – 'blaw'r mistar tir 'i hun, hwyrach!'[33] Mae'r ddau yn ymladd â'i gilydd, ac mae Dafydd Owen yn rhoi crasfa i fab y tirfeddiannwr, a hwnnw'n bygwth dial ar fab y ffermwr trwy roi gwybod i'w dad am yr helynt. Byddai nofel arall gan Gwynn, *Lona*, ymhen ychydig flynyddoedd yn agor gyda gwrthdrawiad rhwng Merfyn Owen a mab Plas y Coed.

Tad Dafydd Owen yn y stori yw Rhys Owen. Pan gollodd ei wraig gyntaf, mam Dafydd, priododd Rhys Owen â gwraig weddw o'r enw Elen Wynn. Mae'r stori yn troi o gylch plas o'r enw Cwm Eryr:

> 'Roedd y plas wedi dwyn enw'r cwm mor llwyr ag yr oedd y neb oedd yn byw yn y plas wedi dwyn neu feddiannu tir y cwm, ac yr oedd y bobl wedi lled gynefino â phob un o'r ddau ddigwyddiad, erbyn yr adeg y cyfeirir ati yma. Cymry oedd yr hen deulu fu'n byw gynt yn y plas, a hen deulu caredig, hael, llawen, a pharchus fuasai yn ei ddydd; ond yr oedd bellach yn nos arno, gwaed Seisnig wedi dod i'w wythieni, a thraha Seisnig wedi ymorseddu yn ei hen drigfod, yn mherson Mr Harold Jackson.[34]

Y sgweier, Arthur Wynn, yw perchennog y plas a'r ystad. Mae ganddo bump o blant, dau fab a thair merch. Dymuniad y tad oedd mai'r mab hynaf a fyddai'n etifeddu Cwm Eryr. Ond un 'o dymher wyllt, ddireol, fel ei dad' oedd Arthur.[35] Aeth ar ei ben i drybini, rhedodd ymaith, a boddodd ar y môr. Golygai hynny mai ei fab arall, Robert, a oedd i fod i etifeddu Cwm Eryr, ond roedd dieithrwch wedi codi rhyngddo a'i dad, Arthur Wynn, y sgweier, oherwydd iddo briodi chwaer person y plwy, gelyn anghymodlon i'r hen sgweier. Mae Robert yn gorfod mynd i'r Cyfandir i fyw. Yno genir merch i'r ddau, ac wedyn mae Robert yn marw, ac ar ôl ei farwolaeth, mae ei weddw yn rhoi genedigaeth i blentyn arall, bachgen y tro hwn. Y bachgen hwn yw gwir etifedd Cwm Eryr, fel mab cyntaf-anedig yr aer o'i flaen, Robert. Mae'r sgweier yn marw heb wybod bod mab gan Robert, sef gwir etifedd Cwm Eryr, oherwydd bod Harold Jackson, a wyddai fod mab gan Robert, wedi cadw'r wybodaeth honno rhag ei dad-yng-nghyfraith. Mae'r sgweier, felly, yn gadael Cwm Eryr i Harold Jackson.

Cymerir Arthur ac Elen, plant Robert, i Gwm Eryr i'w magu ar ôl marwolaeth y sgweier. Ni wyddai neb fod Jackson wedi cuddio'r hanes am enedigaeth Arthur rhag y sgweier, ac mae pawb yn rhyfeddu mor rhwydd y daeth Cwm Eryr i'w ddwylo.

Un o ferched yr hen sgweier, Arthur Wynn, Gwendolen, oedd priod Harold Jackson, y gŵr a etifeddodd y Plas trwy dwyll. Chwaer Gwendolen yw Elen, ail wraig Rhys Owen a llysfam Dafydd Owen. Mae Rhys Owen, y tenant, felly, yn frawd-yng-nghyfraith i Harold Jackson, y meistr tir.

Mae Rhys Owen yn mynd i Gwm Eryr i gael gair â Harold Jackson, ar ôl i Jackson ddod i gasglu'r rhent ar Ben y Wern, ond mae tarw Jackson yn ymosod arno, ac yn ei fwrw i ffos. Ar ôl iddo fod ar goll am oriau, mae ei fab, Dafydd, yn mynd i chwilio amdano, ac yn dod o hyd iddo. Cludir Rhys ar lidiart â matres arni i Ben y Wern gan Dafydd a gweision ei dad, ond mae'n marw ymhen ychydig oriau ar ôl cyrraedd yno, gan adael Dafydd, bellach, yn denant Pen y Wern, hynny'n golygu bod Dafydd a'i fam ar drugaredd y tirfeddiannwr.

Mae ci Pen y Wern yn ymosod ar Harold Jackson, ac mae Hannah, modryb Dafydd, cyfnither i'w dad, yn colli llaeth drosto yn anfwriadol. Wedi colli ei limpin yn lân, mae Harold Jackson yn bygwth dial ar deulu Pen y Wern, er mai ei chwaer-yng-nghyfraith yw Elen, gweddw Rhys Owen a llysfam Dafydd.

Rhoddodd Arthur Wynn, y sgweier, fil o bunnau o fenthyciad i Rhys Owen, ymhell cyn iddo farw, ond dywedodd wrtho wedyn y câi gadw'r arian, ac nad oedd angen iddo'i dalu'n ôl. Ond mae Rhys yn marw, ac mae Harold Jackson yn hawlio'r arian yn ôl gan ei chwaer-yng-nghyfraith, llysfam Rhys. Ar ben hynny, mae'n gyrru Dafydd i fwrw prentisiaeth fel teiliwr at deiliwr lleol, gan nad yw'n ddigon hen i ofalu am y fferm.

Codir un o weision y fferm yn feili ar Ben y Wern yn absenoldeb Dafydd. Mae pennaeth Dafydd yn ei ddiswyddo am gymysgu archebion cwsmeriaid, ond y prentisiaid eraill a chwaraeodd gast arno. Felly, mae Dafydd yn dychwelyd i Ben y Wern i ffermio.

Mae Dafydd mewn cariad ag Elen, neu Neli, chwaer Arthur a merch Robert. Mae carwriaeth y ddau yn haen amlwg yn y stori. Ond wedyn, mae sawl peth cyffrous ac annisgwyl yn digwydd. Darganfyddir bod Arthur, mab hynaf yr hen sgweier a'r mab a oedd i fod i etifeddu Pen y Wern, yn fyw o hyd. Mae'n dychwelyd i Gwm Eryr i hawlio'i etifeddiaeth ac yn dadlennu twyll Harold Jackson. Mae

Arthur, brawd Elen a mab Robert, yn marw ar ôl cael curfa gan Harold Jackson, ac mae Jackson yn cyflawni hunanladdiad. Mae'r nofel yn dod i ben gyda phriodas Dafydd Owen a Neli, ac mae Arthur Wynn, mab hynaf y sgweier, yn rhoi Cwm Eryr i Dafydd ac Elen, ei nith.

Stori sy'n ymwneud â landlordiaeth a thenantiaeth yw *Camwri Cwm Eryr*, stori sy'n deillio'n uniongyrchol o gefndir yr awdur ei hun. Unwaith eto, mae'r ddeialog yn rhyfeddol o ystwyth a naturiol, a dyna un peth sy'n ei wneud yn arloeswr ym maes y nofel Gymraeg. Portreedir Harold Jackson, y tirfeddiannwr, fel gŵr twyllodrus, creulon a barus. Condemniad diarbed ar natur dwyllodrus a thrachwantus landlordiaeth a geir yn *Camwri Cwm Eryr*.

Nofel am dlodi a chyni'r werin-bobl, am y frwydr i gael deupen y llinyn ynghyd, yw *Gorchest Gwilym Bevan*. Sosialydd cydwybodol yw'r nofelydd y tro hwn. Plentyn anghyfreithlon yw Gwilym Bevan. Cafodd ei fabwysiadu gan chwarelwr a'i wraig, ond bu farw'r chwarelwr mewn damwain yn y chwarel, ac o ganlyniad i farwolaeth ei gŵr, bu hithau hefyd farw o dorcalon. Mae Gwilym Bevan yn ŵr ifanc amddifad yn y byd, heb gâr na chyfaill. Ar *embankment* afon Tafwys yn Llundain y mae Gwilym Bevan ym mhennod gyntaf y nofel. Bu yn Llundain ers pedair blynedd, ac yn ystod y pedair blynedd hynny, bu'n gweithio'n galed yn ystod y dydd ac yn treulio oriau'r hwyr mewn llyfrgelloedd yn astudio, ond oherwydd iddo losgi deupen y gannwyll, collodd ei iechyd a chollodd ei waith. Heb fwyta ers deuddydd, mae'n ystyried neidio i'r afon a rhoi diwedd arno'i hun, ond fe'i rhwystrir rhag gwneud hynny gan nyrs ifanc o Gymraes sy'n digwydd mynd heibio. Mae'n cynnig pryd o fwyd iddo, er bod Gwilym yn gwrthod y cynnig hwnnw i ddechrau, gan nad yw am dderbyn elusen. 'Wela i ddim nad oes gen bob dyn hawl i fyw heb ddibynnu ar 'wyllys da neb,' meddai wrth y Gymraes.[36] Mae'r Gymraes yn rhoi pryd o fwyd iddo ac yn prynu tocyn trên iddo i ddychwelyd i Gymru, lle y dylai fod. Afraid dweud bod Gwilym Bevan eisoes mewn cariad â hi.

Ar ôl dychwelyd i Gymru, mae Gwilym yn cael gwaith yn chwarel Craig y Coed. Rhoddodd y nyrs a brynodd docyn trên iddo yn Llundain ei henw a'i chyfeiriad iddo. Ar ôl cael ychydig arian ynghyd, mae Gwilym yn anfon arian gwerth pris y tocyn ati, ond ni chlywodd ddim yn ôl ganddi. Mae yna dinc o'r nofelydd ei hun yn arwr y nofel:

> Oherwydd ei arferion darllengar, a'i wybodaeth helaeth ... fe ddaeth Gwilym yn fuan yn arwr ymhlith chwarelwyr Craig y Coed, eithr o herwydd nad oedd efe'n proffesu crefydd, ac nad elai ond yn anfynych i gapel nac eglwys, buan iawn y rhoed iddo gan rai pobl yr enw "Anffyddiwr."

> Nid anturiai neb ddyweud wrtho yn ei wyneb mai dyna oedd eu meddwl
> am dano, ond fe ddywedent wrth eu gilydd, serch hynny ...[37]

Yn Nhreganol y mae'r chwarelwyr yn byw, ac un nos Sul, clywir nifer o lowyr o'r deheudir yn canu emynau ar y sgwâr. Yn raddol, mae Gwilym yn cael ei godi i fod yn arweinydd ar y chwarelwyr, ac mae'n traddodi araith fechan i gael y chwarelwyr i roi arian i'r glowyr. Mae'r glowyr hyn ar streic i gael gwell amodau gwaith, a cherddant o le i le yn canu am arian i'w anfon yn ôl at eu teuluoedd. Wrth fynd adref ar ôl ei araith fer, y mae'n cwrdd â'r Athro Eldon, gŵr y bu Gwilym yn gwrando arno'n darlithio un tro. Ar ôl sgwrs fer am gynlluniau a gobeithion Gwilym, mae'r ddau yn ffarwelio â'i gilydd.

Yn anffodus, mae araith Gwilym yn codi gwrychyn y Parchedig Calfin Jones. Mae'n anfon llythyr at y papur lleol i gwyno amdano, gan ofyn, pa hawl a oedd ganddo i ddweud wrth chwarelwyr Treganol beth oedd eu dyletswydd. 'Os cywir yr hyn a glywsom, nid yw efe ond Anffyddiwr neu Amheuwr, ac nid yw yn credu yn yr Hwn yr oedd efe'n cyfeirio at ei orchymyn ar i ni garu ein gilydd,' meddai.[38] Fe'i gwelwyd ef ar y nos Sul honno, yng nghwmni 'un o'r estroniaid hanner gwareiddiedig sydd yn dod i'n gwlad i halogi'r Sabbath drwy farchog ar eu holwynfeirch o le i le'. Atebir llythyr Calfin Jones gan Gwilym:

> Nid wyf fi nac Anffyddiwr nac Amheuwr. Enllib ar y boneddwr y gwelwyd
> fi'n siarad ag ef oedd ei alw'n estron haner gwareiddiedig ac yn dorwr y
> Sabbath.[39]

Mae Calfin Jones yn cynrychioli culni enwadol yn y nofel. Nid bod Calfin Jones yn gul ac yn gas wrth natur, 'canys er ei fod o'n ŵr cul a rhagfarnllyd ddigon, ac felly'n agored i fod yn erlidgar, eto, nid oedd mewn modd yn y byd yn ddialgar a chreulon wrth natur'.[40] Crefyddoldeb, crefydd gyfundrefnol a'i dogmâu, ei ddeddfau a'i defodau, sydd wedi caledu Calfin Jones.

Mae Calfin Jones yn gofyn i Thomas Morrus, perchennog chwarel Craig y Coed, gael gair â Gwilym Bevan ynghylch ei anffyddiaeth a'i syniadau gwylltion. Ar ôl addo gwneud hyn mae Thomas Morrus yn anghofio popeth am ei addewid, ac wedyn daw tro yn y gynffon. Mae Thomas Morrus yn derbyn llythyr yn dweud bod ei ferch yn ddifrifol wael yn Llundain. Fodd bynnag, mae hi'n gwella ac mae hi'n dychwelyd i Gymru at ei rhieni i gael gofal a maldod. Enw merch Thomas Morrus a'i briod Hannah yw Olwen. Hi oedd y nyrs a achubodd fywyd Gwilym yn Llundain a rhoi pres tocyn iddo i ddychwelyd i Gymru. Nid yw Gwilym yn gwybod mai merch ei feistr yw hi ar y pryd.

Cymer Olwen lawer o amser i wella. Daw Gwilym i wybod mai merch Thomas Morrus yw Olwen. Yn y cyfamser, mae nifer o weithwyr newydd wedi cyrraedd y chwarel, ac y mae'r rhain yn daerach am eu hawliau na'r hen chwarelwyr. Cynhaliant gyfarfodydd i drafod eu hawliau bob dydd Sadwrn, a gofynnir i Gwilym weithredu fel arweinydd iddynt, ond mae'n gwrthod. Ar ôl i Calfin Jones ymosod arno a'i alw'n anffyddiwr, nid yw Gwilym yn credu y gall wneud unrhyw les i achos y chwarelwyr.

Wrth fynd am dro i'r mynyddoedd un diwrnod, mae'n gweld merch ifanc mewn trybini. Mae hi wedi dringo i le anodd a pheryglus, ac mae'n methu symud. Mae Gwilym yn dringo'r graig ac yn ei hachub. Yn union fel yr oedd Olwen wedi achub bywyd Gwilym yn Llundain, roedd Gwilym wedi achub Olwen rhag cwympo i'w thranc. Mae'r ddau yn dod ynghyd eto, dan amgylchiadau dyrys. Mae Olwen yn gwahodd Gwilym i'w chartref, i gyfarfod â'i rhieni, ond mae Gwilym yn gwrthod, heb egluro pam.

Cyfalafiaeth yw'r bwgan yn *Gorchest Gwilym Bevan*. Mae'r chwarelwyr yn gweithio'n galed am gyflogau llwgu. Mae plentyn un o'r cymeriadau, Joseff, yn marw o eisiau bwyd. Nid yw'r cyflogau a enillir gan y chwarelwyr yn ddigonol at gadw eu teuluoedd. 'Fory, mi fydd yn canmol ei grefydd, ac yn darn grio'i brofiad addfed i'r fagad o ffyliaid mae'n wiw gan bobol eu galw nhw'n saint,' meddai Gwilym am Thomas Morrus ar ôl marwolaeth y plentyn, gan ymosod ar ragrith grefyddol yn ogystal â chyfalafiaeth.[41] Marwolaeth araf oedd gweithio yn y chwarel, ond ni chosbid neb. Mae'r gyfraith yr un mor euog â chrefydd am gynnal y drefn gyfalafol sy'n llethu'r gweithwyr. Y bore ar ôl claddu ei blentyn, Gwen, mae Joseff yn mynd yn ôl i'r chwarel, ac fe ddefnyddir ei adfyd i gynrychioli blinfyd y chwarelwyr i gyd:

> Nid oedd efe mewn gwirionedd yn gymmwys i symud o'r tŷ. Lladd ei hun yr oedd efe wrth wneud hynny. Pe buasai efe'n ceisio lladd ei hun drwy dori ei wddf neu ymgrogi, fe fuasai'r gyfraith ar ei warthaf toc, yn hynod ofalus am ei fywyd, ac fe gawsai yn dra diymdroi ei ddwyn o flaen haid o ustusiaid cestog i ateb drosto ei hun. Ond gan mai lladd ei hun drwy fyn'd at ei waith pan nad oedd yn abl yr oedd, nid ymyrai'r gyfraith âg ef, ac ni ofalai fymryn yn ei gylch. Torer mil o galonau, ac ni ddawr y gyfraith ddraen. Torer un gwddf, a hi yn ebrwydd a gyfyd ac a ymddisgleiria yn[g] ngogoniant ei chyfiawnder.[42]

Weithiau mae'r nofel yn pregethu ei chenadwri, yn hytrach na gweu'r stori a'r neges i mewn i'w gilydd. Diwygiwr cymdeithasol a lefarai yn y nofel hon:

> Crystyn sych a llymed o ddwfr fu brecwest Joseff y boreu hwnnw. Dyna beth digon anodd i bobl gefnog y bedwaredd ganrif ar bymtheg ei gredu. Fe wŷr y gweithwyr bethau amgenach, a pho gonesta' bo'r gweithiwr, amla'n y byd y gorfydd iddo ymgynnal ar fara a dŵr. Y neb a amheuo a oes rywun yn y dyddiau hyn gyda'u Cristionogaeth a'u dyngarwch yn gorfod brecwesta ar fara a dŵr, ceisied fyw am fis ar ddwy bunt a chweugien, ac fe fydd yn haws ganddo amheu'r gwŷr graenus sy'n sôn am "wlad y breintiau mawrion" nag amheu'r neb a ddigwyddo ddyweyd wrtho fod dynion gonest yn byw ar fara a dŵr – a rhy ychydig o hwnnw.[43]

Fodd bynnag, mae Joseff yn cyflawni hunanladdiad gwirioneddol, yn hytrach na'r hunanladdiad araf, yn ei alar a'i anobaith. Mae Gwilym yn beio Thomas Morrus yn ei wyneb am ladd Joseff, ac mae'r gwrthdrawiad hwn rhwng Gwilym a thad Olwen yn bygwth dryllio unrhyw berthynas a allai fod rhwng Gwilym ac Olwen, yn enwedig gan fod Thomas Morrus yn diswyddo Gwilym. Er nad yw Gwilym yn gweithio yn y chwarel mwyach, caiff ei ddewis gan y chwarelwyr i fod yn lladmerydd ac yn arweinydd iddyn nhw, ac ar ôl i Thomas Morrus wrthod rhoi gwell telerau i'w weithwyr, mae'r chwarelwyr yn mynd ar streic.

Ceir disgrifiad da o effaith y streic ar y dref:

> O ddydd i ddydd, elai'r dref y ddistawach, ddistawach, ac yr oedd pobl hyd yn oed yn siarad yn isel a chyda lleisiau dwfn. Ni chlywid bron byth neb yn chwerthin yn y 'stryd, ac yn fuan iawn, peidiodd y plant bach â chwareu a rhedeg o gwmpas; gwelid hwy'n myn'd i'r ysgol fel arfer, ond yn ddistaw a digalon. Yr oedd Treganol yn dechreu teimlo fod rhywbeth o'i le. Ceid rhai i feio'r meistr ac eraill i feio'r gweithwyr, ac yr oedd yno ddigon o'r dosparth sy'n credu fod hanner torth, pa fodd bynnag y caffer hi, yn well na bod heb dorth o gwbl.[44]

I ychwanegu at y tyndra yn y nofel, mae Arthur, mab Thomas Morrus, wedi meithrin syniadau chwyldroadol yn ystod ei gyfnod fel myfyriwr. Cais ei dad gadw'r gweithwyr yn eu lle, heb ymostwng i'w mympwyon na gwrando ar eu ple, ond mae Arthur yn gryf o blaid urddas a hawliau'r unigolyn. A daw Gwilym ac Arthur yn gyfeillion – ond am ysbaid byr yn unig – yn union fel y mae Olwen a Gwilym yn gariadon. Tŷ sydd wedi ei rannu yn ei erbyn ei hun yw tŷ Thomas Morrus, hyd nes y llosgir Arthur i farwolaeth wrth iddo fynd i mewn i dŷ sydd ar dân i geisio achub plentyn, er i Gwilym geisio ei achub yntau.

Wedi i Gwilym ei beryglu ei hun wrth iddo geisio achub Arthur, mae'n meddwl y bydd Thomas Morrus yn fwy parod i wrando arno ac i ildio i gais y chwarelwyr. Ond er bod Thomas Morrus yn ddiolchgar iddo am geisio achub ei fab, nid yw'n ildio dim. Ac i wneud pethau'n waeth, mae'r chwarelwyr yn troi ar Gwilym, oherwydd iddo fethu dod i gyfarfod a drefnwyd gan y gweithwyr, ac oherwydd ei fod yn canlyn Olwen, merch y meistr. Wrth i'r dorf ymosod ar Gwilym, clwyfir Olwen yn ogystal. Achubir Gwilym rhag cynddaredd y dorf allan ar y stryd gan blismyn a'u cynorthwywyr, tra bo Olwen yn gorwedd yn anymwybodol ar y llawr yn ystafell Gwilym.

Ymosodir ar y Parchedig Calfin Jones yn gyson drwy'r nofel. Condemnir ei biwritaniaeth yn un peth. Mae'n beirniadu Olwen am ddarllen nofel. 'Mae mwy o Gristionogaeth yn y llyfr yma nag a glywir o'r pulpud mewn blwyddyn gron,' meddai Olwen wrth y gweinidog.[45] Mae'n beirniadu'r streicwyr hefyd:

> "Y ffaith ydi," ebai Mr Jones, "fod y wlad yn dechre blino ar ryw helynt diachos fel hyn, ac oherwydd pethe neilltuol, mewn cysylltiad âg arweinwyr yr helynt, pethe na raid i mi mo'u henwi nhw, mae'r bobol ore yn colli eu cydymdeimlad â'r dynion."[46]

Ymosodir arno i'r fath raddau arno nes i un adolygydd, yn *Y Lladmerydd*, gondemnio'r awdur am hynny:

> [E]ithriad mawr ydyw cael gweinidog mor gyfyng ei syniadau â'r Parch. Calvin Jones; ond dichon fod ambell un, er nad adnabûm yr un erioed felly. Heblaw hyny, y mae yr hen dant hwn, nad yw pregethwyr yn teimlo dim yn achos y trueni cymdeithasol sydd yn y byd, nac yn gwneyd dim tuag at leddfu cyni dosbarth anffodus cymdeithas, wedi rhygnu gormod arno gan ddyhirod conglau yr heolydd, a hyny yn hollol annheg, i wneyd unrhyw ddaioni, ac yn siarad yn ddiraddiol am ysbryd y neb a rygno chwaneg arno.[47]

Nofel ac iddi neges gymdeithasol a gwleidyddol yw *Gorchest Gwilym Bevan*, nofel sosialaidd sy'n ymgyrchu o blaid hawliau'r gweithiwr cyffredin, hawliau fel diwrnod gwaith wythawr – pwnc llosg ar y pryd – a gwell cyflog. Gellid dweud mai

T. Gwynn Jones ei hun yw Gwilym Bevan y nofel, gan mai syniadau a safbwyntiau Gwynn a hyrwyddir ganddo. Ac mae'n debyg i Gwynn mewn pethau eraill hefyd:

> "Bachgen iawn ydi o," ebai Arthur, "heb ddim manteision addysg, ac eto wedi dringo'n rhyfedd. Mae o'n glod i'w grefft, ac yn gwybod hanes pob gwlad, ac fel mae dynoliaeth yn ceisio ymddyrchafu. Druan ohonno fo yn ei dlodi a'i anfanteision!"[48]

Yn gefndir i'r nofel, wrth gwrs, y mae Streic Chwarel y Penrhyn ym Methesda. Portread o gymuned rwygedig, rwystredig a geir yn *Gorchest Gwilym Bevan*. Mae'r chwarelwyr yn troi ar ei gilydd ac yn galw Gwilym yn rhagrithiwr ac yn fradwr oherwydd ei fod yn canlyn Olwen. Nid y chwarelwyr a'u teuluoedd yn unig sy'n dioddef. Mae un o weithiau Thomas Morrus – gwaith plwm – yn methu, ac oherwydd y streic, nid yw'n ennill incwm o unrhyw fath. Mae Olwen, ei ferch, yn y pen draw yn marw oherwydd iddi gael ei mathru a'i sathru dan draed y chwarelwyr, wrth i'r rheini ymosod ar Gwilym, ond gan nad yw ei thad yn fodlon ildio modfedd i'r chwarelwyr na chyfaddawdu dim â nhw, ar Thomas Morrus, yn y pen draw, y mae'r bai fod ei ferch wedi ei lladd. Mae'r cyfalafwr yn y stori yn colli ei fab a'i ferch. Mae anghyfiawnder ac annhegwch yn creu llanast llwyr, yn gwenwyno'r holl gymdeithas, o'r cyfalafwyr i'r slafwyr, a dyna brif fyrdwn y nofel.

Ni roddodd y nofelydd ddiweddglo hapus i'r stori. Dadlennir tua'r diwedd mai mab anghyfreithlon Richard Morrus, brawd Thomas Morrus ac ewythr Olwen, yw tad Gwilym. Felly, yn ddiarwybod iddo, roedd Gwilym yn canlyn ei gyfnither ei hun. Cleddir Olwen a Richard ar yr un diwrnod. Ac wedyn, dan straen y streic a'r ing o golli Olwen, mae Gwilym ei hun yn marw. Mae'r gwaith yn y chwarel yn ailgychwyn, a chlywir lleisiau a chwerthin plant ar y strydoedd unwaith eto.

'Ffugchwedl ydyw hon, wedi ei hysgrifenu gan un o awduron ieuainc y genedl,' meddai adolygydd *The London Kelt* am *Gorchest Gwilym Bevan*, ond ni hoffai ddiwedd y nofel:

> ... er fod y rhan gyntaf o'r nofel yn gampus, teimlwn fod ei diwedd yn dra anfoddaus – gormod o ladd a llosgi; a phrin y credwn y dysgir drwy y stori y wers a fwriedir, gan yr ymddengys mai y perchenog creulawn a wobrwyir yn y diwedd, iddo ef y syrth yr holl gyfoeth a'r bywyd hapus ar derfyn yr holl helynt – ar ôl colli ei blant a'i eiddo i gyd ar un amser. Wrth hyn buasai rhai yn barod i gyfiawnhau y meistr gorthrymus yn ei ymddygiad caled, ond yn sicr nid dyna geisia yr awdur gyfleu. Ar y cyfan,

mae'n stori gampus, a'r desgrifiadau o fywyd cynhyrfus yn y chwarel ar adeg streic yn beth sydd yn werth ei ddarllen.[49]

Prif gymeriad *Rhwng Rhaid a Rhyddid* yw Meilir Gruffydd. Mae wedi etifeddu fferm o'r enw yr Hendref Fawr, y fferm fwyaf yn yr holl wlad, ar ôl marwolaeth ei ewythr. Mewn lle o'r enw Trefelin y mae'r fferm, ac mae Meilir yn symud i'r fferm i fyw a gweithio. Unwaith y mae'n cyrraedd, mae pobl yr ardal yn rhythu arno, ac ni all Meilir ddeall pam. Daw i wybod ei fod yr un ffunud â rhywun o'r enw Gilbert Ashton, ac o gylch y tebygrwydd hwn y mae'r stori'n troi. Tirfeddiannwr mawr yw Gilbert Ashton, ac mae'n byw gyda'i wraig weddw o fam yn y Faenor. Felly mae Meilir Gruffydd yn berchen ar fferm enfawr a Gilbert Ashton yn berchen ar ystad enfawr yn yr un ardal.

Brawd i'w fam a adawodd yr Hendref Fawr yn ei ewyllys i Meilir Gruffydd. Merch i fonheddwr o Gymro a oedd wedi gwneud ei ffortiwn fel masnachwr yn Llundain oedd mam Meilir. Roedd Dafydd Gruffydd, taid Meilir ar ochr ei dad, hefyd wedi llwyddo fel gwerthwr llaeth yn Llundain. Magwyd Meilir i fod yn fonheddwr o'i febyd gan ei rieni, a bu'n fyfyriwr yn Rhydychen, fel sawl un o gymeriadau ffuglen Gwynn, gan adlewyrchu ei ddyhead ef ei hun i fynd i Rydychen ychydig flynyddoedd ynghynt. Hen arddwr ei dad a ddysgodd Gymraeg i Meilir. Wedi iddo ddod i siarad Cymraeg, mae'n ceryddu ei rieni am adael i'r Gymraeg fynd dros gof, ac am anghofio am hen arferion Cymru. Mae ei ewythr yn gadael yr Hendref Fawr i Meilir ar yr amod y bydd yn mynd yno i fyw, ac yn cynnal a chadw hen arferion Cymru. Mae Meilir yn synhwyro bod ei dad wedi cael siom enfawr rywbryd yn ei orffennol, ac mae ei fam yn dweud wrth ei mab mai rhywun arall oedd cariad cyntaf ei dad. Ac mae'r llwyfan wedi ei baratoi ar gyfer y ddrama sydd i ddilyn.

Mae'r cywair yn ddychanol-hwyliog ar brydiau, fel yn y rhan sy'n sôn am famau a merched ifainc Trefelin yn clywed swn clychau'r eglwys yn tincial wrth glywed swn pres Meilir yn tincial yn ei boced:

"Dyn ifanc mewn sefyllfa dda dros ben," ebe'r mamau oedd yn foddlon ar y pres yn unig.

"Dyn ifanc o deulu da a chefnog," ebe'r bobl oedd yn honi rhoi pwys ar rywbeth heblaw pres.

"Dyn ifanc neis," ebe rhai o'r merched ifainc, "dyn anwyl ydi o," ebai'r lleill, "dda gen i mo'no fo," ebai ambell un oedd bron gwefrio am dano, a theimlai ereill ar eu calon nad oedd yr un gair Cymraeg a wnâi'r tro i'w ddesgrifio, ac felly, sonient am dano yn y math hwnw o Saesneg y bydd merched ifainc yn ei siarad wrth ddod o'r capel ar ddydd Sul, a phryd bynag y gwelant ddyn ifanc wedi ymwisgo yn o drwsiadus, a golwg go hunandybus arno. Nid yw'r Saesneg hwnw bob amser yn Saesneg hawdd iawn i Sais ei ddallt, ond beth wnewch chi, mae'n ddyledswydd ar ferched ifainc ddangos fod rhywfaint o reswm dros yr hen gred barchus fod merched yn greaduriaid israddol.[50]

Gwahoddir Meilir i ymweld â'r Faenor gan Mrs Ashton. Yno gwêl bortread o'i mab, Gilbert, a gall weld drosto'i hun y tebygrwydd rhyngddynt.

Wrth fynd adref o'r Faenor, mae Meilir yn cael ei ddal mewn storm fawr ac mae'n ymochel mewn hofel, neu gysgod i anifeiliaid, yn ymyl llyn. Mae'n clywed llef y tu allan i'r hofel, ac mae'n mynd allan o'r hofel gan gerdded at y llyn drwy ganol y glaw. Gwêl eneth ifanc yn sefyll ar lan y llyn, ond unwaith mae hi yn ei weld, mae'n rhedeg i ffwrdd. Nid yw'n gwybod mai Gwen, ei laethferch, oedd y ferch wrth y llyn, ac mae Gwen mewn cariad â'i meistr. Ar ben hynny, yn ddiweddarach yn y nofel, mae hi yn achub ei fywyd trwy ei rwystro rhag syrthio dros erchwyn dibyn wrth iddo gerdded trwy'i hun; ond nid yw Meilir yn sylwi ei bod mewn cariad ag ef.

Menyw drahaus braidd yw mam Meilir. Ar ymweliad â'r Hendref Fawr, mae hi'n amheus a ddylai Meilir gadw Gwen yn forwyn:

> ... yr oedd Mrs Gruffydd yn amme Gwen. Tybiai mai peth ffôl oedd i ddyn ifanc fel Meilir gadw geneth mor dlos â Gwen yn ei wasanaeth, yn enwedig gan ei fod ef wedi awgrymu wrthi mai gwraig fedrai edrych ar ôl moch oedd ganddo ef eisieu, os byddai arno eisieu gwraig o gwbl. Ni chafodd Mrs Gruffydd achos yn y byd i feddwl fod Gwen wedi cymeryd at Meilir, na'i fod yntau yn meddwl mwy ohoni hithau nag a ddylasai feddwl o un o'i forwynion. Er hyny, gwelodd Mrs Gruffydd yn dda awgrymu wrth ei mab nad doeth oedd iddo fod mor r[h]ydd hefo'r gwasanaethyddion.[51]

Mae Meilir yn sôn wrth ei fam am y tebygrwydd rhyngddo a mab y Faenor, ac mae'n mynd â'i fam i gwrdd â Mrs Ashton, fel y gall gael cyfle i weld y portread o Gilbert Ashton, a gweld drosti ei hun. Cyn gadael ei mab, mae ei fam yn ei rybuddio 'y dylasai "geisio ymgydnabyddu" â phobl barchus, ac yn eu hiawn bwyll'.[52]

Ar ôl danfon ei fam at y trên, mae Meilir yn cyfarfod â gwraig y mae eisoes wedi cyfarfod â hi, Mrs Meurig, gwraig leol o gryn bwys, yn ei cherbyd, a merch ifanc gyda hi. Gwladus Edwards yw enw'r ferch, nith i Mrs Meurig, ac mae Meilir yn sylwi bod ei ffurf yr un ffunud â ffurf yr eneth a welsai wrth y llyn, a gwna hyn iddo deimlo'n anesmwyth. Awgryma'i modryb fod Gwladus 'yn agored i gynnyg gan ddyn ifanc o safle Meilir'.[53] Y noson honno mae Mrs Meurig yn trefnu parti yn ei chartref ac yn gwahodd Meilir i'r parti. Mae Meilir yn falch o gael y gwahoddiad, oherwydd mae'n awyddus i gyfarfod â Gwladus eto. Mae'n meddwl, o edrych arni, mai Gwladus oedd y ferch wrth y llyn. Er gofid i Gwen, mae Meilir yn cwympo mewn cariad â Gwladus. Mae Gwladus hefyd yn dod yn gyfeillgar â Mrs Ashton, oherwydd bod y ddwy yn hoff o gerddoriaeth, ac mae Meilir hefyd i'w weld yn aml yn y Faenor, gan fod Gwladus yno. Mae Meilir yn mentro'i lwc un diwrnod, ond mae Gwladus yn ei wrthod, gan ddweud wrth ei modryb nad yw'n ei adnabod yn ddigon da i ffurfio perthynas ag ef, yn groes i ddymuniad y fodryb. Mae Meilir yn teimlo'n chwithig iawn ar ôl iddo geisio cofleidio Gwladus, felly, mae'n oedi ac yn ffurfio cyfeillgarwch â hi yn raddol. Ar ôl chwarae o gwmpas â theimladau Meilir, a'i gadw led braich i ffwrdd, mae Gwladus yn cydsynio i'w briodi. Ar ôl clywed y fath newyddion, mae Gwen yn gadael yr Hendref Fawr, ac yn diflannu.

Yn sydyn, mae tad Meilir yn clafychu, a rhaid i'w fab deithio i Lundain i fod wrth ei wely. Yn ei absenoldeb, mae Gilbert Ashton yn ymserchu yn Gwladus, ond mae Gwladus yn ei wrthod, ond eto, mae hi'n cael ei dynnu ato yn raddol. Yna, dadlennir y gyfrinach fawr. Mae tad Meilir, Owen Gruffydd, wedi gadael cofnod iddo am ei fywyd yn ifanc yn Llundain. Adroddir fel y bu iddo, pan oedd oddeutu deunaw oed, glywed Cymraes droednoeth a thlodaidd ei gwisg yn canu ar un o strydoedd Llundain. Dilynodd y Gymraes drwy strydoedd Llundain, at dwll o le. Roedd y ferch a'i thad yn byw mewn un ystafell mewn adeilad yn y lle hwnnw, ystafell lom a brwnt. Roedd tad y ferch yn feddwyn, a bu'n rhaid iddi hi ganu ar strydoedd Llundain i'w chynnal ei hun ac i brynu digon o'r ddiod feddwol i'w thad. Syrthiodd Owen Gruffydd mewn cariad â'r ferch, a daeth o hyd i well lle i'r ddau, gan gynnal y ddau gyda chymorth ei rieni. Ar ôl chwe mis bu farw'r tad, wedi ei yfed ei hun i farwolaeth. Bwriadai Owen Gruffydd briodi'r ferch, Elin wrth ei henw, ac awgrymir eu bod yn cael rhyw cyn priodi: 'Yr oeddym yn caru ein gilydd, ac i fod yn ŵr a gwraig; dyma wyddem yn sicr, ac ni thrafferthem gyda mân amgylchiadau oedd islaw y teimlad aruchel ein bod yn perthyn i'n gilydd heb ymboeni yn[g] nghylch arferion a defodau'.[54] Ond ni phriodwyd y ddau oherwydd i fam Owen Gruffydd ymyrryd, a dweud wrth Elin na ddeuai dim da o'r briodas. A dyna esboniad cynnil mai hanner brawd Meilir yw Gilbert, a hynny sy'n cyfri am y tebygrwydd rhwng y ddau. Mae gan y ddau fam wahanol, ond Owen Gruffydd yw tad y ddau:

Nid oedd gan Meilir bellach unrhyw amheuaeth nad Mrs Ashton ydoedd cariad cyntaf ei dad. Yr oedd yr hanes a ddarllenasai efe yn llawysgrifen ei dad yn egluro'r cwbwl, ac yr oedd Meilir am geisio eto gael gwybod ganddi hi ei hun, er nad oedd ganddo unrhyw amheuaeth.[55]

Yn gynnil yr awgrymir mai Owen Gruffydd, tad Meilir, yw tad Gilbert hefyd:

Yr oedd Mrs Ashton mewn gwirionedd yn teimlo at Meilir fel pe buasai'n fab iddi, ac yntau yn teimlo tuag ati hithau fel pe buasai mewn gwirionedd yn fam iddo.

"Meilir," ebai Mrs Ashton yn y man, "ydech chi'n teimlo'r un fath ata i o hyd?"

"Ydw," ebai Meilir, "cyfrifwch fi fel mab am byth!"

Ac fel yr ymadawai Meilir, edrychai Mrs Ashton arno drwy'r ffenestr, sylwai debyced oedd ei osgo i osgo ei dad, a meddyliai am ei mab ei hun, a'i fywyd aflonydd a'i feddwl ystormus, bywyd a meddwl oedd yn ôl pob tebyg yn ddyledus i'w bywyd a'i meddwl hithau. Ac eto, p'run o'r ddau oedd fwyaf o fab iddi [?] Ni cheisiai Mrs Ashton feddwl am hyny, ond yr oedd hi yn annedwydd iawn o achos y naill a'r llall.[56]

Yn y pen draw, er ei bod wedi addo priodi Meilir, mae Gwladus yn newid ei meddwl ac yn derbyn cynnig Gilbert i'w briodi. Mae hyn yn achosi gwrthdaro rhwng Meilir ac yntau, a hwnnw'n wrthdaro corfforol. Canfyddir corff Meilir, wedi ei anafu'n ddifrifol, gymaint nes y tybir ei fod wedi marw, gan gipar y Faenor. Gwêl amlinell merch yn plygu uwch y corff, a thybia mai hi sydd wedi anafu Meilir, yn enwedig gan ei bod yn rhedeg i ffwrdd oddi wrtho. Fe'i cymerir i'r ddalfa, fodd bynnag, ar air y cipar, ynghyd â ffrind iddi, Sabel y 'sipsionen', am ei helpu. Mae'r ddwy yn ymddangos o flaen eu gwell ac fe'u cedwir yn y ddalfa, nes y daw rhagor o dystiolaeth i'r fei. Ac fe ddaw'r dystiolaeth honno wedi i Meilir wella. Gilbert Ashton a fwriodd Meilir i'r llawr â darn o bren, o genfigen tuag ato, er bod Gwladus wedi addo ei briodi, yn hytrach na phriodi Meilir. Mae'n sicrhau'r llys nad Gwen na Sabel a'i bwriodd, a chânt eu rhyddhau. Ar ddiwedd y nofel mae Gilbert yn ei saethu ei hun, er y ceisir dweud mai yn ddamweiniol y bu farw. Mae Meilir yn gwrthod dweud pwy a ymosododd arno yn y goedwig, er mwyn arbed teimladau ei fam. Mae'r nofel yn dod i ben gyda phriodas Meilir a Gwen, ac mae'r hoeden benchwiban honno, Gwladus, wedi colli ei chyfle.

Yn sicr, mae llawer iawn o'r awdur ei hun yng nghymeriad Meilir. Dyma fel y mae Gwen yn meddwl amdano:

> Mae wedi bod yn y coleg, ac yn gwybod pob peth sydd i'w wybod. A'r llyfre
> sydd gyno fo! Llyfre y[m] mhob iaith ar y ddaear, greda i. Dyna'r llyfre
> â'r llythyrene rhyfedd 'rheini, llythyrene mân, tlysion, na wn i a fy math
> ddim byd oddiwrthyn nhw, ond mai Groeg ydyn nhw. Wedyn dyna lyfre
> a llythrene 'run fath ag yn Gymraeg a Saesneg, a'i waith ynte yn sgrifenu
> rywbeth ar ymyl y dalene, wedi rhoi marc agos dan bob gair ynddyn nhw.
> Barddoniaeth ydi'r rhan fwya' ohonyn nhw, mi wn, achos mae pob lein
> yn dechre hefo llythyren fawr. Wed'yn, dyna lyfre a llythrene 'run fath
> â'r llythrene fydd mewn teitle hen lyfre, rhyw iaith ddiarth arall; llyfre
> gannoedd ohonyn nhw, heb sôn am lyfre Cymraeg a Saesneg – yr unig rai
> fedra i ddallt, a diolch mai'r llyfre Cymraeg ydi'r gore gyno fo, yn enwedig
> llyfr y Dafydd ap Gwilym hwnw, sydd, weithie, mor annodd i'w ddallt! Ac
> mae o wedi darllen y cwbwl.[57]

Yn wahanol i Meilir, methodd Gwynn fynd i'r coleg, ond fel awdur, gallai wneud
iawn am hynny trwy anfon rhai o'i greadigaethau llenyddol i'r coleg.

Stori serch a stori ddirgelwch yw *Rhwng Rhaid a Rhyddid*. Mae'r stori honno
wedi ei hadrodd yn rhwydd ac yn gelfydd. Ceir digwyddiadau cyfochrog yn y
nofel, a dwy stori, mewn ffordd, stori Owen Gruffydd a Mrs Ashton, ar y naill
law, a stori Meilir, Gwen, Gilbert a Gwladus, ar y llaw arall. Nid yw Elin yn ddigon
da i Owen Gruffydd, yn ôl mam Owen; a gobeithiai Mrs Gruffydd, mam Meilir a
gwraig Owen, na fyddai ei mab yn cael ei ddenu a'i ddallu gan harddwch pryd a
gwedd Gwen, gan mai dim ond morwyn yw hi. Mae Gwen yn dianc i Lundain ar
ôl i Meilir syrthio mewn cariad â Gwladus, ac mae Meilir yn ei chlywed yn canu
ar y stryd, yn union fel y clywsai Owen y ferch ifanc honno yn canu ar stryd, cyn
iddo'i dilyn drwy strydoedd Llundain at yr hofel lle'r oedd yn byw. Ac mae yna
wrthdaro rhwng dau fab Owen Gruffydd, Meilir a Gilbert. Caffaeliad mawr i dwf
a datblygiad y nofel Gymraeg oedd nofelau cynnar T. Gwynn Jones.

NODIADAU

1. 'Abergele', *Y Faner*, Mawrth 23, 1895, t. 5.
2. 'Dinbych'/'Cwrdd Tê a Chwrdd Adloniant', Ibid., Mai 1, 1895, t. 4.
3. Ibid.
4. 'John Creigben Jones', *Wales*, cyf. II, rhif 12, Ebrill 1895, t. 169. Defnyddiwyd y ffugenw Kynan Meredith ganddo am y tro cyntaf yn *Y Faner* ym 1894. Ceir amrywiadau ar yr enw ganddo hefyd, sef 'Kynan Meredydd' a 'Kynan Meredyth'.
5. 'Nodau Enwadaeth', *Y Faner*, Awst 28, 1895, t. 5. Defnyddiwyd y ffugenw Collwyn ganddo am y tro cyntaf yn *Y Faner* ym 1892.
6. *Y Faner* ('Pa'm?'), Ionawr 29, 1896, t. 11 (dan y ffugenw 'Pwy'); *Y Llan*, Chwefror 7, 1896, t. 7, a hefyd yn *Papur Pawb* ('Pa'm?'), Tachwedd 23, 1907, t. 13 (dan y ffugenw 'Pwy').
7. LLGC EMH, A/1909, llythyr oddi wrth T. Gwynn Jones at E. Morgan Humphreys, Ionawr 8, 1910.
8. Ibid., A/1996, llythyr oddi wrth T. Gwynn Jones at E. Morgan Humphreys, Ebrill 18, 1916.
9. 'Y Genedl Fawr Hon', *Y Faner*, Ionawr 22, 1896, t. 5. Y ffugenw y tro hwn oedd 'Celt'.
10. Ibid.
11. 'My Conversion', *Carnarvon and Denbigh Herald*, Mawrth 30, 1900, t. 5.
12. Ibid.
13. 'Betrayed!', Ibid., Mai 11, 1900, t. 5.
14. 'Blodyn ar fedd Annie bach benfelen, bedair oed, geneth fechan "Elldeyrn"', 'Y Golofn Farddol', *Y Llan*, Tachwedd 27, 1896, t. 10. Ni nodir iddi ymddangos yn *Y Llan* yn *Llyfryddiaeth Thomas Gwynn Jones* D. Hywel E. Roberts.
15. 'Cyfieithiad o Linellau Adelaide A. Procter', *Y Llan*, Hydref 16, 1896, t. 6.
16. Arthur ap Gwynn, 'Thomas Gwynn Jones: Dyddiau a Gweithiau Cynnar', *Cyfres y Meistri 3*, t. 50.
17. 'Denbigh', *The North Wales Times*, Ebrill 16, 1898, t. 4.
18. 'Dinbych'/'Priodas Nofelwr Enwog', *Y Genedl Gymreig*, Mehefin 13, 1899, t. 8. Ceir adroddiad manylach ar y briodas yn 'Marriage of Miss M J Davies, and Mr T Gwynn Jones, at Denbigh', *Denbighshire Free Press*, Mehefin 10, 1899, t. 5.
19. *Gwedi Brad a Gofid*, 1898, t. 13.
20. 'At y Darllenydd', Ibid., dim rhif tudalen.
21. Ibid., t. 5.
22. Ibid.
23. Ibid.
24. Ibid., t. 21.
25. Ibid., t. 82.
26. Ibid., t. 28.
27. Ibid., t. 29.
28. Ibid.
29. Ibid., t. 34.
30. Ibid., t. 135.
31. Ibid., t. 187.
32. 'Camwri Cwm Eryr', *Papur Pawb*, Rhagfyr 17, 1898, t. 9.
33. Ibid.
34. Ibid., t. 10.
35. Ibid.
36. 'Gorchest Gwilym Bevan', *Y Cymro*, Tachwedd 22, 1906, t. 2.

37 Ibid., Tachwedd 29, 1906, t. 2.
38 Ibid., Rhagfyr 6, 1906, t. 2.
39 Ibid.
40 Ibid.
41 Ibid., Ionawr 10, 1907, t. 2.
42 Ibid., Ionawr 17, 1907, t. 2.
43 Ibid.
44 Ibid., Ionawr 24, 1907, t. 2.
45 Ibid., Rhagfyr 20, 1906, t. 2.
46 Ibid., Mawrth 14, 1907, t. 2.
47 'Nodiadau ar Lyfrau'/'*Gorchest Gwilym Bevan*', *Y Lladmerydd*, cyf. XVI, rhif 191, Tachwedd 1900, t. 351.
48 'Gorchest Gwilym Bevan', Chwefror 21, 1907, t. 2.
49 'Llyfrau Newyddion', *Gorchest Gwilym Bevan*, *The London Kelt*, Awst 25, 1900, t. 6.
50 'Rhwng Rhaid a Rhyddid', *Papur Pawb*, Medi 7, 1901, t. 9.
51 Ibid., Medi 21, 1901, t. 9.
52 Ibid.
53 Ibid. 'Gwladys' yw'r ffurf ar yr enw ym mhenodau olaf y nofel.
54 Ibid., Hydref 26, 1901, t. 9.
55 Ibid., t. 10.
56 Ibid., t. 11.
57 Ibid., Medi 28, 1901, t. 9.

Pennod 4

Y PRIFARDD T. GWYNN JONES
CYFROL A CHADAIR
1902–1905

Erbyn 1902, roedd Gwynn wedi bod yn gweithio fel is-olygydd ar *Yr Herald Cymraeg* a'r *Carnarvon and Denbigh Herald*, ac fel cyfrannwr cyson i *Papur Pawb*, ers pedair blynedd. Yr oedd eisoes wedi cyhoeddi dwy nofel ar ffurf llyfr, *Gwedi Brad a Gofid* a *Gorchest Gwilym Bevan*, a bu'n cyhoeddi cerddi yn y papurau oddi ar 1885. Blwyddyn y llwyddiannau barddonol, yn hytrach na llwyddiannau rhyddieithol, fyddai 1902 iddo. Ym 1902 y byddai Gwynn yn dod i'w deyrnas fel bardd.

Yn ystod y gwanwyn, cyhoeddodd ei ail gyfrol o farddoniaeth, *Gwlad y Gân a Chaniadau Eraill*, wedi ei hargraffu yn swyddfa'r *Herald*. Ceir soned er cof am T. E. Ellis ar ddechrau'r gyfrol, yr un a roddodd 'newydd lais i hen, wylofus gŵyn/ A'r hen, hen dân i obaith newydd do'.[1] Mae'r soned yn farwnad hefyd i fudiad Cymru Fydd. Casgliad o gerddi amrywiol eu natur a geir yn y gyfrol. 'Molawd Dyffryn Clwyd' yw'r gerdd sy'n agor y gyfrol, cerdd ac iddi bedwar caniad a phob caniad ar fesur gwahanol. Blodeuog yw'r canu gan amlaf, er enghraifft, dyma ran o'r caniad cyntaf, sydd ar ffurf cywydd:

> Wyd em y cread yma,
> Bid aua' hir, bid wiw ha'.
> Is gwawr haf, di wisgi'r rhos
> Am y llwyni; meillionos
> Lawer dardd hyd lawr y dyl –
> Ôl sangiad ceindlws engyl![2]

Ceir llawer o delynegion serch a natur yn y gyfrol. Unwaith eto, blodeuog a barddonllyd yw'r arddull yn amlach na pheidio. Un o nodweddion mwyaf boddhaol ac arwyddocaol y telynegion hyn, fodd bynnag, yw'r modd y cynganeddir llawer iawn o'r llinellau.

Bardd sy'n chwilio am ei lais ei hun yw awdur *Gwlad y Gân a Chaniadau Eraill*. Ceir yn y gyfrol lawer iawn o arbrofi ag arddulliau ac â gwahanol fesurau. Weithiau, mae'n efelychu canu'r Gogynfeirdd, er enghraifft 'Arianwen', cerdd 'Yn null Rhys Goch ap Rhiccert':

> Gorne gwendon, gwynder meillion,
> Pefr olygon, mal sêr ceinion;
> Glân dy galon, gloes fy nwyfron,
>   Gloes fy nwyfron.
>   Gwae fy nwyfron!
>
> Mwyna' gwenferch, gwynfyd annerch
> Di-ofal serch ar las lannerch;
> Garw mor erch poen pêr draserch –
>   Gwae wefr traserch.
>   Boenus draserch![3]

Efelychu canu'r Gogynfeirdd a wneir yn 'Non' yn ogystal, a cheir cyffyrddiadau cynganeddol oddi fewn i'r llinell, yn hytrach nag yn y llinell ar ei hyd, eto yn null Beirdd y Tywysogion:

> Gwen ton pan *torro, terwyn* ei throchion,
> A thrychwyllt *gynnwrf* a *ganna* ei bron;
> Claer a *llathrwyn llethrau* is lluwchion
> A llachar *ôd newydd dan huan* llon;
> Glanach *na'r ewyn a'r iâ* yw pur galon
> A golwg *f'anwylaf wen eilun*, Non.
>
> *Euraid yw'r wawr hyd ororau* goleuder,
> Goludog *aur wawl ydyw'r heulwen* dêr;
> Glân hithau *loerwen, lariaidd* ei lleuer,
> Lliwus *dyrch eurain derch oror* yw'r sêr;
> Harddach na'u *heurwedd yw'r hirwallt* a dyner
> Ymdonna *am wyneb fy meinwen* bêr.

Dyblyger y penillion wedyn, ac fe welir bod arbrawf arall ar waith yma:

> Gwen ton pan torro, terwyn ei *throchion*,
> *A thrychwyllt* gynnwrf a ganna ei bron;
> Claer a llathrwyn llethrau is *lluwchion*
> *A llachar* ôd newydd dan huan llon;
> Glanach na'r ewyn a'r iâ yw pur *galon*
> *A golwg* f'anwylaf wen eilun, Non.

> Euraid yw'r wawr hyd ororau *goleuder*,
> *Goludog* aur wawl ydyw'r heulwen dêr;
> Glân hithau loerwen, lariaidd ei *lleuer*,
> *Lliwus* dyrch eurain derch oror yw'r sêr;
> Harddach na'u heurwedd yw'r hirwallt a *dyner*
> *Ymdonna* am wyneb fy meinwen bêr.[4]

Y tro hwn, y mae diwedd un llinell yn cynganeddu â dechrau'r llinell a ddaw ar ei hôl, bob dwy linell.

Ceir arbrawf cynganeddol arall yn y gerdd 'Gem':

> Em dlos, y mae dy lais i mi
> Mal alaw hoff mêl awel *haf*
> A wyla'n *glaf* drwy lwyn y glyn
> Ar ôl y glaw.

> Felusa' lais! Fel isel *lef*
> Y don, yw *ef*, pan daeno *hi*
> Furmurol *lif* o'r môr i lan
> Freuddwydiol haf.

> Anwyled yw! i'm nôl y *dêl*;
> Y galon *gêl*, fe'i geilw'n *gu*
> O feiau *lu*, a'i ddwyfol iaith
> Ddyfala hi.

O, felus su â'i ddwyfol *swyn*
A ddêl i *'nwyn* o'r ddyla' nos
I wenwawr *glos*, i awyr glir
                              Calonnau glân.[5]

Ceir cynghanedd gyflawn ymhob llinell hyd at y bedwaredd linell fer, ond y mae'r llinell olaf hon yn ateb diwedd y drydedd linell i greu cynghanedd arall, fel hyn: 'y *glyn*/Ar ôl y *glaw*'; 'i *lan*/Freuddwydio*l* haf'; '*a'i* ddwyfol iaith/*Ddyfala* hi'; '*glir*/Calonnau *glân*'. Mewn gwirionedd, mae ail ran y gynghanedd yn y drydedd linell yn gweithredu fel yr ail ran i un gynghanedd, ac fel y rhan gyntaf i gynghanedd arall, fel pont rhwng dau ddarn o dir. Ac ar ben popeth, y mae'r ail linell yn odli'n fewnol â diwedd y llinell gyntaf ymhob pennill, a'r drydedd linell yn odli'n fewnol â diwedd yr ail linell ymhob pennill ac eithrio dwy linell gyntaf y pennill cyntaf, fel y nodir uchod.

Un o gerddi gorau'r gyfrol yw'r gerdd fer 'Cysur Bywyd'. Y mae'r arddull yn llai blodeuog a'r mynegiant yn fwy epigramatig uniongyrchol:

Llafur a lludded,
  Gofid a chroes,
Rhyfedd cyn brudded
  Ydyw ein hoes;
Ambell air mwyn,
  A myrdd o rai sur –
Curio dan gŵyn
  A chwyno dan gur.

Llawen obeithion
  Heddyw y sydd;
Dioddef arteithion
  Fory a fydd;
Cysgod yw bod,
  A breuddwyd yw byw;
O b'le'r ŷm ni'n dod –
  B'le'r awn, druan ryw?

Eto, er blynged
  Hyd ein berr oes,
Ydyw ein tynged
  Chwerw a chroes,
O boppeth hardd
  Ac o boppeth mwyn
Rhyw wynfyd aur dardd
  Er i ni fedru'i dwyn.[6]

Ac mae'r ddwy linell olaf, 'Rhyw wynfyd aur dardd er i ni fedru'i dwyn', yn gynghanedd Groes gyflawn.

Prif gerdd y casgliad, fodd bynnag, yw'r gerdd a roddodd i'r gyfrol ei theitl, 'Gwlad y Gân', cerdd hir ddychanol ar fesur *Don Juan* gan Byron, ond gyda dwy linell ychwanegol. Ceir tri chaniad i'r gerdd. Cyhoeddwyd y caniad cyntaf yn rhifyn Rhagfyr 1896 o *Cymru*, a'r ail ganiad yn rhifyn Ebrill 1897 o'r cylchgrawn. Ychwanegwyd trydydd caniad a chyhoeddwyd y gerdd yn ei chrynswth mewn tri rhifyn gwahanol o *Papur Pawb* ym 1898. Mewn gwirionedd, atodiad yw'r gerdd i gyfres o ysgrifau ymosodol ar Orsedd y Beirdd gan John Morris-Jones yn *Cymru* ym 1896.

Llyncwyd yn llwyr haeriadau Iolo Morganwg ynghylch hynafiaeth Gorsedd y Beirdd gan aelodau mwyaf pybyr yr Orsedd. Profodd John Morris-Jones y tu hwnt i unrhyw amheuaeth mai ffrwyth dychymyg Iolo Morganwg oedd Gorsedd Beirdd Ynys Prydain, ac mai trwy ymdrechion ei fab, Taliesin ab Iolo, yn rhannol, y gwthiwyd yr Orsedd ar yr Eisteddfod. Sefydlwyd yr Orsedd, felly, gan ddau dwyllwr. 'Pwy bynnag a bleidia'r Orsedd efe a bleidia rigymwyr a thwyllwyr Morgannwg, ac a amharcha hen feirdd Cymru,' meddai John Morris-Jones yn un o'i ysgrifau yn *Cymru*.[7] Tynnodd y beirdd i'w ben, a bu llawer o wrthddadlau chwerw yn y wasg o ganlyniad i'w sylwadau. Ac roedd y sylwadau hynny yn ddamniol ac yn ddychanol, er enghraifft:

Y mae Cymdeithas yr Orsedd yn ddifudd, a'i graddau'n ddiwerth, oherwydd y rhwyddineb y gollyngir pob anheilyngdod iddi. Derbynir ymgeiswyr yn aelodau drwy arholiad sydd bum gwaith yn haws nag arholiad isaf Prifysgol Cymru; os bydd dyn wedi ennill rhyw fath o radd mewn prifysgol croesewir ef yn llawen heb arholiad yn y byd; a gwaeth na'r oll, pwy bynnag a fo'n berchen cyfoeth, er bod heb ddeall gair o

Gymraeg, ac weithiau heb fedru'n gywir un iaith arall, aiff yr Orsedd o'i ffordd i gyflwyno'i hurddau iddo, a hynny'n aml â gwaseidd-dra a fuasai'n warthrudd ar y gymdeithas fwyaf dirmygedig.[8]

Gwyddai John Morris-Jones, yn union fel y gwyddai Gwynn, mai rhyw fath o sioe gyhoeddus oedd yr Orsedd, a sioe gywilyddus hefyd, yn ôl John Morris-Jones: 'Wrth gynnal arddanghosfa fwy neu lai digrif ar ddyddiau'r Eisteddfod, nid yw'r beirdd ond yn eu hiselhau eu hunain heb gyrraedd dim amcan da. Rhodder y goreu i'r chware ffôl hwn, a'r ymffrostio mawr a'r bloeddio; a gwneler rhyw waith distaw a fo â'i duedd i ddyrchafu iaith a barddoniaeth a llenyddiaeth Cymru'.[9] Gwyddai'r ddau hefyd mai beirdd tila iawn oedd y rhan fwyaf o feirdd yr Orsedd, beirdd yr oedd safonau isel yr Eisteddfod Genedlaethol a'r mân eisteddfodau a gynhelid ymhob tref a phentref wedi eu harwain yn llwyr ar gyfeiliorn.

Dychanu'r Orsedd a beirdd yr Orsedd a wneir yn 'Gwlad y Gân'. Y mae Cymru, i ddechrau, yn orlawn o feirdd:

> 'Does lan na phentre heb ei fardd a'i lenor,
>   Y naill "o fri" a'r llall yn "wych" gyfrifir –
> Mi hoffwn wel'd y gwron a ddarlleno'r
>   Cynnyrchion oll, a byw ...[10]

Gwneir hwyl am ben y beirdd am gredu ffugiadau Iolo Morganwg:

> Mi 'dwaenwn un Archdderwydd tra defodol
>   Na 'steddai byth – o leia', ni chadd gader
> Erioed; gŵr da'n ddiau, a chydwybodol,
>   A gredai Iolo fel y credai'i bader;
> Ei wallt a'i lais, y ddau yn llaes, gadwynog,
>   Oedd brif o'i gymmwysderau, mae'n ddi-lys;
> Ni wnaeth erioed beth gwell na lladd ar "lwynog,"
>   Na gwaeth na thrwsio Salmau Edmwnd Prys ...[11]

Dychenir y beirdd cynganeddol a'r beirdd rhydd yn y pennill canlynol:

> Mae dyddiau'r pethau hylwys, hoywliw, hylon,
>   A gwiwlon, gwiwlwys, wedi darfod bron;
> Ceir ambell un o gwmpas yr ymylon
>   Yn canu i'r "Eisteddfod hynod hon;"
> Ond geiriau fel "nos-dirol anhawsderau,"
>   Neu fel "Crist-debyg wron" bia'r maes;
> Gwneyd hyn yw'r pennaf oll o'r cymmwysderau,
>   Oddigerth, hwyrach, wisgo'r gwallt yn llaes,
> A mynd trwy arholiadau mewn gwybodaeth
> Am lyfrau na phrynn neb ond drwy orfodaeth.[12]

Ansoddeiriau ystrydebol a hwylus-barod i gwblhau cynghanedd oedd geiriau fel 'hylwys', 'hoywliw', 'hylon', 'gwiwlon' a 'gwiwlwys' yn y cyfnod hwnnw, ac ymadroddion tebyg i'r ymadrodd 'Crist-debyg wron' a geid ym mhryddestau eisteddfodol yr oes.

Dychenir y beirdd eisteddfodol hynny sy'n casglu digon o gadeiriau i agor siop gelfi:

> Mae gan un bardd gryn ddeuddeg o gadeiriau,
>   A llawer mwy na hynny o genfigenwyr;
> Mae'n wir ei fod o'n gawr am glecian geiriau,
>   Ond amlach ei gadeiriau na'i ddarllenwyr ...[13]

Nid y beirdd yn unig a gystwyir. Yn yr ail ganiad, y newyddiadurwr yw'r cocyn hitio. Ymosodir ar y newyddiadurwyr hynny a arferai drosi i'r Gymraeg adroddiadau ac erthyglau a gyhoeddid yn y papurau Saesneg, a'u trosi hefyd i Gymraeg digon gwael:

> Y'mlaenaf (fel y dywed y pregethwyr),
>   Cyfeiriwn (fel y dywed gwŷr y wasg),
> At waith y golygyddion, prif ddifethwyr
>   Grammadeg, inc, a phapur; penna' dasg
> Y rhai'n yw trosi barn papurau'r Saeson
>   O Saesneg gweddol i Gymraeg echrydus ...[14]

Cofiai am y cyngor a gafodd i ystwytho a symleiddio'i iaith a'i ramadeg gan Thomas Gee, a thalodd y pwyth yn ôl:

> Hwy wnân ar ambell fater cartre felly
>   (Y golygyddion wy'n olygu'n awr),
> A garw dosted hefyd yw'r fflangellu,
>   A'r cynnwys bychan gymmer le mor fawr:
> Rhaid dweyd "yr ydym eisoes wedi dwedyd"
>   Yn lle "dwedasom" – waeth mo'r llawer beth ...[15]

'Gwn bellach mai ef oedd yn ei le, ond bûm mor hy ar y pryd â cheisio f'amddiffyn fy hun, a themptiwyd finnau i ddywedyd nad oeddwn yn amau hynny, ond bod rhywfaint o awydd am fod yn gryno yn beth i'w ddymuno,' meddai Gwynn am gyngor Thomas Gee, flynyddoedd helaeth yn ddiweddarach.[16] Yn wir, goroesodd un stori am y gwrthdaro hwn rhwng Thomas Gee a Gwynn ynghylch iaith ac arddull *Y Faner*. Adroddir y stori gan Robert Griffiths, mab Robert Griffiths, 'Mr Griffiths y Faner', a fu'n un o olygyddion *Y Faner* am 43 o flynyddoedd, ac yn brif olygydd o 1898 hyd 1913. Un diwrnod, roedd Thomas Gee yn darllen proflen erthygl fer yr oedd Gwynn wedi ei llunio ar gyfer *Y Faner*:

> Sylwodd Thomas Gee bod arddull yr erthygl yn newydd ac yn annhebyg iawn i arddull arferol y *Faner*. Nid oedd yn ei hoffi. Cymraeg da a chywir, bid siŵr, ond nid Cymraeg arferol y *Faner*. Gwysiodd Thomas Gee y troseddwr i'w ystafell. "Y mae'n rhaid ichi ail-ysgrifennu'r erthygl yma," meddai yn awdurdodol. "'Dalla' i ddim, syr," oedd yr ateb pendant. "Y mae'n *rhaid* ichi," meddai Thomas Gee; "'dall y bobl gyffredin ddim deall Cymraeg fel hyn. Nid dyma Gymraeg y *Faner*." "'Dalla' i mo'i newid hi, syr," dywedodd y llall drachefn heb gryndod yn ei lais. Yna dywedodd Thomas Gee yn llym: "Y mae'n rhaid ichi gofio mai *fi* biau'r *Faner*." "Mi wn i hynny, syr," oedd yr ateb, "ond nid chi biau ramadeg yr iaith Gymraeg."[17]

Chwarddodd Thomas Gee am ben y fath haerllugrwydd a phendantrwydd, ac fe gyhoeddwyd yr erthygl yn *Y Faner* yn union fel yr oedd Gwynn wedi ei llunio, heb newid gair ynddi.

Yn y trydydd caniad, gwladgarwch claear a rhagrithiol y Cymry a ddaw dan y lach. Dychenir y Cymry hynny a oedd mor barod i benodi Saeson i swyddi allweddol, ar draul penodi Cymry Cymraeg:

Fo ddwed na ddylid meddwl am benodi'r
    Un dyn i swydd y' Nghymru oni b'o
Yn medru iaith y bobl y gosodir
    Rhyw ran o'u busnes dan ei ofal o;
Os digwydd rhywun wneuthur tro mor wrthun,
    Fe ddaw'r Gwladgarwr, a chan hanner fygu,
Fo ddwed y drefn yn llym a chwerw wrthyn',
    A thwng fod Cymru wedi ei dirmygu;
A phan êl adre wed'yn bron na wyla
Ar *couch*, mewn *sitting-room* yn *Saxon Villa* ...

Y' mhen rhyw fis y *Board* drachefn gyferfydd
    I ddewis athro newydd ar yr ysgol,
A dengys yn lled eglur cyn y derfydd
    Ei fod yn cwbl ddallt y pwnc addysgol.
Can's dywed y cadeirydd faint a gais
    Y lle, a dwed fod eisieu cryn ragoriaeth,
Ac os ceir Cymro cystal gŵr â Sais,
    Fo ddwed y dylai'r Cymro gael blaenoriaeth;
Ond rywfodd, Sais unieithog a benodir,
    A'i gymmwysderau i'r cymylau godir –
(Ac yno yn ddiau 'r arhosan' hwy –
O leia', welir byth mohonnyn' mwy).[18]

Ceir nifer o gerddi gwladgarol yn y llyfr, fel y ddwy soned ddychanol, 'Llywelyn ap Gruffydd', gyda'r dyfyniad hwn allan o bapur newydd Saesneg uwchben y sonedau: 'The attempt to secure subscriptions for a national monument for Prince Llewelyn ap Gruffydd has proved a most lamentable failure'.[19] A dyma'r soned gyntaf o'r ddwy:

Mae chwe' chan' mlwydd a rhagor er y pryd
    Y cwympodd ef, drwy ystryw ffals a brad,
    Dros freiniau cenedl a rhyddid gwlad –
    Amlygiad uchaf bywyd yn y byd;

Ac etto, heddyw, wedi'r aberth drud,
  Er maint ŷm yn ei fostio am ein dysg
  A'n bâs wareiddiad, nid oes yn ein mysg
Ond cysgod o'r edmygedd hael ei fryd
A edwyn wron, ac i'w enw rydd
  Ei briod fawl, heb gymmorth undod trâs.
Ond ef, y dewr, dewisodd angau'r rhydd
  Yn hytrach na chaethiwed cerlyn bâs;
Pa ryfedd waeled coffa iddo sydd
  Gan oes na phiau namyn yspryd gwâs![20]

Un o gerddi mwyaf tyner y gyfrol yw'r gerdd a luniodd i ddathlu pen-blwydd ei ferch fach, Eluned, yn un oed ar Fehefin 5, 1901:

Angyles fach wen!
Deuddeg o fisoedd aeth dros dy ben,
Blwyddyn heb ynddi ofid na chroes,
Ac etto, pwy draitha dy oes?
Weithion, ni cherddaist gam,
Ac etto, ti deithiaist hyd
Y cyrhaedd eneidiau mam a thad;
Ychwaith, namyn "dad" a "mam,"
Nis d'wedaist ti fawr ddim byd,
Etto, pa iaith o'i chyflawnder âd
Draithu a dreithaist ti?
Mud yw holl ieithoedd y byd i mi
Wrth a gynnwys gair,
Nad yw ei lythrennau onid tair,
Dros dy wefus fach a ddaw,
A threm dy lygad a thro dy law!
Chwardd neu wyla.
Y sain anwyla'
Yw'th lais a dorrodd ar glyw erioed;
Dysgaist im' fwy nag a ddysgodd oed,
Can's canwyll fy llygad wyt ti,
A chalon fy nghalon wyt ti![21]

Cynhwyswyd hefyd y 'Penillion Pawb' a gyhoeddwyd yn *Papur Pawb* ym 1899 a 1901, sef cerddi am wahanol fathau o bobl, a cheir nifer o gyfieithiadau o Lydaweg ei gyfaill François Jaffrennou (Taldir) ar ddiwedd y gyfrol.

Synnwyd y cyhoedd darllengar gan y dadleniad fod y nofelydd adnabyddus hwn hefyd yn fardd. Meddai un adolygydd dienw am *Gwlad y Gân a Chaniadau Eraill* yn *Y Cymro*:

> Fod yr awdwr yn llenor a nofelydd galluog oedd hysbys o'r blaen, ond nid oedd hyd yn hyn amlyced fel bardd. Ond fe brawf y llyfr hwn fod Gwynn yn fardd awengar hefyd, ac yn gallu "nyddu y cynghaneddion" yn gystal â phyncio yn y mesurau rhydd.[22]

Gwynn, yn sicr, oedd un o arloeswyr y nofel Gymraeg. Os Daniel Owen oedd tad y nofel Gymraeg, T. Gwynn Jones oedd ei hewythr. Y gwahaniaeth sylfaenol rhwng y ddau yw'r ffaith mai athrylith o nofelydd oedd Daniel Owen, ond nofelydd o athrylith oedd Gwynn. Y ddau hyn a fraenarodd y tir ar gyfer eraill. Hyd yn oed ym 1919, a'i enw fel bardd wedi ei hen sefydlu yng Nghymru, fel nofelydd pwysig yn ogystal â bardd yr ystyrid ef gan Moelona, awdures *Teulu Bach Nantoer* a nofelau eraill. Wrth roi anerchiad ar y nofel Gymraeg gerbron aelodau Cymdeithas Cymmrodorion Aberdâr ar ddiwedd Ionawr 1919, y tri nofelydd y dyfynnwyd o'u gweithiau oedd Daniel Owen, T. Gwynn Jones ac W. Llewelyn Williams, awdur *Gwilym a Benni Bach* a llyfrau eraill.[23] Ac yno yn gwrando arni yr oedd Kate Roberts, un o awduron rhyddiaith mwyaf y dyfodol. Dylanwadodd Gwynn y nofelydd ar nofelwyr a llenorion y dyfodol, E. Tegla Davies yn un. 'Gwyddwn amdano er pan oeddwn yn llencyn gartref, wedi fy ngwefreiddio wrth eistedd ar glawdd yr ardd yn darllen *Gorchest Gwilym Befan* a *Gwedi Brad a Gofid*,' meddai Tegla amdano.[24]

Gwerthwyd pob copi o'r argraffiad cyntaf o *Gwlad y Gân a Chaniadau Eraill*, ac erbyn dechrau 1904 roedd y gyfrol wedi ei hailargraffu. Casglwyd dyfyniadau o sawl lle i hysbysebu ac i hyrwyddo'r ailargraffiad. 'The longest poem in the book is, from a versifier's point of view, one of the cleverest compositions in the Welsh language. But it is much more; it is a satire of great power,' meddai adolygydd y *Western Mail* am 'Gwlad y Gân'; 'The fascination of the poem ('Gwlad y Gân') lies in its brilliant ingenuity of rhyme and metre and in the well-sustained vivacity and raciness of expression,' meddai'r *North Wales Observer and Express* wedyn. 'Yr wyf yn credu y gwelaf yma wawr bardd newydd o allu mawr wedi torri,' meddai

Robert Bryan, gŵr a fyddai ymhen rhyw dair blynedd yn rhan bwysig o hanes bywyd Gwynn; 'Ar ei oreu cyrhaedda y bardd nod uchel iawn mewn newydd-deb a nerth, coethder a chrefftwaith,' oedd dedfryd *Y Cymro* ar y gyfrol. Ac yn ôl *The South Wales Daily News*:

> Mr Gwynn-Jones has evidently familiarised himself with all the Welsh classics ... 'Gwlad y Gan' is a poem in three cantos, and of this more should be heard anon, for the bard is a keen satirist, and his intimate knowledge of the inner life of Wales enables him to expose and burlesque with rare wit and the best of humour the many foibles of his countrymen.

Yn ôl y *Manchester Guardian* wedyn: 'Mr Gwynn-Jones is a literary craftsman of some accomplishment, and this volume will add considerably to his repute as a Welsh writer who uses the language with knowledge and with a distinct sense of style'. A hyn oedd barn ei gyfaill Emrys ap Iwan am y gyfrol:

> Y mae'r caneuon oll yn rhydd oddiwrth gyffredinedd ... ac y mae'r syniadau yn y caneuon hwyaf yn iachusol iawn. Yn wir, rhaid wrth gryn lawer o wroldeb i ganu mor efengylaidd yn y dyddiau diweddaf hyn.[25]

Enillodd *Gwlad y Gân a Chaniadau Eraill* o leiaf un cyfaill newydd i Gwynn, a byddai'r cyfeillgarwch hwnnw yn parhau drwy gydol eu bywydau. W. J. Gruffydd o Fethel, Caernarfon, a myfyriwr yn Rhydychen ar y pryd, oedd y cyfaill hwnnw. Roedd W. J. Gruffydd eisoes wedi cyhoeddi cyfrol o farddoniaeth, *Telynegion*, ar y cyd ag R. Silyn Roberts, ym 1900. Y gyfrol hon, ac 'Ymadawiad Arthur' wedyn, oedd gwir fan cychwyn y Mudiad Rhamantaidd yng Nghymru. Fel y dywedodd Gwynn ei hun, mewn ysgrif yn y *Welsh Outlook*, 'the movement actually began with the choice of romantic subjects for competition at the National Eisteddfod, and the publication of a joint volume of "Telynegion" in 1901 [*sic*] by Silyn Roberts and W. J. Gruffydd'.[26]

Anfonodd cyfaill i W. J. Gruffydd, Hudson Williams, Athro Groeg yng Ngholeg Prifysgol Cymru, Bangor, gopi o *Gwlad y Gân a Chaniadau Eraill* ato i Rydychen yng ngwanwyn 1902. Disgynnodd y llyfr arno 'fel taranfollt', a gofynnodd, 'sut ar y ddaear na buaswn wedi gwybod bod y fath fardd mewn bod, a hynny yng Nghaernarfon, fy nhref gartrefol fy hun?'[27] Ysgrifennodd W. J. Gruffydd lythyr ato i ddatgan ei edmygedd o'i waith, a chafodd wahoddiad gan Gwynn i fynd i'w weld yn 25 Stryd Dinorwig pan fyddai gartref o'r coleg. Cofiai Gruffydd am yr ymweliad cyntaf hwnnw, a'r argraff a greodd Gwynn arno:

> Synnwyd fi braidd gan ei ymddangosiad pan ddaeth i'r drws ... gwelwn
> ŵr ieuanc tal lluniaidd ag osgo filwrol arno, a llygaid eithriadol o fyw. Ni
> wn am neb a ymfynegai gymaint drwy'i lygaid; pan fyddai'n siriol ac yn
> hapus, pefriai'i lygaid; pan fyddai'n teimlo'n garedig, nid oedd mwynach
> golygon yn y byd; pan fyddai'n ddig naill ai wrth ei gwmni ai wrth y byd
> yn gyffredinol ... gwibiai'r mellt o'i lygaid ac yr oedd ei guwch fel bro dan
> doriad y dymestl.[28]

Âi Gruffydd i weld Gwynn ar brynhawniau Sadwrn bob tro y byddai gartref ar ei
wyliau ar ôl y cyfarfyddiad cyntaf hwnnw, a bu'r ddau yn gyfeillion oes. Ni welodd
Gruffydd 'hapusach tri' na Gwynn, Megan a'u merch Eluned.[29]

Nid cyhoeddi cyfrol o farddoniaeth oedd yr unig orchest lenyddol i Gwynn ei
chyflawni ym 1902. Testun cystadleuaeth y Gadair yn yr Eisteddfod Genedlaethol
y flwyddyn honno oedd 'Ymadawiad Arthur', a phenderfynodd gystadlu. Roedd
y testun, ac yntau â chymaint o ddiddordeb yn chwedloniaeth a llenyddiaeth y
Cymry, yn apelio'n fawr ato. Cofiai William Eames amdano yn llunio'i awdl:

> Bu Gwynn yn hir cyn penderfynu cystadlu ar "Ymadawiad Arthur",
> ond fe'i swynwyd gan y testun o dipyn i beth – a finnau'n achub pob
> cyfle i'w gymell i roi cais arni – ac yng ngwanwyn 1902 yr oedd y gerdd
> ar y gweill. Ond nid mewn wythnos nac mewn mis y'i sgrifennwyd.
> Byddwn yn galw i mewn i weld sut hwyl a fyddai ar yr awen, a chawn
> weithiau glywed cwpled, weithiau ddarn go lew o gywydd, weithiau
> ddim gair. Ond tyfu a wnâi'r awdl, a dyfnhâi fy argyhoeddiad innau,
> er mor anaeddfed fy marn, fod yma greadigaeth newydd, fawr. Gellir
> dychmygu fy nheimladau a'm siom un noswaith pan elwais a deall ei fod
> wedi rhoi'r gorau iddi – wedi rhoi'r ffidil yn y to, fel y dywedwn ni yn sir
> y Fflint. Yr oedd wedi cael Arthur i'r bad a'i gychwyn i Afallon, ac felly
> derfynu'r hanes fel hanes ond teimlai – yn wir, gwyddai – fod rhywbeth
> ar ôl, rhywbeth a ffurfiai ddiweddglo artistig i'r gerdd; "a ddaw o ddim",
> meddai. Flynyddoedd wedyn aethom ein dau dros ein hatgofion o'r hyn a
> ddigwyddodd y noson honno a chael fy mod i, er ei bod yn hwyr o'r nos –
> yr oedd Mrs. Gwynn a'r ferch fach oddi cartref – wedi rhoi proc yn y tân,
> yn llythrennol ac ysbrydol, fel petai, ac o'r diwedd wedi llwyddo i gael
> gan y bardd estyn yr awdl o'r drôr lle'i rhoisid ac ailafael. Fe'i gadewais yn

dechrau ar y tri [hir-a-] thoddaid anfarwol sy'n diweddu'r gerdd – 'Yno, fro ddedwydd –'. Fe'i gorffennodd cyn mynd i gysgu, a thrannoeth yr oedd yr awdl yn y post.[30]

Dangosodd Gwynn y drafft cyntaf o'r awdl i W. J. Gruffydd hefyd, cyn ei hanfon i'r gystadleuaeth, a chafodd ei syfrdanu: 'yr oedd clywed, yn oes Hwfa Môn a Dyfed, awdl yn y mesurau caethion y gellid ei chymharu â phrif feistrweithiau'r byd – wel, prin y gallwn roddi coel i'm clustiau'.[31] Ni thybiai Gwynn, fodd bynnag, fod yr awdl yn ddigon da i'w hanfon i'r gystadleuaeth.

Derbyniodd y beirniaid, John Morris-Jones ac Elfed, ddeg o awdlau. Y ddau orau yn y gystadleuaeth oedd 'Galahad' a 'Tir na'n Og'. Dyma'r ddau a oedd wedi canu 'fwyaf uniongyrchol ar y testun'.[32] 'Galahad' oedd Alafon, un o'r gwŷr llên a oedd yn rhan o fwrlwm llenyddol a newyddiadurol Caernarfon ar y pryd – a chyfaill agos i Gwynn bellach – ond awdl Gwynn oedd yr awdl orau o bell ffordd, yn ôl John Morris-Jones. Cystadleuydd arall oedd y bardd ifanc Ben Bowen, ond fe'i gosodwyd yn weddol isel yn y gystadleuaeth.

Er mawr siom i'r dorf, nid oedd Gwynn yn bresennol i gael ei gadeirio ar yr achlysur hanesyddol hwn, ac fe'i cynrychiolwyd gan Beriah Gwynfe Evans. Roedd David, brawd Megan a mab ieuengaf Thomas Davies, yn priodi â merch o'r enw Bessie Bradshaw yn Ninbych ar ddiwrnod y cadeirio, ac yno yr oedd Gwynn a'i briod. Cofiai Gwynn am yr achlysur flynyddoedd helaeth yn ddiweddarach, ac roedd ei gyfaill Daniel Rees yn rhan o'r stori:

Rhyfedd meddwl bod naw mlynedd ar hugain er pan fu'r miri ynglŷn ag "Ymadawiad Arthur"; y noswaith honno y daethoch chwi o Fangor, a'r hanes bod f'eisiau innau yno drannoeth; fy amharodrwydd i gredu'r ystori; Beriah yn ei chadarnhau; minnau'n dal i ameu, ac yn mynd i briodas brawd ynghyfraith, fel yr addawswn, er gwaethaf fy ngwraig; dyfod adref yr hwyr, a chael yr hanes yn y traen rhwng y Felin Heli a Chaernarfon; dyfod allan o'r traen yng Nghaernarfon; Charlie Kenny [Kelly?] (Duw'n rhwydd i'w enaid, druan!) yn fy nghyfarfod, ac er addo f'arwain allan yn ddistaw, yn fy nwyn i ganol y dyrfa (gan golli'r llwnc chwisci a addawswn iddo am fy helpu i ddianc!). 'Rwy'n cofio'r hen gadair, ar lun hanner lleuad, a'm dug drwy'r dref; y band a wnâi ei oreu i groesawu'r "gongriniro" ... Hefyd mai rywbryd drannoeth y daeth "High Jump", fel y gelwid, â'm het silc adref![33]

Beirniadaeth fer a gafwyd gan John Morris-Jones ar yr awdl fuddugol. Dywedodd fod yr awdl yn 'adrodd yr hanes, a dim ond yr hanes, hyd y diwedd, ond ei fod ef yn ei addurno â disgrifiadau a chyffelybiaethau tlysion o'i waith ei hun, a'r oll yn null ac ysbryd y rhamantwyr'.[34] Gwawriodd Oes Rhamant ar farddoniaeth Gymraeg, felly. Mae'n rhyfedd na thraethodd John Morris-Jones yn helaethach ar yr awdl. Awdl storïol a gafwyd ym 1902, nid awdl draethodol; awdl delynegol nid awdl athronyddol wag. Peth arall a'i gwnâi'n awdl hynod o bwysig oedd ansawdd y cynganeddu ynddi a gloywder ei mynegiant. Aeth Gwynn yn ôl at yr hen gywyddwyr, yn ôl at wreiddiau'r traddodiad, a dangosodd yr hyn a oedd yn bosibl gyda'r gynghanedd. Llofruddio a llurgunio'r gynghanedd a wnâi'r canu eisteddfodol. Aeth yn ôl i lygad y ffynnon, a chafodd yno ddŵr glân gloyw, yn hytrach na dŵr bawlyd y gors yr oedd barddoniaeth Gymraeg wedi syrthio iddi.

Un peth chwyldroadol ynghylch awdl 1902 oedd y modd y llwyddodd yr awdur i gynnal deialog rhwng dau drwy gyfrwng y gynghanedd, gan adrodd y chwedl yn ddeheuig ac yn ddramatig, er enghraifft:

> Ar hynny, ebr y Brenin,
> Â geiriau bloesg drwy gur blin:
> "Ateb, a ddarfu iti
> Fwrw y llafn i ferw y lli?"

> "O'r daith," eb Bedwyr, "deuthum
> Yma'n ôl d'orchymyn ym."

> Eb Arthur: "'Nôl aberthu
> Y glaif hen, ba argoel fu?"

> "Hyd y gwn, bid wiw gennyd,"
> Eb ef, "ni bu goel o'r byd."[35]

Defnyddio'r gynghanedd i bwrpas ac i greu effaith arbennig a wnaeth Gwynn yn 'Ymadawiad Arthur', nid taflu cytseiniaid at ei gilydd blith draphlith heb hidio fawr ddim am ystyr y llinellau. Aeth yn ôl at y meistri am ei batrymau ac am ysbrydoliaeth, a chafwyd mynegiant cynnil ac artistig ganddo. Gallai greu awyrgylch â'r gynghanedd, a gallai ei defnyddio mewn modd dramatig, fel yr englyn am Bedwyr yn cuddio Caledfwlch, cleddyf Arthur:

> Yn ôl i'r agen eilwaith, draw e droes
> > Drwy y drysi diffaith;
> Gofalu ar gelu'r gwaith,
> Gwrando, tremio, troi ymaith.[36]

Nid bod awdl 1902 yn gwbl berffaith. Hyd yn oed ar ôl derbyn canmoliaeth John Morris-Jones, gwyddai Gwynn y gallai wella'r awdl, ac fe wnaeth hynny. Ceir mân wahaniaethau rhwng awdl 1902 a'r fersiwn diwygiedig o'r awdl y byddai'n ei gyhoeddi yn ei gyfrol *Ymadawiad Arthur a Chaniadau Ereill* ymhen rhyw wyth mlynedd, ac mewn cyfrolau eraill wedyn.

Aeth Gwynn i'r Eisteddfod ar y diwrnod canlynol, dydd Gwener, a derbyniodd longyfarchiadau gan nifer o swyddogion yr Orsedd, y sefydliad yr oedd wedi ymosod arno mor filain yn 'Gwlad y Gân'. Yn ôl *Y Faner*, '[t]refnwyd iddo gael ei gyflwyno i'r Archdderwydd yn ffurfiol, ond llithrodd ymaith cyn y gallwyd gwneyd hyny'.[37] Ai bwriadol oedd hynny?

Trefnwyd gwledd i'w longyfarch gan ei gyfeillion William Eames ac R. Gwyneddon Davies. Cynhaliwyd y wledd yng Ngwesty'r Frenhines, Caernarfon, ar ddechrau mis Hydref, ac yno, ymysg llawer o lenorion a llengarwyr, yr oedd W. J. Gruffydd, Gwynfor yr actor (T. O. Jones), a ddaeth yn un o'i gyfeillion pennaf, a Beriah Gwynfe Evans. Traddododd Gwynn 'araeth ragorol' ar y noson, a phryder am ddyfodol y Gymraeg oedd byrdwn yr araith honno:

> ... dywedodd fod y Cymry yn cyflym ddyfod [y]n bobl ddwyieithog, ond os y dysgid yr iaith Gymraeg yn briodol yn yr ysgolion elfenol nid oedd reswm yn y byd paham y dylai y Gymraeg dd'od yn iaith farw. Condemniai, fodd bynag, y dull presenol o ddysgu yr iaith, ac os na chymerai rhywun y mater mewn llaw byddai i'r hen iaith ddarfod. Pwy a rwystrai i hyn gymeryd lle? Yr oedd y ddyledswydd o gadw yr hen iaith yn fyw yn gorphwys ar Gymry ieuainc, y rhai oeddynt wedi derbyn budd oddiwrth y gyfundrefn addysg genedlaethol. Bydded iddynt greu llenyddiaeth a wnâi fyw fel yr oedd llenyddiaeth cenhedloedd bychain Ewrop yn byw i fod yn rhyfeddod cenhedloedd oeddynt eto heb eu geni.[38]

Roedd Gwynn hefyd yn feirniad yn Eisteddfod Genedlaethol Bangor. Gan mai fel nofelydd a storïwr yr ystyrid ef yn bennaf ar y pryd, cyn iddo gyhoeddi *Gwlad y Gân a Chaniadau Eraill* ac ennill y Gadair, roedd yn un o feirniaid cystadleuaeth y 'Chwedl Gymraeg', sef stori fer, mewn geiriau eraill. Ac fe barhâi i gyhoeddi nofelau a straeon byrion yn ystod y cyfnod hwn. Stori hynod o ddiddorol – os stori hefyd – yw 'Profiad Golygydd', a gyhoeddwyd yn *Papur Pawb* ym mis Mehefin. Dychanu a chondemnio Cymraeg Seisnigaidd y papurau newydd a wneir yn y stori. Mae'r llefarydd yn y stori newydd ei benodi yn olygydd papur 'Y Fellten Bren', ar ôl i berchnogion y papur farnu 'mai myfi oedd y cymhwysaf o'r cant a haner oedd yn fodlon i'w golygu am gyflog y gallasai labrwr gweddol fedrus enill ei well'.[39] Wrth iddo olygu pytiau o newyddion ar gyfer y papur, daw'r 'hogyn neges' i mewn a dechreua edrych dros ysgwydd y golygydd. Ymgom rhwng y ddau yw'r stori, wrth i'r golygydd ymlafnio i ddeall Cymraeg chwyddedig a chlapiog y pytiau newyddion, a'r bachgen yntau yn ei oleuo:

> Dyma un eto'n dyweyd "cariwyd y gwaith allan," ond 'dydi o ddim yn dyweyd i b'le y cariwyd y gwaith, nac o b'le, na chan bwy."
>
> "Nid ei gario fo mae o'n feddwl, syr."
>
> "Ei gario allan mae o'n ddyweyd. Rhaid felly ei fod o i fewn yn rhywle."
>
> "Na, gwneyd y gwaith mae o'n feddwl, syr."
>
> "O! pa'm na ddywedai'r cebyst hyny, ynte!" ...
>
> "Dyma fo eto'n deyd fod rhywun wedi "rhoddi i fyny'r arferiad." Yn mh'le y rhoes o hi?"
>
> "Ei rhoi hi heibio mae o'n feddwl, syr."
>
> "Wel, pa'm, yn enw rheswm, na fase fo'n deyd hyny, ynte? Ddwy linell yn is, dyma fo'n sôn am 'dynu cynllun allan.' Allan o b'le? O'i boced, os gwn i?"
>
> "Gwneyd cynllun mae o'n ei feddwl yn y fan yna, syr."
>
> "Gwneyd cynllun, aie? P'le ddysgodd yr asyn ddyweyd 'tynu allan' yn lle 'gwneyd,' tybed?[40]

Rhwng Hydref 21, 1902, a Gorffennaf 21, 1903, cyhoeddwyd nofel newydd sbon ganddo yn *Yr Herald Cymraeg*, sef *Llwybr Gwaed ac Angau*. Nofel antur garlamus yw hon, wedi ei lleoli yng Nghymru adeg y Rhyfel Cartref rhwng Seneddwyr a Brenhinwyr yng nghanol yr ail ganrif ar bymtheg. Dilynir hynt a helynt gŵr bonheddig o Abergele o'r enw Arthur ap Dafydd Cyffin, arwr y nofel, o'r eiliad y mae'n syrthio i ddwylo haid o ladron pen-ffordd sy'n llechu mewn ogof. Pennaeth y lladron hyn yw Rhys Gethin, ac ymhlith y fintai luosog sy'n trigo yn yr ogof y mae merch ifanc o'r enw Gem, ac mae Arthur yn cwympo mewn cariad â hi. Ar ddiwedd y nofel, mae Arthur a Gem yn priodi, ond nid heb orfod wynebu a goresgyn peryglon o bob math drwy gwrs y nofel.

Bu'n rhaid i lengarwyr aros tan y flwyddyn newydd i gael golwg ar awdl Bangor. Unwaith y cyhoeddwyd cyfrol y Cyfansoddiadau a'r Beirniadaethau ym 1903, dechreuodd yr adolygwyr ymateb i'r awdl. Nid oedd yn un o awdlau gorau'r iaith yn ôl J. T. Job:

> Y peth cyntaf ynddo yw Awdl Mr. T. Gwynn-Jones ar "Ymadawiad Arthur." Awdl fer, o 444 o linellau. Adrodd y traddodiad am Ymadawiad Arthur yn syml wna yr awdl hon, ond gwna hyny yn dra phrydferth. Ceir ynddi lawer o geinder llenyddol; Cymraeg da – yr hen Gymraeg: a gwedda hyny yn dda i'r testyn; ac, fel y dywed y beirniad, cana yr awdwr yn myd y *Mabinogion* a'r rhamantau – a dyna ei ragoriaeth yn ddiddadl. Mae ei chyffelybiaethau gan mwyaf yn hen ac yn ail law; eto arddengys yr awdwr gryn ddeheurwydd wrth eu defnyddio. Yn ddiddadl, mae ei theilyngdod llenyddol yn uchel; ond hawdd y gellid enwi amryw awdlau yn y Gymraeg sydd yn rhagori arni o ran gwerth barddonol. Eto, edrydd ini yr hen draddodiad am Ymadawiad Arthur yn wir ganmoladwy; ac anhawdd fuasai ei adrodd yn well mewn cyn lleied o linellau.[41]

Mewn llythyr at Silyn, a oedd wedi gwirioni ar 'Ymadawiad Arthur', honnodd J. T. Job y gallai 'enwi i chwi gryn ddwsin o Awdlau sydd yn tra rhagori ar Awdl Gwynn Jones'.[42]

Un arall o adolygwyr cyfrol y Cyfansoddiadau oedd y bardd Elphin. Roedd yn adolygiad hirfaith, a thalpiau ohono yn cymharu 'Ymadawiad Arthur' â 'Morte d'Arthur' Tennyson. 'Lle mae Tennyson yn colli, ceir fod *Tir na n-Og* yn enill, sef mewn angerddoldeb a chynildeb,' meddai, ond nid canmoliaethus oedd popeth a ddywedodd.[43] Cymharodd rai rhannau o'r awdl â rhannau o gerdd Tennyson:

> Dengys hyn faint o gynorthwy gafodd *Tir na n-Og* oddiwrth Tennyson. Mwy priodol, hwyrach, fyddai "ysbrydoliaeth" na "chynorthwy". Oni thynodd Tennyson ei hun yn helaeth oddiar Malory yn yr "Idylls of the King"? Nis gwaeth faint o ddeunydd gafodd *Tir na n-Og* yng ngherdd Tennyson; oni chreodd rywbeth newydd? Ac wedi'r cwbl, onid oes mawr wahaniaeth rhyngddynt?[44]

Collfarnodd rai o gynganeddion yr awdl, 'Ni bu un arwydd o'r byd', er enghraifft, llinell 'wael enbyd' yn ei dyb.[45] Ac meddai:

Y mae cynghaneddion *Tir na n-Og* yn gywrain heb fod yn rhodresgar. Ar eithriad y deuwn ar draws sŵn clogsiau difiwsig fel "a magwyr yn ei mygu". Mae'n amlwg fod *Tir na n-Og* dan ryw gymaint o ddyled i Tennyson am ei ddisgrifiad penigamp o'r addurnwaith. Llinell gampus yw "Lliw'r tân a lliw eira têr", ond perthyn yn agos i "With frost against the hilt". Wedi'r cwbl, nid yw hynny o debygrwydd sydd yma yn tynu dim oddiar ogoniant y darn Cymraeg.[46]

Sylwodd Elphin fod Gwynn wedi dewis ei fesurau yn ofalus:

> Un arall o deithi mwyaf hudolus yr awdl yw swyngyfaredd. Y mae *Tir na n-Og* yn caru natur yn fwy nag athrawiaeth. Efe a ddug yr awen Gymreig yn ôl i'w hen arfer. Ychydig o fesurau a ddefnyd[d]iodd – Unodl Union, Deuair Hirion, Toddaid, a Thriban Milwr. Gwnaeth yn ddoeth ymwrthod â phethau ffug-gywrain ym mhlith y mesurau Cymreig.[47]

Deallodd, felly, un o'r pethau pwysicaf am T. Gwynn Jones fel bardd, sef y modd y dewisai'r mesurau mwyaf addas ar gyfer pwnc neu thema cerdd. Nid oedd adolygiad Elphin yn negyddol i gyd, ddim o bell ffordd. Dywedodd fod y darlun 'godidog' o'r llong yn dod i gyrchu Arthur i Ynys Afallon 'yn werth mwy na chadair Bangor'.[48] Ac roedd dedfryd derfynol Elphin ar yr awdl yn gadarnhaol iawn:

> Nid wyf yn hoff o broffwydo, ond credaf y cymer awdl *Tir na n-Og* safle uchel ym mysg caniadau ei wlad. Enwais y gamp fwyaf arni, sef *dramatic realization*. Yn nesaf at hyny ei rhagoriaeth yw mireindeb. Y mae yr awdwr yn *artist*. Amlwg ei fod wedi efrydu yr iaith yn llwyr, a gŵyr yn dda sut i'w defnyddio. Gwelir fod ei arddull yn tynu yn nes at gyfnod Dafydd ab Gwilym na'r dyddiau diweddar hyn. Eto, nid arddull Dafydd ab Gwilym moni. Saif, yn wir, ar ei phen ei hun. Dichon fod ei iaith a'i ddull-ymadrodd yn rhy goeth, rhy glasurol i rai pobl; ond eu hanffawd hwy yw hyny.[49]

Aeth Gwynn ag awen y Cymry yn ôl i'w hen arfer, a hynny oedd un o'r pethau pwysicaf ynglŷn â'r awdl. Sylweddolodd Elphin hefyd nad bardd eisteddfodol, cystadleuol oedd awdur 'Ymadawiad Arthur'. Roedd yn rhy wahanol i bawb arall o'i gwmpas, ac roedd ganddo ddawn wahanol i bawb arall. A chloi ei adolygiad â chyngor doeth a wnaeth Elphin:

Cyngor bach yng nghlust *Tir na n-Og* – Na fydded iddo gipris am ormod gwobrau. Mae un gadair gystal â chant. Y cywydd deuair-hirion yw ei nerth. Boed iddo ddewis ei destynau fel y daw yr hwyl, a chanu ar ei fwyd ei hun.[50]

Cythruddwyd Gwynn gan y ddau adolygiad, a hynny am wahanol resymau. Anfonodd lythyr at Silyn ddechrau mis Mehefin 1903 i ddweud ei gŵyn. Roedd Job hefyd wedi bwrw'i lach ar bryddest Silyn, 'Trystan ac Esyllt', yng nghystadleuaeth y Goron yn yr un Eisteddfod:

> Gwelais adolygiad Job yn *y Goleuad* – hynny yw, rhyw baragraff di-ramadeg tan yr enw adolygiad. Mi 'ddyliwn mai pechod pennaf fy awdl i yw ei byrder, a bai arnom ill dau, yn ôl fel yr wyf fi'n deall y druth, yw darfod i ni "adrodd yr ystori yn syml" – yn lle adrodd rhyw stori arall, mae'n debyg. Os nad dyna ystyr y gŵyn, nis gwn i beth yw. Ac ni'm dawr ronyn ychwaith. Diau gennyf fod llawer awdl yn rhagori ar f'awdl i, ond hyn a wn yn hyspys, sef na fedrai Job ddywedyd pam.[51]

Credai fod elfen o ddireidi yn adolygiad Elphin, ond, er hynny, roedd y drwg wedi ei wneud. Bron nad oedd Elphin yn ei gyhuddo o lên-ladrad, neu o leiaf o orfenthyca, gan gyhuddo Silyn ar yr un gwynt o fenthyca oddi ar 'Trystram of Lyonesse', Algernon Charles Swinburne. Nid yn y syniad neu yn y deunydd yr oedd y gwreiddioldeb yn ôl Gwynn, ond yn yr hyn a wneid â'r syniad. Yn yr ymdriniaeth a'r mynegiant y ceid y gwreiddioldeb. Meddai wrth Silyn, gan droi at y Saesneg:

> I don't mean to say there is no such thing as originality, but I mean to say that it only exists in arrangement and colour. Who can patent a thought? No one. Criticism can only assign it to the man who first printed it. He may have got it from his gardener, to whom it may have occurred in common with the Prime Minister of the day, or the melancholy cobbler in the slum.[52]

Yr oedd bellach o'r farn mai gweithred ofer a di-fudd oedd barddoni yng Nghymru. Unwaith y cyhoeddai bardd ei waith yr oedd yn agored i gael ei feirniadu gan bobl a oedd yn llawer iawn llai galluog, a llawer llai gwybodus a dawnus, na'r bardd ei hun. Torri ei gŵys ei hun oedd nod Gwynn, aredig tir caregog, caled, noethlwm ac ystyfnig, er mwyn hau hadau newydd yn y cwysi hynny, gyda'r gobaith o fedi cynhaeaf ardderchog yn y pen draw. Roedd yn rhaid iddo glirio llawer o ddrysi a drain i gyrraedd y cae, a thueddai'r rheini i'w grafu hyd at waed. Ar yr adegau hynny pryd y câi un ai ei anwybyddu neu ei feirniadu'n annheg, teimlai fel rhoi'r ffidil yn y to, ac felly'n union y teimlai ar ôl darllen adolygiadau Job ac Elphin:

> O'm rhan fy hun, yr wyf yn meddwl fy mod wedi ysgrifennu'r peth diweddaf a ysgrifennaf byth yn Gymraeg. Yr wyf wedi cyhoeddi'r diweddaf, yr wyf yn o sicr, ac nid heb ofid y penderfynnais hynny, canys yr wyf yn caru'r hen iaith, a gwn yn hyspys, heb frolio dim arnaf fy hun, fy mod yn gwybod sut i'w hysgrifennu'n weddol gywir. Ond pwy a wastraffai ei amser i wneuthur dim lle bo gennad i bob cwac ruthro i'r wasg, sydd dan olygiaeth cwaciaid eraill, i draethu gydag awdurdod bethau y rhydd enwadaeth stamp beirniadaeth arnynt serch na bon't yn werth i'w rhegi? Ni chystadleuaf fi fyth mwyach, ac ni bydd i mi a wnelwyf â'r eisteddfod ychwaith. Ni wn i yn wir pa ryw firi a ddaeth arnaf y llynedd, ond y mae pawb yn llithro ryw dro neu'i gilydd.[53]

Mewn gwirionedd, roedd Gwynn wedi llithro i bwll dwfn o anobaith a phruddglwyf. Roedd yn edifar ganddo ei fod wedi cystadlu am y Gadair yn Eisteddfod Genedlaethol Bangor. Yn wir, roedd mewn cryn dipyn o gyfyng-gyngor ar y pryd. Yn y bôn, bardd a llenor creadigol ydoedd, ond ni fynnai'r genedl ei gynnyrch; o ran gwaith a swydd, newyddiadurwr ydoedd, ac yn rhinwedd ei swydd, yr oedd yn rhaid iddo lunio adroddiadau a phytiau di-ri am y pethau mwyaf dibwys-ddistadl dan haul, ac roedd y miloedd yn awchu am ei gynnyrch. Y rhemp a fynnai ei genedl, ac nid y gamp; salwedd, ac nid sylwedd. Roedd Silyn ar fin ymadael am America pan gysylltodd Gwynn ag ef, ac meddai wrth ei gyfaill, yn bigog-ddychanol:

> Gwych a fuasai gael dyfod hefo chwi, ond y mae "fy nghydgenedl" yn disgwyl yn aiddgar bob wythnos am wybod drwy fy llaw i ba faint o ddirwy a roed ar John Jones am yfed i ormodedd, neu ba beth a ddywedodd y gwladgarwr o Seneddwr ar Ddeddf Addysg yma neu acw, neu bwy oedd y gŵr a redodd i ffwrdd gyda gwraig ei gyfaill yn rhywle arall. Felly, rhag ofn y derfydd am ddiwylliant a gwareiddiad, ni wiw imi sôn am adael fy swydd![54]

Roedd un peth arall yn ei boeni. Roedd Daniel Rees yn medru'r Eidaleg yn rhugl, ac ym 1903, cyhoeddwyd ei gyfieithiad o gampwaith Dante, *La Divina Commedia*, dan y teitl *Dwyfol Gân Dante: Annwn, Purdan, Paradwys*, a lluniodd Gwynn 'ragdraith' treiddgar i'r cyfieithiad. Yn sgil cyhoeddi *Dwyfol Gân Dante* cafodd Daniel Rees y syniad y gallai ef a Gwynn ysgrifennu drama Saesneg am Dante, a'i rhoi ar y farchnad yn Llundain. Gan ddechrau ar ddiwedd Ebrill 1903, bu'r actor enwog, Syr Henry Irving, yn cymryd rhan Dante yng nghyfieithiad ei fab Laurence o'r ddrama *Dante* gan y ddau Ffrancwr Victorien Sardou ac Emile Moreau yn Theatr Drury Lane yn Llundain, a chafwyd 82 o berfformiadau o'r ddrama i gyd. Hyn a ysbrydolodd Daniel Rees i roi cynnig ar lunio drama gyffelyb ar gyfer y farchnad yn Llundain, yn enwedig gan fod y ddau gyfaill mor gyfarwydd â gwaith Dante. Troes Gwynn at y Saesneg eto:

> He proposed that we should collaborate, and undertook himself to see to the business part of the transaction. The plan is largely his, indeed, almost entirely, as I only worked on a few dramatic situations. I worked for a fortnight like a fool, and turned out the two first acts, he doing the third. I am now ashamed of it & I would not agree to putting it on the market if it had not been for the fact that I am not in the financial responsibility, & I don't want to prevent his having something towards the printing ... It is not published yet, so do not show it to anyone. Let me know how thoroughly bad you think it is. Yr wyf fi'n rhegi bob tro y byddaf yn ei gofio.[55]

Ond fe gyhoeddwyd y ddrama, *Dante and Beatrice*, gan Samuel French, yr asiant dramâu enwog yn ei ddydd, ym 1903. Bwriadai Ardalydd Môn, Henry Cyril Paget, lwyfannu'r ddrama yn ei theatr bersonol yng Nghastell Môn, yn ôl y papurau, er enghraifft, y *Llandudno Advertiser*:

> The Marquis of Anglesey contemplates producing at his private theatre in Anglesey Castle a play entitled 'Dante and Beatrice', written by Mr Daniel Rees and Mr T. Gwynn-Jones. Mr Rees is the editor of the "Herald" at Carnarvon, and has translated much of Dante's work into Welsh. Mr Gwynn-Jones is known as the chaired bard of the National Eisteddfod and as a writer of Welsh novels. 'Dante and Beatrice' has just been published by Mr S. French, of London and New York, and is dedicated "To the most noble the Marquis of Anglesey and to all who

prefer historical truth to hysterical trash and purity to pruriency." It is divided into three acts.[56]

Ac y mae ôl Gwynn ar y gynghanedd a'r chwarae ar eiriau yn 'historical truth to hysterical trash'. Ond ni chafwyd yr un adroddiad ar unrhyw berfformiad o'r ddrama yn y papurau. A dyna'r sylw 'a writer of Welsh novels' wedyn, prawf arall mai fel nofelydd yr ystyrid Gwynn.

Anfonodd Gwynn lythyr arall at Silyn ganol mis Gorffennaf. Roedd yn aros yng nghartref teuluol ei wraig, Bryn Hyfryd, Beacon's Hill yn Ninbych, ar y pryd, er mwyn cael ychydig o seibiant a gorffwys oherwydd bod ganddo boen yn esgyrn ei gefn ac oherwydd ei fod yn teimlo'n isel iawn ei ysbryd. Nid y ddau beth hyn yn unig a'i tynnai i'r gwaelodion. Roedd yn gorfod gweithio'n galed i gynnal ei deulu, llosgi deupen y gannwyll yn aml i gael deupen y llinyn ynghyd, a'r fflam, ar brydiau, yn llosgi'r llinyn yn ulw; ac ar ben hynny, teimlai fod pobl yn elyniaethus tuag ato:

> O'm rhan fy hun, ni'm dawr i ronyn beth a ddigwydd im, na pha wedd
> yr ymddygai'r byd ataf, eithr mi a addefaf yn rhwydd fy mod yn aml yn
> fy nheimlo fy hun yn elyn i gymdeithas hyd y chwerwder eithaf am nas
> gad hi i mi ddigon ar gyfer rhai diniwed, nas gwnaethant ddim erioed i'w
> herbyn, beth bynnag a wneuthum i.[57]

Yr hyn a wnaethai Gwynn oedd cythruddo beirdd a llenorion y dydd drwy ymosod ar eu safonau isel a gwawdio a dychanu swyddogion a chefnogwyr Gorsedd y Beirdd. Ac yntau'n gyfarwydd â llenyddiaethau gwledydd eraill, prin y gallai ostwng ei safonau i ddarllen a chanmol awdlau eisteddfodol Dyfed a Hwfa Môn a'u bath. Roedd Gwynn wedi ceisio codi'r awdl eisteddfodol o'r twll yr oedd ynddo ar y pryd, ond ni allai ei feirniaid weld hynny. Dywedodd J. T. Job y gellid yn rhwydd enwi rhyw hanner dwsin o awdlau a oedd yn rhagori ar 'Ymadawiad Arthur' o ran gwerth barddonol. Pa rai oedd yr awdlau hynny, felly? Mae'n siŵr na fedrai Gwynn ar y pryd feddwl am yr un awdl a oedd yn rhagori ar 'Ymadawiad Arthur', ddim mwy nag y gallai unrhyw un yng Nghymru heddiw enwi awdl ragorach na hi cyn 1902.

Peth arall a gythruddodd Gwynn, mae'n amlwg, oedd y mynych sôn am Tennyson yn adolygiad Elphin. Curai Elphin ei gefn am ei gamp â'r naill law, ond fe'i bwriodd yn ei stumog â'r llall. Llwyeidiau o fêl yn llawn o wermod. Ac meddai Gwynn:

> Nis gwn i beth a ddygais, ond yr wyf yn sicr o un peth, sef na wneuthum
> i mo Arthur yn Sais na Bedwyr yn lleidr. Nid wyf fi'n ŵr mawr fel
> Tennyson, wrth gwrs, nac yn awyddus i ddial ar ddynion na bwyf yn
> credu yn eu crefydd, fel y mae Elphin ... Gwn yn eithaf da na fu gennym
> ni y'Nghymru eto feirniadaeth lenyddol werth yr enw. A phan ddaw hi,
> ni bydd anheg nac anghywir nac anfoneddigaidd ychwaith.[58]

Mae'n anodd osgoi'r argraff fod Gwynn wedi gorymateb braidd i sylwadau Elphin. Roedd Elphin yn ddigon craff i sylwi ei fod wedi codi uwchlaw awdlau eisteddfodol ei gyfnod ac wedi dychwelyd at feistri mawr y gorffennol i chwilio am ei batrymau. Ond canu â'i lais ei hun a wnaeth, nid â llais neb arall. Creadigaeth newydd sbon oedd 'Ymadawiad Arthur', nid rhywbeth ail-law.

Fodd bynnag, peri iddo fod yn isel ei ysbryd a wnaeth y ddau adolygiad. Rhwng tâl annigonol am ei waith – newyddiadurol a llenyddol – a gwerthfawrogiad annigonol a chrintachlyd o'i waith llenyddol, roedd Gwynn yn barod i roi'r ffidil yn y to a chwilio am waith amgenach:

> Ni fedraf fi wneyd llechi, ond medraf ffarmio. Bûm innau'n lladd gwair ar
> y blaen, a phe cawn ffarm ar delerau gweddol a medru ei stocio, mi awn
> ati eto. Dywedaf i chwi pam hefyd. Cawn drwy hynny fywoliaeth heb
> orfod dibynnu ar neb ond natur a mi fy hun. Fel y mae hi'n awr, rhaid i
> mi ymladd â dynion sy'n rhwym o wneyd eu gwaethaf i mi rhag ofn i'm
> ffawd i beri anffawd iddyn hwythau.[59]

Cysylltodd â Silyn eto ym mis Medi 1903, i gydnabod derbyn llythyr ganddo. Roedd y llythyr, meddai, wedi gwneud llawer o les iddo 'ynghanol gofidiau corff ac ysbryd a phoced, y tri hyn, a'r mwyaf o'r tri yw'r boced'.[60] Roedd Silyn yn America ar y pryd, a byddai Gwynn wedi hoffi bod gydag ef, 'yn lle fy mod o ddydd i ddydd yn dihoeni mewn cwt na ddygymyddai mochyn lled barchus ag ef'.[61] Newydd farw, ar Awst 16, yr oedd y bardd ifanc addawol a gwreiddiol, Ben Bowen, gŵr ifanc bregus ei iechyd ond gwydn a dewr o ran personoliaeth. Roedd Ben Bowen hefyd yn ŵr dadleuol iawn. Cythruddwyd aelodau o'i enwad, y Bedyddwyr, gan ei erthyglau ar bynciau athrawiaethol, fel y cymundeb caeth, gyda'r canlyniad iddo gael ei ddiarddel gan ei eglwys, Eglwys Moriah, Pentre, ac wrth gwrs, casbeth gan Gwynn oedd culni enwadol. 'Ni welais innau fawr ohono, ond rhaid ei fod yn fachgen amgenach na'r cyffredin, canys oni thynnodd efe ar ei ben ddialedd pobl y llwybr *cul*?' meddai amdano.[62] Er nad oedd Gwynn yn ei adnabod, roedd un cysylltiad amlwg rhyngddynt, sef y ffaith fod y ddau, fel y nodwyd eisoes, wedi cystadlu am Gadair Eisteddfod Genedlaethol Bangor.

Roedd Gwynn wedi darllen teyrnged a cherdd Silyn i'r bardd yn *Y Goleuad*. Collfarnodd Silyn weithred warthus Eglwys Moriah:

> Fel y gwanhâi ei gorff cryfhâi ei ysbryd a'i feddwl; a thraethai ei syniadau gyda goleuni a grym. Ond buan y dangoswyd iddo, er briw i'w galon, mai rhy gyfyngedig terfynau enwad cul i'r neb lefara'r gwir fel y'i gwêl yn ei enaid ei hun; aeth ei le yn rhy boeth iddo aros yn hwy gyda'r Bedyddwyr; ac o'r synagog y'i gyrwyd, fel ei Feistr o'i flaen, er bythol gywilydd wyneb i oraclau Phariseaeth Gymreig. Diau i'r picellau a'i gwanasant yn nhŷ ei gyfeillion brysuro ei nychdod, oblegid tua phythefnos yn ôl cauodd ei amrantau mewn hun nas medr na ffrewyll culni na cholyn brad mo['i] deffro.[63]

A hon oedd y gerdd a luniodd Silyn er cof amdano, cerdd ragorol iawn yn ôl Gwynn:

> Wylo wna'r awen ar fin ei hawenydd
> Am gau'i loewon lygaid lle fflachiai ei thân;
> Angau ddistawodd felusder llawenydd,
> A thorodd y delyn yn[g] nghanol y gân.
>
> Anadlodd y barug ar obaith ei flwyddyn;
> Cusanodd y dail a gysgodai ei rudd;
> Gwridasant, a chrinder yr hydref aeth trwyddyn':
> Machludodd yr haul yn ieuenctyd y dydd.
>
> A minau, ei gyfaill, alaraf gymeryd
> O angau 'nghydymaith a heriai ei fraw;
> Y fynwes a'm carai sy'n oer yn y gweryd,
> A marw yw'r bysedd a wasgai fy llaw.[64]

Roedd Eifionydd, golygydd *Y Geninen*, wedi gofyn i Gwynn lunio rhywbeth ar ôl Ben Bowen. Lluniodd yntau gywydd er cof amdano, ac fe'i cyhoeddwyd yn *Y Geninen*. Ymddiheurodd i Silyn am fachu'r ymadrodd o'r *Mabinogi*, 'yn ieuenctyd y dydd', oddi arno, 'ac y mae Elphin yn dywedyd fy mod i wedi cymeryd peth oddiar Tennyson lle na chymerais ef ond oddiar Malory!' meddai, gydag adolygiad Elphin yn llosgi ei glustiau o hyd.[65] Dyma ran o'r cywydd:

> Fyrred oedd dy fore di,
> Hired ydoedd awr d'edwi!
> O'i bodd rhoddwyd calon bur,
> Lân, iti, o law Natur:
> O'i goleuni gloyw'i hunan
> Y daeth it' lygaid a'i thân
> Teg ynddynt; rhoed it' ganddi
> Gael dwy ran o'i glewder hi.
> Trwy boen, fe genaist i'r byd
> Ei chyfrinach, ferr ennyd,
> Mal, o wisgo Mai lasgoed,
> Y cân aderyn y coed.
> Berr wawd y bore ydoedd,
> Addo'r haf a ddeuai 'roedd;
> Ond yn ieuenctid y dydd
> Difwynwyd haf awenydd ...[66]

Ac fel Ben Bowen, roedd Gwynn yntau ar fin cynhyrfu'r dyfroedd sectyddol. 'Pan ddelo'r *Geninen* nesaf allan, byddaf finnau tan esgymundod, canys anturiais ysgrifennu erthygl yn erbyn credo a chyffes,' meddai wrth Silyn.[67] Ymddangosodd yr erthygl honno, 'Credoau a Chyffesion Enwadol: ai rhaid wrthynt?', yn rhifyn Hydref 1903 o'r *Geninen*. Dadleuodd Gwynn yn yr erthygl fod gormod o gredoau, mân a mawr, yn andwyo crefydd ac yn esgor ar elyniaeth, erledigaeth, rhagfarn a chasineb, a hefyd, yn mynd yn groes i ddysgeidiaeth Crist. Meddai:

> Pan dorrodd y diwygiad Ymneillduol allan y'Nghymru, erlidiwyd a cham drinwyd y diwygwyr gan yr Eglwyswyr. Wrth hynny, yr oedd yr Eglwyswyr yn troseddu ddwywaith yn erbyn ysbryd Cristionogaeth. "Wrth eu ffrwythau yr adnabyddwch hwynt," ebe'r gŵr y mae'r Eglwys ar ei enw. "Nage, eithr wrth y gredo," ebe'r Eglwys. Dyna'r trosedd cyntaf. "Cerwch eich gilydd," ebe sylfaenydd Cristionogaeth. "Nage, eithr lleddwch bawb ar na dderbynio'ch credo," ebe'r Eglwys. Dyna'r ail drosedd. Ond daeth yr Ymneillduwyr hwythau'n gryfion, a gwnaethant gredoau; ac yno blin fu'r ymdderu rhyngddynt, a bustlaidd a fu'r pethau a ddywedai y naill

am y llall. Bu dadlu poeth am flynyddau, nes oedd y bobl a ddylasai eu caru eu gilydd yn eu cashau eu gilydd â chasineb mawr. Y gredo oedd yn penderfynnu popeth, a gwae'r gŵr a wyrai ronyn oddiwrth gredo'i bobl ei hun, megys y gwnaeth Hywel Harris, Peter Williams, ac eraill.[68]

Yn y llythyr cynhwysfawr hwn at Silyn ar Fedi 19, 1903, nid culni enwadol yn unig a ddôi dan y lach. Roedd cyfaill y ddau, W. J. Gruffydd, wedi ymgeisio am swydd darlithydd Saesneg yng Ngholeg Prifysgol Gogledd Cymru, Bangor. Roedd pymtheg wedi ymgeisio am y swydd, ond ni roddwyd enw W. J. Gruffydd ar y rhestr fer o dri. 'Dewisodd pwyllgor o'r Saeson dri Sais (neu waeth fyth, ddau Sais ac un Dic Shon Dafydd) i roi eu henwau ger bron Senedd y Coleg,' meddai Gwynn wrth Silyn.[69] Ceisiodd yr Athro Lewis Jones, pennaeth yr Adran Saesneg, gael enw W. J. Gruffydd ar y rhestr fer, 'ond ni fynnai'r corrach pitw sy'n bennaeth y Coleg glywed mo'r sôn am wasanaeth i lên Cymru fel cymwysder,' meddai Gwynn am Brifathro'r coleg.[70] A chafodd Silyn, draw yn America bell, glywed rhagor o'r hanes:

> Yr oeddynt bron â rhegi Lewis, greadur diniwed, am feiddio awgrymu'r fath beth. Nid yw Gruffydd byth yr un un, canys yr oedd y siom yn gymaint fel mai prin y gallai efe regi fel arfer! Yr wyf innau wrthi yn ceisio ennyn dyddordeb rhai o'n Seneddwyr ynddo, fel y caffo le yn un o swyddfeydd y Llywodraeth os bydd bossibl ... A oes bobl ffolach na ni'r Cymry yn rhywle dan haul, dywedwch? Ni bydd Coleg Bangor geiniog yn elwach erof fi tra fo anadl ynof, myn f'einioes! ... Ar fy ngair, mi wn yn dda lle mae'r bobl ddi-asgwrn-cefn i'w cael! Sôn am greirfa i Gymru. Y mae ei heisiau, a dylai fod yn ddigon o faint i ddodi'r genedl gyfan ynddi ... Os aiff pethau ymlaen fel y maent yn awr bydd Cymru ymhen deugain mlynedd eto yn gornel o Loegr, a'r gornel salwaf, anwybodusaf a diawledicaf at hynny hefyd, canys ni bydd hi'n medru na Saesneg na Chymraeg na dim arall namyn dynwared campau ysgubion a gwehilion Lloegr.[71]

Roedd Gwynn ar gefn ei geffyl unwaith eto. Taranodd yn erbyn y colegau a'r capeli:

> Mae ei cholegau, drwodd a thro, yn troi ei meibion yn Saeson o'r ail ddosparth; ei hysgolion canol yn eu troi'n rhyw gynffoniaid bach anoddef; a'i gwŷr cyhoeddus yn ei dysgu sut i werthu ei henaid er mwyn tipyn o aur y twristiaid haf. Mae ei gweinidogion (pob parch iddynt, cofiwch) yn sôn fyth a hefyd am eu teimladau a'u profiadau, ac yn rhy ddall i

weled nad oes ganddynt mwyach, yn eu crynswth, ddim ond ychydig ddylanwad ar y bobl, a'r ychydig hwnnw ar y Sul. Drwy eu bod hwy mor awyddus i noddi'r "Achosion Saesneg" y maent yn digio'r ychydig Gymry gwerth yr enw y sydd yn y wlad, ac mae'r Babaeth yn dysgu Cymraeg i genhadon Llydewig er mwyn ennill y Cymry yn ôl i'r hen gorlan. Erbyn y collo'r Ymneillduwyr eu holl ddylanwad ar y dosparth canol, bydd y Cymry tlotaf yn Babyddion, ac fe ddigwydd hynny a'r siopau eto'n llawn o lyfrau Cymraeg na fedr neb eu darllen. Nid oes dim iachawdwriaeth i'r wlad ond i'r ysgolion ddysgu Cymraeg, neu ynte i ryw wyrth ddigwydd a'n troi oll yn Saeson gweddol ar unwaith, fel y bôm yn medru digon o Saesneg i ddarllen llenyddiaeth, ac yn gymaint ein hangof am a fu fel na b'om yn gynffonllyd fel yr ydym yn awr. Aiff y genedl, gymaint ohonni ag a fo gwerth yr enw, ar ôl y grefydd a fo genedlaethol, ac os dysg y Babaeth Gymraeg hunan barch i'r bobl, llwydded! Trof yn Babydd fy hun, os gwelaf rywdro mai hi fydd y noddfa olaf rhag y Sais. Buasai'r Gwyddelod yn Brotestaniaid ers talwm pe buasai'r grefydd honno yn fwy cenedlaethol na'r grefydd Gatholig. Pe gallai rhydd-feddylwyr achub y Llydaweg rhag ei llethu gan fileindra'r Ffrancod yn amgenach nag y medr y Pabyddion, fe gollai'r Babaeth ei gafael ar y Llydawiaid. Ac eto, dyma Ymneillduwyr Cymru yn troi eu cefn ar y genedl. Beth ond methu a haeddant?[72]

Roedd ei waed yn berwi, yn sicr. Y modd annheg y cafodd W. J. Gruffydd ei drin gan awdurdodau Coleg Bangor oedd y sbardun iddo rwygo a rhegi fel hyn. Ni ellir deall T. Gwynn Jones heb sylweddoli fod iddo dueddiadau a safbwyntiau gwrth-Seisnig eithafol, ac nid rhagfarn ddall yn erbyn unigolion oedd safbwyntiau o'r fath, ond casineb tuag at genedl a oedd bron wedi llwyr ddinistrio Cymru, ei hiaith a'i llenyddiaeth, ei chalon a'i henaid. Roedd y genedl goncwerus hon yn ei thra-arglwyddiaethu hi o hyd yng Nghymru ac yn rheoli popeth, ac enghraifft arall eto fyth o'i thrahauster oedd y modd y gwrthodwyd rhoi enw W. J. Gruffydd ar y rhestr fer ar gyfer y swydd ym Mangor.

Newydd fod yn darllen am dywysogion Cymru yr oedd Gwynn ar y pryd, a hynny ar gyfer llunio drama am Ddafydd ap Gruffudd, brawd Llywelyn ein Llyw Olaf:

Bûm yn ddiweddar yn darllen cryn lawer ar hanes Cymru yn amser Llywelyn, gan fy mod yn ysgrifennu drama ar hanes Dafydd ap Gruffydd i gwmni o fechgyn o'r dref yma ei chware. Heriodd Llywelyn a Dafydd a'u canlynwyr esgymundod er mwyn cenedligrwydd, ac nid oes weithred ogoneddusach yn hanes y byd, nac oes un. Er lladd y ddau hynny ac Owain ap Rhodri (Ivain de Galles) ac Owain Glyn Dŵr, a llawer eraill, ni threchodd y Sais, ac ni threchasai byth o nerth arfau. Eithr y mae ef wrthi mewn ffordd arall erbyn hyn, ac y mae yn llwyddo, a hynny am ein bod ni yn ddigon o ffyliaid neu gnafon i'w gynorthwyo.[73]

Taeogion oedd y Cymry o hyd. Roedd Bangor newydd gyflwyno rhyddfraint y ddinas i'r milwriad Baden-Powell pan oedd Gwynn yn ysgrifennu'r llythyr hwn at Silyn, a gweithred waradwyddus oedd y weithred honno ar ran Bangor – derbyn milwriad o Sais a gwrthod bardd o Gymro – 'A Bangor, o bob man, a roes ei braint rydd i gigydd dynion fel Baden-Powell' – a hynny mewn ymdrech 'i wneud llyfrgwn o bobl weddol anrhydeddus wrth natur'.[74]

Ymosododd ar y beirdd eisteddfodol ar yr un pryd. Roedd newydd adolygu *Gwaith Barddonol Hwfa Môn*, yr ail gyfrol, yn *Yr Herald Cymraeg*, yn bur anffafriol. 'A dyma ni fel gwlad yn dal hwn i fyny o flaen y byd fel pennaeth y beirdd i gyd!' meddai wrth Silyn.[75] Oherwydd bod safonau'r Eisteddfod Genedlaethol mor isel, 'y mae'n gywilydd gennyf feddwl fy mod erioed wedi ennill gwobr mewn eisteddfod,' ychwanegodd.[76]

Ac i gloi'r llythyr, y mae'n dyfynnu dau bennill a luniasai 'i geisio canu dyhuddiant i Gruffydd', sef cerdd gysur o ryw fath i'w gyfaill i liniaru rhywfaint ar ei siom o gael ei wrthod gan Goleg Bangor:

> "Mae'r goleu a'r gwirionedd wedi mynd,"
>   A gwyll a chelwydd a ddaeth yn eu lle;
> Pand ymbalfalu'r ydym ni fy ffrynd,
>   Yngwylltedd uffern am wynfaoedd ne'?
>
> Y nef oedd ini yn y blwyddi gynt
>   Y'nhrem y dirion wawr, neu 'nhrymder nos,
> Pan fyddai cân duwiesau'n sŵn y gwynt,
>   A neithdar duwiau ar betalau'r rhos.[77]

A dyma, mewn gwirionedd, gynsail y gerdd 'Y Nef a Fu'. Un o linellau W. J. Gruffydd yn ei bryddest 'Trystan ac Esyllt' a ddyfynnir yn llinell gyntaf y pennill cyntaf, er mai 'Mae y goleu a'r gwirionedd wedi mynd' yw'r union ffurf ar y llinell.

Gruffydd yw'r 'ffrynd' a gyferchir yn y pennill cyntaf, a galaru sydd yma fod oes fas ac anonest wedi disodli oes fwy anrhydeddus a mwy rhamantus, a bod delfrydau ieuenctid wedi cael eu lladd gan yr oes newydd, ymdeimlad nid annhebyg i'r hyn a geir yn 'Ode: Intimations of Immortality from Recollections of Early Childhood' gan William Wordsworth:

> The Rainbow comes and goes,
> And lovely is the Rose,
> The Moon doth with delight
> Look round her when the heavens are bare,
> Waters on a starry night
> Are beautiful and fair;
> The sunshine is a glorious birth;
> But yet I know, where'er I go,
> That there hath past away a glory from the earth.

Nodir yn nhrydydd casgliad Gwynn o farddoniaeth, *Ymadawiad Arthur a Chaniadau Ereill*, mai ym mis Hydref 1903 y lluniwyd 'Y Nef a Fu', a'r geiriau 'Y nef oedd ini' yn ail bennill y gerdd ddyhuddiant i W. J. Gruffydd a roddodd i'r gerdd ei theitl; ac fe'i lluniwyd, felly, yn fuan ar ôl i Gwynn anfon y llythyr a gynhwysai'r ddau bennill at Silyn. Fel hyn yr ailwampiwyd y ddau bennill gwreiddiol:

> Gwae fynd y goleu a'r gwirionedd fry,
> A dyfod yma wyll a chelwydd du;
>   Pand ymbalfalu'r ydym ninnau'n awr
> Yn uffern heddyw am y Nef a Fu?

> Nef ienctid y blynyddau, byddai dlos
> Yn nhrem y dirion wawr, neu'n nhrymder nos;
>   Gwastraffai gân duwiesau'n sŵn y gwynt,
> A neithdar duwiau'n rhad ar dwyn a rhos.[78]

Nef rhamant a nef ieuenctid oedd y nef a fu, ac roedd chwedloniaeth a barddoniaeth Cymru yn rhan o'r nef honno. Yn ei ieuenctid roedd y bardd yn byw ym myd ei ddychymyg ei hun, ac yn crwydro bro wahanol i'w fro ef ei hun:

Pan liwiai Fai ei goed a'i lwyni fyrdd
A'i feusydd gant âg ôl ei fysedd gwyrdd,
  I mi yn nydd a nos 'roedd ieuanc dduw
Â'i hudlath aur yn dangos mil o ffyrdd.

A minnau yn rhyfeddu, megys un
Ym mlaenau amgen bro na'i fro ei hun ...[79]

Yn y fro hudolus honno, trigai Blodeuwedd ac Olwen, ymhlith eraill:

Rhwng blodau'r deri gwelais wyn ei grudd,
A'i gwrid ym mlodau'r gwyddfid rhwng y gwŷdd;
  Ar flodau'r erwain yr oedd lliw ei bron,
A'i gwallt ar frig banhadlen hanner cudd.

A byddai'n croesi'r ddôl o dan y coed
Y llwybrau glanaf welodd dyn erioed,
  Lle sangodd Olwen, fechanigen wen,
A'r meillion gwynion yno'n ôl ei throed.[80]

Ynys Afallon o le oedd y fro amgen hon:

Ni byddai drymder yn difwyno'r dydd,
Na blinder chwerw yn troi y nos yn brudd;
  Nid aethai ffynnon gobaith eto'n hesb,
Ni ddaethai creulon ffawd i lethu ffydd.[81]

Ond collwyd y nef a fu, a honnai rhai mai rhith oedd y fro hud, nid realaeth:

Chwerw ydoedd golli gwawl y dyddiau fu,
A dyfod yn ei le dywyllwch du,
  A gwaeth gael rhai i ddweyd mai cysgod oedd
Fy haf, mai'r sylwedd ydyw'r gaeaf sy.[82]

Ymosodiad ar fateroliaeth yr oes yw gweddill y gerdd. Nid edmygu harddwch natur a wneir bellach, ond, yn hytrach, defnyddio natur i wneud arian:

Ai teg yw'r blodau eto, megys cynt,
Pan yrro Mai i'w deffro dyner wynt?
 Diau mai teg; brys, ffŵl, a dos i'w hel,
Llanw amcan dyn drwy droi eu tlysni'n bunt!

Ac onid elli droi eu tlysni hwy
Yn aur i ti neu arall, ni waeth pwy,
 Gad iddynt, ofer ydynt; creodd Duw
Dydi i wneud un geiniog fach yn ddwy.

Nid ydyw hwnnw ond breuddwydiwr ffôl
A garo'r blodau yn lle tyrchu'r ddôl
 Am fwyn i'r gŵr sy'n sôn am godi dyn
A'i ddwyn ymlaen, ac yn ei ddal yn ôl.[83]

Fel hyn y teimlai Gwynn ym 1903. Roedd delfrydau a gobeithion Cymru Fydd
a'r Blaid Ryddfrydol wedi hen fynd i'r gwellt. Materoliaeth, ac nid hudoliaeth, a
deyrnasai mwyach, ac ariangarwch oedd popeth; ac nid materoliaeth yr oes yn
unig a'i poenai, ond ei boced wag ef ei hun yn ogystal. Oherwydd bod ganddo
wraig a phlant i'w bwydo, roedd yn rhaid iddo weithio i gael arian i'w gynnal.
Trowyd y bardd a'r breuddwydiwr yn newyddiadurwr, mewn ymdrech i gael dau
ben y llinyn ynghyd, er mai bregus oedd y llinyn ar y gorau, a gallai dorri yn hawdd.
 Ynfytyn yn unig a fyddai'n edrych ar flodau fel blodau, yn hytrach nag edrych
arnynt fel modd i wneud arian:

Gan fyrred hoedl a phrinned amser dyn,
Ni ddylai'u treulio, megys drwy ei hun,
 I edrych ar brydferthwch blodau gwyllt –
Oni ddaw iddo dâl am dynnu eu llun.[84]

Gwerthodd yntau ei enedigaeth-fraint pan adawodd ffermydd ei dad, a dyma
Gwynn eto fyth yn dyheu am gael dychwelyd at y pridd:

Gwn weithian, mynd a wnaeth y gwawl a'r gwir,
Y dydd y'm dysgwyd am addewid hir,
 I werthu braint fy ngeni – codi ffos
Neu dorri gwrych a throi a thrin y tir.

Nid rhyfedd mwyach na ddaw imi'r nef
A gollais gynt, er llawer truan lef;
  Yn ôl cyweirio'm gwely lle yr wyf,
Nid oes i mi ond gorwedd arno ef.[85]

Bellach, lladdwyd pob delfryd a rhamant gan fateroliaeth:

A welaist ti y gŵr a'i gerbyd drud
Oedd gynneu'n gyrru'n falch ar hyd y stryd?
  Breuddwydiodd lawer breuddwyd tlws pan oedd
Y goleu a'r gwirionedd yn y byd ...

Nid arddelw ef mo'i hen freuddwydion mwy
Am nad oes ddeunydd llogau ynddynt hwy;
  A phe daliasai atynt, eb efe,
Buasai heddyw'n dlotyn ar y plwy.[86]

Y gŵr materol, difreuddwydion hwn yw un o bileri'r gymdeithas erbyn hyn, a honno'n gymdeithas 'wag ei bryd'. Ar ddiwedd y gerdd, ceir ymosodiad uniongyrchol ar y Pwyllgor Dewis a wrthododd hyd yn oed ystyried rhoi swydd darlithydd Saesneg i W. J. Gruffydd yng Ngholeg Prifysgol y Gogledd, sef y '[c]nafon ffel dysgeidiaeth' a'r '[p]enaethiaid dysg' yn y gerdd:

Ond ef yw pen cymdeithas wag ei bryd,
Efe yw'r celwydd sy'n rheoli'r byd,
  Gan rwymo ffyliaid anwybodaeth hurt
A chnafon ffel dysgeidiaeth oll ynghyd.

Lle bo, daw miloedd i'w groesaw[u] ef,
A'i foli megys duw âg anwar lef;
  Bydd gwŷr o grefydd a phenaethiaid dysg
Yn gymysg â gwehilion gwlad a thref.[87]

A hel celc a chribinio golud yw holl bwrpas dyn ar y ddaear:

Er sôn offeiriad da ac athro doeth
O hyd am galon lân a meddwl coeth,
   Swm popeth a glybuwyd ydyw hyn –
Prif amcan bywyd, golud yw, a moeth.[88]

Cerdd sy'n mynegi siom a dadrith yw 'Y Nef a Fu', a mesur 'Penillion Omar Khayyâm' John Morris-Jones yw'r mesur a ddefnyddiwyd yn y gerdd, a hwnnw'n fesur myfyrgar a chwbl addas ar gyfer naws a chynnwys y gerdd.

Cyhoeddwyd ysgrif ganddo yn *Y Geninen* a oedd yn mynegi'r un athroniaeth ag a geid yn 'Y Nef a Fu', sef 'Lliw a Llun yn Llên Cymru'. Dywedodd mai hoffter at Natur 'a gadwodd lên Cymru hyd yn hyn mor fugeiliol a thelynegol'.[89] Ple a geir yn yr ysgrif i beidio â gadael i fateroliaeth ac awch dyn am gyfoeth a moeth ei ddallu rhag gweld a gwerthfawrogi harddwch y cread:

> ... mewn oes brysur fel hon, goreu po fwyaf a gaffom o rai a fedr ein
> dwyn o'n trybini i fywyd symlach, i edrych ar wynder glân yr eira ac ewyn
> môr ac afon; i weled hardded aneirif liwiau blodau a rhos gwylltion
> gwaen a dôl a gwig a llwyn a chwm a nant; i ganfod geined llun mab
> a merch, a phob rhyw beth a greodd Duw, yn hytrach nag ymgolli ym
> mwg a mwrllwch y trefi i edrych ar hagrwch y pethau a greodd dyn yn
> nydd ei fawr gwymp, pan feddyliodd o mai mewn agor marchnadoedd
> a churo'i gyd-ddyn mewn masnach y mae bywyd; pan ddychmygodd
> yn ei wallco mai gwell yw bywyd dyrus, cymhleth, brysiog, nag araf oes
> y'nghanol goleuni'r haul; pan ddysgodd bob rhyw dwyll a rhagrith a
> gwynebgaledwch a'i alw'n wareiddiad, a hawlio yn ei enw gennad i lethu
> pawb a fynnai o gynhennid anian fyw bywyd symlach, nes at Natur.[90]

'Nid byth y dichon dyn ei dwyllo'i hun i gredu mai di-orffwys ruthr am aur a moeth yw bywyd,' meddai.[91] Nid cyfoeth materol yw'r unig gyfoeth sydd ar gael yn y byd:

> Fe wêl llygaid dynion ryw dro fod Duw'n euro'r cymyl bob dydd ag aur
> na ddichon yr holl gaethion truain sy'n ebyrth i'r peth yr ydys yn ei alw'n
> wareiddiad gynyrchu mo'i gyffelyb; gwelan na ddichon aur holl fanciau a
> mwn-gloddiau'r byd liwio petalau blodyn banadlen, na'u harian roi ewyn
> ar flaen ton. Eithr nid ar yr aur a'r arian yma, ebr rhywun, y bydd byw gorff
> dyn. Nid ar yr aur a'r arian arall y bydd fyw ei enaid chwaith. Y mae'r byd

yn dechreu hiraethu am fywyd symlach. Caned beirdd Cymru, gynifer ohonnyn ag y mae'r ddawn ganddyn, gerddi a ddyfnhao'r hiraeth.[92]

O ran ei wleidyddiaeth, Rhyddfrydwr oedd Gwynn o hyd. Ar Ionawr 22, 1903, cynhaliwyd ymgomwest gan Ryddfrydwyr bwrdeistref Caernarfon i longyfarch Lloyd George am ei wasanaeth gwerthfawr i'r Blaid Ryddfrydol ac am ei 'safiad eofn dros gydraddoldeb a rhyddid crefyddol a breintiau cyfartal mewn addysg'.[93] Yn ystod y cyfarfod, adroddodd Gwynfor soned yr oedd Gwynn wedi ei llunio yn arbennig ar gyfer yr achlysur:

> O chollodd Cymru ei Llywelyn gu,
>> O huna Owain Lawgoch, gwedi brad,
>> Mewn estron dir, os wedi llawer cad,
> A llawer gobaith têr, y cuddiodd du
> Gysgodau nos ddihanes oesau fu
> Anhysbys fedd Glyndŵr, odidog dad
> Y Deffro a waredodd enaid gwlad.
>
> Rhag marw yng ngorthrwm orfod estron lu,
> Os hyn a fu, a chwerwach lawer tro –
>> Ein Dafydd dafod arian, galon dân,
>> Mae goreu Cymru etto ynot ti;
> Ladmerydd hen ddyhead dyfna'n bro,
> Mae calon cenedl yn dy galon lân,
> A'th galon dithau yn ei chalon hi.[94]

Anerchai weithiau mewn cyfarfodydd a drefnid gan y Blaid Ryddfrydol, fel y cyfarfod a gynhaliwyd ym Maladeulyn ym mis Mawrth 1903. Ond yn y bôn, cenedlaetholwr o Gymro oedd Gwynn, a chafodd sawl cyfle i fynegi'r cenedlaetholdeb hwnnw o 1903 ymlaen. Cyhoeddodd ddrama, 'Y Twysog Dafydd: Dramod Hanes', yn *Papur Pawb*, rhwng Medi 26, 1903 a Hydref 17, 1903, dan yr enw 'Gwynn Shon'. Perfformiwyd y ddrama yng Nghaernarfon ar Ebrill 21 a 22, 1904, gan gwmni Gwynfor, cwmni'r Ddraig Goch, gyda Gwynfor ei hun yn cymryd rhan Dafydd, brawd Llywelyn ap Gruffudd, ein Llyw Olaf, a Gwynn yn cymryd rhan y bradwr, Gruffydd ap Gwenwynwyn, oherwydd bod yr actor a oedd i fod i gymryd y rhan honno yn wael. 'Y mae gwladgarwch tanbaid yn rhedeg trwy'r ddrama fel fflam o'i dechreu i'w diwedd,' meddai un adolygydd, pan gyhoeddwyd y ddrama ar ffurf llyfr ym 1914.[95] Drama led-fydryddol, led-farddonol yw hon, a llawer iawn o'i llinellau yn llinellau decsill â phum curiad iddynt, fel llinellau soned, er enghraifft, y geiriau hyn a leferir gan Fleddyn Fardd:

> F'Arglwydd Dywysog! na chythrudder di,
> eithr rhynged bodd it wrando ar fy llais,
> fy ngweddi daer, fy ymbil yn y llwch.
> Boed cof it am anrhydedd balch dy drâs,
> na bu fab dyn y plygai iddo erioed ...[96]

Parhâi i lenydda, fel rhan o'i waith fel newyddiadurwr yn bennaf. Cyhoeddwyd rhyw fath o nofel o'i waith, 'Merch y Mynydd neu Siwrneuon y Sipsiwn', yn *Yr Herald* o fis Medi 1903 hyd fis Chwefror y flwyddyn ddilynol. Yn y nofel hon y mae cylch o gyfeillion yn cyfarfod yn rheolaidd i wrando ar aelod o'r cylch yn adrodd holl gynnwys *Lavengro: The Scholar, the Gypsy, the Priest*, George Borrow, yn ei ffordd ei hun, o'r dechrau i'r diwedd.

Lluniodd ddrama arall, 'Yspryd yr Oes', a'i chyhoeddi yn *Papur Pawb*. Mae llawer iawn o Gwynn ei hun yn un o'r cymeriadau, Arthur ap Rhys, mab i ffermwr. Wedi iddo ennill ei radd yn Rhydychen, mae'r cymeriad hwn yn ystyried troi at y tir i ennill ei fywoliaeth. Y mae'n medru dwy neu dair iaith ar wahân i Gymraeg a Saesneg, ac y mae cymeriad arall, hen ffermwr o'r enw Siôn Gruffydd, yn ceisio cael ganddo newid ei feddwl, gan mai byd main a chaled yw byd y ffermwr. Cyfaill Arthur yn y ddrama yw Gwilym. Mae Gwilym wedi symud i Dde Affrica i weithio i gwmni masnachol, a Gwladys, ei gariad, wedi ei ddilyn yno, hyn, wrth gwrs, adeg Rhyfel y Boeriaid, a rhoddodd y ddrama gyfle iddo i daranu yn erbyn yr Ymerodraeth Brydeinig am ei rhan yn y rhyfel. Trwy enau Gwladys y mae'r awdur yn condemnio'r rhyfel. Ni all Gwladys orfoleddu yn un o fuddugoliaethau'r Fyddin Brydeinig ar y gelyn:

> Nid wyf yn siŵr iawn fy hun pa fusnes oedd gan fyddin fy ngwlad i fynd i ymladd â'r gelyn o gwbl. Ond a chaniatáu fod yn dda genyf am fuddugoliaeth y Saeson – gwyddoch mai Cymraes wyf fi – a ddylwn i fod mor farbaraidd â mynd i ddawnsio o lawenydd fod cymaint o drueiniaid wedi eu lladd?[97]

Condemnir ganddi hefyd yr eglwysi Prydeinig a weddïai ar Dduw am fuddugoliaeth yn erbyn y Boeriaid. Mae Gwladys yn gwrthod mynd i'r eglwys 'i gablu Duw drwy ddiolch iddo am fod dynion yn cigyddio'u gilydd'.[98] Daw pobl y Brifysgol dan y lach ganddi hefyd: 'Ceisiwch amgyffred am unwaith y dichon dyn wedi bod mewn Prifysgol ac wedi hel miliynnau fod yn gystal anwariad â'r un canibal a fwytaodd gnawd ei gyd-greadur erioed'.[99] Fel Gwladys, mae Arthur hefyd yn wrthwynebus i'r Ymerodraeth Brydeinig. Hanfod ymerodraeth yw gorchfygu gwledydd eraill i hawlio'u tir a'u cyfoeth. 'Y gwir ydi hyn – y munyd y mynno dyn neu wlad fwy na digon, y mae'r naill a'r llall ar lwybr distryw,' meddai Arthur.[100]

Ym 1903, cafodd gyfle i ymestyn ei genedlaetholdeb Cymreig. Sefydlwyd y Gyngres Geltaidd ym 1898, a chynhaliwyd cynhadledd gyntaf y gymdeithas newydd hon yn Nulyn ym 1900. Penderfynwyd gwahodd y Gyngres i Gaernarfon ym 1904, a sefydlwyd pwyllgor arbennig ym 1903 i drefnu'r gynhadledd. Dewiswyd R. Gwyneddon Davies a Gwynn yn ysgrifenyddion i'r pwyllgor hwn. Roedd Gwynn eisoes yn medru'r Llydaweg, a bu'n gyfaill agos i François Jaffrennou (Taldir), y bardd a'r cenedlaetholwr Llydewig, oddi ar 1900, pan aeth yr arlunydd J. Kelt Edwards ag ef i swyddfa'r *Herald* i'w gyflwyno i Gwynn. Dechreuodd Taldir fynychu'r Eisteddfod Genedlaethol o 1899 ymlaen. Yn Eisteddfod Genedlaethol Caerdydd ym 1899, fe'i derbyniwyd yn aelod o Orsedd y Beirdd, a'i enw gorseddol oedd Taldir ab Hernin.

Gwynn ei hun a groesawodd y Gyngres i Gaernarfon yn yr *Herald*. 'Dadl dros ryddid cenedloedd bychain a'u hawl i fyw yw y Gymanfa, mewn gwirionedd, ac ni byddai'n synn gennyf pe tyfai'r Gymdeithas yn y man yn Gynghrair o Genedloedd bychain, canys y mae ei gwaith eisoes yn tynu sylw Pwyliaid a Ffinniaid ac ereill o fân genedloedd y Cyfandir,' meddai.[101] Ond roedd angen gweithio a brwydro i sicrhau ffyniant a pharhad i'r ieithoedd Celtaidd. 'Bydd cenedl ac iaith fyw cyhyd ag yr haeddo fyw, a mwyaf fydd yr haeddiant po fwyaf fo'r ymdrech,'[102] meddai. Cyn hir, byddai Gwynn yn ychwanegu iaith Geltaidd arall at ei Lydaweg.

Cynhaliwyd y gynhadledd ei hun o Awst 30, 1904, hyd at Fedi 3. Agorwyd y cyfarfod cyntaf gan Arglwydd Castletown, 'yr hwn sydd yn Wyddel pybyr', a ddywedodd mai '[a]mcan y Gymanfa oedd dwyn y naill genedl i wybod pa beth oedd y llall yn ei wneuthur, a thrwy hyny ddod i gydweithredu ac hefyd i estyn cynorthwy y naill i'r llall, fel ag y byddai, pe angen, Iwerddon, Cymru, Ucheldir Ysgotland, Llydaw ac Ynys Manaw yn "erbyn y byd"'.[103] Bu'n gynhadledd lwyddiannus. Yn ôl un o'r papurau:

> Cafwyd cyfarfodydd dyddorol ar bynciau cenedlaethol, megis mater yr iaith, diwyg a choel hanes, hen donau, ac ymgais i gael un iaith i'w harfer gan y pum' cenedl, ddyddiau Mercher a Iau yn cael eu dilyn gan

gyngherdd pum' cenedl; ac ymweliadau â'r wlad oddiamgylch.

Dyddorol neillduol oedd clywed rhai o'r pum' rhanbarth yn ymgolli yn nwysder teimlad hen gân "Gwlad fy Nhadau."[104]

Cofiai William Eames am y gynhadledd honno, ac am y modd y cyffrowyd Gwynn gan yr achlysur:

A rhywdro yn y cyfnod hwnnw, mi gredaf, y taniwyd diddordeb Gwynn yn yr ieithoedd Celtaidd, sef adeg y Gyngres Geltaidd gyntaf yng Nghaernarfon. Yr oedd ef a minnau, Ap Gwyneddon a Gwynfor, ar y pwyllgor lleol, ac fe gafwyd sbleddach a miri heb eu bath ... Yr oedd Taldir yno o Lydaw ac aeth Gwynn ac yntau'n gyfeillion mawr. Mae gennyf led gof bod Patrick Pearse ymysg y beirdd Gwyddelig a ddaeth yng ngosgordd Arglwydd Castletown. Fe erys un atgof clir am Gwynn, yntau yn ei wisg hwyrol ar ôl un o'r ciniawau, â'i het ar ei gorun a'i lygaid ar dân, yn sefyll ar gornel Stryd Dinorwig yng nghanol cwmni brwdfrydig ac yn ymddangos yn barod i arwain gwrthryfel Celtaidd y funud honno.[105]

Roedd yr ysbryd Celtaidd wedi cydio ynddo yn sicr ar ôl cynhadledd y Gyngres Geltaidd yng Nghaernarfon. Cafodd lawer iawn o gwmni Taldir yno. Daeth Taldir i'r gynhadledd 'yn ddyn ieuanc golygus tanbaid, llawn gobaith am y dyfodol'.[106] Synnwyd a swynwyd y cynulleidfaoedd yng nghyfarfodydd y gynhadledd gan y Gymraeg rugl a lefarai. Nid rhyfedd i Gwynn lunio ysgrif ar Lydaw a Chymru ym 1905. Roedd Llydaw ar y blaen i Gymru gyda rhai pethau, a dylai Cymru ddilyn ei hesiampl, meddai:

Nid wyf fi ym mysg y rhai sy'n credu fod y Saeson yn anffaeledig, nac yn ystyried fod Llywodraeth Prydain yn ddi-fai. Ond er culed eu barn yw'r Saeson ac er anwastated yw Llywodraeth Prydain ar lawer cyfrif, cawsom ni yng Nghymru fwy o ryddid ynglŷn â dysgu'n hiaith yn yr ysgolion nag a ddefnyddiasom hyd yma. Yn Llydaw mae hi'n dra gwahanol. Mae Llywodraeth Ffrainc yn ddiamau yn ceisio lladd yr iaith. Am hynny, mae'r iaith yn fwy byw nag erioed, a gwŷr goreu Llydaw yn gwneud ymdrechion arwraidd erddi. Dro yn ôl, darllennais am ddau dwrne yn mynd hyd y wlad yn ystod eu gwyliau a blychau paent ganddynt, ac yn paentio enwau masnachwyr a manylion eraill uwch ben eu siopau yn Llydaweg am ddim, lle caent. Dyna beth y gellid gwneud hefo'i debyg yng Nghymru. Pa reswm fod pob sein ym mhob man yn Saesneg, hyd yn oed yng nghanol y wlad, yn y lleoedd mwyaf Cymreig? Er maint ein canmol arnom ein hunain am ein gwladgarwch, gallwn ddysgu gwers mewn hunan-barch oddiwrth Lydaw yn hyn o beth.[107]

Ym mis Rhagfyr 1904 adolygodd lyfr o'r enw *Sous La Couronne d'Angleterre* gan Firmin Roz, llyfr sy'n cofnodi teithiau awdur o Ffrancwr yn yr Alban, Iwerddon a Chymru, gan groniclo'r argraffiadau a adawodd y gwledydd Celtaidd hyn arno. Afraid dweud bod y llyfr hwn wrth fodd Gwynn. Canmolai'r Ffrancwr wydnwch a grym penderfyniad y tair gwlad Geltaidd dan sawdl gorchfygwr a gormeswr o estron. 'Peidiodd pob un o'r tair gwlad â bod yn Wladwriaeth; parhaodd i fod yn genedl,' meddai yng nghyfieithiad Gwynn.[108] Credai Firmin Roz hyd sicrwydd y byddai Iwerddon yn rhydd un dydd, a bod Cymru eisoes 'wedi adfer iddi ei hun fywyd anibynnol sydd, gan ei adennill ei hun bob dydd, yn dangos bod nerthoedd na ddichon unrhyw rym orfod arnynt'.[109] Ym 1904 y daeth Gwynn yn wir ymwybodol o'i darddiad Celtaidd, a byddai'r ymwybyddiaeth honno, o safbwynt testunau, themâu ac ymdeimlad, yn creu rhai o'i gerddi mwyaf yn y dyfodol.

Ddiwedd 1904 a dechrau 1905 cynhyrfodd y dyfroedd eto. Cyhoeddodd gyfres o ysgrifau beirniadol a phigog yn yr *Herald*, dan y pennawd 'Gibeoniaid Cymru', dan y ffugenw 'Gordofig', i ddechrau. Wrth 'Gibeoniaid', yr hyn a olygai oedd twyllwyr a rhagrithwyr, gan ddilyn hanes trigolion Gibeon yn yr Hen Destament yn twyllo Josua i gredu mai teithwyr o wlad bell oeddynt, a hwythau'n byw ymysg yr Israeliaid, er mwyn ei gael i ffurfio cyfamod â hwy. Ar ôl ysgrif gyflwyniadol, ymosododd ar Eglwys Loegr yn yr ail ysgrif. Eglwys Loegr, nid Eglwys Cymru, oedd ei henw swyddogol, a sefydliad gwrth-Gymreig ydoedd yn ei hanfod. Fel y Gibeoniaid gynt, twyll oedd ei galw yn 'Hen Eglwys y Cymry'. Yn wir, erlid crefyddwyr mwyaf Cymru a wnaeth erioed:

> Dyma'r Eglwys a yrodd Daniel Rowlands a Williams, Pantycelyn, allan o'r gorlan, ac a gauodd y drws yn[g] ngwyneb Howell Harris pan fynai efe ddyfod i fewn. Dyma'r Eglwys a osododd ar hyd yr oesau esgobion yn[g] Nghymru na fedrent air o iaith y wlad. Dyma'r Eglwys a fynai (pan ddigwyddai fod ganddi yn[g] Nghymru Esgob o Gymro gwladgar a chenedlgar) erlid hwnw am ei wladgarwch a'i genedlgarwch.[110]

Eglwyswyr oedd y tirfeistri, ac nid oedd gan y rhain y gronyn lleiaf o dosturi at amaethwyr Cymru. Ymhlith pethau eraill, ymosodai'r drydedd ysgrif ar gapeli

Cymru, ac ar ddefodaeth a ffurfwasanaeth yn y capeli yn enwedig.

Ymosodiad ar yr Eisteddfod Genedlaethol a Gorsedd y Beirdd a geid yn y bedwaredd ysgrif. Er ei bod yn honni mai hyrwyddo parhad a sicrhau ffyniant y Gymraeg oedd prif nod yr Eisteddfod, cynhelid ei gweithgareddau drwy gyfrwng y Saesneg yn amlach na pheidio. 'Mor anwyl, mor barchedig, yw y Gymraeg gan yr Eisteddfod, fel y rhaid ymgroesi rhag ei [h]iselhau drwy roddi lle rhy amlwg iddi yn yr ŵyl,' meddai yn ddychanol.[111] Honnid mai er mwyn meithrin Llên a Barddas Cymru y cynhelid yr Eisteddfod, ond cerddoriaeth a gâi'r flaenoriaeth ganddi yn ddieithriad. 'Prifysgol Gwerin Gwlad y Bryniau' oedd y Brifwyl, 'a dysgir ei beirdd a'i llenorion ieuainc sut i ymberffeithio drwy fynychu cyngherdd cystadleuol Seisnig'.[112] Neilltuid tair neu bedair awr ar gyfer y brif gystadleuaeth gorawl, ond byddai beirniaid y prif gystadlaethau barddonol yn lwcus o gael pum munud i draethu eu beirniadaeth. Gwerthai'r Orsedd Urddau Anrhydedd am arian. Unig amod derbyn Urdd Anrhydedd yr Orsedd oedd '[t]alu hanner sofren i Gwynedd fel Trysorydd yr Orsedd!'[113] Yn wir, arian a reolai'r Eisteddfod Genedlaethol, nid dyhead am barhad y Gymraeg a ffyniant ei llên, na dim byd arall.

Amau geirwiredd y dywediad 'Rhydd i bob meddwl ei farn, ac i bob barn ei llafar' ym myd newyddiaduriaeth a wnaed yn y bumed ysgrif. Rheolid barn y wasg gan hysbysebion yn aml. Ni feiddiai'r papurau feirniadu personau neu sefydliadau a rôi hysbysebion iddynt. Gwyrdroid y gwirionedd gan bleidgarwch gwleidyddol yn aml. Yn ôl Gwynn:

> Mae *"Yr Udgorn"* yn perthyn i un blaid wleidyddol, a'r "Llais" yn perthyn i'r llall. Mae'r naill a'r llall yn edrych ar bob cwestiwn, nid o safbwynt annibyniaeth barn, ond drwy spectol y Blaid Wleidyddol y maent yn perthyn iddi. Penderfynir llafar y naill bapyr a'r llall, nid gan wir egwyddor hanfodol y cwestiwn, na chan wir gydymdeimlad â gwir angen y cyhoedd, eithr gan yr hyn a elwir yn "Fuddiannau y Blaid".[114]

Roedd y papurau enwadol yr un mor euog â'r papurau gwleidyddol o gamliwio'r gwirionedd, a chasbeth gan Gwynn, wrth reswm, oedd rhagfarn enwadol. Yr unig wahaniaeth rhwng y ddau fath o bapur, meddai, 'yw mai gwydrau gwleidyddiaeth sydd yn tywyllu gwelediad y naill; tra mai spectol rhagfarn enwadaeth sydd yn rhwystro'r llall i weled pethau yn eu lliw a'u llun priodol'.[115] Yr unig ateb i'r broblem oedd cael papur annibynnol ei fodd a'i farn, papur heb berthyn i unrhyw enwad crefyddol nac i blaid wleidyddol.

Ymhlith ei gwynion am ysgolion canolraddol Cymru, pwnc y chweched ysgrif, yr oedd anallu'r ysgolion hyn i gymryd y Gymraeg o ddifri ac i'w dysgu'n iawn. 'Oni threfnwyd y cwrs addysg yn y fath fodd ag i sicrhau yn mlaen llaw mai methiant a fyddai?' gofynnodd.[116] Cwyn arall – a hen gŵyn gan Gwynn – oedd y modd y dysgid llenyddiaeth a hanes Cymru yn yr ysgolion:

> Ca'r plant ddysgu am bob anghenfil o Sacson fu'n anrheithio'r wlad; ond dim am y gwroniaid Cymreig a amddiffynasant hawliau, a breintiau, a rhyddid Cymru. Na! rhaid anwybyddu y rhai hyn oll er mwyn parhau caethiwed y meddwl Cymreig i syniadáu'r Sais.[117]

I gloi'r gyfres hon o ysgrifau, ceir ymosodiad ar y Llywodraethwyr, sef y bobl bwerus hynny sydd mewn grym ac awdurdod ymhob man. Gwendid pennaf y bobl hyn yw eu tueedd i blygu glin i'r Saeson, a chaniatáu iddynt redeg y sioe. Honnai 'fod unrhyw ysbrig o Sais a ddelo i Gymru yn dra sicr o gael ei hun yn dra buan yn un o Lywodraethwyr y Bobl, yn aelod o'r Cynghor L[l]eol, boed hwnw Blwyfol, Drefol, neu Sirol'.[118]

Cyhoeddodd nifer o nofelau yn y papurau ym 1905. Cyhoeddwyd yn yr *Herald* ei addasiad o nofel fawr Leo Tolstoi, *Rhyfel a Heddwch*, dan y teitl *Hedd a Galanas* rhwng y diwrnod cyntaf o Dachwedd, 1904, a'r diwrnod olaf o Fai, 1905. Ymddangosodd nofel o'r enw *Hunangofiant Prydydd* yn *Papur Pawb* rhwng mis Chwefror a mis Mai, 1905, a nofel o'r enw *Enaid Lewis Meredydd*, 'chwedl am y flwyddyn 2002', eto yn *Papur Pawb*, rhwng mis Mai a mis Medi. Roedd Gwynn yn sicr yn gorweithio wrth i'r flwyddyn 1905 gerdded rhagddi.

Felly, bu'r cyfnod hwn, 1902–1905, yn gyfnod rhyfeddol o brysur iddo, ac yn gyfnod rhyfeddol o lwyddiannus hefyd. 1902 oedd blwyddyn y trobwynt, yn ei hanes ef yn bersonol, ac yn hanes barddoniaeth Gymraeg. Cyhoeddodd gyfrol ac enillodd Gadair yr Eisteddfod Genedlaethol. Ond roedd 1902 yn flwyddyn bwysig iddo o safbwynt arall hefyd. Os ymadawodd un Arthur y flwyddyn honno, cyrhaeddodd Arthur arall, ychydig fisoedd yn ddiweddarach. Ar Dachwedd 4, 1902, ganed mab i Gwynn a Megan, ac, yn naturiol, rhoddwyd Arthur yn enw arno. Ganed ail fab, Llywelyn, dair blynedd yn ddiweddarach. Roedd gan Gwynn bellach deulu llawn i ofalu amdano, ond a fyddai ei iechyd yn dal y straen?

NODIADAU

1 'In Memoriam: T. E. Ellis', *Gwlad y Gân a Chaniadau Eraill*, 1902, t. [4].

2 'Molawd Dyffryn Clwyd', Ibid., t. 4.

3 'Arianwen', Ibid., t. 8.

4 'Non', Ibid., t. 11.

5 'Gem', Ibid., tt. 15–16.

6 'Cysur Bywyd', Ibid., tt. 16–17.

7 'Gorsedd Beirdd Ynys Prydain', v, *Cymru*, cyf. X, rhif 59, Mehefin 1896, t. 298.

8 Ibid., tt. 298–9.

9 Ibid., t. 299.

10 'Gwlad y Gân', *Gwlad y Gân a Chaniadau Eraill*, t. 27.

11 Ibid., t. 28.

12 Ibid., t. 29.

13 Ibid., t. 30.

14 Ibid., t. 33.

15 Ibid.

16 'Canmlwyddiant "Y Faner": Atgofion Aelod o'i Staff', *Y Faner*, Awst 25, 1943, t. 5.

17 'Dinbych a'r Wasg Gymraeg', *Trafodion Anrhydeddus Gymdeithas y Cymmrodorion*, Sesiwn 1939, 1940, t. 147. Anerchiad a draddodwyd yng nghyfarfod Adran yr Eisteddfod o Anrhydeddus Gymdeithas y Cymmrodorion, yn Eisteddfod Genedlaethol Dinbych, Awst 9, 1939. Cadeirydd y cyfarfod oedd T. Gwynn Jones ei hun. Rhoddodd ganiatâd i Robert Griffiths i adrodd y stori.

18 'Gwlad y Gân', t. 37.

19 'Llywelyn ap Gruffydd', Ibid., t. 50

20 Ibid.

21 'I'm Merch Fach yn Flwydd Oed', Ibid., t. 53.

22 'Gwlad y Gân a Chaneuon Eraill' [*sic*], *Y Cymro*, Gorffennaf 3, 1902, t. 2.

23 'Y Cymdeithasau'/'Aberdâr', *Y Darian*, Chwefror 6, 1919, t. 7.

24 'Atgofion: E. Tegla Davies', *Cyfres y Meistri 3*, t. 124. Cyhoeddwyd yn wreiddiol yn *Y Llenor*, cyf. XXVII, rhif 2, Haf 1949.

25 'Gwlad y Gân a Chaniadau Ereill gan T. Gwynn-Jones' [hysbyseb], *Yr Herald Cymraeg*, Ionawr 13, 1903, t. 2.

26 'Modern Welsh Literature', *The Welsh Outlook*, cyf. I, rhif 1, Ionawr 1914, t. 21.

27 'Atgofion: W. J. Gruffydd', *Cyfres y Meistri 3*, t. 101. Cyhoeddwyd yn wreiddiol yn *Y Llenor*, cyf. XXVII, rhif 2, Haf 1949.

28 Ibid., t. 103.

29 Ibid.

30 'Atgofion: William Eames', Ibid., t. 109. Cyhoeddwyd yn wreiddiol yn *Y Llenor*, cyf. XXVII, rhif 2, Haf 1949.

31 'Atgofion: W. J. Gruffydd', Ibid., t. 103.

32 Cystadleuaeth y Gadair: beirniadaeth John Morris-Jones, *Cofnodion a Chyfansoddiadau Buddugol Eisteddfod Bangor*, Golygydd: E. Vincent Evans, 1902, t. 7.

33 LLGC TGJ, B113, llythyr oddi wrth T. Gwynn Jones at Daniel Rees, Gorffennaf 29, 1931. Charlie Kenny, yn bendant, a geir yn llawysgrifen eglur Gwynn ei hun, ond a oedd ei gof yn pallu, ac onid Charlie Kelly a olygai? Adroddodd yr hanesyn hwn ar y radio un tro, ac yn ôl David Jenkins, Charlie Kelly oedd enw'r cyfaill o Wyddel (*Thomas Gwynn Jones: Cofiant*, t. 127).

Lluniodd Gwynn englyn ym 1902 i farbwr o Wyddel o'r enw Dan Kelly, yn ôl *The North Wales Express*, Rhagfyr 26, 1902, t. 5. Tybed ai Charlie Kelly a olygid? Kelly yn sicr sy'n gywir yma, oherwydd mae'r gynghanedd yn hawlio hynny. Dyma'r englyn:

> Mab Erin fad, decca dir, – yw Kelly,
> Calon onest, gywir
> A fedd, ac nis canfyddir
> Gwell torwr gwallt ar air gwir.

[34] Cystadleuaeth y Gadair: beirniadaeth John Morris-Jones, Ibid., tt. 8-9.

[35] 'Ymadawiad Arthur', *Ymadawiad Arthur a Chaniadau Ereill*, 1910, t. 10.

[36] Ibid., t. 9.

[37] 'Eisteddfod Bangor', *Y Faner*, Medi 20, 1902, t. 7.

[38] 'Y Bardd Cadeiriol'/'Gwledd Llongyfarch', *The Welsh Coast Pioneer and Review for North Cambria*, Hydref 10, 1902, t. 7.

[39] 'Profiad Golygydd', *Papur Pawb*, Mehefin 14, 1902, t. 5.

[40] Ibid.

[41] 'Y Wasg', J. T. Job yn adolygu *Eisteddfod Genedlaethol Bangor (1902): Y Farddoniaeth a'i Beirniadaeth*, *Y Goleuad*, Mehefin 5, 1903, t. 9.

[42] Bangor MS/19748, llythyr oddi wrth J. T. Job at R. Silyn Roberts, Ionawr 10, 1903.

[43] 'Reviews', Elphin yn adolygu *Eisteddfod Genedlaethol Bangor (1902): Y Farddoniaeth a'i Beirniadaeth*, *Y Cymmrodor*, cyf. XVI, 1903, t. 142.

[44] Ibid., t. 150.

[45] Ibid., t. 146.

[46] Ibid., t. 149.

[47] Ibid., t. 153.

[48] Ibid., t. 151.

[49] Ibid., tt. 152-3.

[50] Ibid., t. 154.

[51] Bangor MS/19456, llythyr oddi wrth T. Gwynn Jones at R. Silyn Roberts, Mehefin 6, 1903.

[52] Ibid.

[53] Ibid.

[54] Ibid.

[55] Ibid.

[56] 'Anglesea Castle Theatre', *Llandudno Advertiser and List of Visitors*, Gorffennaf 10, 1903, t. 6.

[57] Bangor MS/19455, llythyr oddi wrth T. Gwynn Jones at R. Silyn Roberts, Gorffennaf 13, 1903.

[58] Ibid.

[59] Ibid.

[60] Bangor MS/19457, llythyr oddi wrth T. Gwynn Jones at R. Silyn Roberts, Medi 19, 1903.

[61] Ibid.

[62] Ibid.

[63] 'Nodion Cymreig', *Y Goleuad*, Medi 18, 1903, t. 5.

[64] Ibid.

[65] Bangor MS/19457.

[66] 'Ben Bowen (Euros)', *Y Geninen*, cyf. XXI, rhif 4, Hydref 1903, t. 271; hefyd Bangor MS/20033. Cynhwyswyd y gerdd yn *Ymadawiad Arthur a Chaniadau Ereill*, tt. 35-6.

[67] Bangor MS/19457.

[68] 'Credoau a Chyffesion Enwadol: ai rhaid wrthynt?', *Y Geninen*, cyf. XXI, rhif 4, Hydref 1903, tt. 232–3.

[69] Bangor MS/19457.

[70] Ibid.

[71] Ibid.

[72] Ibid.

[73] Ibid.

[74] Ibid.

[75] Ibid.

[76] Ibid.

[77] Ibid.

[78] 'Y Nef a Fu', *Ymadawiad Arthur a Chaniadau Ereill*, t. 25. Cyhoeddwyd y gerdd yn *Manion* hefyd, tt. 17–25, lle nodir 1901–1903 fel dyddiad ei chreu.

[79] Ibid.

[80] Ibid., t. 27.

[81] Ibid., t. 29

[82] Ibid.

[83] Ibid., tt. 29–30.

[84] Ibid., t. 30.

[85] Ibid.

[86] Ibid., t. 31.

[87] Ibid., t. 32.

[88] Ibid.

[89] 'Lliw a Llun yn Llên Cymru', *Y Geninen*, cyf. XXI, rhif 2, Ebrill 1903, t. 94.

[90] Ibid.

[91] Ibid.

[92] Ibid.

[93] 'D. Lloyd George, A.S., yn[g] Nghaernarfon', *Seren Cymru*, Chwefror 6, 1903, t. 4.

[94] 'Penill-cyfarch i D. Lloyd-George Ysw., A.S.', Ibid., tt. 4–5. Ymddangosodd hefyd yn *Y Negesydd*, Chwefror 5, 1903, t. 1, dan y teitl 'Penill-cyfarch i D. Lloyd-George, A.S.'

[95] 'Ysgrepan y Llenor', *Y Gwyliedydd Newydd*, Awst 18, 1914, t. 3.

[96] *Dafydd ap Gruffydd: Drama Hanes mewn Pedair Act*, 1914, t. 6.

[97] 'Yspryd yr Oes', *Papur Pawb*, Gorffennaf 25, 1903, t. 8.

[98] Ibid.

[99] Ibid.

[100] Ibid., t. 10.

[101] 'Cymanfa'r Holl Geltiaid', *Yr Herald Cymraeg*, Awst 30, 1904, t. 5.

[102] Ibid.

[103] 'Cynhadledd Oll-Geltaidd', *The London Kelt*, Medi 3, 1904, t. 5.

[104] Ibid.

[105] 'Atgofion: William Eames', *Cyfres y Meistri 3*, t. 107.

[106] 'Yr Athro T. Gwynn Jones yn Myfyrio Uwchben Barddoniaeth Taldir', *Y Ford Gron*, cyf. IV, rhif 2, Rhagfyr 1933, t. 33.

[107] 'Llydaw a Chymru', *Yr Herald Cymraeg*, Mehefin 27, 1905, t. 2.

[108] 'Y Ffrancwr a'r Celtiaid', Ibid., Rhagfyr 20, 1904, t. 3.

[109] Ibid.
[110] 'Gibeoniaid Cymru', Ibid., Rhagfyr 6, 1904, t. 8.
[111] Ibid., Rhagfyr 20, 1904, t. 8.
[112] Ibid.
[113] Ibid.
[114] Ibid., Rhagfyr 27, 1904, t. 8.
[115] Ibid.
[116] Ibid., Ionawr 3, 1905, t. 8.
[117] Ibid.
[118] Ibid., Ionawr 10, 1905, t. 8.

Pennod 5

CRWYDRYN A LLYWARCH
YM MYD Y PYRAMIDIAU
1905–1906

Ar ddechrau 1905, trawyd Gwynn a gweddill y teulu yn wael. 'Cawsom ni yma bawb yr influenza, a dihangfa gyfyng a gefais i rhag y pneumonia,' meddai mewn llythyr at Silyn ym mis Chwefror.[1] Llythyr i ddiolch i Silyn am anfon copi o'i lyfr *Trystan ac Esyllt a Chaniadau Eraill* ato oedd y llythyr hwnnw, ond yn gymysg â'r llawenydd o dderbyn y llyfr, yr oedd llawer iawn o ofid a phryder. Byddai Gwynn wedi hoffi adolygu cyfrol Silyn yn *Yr Herald*, a rhoi geirda iddi, ond, meddai, 'y mae ganddynt ddeddf na adolygir ond llyfrau yr anfoner copïau i'w hadolygu, ac nid wyf finnau ar delerau da â'r berchenogaeth ers tro'.[2] Roedd Gwynn wedi blino'n barhaol yn ystod y cyfnod hwn, ac yn enwedig ar ôl i'w salwch ar ddechrau'r flwyddyn ei wanhau. Er hynny, parhâi i lenydda ac i anfon ysgrifau at gyfnodolion eraill, ac efallai fod ei benaethiaid wedi synhwyro ei fod wedi glân syrffedu ar ei swydd, ac nad oedd yn rhoi o'i orau i'r swydd honno. Dyheu am lenydda yr oedd Gwynn. 'Yr wyf, yn wir, mewn tymer ddrwg iawn, a'm baich bron â bod yn fwy nag y gallaf ei ddwyn,' meddai wrth Silyn.[3] Roedd J. Herbert Roberts, yr Aelod Seneddol dros Orllewin Sir Ddinbych, wedi addo chwilio am swydd gymwys iddo, ac roedd Gwynn ar y pryd yn chwilio am gyhoeddwr i drydedd gyfrol o'i farddoniaeth, ac 'Ymadawiad Arthur' yn brif gerdd y casgliad. Poenai nad oedd iddo le yng Nghymru mwyach. 'Mae arnaf ofn,' meddai, 'mai Lloegr a fydd fy niwedd,' a hynny er maint y carai Gymru:

"Cerais fy ngwlad, ganwlad gu,
Cerais, ond ofer caru."
O'i hâr dda'i hun ni rydd hi,
At gael tamaid, glwt imi,
Ac ni fynn a ganwyf fi –
Ofer oedd fyw awr iddi![4]

Ganol yr haf wedyn cafodd bwl o annwyd trwm, ac y mae'n sicr fod gorweithio wedi gadael ei gorff yn rhy wantan i wrthsefyll afiechydon o'r fath. Fe'i cynghorwyd gan ddau feddyg i dreulio tair wythnos o leiaf yng nghanol y wlad. 'Ni wn i hyd ba fesur y mae'r aflwydd wedi gafael ynof, ond mae'r meddygon yn dywedyd y rhydd tair wythnos neu fis mewn awyr iach fi ar fy nhraed,' meddai wrth Silyn ddechrau mis Mehefin 1905.[5] Bu'n ystyried treulio tair wythnos yn Rhyd-ddu, ond i gynefin ei hynafiaid ar Fynydd Hiraethog yr aeth yn y diwedd, gyda W. J. Gruffydd yn gwmni iddo. Fwy na deng mlynedd yn ddiweddarach, cofiai Gwynn am yr wythnosau a dreuliodd y ddau ohonynt ym mro Hiraethog ym mis Mehefin 1905:

A rodiwn-ni eto fyth Hiraethog y grug a'r eithin,
  A gerddwn-ni yn y niwl, pan fo gorddu yno nos?
A wyliwn-ni eto haul, liw tân, yn gloywi'n y tyle,
  A welwn-ni liwiau di-rif gan loywne leuad ar ros?[6]

Ac ar Fynydd Hiraethog y mis Mehefin hwnnw y lluniodd ei gywydd 'Rhyddid a Rhaid', a'i gyflwyno i Daniel Rees. Pe gallai gael ei iechyd yn ôl, gallai hefyd gael ei hen lawenydd yn ôl:

Câi dyn ei hen lawenydd,
Byw dan yr haul, bod yn rhydd,
A di-ball wynfyd bellach –
O châi ryw ffawd a chorff iach![7]

Myfyrdod ar farwoldeb dyn yw'r cywydd. Credai Gwynn ar y pryd fod y clochydd wedi torri tywarchen gyntaf ei fedd, ac mae'r cywydd, wrth iddo fyfyrio ar oferedd bywyd, yn adlewyrchu ei iselder ysbryd. Ni wêl fod unrhyw ddiben i fywyd ar wahân i sicrhau bod gennym gyflenwad digonol o fwyd i'n cadw ni'n fyw am ysbaid, cyn inni farw:

Gwae na bai gwiw ein bywyd,
Rhy ofer ef ar ei hyd!
Onid oes well a phellach,
Ynfyd yw ein bywyd bach,
Ebr wynebwr anobaith –
Ei hyder fydd ofer waith;
Ein diben, er a dybiwyd
Gan feirdd, cael digon o fwyd
Ydyw fyth, dros ennyd fer
A phoenus; pan orffenner,
Cawn fedd fel ein gwehelyth,
Dyna ben amdani byth.[8]

Ac 'wynebwr anobaith' oedd Gwynn ar y pryd.

Lluniodd gywydd arall ym mis Mehefin 1905. Ym mis Chwefror 1905 roedd Silyn wedi symud i Danygrisiau, Blaenau Ffestiniog, pan dderbyniodd alwad i fod yn weinidog ar Eglwys Bethel yno, ac i weinidogaethu hefyd ar dri chapel arall yn y cylch. Cynhaliwyd y cyfarfod sefydlu ym mis Mawrth, ac ar Fehefin 28 priodwyd Silyn a Mary Parry, ac aethant i fyw mewn tŷ o'r enw Afallon. Lluniodd Gwynn gywydd i ddathlu'r briodas. Er mor llawen oedd yr achlysur, roedd yn ymwybodol iawn o fyrder ac ansicrwydd bywyd yn y cywydd hwn eto; ond er mor fyr yw bywyd, neu, efallai, oherwydd bod bywyd mor fyr, y mae dyn yn chwilio am ramant a chariad, yn chwilio am Afallon, mewn gwirionedd, yn enwedig yn ei ieuenctid. Yr unig beth sy'n sicr mewn bywyd yw marwolaeth, ond cyn hynny, y mae dyn yn chwilio am harddwch a thangnefedd, ac yn troi at y cain a'r cu yn union fel y mae meillion yn troi at yr haul. Yn 'Ymadawiad Arthur' dywedir y daw'r byd yn ôl o'i gyflwr anfoesol a bradwrus pan ddaw Arthur eilwaith i arwain ei genedl:

A daw'n ôl, yn ôl o hyd
I sanctaidd Oes Ieuenctyd ...[9]

Ond mae Gwynn yn gofyn yn y cywydd, ai celwydd oedd delfrydau a gobeithion ieuenctid, ac ai rhemp oedd y rhamant? Dyma ran gyntaf y cywydd:

Ai breuddwyd bardd ydyw byd
Sanctaidd a thlws ieuenctyd?
Ai rhith heb sail na pharhad

Yw cur a gwynfyd cariad?
Ni ŵyr dyn namyn mai nos
Ddu oer y sydd i'w aros
Ym mhen ei lwybr, am hynny
At yr hyn a ŵyr y try.
O bae au, gŵyr hoffed byd
Sanctaidd a thlws ieuenctyd,
Ac er mor fyrr, gŵyr mor fad
Yw cur a gwynfyd cariad!
At yr haul a'i wres y try
Ir feillion daear, felly
Enaid dyn sydd yn tynnu
Ato'r cain, yntau, a'r cu.[10]

Â'r Mudiad Rhamantaidd yn ei anterth ar y pryd, y mae'r cywydd hwn yn rhan o
Gwlt leuenctid y cyfnod. Mae ieuenctid yn anfarwol, yn lân, ac yn rhydd oddi wrth
afiechydon a henaint. 'Heb wae trist adnabod tranc,/Tragywydd y trig ieuanc,'
meddir yn 'Tir Na N'og'.[11] Yn union fel nad oedd na haint na henaint ar Ynys
Afallon, yn ôl y cywydd nid oes ym mywyd y Silyn ifanc na henaint na nychdod.
Y mae ei ieuenctid, a delfrydau ei ieuenctid, i barhau am byth:

O! Sanctaidd oes ieuenctyd
Rhianedd heirdd a beirdd byd,
Henaint nid yw'n dihoeni
Na'th bryd teg na'th barhad di!
Odiaeth wyt, ni edwa'th haf,
I ti ni ddaw brwnt aeaf.
Bro lwys iach, wybr las ucho,
Aur mân yw'th raean a'th ro;
Nid yw dy fedw yn edwi,
Llawn dail yw'th gelynllwyn di;
O hyd e gaid rhwng dy gyll
'I lateion le tywyll'.
Os hen yw'r cestyll y sydd
Ar fin dy glaer afonydd,
Hen ŷnt mal neint a moelydd
Yn eu stad, neu nos a dydd.

Mae rhwng eu muriau o hyd
Dwf ieuanc ddi-baid fywyd,
Yno'r enwog rianedd
Didranc fyth ag ieuanc wedd,
Yno'r beirdd fu'n swyno'r byd,
Ifainc fydd hwythau hefyd.[12]

Nid celwydd yw breuddwydion y beirdd; nid rhith na dychymyg mohonynt, ond rhywbeth byw, diriaethol. Gall y bardd gadw gobaith yn fyw a gwarchod harddwch rhag cael ei lychwino gan fudreddi a chreulondeb bywyd. Y beirdd yw ceidwaid ac amddiffynwyr prydferthwch a sancteiddrwydd bywyd, er pob anhawster:

Os cas a bas yw y byd,
Os bawaidd yw cwrs bywyd,
Os oes ryw dynghedfen sydd
Yn boen i ddynion beunydd,
Ni all hi byth dwyllo bardd
Na'i newid mwy na'i wahardd.
Ei wiwfryd ef yw'r difai –
Mwy ni eilw ef, nis mynn lai!
Nid breuddwyd bardd ydyw byd
Sanctaidd a thlws ieuenctyd.[13]

Lluniodd gerdd arall oddeutu'r un adeg ag y lluniodd y cywyddau, 'Ex Tenebris' ('O'r Tywyllwch'), a'i chyflwyno i Daniel Rees, a fu'n gymaint o gefn iddo. Mae'r gerdd hon hithau yn cyfleu ei ofnau a'i bryderon ar y pryd, wrth iddo fyfyrio ar ddistadledd a bychander dyn yng nghanol anferthedd a dibendrawdod y bydysawd:

Yr oedd y niwl yn dorchau ar y twyni,
A'i hun â'm henaid innau yn cymysgu
Onid oedd arnaf oeraidd arswyd angau ...[14]

Treuliodd hefyd wythnos ar fferm ei dad ym mis Gorffennaf, fel y gallai anadlu awyr iach y wlad ac ymgryfhau, ond wedi iddo ddychwelyd i Gaernarfon, parhâi i deimlo'n gorfforol ac yn feddyliol flinedig. Câi anhawster i weithio. Ym mis Medi, fe'i cynghorwyd gan ei feddyg i dreulio'r gaeaf mewn gwlad gynhesach ei hinsawdd, a dewisodd fynd i'r Aifft.

Pan glywodd cyfeillion Gwynn am ei fwriad i dreulio'r gaeaf yn yr Aifft, aethant ati fel lladd nadredd i gasglu arian ar ei gyfer. Agorwyd cronfa iddo. Ymhlith y cyfranwyr roedd rhai enwau adnabyddus iawn, fel J. Herbert Roberts; Frederick Coplestone, perchennog *Yr Herald Cymraeg* a phapurau eraill; T. O. Jones (Gwynfor), yr actor; W. J. Gruffydd ac R. Silyn Roberts, John Morris-Jones a Syr Edward Anwyl, ac Emrys ap Iwan.[15] Pan oedd ar fin gadael am yr Aifft, anfonodd Emrys ap Iwan lythyr ato. Roedd ei iechyd yntau hefyd yn pallu ar y pryd:

> Yr oedd yn ddrwg iawn gennyf glywed eich bod yn wael. Gobeithio yr wyf y byddwch, ar ôl bod ennyd yng ngwynt a heulwen yr Aifft, yn gryfach nag erioed. Yr oeddid wedi trefnu i minnau gymryd taith ar Fôr y Canoldir ganol y mis hwn; ond y mae'r meddygon yn dywedyd yn awr fy mod yn rhy wan i fynd ymhell oddi cartref, ac y bydd yn ddigon imi, ar ôl ymgryfhau tipyn, fyned i Ddinbych y Pysgod neu i Gernyw, lle caf ddigon o ozone yr Atlantic heb lawer o oerni. Gwnewch eich goreu tra boch ar eich taith ac yn yr Aifft i ddysgu'r art o ddiogi. Penderfynwch fyw ac ymwellhau ... Esgusodwch fyrder fy llythyr – dyma'r cyntaf a ysgrifennais ers wythnosau. Gobeithio y cawn weled ein gilydd eto yn iach ac yn llawen.[16]

Cynhaliwyd cyfarfod arbennig i gyflwyno'r arian i Gwynn ar nos Iau, Hydref 19, 1905. Yn ôl adroddiad a gyhoeddwyd yn *Yr Herald Cymraeg*:

> Nos Iau, yn yr Institute, Caernarfon, cynnaliwyd cyfarfod o hyrwyddwyr y symudiad i gyflwyno tysteb i Mr T. Gwynn-Jones, Caernarfon, yr hwn a ymwelai â'r Aipht er ceisio adferiad i'w iechyd. Yr oedd yn bresennol gynnulliad lluosog. Cymerwyd y gadair gan Faer Caernarfon (yr Henadur D. T. Lake).
>
> Rhoes Mr Dan Rhys, un o'r ysgrifenyddion, hanes y symudiad o'i gychwyn. Cawsid cefnogaeth gan wŷr cyhoeddus y[m] mhob rhan o Gymru. Penderfynwyd yn y pwyllgor, meddai Mr Rhys, gadw yn agored y gronfa hyd y 25ain cyfisol. Yr oedd ganddo hyder y derbynid llawer mwy o danysgrifiadau. Fe gyflwynid yr anrheg yn ffurfiol y noswaith hono, oherwydd mai dyna yr unig gyfle ... dywedodd Mr Bryan mai i Mr Rhys yr oedd y clod yn ddyledus am y gwaith a wnaed. Ychydig wnaeth ef, er y ceisiodd wneyd ei oreu ... Yr oedd yn bleser gweled y dyddordeb a gymerasid yn y symudiad gan y cyhoedd. Yr oedd ef eisioes wedi

cyflwyno Mr Gwynn Jones i amryw gyfeillion o'r Aipht, a gobeithiai gael ei gyflwyno i ychwaneg ar ôl cyrhaedd yno.

Yna croeshawyd Mr Gwynn-Jones i'r ystafell gan y Maer, yr hwn, mewn ychydig eiriau pwrpasol, a ddatganodd deimladau dwys cyfeillion Mr Jones oherwydd ei ymadawiad, a rhoddodd yn ei law arian-nodyn am swm sylweddol.

Dywedodd Mr Beriah Evans fod yn ddrwg gan lenorion y dref a'r cyhoedd yn gyffredinol y gorfodid Mr Jones adael y dref dros dymhor ... Mewn anerchiad llawn hwyl, sylwodd y Parch R. D. Rowland (Anthropos) fod "Arthur" yn ymadael am dymhor – nid i Afallon ond i'r Aipht, ac yr oeddynt oll yn gobeithio y dychwelai adref wedi cael llwyr adferiad iechyd, ac y galluogid ef i wneyd mwy o waith eto dros ei wlad ... Dywedodd Mr Gwynn-Jones, wrth gydnabod, fod yn anhawdd iddo gael geiriau i ddatgan ei werthfawrogiad o garedigrwydd ei gyfeillion a'r cyhoedd yn y symudiad hwn. Ni feddyliodd erioed o'r blaen fod ganddo gynifer o gyfeillion. Os methasai efe gytuno â rhywrai yr oedd yn eu sicrhau nad oedd hyny oherwydd fod ganddo unrhyw falais. Yr oedd yn awr yn gwynebu ar wlad bell, ac os y caffai ei arbed i ddychwelyd adref at ei deulu a'i gyfeillion, fe wnâi yr hyn oedd yn ei allu. Diolchai iddynt yn galonog am y modd y gwerthfawrogid yr ychydig waith a wnaethai tra yn eu plith ...

Ymadawodd Mr Gwynn-Jones o'r dref ddydd Sadwrn, ac ymunodd â'r llong "Creole Prince" nos Sadwrn, yn[g] nghwmni Mr Robert Bryan, Mr Joseph Davies Bryan, ac ereill. Llong gysurus yw y "Creole Prince," a chaed pob hwylusdod wrth ei gyru drwy'r camlas i'r môr. Yn Tunis, yn Affrica, y bydd y llong yn galw gyntaf.[17]

Brodor o Landeilo, Sir Gaerfyrddin, oedd Dan Rhys, un o ysgrifenyddion y gronfa. Bu'n gweithio ar sawl un o bapurau De Cymru o'r deunaw oed ymlaen, yn Abertawe, Aberdâr a Chaerdydd. Fe'i penodwyd yn Ysgrifennydd Cyffredinol Eisteddfod Genedlaethol Caernarfon ym 1880, wedi iddo fod yn ysgrifennydd i eisteddfodau cenedlaethol eraill cyn hynny. Arhosodd yng Nghaernarfon wedi iddo dderbyn swydd fel prif gyfrifydd a chyfieithydd swyddogol y Llys Sirol yn y dref. Roedd Dan Rhys yn drefnydd heb ei ail, ac yn ŵr a chanddo fys mewn sawl brywes. Dan Rhys a wnaeth y rhan fwyaf helaeth o'r gwaith casglu a threfnu ar gyfer y dysteb i Gwynn. Roedd yn ŵr hael ac yn gymwynaswr mawr, ac fel cymwynaswr y cofiai Gwynn amdano yn ei soned goffa iddo, wedi iddo farw yng

Nghaernarfon ym mis Mai 1914:

> Truan oedd yno ado'r landeg wedd
>   A'r galon lân yn oer o dan y gro,
>   A thewi o'r llais a fyddai, lawer tro,
> Ar bryder nych yn bwrw ei dirion hedd;
> A thi mor fyw, nid gwir mai mudan fedd
>   A fedrai fyth dy gadw di ynghlo,
>   Dir yw mai rhaid bod iti ddidranc fro
> A braint ymhlith y ddisglair dorf a'i medd;
> Ac oni roddwyd i'n synhwyrau ni
>   Na gweld dy wedd neu glywed tinc dy lais,
> Mwy yn galondid yn ein gwendid gwael,
>   Od wyd, nid dedwydd fyth a fyddit ti
> Er byw mewn gwawl, heb am ein gweled gais,
>   A gwylio'n hynt, o serch dy galon hael.[18]

Oherwydd bod Dan Rhys mor ddiwyd ac mor egnïol, 'mor fyw', ni all y bardd gredu ei fod yn llonydd ddisymud yn ei fedd, felly, mae'n rhaid mai byw mewn 'didranc fro' y mae, gwlad yr anfarwolion, ac eto, nid yw'n gwbl hapus yno, er ei fod yn byw mewn goleuni, heb wneud ymdrech i weld y rhai byw, a bod yn galondid iddynt yn eu gwendid. Dair blynedd ar ôl ei gladdu, roedd Gwynn yn dal i gofio amdano: 'Gweled ei wên garedig loew, clywed ei lais meddal, mwyn a'i chwerthin llawen yr wyf, a chofio'i garedigrwydd diderfyn'.[19]

Ysgrifennydd arall y gronfa oedd Robert Bryan, ac yn ei gwmni ef yr aeth Gwynn ar fwrdd yr SS *Creole Prince* ar nos Sadwrn, Hydref 21, a hwylio ymaith i gyfeiriad yr Aifft fore dydd Sul. Bu Gwynn yn ffodus i gael Robert Bryan yn gyd-deithiwr iddo. Roedd yn gyfarwydd â'r Aifft, gan mai yn y wlad honno yr arferai dreulio'r gaeaf. Bregus oedd ei iechyd yntau hefyd, ac nid dewis treulio'i aeafau yn hinsawdd yr Aifft ar antur a wnâi Robert Bryan. Roedd cysylltiad agos iawn rhyngddo a'r Aifft, oherwydd mai yng Nghairo yr oedd dau o'i frodyr yn byw ac yn gweithio. Bardd, llenor a cherddor oedd Robert Bryan, ond masnachwyr oedd ei frodyr. Am flynyddoedd bu gan y 'Bryan Brothers' siop ddilladau a defnyddiau arbennig o lwyddiannus a llewyrchus yng Nghaernarfon. Yr hynaf o'r brodyr oedd John Davies Bryan. Brodorion o Lanarmon-yn-Iâl, Sir Ddinbych, oedd y ddau frawd hynaf, John a Robert Bryan, ond symudodd y teulu i ardal dawel, anghysbell mynydd Cyrn-y-brain uwchben Dyffryn Maelor. Yno y ganed y ddau frawd arall, Joseph ac Edward, wedi ei enwi ar ôl ei dad, Edward Bryan, a fu farw yn gymharol ifanc, 62 oed, ym 1886. Yn yr un flwyddyn, cynghorwyd John Davies Bryan i adael Cymru ac ymfudo i wlad boethach ei hinsawdd er lles ei iechyd. Penderfynodd ymfudo i'r Aifft, gan fod cefnder iddo, Samuel Evans, yn bennaeth ar yr Egyptian Coast Guard Service ac yn gyfarwyddwr ariannol i'r Llywodraeth yno. Sefydlodd John Davies Bryan siop fechan yng Nghairo ym 1886, ac yng ngwanwyn y flwyddyn ddilynol, ymunodd ei frawd Joseph Davies Bryan, a oedd yn fyfyriwr yn Aberystwyth ar y pryd, ag ef yn y fenter. Ym 1888 dychwelodd John Davies Bryan i Gymru i brynu defnyddiau ar gyfer ei siop yng Nghairo ac i werthu ei siop yng Nghaernarfon, ac aeth â thrydydd brawd, Edward Davies Bryan, yn ôl i'r Aifft gydag ef. Yn y wlad honno y trigai Joseph ac Edward bellach, gan ymweld â Chaernarfon yn awr ac yn y man yn ystod yr hafau, ond nid dyna hanes y brawd hynaf. Fe'i trawyd gan y dwymyn fraenol bythefnos ar ôl iddo ddychwelyd o Gaernarfon i Gairo. Bu farw ym mreichiau ei frawd Joseph yn Ysbyty Victoria yng Nghairo ar Dachwedd 13, 1888, yn 32 oed. Ni ddychwelodd i Gymru byth mwy. Fe'i claddwyd yn y fynwent Brydeinig newydd ger afon Nil. Bu'r ddau frawd yn gofalu am y siop wedi hynny, gan agor canghennau eraill mewn gwahanol leoedd yn yr Aifft – Port Said a Khartoum. Roedd siop arall ganddynt yn Alexandria eisoes.

Ganed Robert Bryan ar Fedi 6, 1858, felly roedd yn hŷn na Gwynn o ryw dair blynedd ar ddeg. Fe'i haddysgwyd yn Ysgol Frytanaidd Wrecsam, lle'r oedd yn byw gyda'i fodryb, mam Samuel Evans, ac aeth ymlaen wedyn i'r Coleg Normal ym Mangor. Yn ystod ei ail dymor yno, cymerodd le Athro Cerddoriaeth, a oedd wedi ei daro gan afiechyd. Aeth ymlaen oddi yno i Goleg Prifysgol Cymru yn Aberystwyth, ac oddi yno i Rydychen. Cafodd Robert Bryan ei hun ei daro gan afiechyd pan oedd ar fin sefyll ei arholiadau gradd, a bu'n orweiddiog am fisoedd. Bu'n wael ei iechyd byth oddi ar hynny, a gweithiai yn achlysurol, fel y caniatâi ei iechyd, fel athro ysgol. Cyfrannai'n helaeth i gylchgronau Cymraeg, cerddi ac ysgrifau, yn enwedig i *Cymru* O. M. Edwards. Cyhoeddwyd cyfrol o'i gerddi ym 1902, *Odlau Cân*. Medrai nifer o ieithoedd. Cyhoeddodd nifer helaeth o gyfieithiadau o amryw byd o ieithoedd yn *Cymru*, gan gynnwys cyfres o gyfieithiadau o ddiarhebion a dywediadau bachog pobl yr Aifft, dan y teitl 'Adlais o'r Dwyrain', er enghraifft, 'Hir yr Erys, Llwyr y dial':

> Paid â chwyno os na weli
>   Gosbi'r brwnt, gwobrwyo'r glân;
> Mae melinau Duw yn malu'n
>   Araf, ond yn malu'n fân.[20]

Ac eto, 'Arfer':

> Haws troi cyfaill iti'n elyn
>   Na throi gelyn iti'n ffrynd;
> Haws dymchwelyd tŷ na'i godi,
>   Haws dychwelyd nag yw mynd.[21]

Cafodd Gwynn, felly, gwmni bardd o Gymro drwy gydol y fordaith ac yn achlysurol wedi iddynt gyrraedd yr Aifft. Yn wir, roedd gan Gwynn feddwl uchel o farddoniaeth Robert Bryan:

> ... yn "Odlau Cân" Robert Bryan down o hyd i fardd sydd hefyd yn gerddor. Y mae efe yn ofalus hyd berffeithrwydd am roddi ffurf ganadwy ar ei eiriau. Ceir ganddo benhillion cyfain cyn feddaled a llyfned â phe baent Italeg. Rhydd Mr. Bryan gymaint o bwys ar ei lafariaid ag a rydd y cynghaneddwyr ar eu cydseiniaid; a dengys ei waith mor lafar mewn gwirionedd ydyw y Gymraeg, a chymaint rhagorach cyfrwng ydyw na'r Saesneg. Dug ef hefyd i fewn i'w gerddi swyn breuddwydiol y Dwyrain a dylanwad pell "Englynion y Beddau" a'r hen "Driban Milwr." Y mae ei wladgarwch ef hefyd yn fawr ac yn anibynnol, ag ôl diwylliant boneddigaidd ar yr oll o'r gwaith.[22]

Gadawodd y ddau Gymru, felly, ar Hydref 22, 1905, ar fwrdd yr SS *Creole Prince*, a rhannent yr un caban â'i gilydd. Garw ryfeddol oedd y môr yn ystod deuddydd cyntaf y fordaith. Croniclodd ei hynt a'i hanes yn yr Aifft mewn llythyrau at ei wraig, a chyhoeddwyd sylwedd y llythyrau hynny fesul pennod yn *Cymru* O. M. Edwards, dan y pennawd 'Hanes Crwydryn', ym 1912, a'u cyhoeddi'n llyfr, *Y Môr Canoldir a'r Aifft*, eto ym 1912. 'Oni bai ysgrifennu ei sylwedd o wythnos i wythnos yn llythyrau at fy ngwraig, nid ysgrifenesid ef o gwbl, canys po hwyaf y trigo dyn yn y Dwyrain, lleiaf yn y byd fydd ei hyder y gall yn effeithiol ddywedyd dim am dano. Fy amcan ar y pryd oedd ceisio yn unig roddi i un a garwn beth o'r profiad a gefais fy hun yn yr olwg gyntaf ar leoedd dieithr ...' meddai mewn nodyn ar ddechrau *Y Môr Canoldir a'r Aifft*.[23]

Erbyn i'r llong gyrraedd Bae Gwasgwyn, ddeuddydd ar ôl cychwyn o Fanceinion, roedd storm wedi codi, ac arhosodd y ddau yn eu gwlâu. Lluniodd Gwynn englyn i'r môr terfysglyd:

Deuddydd a roddwyd iddo – i ysgwyd
    Ein hesgyrn a'n lluchio,
Ond ar hyn, draw o hono
Dyma fynd –[24]

'Teimlais fy mhen yn nofio, a rhywbeth fel pe'n troi fy nhu mewn y tu chwith allan,' meddai, gan honni, â'i dafod yn ei foch, yn sicr, nad oedd yn cofio diwedd yr englyn.[25] Ni ddyfynnodd yr englyn yn llawn gan fod elfen o reg ynddo – 'Wel, damia fo!'

Ar ôl y ddeuddydd cyntaf, aeth y fordaith yn esmwythach:

Daethom allan o'r bau cyn hir wedyn, a chawsom fôr llyfn, a golwg ar lannau Portugal, a'i chreigiau moelion yn edrych mor unig ar lan y môr. Ac o'r diwedd, daethom at Bileri Ercwlff yn y bore, pan oedd y wawr yn dechreu treiddio drwy wyll y nos. Yr oedd y môr yn gynhyrfus rhwng ei erchwynion, ond cawsom olwg drwy'r niwl ar graig Gibraltar yn ymgodi i fyny yn un talp anferth a du.[26]

Roedd y llong bellach yn hwylio drwy'r Môr Canoldir. Eisoes roedd y gwahaniaeth hinsawdd rhwng Cymru a'r Môr Canoldir yn syfrdanol:

Yr oedd hi yn yr hydref, a phan adawsom gartref, yr oedd y gaeaf cynnar eisoes yn dinoethi'r coed ac yn gyrru ei wynt a'i law trwy gymoedd Eryri hyd nad oedd ddeng munud o heulwen i'w chael mewn diwrnod. Ond bellach, yr oedd yn haf arnom, a Morocco draw fel gwlad dan oleuni hud a lledrith tragywydd.[27]

Aethpwyd heibio i Algiers, ac wrth nesáu at Tunis, cafodd y ddau gydymaith gip ar safle dinas Carthage gynt. Glaniodd y llong yn harbwr Tunis yn y man, a chafodd Gwynn a Robert Bryan (Llywarch yn y llyfr) gyfle i grwydro strydoedd y ddinas. Daethant o hyd i Eidalwr i'w tywys drwy'r dref. Creodd Tunis gryn argraff arno. Dinas amlieithog, amlhiliol dan lywodraeth Ffrainc oedd Tunis. Yr oedd yno gymysgfa o ieithoedd a phobloedd: Arabiaid, neu Ferberiaid Mahometanaidd yn y mwyafrif, can mil o Eidalwyr, pedwar ugain mil o Ffrancod, ychydig Saeson, llawer o Iddewon, a sawl hiliogaeth arall. Yn y rhan Ewropeaidd o'r ddinas, roedd pobl yn eistedd wrth fyrddau bychain, yn bwyta, yfed, ymgomio ac ysmocio, eraill yn cerdded yn ôl ac ymlaen. Golygfa liwgar oedd hon, a gwyddai'r bobl sut i'w mwynhau eu hunain, yn wahanol i'r Prydeinwyr. 'Y maent i gyd yn siriol eu golwg, ac yn ddiau yn mwynhau bywyd, nid fel pobl ein hynys ni – yn enwedig y Saeson – fel pe baent ar fynd i gladdedigaeth neu ynte newydd ddyfod o un,' oedd sylw Gwynn.[28]

Crisialodd yr argraff a adawodd Tunis arno mewn cerdd a luniodd ym 1905, 'Tunis'. Yno, gadawodd ran ohono'i hun am byth:

> A minnau yn ymadael, megis un
> A wypo nad yw symud onid siom,
> Gan ado yno ran ohono'i hun
> I fod heb fudo yn yr heulwen glaer.
> (A groeso fôr, ni newid onid aer.)[29]

Ond gobeithid y byddai'r newid aer hwnnw yn achub ei fywyd.

Dwysach a mwy crefyddol oedd y rhan Arabaidd o'r ddinas. Synnodd at fygydau'r merched. Gwelodd ryw hanner dwsin o ddynion oedrannus 'yn ymroncio o ochr i ochr' wrth adrodd gweddïau a darnau o'r Corân.[30] Ni welodd yr un Mahometan meddw. Ni chyffyrddent â diod gadarn. 'Gadawant hynny i ni, Gristionogion, ac y mae arnaf ofn ein bod ninnau yn fedrusach ar hynny nag ar nemor i beth, fel y mae waethaf y modd,' meddai, yn ddychanol o feirniadol.[31]

Ar ôl cysgu noson ar y llong, dyma fentro i'r ddinas eto yng ngolau dydd, cyn ailgychwyn ar y fordaith. Cafwyd rhybudd gan y capten fod y llong yn hwylio i ganol storm o fellt a tharanau, ond newidiodd y storm ei chwrs, ac eisteddai Gwynn a Robert Bryan yn eu cadeiriau yn gwylio'r mellt yn ymwau ac yn cordeddu yn y pellter.

Drannoeth gwelsant ynys yn codi o'r môr yn y pellter, 'fel rhyw aruthr faen cochddu yn cyfodi o'r môr glas'.[32] Roedd y llong ar fin cyrraedd Malta. Aeth y llong i mewn i borthladd Valetta. Rhoddwyd troed ar dir unwaith eto, ac âi Gwynn yn fyr ei amynedd a'i dymer wrth i'r brodorion ei blagio bob munud a chynnig dangos pob man iddo, am dâl. Mynnai un dyn bach ddilyn Gwynn a'i gyfaill o fewn rhyw ddwylath neu dair i'r ddau, a golwg 'llofrudd neu wleidydd' arno, ac er nad da ganddo lofruddion na gwleidyddion, penderfynodd beidio â bod yn gas wrth y dyn bach, os câi lonydd ganddo.[33] Ar ôl i'r ddau fod wrthi yn crwydro strydoedd Valetta, nes cyrraedd Plas y Llywodraethwr yn y man, ailymddangosodd y dyn bach, gan honni mai ef a'u tywysodd at y Plas. Ac meddai Gwynn, gyda chryn dipyn o hiwmor, a heb geisio celu'r ffaith ei fod yn dipyn o regwr:

Gan ein bod ni yn siarad Cymraeg, ni wyddai y gŵr bach pa beth i'w wneud ohonom, ond gwyddai nad Saeson oeddym, beth bynnag. Am hynny, yr oedd yn siarad â ni yn Italeg, a ninnau yn ei ddeall yn well nag y gallem ei ateb. Yr oeddwn i yn colli f'amynedd, a Llywarch yn chwerthin. Ni bydd Llywarch yn arfer geiriau mawr. Felly, bu raid i mi wneud. Gofynnais i'r dyn bach a oedd ef yn deall Saesneg. Dywedodd ei fod, dipyn. Yna perais iddo fynd i rywle, rhag ofn. Tybiais ei fod yn cychwyn yn syth, ac nad oedd ganddo ddim amheuaeth am y ffordd yno.[34]

Aethant wedyn i weld Eglwys Babyddol Sant Ioan, lle ceid darluniau o waith Michaelangelo. Rhyfeddai Gwynn at yr holl goethder, ac ni allai lai na chymharu'r eglwysi ysblennydd hyn â chapeli moel Cymru:

> Wrth edrych ar yr holl degwch glân a'r golud a roddwyd at ei gynhyrchu, nid allwn i beidio â meddwl am ein mân gapelau diaddurn a thlodaidd ni yng Nghymru. Teimlais yma, y tro hwn, fel y teimlais lawer tro mewn gwledydd ereill, wrth edrych ar y cyfoeth a'r ceinder i gyd, fod yn drueni o beth fod ein capelau ni fel pobl mor ddiaddurn, yn wir, mor hagr yn aml; ond eto, wrth edrych ar yr offeiriad bodlon draw yn darllen ei lyfr defosiwn ac yn cyfrif ei baderau yn ddistaw, nid allwn ychwaith beidio â meddwl am ambell i gapel bychan llwydaidd yng Nghymru, a godwyd ar geiniogau'r tlawd, lle gwelais ddynion â'u dwylaw fel heiyrn a'u hwynebau yn erwin gan ôl y tywydd.[35]

Aeth y ddau yn ôl i'r llong ryw awr cyn iddi ailgychwyn ar y fordaith, nes cyrraedd Alexandria ar Dachwedd 7. Yn Alexandria yr oedd un o siopau dillad a defnyddiau brodyr Robert Bryan, Joseph Davies Bryan ac Edward Davies Bryan:

> Dyma fi o flaen adeilad mawr a golygus iawn ac enw Cymry arno – Davies Bryan a'i Gwmni. Gallech feddwl fod y lle yn adeilad cyhoeddus o ryw fath, gan mor nobl ydyw, gyda'i golofnau gwenithfaen, a'r genhinen a'r rhosyn wedi eu cerfio ar y cerryg uwch ben y drysau a'r ffenestri. Ond siop ydyw. Y mae pob Cymro a elo i'r Aifft yn galw i edrych am deulu Bryan, ac ni siomwyd neb ohonynt erioed am groeso Cymreig iawn. I mewn yn y siop, dyma ni yn siarad yr hen iaith yn hapus, ac yn cael llythyrau wedi cyrraedd oddi cartref o'n blaenau.[36]

Yn siop y ddau frawd ar y pryd yr oedd Cymro arall, Robert Williams, brodor o Ferthyr Tudful a phensaer wrth ei alwedigaeth. Roedd Robert Williams wedi sicrhau gyrfa lwyddiannus iddo ef ei hun yn yr Aifft, ac ef a gynlluniodd yr 'adeilad hardd a elwir yn siop y Mri. Davies Bryan, a'r plasdy ar fin y dref, lle mae Mr. a Mrs. Joseph Bryan a'u teulu yn byw'.[37]

Aeth Robert Bryan i aros gyda'i frawd Joseph a'i briod tra oedd Gwynn yn aros mewn gwesty yn y dref. Ffrancwr oedd y porthor, a thybiai mai Almaenwr oedd Gwynn. Ac meddai, gyda pheth hiwmor: 'Disgrifiodd fi wedi hynny wrth un a'm ceisiai, fel hyn ac fel hyn, a gorffennodd – "dim byd yn debyg i Sais." Y mae gennyf barch iddo byth'.[38] Bu'n rhaid iddo gydeistedd a chydfwyta â dau Sais am naw diwrnod am ei bechodau. Gwyddent y gallai siarad Saesneg, ond ni châi ragor na bore neu nos da gan y ddau. 'Rhyfedd mor anghyweithas yw'r Saeson fel pobl,' maentumiai.[39]

Treuliodd Gwynn ei naw diwrnod yn Alexandria yn crwydro o gwmpas y dref, weithiau ar ei ben ei hun, weithiau yng nghwmni Robert Bryan. Gwelodd ryfeddodau. Un o'r rhyfeddodau hynny oedd Piler Pompei. Gerllaw'r Piler yr oedd beddrodau tanddaearol, a phrofiad arswydus braidd oedd disgyn i berfeddion y ddaear i weld y beddrodau hyn:

> Oddi tanodd, y mae beddrodau yn y ddaear, wedi eu naddu allan o'r graig. Rhaid i ni wrth arweinydd a chanhwyllau i fynd i lawr yno. Y mae'r tywyllwch isod yn ddudew a'r awyr yn drom ac yn boeth ac yn llawn arogl marwolaeth. Yma ac acw, gwelwn esgyrn dynol, ac yr wyf yn teimlo pa beth yw "tywyllwch y bedd," a phellter dieithr hen oesau, wrth araf droi a throsi o gell i gell dan y ddaear, lle rhodded rhywrai enwog yn ddiau i orffwys unwaith. Y mae dyfod yn ôl unwaith eto i'r awyr iach a'r heulwen ddisglair ysblennydd yn beth hyfryd iawn, ac yn peri i mi gofio am y rhai oedd yn uffern Dante yn hiraethu am y "bywyd araul" yng ngoleuni'r haul.[40]

Gwelodd ryfeddodau eraill yn ogystal, fel y llyn halen yn Mex, cryn dipyn o bellter o gyrraedd y dref. Treuliodd Robert Bryan ac yntau oriau difyr yn y Gywreinfa, sef yr amgueddfa, yn Alexandria. Gwelsant fwmïod yno.

Ar ôl naw diwrnod, gadawodd Gwynn Alexandria, a daliodd y trên i fynd i Gairo. Daeth Joseph Bryan a Robert Williams i'r orsaf i ffarwelio ag ef. Roedd Robert Bryan yn sâl yn ei wely ar y pryd, a bu'n rhaid i Gwynn deithio i Gairo ar ei ben ei hun. Cyrhaeddodd Gairo, ac yno yn yr orsaf yn ei dderbyn yr oedd Edward

Bryan, 'gŵr bonheddig nad oes ball ar ei garedigrwydd'.[41] Creodd Cairo argraff arno yn syth, er mai cymysglyd iawn oedd yr argraff honno, ac er nad oedd wedi cael cyfle i grwydro drwy strydoedd y dref yn iawn. Roedd yr Ewropeaid yno yn fras eu byd ac yn ymroi i ymblesera ac ofera, tra oedd yr Eifftiaid eu hunain yn dlodaidd ac yn druenus eu byd; 'anwybodus ac anllythrennog ydynt; y maent yn ddiegni ac yn aml yn fudron iawn,' meddai amdanynt.[42]

Ond roedd Gwynn eisoes wedi cael cip ar y pyramidiau yn Ghizeh, fel yr eglurodd wrth Daniel Rees:

> What to say of them, I don't know, except that they simply astound you. You look at the big pyramid just as you look at a mountain. It is comparable to nothing else. The stones used in the building are immense, & the solidity of the whole mass appals you. The Sphinx, although the face is damaged, is still majestic and huge.[43]

'I will send you the second portion of the novel as soon as I have finished it – I have not much yet to write,' meddai yn yr un llythyr.[44] Roedd eisoes wedi dweud, mewn llythyr a luniasai ar fwrdd y *Creole Prince*, y byddai ei wraig yn anfon rhan gyntaf y nofel a oedd ar y gweill ganddo.[45] Felly, dal i weithio yr oedd Gwynn, pan ddylasai fod yn gorffwys ac yn ymlacio, er lles ei iechyd.

Un dydd Sul, aeth Gwynn i Helwān, tref fechan yng nghanol yr anialwch ryw ugain milltir i'r de o Gairo. Yno, wrth gerdded i'r anialwch, teimlodd bangfeydd o hiraeth:

> Yr oedd hiraeth arnaf, hyd nad oedd yn yr anialwch tawel eang ddigon o le ag awyr i'm cadw rhag teimlo fel pe bawn yn mygu. Teimlais lawer gwaith o'r blaen fy mod yn unig ynghanol miloedd o bobl mewn tref fawr, ond dyma'r tro cyntaf i mi deimlo yn unig allan yn y wlad agored.[46]

Ac arweiniodd yr unigrwydd hwnnw at brofiad rhyfedd, cyfriniol ac arallfydol bron:

> Yn sydyn, yn y pellter, ar ganol yr anialwch, clywais yn eglur sŵn clychau, sŵn clychau eglwys y byddem yn eu clywed bob bore Sul pan oeddwn yn hogyn gartref yng Nghymru, a'm brodyr i'm canlyn. Adnabûm y sŵn yn y fan, er na chlywswn ef ers blynyddau, a gwelwn fy hun a brawd i mi yn sefyll yn y Cae Mawr ar fore Sul yn yr haf i wrando ar y clychau, ac yntau

yn codi eu seiniau. Darllenswn glywed o ereill beth tebyg ar yr anialwch. Dychymyg? Ie, neu ynte sŵn y clychau coll ym môr y galon yn galw'r crwydryn yn ôl, yn ôl. Nid wn i ba un, ond y bore hwnnw, rhwng tair a phedair mil o filltiroedd oddiwrthyf, nid oedd fy mrawd yn clywed sŵn clychau Bodelwydden. Hunai yn oer yn y ddaear. Pan ysgydwais ei law wrth gychwyn oddi cartref, dywedais wrtho y cawn ei weled drachefn cyn hir, ond fy meddwl oedd na welwn byth mono mwy. Yr oeddwn yn credu yn sicr mai mynd ymaith i orffen fy ychydig ddyddiau yn y Dwyrain oedd fy rhan i. Ac yr oedd yntau y pryd hwnnw yn un o'r dynion cryfaf yn y wlad, yn ddwylath o hyd, a'i lygaid yn ddisglair a'i wedd yn iach, a'i galon yn garedig ac yn rhy dyner iddo allu dywedyd dim ond y geiriau "da boch di" wrthyf. Ond fel arall y bu.[47]

Bu farw Robert, mab ieuengaf Isaac Jones, ar Dachwedd 13, 1905, yn 27 oed, o dwymyn neu ymfflamychiad yr ymennydd, ar ôl tair wythnos o gystudd. Yn ôl *Y Faner*: 'O ddeutu mis yn ôl yr oedd ein hanwyl frawd ymadawedig yn cael ei ddewis yn swyddog yn eglwys y Cwm; yr oedd yn gymmeriad prydferth, ac yn hoffus gan bawb'.[48] Fe'i claddwyd dridiau yn ddiweddarach. Lluniodd Gwynn gerdd fechan, 'Daear a Nef', er cof am ei frawd:

> Hir wyliai chwaer, un noswaith ddu,
>   Wrth wely angau brawd;
> Un arall yno yn gwylio a gaid
>   Nas gwelai llygaid cnawd.
>
> O bang i bang, gwanycha'i gŵyn,
>   Eu dwyn yn hwy ni all;
> "Mae'n myned," ebr y drist ei gwedd,
>   "Mae'n dyfod," medd y llall.
>
> Un cryndod hir, un isel nâd –
>   Dduw Dad, lonydded yw!
> Medd merch y ddaear, "Marw yw ef!"
>   Medd merch y nef "Mae'n fyw!"[49]

Sarah Ellen oedd y chwaer, wrth gwrs, a merch y nef, yr un na allai llygaid cnawd ei gweld, oedd mam Robert a Gwynn. Y mae'n sicr mai cyfeirio at Robert a'i fam yr oedd Gwynn yn un o'i straeon yn y dyfodol, 'Sam' yn *Brethyn Cartref*. Gosodwyd darn trist o hunangofiant yng nghanol ffuglen:

> Hogyn deg oed oeddwn, ac yn ddieithr yn yr ardal. Yr oedd fy nhad wedi symud yno o ardal arall, ddeugain milltir i ffwrdd. Ffermwr ydoedd fy nhad. Yr oedd dydd Calanmai wedi dyfod, ac yr oeddwn i a'm brawd yn y ffarm newydd ers rhai dyddiau, a fy nhad wedi mynd ymaith i'r hen gartref i nôl fy mam a'r brawd ieuengaf, y pryd hwnnw yn fachgen bychan penfelyn teirblwydd oed, ac erbyn heddyw yn ei fedd yn huno'n dawel yn ymyl ein mam.[50]

Cofnodir yma y symudiad o'r Pentre Isa i Blas-yn-Grin. Ar ôl byw yn y Pentre Isa am ddeng mlynedd y symudodd Gwynn i Blas-yn-Grin.

Ni allai Gwynn lai na sylwi ar yr eironi creulon. Roedd Robert yn holliach pan adawodd ef, ac yntau ei hun yn clafychu:

> Yr oeddwn i yn fyw eto, yn unig ar yr anialwch, ac yntau druan yn farw yn ei fedd ym mlodau ei ddyddiau, a'i lygaid disglair wedi cau a'i lais ardderchog wedi tewi am byth, wedi canu am y tro olaf ryw gân ddieithr na chlywodd neb erioed mono yn ei chanu o'r blaen, er cymaint a ganodd yn ei ddydd. Ni wyddwn i mo hynny y bore hwnnw, ond nid allwn yn fy myw ysgwyd fy mhrudd-der ymaith. Wedi hynny, daeth i'm meddwl farw fy mrawd yn fy lle, rhag mor debyg oedd i mi: ac hyd heddyw, clywaf sŵn y clychau, ac y mae a wnelo'r sŵn, a'r anialwch, â chartref, a'm brawd a minnau, rywbeth â'i gilydd, ac y mae'n rhyfedd gennyf bellach mor dawel y medraf deimlo mai yn fy lle i yr aeth fy mrawd.[51]

Er iddo deimlo a chredu bod ei frawd wedi marw yn ei le, ofnai, ar yr un pryd, ei fod ef ei hun ar fin marw. 'Yr oeddwn yn meddwl fy mod yn mynd i farw pan ysgrifennais "Daear a Nef",' meddai tua diwedd ei oes, gan gofio o hyd am y cyfnod gofidus hwnnw.[52] Ac yn yr Aifft, ar ei ben ei hun, heb neb i bwyso arno nac i rannu ei alar ag ef, y clywodd Gwynn am farwolaeth ei frawd. Yr unig beth y gallai ei wneud oedd rhannu'i alar â'i deulu a'i gyfeillion ym mhen draw'r byd.

Bwriodd ei faich ar Silyn ac roedd ei ing yn gwaedu drwy'r llythyr:

> Wele fi o'r diwedd yn anfon atoch o dŷ'r caethiwed, canys drwy
> amgylchiadau, dyna yw'r lle hwn imi bellach. Yr oeddwn, er gwaethaf
> unigrwydd a hiraeth, yn dyfod ymlaen yn weddol drwy ymdrech hyd
> nes cefais oddi cartref y newydd tor-calonnus fod fy mrawd ieuengaf
> wedi marw ar ôl dioddef am dair wythnos gan enyniad yr ymennydd.
> Er gwneud fy ngoreu, hyd nes teimlo fy mod yn galed a hunangar, mae'r
> galar wedi lladd fy nyddordeb ym mhopeth. Ni wn i sut i fyw yma am
> bum mis eto. Ni wnawn les i mi fy hun na neb arall ped awn adref, wrth
> gwrs, ond beth a wnewch chwi, mae'r unigedd yn ofnadwy. A fy mrawd
> anwyl, prin y medraf gredu rywsut ei fod wedi mynd, yn anterth ei nerth,
> yn un o'r bechgyn hawddgaraf a dwysaf a fu farw erioed ... O! mae ei wên
> radlon a'i lais grymus a pheraidd wedi mynd am byth, a minnau, nid wyf
> yn medru teimlo y caf byth mwyach ei weled.[53]

Gofynnodd i Silyn roi rhyw lygedyn o obaith iddo a'i ddarbwyllo nad 'sport i
dynged ydym a dim arall'.[54] Ceisiodd Silyn ei gysuro wrth ateb ei lythyr. 'Na, fy
nghyfaill anwyl, nid sport tynged mohonom,' meddai.[55] Amheuwr oedd Gwynn
ond crediniwr oedd Silyn. 'Teimlaf fi yn bur sicr a chredaf beth bynnag yw ein
hanes i fod y mae Cynllunydd mawr ein hanes a'n bywyd yn Gariad, onide ni
fedrem ni garu,' meddai.[56] Roedd gweld rhai o ryfeddodau hen wareiddiad yr Aifft
wedi peri i Gwynn fyfyrio ar ddirgelwch dyn a'i le yn y cread. 'Nid yw dyn ond
pryfyn, ac eto, y fath waith a wnaeth pryfed yr hen Aifft!'[57] Ym marn Silyn, cariad
oedd y grym achubol ym mywyd dyn, sef yr union gariad a oedd wedi cryfhau a
gwarchod cyfeillgarwch Gwynn a Silyn drwy'r blynyddoedd. Gallai Gwynn fod
yn oeraidd ac yn anghysurus ym mhresenoldeb gwŷr a oedd wedi graddio mewn
prifysgol, fel Silyn, a rhôi ei agwedd a'i ymarweddiad gochelgar gamargraff iddynt:

> Wyddoch chwi, Anwyl Gwynn, y tro cyntaf y cyfarfûm â chwi ar
> brynhawn Sul tros bont yr Aber yng Nghaernarfon gyda W. Eames prin
> y gallaf ddwyed i mi eich mawr hoffi. Pe dywedasai rhywun wrthyf y
> noson honno y buasech ar fyrder yn un o'm cyfeillion anwylaf a mwyaf ei
> ymddiried, anodd iawn fuasai gennyf ei goelio ... Beth sy'n cyfrif am imi
> newid fy marn? Cefais gyfle i'ch adnabod. Gwelsom ein bod yn caru yr un
> pethau, a'r un delfrydau, ac yna daethom i garu ein gilydd ... Ai nid yw
> hyn oll yn awgrymu'r llwybr i setlo cwestiwn yr *Universe* hefyd?[58]

'Say what you will, this world, from the human point of view, is a masterpiece of disastrous atrocity,' meddai wrth Daniel Rees yn ei dristwch a'i ddryswch.[59]

Hyd yn oed os oedd yn isel ei ysbryd, o leiaf roedd yn dechrau gwella yn gorfforol: 'Bydd yn dda gennych glywed fod Cymro sy'n feddyg yng Nghairo, Dr Beddoe, wedi fy chwilio yn ofalus, yn dywedyd fod fy mrest "mewn cyflwr tra boddhaol," ac ar ôl cael dadansoddi peth o'm poer, yn dywedyd nad oedd hadau'r *tubercle* ynddo,' meddai wrth Silyn.[60] Ond ni allai lawenhau oherwydd hynny hyd yn oed, a marwolaeth ei frawd yn gwasgu mor drwm arno. Mawr hefyd oedd y pryder amdano yng Nghymru, a dilynai rhai o'r papurau ei hynt a'i helynt yn yr Aifft, i leddfu pryderon eu darllenwyr. Ymddangosodd y nodyn hwn yn *Gwalia*, er enghraifft: 'Mae Mr Gwynn Jones yn gwella yn hinsawdd gynes yr Aipht. Yn Helonau [*sic*], peth ffordd o Cairo, yr arosa. Archwiliwyd ef gan feddyg Cairo, Dr. Beddoe, Cymro o Ferthyr, adroddiad yr hwn oedd yn ffafriol iawn'.[61]

Anfonodd Gwynn lythyr yn ôl at Silyn, i ddiolch iddo am ei eiriau cysurlon. Roedd wedi cael pwl arall o annwyd trwm, ac roedd yr hiraeth am ei frawd yn ei lethu o hyd. Er bod y meddyg wedi rhoi newyddion da iddo, 'mae'r cwmwl ar fy meddwl o hyd ac y mae'r annwyd yn waeth nag erioed,' meddai.[62] Dechreuodd feddwl ei fod ar fin marw eto:

> Fy meddwl i yw na chaf byth wared o'r aflwydd yma hyd oni'm lladdo ...
> Nid oes arnaf fi ofn marw, ond byddai'n chwerw gennyf orfod gadael fy
> ngwraig – yr oreu o ferched – a'm plant bach, yn sport i'r un dynghedfen
> â minnau. Pe cawn fyw i fagu'r plant, gallwn farw yn dawel.[63]

Ac i Gwynn, roedd marwolaeth yn derfynol. Yr oedd 'yn methu gweled llewyrch yn unman na gobaith am ddim y tu draw i'r bedd,' er bod ganddo argyhoeddiadau dyfnach unwaith.[64] Ac yntau wedi bod mor agos at farwolaeth, roedd bellach yn myfyrio ar ystyr bywyd. Efallai na allai gredu yn Nuw nac mewn unrhyw fath o fywyd tragwyddol, ond gallai gredu mewn cariad, cariad fel y grym pwysicaf a mwyaf llywodraethol ym mywydau dynion:

> Cariad, yn sicr, yw'r peth mwyaf y gŵyr dyn am dano. Ac nis gŵyr yntau,
> ni waeth pa beth a ddyweto, am gariad mwy na chariad merch. Gallai fod
> cariad mwy na'r cariad di-derfyn a'r ffyddlondeb di-ball a ddanghosodd
> fy anwyl wraig ataf fi ym mhob amgylchiad, ond ni allaf fi byth gredu
> hynny oni chaf gyffelyb brawf ohono. Yr wyf yn ofni nad oes nemor
> gariad yn natur, amgen nag atyniad y ddeuryw, ac mai drwy oesau o

fodloni hwnnw y meithrinodd dyn ei draserch puraf.[65]

Ac ni ellir caru dyn na merch heb ddod i'w hadnabod:

> Mae'n wir nad ellir barnu dyn, hyd yn oed, ar ryw gip olwg arno, ond yn sicr ni ellir caru dyn heb ei adnabod yn gyntaf i ryw fesur, o leiaf. Ac hyd yn oed felly, mae'r dyn yn hawdd i'w adnabod, ragor bôd nas gwelir, nas clywir, ac nas teimlir. I mi, mae gormod o "swagro" yn optimistiaeth Browning – gwyddoch mor hawdd canu mwy nag a olygid – byddaf fi bob amser yn chwynnu'r ansoddeiriau lawer gwaith, ac yn ceisio cael pob llinell i fynegi'r hyn a deimlais a dim chwaneg, ac y mae hynny yn anodd.[66]

Roedd marwolaeth Robert yn wastraff. Bu farw cyn iddo gael cyfle i gyflawni dim, a chredai Gwynn yn gydwybodol fod ei frawd ieuengaf yn llawer disgleiriach nag ef ei hun:

> Nis gwn i pa beth oedd teimlad fy mrawd, ond pe dywedasai ei hun wrthyf ei fod yn fodlon, ni fodlonasai hynny monof fi. Yr wyf yn credu fod fy mrawd yn gymaint, yn wir, yn fwy ei allu ac yn well ei gymeriad na mi. Cerddoriaeth oedd ei orhoffedd, a phe cawsai chwarae teg, yr wyf yn sicr y gadawsai ar ei ôl amgenach enw a gwaith nag a adawaf fi byth. Ac am ei gymeriad, ni bu erioed ei burach.[67]

Roedd Silyn wedi ceisio codi calon ei gyfaill trwy fynegi ei gred yn Nuw, a bod y Duw hwnnw yn Dduw Cariad. Ond ni allai Gwynn rannu argyhoeddiad Silyn:

> Am danaf fi, nid wyf yn meddwl fod eglwys yng Nghymru a'm derbyniai i yn aelod, ac nid wyf finnau weithian, a dywedyd y gwir, mor barod o lawer i feddwl am beth o'r fath ag a oeddwn flwyddyn yn ôl. Mae fy nghred mewn daioni a gonestrwydd yr un fath yn union, ond nid wyf yn sicr o gwbl a oes mymryn o wahaniaeth pa beth a wnelom yn y byd yma.[68]

Yn ychwanegol at y tristwch a'r dwyster a deimlai Gwynn ar ôl colli ei frawd, roedd campweithiau a gorchestion hen wareiddiad yr Aifft yn peri iddo deimlo'n ddwysach fyth, yn enwedig wrth iddo feddwl am ei fychander a'i ddistadledd ef ei hun:

... yma, yng ngolwg y Pyramidiau, a godwyd gan yr hen Eifftiaid, yn unig am eu bod yn credu yn anfarwoldeb yr enaid, mae dyn yn teimlo yn ddwysach [n]ag erioed nad yw yr un dyn, mwy na gronyn o dywod neu ddiferyn o ddwfr, yn ddim.[69]

Amgaeodd ddwy gerdd gyda'r llythyr – 'genuine tributes to a woman who has proved herself noble, in very difficult circumstances' – i ofyn am farn priod Silyn ar y ddwy.[70] Soned oedd un o'r cerddi:

> The lightning with its wing of fire had brushed
>   The clouds and turned them into flaming gold,
>   And far above, the thunder leapt and rolled;
> Save for its waking echoes, earth was hushed;
> Then down the rain like silver arrows rushed,
>   And all the golden clouds turned dark and cold;
>   Grey mist in thin, fantastic coil and fold
> Swam in the distance, and the rainbow blushed
> As o'er the dark-blue hills the sun again
>   Shone forth and filled the Vale with amber light.
> Wild flowers and blossoms, diademed with rain,
>   With fragrance filled the air of falling night;
> And we, ah! could we, love, our lives ordain,
>   Would eternise that hour of pure delight![71]

A thelyneg oedd y llall:

> We came unto a river wide,
>   My love and I, one day;
> 'T was said that on the other side
>   The land of pleasure lay.
>
> But as we by the ferry stood,
>   My love and I were told
> That who would pass across the flood
>   Must give the master gold.

My love and I then went away
  Because we had no gold,
And still we walk the weary way
  And wander through the wold.

And yet through every storm and stress,
  With frowning heavens above,
We wander in the happiness
  That lives alone through love.[72]

Roedd Gwynn yn hiraethu am Gymru yn ogystal ag am ei deulu. 'Nid oes wlad debyg i Gymru, na chenedl gystal â'r Cymry, er eu holl ddiffygion, ar wyneb daear,' meddai.[73] Roedd wedi bwriadu dychwelyd i Gymru o'r Aifft ddiwedd Mawrth, ond cynghorodd y meddyg ef i aros tan fis Mai o leiaf, pryd y byddai'r tywydd yn gynhesach yno. Roedd ei wraig a'i blant yn byw mewn tŷ o'r enw Berain House, yn y Fron, Dinbych, a gofynnodd i Silyn a'i briod fynd i'w gweld, pe gallent. A chyda hynny o gennad y daeth y llythyr hirfaith a chynhwysfawr hwn i ben.

Nid marwolaeth ei frawd oedd yr unig ergyd farwol o Gymru i gyrraedd yr Aifft. Ar Ionawr 6, 1906, bu farw Emrys ap Iwan, wedi wythnosau o gystudd blin. Yng ngwlad ei alltudiaeth bell, collodd Gwynn frawd a chollodd ei athro a'i gyfaill mawr lai na mis yn ddiweddarach. Fel y cofiai Gwynn ei hun:

> Un bore disglair ym mis Ionawr daethai un a fu'n gyfaill iddo ef ac i minnau i edrych amdanaf o Gairo i Helwân, tref fach yn anialwch ardderchog yr Aifft. Yr oeddym mor llawen ill dau y bore hwnnw ag y gallem fod dan yr amgylchiadau, ac ar gychwyn am daith tua'r mynyddoedd, pryd y daeth y postmon â phapur newydd i mi. Agorais ef, a'r peth [c]yntaf y digwyddodd fy llygaid arno oedd y geiriau "Marwolaeth Emrys ap Iwan."[74]

Cafodd lythyr gan ei dad yn ei hysbysu am farwolaeth Emrys ap Iwan. Ar ei wely angau, nododd Emrys ei ddymuniad i drosglwyddo'i bapurau i ofal Gwynn.

Cysylltodd â Daniel Rees hefyd ar ddiwedd Ionawr y flwyddyn newydd. Roedd yn ddigalon iawn, ac nid colli Robert ac Emrys ap Iwan yn unig a'i gwnâi'n isel ei ysbryd. Ni allai ddeall pam na châi'r hinsawdd gynnes y mymryn lleiaf o effaith arno, er ei fod wedi rhoi pwysau ymlaen, ac er bod y meddyg, Dr Beddoe, wedi ei sicrhau 'that nothing new has declared itself'.[75] Teimlai'n llesg o hyd. Poenai hefyd am ei ddyfodol. Ai dychwelyd i fyd newyddiaduriaeth a wnâi, ac a fyddai ganddo ddigon o nerth ac egni i weithio i'r papurau? Gwyntyllodd ei bryderon gyda Daniel Rees:

> As to my views of the future, I have none. I wish I could feel any degree of certainty about my restoration to health, but I am afraid there must be something wrong. I don't see how I can well get rid of newspaper work, for this trip, in spite of the great kindness of friends, will about exhaust my ability to start in any other business.[76]

Dywedodd Daniel Rees wrtho fod rhai o'r papurau Cymraeg yn dechrau mynd danodd, er bod *Yr Herald Cymraeg* yn dal ei dir yn dda. Roedd hynny yn achos pryder pellach – rhag ofn y byddai'n dychwelyd i fyd newyddiaduriaeth – er nad oedd y gostyngiad yng nghylchrediad rhai papurau yn syndod iddo, gan fod llawer gormod o bapurau Cymraeg ar y farchnad. Roedd Daniel Rees wedi cadw ei hen le ar agor iddo, nes y dychwelai o'r Aifft, ac addawodd wneud unrhyw beth a allai i'w helpu ar ôl iddo ddod yn ôl i Gymru. Er ei fod yn ddiolchgar iddo, gofynnodd Gwynn i'w gyfaill beidio â chadw'i hen swydd iddo, gan y gobeithiai adael byd newyddiaduriaeth yn gyfan gwbl, pe gallai, er ei fod wedi gwneud rhyw ychydig o waith i'r *Egyptian Gazette* ar y pryd. Ni allai orffwys yn ei wendid hyd yn oed.

Treuliodd Gwynn fisoedd y gaeaf yn Helwān yn bennaf. Cleifion oedd y rhan fwyaf o'r Ewropeaid a dreuliai gyfnodau yn nhywydd poeth yr Aifft, fel Gwynn ei hun. Roedd nychdod ac angau o'i gwmpas ymhobman, ac nid rhyfedd iddo weithiau gredu ei fod ar fin marw. Dywedodd un Ffrancwr claf wrtho, 'Pan nad allom fyw gartref, deuwn yma i farw'.[77] Yn Helwān, Iddew o'r Almaen oedd un o gyd-gleifion Gwynn:

> Nid oedd ond wyth ar hugain oed, a hwnnw oedd yr wythfed gaeaf iddo yn Helwân. Yr oedd yn wan iawn, ond bu'n siriol a digrif i'r diwedd. Un bore pan euthum allan, yr oedd awel o'r de – rhyw natur chamsîn, fel y geilw yr Arabiaid wynt poeth yr anialwch yn y gwanwyn – yn codi'r llwch, ac nid oedd ond ychydig o'r cwmpeini arferol yn eistedd ar ochr yr ystryd y bore hwnnw. Daeth yr Iddew yno toc, ac wedi sylwi nad oedd ei gyfeillion yno, ebe fe wrthyf fi – "Ach! Und wo ist der Halbe-lunge Klub?" ("Ha! a pha le y mae Clwb y Darn Ysgyfaint?"). Fore drannoeth, nid oedd yntau yno. Darfu am yr ail ddarn o'i ysgyfaint ef y noswaith cynt.[78]

Yn ystod y gwta flwyddyn honno yn yr Aifft, bu Gwynn yn aros mewn sawl llety.

Cyfarfu â llawer iawn o bobl yn y tai llety hyn, o bob gwlad dan haul ac o bob lliw a llun dan haul. Mewn un llety yn Helwān fe geid cwmni cymysg iawn – Pwyliad, Awstriad, Hwngariad, Rwsiad, Almaenwr, Ffrancwr, a Gwynn yntau yn Gymro. Bwytaent gyda'i gilydd, o gylch yr un bwrdd. Aeth Gwynn yn gyfeillgar iawn â'r gŵr o Hwngari a arhosai yno:

> Yr oedd yr Hungariad, dyn ieuanc tua deg ar hugain oed, yn ddoethor cyfraith, yn ysgolhaig ac yn wladgarwr tanbaid. Cyn pen ychydig oriau, yr oedd ef a minnau yn gyfeillion, a hanes Llywelyn ap Gruffydd ac Owen Glyn Dŵr mor ddyddorol iddo ef ag ydoedd hanes Kossuth a Deak i minnau. Bendith arno pa le bynnag y mae. Ynddo ef, cyfarfûm o leiaf ag un gwladgarwr pur.[79]

Ar y llaw arall, '[u]n o feibion y chwyldroad oedd y Rwsiad, wedi dianc o'i wlad am ei hoedl ac yn medru canu cerddi'r chwyldroad nes codi gwalltiau pawb ohonom'.[80]

Ym mis Ionawr 1906 aeth Gwynn, ynghyd â thri Sais, un Albanwr a dau Arab, ar daith i Sakkarah, i weld y pyrimidiau a'r beddau oedd yno. Cychwynasant o Helwān, ac ar ôl cyrraedd glan afon Nil, daeth llong mor agos at y lan ag y gallai i godi'r teithwyr a'u mulod. Gorfodai'r ddau Arab i'r mulod fentro i'r dŵr trwy eu curo, ac ar ôl i'r mulod gyrraedd y llong, cariodd yr Arabiaid y teithwyr ar eu hysgwyddau drwy'r dŵr at y llong. Bu o fewn dim i'r mulod aflonydd ddymchwelyd y llong, ac roedd Gwynn yn falch o gael ei draed ar dir sych. Cafwyd anffawd arall wrth i'r cwmni deithio ar gefn y mulod i gyfeiriad y pyramidiau. Suddodd traed blaen un o'r mulod mewn llannerch feddal yn y tywod nes bod y Sais a gludai wedi suddo hyd at ei ysgwyddau yn y tywod. Llwyddwyd i'w gael allan gyda chryn anhawster.

Cyrhaeddodd Gwynn a'i gymdeithion olion dinas Memphis. Yno, gwelodd y ddwy ddelw anferthol o Rameses yr Ail:

> Wele ni yn dyfod i olwg delw aruthr o wenithfaen. Y mae hi ar wastad ei chefn yn ymyl y llwybr yn y coed. Delw o Ramses yr Ail ydyw, ac y mae, neu yn hytrach, yr oedd pan oedd yn gyfan, yn bum troedfedd ar hugain o hyd, ac yn gymesur drwyddi. Ac yn nes draw ar y chwith, dacw ddelw arall o'r un brenin, delw o garreg galchen, bum troedfedd a deugain o hyd. Y mae hithau ar wastad ei chefn, a math o risiau pren wedi eu codi drosti fel y galloch ddringo i gael golwg iawn arni. Ac y mae hi yn rhyfeddod hefyd. Y mae'r wyneb yn berffaith, a'r aelodau wedi eu cerfio yn gywir.

Dacw rôl o bapyrus yn y llaw dde. Pe dodai y dyn mwyaf a welsoch erioed ei droed ar y fawd, gwelech rai modfeddi o'i hymylon o gwmpas gwadn ei esgid. Ac ar wynebau y ddwy ddelw y mae rhyw led wên dawel yn gymysg â breuddwyd tragywydd.

Y bywyd a fu yma unwaith, ond mor ddistaw ydyw heddyw.[81]

Ar ôl cyrraedd Sakkarah, pentref bychan o ryw drichant o drigolion, ac wedi teithio heibio i Byramid y Grisiau, cododd storm dywod. Llanwai'r tywod eu llygaid, eu clustiau a'u cegau. Cyraeddasant gaban pren a chawsant bryd o fwyd yno. Gadawsant y caban ac aethant i weld Beddau'r Teirw. Ffrancwr o'r enw Mariette a ddarganfu Feddau'r Teirw ym 1851. Roedd y tarw yn anifail cysegredig yn yr hen Aifft, ac fe'u cleddid mewn ffordd arbennig:

Cedwid y tarw yn ninas Memphis mewn capel ynglŷn â theml fawr y duw Ptah, a rhoddai yr offeiriaid anrhydedd mawr ac addoliad iddo. Dehonglai yntau bethau dyrys i'r rhai a ddeuai i ymgynghori âg ef, a llanwai y plant a ddeuai yn agos ato â dawn broffwydol. Yr oedd y deddfau crefyddol yn pennu hyd ei oes. Pan adawai efe ei bumed blwydd ar hugain, byddai yr offeiriaid yn ei foddi mewn ffynnon wedi ei chysegru i'r Haul. Ar y cyntaf, cleddid pob tarw cysegredig mewn bedd ar ei ben ei hun, ond tua chanol teyrnasiad y brenin Ramses yr Ail, gwnawd un gladdfa gyffredinol iddynt. Torrwyd clawdd hir yn y graig, ac o bobtu i hwnnw, naddwyd pedwar ar ddeg o leoedd i gladdu'r teirw. Cynhyddai y lleoedd hyn yn ôl fel y byddai yr angen am danynt. Wedi dodi corff y tarw cysegredig yn ei fedd, byddai y gweithwyr yn codi mur ac yn cau'r agorfa, ond byddai y bobl ddefosiynol yn torri eu henwau a'u gweddïau ar yr Apis marw hyd y mur neu ar y graig yn ymyl y bedd.

Buwyd yn addoli'r tarw fel hyn yn yr Aifft am ganrifoedd lawer, ond o'r diwedd, chwalwyd yr offeiriaid, treisiwyd y beddau, yna gadawyd hwy, a chaeodd yr anialwch arnynt yn fuan.[82]

Ac yng nghanol marwolaeth yr oedd Gwynn eto:

A dyma ni ym Meddau y Teirw. Y mae'r llwybr yn y graig yn arwain rhwng dwy res o'r beddau. Llwybr tua theirllath o led ydyw, a'r cistiau neu yr eirch cerryg hwythau mewn lleoedd ysgwâr wedi eu torri ar eu cyfer yn y graig. Y mae yma bedwar ar hugain ohonynt. Gwnaed pob cist o garreg sydd yn edrych yn debyg i fath o wenithfaen tywyll, wedi ei gweithio cyn llyfned â'r gwydr. Ar hyd eu talcenni a'u caeadau trwchus y mae gwêr lawer, wedi disgyn o ganhwyllau y miloedd a fu yn eu gweled o'n blaenau ni. Y mae'r chwys yn berwi o'n hwynebau, ac anodd yw anadlu yma. Nid oes anadl yn y bedd! Y mae ein lleisiau yn swnio yn rhyfedd, a theifl goleu gwelw ansicr y canhwyllau ryw wawr ddieithr ar ein hwynebau i gyd.[83]

Aeth y cwmni i mewn i feddau eraill yn ogystal, ac erbyn iddynt ddod yn ôl i olau dydd, roedd y storm dywod wedi chwythu heibio.

Ar ddiwrnod arall, aeth Gwynn a chyfaill o Sais i Tourah, tref fechan Arabaidd tua hanner y ffordd rhwng Cairo a Helwân. Cerddodd y ddau o'r dref ar draws yr anialwch at y mynyddoedd cyfagos. Yno yr oedd hen chwareli tanddaearol, ond gan nad oedd ganddynt ganhwyllau, penderfynodd y ddau mai annoeth fyddai mentro dan y ddaear yn y tywyllwch. Aeth y ddau yn ôl i weld y chwareli tanddaearol ar ddiwrnod arall, y tro hwnnw gyda chanhwyllau:

> Wrth ddyfod yn ôl o ben draw yr ogof, neu y chwarel yn hytrach, gan ryfeddu at ei maint, sylwasom fod yn y gwyll ar y dde i ni agorfa helaeth yn arwain ohoni. Euthom i mewn i'r tywyllwch yno, ac erbyn goleuo ein canhwyllau, gwelem wrth eu llewyrch gwelwlas crynedig, ein bod mewn lle oedd bron fel tref dan y ddaear. Ymledai y chwarel o'n cwmpas i bob cyfeiriad, ac yma ac acw yr oedd pileri ysgwâr o graig, cymaint bob un â thŷ cymhedrol, wedi eu gadael i gynnal y pwysau uwch ben.[84]

Y meini a dorrwyd ac ac a dynnwyd o'r chwareli tanddaearol hyn a ddefnyddiwyd i adeiladu'r pyramidiau a'r hen ddinasoedd gynt.

Daeth Gwynn i adnabod Cymro arall, Dr Puw o Gaerdydd. Aeth Robert Bryan ag ef i gyfarfod â'r meddyg a'i briod yng nghartref ei frawd Edward yng Nghairo. Cymerodd Gwynn ato ar unwaith. Ddiwrnod neu ddau cyn i Dr Puw a'i briod gychwyn am yr Aifft o Gaerdydd, roedd Cymru wedi trechu Seland Newydd, 3–0, yn y gêm rygbi hanesyddol honno a gynhaliwyd ar Ragfyr 16, 1905. Ymfalchïai Gwynn hefyd yn y fuddugoliaeth fawr honno:

> Ni byddaf fi yn teimlo dyddordeb yn y bêl, ond pan fo'r cenhedloedd yn ei chicio am y goreu. Soniwyd am y peth rywsut, a digwyddais innau ddywedyd fy mod, pan ddarllenais am y fuddugoliaeth, ym mhapur

Ffrancod Cairo, wedi colli cymaint arnaf fy hun nes taflu fy nghap i'r awyr ynghanol twrr o bobl, er syndod os nad braw iddynt … yr oedd y doctor yn yr hwyl yn dywedyd hanes yr helynt yng Nghaerdydd o bant i bentan wrthyf. Yr oedd cyn falched o'r fuddugoliaeth ag unrhyw hogyn deunaw a fu'n canu "Hen [W]lad fy Nhadau" hyd ystrydoedd y brif ddinas y diwrnod cofiadwy hwnnw. Nid oedd eiliw rhagfarn na rhagrith ar ei gyfyl. Chwarddai o ewyllys calon wrth ddisgrifio fel yr oedd pawb wedi colli eu pennau o achos llwyddiant yr hen wlad; yr oedd mor drwyadl a glân yn ei lawenydd ei hun nes gwnaeth i mi ddiolch yn fy nghalon fy mod innau wedi taflu fy nghap i'r awyr yng Nghairo. Ac i orffen y cwbl, dywedodd Mrs. Puw fod un o'u meibion hwy wedi bod ynghanol yr helynt, a bod rhywun wedi sathru gwadn ei esgid nes daeth bron yn glir i ffwrdd yn y tyndra. "Ac yr ydym yn cadw'r esgid honno," ebe hi, "er cof am y fuddugoliaeth!"[85]

Ar ôl treulio tri mis a rhagor yn Helwān, aeth Gwynn i Gairo i aros. Ymunodd Robert Bryan ag ef yng Nghairo, ac aeth â Gwynn o gwmpas y ddinas i ddangos ei rhyfeddodau iddo. Roedd Cairo mor gyfarwydd â chefn ei law iddo.

Roedd y papurau Cymraeg yn dal i ddilyn ei hynt a'i helynt ef a'i gymdeithion o hirbell. Dathlwyd Gŵyl Ddewi mewn ffordd ddifyr iawn gan y fintai fechan o Gymry a oedd yn yr Aifft ar y pryd:

> Dydd Gwener, Mawrth 2. dathlwyd Dydd Gŵyl Dewi gan Gymry Cairo drwy fyn'd am bleserdaith i'r Barrage (argae fawr ar draws y Nil, yn agos i Gairo). Cafwyd dau bryd o fwyd yno, a buwyd yn rhodio o gwmpas, canu, a thynnu lluniau'r cwmni. Yn mhlith y rhai oedd yno yr oedd amryw ymwelwyr o Gymru, heblaw Cymry sy'n byw yn y ddinas. Yn eu plith yr oedd Mr a Mrs Edward Davies-Bryan, Mr Robert Bryan, Mr R. Gwyneddon-Davies … a T. Gwynn-Jones. Cafwyd diwrnod hyfryd iawn.[86]

R. Gwyneddon Davies (Ap Gwyneddon), wrth gwrs, oedd cyd-ysgrifennydd y Gyngres Ban Geltaidd, ynghyd â Gwynn, pan gynhaliwyd y Gyngres yng Nghaernarfon ddiwedd mis Awst a dechrau mis Medi, 1903. Anfonodd Gwynn lythyr at Daniel Rees o 'Howie's Hygenic Farm, Choubrah' yng Nghairo ym mis Mawrth 1906:

Ap Gwyneddon spent about 3 weeks in Helouan, and I went to stay at the same hotel. He left for Greece and Italy last Wednesday, & then I came here to stay. The landlady is a Welshwoman, & about five people from Wales stay here now, so that it is more lively. I may go to Alexandria a few days before sailing, so that I may feel that I am coming home by instalments, as it were.[87]

Ar ôl treulio ychydig fisoedd yn yr Aifft, hiraethai am Gaernarfon, am Gymru, am ei deulu a'i gyfeillion. Edrychai ymlaen, bellach, at ddychwelyd i'w wlad. Beiai dywydd yr Aifft am ei lesgedd a'i ddiogi, ond, gyda'i gyfnod o alltudiaeth yn prysur ddod i ben, edrychai ymlaen at weithio eto. Nid un i segura mohono. Peidio â gorweithio oedd y gamp:

Work, of course, is a blessing. That is, in moderation. Too much of it is a curse, undoubtedly. Witness my case. If I had done a little less of it, I ought not to be doing nothing now but fighting death in a half hearted sort of way. If you spent some time in Egypt, you would soon find out that, under the best of circumstances, it is not a country to work in. I have pretty nearly always had the will to work, but here & now I have not the power – it is quite useless to try. If I come home well, my God, I shall be glad to start work again.[88]

Gadawodd y cyfnod a dreuliodd yn yr Aifft ei ôl ar ei waith, mewn sawl ffordd. Yn y gerdd 'Cairo', a luniodd ym 1905, cyflwynodd nifer o ddarluniau o'r ddinas:

Merched mygydog hen wrth droed y mur,
Neu ar y meini a fu risiau gynt –
A'r cochni drwy yr alabaster pŵl
Fel gwythi gwaed tan groen gwywedig gnawd –
Yn eistedd yn yr haul, o ddydd i ddydd,
Mor llonydd ac mor fud â'r Sphinx ei hun.[89]

Meddai yn *Y Môr Canoldir a'r Aifft*, wrth iddo deithio mewn cerbyd drwy heol ar ôl heol yng Nghairo, ar ei ffordd i weld priodas Goptig ar wahoddiad Edward Bryan: 'Yn rhywle ar y ffordd, clywn lais y muezzin yn galw'r ffyddlon i weddi, a gwelwn liwiau gogoneddus y gorllewin wrth ymachlud o'r haul'.[90] Atgyfodwyd y profiad yn y gerdd:

> Pan ddisgyn llef y Muezzin o'r meindwr
> A'r haul yn machlud, troi o'r ffyddlon yntau
> A'i wyneb tua'r dwyrain ac ymgrymu
> A'i dalcen ar y ddaear. Iawn yw hynny.
> Dir nad oes dduw ond duw, a Gwawl yw hwnnw.[91]

A hefyd mewn darn o ryddiaith:

> A chydag ymachlud haul dros yr ehangder distaw breuddwydiol, draw,
> draw, o ddydd i ddydd, o fis i fis, bob tro yn debyg ac eto fyth yn newydd;
> llais y muezzin o ben y mosc yn disgyn i lawr fel llef o'r nef, a'r ffyddloniaid
> ufudd yn troi i'r dwyrain di-newid ac yn ymgrymu hyd lawr.[92]

Roedd y meddyg wedi cynghori Gwynn i aros yn yr Aifft tan fis Mai, ac ar Ebrill 19, gadawodd Port Said ar fwrdd yr *SS Tenasserim*, a chyrhaeddodd Lundain tua chanol mis Mai. Roedd y misoedd a dreuliasai yn yr Aifft wedi gwneud lles iddo, yn sicr, er nad oedd yn holliach. Dychwelodd i Gymru wacach, a dychwelodd hefyd i ddyfodol ansicr.

Tra oedd yn yr Aifft, cyhoeddwyd nofel arall o'i waith, Glyn Hefin, o Ragfyr 1905 hyd at fis Ebrill y flwyddyn ddilynol, yn *Papur Pawb*. Cyfieithiad o nofel Saesneg o'i waith, 'A Fated Feud', oedd hon. Roedd Gwynn, felly, wedi cyhoeddi chwech o nofelau rhwng 1902 a 1906, ac nid rhyfedd iddo andwyo'i iechyd.

NODIADAU

1   Bangor MS/19462, llythyr oddi wrth T. Gwynn Jones at R. Silyn Roberts, Chwefror 10, 1905.

2   Ibid.

3   Ibid.

4   Ibid. Goronwy Owen biau'r cwpled a ddyfynnir. Fe'i ceir yn ei gywydd enwog, Cywydd yn Ateb y Bardd Coch o Fôn, ond 'geinwlad', nid 'ganwlad', sydd gan Goronwy.

5   Bangor MS/19463, llythyr oddi wrth T. Gwynn Jones at R. Silyn Roberts, Mehefin 5, 1905.

6   'Atgof (I W.J.G., ar fwrdd llong adeg rhyfel)', *The Welsh Outlook*, cyf. III, rhif 6, Mehefin 1916, t. 198; *Telyn y Dydd, sef Detholiad o Delynegion a Sonedau o Waith Rhai o Feirdd Cymraeg y Chwarter Canrif Diweddaf*, Golygydd: Annie Ffoulkes, 1918, t. 105.

7   'Rhyddid a Rhaid', *Manion*, t. 29. Nodir mai 'Ar Fynydd Hiraethog, Mehefin, 1905' y lluniwyd y cywydd.

8   Ibid., t. 31.

9   'Ymadawiad Arthur', *Caniadau*, t. 32.

10   Bangor MS/20033.

11   'Tir Na N'og', *Caniadau*, t. 65.

12   Bangor MS/20033.

13   Ibid.

14   'Ex Tenebris', *Manion*, t. 26.

15   'The Gwynn-Jones Presentation Fund', *Yr Herald Cymraeg*, Chwefror 20, 1906, t. 4.

16   *Emrys ap Iwan: Cofiant*, t. 201.

17   'Tysteb i Mr T. Gwynn-Jones'/'Ymweled â'r Aipht', *Yr Herald Cymraeg*, Hydref 24, 1905, t. 8. Ceir adroddiad ar y cyfarfod yn *Y Cymro* hefyd, 'Anrhegu Mr. T. Gwynn Jones', Hydref 26, 1905, t. 2, ac yn y *Carnarvon and Denbigh Herald*, 'Presentation to Mr T. Gwynn Jones, Carnarvon', Hydref 20, 1905, t. 8.

18   'Cymwynaswr', *Manion*, t. 99.

19   LLGC TGJ, B96, llythyr oddi wrth T. Gwynn Jones at Daniel Rees, Ionawr 4, 1917.

20   'Adlais o'r Dwyrain', *Cymru*, cyf. XLII, rhif 248, Mawrth 1912, t. 159.

21   Ibid., cyf. XLIII, rhif 253, Awst 1912, t. 56.

22   'Chwarter Canrif o Lenyddiaeth Cymru', *Y Geninen*, cyf. XXVI, rhif 1, Ionawr 1908, t. 14.

23   'At y Darllenydd', *Y Môr Canoldir a'r Aifft*, 1912, [t. 3].

24   'Hanes Crwydryn', *Cymru*, cyf. XLII, rhif 246, Ionawr 1912, t. 93; *Y Môr Canoldir a'r Aifft*, t. 9. Cyhoeddwyd gwahanol rannau o hanes Gwynn yn yr Aifft yn *Papur Pawb* ac yn *Yr Herald Cymraeg* yn ogystal.

25   Ibid., Ibid., t. 10.

26   Ibid., Ibid.

27   Ibid., t. 94; Ibid., t. 11.

28   Ibid., t. 95; Ibid., t. 17.

29   'Tunis', *Manion*, t. 33.

30   'Hanes Crwydryn', *Cymru*, cyf. XLII, rhif 246, Ionawr 1912, t. 97; *Y Môr Canoldir a'r Aifft*, t. 23.

31   Ibid.; Ibid.

32   Ibid., cyf. XLII, rhif 247, Chwefror 1912, t. 141; Ibid., t. 29.

33   Ibid. t. 142; Ibid., t. 31.

34   Ibid.; Ibid., tt. 32–3.

35   Ibid., t. 143; Ibid., tt. 35–6.

36 Ibid., t. 144; Ibid., tt. 40–1.
37 Ibid.; Ibid., t. 41.
38 Ibid., t. 145; Ibid., t. 42.
39 Ibid.; Ibid.
40 Ibid., t. 146; Ibid., t. 48.
41 Ibid., cyf. XLII, rhif 248, Mawrth 1912, t. 192; Ibid., t. 63.
42 Ibid.; Ibid., t. 64.
43 LLGC TGJ, B48, llythyr oddi wrth T. Gwynn Jones at Daniel Rees, Tachwedd 20, 1905.
44 Ibid.
45 LLGC TGJ, B47, llythyr oddi wrth T. Gwynn Jones at Daniel Rees, Hydref 22, 1905.
46 'Hanes Crwydryn', cyf. XLII, rhif 248, Mawrth 1912, t. 193; *Y Môr Canoldir a'r Aifft*, t. 67.
47 Ibid., tt. 193–4; Ibid., tt. 67–8.
48 'Marwolaethau', *Y Faner*, Tachwedd 15, 1905, t. 12.
49 'Daear a Nef', *Ymadawiad Arthur a Chaniadau Ereill*, t. 43; *Caniadau*, t. 187.
50 'Sam', *Brethyn Cartref*, t. 21.
51 'Hanes Crwydryn', t. 194; *Y Môr Canoldir a'r Aifft*, t. 68.
52 *Y Bardd yn ei Weithdy*, t. 14.
53 Bangor MS/19465, llythyr oddi wrth T. Gwynn Jones at R. Silyn Roberts o Pension Villa Westphalia, Helouan, yr Aifft, Rhagfyr 1, 1905.
54 Ibid.
55 David Thomas, *Silyn (Robert Silyn Roberts) 1871–1930*, 1956, t. 58. Rhoir dyddiad y llythyr yn anghywir yma.
56 Ibid.
57 Bangor MS/19465.
58 *Silyn (Robert Silyn Roberts) 1871–1930*, t. 58.
59 LLGC TGJ, B49, llythyr oddi wrth T. Gwynn Jones at Daniel Rees, Ionawr 25, 1906.
60 Bangor MS/19465.
61 'Lloffion Cymreig', *Gwalia*, Rhagfyr 26, 1905, t. 3.
62 Bangor MS/19466, llythyr oddi wrth T. Gwynn Jones at R. Silyn Roberts o Pension Villa Savoy, Helouan, yr Aifft, Ionawr 29, 1906.
63 Ibid.
64 Ibid.
65 Ibid.
66 Ibid.
67 Ibid.
68 Ibid.
69 Ibid.
70 Ibid.
71 Ibid.
72 Ibid.
73 Ibid.
74 *Emrys ap Iwan: Cofiant*, t. 202.
75 LLGC TGJ, B49.
76 Ibid.
77 'Hanes Crwydryn', *Cymru*, cyf. XLII, rhif 249, Ebrill 1912, t. 232; *Y Môr Canoldir a'r Aifft*, t. 85.
78 Ibid.; Ibid.

79   Ibid., t. 234; Ibid., t. 92.

80   Ibid.; Ibid.

81   Ibid., t. 236; Ibid.; Ibid., tt. 99–100.

82   Ibid., cyf. XLII, rhif 250, Mai 1912, t. 279; Ibid., tt. 108–9.

83   Ibid.; Ibid., t. 109.

84   Ibid., cyf. XLII, rhif 251, Mehefin 1912, tt. 331–2; Ibid., t. 137.

85   Ibid., t. 333; Ibid., tt. 143–4.

86   'Dydd Gŵyl Dewi yn Cairo', *Yr Herald Cymraeg*, Mawrth 27, 1906, t. 8.

87   LLGC TGJ, B50, llythyr oddi wrth T. Gwynn Jones at Daniel Rees, Mawrth 18, 1906.

88   Ibid.

89   'Cairo', *Manion*, t. 34.

90   'Hanes Crwydryn', *Cymru*, cyf. XLII, rhif 249, Ebrill 1912, t. 229; *Y Môr Canoldir a'r Aifft*, t. 74.

91   'Cairo', t. 35.

92   'Crwydro', *Dyddgwaith*, t. 52.

Pennod 6

PWYLL, PEREDUR A GWYNN
NOFELYDD A STORÏWR
1906–1908

Roedd Gwynn yn ddi-waith ar ôl iddo ddychwelyd o'r Aifft. Aeth yn ôl at ei deulu yn Ninbych am ysbaid, ac wedyn aeth i Dir Hwch, y Cwm, ger Diserth, cartref ei dad a'i lysfam ers rhai blynyddoedd. Aelwyd alarus oedd aelwyd ei dad, ac aelwyd golledus hefyd:

> As Mr Isaac Jones, Tir Wch, has lately met with adversity in several ways, his friends have started a movement to alleviate his trouble and anxiety. Much illness has afflicted the family and one promising son recently died. Adding to this, Mr Jones lost several cows and a horse through disease. An appeal has been issued, and Mr Peter Roberts, J.P., St Asaph, has kindly consented to act as treasurer. As the fund will very shortly be closed, friends are urged to signify their good will without delay.[1]

Dychwelodd, felly, i ganol trafferthion a threialon. Er hynny, teimlai fod gweithio ar y tir yn gwneud lles iddo.

Yn Nhir Hwch y treuliodd haf a hydref 1906. Aeth yn ôl i Ddinbych at ei briod a'i blant i dreulio'r Nadolig. Ysgrifennodd lythyr at Silyn ddeuddydd cyn Nadolig 1906, o '53 Beacon's Hill, Dinbych'. Dywedodd ei fod yn teimlo'n weddol dda at ei gilydd; roedd wedi rhoi ychydig o bwysau ymlaen, ond nid oedd y briw ar ei ysgyfaint wedi cau'n llwyr, a daliai i boeri gwaed, er nad oedd yn poeri gwaed mor aml â chynt. Parhâi i fod yn isel iawn ei ysbryd, 'ac y mae hynny yn fy erbyn,' meddai wrth Silyn.[2]

Un peth a barai bryder iddo ddiwedd 1906 oedd yr anhawster a gâi i gyhoeddi ei gasgliad newydd o farddoniaeth, *Ymadawiad Arthur a Chaniadau Ereill*. Yn wir, byddai'n rhaid iddo aros am bedair blynedd arall cyn y câi'r llyfr ei gyhoeddi. Eglurodd y sefyllfa wrth Silyn:

> Mae MS "Ymadawiad Arthur" a rhyw gerddi eraill hefyd gan y Brodyr Jones, Conwy, a rhywun yn ei ddarllen i roi barn arno iddynt, fel y gwypont a fo yn werth iddynt ei brynu ai peidio. Yr wyf yn disgwyl gair bob dydd oddi wrthynt, ond heb gael dim eto. Mae arnaf ofn mai adref y daw.[3]

Ond ofer oedd y disgwyl. Yr unig lygedyn o oleuni a welai ar y pryd oedd y ffaith fod W. J. Gruffydd yn ceisio cael Pensiwn Brenhinol iddo. '[E]r na wneuthum i ddim eto i haeddu peth o'r fath, gwnawn fy ngoreu pe cawn hoedl, ac ar fy ngair, ni byddai yn ddrwg gennyf gael rhyw sarn i'm cario drwy'r gors y mae'r teulu a minnau ynddi yn awr,' meddai wrth Silyn.[4] Nadolig llwm oedd Nadolig 1906 i Gwynn a'i deulu.

Cafodd bwl arall o annwyd trwm yn ystod cyfnod y Nadolig, ond ni rwystrodd hynny mohono rhag beirniadu'r cystadlaethau llenyddol yng Ngŵyl Lenyddol a Cherddorol y Capel Mawr, Dinbych, a gynhaliwyd ar ddydd Nadolig. Cafodd gyngor gan y meddyg i ddychwelyd i Dir Hwch, i anadlu awyr iach y wlad. Nid oedd yn ddigon cryf ar y pryd i ymgymryd â swydd lawn-amser. Ond, gwantan neu beidio, roedd gan Gwynn wraig a phlant, a rhaid oedd iddo gael rhyw fath o waith er mwyn eu cynnal. Roedd y dyfodol yn edrych yn ddu, er iddo geisio ymwroli a gobeithio am y gorau:

> Eluned and Arthur have got bad colds & my wife is not at all well, so that it is very hard to be cheerful even in appearance. If I could get something to do in the country, with a fairly decent house, instead of a miserable hole like this, perhaps they would be better, and if I felt they were running no danger, I am sure I would be better also.[5]

Felly, ar gyngor y meddyg, ni cheisiodd swydd lawn-amser ar ddechrau 1907. Gweithiai ar ei liwt ei hun yn hytrach, a chyfrannai ysgrifau a straeon i wahanol gylchgronau a phapurau. Llwyddodd Daniel Rees i ddarbwyllo Frederick Coplestone, perchennog *Papur Pawb* a'r *Herald Cymraeg*, i roi gwaith cyson iddo fel un o gyfranwyr sefydlog *Papur Pawb*, a gofynnodd Coplestone iddo lenwi pedair tudalen o'r papur bob wythnos; a hefyd addawodd Daniel Rees, yn rhinwedd ei swydd fel golygydd *Yr Herald Cymraeg*, y rhôi ddigon o waith i'w gyfaill. Cyhoeddodd yntau nifer o straeon, y naill un ar ôl y llall, yn *Papur Pawb* ac yn *Yr Herald Cymraeg*. Ym misoedd Tachwedd a Rhagfyr 1906, ymddangosodd nifer o straeon o'i waith yn *Papur Pawb* ac yn *Yr Herald*. Yn ddienw y cyhoeddwyd y straeon hyn yn y papurau. Y dasg a osodwyd i Gwynn oedd codi cylchrediad *Papur Pawb*, ac yn y papur hwnnw, a gyhoeddid bob dydd Sadwrn, yr ymddangosai ei straeon i ddechrau; ymddangosent dridiau'n ddiweddarach yn *Yr Herald Cymraeg*. 'Yr wyf yn ysgrifennu tipyn, ond y mae arnaf ofn nad oes ond ychydig lewyrch ar y gwaith,' meddai wrth Silyn.[6]

Ddiwedd mis Medi a dechrau mis Hydref 1906, cyhoeddwyd sawl stori am gymeriad o'r enw John Homer Jones yn *Papur Pawb* a'r *Herald*. Rhyw fath o fardd yw John Homer, aelod anrhydeddus o'r giwed honno o rigymwyr a chynganeddwyr anfedrus y byddai Gwynn yn eu galw yn 'folcloddiaid'. Mae'r straeon hyn yn troi o gylch yr elyniaeth rhwng dau fardd, John Homer a Postfab. Teiliwr yw John Homer o ran ei alwedigaeth, ond mae wedi hen roi'r gorau i deilwra er mwyn canolbwyntio ar fod yn fardd. Hwyliog ddychanol yw'r straeon hyn i gyd o ran cywair. Mae'n gwneud hwyl am ben y beirdd oriau hamdden hynny a lanwai golofnau barddol y papurau newydd ac a gystadlai yn erbyn ei gilydd mewn eisteddfodau. Byd o gynnen, cenfigen ac eiddigedd yw byd y beirdd, er nad oes gan yr un o'r beirdd hyn achos na rheswm i fod yn genfigennus o'i gilydd, gan mor ddiwerth a gwael yw'r gwaith. Nid pysgod mawr mewn pwll bychan oedd y beirdd hyn hyd yn oed, ond mân bysgod mewn padell o ddŵr. Ar ôl i Postfab chwarae cast ag ef yn yr eisteddfod leol a pheri iddo ymddangos fel ffŵl yn gyhoeddus, mae John Homer yn mynnu dial arno:

> Aeth John Homer i'r siop weithio drachefn ar ôl cinio, ac wrth sylwi ym mhellach ar y "Lleuad," gwelodd fod testynnau Eisteddfod Llanlleban allan. Ym mysg gwobrau eraill, cynygid cadair werth pum punt am y bryddest oreu i'r "Gerbydres." Daeth syniad newydd i ben John Homer ar darawiad. Gwelodd ei gyfle i dalu'r pwyth i Postfab. Penderfynodd fynd ati yn ddistaw bach a gwneud y bryddest salaf a fedrai, a dodi "Postfab" wrthi fel ffug enw. Nid oedd ganddo bellach ddigon o ymddiried yn ei awen ei hun i obeithio bod yn oreu, ond teimlai yn sicr y gallai dynnu dirmyg ar ei elyn drwy beri i bobl feddwl mai efe oedd y salaf yn y gystadleuaeth.[7]

Byd mileinig, dialgar a chyfrwys yw byd y beirdd cystadleuol hyn.

Cyhoeddwyd swp o straeon o'i waith ar ddechrau 1907. Yn rhifyn dydd

Calan o'r *Herald*, cyhoeddwyd stori o'r enw 'Hunanaberth Marged'.[8] Mae'r stori, mewn ffordd, yn gwireddu uchelgais y Gwynn ifanc i fynd i Brifysgol Rhydychen. Mae Marged yn y stori yn aberthu popeth er mwyn i'w brawd, Llewelyn, fynd i Rydychen. Yn Llanarlyn y lleolir y stori, ac y mae'r rhan fwyaf helaeth o leoedd dychmygol Gwynn i gyd yn dechrau â'r elfen 'llan'.

Cyhoeddwyd stori ddiddorol iawn, 'Calenig Elin Fach', yn *Papur Pawb* ac yn *Yr Herald Cymraeg* ym mis Ionawr 1907. A dyna fyddai'r patrwm am y misoedd i ddod: cyhoeddi'r un straeon yn union yn y ddau bapur yn ystod yr un wythnos, er nad Gwynn ei hun oedd yn gyfrifol am hynny. Ceir nifer o elfennau hunangofiannol yn 'Calenig Elin Fach'. Awdur yw Ap Gruffydd yn y stori. Mae'r teulu yn dibynnu arno am gynhaliaeth, ond mae'n cael anhawster i greu dim. Mae Elin, merch fach Ap Gruffydd a'i briod, yn wael iawn ar ôl cael annwyd trwm, ac mae'r tad a'r fam yn pryderu amdani. Tri o blant sydd gan Ap Gruffydd, fel Gwynn ei hun, wedi geni'r trydydd plentyn, Llywelyn, ym 1905. Ac y mae llawer iawn o brofiad Gwynn yn y stori:

> Nid oedd ef a'i wraig a'i blant bychain ond rhyw ronynnau ym mhlith y lliaws, yr oedd yn wir. Pa wahaniaeth i neb na dim pa beth a ddigwyddai iddynt, a pha wahaniaeth iddynt hwythau eu hunain ychwaith, o ran hyny? Ac eto, hwy oedd popeth iddo ef, ei wraig a'i blant. Er eu mwyn hwy yr oedd wedi ymladd yn hir ag afiechyd a cheisio cadw ei galon i fyny ac adennill ei nerth. Ac i ba beth wedi'r cwbl, ai i'w gweled hwythau yn gorfod dioddef ac yntau heb allu gwneud dim i'w helpu na'u cysuro?[9]

Cyfeiriad at yr afiechyd a'i gyrrodd i'r Aifft a geir yn y frawddeg 'Er eu mwyn hwy yr oedd wedi ymladd yn hir ag afiechyd a cheisio cadw ei galon i fyny ac adennill ei nerth.' Mae Ap Gruffydd yn breuddwydio 'am ddydd y bu ef yn llwyddiannus ac yn hapus'.[10] Ni ddywedir beth oedd y llwyddiant mawr a gafodd ar y diwrnod hwnnw, ond hawdd y gellir dyfalu mai at ennill y Gadair yn Eisteddfod Genedlaethol Bangor y mae'n cyfeirio:

> Y diwrnod hwnnw, coronwyd llafur blynyddau o'i oes â llwyddiant, ac yr oedd pawb yn gyfeillgar ag ef. Yr oedd sôn am dano yn y papurau newyddion, a phobl yn dyfod i ysgwyd llaw ag ef ar yr heol. Yr oeddynt yn onest yn eu llawenydd hefyd yn ddiau, canys yr oedd yr hyn a wnaethai efe wedi taro eu ffansi. Hwyrach y buasai ei drueni yn taro eu ffansi lawn cymaint, pe gwybuasent am dano, ond ni wyddent, ac ni fynasai yntau

iddynt wybod ychwaith, canys nid oedd ei falchder eto wedi ei lwyr ladd, a theimlai yn ei galon fod ganddo yr un hawl i fyw ac i fod yn ddedwydd ag oedd gan rywun arall.[11]

Tybiai fod dyfodol llewyrchus o'i flaen ym 1902, ond erbyn diwedd 1906 a dechrau 1907, roedd wedi cael annwyd trwm arall, tua hanner blwyddyn ar ôl iddo ddychwelyd o'r Aifft ac osgoi marwolaeth o drwch blewyn; ac nid oedd ganddo swydd o fath yn y byd. Roedd yn chwilota am waith ymhobman. Mae'r stori hon yn hunangyffesiad wrth iddo edliw iddo ef ei hun ei fethiant fel penteulu. Ni allai hyd yn oed afforddio tanwydd i gynhesu'r tŷ yn nhwll y gaeaf. Ar ôl ei lwyddiant yn y gorffennol, dychmygai y byddai yn awdur llond silff o lyfrau, a'i ddarllenwyr yn cael budd a diddanwch yn y llyfrau hynny. Bum mlynedd ar ôl ei lwyddiant mawr, ni allai gael yr un cyhoeddwr i gyhoeddi casgliad newydd o'i farddoniaeth hyd yn oed:

> Mor ofer oedd y breuddwyd! Nid oedd y silff yno, na'r llyfrau arni. Nid oeddynt wedi eu hysgrifennu heb sôn am eu hargraffu a'u darllen. Ni chawsai neb na help na chysur oddiwrthynt, ac yn lle bod wedi eu gwneud fel yr oedd efe yn breuddwydio, yr oeddynt i gyd yn disgwyl eu cwblhau, ac yntau yn edrych yn anhebyg iawn o fedru byth wneud dim amgenach nag ofer freuddwydio am danynt. I ba le yr aethai ei flynyddau, a pha beth a wnaethai efe? Dim ond ychydig, a'r ychydig hwnnw yn anhysbys ac yn ddiwerth iawn. Uchelgais heb ei gyrraedd oedd o'i ôl, ac ansicrwydd am iechyd a thamed a chysgod o'i flaen, ac er y cwbl, yr oedd yntau yn breuddwydio yn hapus yno yn yr ystafell oer, a'r rhai oedd yn dibynnu arno yn ceisio gorffwys ychydig uwch ben.[12]

Ac mae ei rwystredigaeth fel newyddiadurwr yn y blynyddoedd a fu hefyd yn brigo i'r wyneb yn y stori, wrth iddo gyfeirio yn ddirmygus at ei waith anhysbys a diwerth. Mae'r stori yn cloi gydag Ap Gruffydd yn derbyn llythyr yn ei hysbysu bod y 'cyhoeddwr wedi cytuno i brynnu fy llyfryn i, ac mi gaiff Elin bach a'r plant eraill galennig a thamed am dipyn eto'.[13] Mae'r pryder a'r euogrwydd a deimlai Gwynn ar y pryd yn amlwg yn y stori led-hunangofiannol hon. Am Elin, darllener Eluned.

Anfonodd Daniel Rees siec at Gwynn ym mis Ionawr 1907. Ail dâl am y 'Rhagdraith' i *Dwyfol Gân Dante* oedd y siec, er na ddisgwyliai Gwynn mohono, ond roedd yr arian yn dderbyniol iawn. Cyrhaeddodd y siec pan oedd y teulu i gyd yn swp sâl, a'r digwyddiad hwn sydd y tu ôl i'r stori. Roedd yr arian yn achubiaeth, mewn gwirionedd, ond gollyngdod dros dro oedd yr arian hwnnw. Teimlai Gwynn yn isel eto:

> I will freely admit that I have bouts of atheism, theism, agnosticism & practically every other ism, although lately, my ill health, I suppose, has caused me to think more or less persistently that there cannot be a God but the devil, if I may so express it.[14]

Ddiwedd mis Ionawr roedd yn cynllunio i fynd yn ôl i weithio ar fferm ei dad, i geisio cal gwared â'r annwyd trwm a oedd arno, yn un peth. Cynghorodd y meddyg ef i gael hynny o awyr iach ag y gallai, ond nid oedd ganddo ddewis ond gweithio. 'I must do the writing for P.P., the Genedl & the Cymro to keep them going, & it will do me good too,' meddai wrth Daniel Rees.[15] Anogodd Daniel Rees ei gyfaill i ddarllen nofel Victor Hugo, *L'homme Qui Rit*, gyda'r nod o'i chyfieithu ar gyfer *Papur Pawb*, ac ar ôl cael trafferth i ddod o hyd i gopi o'r nofel, aeth ati ar unwaith i'w throsi i'r Gymraeg.

Un arall o straeon mis Ionawr 1907 oedd 'Profedigaeth Dafydd Huws', cymeriad y mae'r awdur ei hun, unwaith yn rhagor, yn llechu y tu ôl iddo. Mae'n ymosod ar y gwrthuni o Seisnigo enwau Cymraeg, er enghraifft, un o gasbethau Gwynn. 'Fedra i ddim diodde'r henwe Saesneg cebyst yma y mae pobol yn eu rhoi ar eu plant,' meddai Dafydd Huws; ac mae casineb Gwynn tuag y Llywodraeth hefyd yn brigo i'r wyneb.[16] 'Y Senedd sy'n llywodraethu'r wlad yma, ac y mae mwy o ffyliad a chynffongwn yn y fan honno o lawer nag o ddynion call a gonest,' meddai'r un cymeriad eto.[17]

Ymddangosodd yr hysbysiad canlynol yn rhifyn Ionawr 17, 1907, o'r *Cymro*:

> Hysbysiad Pwysig. Diau y bydd yn dda gan ein darllenwyr ddeall fod y bardd a'r llenor adnabyddus T. Gwynn Jones yn parhau i ennill nerth, a'r wythnos nesaf bydd yn dechreu gweithio ynglŷn â'r "Cymro." Efe fydd yn gofalu am y Nodion Llenyddol a materion pwysig ereill. Gwneler hyn yn hysbys ym mhlith caredigion llên Cymru ym mhob man.[18]

Felly, o ddechrau 1907 ymlaen, byddai gan Gwynn ei golofn sefydlog ei hun yn *Y Cymro*, yn ychwanegol at ei gyfraniadau rheolaidd i *Papur Pawb* a'r *Herald*. Yr enw a roddwyd ar y golofn honno oedd 'Llyfrau a Llenorion', ac yn rhifyn Chwefror 7, 1907, yr ymddangosodd ei golofn gyntaf. Pwnc y golofn gyntaf honno oedd

Sioned, Winnie Parry. Yr oedd o hyd yn meddwl am weithwyr cyffredin Cymru, a'r modd y caent eu sathru a'u sarhau gan eu meistri:

> Nid oes neb y dylem fel cenedl fod yn falchach o honynt na'r hen gymeriadau syml, gonest, a phur sydd i'w cael ym mhob ardal yng Nghymru. Byddaf yn ofni weithiau fod eu nifer yn myn'd yn llai, a pheth trist iawn ydyw meddwl hynny. Adwaenwn gynt lawer o honynt. Ffermwyr a gweithwyr yn bennaf oedd y rheiny, dynion cedyrn, na wnaethent byth dro sâl â neb, gwŷr bonheddig wrth natur, er y byddai ambell estron o ystiward a meistr tir yn eu trin fel pe buasent gŵn. Maent wedi marw bron i gyd bellach, ac nid oes neb ail iddynt wedi dyfod yn eu lle. Nid wyf mor ddihyder â meddwl na cheir byth eto rai tebyg iddynt ar lawer cyfrif, ond y mae yn sicr na cheir rhai yr un fath yn union â hwy fyth mwyach, a thrwy nofelau yn unig y byddant adnabyddus i ninnau yn fuan iawn.[19]

Un o amcanion Gwynn ei hun fel nofelydd oedd darlunio bywyd Cymru, a chofnodi hefyd yr hen ffordd Gymreig o fyw, a'r cymeriadau a berthynai i'r ffordd honno.

Daniel Owen oedd nofelydd mwyaf Cymru yn ôl y colofnydd, ac fe geid darlun llawn o fywyd Cymru yn ei nofelau:

> O'm rhan fy hun, yr wyf wedi blino ar y gofyn parhaus pa bryd y daw "Walter Scott Cymreig" i ddisgrifio bywyd Cymru i'r Saeson. Yr oedd Daniel Owen yn un o nofelwyr mawr y byd, ac os yw'r Saeson yn awyddus am ddeall bywyd Cymru yn iawn, boed iddynt ddysgu Cymraeg a darllen ei chwedlau ef.[20]

Ond ni hoffai arddull *Sioned* drwodd a thro:

> Yn iaith lafar Sir Gaernarfon y mae hi yn ysgrifennu, ac y mae yn ei medru yn dda ... Wrth ysgrifennu'r iaith lafar, rhaid wrth gwrs ei chymeryd fel y bo; ond dichon na buasai yn gam â hi ped arferesid geiriau Cymraeg yn lle llawer o'r geiriau Saesneg a arferwyd, yn enwedig gan eu bod i'w clywed lawn cyn amled os nad amlach gan y bobl. Er engraifft, y mae brawddeg fel "sticio allan olround i ben o fel lot o wires" braidd yn rhy gymysglyd i haeddu lle hyd yn oed yn yr iaith lafar.[21]

Wrth drafod ieithwedd ac arddull llenorion eraill, myfyriai ar ei grefft a'i egwyddorion ef ei hun fel llenor ar yr un pryd. Ac wrth gwrs, roedd parchu'r Gymraeg yn hanfodol. Cwynodd mewn colofn arall fod y Cymry yn dibrisio'u hiaith:

> Deuthum i wybod fod y plant mewn un ardal neu ddwy hollol Gymreig sy'n hysbys i mi yn gwybod yr enwau Saesneg ar flodau yn weddol ond heb wybod yr enwau Cymraeg o gwbl. Dichon fod hyn yn ddyledus i'r ffaith fod yr athrawon yn yr ysgolion yn awr yn ceisio dysgu tipyn am natur i'r plant. Dylid yn sicr eu gorfodi i ddysgu'r enwau Cymreig ar y blodau i'r plant yn gystal â'r enwau Saesneg. Mae clywed merched wedi ymwisgo fel pe baent yn frenhinesau yn sôn am "ddessus tlws" a "prumrossus neis" yn ddigon i godi'r ddincod ar Gymro beth bynnag am Sais.[22]

Trafodai feirdd a llenorion a llyfrau'r dydd. Roedd ei wybodaeth eisoes yn eang ryfeddol. Yn un o'i golofnau ym mis Mawrth, roedd yn trafod Henry Wadsworth Longfellow, y bardd o America, gan ddwyn gwaith bardd Americanaidd arall, Walt Whitman, i mewn i'r drafodaeth: 'Drwy ei gyfieithiadau, trosglwyddodd Longfellow beth o hen ddiwylliant Ewrop i feddyliau'r bobl y mae gwaith Whitman, yn ei anwastadrwydd a'i erwindeb, yn nodweddiadol o'r goreu yn hytrach na'r cyffredin ohonynt'.[23] Ac fe geir ambell sylw bachog, goleuol yma a thraw: 'Fel gyda phawb, ei bethau symlaf yw ei bethau goreu yntau'.[24] Roedd darllen gweithiau beirdd eraill yn rhan o'i brentisiaeth lenyddol. Darllenai, dysgai, efelychai, arbrofai â mesurau. Ym 1896, pan oedd yn bump ar hugain oed, cyhoeddodd gerdd o'r enw 'Tlws yr Eira' yn *Y Llan*, gan efelychu patrwm mydryddol *The Song of Hiawatha*, Longfellow:

> Udai oerwynt cryf y dwyrain,
> Cwynai 'mysg y derw breichnoeth;
> Glasddu ydoedd lliw yr wybren,
> Llwydoer ydoedd lliw y ddaear.
> Duwies Gauaf a gyffroai,
> Syllai dros y bryniau noethlwm,
> Tremiai ar y dolydd llwydion ...[25]

Ymddangosodd ei gyfieithiad o un o gerddi Longfellow, 'Afternoon in February', mewn dau gyhoeddiad ym 1897 ac un arall ym 1899:

Y dydd sydd yn darfod,
A'r nos yn cyfarfod,
Rhewedig yw'r morfa,
    A marw yw'r ffrwd.

Teifl haul trwy ymylon
Y gwanllwyd gymylon
Ei fflach ar ffenestri
    Rhuddgochion y llan.

Mae'r eira'n ymfwrw
I lawr yn ddidwrw,
A'r gwrychoedd a'r llwybrau'n
    Gladdedig i gyd.

Tra heibio'r â'r blodau
Fel erchyll gysgodau
Yn ara' drwy'r dyffryn
    I angladd prudd.

Mae'r gloch yn cwynfanu,
Pob teimlad sy'n crynu
O'm mewn efo'r brudd a'r
    Wylofus dinc.

Disgyna'r cysgodion,
Mae sŵn yn[g] ngwaelodion
Fy nghalon yn curo
    Fel marwol gnul.[26]

Wrth drafod cynnwys rhifyn Mawrth 1907 o'r *Traethodydd*, gwnaeth ble o blaid ariannu llenorion a beirniaid llenyddol, a thrwy hynny godi safonau llenyddiaeth a beirniadaeth: 'Ni ddaw honno yng Nghymru, mae lle i ofni, hyd oni chaffo'r llenor lawer mwy o amser at ei alwad nag y sydd ganddo, a llawer gwell tâl am ei waith, canys nid peth i'w wneud ar chware bach ac heb ddim cost yw gwir feirniadaeth'.[27]

Neilltuodd un o'i golofnau ym mis Ebrill i drafod barddoniaeth Swinburne ar achlysur ei ben-blwydd yn 70 oed, yn ogystal â gwaith W. B. Yeats. Mae ambell ddatganiad gan Gwynn yn profi cymaint o flaen ei amser ydoedd. Roedd yn feirniad rhyfeddol o graff: 'O'm rhan fy hun, yr wyf yn ddigon o Philistiad i gredu fod Yeats yn fwy bardd nag e. Paganiaid yw'r ddau, mewn gwirionedd, ac y mae Yeats yn bagan llawer mwy barddonol a chanadwy na Swinburne,' meddai.[28] Rhaid cofio mai bardd cymharol ifanc ar ei dwf oedd Yeats ym 1907, ond roedd Gwynn eisoes wedi sylweddoli ei fod yn fardd o gryn bwys. Soniodd hefyd am gysylltiad Yeats â'r ddrama, ac â dramodwyr eraill:

> Wrth sôn am Yeats, dyddorol iawn oedd darllen am y chware a fu yn ystod wythnos y Pasg, dan nawdd y "National Theatre Society" yn yr Abbey Theatre, Dublin. Drwg gennyf na chefais y fraint o fod yno, fel y gallaswn roddi syniad i'm darllenwyr am y gwaith llenyddol a wneir gan y Gwyddelod, y bobl â'r ddawn ddramatig oreu yn Ewrop, hwyrach. Chwareuwyd darnau o waith Lady Greg[o]ry, Mr Synge, a Mr Yeats ... Y prif ddarnau a chwareuwyd ... oedd eiddo Mr Yeats, "Deirdre," a "*Cathleen ni Houlihan*." Newydd yw "Deirdre," chware wedi ei seilio ar un o'r enwocaf o'r rhamantau Gwyddelig. Chware un act ydyw, ac y mae yn ddiameu yn un o bethau goreu y bardd.[29]

Drama wladgarol yw *Cathleen ni Houlihan*. Iwerddon ei hun yw *Cathleen ni Houlihan*, a bu'r ddrama yn hynod o boblogaidd ymhlith aelodau o'r Conradh na Gaeilge (y Cynghrair Gwyddelig), a sefydlwyd gan Douglas Hyde ar ddiwedd mis Gorffennaf 1893 i hyrwyddo'r iaith Wyddeleg a'i diwylliant. Meddai Gwynn am *Deirdre*: 'Triniodd Mr Yeats y chwedl yn fedrus iawn, a rhed y peth dieithr hwnnw a geir yn yr hen ramantau Gwyddelig, ac yn hanes Branwen ferch Llŷr, o leiaf, yn Gymraeg, drwy'r ddrama i gyd';[30] ac am *Cathleen ni Houlihan*: 'Drwy eiriau diweddaf y chware, rhed yr ias ddieithr honno sydd yn cyfodi gweithiau Mr Yeats mor uchel', ac y mae'n dyfynnu:

> Peter (to Patrick, laying a hand on his arm): Did you see an old woman going down the path?
> Patrick: I did not; but I saw a young girl, and she had the walk of a queen.[31]

'Dyna wladgarwch a barddoniaeth, ac yn hynny y mae rhagoriaeth mawr Mr. Yeats,' meddai.[32] A wyddai y byddai un diwrnod, fel Yeats, yn troi chwedloniaeth yn farddoniaeth, gan gynnwys chwedloniaeth Wyddeleg?

Nid yn ei golofn 'Llyfrau a Llenorion' yn unig y câi Gwynn siawns i ddweud ei ddweud. Ymddangosodd ysgrif ddoeth iawn o'i eiddo yn rhifyn Ionawr 1907 o'r *Geninen*, 'Y Beirdd a'r Beirniaid', dan y ffugenw 'Pwyll'. Sonia yn yr ysgrif hon am 'werin lenyddol'.[33] Y werin a gadwodd lenyddiaeth yn fyw wedi i'r bendefigaeth, a arferai noddi llenyddiaeth Gymraeg, ymseisnigo fwy a mwy. Llwyddodd y werin i ddad-wneud llawer o'r drwg a wnaethai Eglwys Loegr yng Nghymru i'r iaith Gymraeg:

> Gwnaethant wasanaeth mawr i'w gwlad drwy noddi ei llenyddiaeth, i ryw fesur, ar ôl i'r mawrion wadu eu hiaith ac ar ôl i offeiriaid Eglwys Loegr, ag eithrio rhyw ambell un yma ac acw, fyned yn gynffonnau i'r rhai a fynnai, fel Esgob Llanelwy yn awr, er engraifft, wneud y Cymry yn ddim ond rhyw dipyn o Saeson ail llaw.[34]

Roedd gan y beirdd gwlad, meddai, draddodiad llenyddol y gallent ei ddefnyddio fel ffon fesur i gyrraedd rhyw fath o safon, ond ni lwyddasant. Un rheswm am hynny oedd y ffaith na châi'r iaith ei dysgu yn yr ysgolion hyd yn gymharol ddiweddar. Trwy fynychu'r ysgol Sul y dysgodd llawer iawn o Gymry sut i ddarllen, ond addysg ysgrythurol oedd honno, nid addysg lenyddol. Ni allent ychwaith ddarllen gweithiau prif feistri'r iaith, gan nad oedd y rhan fwyaf o gampweithiau'r Gymraeg ar gael mewn llyfrau; ac roedd yr ychydig a oedd ar gael mewn llyfrau yn ddrud ryfeddol. A dyna weinidogion yr Efengyl wedyn. Traddodent eu pregethau mewn Cymraeg chwithig a chwyddedig yn aml:

> Er mai eu hamcan hwy yw pregethu i'r Cymry, ni thelir dim sylw i'r Gymraeg yn y colegau enwadol; ac yr wyf yn deall mai Saesneg yw iaith swyddogol o leiaf rai o'r colegau hynny. Gallesid disgwyl, er hynny, fod eu haddysg wedi dysgu i'r dosbarth hwn fod hyd yn oed i'w hiaith hwy eu hunain ei theithi; ond a'u cymeryd yn eu crynswth, ni wnaeth hynny. Y mae dwsingau ohonynt, er eu bod yn enwog fel beirdd a llenorion, na fedrant ysgrifennu na Chymraeg na Saesneg gweddol raenus. Mae ôl Saesneg ar eu Cymraeg ac ôl Cymraeg ar eu Saesneg. Nid eu beio a ddylid am eu bod, a hwythau yn bregethwyr, yn llenora ac yn prydyddu, ond eu beio am na bae wiw ganddynt gymeryd ychydig drafferth i ddysgu'r iaith y maent yn llenora ac yn prydyddu ynddi.[35]

Maen tramgwydd arall, o safbwynt cyrraedd safon uchel wrth lenydda ac ysgrifennu Cymraeg graenus a chywir ar yr un pryd, oedd y gyfundrefn gystadleuol:

> Cystadleuant yn barhaus, a beirniedir hwy gan rai o'r un dosbarth â hwythau ... Gellid meddwl ar syniadau y beirdd fod ennill cadair neu goron mewn eisteddfod leol yn orchest fwy o lawer nag ennill gradd yn un o'r prifysgolion – er nad yw hynny yr orchest fwyaf yn y byd – a bod ennill cadair neu goron mewn eisteddfod genedlaethol yn eu gosod unwaith am byth ym mysg prifeirdd y byd. Cynyrchodd cystadleuaethau [*sic*] rai pethau cystal â dim a wnaeth eu hawdwyr, mae'n sicr; ond yn gyffredin, pethau meirwon yw'r awdlau a'r pryddestau arobryn, pethau nad oes neb hyd yn oed o'r beirdd yn eu darllen fwy nag unwaith – a chaniatáu eu bod yn gwneud gymaint ag unwaith – heblaw pan fo eisieu ymosod ar eu hawdwyr am ryw reswm neu['i] gilydd.[36]

Roedd yr ysgrif hon, yn ei dydd, yn ysgrif bwysig, ac mae'r pwyntiau a wneir ynddi yn berthnasol hyd y dydd hwn. Rhoddid gormod o bwyslais ar gystadlu yng Nghymru. 'Onid yw mewn gwirionedd yn bryd cydnabod nad yw cystadleuaeth yn ddim ond cystadleuaeth wedi'r cwbl, rhyw dipyn o ymarfer tuag at ddysgu sut i wneud pethau uwch a mwy eu gwerth?' gofynnodd.[37] Os na allai cystadlu esgor ar feirniadaeth lenyddol well, a chreu barddoniaeth ragorach yn sgil hynny, nid oedd unrhyw werth na diben i gystadlu. Roedd cystadlu hefyd yn esgor ar ymgecru, a diflas i'r eithaf oedd darllen papurau a chylchgronau Cymru ar ôl pob eisteddfod genedlaethol. Roedd gwir angen i'r beirdd a'r beirniaid astudio'r Gymraeg yn drylwyr, a'i meistroli hyd at berffeithrwydd, ond ni wnaent yr ymdrech leiaf i gywiro a mireinio'u hiaith. 'Nid oes dim yn werth ei wneud oni wneler mor agos i berffaith ag y galler,' meddai.[38] Roedd Emrys ap Iwan yn dal i lefaru flwyddyn ar ôl ei farwolaeth. 'Os nad yw ein llenyddiaeth i godi uwchlaw rhyw dipyn o waith cystadleuol, ac os nad yw ein beirniadaeth i fod yn rhywbeth amgen na chanmoliaeth chwyddedig neu ynte gyfarth a chwyrnu, goreu po gyntaf i ni roddi'r goreu iddynt,' meddai.[39] Roedd sawl rheswm pam y dylai'r Cymry gadw a meithrin eu hiaith, ond y 'pennaf yw fod y genedl a gollo ei hiaith yn colli ei henaid'.[40]

O safbwynt crefft a chelfyddyd barddoniaeth, ei chynnwys a'i chyflead, roedd ganddo bethau hynod o bwysig i'w dweud. Dyma'i sylwadau craff a chywir ar yr hen ddadl oesol honno ym myd llên: pa un sydd bwysicaf, ai'r meddwl ai'r mynegiant, ai'r mater ynteu'r modd? Gwyddai Gwynn, fel y gwyddai eraill ar ei ôl, fod y ddau beth yn gyfwerth â'i gilydd. Roedd yr hyn a ddywedid a'r modd y'i dywedid yr un mor bwysig â'i gilydd. Yn ei eiriau ef ei hun:

> Hawdd ddigon sôn yn gwynfannus neu gellweirus am y perygl o roi gormod o bris ar y ffurf a rhy fychan ar y meddwl, ond nid yw'r beirdd a'r llenorion wedi cyrraedd y perygl hwnnw eto, canys nid ydynt yn rhoi digon o bris ar y naill na'r llall. Er nad oes werth ar feddwl salw er ei wisgo âg iaith dda, a bod, ar y llaw arall, o leiaf ryw werth ar feddwl da er ei fynegi mewn iaith salw, eto ni bydd fyw yr olaf mwy na'r cyntaf ym mhlith pethau goreu llenyddiaeth. Cymharer meddyliau Islwyn a Wordsworth, er engraifft, a cheir fod y ddau yn lled gyfartal, hyd yn oed os nad yw'r Cymro yn rhagori; ond ni ddeil ei weithiau ef i'w cymharu â gweithiau y Sais, am nad oedd ef yn ddim tebyg i gystal meistr ar ei iaith âg ydoedd hwnnw ar ei iaith yntau.[41]

'Felly, os yw llenyddiaeth Gymraeg i ffynnu a byw, rhaid trin yr iaith wrth wybodaeth ac nid wrth synnwyr y fawd,' meddai.[42] Bron nad oedd Gwynn yn ei gyfnod yn werddon iraidd a ffrwythlon yng nghanol anialwch diffaith. Nid oedd ganddo fawr o feddwl o waith ei gyfoeswyr. Yn yr un flwyddyn ag y cyhoeddwyd yr ysgrif hon yr oedd Bethel yn ennill Cadair yr Eisteddfod Genedlaethol am awdl dila ryfeddol ar y testun 'John Bunyan'. Ni allai cyfoedion Gwynn sillafu'r iaith ychwaith. Roedd pob un o'r beirdd yn sillafu'r iaith yn ôl ei fympwy ei hun, ond ni fynnai gondemnio hynny yn ormodol. 'Ar hyn o bryd, dyna'r unig beth sy'n gwahaniaethu llawer o honynt y naill oddiwrth y llall; a gresyn fyddai iddynt golli yr ychydig wreiddioldeb sydd yn perthyn iddynt,' meddai, braidd yn goeglyd.[43] Dywedodd ar ddechrau'r ysgrif ei fod 'yn edrych ar yr helynt o'r tu faes';[44] '[n]id wyf fi na bardd na beirniad,' meddai yng nghorff yr ysgrif wedyn, mewn ymdrech i yrru pawb oddi ar ei drywydd, a dyna pam y dewisodd roi'r ffugenw 'Pwyll' wrth gwt yr ysgrif, yn hytrach na'i enw ef ei hun.[45] Gwyddai y byddai'r beirdd a'r beirniaid a gondemnid ganddo yn taro'n ôl, ac na fyddai ei fywyd yn werth ei fyw. 'Os dihangaf yn fyw, ymgadwaf rhag pechu yn rhyfygus fyth mwyach,' meddai.[46] Roedd yr ysgrif hon yn ysgrif wirioneddol bwysig, ond y mae lle i ofni mai ar glustiau byddar y disgynnodd.

Poenai nad oedd yn cael digon o dâl gan y papurau i'w gynnal ef ei hun a'i deulu. Ysgrifennodd at Silyn Roberts ar ddechrau Mai 1907 o Dir Hwch:

Yr wyf yn edrych ar ôl rhyw ddwy neu dair colofn o'r Cymro. Na, nid yw'r gwaith yn drwm. Na'r tâl chwaith. Dywedyd yr oeddych "y dylai dynion wybod bellach nas gallant gael T.G.J. heb dalu am dano." Y gwir yw eu bod yn gwybod fod yn haws fy nghael am ychydig yn awr nag erioed o'r blaen, a'u bod yn manteisio ar hynny hefyd. Rhaid cael arian, ac am hynny nid ellir dywedyd wrthynt am fyned i ddiawl.[47]

Roedd wrthi o hyd yn chwilio am gyhoeddwr i'w gasgliad newydd o gerddi – "'Arthur" a darnau eraill'.[48] Roedd y ffaith na fedrai gael neb i gyhoeddi'r gyfrol yn peri iddo ddigalonni. 'Yr wyf yn meddwl fy mod yn gwella, ond y mae baich aruthr ar fy ysbryd o hyd,' meddai wrth Silyn.[49] Digwyddai fod yn aros gyda Robert Bryan pan wrthodwyd y llawysgrif o'r cerddi gan un cyhoeddwr, a dywedodd Robert Bryan y ceisiai ddod i hyd i gyhoeddwr iddo. Gobeithiai Robert Bryan y byddai O. M. Edwards yn ymrwymo i gyhoeddi'r gyfrol, ond ni chlywsai Gwynn yr un gair gan y naill na'r llall ers deufis, ac felly, nid oedd yn obeithiol iawn y cyhoeddid y gwaith. Roedd pawb yn ddigon parod i dderbyn a chyhoeddi ei waith newyddiadurol a'i straeon byrion, ond nid oedd neb yn fodlon cyhoeddi ei farddoniaeth, y peth pwysicaf ganddo o ddigon, ac achosai hynny iddo ddiclloni yn ogystal â digalonni:

Ffyliaid anferth ydym yn ysgrifennu dim, o ran hynny. Ar bwy y mae eisiau'n llafur? Hynny yw, y peth a wnelom o ddifrif? Mae digon o alw am y stwff yr wyf fi yn ei ysgrifennu heb ei gydnabod fel fy ngwaith fy hun! Medrwn wneud eithaf tâl oddi wrth stwff felly ...[50]

Roedd y cyfnod hwn yn gyfnod pryderus iddo. Ac yntau heb swydd barhaol na gwir fywyd teuluol, teimlai ei fod ar chwâl braidd. 'Nid oes drefn arnaf fi – fy nheulu yn Ninbych a minnau weithiau yno ac weithiau yma, a dim gwawr o unman,' cwynai wrth ei gyfaill.[51] Treiddiodd ei bryder ynghylch ei sefyllfa ariannol a'i rwystredigaeth o fethu cael cyhoeddwr i'w gyfrol o gerddi i mewn i un o'r straeon byrion a luniwyd ganddo yn ystod y cyfnod hwn. Yn 'Profiad Wil Prys', dywedir mai bardd wrth natur yw Wil Prys, 'ac fel y gŵyr pawb sydd yn ei synhwyrau, ni ddylai yr un bardd byth briodi, am y rheswm syml nad oes dim digon o alw am farddoniaeth yn y byd yma i'w alluogi fo i gadw ef ei hun, heb sôn am gadw gwraig a theulu'.[52] Ac un o amryw byd o efeilliaid Gwynn oedd y prydydd William Prys hefyd: 'Yr oedd yn ysgrifennu streuon a phethau o'r fath i ryw bapur – 'doedd dim galw am ei brydyddiaeth, ebe'r golygydd'.[53] Roedd llawer iawn o bapurau Cymru yn stryffaglu byw ar y pryd. Âi'r cylchrediad yn is ac yn is, ac roedd rhai papurau yn suddo dan y don. Daeth rhai papurau i derfyn eu rhawd, gan wneud eu perchnogion yn fethdalwyr yn y fargen. Roedd yr argyfwng, wrth gwrs, yn bygwth bywoliaeth Gwynn, ac adlewyrchir y pryder hwnnw yn y stori yn ogystal: 'Cyn pen yr wythnos ar ôl y briodas cafodd William lythyr oddi wrth reolwr y papur yr oedd efe yn ysgrifennu iddo yn dywedyd nad oedd arnynt eisiau rhagor o streuon ganddo, am fod y papur yn mynd i farw o ddiffyg cefnogaeth'.[54]

Ac ar ben popeth, roedd Gwynn yn gorweithio eto. Parhâi'r straeon byrion i ymddangos yn y papurau, un ar ôl y llall, ac roedd llawer iawn o'r straeon hynny yn rhai diddorol iawn. Un o'r rheini yw 'Y Pen a'r Galon', a gyhoeddwyd yn *Papur Pawb* a'r *Herald Cymraeg* ym mis Ebrill 1907. Mae'n stori ddiddorol oherwydd mai portread cudd o Gwynn ei hun yw hi, ac y mae hi hefyd yn ymosodiad ar snobyddiaeth academaidd, y math o snobyddiaeth a wnâi iddo deimlo'n israddol ac yn annigonol yng nghwmni graddedigion y prifysgolion. Mae Gwen Roberts yn y stori wedi bod yn y coleg ac wedi ennill gradd B.A., ond aros gyda'i mam weddw y mae hi ar ddechrau'r stori. Yn Lloegr yr oedd Gwen a'i mam yn byw, ond cymerai'r fam dŷ bob haf yn ei hen gynefin, er lles i'w hiechyd. Symudodd y teulu i Loegr pan oedd Gwen yn ddeg oed – yr un oedran ag y gadawodd Gwynn y Pentre Isa a symud gyda'i deulu i Blas-yn-Grin – ond wedi i'w gŵr farw, treuliai mam Gwen fisoedd yr haf yn yr hen ardal, lle o'r enw Llanfanadlen. Arferai Gwen chwarae â'r bachgen drws nesaf, Gruffydd Parri, pan oedd y ddau yn blant yn Llanfanadlen; yn wir roedd y ddau fel brawd a chwaer.

Treuliodd Gruffydd Parri yntau rai blynyddoedd oddi cartref, wedi iddo golli ei rieni, er na wyddai neb i ble'r aeth. Bellach roedd wedi dychwelyd i'w hen ardal, ac roedd Olwen Huws, ffrind coleg Gwen, hefyd wedi ei dilyn i'r ardal am bwt o wyliau.

Mae Gwen a Gruffydd yn eu hugeiniau erbyn hyn, ac mae mam Gwen wedi gwahodd Gruffydd i gael tamaid o swper gyda hi a'i merch, i adnewyddu hen gyfeillgarwch. Ond mae Gwen yn poeni na fydd ganddi ddim i'w ddweud wrth Gruffydd Parri, oherwydd bod gagendor anferth rhwng y ddau bellach, ym meddwl Gwen o leiaf. Mae Gwen wedi tyfu yn llawer uwch na'i thaldra. Garddwr a gwerthwr llysiau yw Gruffydd Parri. 'Dyma fo yn mynd o gwmpas hefo mul a rhyw drol fechan i werthu tatws a bresych a gwynionod, a rhyw dacle felly!' meddai Gwen wrth Olwen.[55] Mae Gruffydd Parri islaw ei sylw hi, ac mae'n gas ganddi feddwl am gyfarfod ag ef eto.

Y mae noson y swper yn cyrraedd. Mae Gwen yn lletchwith ac yn dawedog yng nghwmni Gruffydd Parri. Ni all gyfathrebu o gwbl â'r garddwr diaddysg hwn. 'Ni byddai ond ofer hollol, wrth gwrs, iddi hi, Gwen Roberts, B.A., ddechreu sôn am Roeg a Lladin wrtho, ac ni fedrai hi sôn ond am bethau felly'.[56] Ar y llaw arall,

'Pa beth a wyddai y garddwr oedd yn werth iddi hi wrando arno?'[57] Ond ac yntau ar fin gadael, mae Gruffydd Parri yn bwrw un o lyfrau Gwen oddi ar fwrdd bychan, ac wrth ei godi, y mae'n gofyn iddi: 'A fyddwch chi yn hoff o ddarllen Homer?'[58] Mae Gwen wedi ei syfrdanu, ac yn methu deall sut y gallai'r garddwr dinod hwn wybod beth oedd y llyfr, gan mai llyfr Groeg ydoedd. Ac mae Gruffydd Parri yn adrodd peth o'i hanes wrthi:

> Buont yn ymddiddan yn hir iawn am lawer peth, ac yr oedd Gwen wedi synnu. Yr oedd y garddwr wedi bod yn crwydro'r byd; yr oedd wedi gweled y lleoedd sy'n enwog mewn hanes; gallai eu disgrifio fel y maent ac fel yr oeddynt. Medrai ddarllen yr ieithoedd clasurol a dywedyd ei feddwl yn rhwydd yn yr ieithoedd diweddar a ddysgir mor salw yn ysgolion y wlad hon. Yr oedd wedi darllen bron bopeth a ddarllenasai hi erioed, ac ugeiniau o lyfrau na chlywodd hi erioed sôn am danynt. Gwyddai rywbeth am ieithoedd oedd yn hollol ddieithr iddi hi, ac am wledydd nad oedd eu hanes yn hysbys iddi o gwbl.[59]

Roedd Gruffydd Parri wedi crwydro'r byd. Dysgodd Roeg pan oedd yn Alexandria yn yr Aifft. Ar ôl iddo adael, y mae Gwen yn sylweddoli ei bod yn cwympo mewn cariad ag ef. Drannoeth daw Olwen i edrych am Gwen, ac mae'n ei holi ynghylch y noson. Nid oes gan Gwen ddim byd ond canmoliaeth i Gruffydd. Mae Olwen yn adrodd rhagor o'i hanes. Roedd hi yn ferch ysgol yn Llundain pan oedd Gruffydd Parri yn paratoi at fynd yn feddyg. 'Mi fase yn un o'r doctoriaid gore yn y deyrnas yma heddyw, iti, oni bae iddo fo golli ei iechyd a gorfod rhoi'r gore iddi,' meddai Olwen.[60] A dyna hanes Gwynn. Methodd fynd i Rydychen oherwydd cyflwr ei iechyd, yn un peth. Rhyw fath o brotest yn erbyn rhagfarn a snobyddiaeth academaidd yw'r stori. Ac fe geir tro yn y gynffon ar ddiwedd y stori, a pheth dialedd ar Gwen Roberts a'i thebyg. Mae'n rhy hwyr i Gwen gael Gruffydd yn gariad iddi oherwydd mae Gruffydd eisoes wedi addo priodi Olwen.

Weithiau âi'r straeon i'r afael â materion cyfoes, fel 'Elin Eisieu Fôt', a ymddangosodd yn y ddau bapur ym mis Mehefin 1907. Stori ddoniol ryfeddol yw hon, ond nid dychanu merched y bleidlais a wneir yn y stori, ond bychanu'r dynion yn hytrach. Mae Elin yn gadael i'w gŵr ofalu am eu saith o blant tra bo hi'n mynychu cyfarfod i drafod hawl y fenyw i gael y bleidlais. Erbyn y daw Elin yn ôl o'r cyfarfod, mae'r tŷ yn un llanast, ar ôl i'r plant redeg reiat o gylch y tad. '"Dydi dynion ddim ffit," ebe hi, ac yna ychwanegodd – "ac i feddwl eu bod nhw yn gwrthod fôt i ferched!"'.[61] Y tu ôl i'r hwyl a'r hiwmor, yr oedd yna neges wleidyddol ddiamwys i'r stori.

Nid dyna'r unig dro iddo ochri â merched. Yn wir, y mae llawer o ferched Gwynn y nofelydd a'r storïwr yn gryfach ac yn fwy deallus na'r dynion. Yn ei ffordd ei hun, roedd yn ymgyrchwr cynnar o blaid hawliau menywod. Os oedd yn 'Pacifist gyda'r pwyslais ar y fist,' fel y dywedai wrth ei gyfeillion wrth sôn am ei heddychiaeth, roedd hefyd yn ffeminydd gyda'r pwyslais ar yr ymennydd. Yn y stori 'Cwymp y Ddynes Newydd', y mae Ethel Edwards yn penderfynu agor ysgol ohebiaethol, i ddynion ac i ferched, a hynny am reswm pendant:

> Tybiai Ethel fod merched yn cael mawr gam yn y byd yma, a phenderfynai wneyd ei rhan i'w cael yn rhydd o'u cadwynau. Credai yn gydwybodol mai merched ddylent fod ar y blaen y[m] mhob symudiad er gwella y ddynoliaeth. Dywedai yn fynych fod dyn wedi bod wrthi er's canrifoedd yn ceisio dod â'r byd yma i drefn; ond yr oedd mor bell o wneyd hyny â phan y dechreuodd.[62]

Mae Ethel, dan yr enw Henry Edwards, yn hysbysebu yn y papurau ei bwriad i gynnal gwersi drwy'r post. Mae ei disgybl cyntaf, Edward Vaughan, yn pasio'r arholiadau yn anrhydeddus ar ôl iddo gael ei ddysgu ganddi. Pan ddaw wyneb yn wyneb â'i 'athro', Henry Edwards, caiff sioc ei fywyd wrth iddo sylweddoli mai merch a fu'n ei ddysgu. Ceir yn y stori ymosodiad ar ragfarnau dynion yn erbyn menywod a fynnai ddringo'n uchel ym myd addysg, a hawlio safleoedd o rym.

Yn y stori 'Darn o Fywyd' mae gweithiwr o'r enw Wil wedi bod wrthi yn codi simnai fawr gyda nifer o weithwyr eraill. Tynnir y sgaffaldiau ymaith oddi wrth y tŷ ar ôl gorffen y gwaith, gan adael Wil ar ôl ar y to. Ar ôl chwarae'r ffŵl ar y to, a dangos ei orchest, y mae'r rhaff yr oedd i fod i'w defnyddio i ddringo i lawr o'r to yn llithro i waelod y simnai, ac ni all, o'r herwydd, ddringo i'r ddaear dano. Yr unig ateb i'r broblem, yn ôl y dynion, o leiaf, yw ailgodi'r sgaffaldiau. Yna, mae gwraig Wil, Catrin, yn cyrraedd, ac mae hi'n dyfeisio ffordd i gael ei gŵr i lawr o ben y to heb orfod ailgodi'r sgaffaldiau. Mae hi'n ddoethach na'r dynion i gyd. Tipyn o ffŵl yw Wil, ond gwraig gadarn yw Catrin, er bod ei gŵr yn ei dyrnu weithiau yn ei ddiod. Mae Wil yn syrthio ar ei fai ar ddiwedd y stori: "'Myn cebyst!" ebe fo, "wyddost ti be, Catrin, mae'n aflwydd o gwilydd i mi fod wedi duo dy lygada di fel yna, ydi, tawn i'n marw y munud yma!'"[63]

Ar ddechrau Mehefin, lluniodd Daniel Rees gerdd ben-blwydd i Eluned, merch Gwynn a Megan, gan glymu'r cwlwm rhyngddo a theulu Gwynn yn dynnach fyth. Wrth iddo ddiolch i Daniel Rees am y gerdd, ceir cip ar Gwynn y dyn teulu:

Thank you cordially for "O Wlad y Teulu Teg". It is very happy, & Eluned is charmed with it & having her name in the paper. She has shown it to all her friends, of whom she had fifteen to tea yesterday to celebrate her birthday. A tremendous day, which I signalised by taking the trouble to shave. Why don't you write a series of such rhymes & issue them with illustrations for the bairns?[64]

Y papur oedd *Yr Herald Cymraeg*, yn naturiol, a dyma'r gerdd, 'O Wlad y Teulu Teg (Cyflwynedig i Eluned Gwynn Jones)':

      Daeth deryn du pigfelyn
        I lawr o'r awyr las;
      Disgynodd ar lwyn celyn,
        A llamodd i ben das;
      A gwaeddodd "Hoi, Eluned,
        Pan fydd hi'n taro deg,
      Mi ddof yn ôl i'th weled
        O Wlad y Teulu Teg."

      O disgwyl, disgwyl wedyn!
        Mae'r cloc yn taro deg;
      A daeth y du pigfelyn
        O Wlad y Teulu Teg;
      "Ohoi, Eluned" (gwaeddai),
        "Mae genni fasged lawn –
      Presantau ar bres[a]ntau
        Am fod yn lodes iawn."

      Basgedaid o deganau
        Oedd ganddo yn ei geg,
      Sef cistaid o daranau
        A pherlau naw neu ddeg,
      Cyhyd â rhaff o enfys
        A seren goch o'r nen,
      A thalp o sinsir melus
        A gloew gareg wen!

Ond be' ddaeth o'r teganau
 O Wlad y Teulu Teg –
Y gistaid o daranau,
 Y perlau naw neu ddeg;
A pheth a ddaeth o'r enfys
 A'r seren goch o'r nen;
Pa le mae'r sinsir melus,
 A'r loew gareg wen?

Twt, aeth y gist yn yfflon,
 A'r perlau'n llawer darn,
Mae'r enfys yn[g] Ng[h]aergwydion,
 Mae'r seren goch yn sarn;
Nis gwn be' ddaeth o'r sinsir,
 Ond rhag ich roddi sen,
A dweyd nad wyf yn eirwir,
 Ho, dyma'r gareg wen!

Mae'r deryn du pigfelyn
 Yn dod o'r awyr las,
Bob dydd i'r llwyni celyn,
 Bob dydd i ben y das,
Gan alw ar Eluned,
 A gwaeddi nerth ei geg:
"Rwyf wedi dod i'th weled
 O Wlad y Teulu Teg!"[65]

Byw o'r llaw i'r genau yr oedd Gwynn a'i deulu o hyd y mis Mehefin hwnnw, ac roedd yn dechrau anniddigo unwaith eto, fel yr eglurodd wrth Daniel Rees:

I am tired of Denbigh. There is no job going about Carnarvon, I suppose? … I am becoming a sort of Micawber who is no earthly good but to worry his friends, but I am slowly recovering spirits. The deuce is that like my "Bardd", I am equipped for what nobody wants. I some times fancy I could write novels for English readers, but I cannot get out of the struggle for immediate necessities.[66]

Hunanbortread a geir yn ei gerdd 'Y Bardd', un o gerddi'r casgliad newydd, *Ymadawiad Arthur a Chaniadau Ereill*, y câi gymaint o drafferth i gael cyhoeddwr i ymddiddori ynddo. Fel y dywedodd yn y gerdd:

> Taerwyd mai ofered ydoedd
>   Ei freuddwydion oll i gyd;
> Eto unig fyd y bydoedd
>   Oeddynt iddo ef o hyd.[67]

Ddiwedd mis Mehefin, fodd bynnag, derbyniodd Gwynn lythyr gan Daniel Rees ac ynddo newyddion syfrdanol. Roedd ei gyfaill yn bwriadu rhoi'r gorau i'w swydd fel golygydd *Yr Herald Cymraeg*. Cafodd Gwynn ysgytwad. Yr oedd yn awr ar fin colli ei noddwr pennaf, un a fu'n gyfaill mawr iddo drwy rai o'r blynyddoedd mwyaf anghenus yn ei hanes. 'My wife says you are as a father to me, & that is certainly true,' meddai wrtho.[68] Roedd Daniel Rees wedi sicrhau swydd iddo'i hun gyda'r Bwrdd Masnach yn Llundain, a byddai'n gadael Caernarfon rywbryd yn yr hydref. Fel hyn yr ymatebodd Gwynn i'r newyddion syfrdanol a gafodd ddiwedd Mehefin:

> I am surprised and yet I am not at what you tell me. I have often thought
> it strange you chose to stay so long, & yet it seems impossible to me to
> think of the H. [*Yr Herald Cymraeg*] without you. If it will be better for
> you, as I sincerely trust it will, then I shall be glad indeed, but to me
> personally it will be the greatest loss in every respect.[69]

Roedd Daniel Rees wedi gorfod dioddef cryn dipyn o sen drwy'r blynyddoedd oherwydd iddo ddefnyddio'r *Herald* i ochri â'r Boeriaid adeg dau Ryfel De Affrica, ond mwy na thebyg mai oherwydd i anghydfod godi rhyngddo a Powyson (Thomas Jones), prif berchennog *Y Genedl*, y penderfynodd adael ei swydd. Haerodd Powyson fod cylchrediad ei bapur ef yn uwch na chylchrediad *Yr Herald*, ac addawodd gyfrannu canpunt at achos da pe gallai unrhyw un ei wrthbrofi. Bu i'r achos da droi'n achos llys yn y pen draw. Atebwyd Powyson gan Daniel Rees yng ngolygyddol *Yr Herald*, dan bum pwynt. Dyma'r pedwerydd pwynt:

> Ynfydrwydd pechadurus yw betio, ar y goreu; ond y mae ambell i ffordd o
> fetio yn fwy ynfyd na ffyrdd ereill. Yr ynfyttaf o bob ffordd yw betio a dyn
> heb gael yn gyntaf sicrwydd diamheuol fod ganddo fodd i dalu pe collai;

a chyda hyny sicrwydd na fyddai iddo, wedi colli (er fod ganddo fodd) ddadleu fod betio yn anghyfreithlon dan y "Gaming Act."⁷⁰

Honnodd Daniel Rees hefyd fod cylchrediad *Yr Herald* yn fwy na chylchrediad holl bapurau eraill Cymru gyda'i gilydd, ac eithrio papurau Caerdydd ac Abertawe. Ymateb Powyson oedd bygwth cyfraith ar olygydd *Yr Herald*, ond byddai Daniel Rees wedi gadael y papur cyn i'r achos gyrraedd y llys.

Gyda Daniel Rees yn hwylio i ymadael am Lundain ym mis Hydref, roedd haf 1907 yn haf pryderus iawn i Gwynn. Gallai ymdopi yn weddol tra oedd tri phapur newydd yn derbyn ei waith, ond roedd y sefyllfa wedi newid erbyn yr haf, ac er i Daniel Rees awgrymu wrth Frederick Coplestone y dylai benodi ei gyfaill yn olygydd *Yr Herald Cymraeg* yn ei le, ni chredai Gwynn y byddai Coplestone yn rhoi'r swydd iddo:

> It is very natural that Mr C. should have badly taken the prospect of losing you, as it will be impossible for him to have the place filled. I thank you very much for mentioning my name to Mr. C., but of course, my business capacity & experience are simply nil, I suppose, in his opinion, & in any case I am afraid that, to put it frankly, there is not another pound of flesh on my poor bones. I know very well that what came my way from the H. came through you, & I was naturally somewhat upset this morning when I saw the [é]vanouissement of it all. More especially as the Genedl, cutting down expenses (this confidentially) have already dropped me & as the Cymro does not seem to be very strong. I was doing pretty well between the three, but here is the crack of doom, I am afraid. If I had only myself I would simply laugh at it & take to tramping & cadging. Anyhow, I must hold out as long as I can. I wish to thank you most sincerely for your kindness throughout these last two years of suffering.⁷¹

Ac yntau ar fin colli cefnogaeth Daniel Rees, roedd hi'n dipyn o argyfwng arno:

> As to writing English novels & "condescending to study the market" as you put it, I would condescend to anything almost now if I only knew how to stave off tuberculosis & hunger for say a year whilst turning out stuff. I wish you were a millionaire so that I could be commissioned to write those historical romances.⁷²

Roedd Gwynn yn iawn. Gwrthododd Coplestone ei benodi'n olygydd *Yr Herald*, ond nid oherwydd nad oedd y cymwysterau priodol ganddo, fel y tybiai Gwynn, ond oblegid y byddai ymgymryd â gwaith mor feichus â golygu'r *Herald* yn ormod o straen ar ei iechyd; yn hytrach, cynigiodd swydd fel golygydd *Papur Pawb* iddo, ond am dri mis yn unig, nid fel swydd barhaol, i gychwyn. Derbyniodd y swydd a'r telerau. Serch hynny, nid oedd golygu *Papur Pawb* am drimis yn unig yn cynnig digon o sicrwydd a sefydlogrwydd iddo, a rhaid oedd chwilio am lwybr ymwared amgenach.

Ceisiodd Daniel Rees ei helpu, fel arfer. Awgrymodd nifer o bosibiliadau. Gallai, yn un peth, chwilio am swydd yn y Gwasanaeth Is-genhadol, ac awgrymodd iddo y gallai cysylltu â Lloyd George fod o fudd iddo, ond roedd Gwynn yn gyndyn i wneud hynny:

> I had no quarrel with Ll.G. I simply wrote to him once. He was, as a gentleman who owed (and still owes) me some money even if nothing more, bound to answer me. He did not. I did not write again & do not feel inclined to do so as it would most assuredly be in vain. When Caernarfon friends were making me a testimonial I told D[an] Rh[ys] and R[obert] B[ryan] expressly not to write to him.[73]

Ac yn sydyn, fe agorodd drws, er na wyddai Gwynn na neb arall beth oedd y tu ôl i'r drws hwnnw. Prynwyd *Y Cymro* gan y Parchedig M. E. Jones, Dinbych, ar ôl marwolaeth ei sefydlydd a'i olygydd, Isaac Foulkes, ym 1904. Ond roedd *Y Cymro* yn marw ar ei draed, a'i gylchrediad yn lleihau'n gyson. Mewn ymgais i geisio achub y papur, fe'i symudwyd o Lerpwl i'r Wyddgrug yn ystod haf 1907, gan obeithio y byddai symud yn ôl i Gymru yn adnewyddiad iechyd iddo. Roedd angen golygydd newydd ar y papur yn ogystal, a chynigiwyd y swydd honno i Gwynn, a oedd eisoes yn un o golofnwyr *Y Cymro* gyda'i golofn 'Llyfrau a Llenorion', a ddaeth i ben ym mis Rhagfyr 1907. Ac meddai wrth Daniel Rees:

> I had a letter from Mr Coplestone on Saturday. He is afraid I am not strong enough for the post. Result, I shall take y Cymro & see what I can do to reduce the Flintshire circulation of the Chester Chronicle! I know this is a trifle risky, but I must do something. And if I am to go to the wall, by Jupiter, I will make some of the Haves [cyfoethogion] smart a bit in a financial way on account of it![74]

Yn betrusgar y derbyniodd y swydd:

> I was tempted to accept the care of the Cymro when I thought I could do
> the work in about three days, as the money, with what I could make from
> other sources, might perhaps enable me to get a fairly decent house in
> the country. But the proprietor of the Cymro is a conscientious fellow, &
> he has told me that if I accept, it will be [by] knowing how he is situated
> ... If he could get a start in Mold, I think that with the shop & the printing
> business he might succeed.[75]

Cyrhaeddodd Gwynn yr Wyddgrug ar y diwrnod olaf o Awst. Cafodd dŷ yno, '4
West View Terrace'. Gobeithiai y gallai olygu *Papur Pawb*, am y tri mis y cytunwyd
arno, ar yr un pryd ag y byddai'n golygu'r *Cymro*, ac y byddai hynny'n dderbyniol
gan Frederick Coplestone. 'Yr wyf (rhyngoch chwi a finnau) yn edrych ar ôl *Papur
Pawb* ... Yr wyf yn ceisio ei wneud yn bapur mwy llenyddol a gwell nag ydoedd,
ond nad wyf yn cael chwarter digon o arian at y pwrpas,' meddai wrth ei gyfaill,
Tom Owen, Hafod Elwy, rai wythnosau ar ôl cyrraedd yr Wyddgrug.[76] Roedd yn
bwysig ei fod yn cadw cysylltiad â *Papur Pawb*, rhag ofn y byddai Coplestone yn
newid ei feddwl ynglŷn â'i benodi'n olygydd ar y papur ar raddfa lawn-amser, yn
enwedig ar ôl y siom o fethu cael swydd golygydd *Yr Herald* ganddo:

> I am going to edit Y Cymro – agreed to do so the Saturday after receiving
> Mr C's letter stating he thought my health would not bear the strain of
> taking charge of the Herald. For the sake of convenience & economy, I
> have taken a house in Mold. I presume this would make no difference
> with reference to the P.P. question ... I heartily wish that Mr C. had
> thought more favourably of me at first! It would have been so much
> simpler, and I have a fancy that, next to you, I would be the best man
> for the Herald (Quelle audace!). Anyhow, I suppose the idea is that I may
> have to be fallen back upon after all. Well, I don't object. I have not tied
> myself in any way to the "Cymro", though of course, I must do my best
> for it so long as I am connected with it.[77]

Methodd Gwynn fynd i gyfarfod ffarwelio Daniel Rees yng Nghaernarfon ym
mis Hydref. Trefnwyd y cyfarfod gan y cymwynaswr mawr hwnnw, Dan Rhys,
ac anfonodd Gwynn lythyr o ymddiheuriad ato. Roedd swyddi newydd Gwynn a
Daniel Rees bellach yn eu gwahanu, ac roedd hynny'n golled aruthrol i Gwynn:

> Bu Mr Rees a minnau yn gyd weithwyr am flynyddau; gwybuom fod
> yn llawen ac yn drist gyda'n gilydd, er ei fod ef bob amser yn edrych
> ar yr ochr olau, a minnau hwyrach yn edrych gormod ar y llall. Llawer
> ymgom yr wyf yn ei chofio; llawer gair doeth a chyngor da; ac nid allaf
> byth anghofio'r caredigrwydd a gefais i oddi ar law Mr. Rees ... Yr ydych
> yn colli meddyliwr dwfn, ysgolhaig gwych, a gŵr bonheddig Cymreig
> trwyadl, o Gaernarfon, yn ei ymadawiad ef ... Mae'n drist gennyf feddwl
> na chawn mwyach rwyfo ar Fenai gyda'n gilydd na chrwydro dros yr Aber
> na sôn am na beirdd na llenorion, nag am ieithoedd na phobloedd fel y
> buom yn y blynyddau gynt.[78]

Un a ddaeth yn gyfaill i Gwynn oedd nai Daniel Rees, Caleb Rees, gŵr ifanc
disglair a oedd wedi graddio yn Saesneg yng Ngholeg Prifysgol Cymru, Caerdydd,
ym 1902. Aeth ymlaen wedyn i Brifysgol Manceinion i ddilyn cwrs pellach ar
addysg, ac ym Manceinion yr oedd yn byw ym 1907. Galwodd heibio i Gwynn a
Robert Bryan pan oedd y ddau ar fwrdd y *Creole Prince* ym Manceinion, yn union
cyn cychwyn ar y fordaith. Ym 1908 byddai'n symud o Fanceinion i Gaerdydd,
ar achlysur ei benodi'n ddarlithydd yn yr Adran Addysg yn y coleg. Cyfrannodd
nifer o ysgrifau ar addysg i'r *Traethodydd* ym 1907 a 1908. Yn rhifyn Gorffennaf
1907 o'r cylchgrawn cyhoeddwyd ei ysgrif 'Addysg a'r Gymraeg', y peth gorau yn
y rhifyn hwnnw o'r *Traethodydd*, meddai Gwynn wrth ei ewythr. Roedd Gwynn
wedi addo adolygu'r rhifyn hwnnw o'r *Traethodydd* i Daniel Rees, ac i ysgrif Caleb
Rees y rhoddodd y rhan fwyaf helaeth o sylw pan gyhoeddwyd ei adolygiad yn *Yr
Herald Cymraeg*.[79] Ysgrifennodd Gwynn lythyr yr un at yr ewythr a'r nai o fewn
deuddydd i'w gilydd ym mis Tachwedd. Roedd bellach wedi bod yn byw yn yr
Wyddgrug ers rhyw ddeufis, ac meddai wrth Caleb Rees, a oedd wedi anfon gair
ato i'w longyfarch ar ei benodiad:

> My appointment to the "Cymro" hardly deserved any notice, & really the
> town of Daniel Owen is disappointing. It is neither Welsh nor English,
> & I long for Caernarvon. I do not know what it is possible to make of the
> "Cymro", or of any newspaper these days, & the probability is that I shall
> turn small holder under the new Act, if I possibly can.[80]

Ar ôl rhyw drimis yn y swydd, roedd Gwynn yn barod i adael y lle a'i heglu hi'n ôl
am Gaernarfon. 'These dull days I am longing for Cairo,' meddai wrth Daniel Rees,
gan ychwanegu cwpled: 'Baweiddia i ddyn lle byddo,/Llawen i bawb lle ni bo!'.[81]

Ym 1907 cyhoeddwyd *Caniadau* John Morris-Jones, cyfrol sylweddol o farddoniaeth gan yr ysgolhaig a'r beirniad llenyddol a oedd yn awdurdod ar Gerdd Dafod. Gwynn a adolygodd y llyfr i'r *Cymro*, ac mae ei sylwadau ar y llyfr ac ar fesurau Cerdd Dafod, yn y llythyr a anfonodd at Daniel Rees ddeuddydd ar ôl iddo anfon llythyr at ei nai, yn dra diddorol:

> I am not disappointed, but simply find that the Professor, like Goronwy himself, does not largely come into touch with the thought of his times. I think "Awdl Famon" should come first as being original work and also having perhaps the poet's most personal utterance. It is a very fine piece of work, though I should myself have excluded some of the metres & simplified some of the cynghaneddion, where they seem somewhat overweighted.[82]

'I have experimented a good deal in metres in my time, & the results might at least be useful,' meddai yn yr un llythyr.[83] Awdl sydd ar nifer helaeth o fesurau Cerdd Dafod yw 'Salm i Famon', gan gynnwys mesurau pur ddiwerth fel y cywydd deuair fyrion. Gwyddai Gwynn nad oedd hyd yn oed y Cywyddwyr eu hunain yn defnyddio pob un o'r pedwar mesur ar hugain, a bod angen arbrofi â'r gynghanedd ac â'r mesurau er mwyn parhad Cerdd Dafod. Gallai gorddefnydd o fesurau'r hen awdlau enghreifftiol ffosileiddio'r gynghanedd. Rhaid cofio mai arbrofwr o fardd oedd Gwynn.

Ym mis Awst 1907, cyn iddo ymadael am yr Wyddgrug, enillodd wobr anghyffredin. Yn Eisteddfod Genedlaethol Abertawe y flwyddyn honno cynigiwyd decpunt o wobr am gyfieithu rhan o 'Ymadawiad Arthur' i'r Saesneg. 'As they did not think fit to ask me to adjudicate, I thought I would try to take away the prize, & it has been somewhat of a job,' meddai Gwynn wrth Daniel Rees.[84] A'i gyfieithiad ef a ddyfarnwyd yn fuddugol, o blith deg cystadleuydd.

Roedd cyfnod Gwynn yn yr Wyddgrug yn gyfnod gwleidyddol iawn, yn ogystal â bod yn gyfnod llenyddol a newyddiadurol. Gyda mudiad Cymru Fydd wedi hen fynd i'r gwellt, y mae'n amlwg mai fel sosialydd yr ystyriai Gwynn ef ei hun bellach, ac ar un adeg bu'n meddwl sefyll fel ymgeisydd seneddol. Yn ôl nodyn yn *Yr Herald*:

> Deallwn fod cais taer wedi ei wneyd at Mr T. Gwynn Jones, gynt o Gaernarfon, i sefyll fel ymgeisydd am aelodaeth Seneddol dros drefi Fflint, a'i fod yntau yn ystyried y mater yn ofalus. Fel "Socialist" y ceisir ganddo sefyll.[85]

Closiodd at Gymdeithas y Ffabiaid am ysbaid, sef y gymdeithas a sefydlwyd yn Llundain ym 1884 i hyrwyddo a lledaenu sosialaeth drwy ddulliau heddychlon. Roedd yr heddychwr a'r sosialydd David Thomas yn siarad yn un o gyfarfodydd y gymdeithas yng Nghaernarfon ym mis Tachwedd 1908. Cofiai gyfarfod â Gwynn, a hynny am y tro cyntaf efallai, 'pan oedd yn gadeirydd imi mewn cyfarfod o'r *Fabian Society* yng Nghaernarfon, a minnau'n siarad ar *Socialism and Order*'.[86] Cyfarfod Saesneg oedd hwnnw, 'gan mai cangen gymysg oedd y gangen, a chofiaf i'r cadeirydd adrodd penillion o waith James Russell Lowell, a'r geiriau Hunger and Cold yn fyrdwn i bob pennill,' meddai David Thomas ymhen blynyddoedd.[87] Cafwyd adroddiad ar y cyfarfod hwnnw yn un o'r papurau:

"Revolutionary Socialism is not undesirable, but it is impossible. We must g[e]t what we want by degrees, and we can only attain our ends by Parliamentary means. When I hear some Socialists say that Parliament is an antiquated machine, I ask them what machine they would substitute for it. The House of Commons is far from perfect, but that is our fault as electors." So spoke Mr David Thomas, Rhostryfan, at a meeting under the auspices of the Fabian Society at the Institute, Carnarvon, on Monday evening.

Mr Thomas declared that Socialism ... would come slowly, but it was coming surely, and they welcomed every help from those who did not call themselves Socialists, just as they welcomed measures that tended towards Socialism though not called by that name.

Mr T. Gwynn Jones was in the chair, and there was an excellent audience.[88]

Fodd bynnag, ni chredai David Thomas fod Gwynn yn wleidydd wrth reddf:

Er nad oedd Gwynn Jones fawr o ddyn plaid yn wleidyddol, yr oedd yn wresog iawn dros amddiffyn pobl rhag cam – 'Pob tlawd sydd gydfrawd i gi', meddai yn un o'i gywyddau cynnar – a dyna oedd sail ei gydymdeimlad â'r *Fabian Society*. Cynhaliwyd y cyfarfod hwn dros hanner can mlynedd yn ôl, ar 17 Tachwedd 1908, a dywedodd Gwynn Jones o'r gadair fod y diwrnod hwnnw yn hannercanmlwyddiant marwolaeth Robert Owen – '*the father of British Socialism*'.[89]

Yng nghanol ei holl brysurdeb, cymerai ran o hyd mewn gweithgareddau diwylliannol a chymdeithasol. Roedd yn beirniadu sawl cystadleuaeth yn Eisteddfod Gadeiriol Nantglyn, Sir Ddinbych, ddydd Nadolig 1907. Siom oedd y gystadleuaeth 'Chwech o Benillion – "'Yr Iaith Gymraeg"' iddo. 'Nid wyf yn amheu nad yw'r beirdd yn caru eu hiaith,' meddai, 'ond nid yw eu cariad yn peri iddynt d[d]ywedyd pethau prydferth amdani, na bod yn ofalus wrth ei thrin chwaith'.[90]

Yn yr Wyddgrug y preswyliai o hyd pan wawriodd 1908. Roedd yn dal i weithio'n galed, meddai wrth Daniel Rees ar ail ddiwrnod y flwyddyn newydd. Roedd yn gweithio ar *Papur Pawb*, *Y Cymro*, ac ar lawer o bethau eraill. Cyhoeddid straeon byrion o'i waith yn rheolaidd yn *Papur Pawb* ac yn *Yr Herald Cymraeg* trwy gydol 1907. Ar ben hynny, roedd wrthi'n turio drwy bapurau Emrys ap Iwan. Ond ni allai ymgartrefu yn yr Wyddgrug. Yn un peth, roedd y lle yn rhy Seisnigaidd ganddo. Traddododd ddarlith gerbron aelodau Cymdeithas Gosmopolitanaidd yr Wyddgrug ddiwedd Rhagfyr 1907, a bu'n rhaid iddo ei thraddodi yn Saesneg. Ar ben hynny, roedd ei swydd fel golygydd *Y Cymro* yn swydd ansad ac ansefydlog, gyda'r papur hwnnw hefyd yn troi at y Saesneg. Dechreuodd ei gwestiynu ei hun dan yr amgylchiadau:

> The Cymro is about to become an English county paper, with little or no prospects of success, so far as I can see. What is to become of me, I don't know, and I almost said, I don't care a damn! I am getting desperate. I am not quite without some kind of ability, I know, and I can honestly say I am neither lazy nor wasteful, and yet I find it next to impossible to be out of work since my health broke down.[91]

Erbyn mis Mawrth, roedd yn ysu fwy fyth am adael yr Wyddgrug. Gwyddai fod ei ddyddiau yn y dref wedi eu rhifo, ond ni wyddai beth oedd o'i flaen. Ar y pryd roedd ei sefyllfa ariannol yn weddol lewyrchus, a gallai gael deupen y llinyn ynghyd yn weddol ddiffwdan trwy ymwneud â sawl papur, ond roedd y sefyllfa ynglŷn â'r papurau yn fregus ac ansicr, yn enwedig gan fod perchennog *Y Cymro*, ar ben popeth, mor anwadal. Mynegodd ei bryderon wrth Daniel Rees:

> I am of course doing fairly well & will continue to do so as long as the "County Leader" & "P.P." hold out. I quite agree with you that the Cymro died with old Ffowcyn. The proprietor now issues an edition of the English paper for Liverpool with all the Welsh news in the English language, & has a man there doing the district. He does not seem to know his own mind in regard to it, & I don't know what the result of this

new idea is likely to be. I fancy the new county paper started pretty well, but candidly I don't think it will last long.[92]

'[Y]r ydym yn meddwl mai dioddef yma nes caffom well goleuni ar y dyfodol yw'r gorau i ni,' meddai wrth Tom Owen ym mis Mai 1908.[93] Rhaid oedd iddo feddwl am y dyfodol. Roedd wedi anfon pytiau o newyddion at y *Daily Post*, ond ni chyhoeddwyd yr un gair o'i waith yn y papur. Bu hefyd yn ystyried cyfieithu ei atgofion am ei gyfnod yn yr Aifft i'r Saesneg ar gyfer eu cyhoeddi, yn ogystal â meddwl am werthu hawlfraint casgliad arfaethedig o'i gerddi i gwmni cyhoeddi.

Byd ansefydlog, felly, oedd byd newyddiaduriaeth Gymraeg ar y pryd, a byd cecrus a chythryblus yn aml, fel y gwyddai Daniel Rees yn rhy dda. Holodd Gwynn ei gyfaill am yr achos llys rhwng Powyson a'r *Herald*. Cynhaliwyd yr achos hwnnw yn Lerpwl ym mis Mawrth, 1908, ac yn absenoldeb Daniel Rees, bu'n rhaid i Coplestone ymddangos fel diffynnydd gerbron y llys, yn erbyn yr achwynyddion, Cwmni'r Wasg Genedlaethol Gymreig. Yn ôl *Yr Herald*:

> Cyhoeddwyd hysbysiad yn eu papyr hwy yn cynnyg gwobr yn[g] nglŷn â bod eu cylchrediad yn fwy na'r eiddo neb arall ... Cyhoeddasom ninnau fynegiad ag yr ystyrient oedd yn amheu fod ganddynt foddion i dalu'r swm a gynnygiwyd. Os mai hyny yw ei ystyr, yr ydym yn datgan ein gofid o'r herwydd. Yr oedd hefyd yn eu papyrau hwy gyhuddiad yn ein herbyn ni ein bod yn lladrata eu newyddion, yr hyn a'n cythruddodd yn fawr.[94]

Cyfaddawdwyd rhwng y ddwy ochr, a bu'n rhaid i Frederick Coplestone dalu costau'r llys yn unig.

Ar Ebrill 4, ymddiswyddodd Gwynn fel golygydd *Y Cymro*. Roedd wedi dod i ben ei dennyn. Roedd fel llygoden fawr yn gadael llong a oedd ar fin suddo, meddai. Penderfynodd ei mentro hi ar ei liwt ei hun, a dechreuodd chwilio am dŷ rhatach mewn man amgenach. Ni wyddai beth a wnâi. Gobeithiai o hyd y gallai gael Pensiwn Brenhinol, a cheisiodd J. Glyn Davies, yr Athro Cymraeg ym Mhrifysgol Lerpwl a pherthynas pell i Gwynn, gael gwaith iddo yn yr Adran Geltaidd yno. Fodd bynnag, llwyddodd i werthu ei lawysgrif o gerddi i'r 'Welsh Educational Publishing Co' am £40. 'You see I am somebody after all!' meddai wrth Daniel Rees.[95]

Yn rhifyn Mai 16, 1908, o *Papur Pawb*, dechreuodd Gwynn, dan y ffugenw Peredur, gyhoeddi nofel newydd sbon o'r enw *Lona*. Cyhoeddwyd y nofel fesul pennod yn y papur, o Fai hyd Ragfyr 1908, a'i chyhoeddi yn gyfan ym 1923, *Lona*,

'Nofel Gymraeg gan "G" '. Ymddangosodd pennod gyntaf y nofel yn rhifyn Mai 12, 1908, o'r *Herald Cymraeg* yn ogystal, gan nodi mai yn *Papur Pawb* y cyhoeddid gweddill y nofel; ac mewn rhifyn diweddarach o'r papur, cafwyd y nodyn hwn:

> Gofaler ordro "Papur Pawb" yn gynnar bob wythnos. Mae mynd anghyffredin ar y nofel newydd "LONA," a gall fod yn anodd cael copïau i gael parhad yr ystori. Mae'r dyddordeb yn dyfnhau ymhob pennod, a'r digwyddiadau yn gynhyrfus iawn ar brydiau.
>
> Sylwer hefyd fod eisoes alw am ôl rifynnau yn cynnwys dechreu'r ystori, ac mai goreu po gyntaf i'w herchi er mwyn medru eu cael. Dywed un darllenydd – llenor Cymreig adnabyddus:
>
> 'Yr wyf yn barod wedi cymeryd yn ddirfawr at y gweinidog ieuanc, Merfyn Owen, ac y mae'r disgrifiad o bobl y Minfor yn un campus. Adwaen y cymeriadau bob un. Y mae hon yn nofel anghyffredin, ac yn waith meistr ar ei grefft.'[96]

Diben yr hysbyseb, wrth gwrs, oedd hybu gwerthiant *Papur Pawb*.

Prif gymeriad *Lona* yw Merfyn Owen, gweinidog ifanc gyda'r Methodistiaid Calfinaidd. Ar ddechrau'r nofel mae Merfyn mewn cyfyng-gyngor. Newydd ddychwelyd y mae o'r Cyfandir, wedi treulio dwy flynedd yno yn cwblhau'i addysg, ac wedi iddo ddychwelyd, y mae'n cael cynnig dwy alwad, un gan eglwys fechan mewn pentref gwledig diarffordd, a'r llall gan eglwys fawr, gyfoethog yn un o drefi Lloegr.

Cyn penderfynu'n derfynol rhwng y ddau le, mae Merfyn yn rhoi tro i'r pentref bychan, y Minfor, i gael golwg iawn ar y lle. Ar ôl bod yn crwydro ar lan y môr, mae'n clywed lleisiau. Clyw lais geneth ifanc yn dweud 'Gadewch i mi basio,' a llais gŵr ifanc yn ateb, mewn Cymraeg clapiog, 'Cewch, os ca fi cusan!'[97] Mae'r eneth yn ceisio dianc rhagddo ac yn rhedeg ar hyd glan y môr. Mae'r llanc ifanc yn rhedeg ar ei hôl, ond yn baglu ar draws darn o bren wrth geisio ei dal. Yn ei gynddaredd mae'n hyrddio'r darn pren at y ferch ac yn ei tharo ar ei gwegil. Ar ôl gweld hyn, mae Merfyn yn ymyrryd, ac yn cyhuddo'r gŵr ifanc o fod yn llwfr, ac mae'r ddau yn cwffio â'i gilydd. Mae Merfyn yn cael y gorau ar y llanc ifanc, ond mae'r ferch ifanc wedi diflannu erbyn i'r ddau orffen ymladd â'i gilydd. Yn y dafarn yn y Minfor lle mae'n aros am noson, y mae'n gweld y gŵr ifanc y bu'n ymladd ag ef ar y traeth â'i gefn at y tân, gyda sigâr yn ei law a diemwnt ar ei fys bach, a chaiff wybod mai 'mab Plas y Coed' ydyw.[98]

Ar ôl yr ymweliad hwnnw â'r Minfor, penderfyna Merfyn dderbyn yr alwad i fod yn weinidog ar y capel yno, Capel y Fron (gan gofio bod Capel y Fron yn Ninbych). Rhyw ddau neu dri mis ar ôl yr helbul ar y traeth, mae'r ferch ifanc a achubodd rhag yr ymosodwr ar y traeth yn mynd heibio iddo yn sydyn wrtho iddo gymryd tro ar hyd y mynydd yn y Minfor. Daw i wybod mai Lona O'Neil yw enw'r ferch. Merch natur ac enaid rhydd yw Lona, 'peth wyllt ddidoriad', yn ôl trigolion y Minfor.[99] Enw ei thad yw Denis O'Neil, pabydd a Gwyddel, ond Cymraes yw ei mam. Teulu tlawd a theulu sydd islaw sylw'r pentrefwyr yw teulu Lona, a phan oedd yn blentyn ysgol, rhybuddid plant gan eu rhieni i beidio â chwarae â hi, er mai anwybyddu rhybudd eu rhieni a wnâi rhai o blant mwyaf beiddgar y pentref.

Wedi symud i'r ardal ers rhyw ddeng mlynedd yr oedd Lona a'i rhieni, a symud i dŷ gwag a wnaethant. Cynhaliai'r tad ei deulu trwy gadw ieir a thrin ei ardd. Gan mai dieithriaid oedd y teulu, ac oherwydd mai pabydd oedd y tad, roedd cryn dipyn o ragfarn yn eu herbyn ymhlith trigolion y Minfor, yn enwedig ar ôl i John Jones, gweinidog Capel y Fron ar y pryd, ffraeo â Denis oherwydd ei grefydd. Lledaenodd John Jones straeon anwireddus amdano. Dyn gwyllt, didoreth yw Denis O'Neil ym marn John Jones: 'Nid oedd gan John Jones ronyn o amheuaeth na buasai Denis wedi ei ladd, oni bai ofn cyfraith y wlad'.[100]

Yn ysbeidiol yr âi Lona i'r ysgol leol. Ni chwaraeai'r plant eraill â hi, yn wir, roedd yr ysgolfeistr yn cymell y plant i beidio â chwarae gyda Lona. Gadawodd yr ysgol unwaith y cyrhaeddodd yr oedran priodol, ac er gwaethaf pob rhagfarn yn ei herbyn, roedd llawer o lanciau'r pentref wedi syrthio mewn cariad â hi. Erbyn i Merfyn gyrraedd y Minfor, y mae Lona yn ferch ifanc brydferth oddeutu ei hugain oed.

Mae Merfyn yn holi ysgolfeistr newydd y Minfor am Lona a'i theulu. Enw'r ysgolfeistr yw Robert Ifan, gŵr dibriod sy'n byw gyda'i lysfam. 'Hyhi a'i magodd, ac yr oedd ganddo yntau gymaint o barch iddi a chariad ati â phe buasai hi fam naturiol iddo'.[101] Ai sôn am ei lysfam ei hun a wna'r awdur yma? Hawdd credu hynny. Meddai Gwynn, wedi i Mary Jones farw ym 1929: 'Bu'r hen lysfam druan yn garedig dros fesur atom oll, a dioddefodd gystudd hir a phoenus mor dirion nes gwyleiddio dyn a theimlo'i galon yn rhoi llam wrth siarad â hi'.[102] Daw Merfyn i ddeall bod trigolion y Minfor o'r farn mai dewines, gwrach ifanc o ryw fath, yw Lona, ac na ddylai neb parchus fynd yn agos ati. Daw'n amlwg erbyn hyn fod Merfyn wedi syrthio mewn cariad â Lona.

Yna, daw merch arall i mewn i'r stori, Miss Vaughan, merch Plas y Coed, a chwaer i'r llanc ifanc y bu Merfyn yn ymladd ag ef ar y traeth. Wrth wibio heibio i Merfyn ar ei beic, mae hi'n cael damwain, ac mae Merfyn yn estyn cymorth iddi, ac, er mor gas ganddo hynny, yn mynd i'r Plas i ofyn i rywun anfon cerbyd i'w chludo'n ôl yno, gan na allai gerdded. Mae Miss Vaughan yn siarad rhyw fath o lediaith, fel ei brawd. Wrth aros a gorffwys yn nhŷ gwraig o'r enw Marged Roberts, nes bod y cerbyd yn cyrraedd, y mae Miss Vaughan yn ei holi am y gŵr ifanc a oedd newydd ei helpu. Daw i wybod ei fod yn ŵr ifanc disglair dros ben, hynod o addysgedig a chanddo dair mil o lyfrau.

Mae'n amlwg fod y ferch ifanc hithau yn dechrau cwympo mewn cariad â Merfyn, ond, yn wahanol i Lona, '[m]erch blaen iawn ydoedd yn wir, hagr o bryd a gwedd, er ei bod yn ddigon lluniaidd o gorff'.[103] Mor wahanol yw Lona iddi:

> Yr oedd hi yn droednoeth a phennoeth. Gwisgai hugan gwyrdd llac, yn cyrraedd at hanner ei choes. Noethion hefyd oedd ei breichiau o'r penelin i lawr. A'i gwallt, disgynnai yn dorchau gloywddu hyd waelod ei chefn, ac ynghanol pleth ohono ar ymyl ei thalcen, yr oedd rhosyn coch wedi ei osod, fel marworyn mewn huddigl. Disgleiriai ei chnawd gwyn, iachus yn yr haul, a'r gwrid oedd ar ei deurudd fel eiliw'r rhosyn oedd yn ei gwallt.[104]

Mae'r nofel yn gwyntyllu rhai o ddaliadau a safbwyntiau'r awdur. Eglwyswraig, yn naturiol, yw Miss Vaughan. '... os ydi fo Methodist, mae piti garw,' meddai am Merfyn yn ei Chymraeg chwithig, gan ddangos atgasedd Gwynn tuag at yr Eglwys yng Nghymru, sefydliad hynod Seisnigaidd yn ei hanfod.[105] Ni all Miss Vaughan ddeall pam y mae ysgolhaig ifanc fel Merfyn yn weinidog Methodistaidd; 'Base fo'n cael llawer iawn gwell lle yn yr Eglwys, ac yn cael parch gan bobl fawr,' meddai wrth Marged Roberts.[106] Merch ifanc drwynsur a mawreddog yw Miss Vaughan, a daw ei snobeiddiwch i'r amlwg wrth iddi geisio esbonio beth yw ystyr y gair *pedigree* wrth Marged Roberts.

Ceir yn *Lona* hefyd ymosodiad ar gulni enwadol ac ar ragrith crefyddol. Condemnir y garwriaeth rhwng Merfyn a Lona gan rai aelodau o gapel Merfyn. Os nad yw Lona'n ddewines, o leiaf mae hi'n babyddes. Gelwir Merfyn gerbron blaenoriaid ei gapel, ac fe'i cynghorir gan rai ohonynt i roi'r gorau i'r garwriaeth â Lona. Parhau a wna'r garwriaeth fodd bynnag, ond nid heb sawl maen tramgwydd. Un o'r meini tramgwydd mwyaf yw Miss Vaughan. Pan ddywed Lona wrthi fod Merfyn wedi gofyn iddi ei briodi, mae Miss Vaughan, yn ei chenfigen, yn ceisio dryllio'r berthynas trwy ddweud y byddai'n hollol anghymwys i fod yn wraig iddo. 'Mi fase i holl ffrynide yn chwerthin am i ben o am briodi merch mor anwybodus, ac mi fase fynte yn edifarhau o'r diwedd, ac yn colli pob parch i chi!' meddai wrth Lona, gan beri gofid mawr iddi.[107] Ac yna, gyda geiriau creulon Miss Vaughan yn atseinio yn ei phen, mae Lona'n diflannu. Yn ei hiraeth amdani, mae Merfyn yn gwaelu, ac mae'r gwaeledd hwnnw yn parhau am fisoedd. Yn raddol mae Merfyn yn gwella, ac y mae tair blynedd wedi llithro heibio heb iddo weld Lona na gwybod dim amdani. Yna, ar hap a damwain, ac oherwydd damwain, y mae'r ddau yn cyfarfod â'i gilydd unwaith yn rhagor, mewn ysbyty yn Llundain, lle mae Lona yn gweithio fel maethes (nyrs). Ailunir y ddau, ond trwy gyd-ddigwyddiad cyfleus y daw'r ddau yn ôl at ei gilydd.

Defnyddir yr un ddyfais o ddau gariad yn ailgyfarfod â'i gilydd mewn ysbyty, y naill yn glaf a'r llall yn nyrs, mewn stori fer o waith Gwynn a gyhoeddwyd ym 1907, ychydig fisoedd cyn i'r nofel ddechrau ymddangos yn *Papur Pawb*. 'Angyles Ifan Siencyn' yw'r stori honno, ac y mae yna elfen hunangofiannol amlwg ynddi. Ysgrifennu i'r papurau yw gwaith Ifan Siencyn, ac fel Gwynn, aeth ati i'w addysgu ei hun ar ôl gadael yr ysgol:

> Gallasai ddyfod yn ei flaen yn llwyddiannus iawn yn sicr pe cawsai ryw lun o chware teg, ond yr oedd ei rieni yn dlodion iawn, a bu raid i Ifan fynd i weithio i'r chwarel yn ifanc. Eto, daliodd Ifan ati i ddarllen a dysgu ar ôl mynd i'r chwarel, a gwariai bob ceiniog y gallai ei hepgor am lyfrau bob amser.[108]

Er bod Ifan Siencyn yn caru Nansi, yr 'angyles' yn y stori, y mae hefyd yn teimlo'n israddol yn ei chwmni oherwydd iddi gael llawer gwell addysg nag a gawsai ef. Ni chymerodd Nansi unrhyw sylw o Ifan o ddifri nes iddo ennill deg gini o wobr am draethawd mewn eisteddfod leol, gyda chanmoliaeth uchel gan y beirniaid; yna mae hi'n ei gymryd dan ei hadain. Ond teimla Ifan Siencyn fod Nansi yn ymddwyn braidd yn nawddoglyd tuag ato, ac mae'n torri'r cysylltiad rhyngddynt. A dyna'r israddoldeb a deimlai Gwynn ym mhresenoldeb graddedigion prifysgol yn brigo i'r wyneb eto.

Mae Miss Vaughan a Lona yn cynrychioli dau begwn sydd am yr eithaf â'i gilydd, ac mewn llwyr wrthgyferbyniad i'w gilydd. Tra bo Miss Vaughan yn gaeth i gonfensiynau, plentyn sydd mor rhydd â'r awel, plentyn natur, yw Lona. Ac nid plentyn mohoni ychwaith, ond symbol, delfryd, breuddwyd. Mae Lona yn un â'r tir ac yn un â'r môr. Lona yw Cymru, y Gymru honno y cwympodd Gwynn mewn cariad â hi pan oedd mudiad Cymru Fydd yn ei anterth a'r dyfodol mor llawn o obeithion. Mewn gwirionedd, creadigaeth debyg i *Cathleen ni Houlihan* Yeats yw Lona. Miss Vaughan yw Eglwys Loegr yng Nghymru. Roedd Lona wedi bwrw ei hud dros Merfyn Owen. Ni allai feddwl am neb na dim ond amdani hi.

'Tywynnodd Lona ar ei feddwl fel yr heulwen ar bared' yw dull trawiadol yr awdur o ddisgrifio cyflwr meddwl Merfyn.[109] A dywedir hyn am yr effaith a gafodd Lona arno: 'Agorodd ffenestr ei henaid iddo, a dangosodd beth o'r trysor ysblennydd oedd yno, heb yn wybod i neb ond iddi hi ei hun, ac heb ei bod hithau hefyd, o ran hynny, yn gwybod fod ynddo ddim oedd mor brin a rhyfeddol'.[110] Dyma'r Gymru na wyddai fod ganddi orffennol llenyddol ysblennydd, y Gymru anwybodus, ddigof honno y treuliodd ei blentyndod a'i lencyndod ynddi. Ar ddiwedd y nofel mae Miss Vaughan yn ymddiheuro i Lona a Merfyn am y drwg a wnaethai iddynt, hynny yw, mae'r Eglwys yng Nghymru yn syrthio ar ei bai am y drwg a wnaeth i Gymru ac i'r iaith Gymraeg.

Mae cenedlaetholdeb yr awdur yn brigo i'r wyneb yn awr ac yn y man. 'Meddyliwch y lle fyddai yng Nghymru pe bai'r Gymraeg yn marw – pobl ail llaw ... na wyddant hyd yn oed sut i seinio eu henwau eu hunain, nac ystyr un enw lle yn y wlad, heb sôn am hanes y wlad a'r bobl, a'u llenyddiaeth,' meddai Merfyn wrth Miss Vaughan.[111] Bu'r bendefigaeth Gymreig yn gefnogol i'r Gymraeg a'i llenyddiaeth unwaith, ond mae disgynyddion yr hen bendefigion hynny bellach 'fel estroniaid yn eu gwlad eu hunain'.[112]

Ac, yn sicr, y mae'n tynnu oddi ar ei brofiadau ei hun fwy nag unwaith yn y nofel. Wrth iddo ymweld â bro ei febyd a'i hen gartref, mae Merfyn yn ail-fyw rhai o brofiadau ei blentyndod. Dyma un o'i atgofion:

> Draw o'i flaen, yr oedd coed ereill – coed tragwyddoldeb oedd y rhai hynny gynt. Gyda'r gwrych a redai tuag atynt o fuarth yr hen gartref y byddai misoedd y flwyddyn, Ionawr dan y binwydden yn y pen, Ebrill a Mai lle'r oedd y briallu'n tyfu, Awst oddi tan y pren afalau gwylltion, a Rhagfyr yng nghwrr y coed, lle'r oedd tragwyddoldeb yn dechreu, lle'r âi'r blynyddoedd, ac yr âi pobl ar ôl marw.[113]

Ym mis Rhagfyr 1891, mewn pwt am y Nadolig yn *Y Faner*, y mae'r newyddiadurwr ifanc yn dwyn i gof un ffansi a oedd ganddo pan oedd yn blentyn yn y Pentre Isa:

> Peth rhyfedd yw syniad plentyn. Yr wyf yn meddu digon o'r rhai hyny i ysgrifenu cyfrolau, ac ni fyddai yn syn genyf pe byddent yn well na dim a fedraf ddychymygu yn awr. Yr wyf yn cofio'r hen fferm lle y magwyd fi, a'r hen ydlan, a redai gyda mîn yr afon, gan ymgolli ei chwr eithaf yn y coed, a llechwedd serth ar yr ochr uchaf iddi. Gyda y gwrych oedd yn ymestyn hyd grib y llechwedd hwn, yr oedd yn fy meddwl y pryd hwnw

le neillduol i bob mis – y cyntaf i Ionawr, yn dechreu wrth flaen y clawdd, a'r lleill yn ei ddilyn, a lle Rhagfyr yn union wrth fin y coed; ac y maent yn fy nghôf byth. Nis gallwn feddwl am yr un mis yr adeg hono heb feddwl am y lle oedd genyf yn ei ddynodi yn fy meddwl y pryd hwnw, ac nis gallaf wneyd etto. Yr oedd pob llanerch mor debyg i'r mis a ddynodai genyf, a'r olaf, Rhagfyr, yn gilfach dywyll a phrudd; ac am dani y meddyliaf wrth feddwl am Ragfyr a'r Nadolig byth hyd heddyw; ac y mae'r coed tywyllion o bobtu, fel rhyw dragwyddoldeb i'r hwn yr oedd pob blwyddyn wedi diangc, ac ni welais i byth mo honynt ar ôl hyny![114]

Mae rhannau o nofelau Gwynn yn cyfateb i'w farddoniaeth yn aml. 'Y mae Natur wyllt yn byw ac yn marw heb ond ychydig ofid, os dim. Mor dawel y bydd farw flodyn neu goeden – y mae marw yn gymaint o ran o'i amcan ag ydoedd byw,' meddir yn *Lona*,[115] gan ddwyn i gof ddiweddglo'r cywydd enwog 'Hydref', a luniwyd flwyddyn a rhagor o flaen y nofel:

> Edrych, er prudded Hydref,
> Onid hardd ei fynwent ef?
> Tros y tir, os trist ei wedd,
> Mor dawel yma'r diwedd![116]

Stori serch yw *Lona*, ac mae'n nofel ddarllenadwy hyd y dydd hwn. Mae'r ddeialog a'r naratif yn ystwyth ac yn naturiol, yn enwedig pan gofir y cyfnod y mae'n perthyn iddo. Mae Lona a Miss Vaughan yn gymeriadau byw o gig a gwaed, nid teipiau set, fel nifer o gymeriadau eraill yn y nofel. Mae'r ddwy, i raddau, yn byw y tu allan i gymdeithas. Nid yw Lona na'i thad pabyddol yn rhan o gymdeithas gapelyddol y Minfor; eglwyswraig yw Miss Vaughan, ac y mae hithau hefyd yn byw ar gyrion y gymdeithas. Ni dderbynnir y naill na'r llall gan y gymdeithas leol. Ceir cryn dipyn o wrthdaro rhwng yr Eglwys Gatholig, Eglwys Loegr yng Nghymru ac Ymneilltuaeth yn y nofel. Yr unig un sy'n dwyn cyfaddawd rhwng y tair ffurf ar Gristnogaeth yw'r Methodist Calfinaidd, Merfyn Owen. Merfyn yw gwir Gristion y nofel, ac y mae'r nofel, yn sicr, yn feirniadol iawn o gulni enwadol.

Mae *Lona* hefyd yn stori hynod o gyffrous, ac un o'r penodau mwyaf cynhyrfus ynddi yw'r bennod 'Cyffes Olaf', lle mae tad Lona, ar ei wely angau, yn dadlennu rhywbeth rhyfeddol wrth Merfyn. Pan oedd yn byw yn Iwerddon, treisiwyd dwy o'i chwiorydd gan Arglwydd yr ystad lle'r oedd bwthyn ei rieni, a dywedir mai trwy ystiward yr Arglwydd hwn yr aeth y ddwy chwaer 'yn ebyrth i nwydau cynddeiriog' yr Arglwydd.[117] Ar ôl i'w feistr farw, mae'r ystiward hwnnw yn dianc o Iwerddon i Loegr gyda'i wraig a'i blentyn, gyda'r bwriad o ymfudo i America. Clywodd fod Denis O'Neil ac eraill ar ei ôl. Mae Denis O'Neil yn byrddio'r llong y mae'r ystiward a'i deulu arni wrth iddi alw mewn porthladd yn Iwerddon. Yn ystod y fordaith mae Denis O'Neil yn dweud pwy ydyw wrth yr ystiward, ac mae hwnnw yn neidio dros fwrdd y llong mewn braw, ac yn boddi. Yna mae ei wraig yn marw o dorcalon, ac yn gadael y plentyn heb yr un rhiant yn gwbl amddifad. Mae capten y llong a'i wraig yn ei fabwysiadu. Y plentyn hwnnw oedd Merfyn Owen.

Mewn gwirionedd, ar stori gynharach gan Gwynn, 'Yr Offeiriad Rhaid', y seiliwyd *Lona*. Cyhoeddwyd y stori honno yn *Papur Pawb* ym mis Tachwedd 1902. Estynnwyd y stori i greu'r nofel. Yn y stori, Catrin yw Lona, Gwyddel ac aelod o'r Eglwys Gatholig yw'r tad a'r fam yn Gymraes, ond nid yw'r fam yn fyw ac nid yw'n rhan o'r stori. Gweinidog yw John Prisiart, Merfyn y stori, a phan mae tad Catrin yn marw, mae John Prisiart yn cymryd arno mai offeiriad ydyw, gan nad oes offeiriad yn unman yn yr ardal. Ar ôl clywed iddo wrando ar gyffes olaf tad Catrin wrth ei wely angau, mae'r ardalwyr yn troi eu cefnau arno, ac yn ei orfodi i adael Llanafon. Condemniad sydd yma eto ar sectyddiaeth ac ar anoddefgarwch crefyddol. Ceisiodd John Prisiart roi cysur a heddwch i dad Catrin cyn iddo farw, ond caiff ei gondemnio am gyflawni'r weithred dosturiol honno gan y pentrefwyr. '[Y]r ydw i'n offeiriad yn ôl fy nghrefydd fy hun,' meddai John Prisiart wrth Catrin, fel rheswm a chyfiawnhad dros iddo ffugio mai offeiriad ydoedd.[118]

Pan ddywedodd ei gyfaill Thomas Jones Cerrigellgwm wrth Gwynn mai ef oedd awdur dau o'i dri hoff lyfr, sef *Y Môr Canoldir a'r Aifft* a *Lona*, cyfaddefodd Gwynn wrtho mai dyna'r ddau lyfr gorau iddo eu hysgrifennu, a dadlennodd rai pethau ynglŷn â phrif gymeriad y nofel:

> Gwyddeles fach a adnabûm oedd Lona, ond mai myfi a ddychmygodd yr amgylchiadau, ac y mae'n dda gennyf, rhwng dau gyfaill, eich bod chwithau yn ei hoffi, a'i bod yn fyw i chwi. Gobeithiais y byddai hi felly i lawer. Ond prin yw'r bobl a fedrai ddeall ei bath. Adnabûm fwy nag un ferch o Wyddeles debig iddi, ac nid yw'r disgrifiad ohoni hi ddim yn ddychymig.[119]

Dadlennodd hefyd, mewn llythyr at E. Morgan Humphreys, mai cymeriad o gig a gwaed oedd Miss Vaughan hithau:

Y mae arnaf ryw hanner blys gwneuthur Miss Vaughan yn arwres ystori eto. Nid dychymyg hollol moni hi, ond merch o'r dosbarth hwnnw a adnabûm unwaith. Yr oedd llawer peth da ynddi, ac nid wyf yn ameu na wnâi arwres go lew ...[120]

Yng nghanol yr holl weithgarwch hwn fel storïwr a nofelydd, parhâi i farddoni, er nad oedd barddoniaeth yn talu. Llanwai golofnau â'i gerddi, dan wahanol enwau. Er enghraifft, yn rhifyn Hydref 26, 1907, o *Papur Pawb*, a rhifyn Hydref 29, yr un flwyddyn, o'r *Herald Cymraeg*, roedd ganddo dair cerdd, un yn ddienw a dwy dan ffugenwau, 'Ap Iwan' ac 'R. Ddu'.[121] Yn rhifyn Tachwedd 2 o *Papur Pawb* a rhifyn Tachwedd 5 o'r *Herald*, roedd ganddo dair cerdd wreiddiol a thri chyfieithiad. Un o'r cerddi mwyaf diddorol o blith y rhain yw 'Dyn a Duw', gyda'i hodlau mewnol celfydd a'i chynghanedd. Dyma'r pennill cyntaf:

> Ymholiad dyn am oleu Duw,
>   Poen aethus yw! Pwy wnaeth y sêr
> A'u goleu têr? Eu gweled hwy
>   A yrr yn fwy ei grynfa ef.
> Yng nghyfoeth nef ehangfaith nos
>   A ymgudd Ef? Mae'i hagwedd hi
> Yn dweyd i mi. O Dad!, y mae
>   I'w weld yn wir yng ngolud nos![122]

Trwy gydol y cyfnod byr y bu'n byw ac yn gweithio yn yr Wyddgrug, parhâi i gyfrannu'n wythnosol i *Papur Pawb*. Roedd dan gytundeb i wneud hynny. Y papur hwn, bellach, oedd ei obaith mwyaf am waith parhaol. Treuliodd ychydig ddyddiau o orffwys gyda'i deulu yng nghartref teuluol ei wraig yn Ninbych ddiwedd mis Mai a dechrau Mehefin, ac ysgrifennodd lythyr oddi yno at Daniel Rees, cyn symud i Gaernarfon i fyw, unwaith yn rhagor. Roedd wedi cefnu ar yr Wyddgrug ac ar *Y Cymro* am byth, a derbyn y byddai'r papur hwnnw yn parhau i fodoli:

> I think I told you things at Mold did not look very well from the start, but I had no choice but to go there when I did. When I saw how things looked, I wrote to Mr. C. & asked him whether, if I went to Carnarvon, he would make the appointment permanent. He replied that if I went there it would weigh very heavily with him, & that he would not disturb

me without grave cause. I took that to mean that I could venture to go, &
endeavoured to find a house in the country somewhere near C'von, with
a reasonable rent. I failed to find one.[123]

Amwys braidd oedd ateb Coplestone, ond ei mentro hi a wnaeth Gwynn, a
chafodd dŷ yn Twthill, Caernarfon, gyda help Dan Rhys. Ddechrau mis Mehefin,
roedd Gwynn a'r teulu wedi cyrraedd eu cartref newydd. Olynydd Daniel Rees fel
golygydd *Yr Herald Cymraeg* a'r *Carnarvon and Denbigh Herald* oedd Owen Picton
Davies, brodor o Sir Gaerfyrddin ac is-olygydd y *Western Mail* cyn ei benodi'n
olygydd y ddau bapur yng Nghaernarfon. Roedd Daniel Rees wedi gofyn i Picton
Davies gael gair â Frederick Coplestone ar ran Gwynn. Roedd ateb Coplestone y
tro hwn yn hollol ddiamwys:

> He said that P.P. would be dropped if it did not improve, & that now the
> revenue only just covers the expense ... I now see that Mr C.'s offer ... is
> quite fair, but don't know what to do, as, having done my best to increase
> the circulation of P.P., I am afraid there is no chance of improving it – at
> least, that I am not the man to do it.[124]

Er gwaethaf y ffaith fod Gwynn yn chwilio am swydd lawn-amser, pryderai ar yr
un pryd y gallai swydd barhaol fod yn andwyol iddo. Ond pa ddewis arall a oedd
ganddo? Dechreuodd deimlo'n fethiant. Fel y dywedodd wrth Daniel Rees:

> I am afraid I could never stand the strain of daily paper sub editing,
> which is, I take it, the only chance. I acutely feel that I am a failure in
> everything & that the only direction in which I might succeed will yield
> no profit at all.[125]

Teimlai mai'r unig ddewis ganddo oedd symud i Gaernarfon. Trafferthus a
chostus oedd y symud hwn o le i le, gan darfu ar sefydlogrwydd y teulu bob tro y
symudai. Ac nid symud i sicrwydd swydd a wnâi ychwaith. Gallai unrhyw bapur
fynd i'r gwellt unrhyw funud. Byddai'n well o lawer ganddo pe câi weithio fel
cyfrannwr rheolaidd i'r papurau hyn, ond nid oedd modd. Poenai hefyd am ei
gyfrol o farddoniaeth. Ysgrifenasai at E. Vincent Evans, Ysgrifennydd yr Eisteddfod
Genedlaethol a golygydd ei chyfrolau Cyfansoddiadau a Beirniadaethau, i ofyn
am ganiatâd i gael cynnwys 'Ymadawiad Arthur' yn y gyfrol. Ni chafodd ateb
a gofynnodd i Daniel Rees, a oedd yn byw yn Llundain fel Vincent Evans, gael

gair â Vincent ar ei ran. Roedd y cwmni cyhoeddi a oedd wedi prynu'r llawysgrif o gerddi hefyd wedi cysylltu â Vincent Evans, i ofyn am ganiatâd i ddefnyddio cyfieithiad buddugol Gwynn o rannau o 'Ymadawiad Arthur'. Nid oedd Gwynn wedi bwriadu cynnwys y cyfieithiad yn y gyfrol, ac roedd wedi gwylltio wrth y cwmni am fynd y tu ôl i'w gefn. Cafodd ei demtio i anfon y deugain punt yn ôl at y cwmni, a thynnu'r llawysgrif o'u dwylo.

Er nad oedd Gwynn yn grefyddwr selog, dechreuodd fynychu'r capel ar y Sul ar ôl iddo ddychwelyd i Gaernarfon. Serch iddo gael magwraeth grefyddol, roedd Gwynn yn fwy o amheuwr na dim arall, ar y pryd beth bynnag, a cham annisgwyl iawn oedd hyn ar ei ran. Efallai ei fod yn chwilio am ryw fath o sefydlogrwydd i'w fywyd, yn enwedig ac yntau wedi gorfod symud o un lle i'r llall fwy nag unwaith o fewn ychydig flynyddoedd. Ac roedd ar fin symud eto, ond dim ond dros dro.

Treuliodd Gwynn fis Gorffennaf 1908 yn Iwerddon. Enillodd un o ysgoloriaethau'r Ysgol Wyddeleg newydd i dreulio'r mis ar ei hyd yn ei hysgol haf yn Nulyn. Trwy gymorth J. Glyn Davies, Athro Cymraeg Lerpwl, a'r Athro Kuno Meyer, Athro Almaeneg yr un Brifysgol, y cafodd yr ysgoloriaeth. Roedd Kuno Meyer yn ysgolhaig Celtaidd o fri, ac ef oedd sefydlydd yr Adran Gelteg ym Mhrifysgol Lerpwl. Roedd y ddau yn darlithio yn yr ysgol haf honno, J. Glyn Davies ar y Gymraeg a Kuno Meyer ar yr Wyddeleg, a Glyn Davies a awgrymodd fod Gwynn hefyd yn mynychu'r ysgol haf. Anfonodd lythyr o '108 Saville Place' yn Nulyn at Daniel Rees ar Orffennaf 8. Roedd y mis hwnnw'n ddihangfa ac yn rhyddhad iddo, egwyl ar ôl y diflastod o symud tŷ, a seibiant rhag golygu *Papur Pawb*. Papur ysgafn, o natur boblogaidd, oedd *Papur Pawb* i fod, ond ai Gwynn, y dyn rhyfeddol o alluog a deallus hwn, oedd y golygydd mwyaf cymwys i'r papur? Yn y bôn, gwyddai mai pysgodyn ar dir sych ydoedd, oedolyn disglair a dysgedig yn chwarae â thegan disylwedd plentyn. 'Os yw rhesel P.P. yn rhy uchel fel y mae, yna i ddiawl â'r asynnod, nid wn i sut i'w wneud yn is ... Mae'n amhosibl gwneud dim salach,' meddai wrth Daniel Rees.[126]

Yn Iwerddon, dechreuodd godi cestyll drachefn, ond cestyll tywod ar dywod ansad oedd y rhain, a'r llanw yn prysur ruthro tua'r lan i'w chwalu cyn eu codi. Roedd yr Athro Hermann Suchier o Brifysgol Halle-Saale yn yr Almaen wedi ei gomisiynu i gyfieithu Llyfr Ancr Llanddewibrefi, allan o *Anecdota Oxoniensia*, a hynny wedi arwain Gwynn i feddwl y gallai gael swydd academaidd yn Ffrainc neu'r Almaen. 'Celtic is a new study, & will hold out for a lifetime or two,' meddai wrth Daniel Rees.[127] O leiaf roedd y Gorffennaf hwnnw wedi rhoi cyfle iddo ddysgu'r Wyddeleg yn iawn. 'I like Dublin & the Irish, & knew this was my only chance for a kind of holiday this year,' meddai wrth ei gyfaill yn Llundain bell.[128] Nid y mis

Gorffennaf hwnnw oedd y tro cyntaf i Gwynn dreulio amser yn Iwerddon. Wrth adolygu *Guth ón mBreatain*, cyfrol o waith un o'i gyfeillion Gwyddelig, y bardd Tórna (Tadhg Ó'Donnchadha), yn *Y Genedl Gymreig* ym mis Ionawr 1912, meddai:

> Pe bai rywun yn ameu dylanwad ei hiaith ei hun ar fywyd cenedl, da fyddai iddo roi tro yn Iwerddon, a gweled trosto'i hun pa beth y mae'r 'Connradh na Gaedhilge' – Cyngrair yr Wyddeleg – yn ei wneud. Cefais y cyfle a'r fraint honno droion, ac ni theimlais erioed yn fwy cartrefol a dedwydd nag y teimlwn ymhlith y gwŷr sydd yn gweithio dros yr iaith a'r diwylliant Gwyddelig yn Iwerddon. Yr wyf yn cofio bod yn ninas Dublin ugain mlynedd yn ôl, am y tro cyntaf. Gofynnwn i bawb y siaradwn ag ef a fedrai Wyddeleg, ond ni chefais hyd i ddim ond un a'i medrai, a honno yn eneth ieuanc o rywle yn y gorllewin, oedd yn ennill ei thamed, druan fach, drwy ganu cerddi Gwyddeleg hyd yr ystrydoedd. Ni fedrwn i ond ychydig eiriau Gwyddeleg, ond pan leferais hwy, gloewodd ei llygaid fel mellt, a rhoes hithau fendith Duw i mi yn y fan, a dywedodd mai fi oedd yr unig Wyddel a gyfarfu hi yn Dublin a wyddai air o'r iaith. Rhag brifo ei chalon fach garedig, ni ddywedais wrthi mai estron oeddwn innau, a garai Iwerddon a'i hiaith a'i hanes. Aeth y peth i'm calon, hefyd. Meddyliais mai dyna ddiwedd iaith brenhinoedd a beirdd ac ysgolheigion a rhianedd enwog gynt – ei chanu am damed ar yr ystryd, a'i chroesaw[u] ag awch torcalonnus pan geffid trigair ohoni ar drwsgl wefus estron![129]

Felly, ychydig eiriau yn unig o Wyddeleg a fedrai tua 1891 neu 1892. 'Meddylier,' meddai wedyn

> ... faint fy mhleser pan euthum i Ddulyn ymhen blynyddoedd, a chael enwau'r ystrydoedd i gyd ar y parwydydd yn yr Wyddeleg, a gweled llyfrau Gwyddeleg ar werth yn ffenestri'r siopau. A rhyfeddach fyth oedd clywed yr iaith ar dafodau pobl yn yr heolydd, a'm cael fy hun yn gwrando ymddiddan neu chware yn yr iaith honno. Sugnwyd fi i ffrwd yr iaith, ac yno yn ddiau y gwelais i wladgarwch ar ei orau.[130]

Ai cyfeirio y mae yma at fis Gorffennaf 1908?

Lluniodd Gwynn ddau gywydd tra oedd yn Iwerddon. Cafodd lawer o gwmni Tórna yn Nulyn ym mis Gorffennaf, a lluniodd gywydd i Iwerddon, a'i gyflwyno i Tórna, i roi'r argraff a adawodd y wlad arno ar gof a chadw. Er gwaethaf canrifoedd

o ormes ar Iwerddon, o du'r Llychlynwyr, y Normaniaid a'r Saeson, ni lwyddwyd
i ladd ei hysbryd na'i hawen:

> Ond nid aeth dy awen di
> O'r tir hwn er trueni,
> Dy wiw fryd, difarw ydyw,
> Didranc, hen ac ieuanc yw;
> Ni lwydd had aillt i'th ladd di,
> Byw, o'th faeddant, byth fyddi;
> D'awen yng ngwyll y duwiau
> Wyddai gerdd nad hawdd ei gwau,
> Ac nid oedd ganiad iddi,
> Neu fydr hardd na fedrai hi ...[131]

Cywydd i ddathlu priodas J. Glyn Davies oedd y cywydd arall. Gadawodd Ddulyn
i fynd i briodi Hettie Williams yn Henffordd ganol mis Gorffennaf, ac aeth yn ôl
i Iwerddon gyda'i briod newydd i dreulio'u mis mêl yn Nulyn, tra oedd J. Glyn
Davies yn parhau i ddarlithio yn yr ysgol haf.

Anfonodd lythyr arall at Daniel Rees o Iwerddon ar Orffennaf 27. Bwriadai
ei chychwyn hi am adref un ai ar Orffennaf 30 neu 31, ond nid oedd yn edrych
ymlaen at fynd yn ôl i olygu *Papur Pawb*. Roedd Daniel Rees wedi anfon nifer
o awgrymiadau iddo ar sut i wella *Papur Pawb* a chwyddo'i gylchrediad fisoedd
ynghynt, ac roedd Gwynn wedi gweithredu'r awgrymiadau hynny, ond i ddim
diben:

> ... the journal for the last year, nearly, has been conducted as nearly as I
> can on the very lines you suggest. Of course, I cannot write Morgannwg
> dialect, & the proprietor won't disburse any more! He cuts expenses down
> & expects circulation to go up. It won't. So I am looking for something
> else. I have a mind to turn farm labourer.[132]

Roedd y dasg o feirniadu cystadleuaeth y Gadair yn yr Eisteddfod Genedlaethol yn
ei ddisgwyl wedi iddo ddychwelyd o Iwerddon. Dyma'r tro cyntaf iddo feirniadu
awdlau'r Eisteddfod Genedlaethol. Cynhaliwyd Eisteddfod Genedlaethol y
flwyddyn honno yn Llangollen, yn ystod yr wythnos gyntaf ym mis Medi.
Y testun oedd 'Ceiriog', a derbyniwyd naw awdl i'r gystadleuaeth. Cyd-feirniaid
Gwynn yn y gystadleuaeth oedd Dyfed a Berw, ac roedd y tri yn unfryd unfarn

mai J. J. Williams oedd awdur yr awdl orau yn y gystadleuaeth. Gwynn oedd yn traethu o'r llwyfan. 'Cadwodd y rhan fwyaf ohonynt at yr hen arfer o geisio gwneud traethawd mewn cynghanedd,' meddai am y cystadleuwyr, 'ac nid oes lawer o gamp ar y gwaith, mwy nag o'r blaen'.[133] Ceryddodd rai o'r beirdd am lacrwydd eu mynegiant, am gynganeddu meddyliau cyffredin ac am eu hailadrodd eu hunain yn ormodol. Yn ôl Gwynn, sylweddolodd y bardd buddugol 'mai cerdd delynegol a weddai i Geiriog, a gwyddai mai barddoniaeth a ddisgwylid ganddo, ac nid math o gofiant neu draethawd ar gân'.[134] Awdl gywrain ei chynghanedd oedd awdl fuddugol J. J. Williams, a dywedodd Gwynn y byddai rhai o'i gynganeddion 'yn well pe buasent yn llai cywrain'.[135] Roedd gorgywreinder yr awdl weithiau yn cymylu'r ystyr.

Parhâi i olygu *Papur Pawb*, ond nid oedd yn hapus gyda'r sefyllfa. Lluniai straeon byrion a nofelau yn rheolaidd ar gyfer y papur, gan obeithio y byddai hynny yn helpu i godi'r cylchrediad, ond mynnai Coplestone fod Owen Picton Davies yn codi'r straeon, yn ogystal â cherddi newydd, o *Papur Pawb* a'u rhoi yn *Yr Herald Cymraeg* yn ogystal. Fel y dywedodd wrth Daniel Rees:

> They stuck to their agreement with me so far as pay is concerned, but they spoiled my chance of sending up the circulation of P.P. by lifting pages upon pages of it weekly, in spite of an express promise to discontinue doing so. It was quite discouraging to work under the circumstances, so I took the chance for a fixed job, & not a bad one, as things go.[136]

Y swydd barhaol oedd is-olygyddiaeth *Y Genedl Gymreig*. Yr union flwyddyn honno, 1908, penodwyd golygydd newydd i'r *Genedl*, Edward Morgan Humphreys, a daeth y golygydd newydd hwn yn un o gyfeillion pennaf Gwynn. Brodor o Ddyffryn Ardudwy oedd E. Morgan Humphreys. Wedi'i eni ar Fai 14, 1882, roedd gryn dipyn yn iau na Gwynn, ond os oedd bwlch rhwng oedran y ddau, 'doedd dim bwlch o gwbl yn eu cyfeillgarwch, a pharhaodd hwnnw drwy gydol eu hoes. Uchelgais y Morgan Humphreys ifanc oedd bod yn gyfreithiwr, a chychwynnodd ar yrfa yn y maes hwnnw ym Mhorthmadog, ond bu'n rhaid iddo roi'r gorau i'r swydd oherwydd cyflwr bregus ei iechyd. Felly, cyn i Gwynn ac yntau gyfarfod â'i gilydd erioed, roedd un peth yn gyffredin rhwng y ddau, sef bod cyflwr eu hiechyd wedi chwalu eu gobeithion a'u breuddwydion, a'u gyrru i fyd newyddiaduriaeth. Roedd gan E. Morgan Humphreys rai blynyddoedd o brofiad fel newyddiadurwr cyn iddo gael ei benodi i olygu'r *Genedl*, ac i olygu'r *North Wales Observer*, ym 1908.

Ar Fedi 9, priodwyd E. Morgan Humphreys ag Annie E. Evans yn Eglwys y

Methodistiaid Calfinaidd Cymreig yn Walton Park, Lerpwl. Gofynnwyd i Gwynn lenwi ei swydd, tra oedd ar ei fis mêl, a derbyniodd y cynnig. Yn fuan wedi hynny, fe'i gwahoddwyd i fod yn is-olygydd *Y Genedl*, ac E. Morgan Humphreys yn olygydd arno. Unwaith eto, anfonodd Caleb Rees, nai cyn-olygydd *Yr Herald*, air at Gwynn i'w longyfarch ar ei swydd newydd, ac meddai yntau, wrth ddiolch iddo:

> As to my going over to the *Genedl*, I am not at all sorry! My only connection with the *Herald* since I went to Egypt was that for about 12 months ending last October I had edited P.P. for them. The place was not getting to be too sanctimonious for me at all. It was too parsimonious & too dishonest.[137]

Bu Gwynn a Morgan Humphreys yn cydweithio â'i gilydd yn yr un ystafell am ryw flwyddyn, a chofnodwyd y cyfnod a'r profiad yn 'Sanctum':

> Nid oedd ond rhyw gut o *ystafell*
>   Yng nghanol adeilad di-lun,
> A dau ŵr prudd yn y *gafell* a geid
>   Wrthi yn ddistaw bob un,
> Oddi allan 'roedd y gwynt yn *chwibanu*
>   Wrth hela'r cymylau a'r glaw,
> Ac ambell waith yn rhyw *ganu*'n fain
>   Yng ngwifrau'r telegraff draw ...
>
> Addurnid agennau y *pared*
>   Gan liaws o luniau gwŷr mawr
> Y rhoisai'r hen fyd, am gael *gwared* o'u gwaith,
>   Gryn lawer o'i olud i lawr;
> A'r pared, di-orffwys *ogrynai*,
>   Fel pen tra bo fwyaf ei gur,
> Gan ryw ddieflig glic-clic a *ddisgynnai*, o hyd
>   Heb baid o'r tu arall i'r mur,
> Fel pe byddai gesair o *haearn*
>   Yn dawnsio ar balmant o ddur,
> Neu gasglu holl glociau'n hen *ddaear* ni 'nghyd
>   A'u drysu'r tu arall i'r mur.[138]

Roedd Gwynn yn arbrofi eto yn y gerdd hon. Ceir odlau allanol a mewnol yn y gerdd, ond nid yw'r llinell sy'n cynnwys yr odl fewnol yn dilyn y llinell sy'n cynnwys yr odl allanol yn uniongyrchol, ond ar ôl neidio llinell bob tro, fel y nodwyd uchod.

Yn wir, roedd y cyfnod byr y bu wrthi'n gweithio i'r *Genedl* yn un o gyfnodau dedwyddaf ei fywyd, fel yr addefodd wrth E. Morgan Humphreys ymhen blynyddoedd, pan oedd y papur yn dathlu'i hanner cant oed:

> Y mae'n gwbl wir mai yn hen swyddfa'r Genedl y treuliais i rai o oriau hapusaf fy mywyd. Nid anghofiaf byth mo garedigrwydd Powyson a John Jones, pan ofynnwyd i mi ymuno â'r staff, a minnau bron wedi mynd yn gynddeiriog at faweiddiwch y swyddfa arall, lle na bûm erioed yn hapus ... I mi. y gwahaniaeth rhwng Y Genedl a'r lle arall yw'r gwahaniaeth rhwng Cymru a Lloegr, rhwng boneddigeiddrwydd a hela'r geiniog eithaf. Pan ddeuthum at Y Genedl, yr oeddwn yn ymadfer o salwch go hir, a'r byd unwaith drachefn yn dyfod yn ddiddorol i mi.[139]

Bu priodas arall ym 1908, ar wahân i briodas E. Morgan Humphreys, sef priodas ei gyfaill Taldir. Canodd Gwynn gywydd i ddathlu'r achlysur:

> Taldir, wyt loyw a dewr iôr,
> Anorfod awen Arfor;
> I ti a'th riain boed hedd,
> Byd gwyn a phob digonedd,
> Un o hil yr awen wyt;
> Gŵr o waed gwlatgar ydwyt,
> Hen dân sydd i'th galon di;
> Tân o gariad hen gewri,
> Hen hen dân, fel Cynan deg
> Mawrydus fab Meriadeg.
>
> Taldir, tywynned heuldes
> Goleuni'r haul glân â'i wres
> Arnat ti a'th wen riain
> A boed y rhos heb y drain ...
> Hyd eich oes, boed i chwi hedd,
> Byd gwyn a phob digonedd.[140]

Cafodd brofiad dwys ym mis Hydref 1908. Wrth grwydro yn hen gynefin Dafydd ab Edmwnd yn Sir y Fflint, daeth i sylweddoli, ar ôl holi rhai o blant yr ardal, fod y Gymraeg wedi ei cholli yno, ac ni wyddai neb un dim am Dafydd ab Edmwnd na'i waith. Lluniodd ddwy soned ar ôl iddo fod yn crwydro'r ardal, a'r rheini eto yn sonedau lled-gynganeddol. Dyma'r ail soned:

> A niwl yr hydref oer yn hulio'r tir,
>   A'r glaw yn leiniau cain hyd lwyni coed –
>   Â chalon drist ag anghynefin droed
> Ar hyd ryw nawn bûm innau'n crwydro'n hir
> Gan holi plant y wlad am danad; dir
>   Na wybu'r rhain dy fyw'n y bau erioed,
>   A chan yr athro uniaith bach ni roed
> Un wers o'th hanes, fab yr awen wir;
> A mud yw yntau, oed, am danat ti,
>   Ni wyddai air am dy neuaddau hen,
> Ni wybu'th fyw erioed, ni chlybu'th fri
>   Ar dafod gwlad – collodd ei lafar lên,
> Nid eiddo ddoe ei dras na'n heddyw ni,
>   Ond bratiog estron iaith a thaeog wên.[141]

Bu'r ddwy flynedd a hanner a ddilynodd y chwe mis o orffwys yn yr Aifft yn gyfnod hynod o brysur iddo. Mae swm ei gynnyrch yn ystod y ddwy flynedd hynny, 1906 a 1907, yn anhygoel. Ym 1907, er enghraifft, yn ogystal â llunio nifer o ysgrifau ar lenyddiaeth a phynciau eraill, lluniodd dair drama, 57 o gerddi ac o leiaf 155 o straeon byrion. Os gellir honni bod T. Gwynn Jones yn un o sylfaenwyr y nofel Gymraeg – ac ni ellir gwadu hynny – yr oedd hefyd yn un o arloeswyr y stori fer Gymraeg. Y tro hwn, Gwynn yw prif sylfaenydd y stori fer Gymraeg. Yn ei ysgrif 'Yr Ystori Fer', a gyhoeddwyd yn *Y Faner* ym mis Mawrth 1915, y mae'n olrhain tarddiad a datblygiad y *genre* yn y Gymraeg. Arferai'r hen Gymry adrodd chwedlau a straeon o gylch carreg yr aelwyd ac mewn nosweithiau llawen. O'r arferiad hwnnw y tarddodd y stori fer Gymraeg yn bennaf. Nododd mai *Ysten Sioned*, gan D. Silvan Evans a John Jones (Ivon), a gyhoeddwyd ym 1882, oedd y casgliad cyntaf o straeon byrion yn y Gymraeg, ond tipyn o gymysgfa yw'r llyfr hwnnw. Wedyn daeth *Straeon y Pentan*, Daniel Owen, ym 1895, ond erbyn hynny, 'yr oedd y Nofel wedi gwneud ei lle, drwy waith Daniel Owen ei hun'.[142] Nododd mai casgliad o straeon byrion yn hytrach nag un stori oedd *Sioned* Winnie Parry, a gyhoeddwyd ym 1906. Ar wahân i straeon unigol yma a thraw, enwodd rai o'r cyfrolau mwyaf arloesol yn y maes, fel *Dirgelwch yr Anialwch ac Ystraeon Ereill*, E. Morgan Humphreys (1911), er mai straeon antur i fechgyn oedd y straeon hynny; *Clawdd Terfyn* gan R. Dewi Williams (1912), a oedd wedi taro tant newydd, 'gyda medr arbennig yn ei gelfyddyd', a *Straeon y Chwarel*, R. Hughes Williams (Dic Tryfan), a gyhoeddwyd ym 1914, gyda rhagair iddo gan Gwynn ei hun.[143] Dic Tryfan, meddai, 'yw'r praffaf a'r medrusaf'.[144]

Mae'n cloi'r ysgrif gyda rhai sylwadau ar ddiffygion a hanfodion y stori fer Gymraeg:

> Nid bob amser y dewisir digwyddiad digon clir a phendant, yn ymglymu â'i gilydd o ben i ben. Wrth ysgrifennu, dywedir gormod o bethau amherthynasol, nes myned y gwaith yn llac. Pan arferir tafodiaith, gwneir hyny yn rhy ddiofal ac anhaclus, canys y mae dewis hyd yn oed mewn tafodiaith, ac nid yw cymysgedd o Gymraeg gwlad a Saesneg papur newydd wedi dyfod yn dafodiaith neb eto, drwy drugaredd.[145]

Y mae un enw amlwg ar goll o'r rhestr o sylfaenwyr ac arloeswyr y stori fer Gymraeg yn yr ysgrif, a T. Gwynn Jones ei hun, wrth reswm, yw'r enw coll hwnnw. Mae ei gasgliad ef ei hun o straeon byrion, *Brethyn Cartref: Ystraeon Cymreig*, gystal â'r un o'r casgliadau a enwyd ganddo yn ei ysgrif, a gwell na'r rhan fwyaf. A detholiad bychan iawn o'i holl straeon byrion a geid yn y gyfrol honno. Pe bai beirniad llenyddol arall, a hwnnw'n arddel yr un syniadau, yr un safbwyntiau a'r un safonau â Gwynn ei hun, yn traethu ar y stori fer Gymraeg ym 1915, byddai wedi enwi T. Gwynn Jones yn anad neb fel un o brif storiwyr y Gymraeg. Ar wahân i'r rhai sy'n dibynnu'n ormodol ar ddyfais y cyd-ddigwyddiad, mae ei straeon yn glòs o ran gwead, yn hynod o ystwyth a naturiol o ran deialog – heb fod yn orlenyddol nac yn orsathredig – yn ddoniol ac yn ddychanol ar brydiau, ac yn dreiddgar a dyfeisgar o ran deunydd.

Bu'r ddwy flynedd a hanner wedi iddo ddychwelyd o'r Aifft yn gyfnod pryderus iddo hefyd. Roedd yn gyfnod o symud ac yn gyfnod o ansefydlogrwydd. Prin y gwyddai, wrth i 1909 nesáu, y byddai'r flwyddyn newydd yn dod â swydd newydd iddo mewn lle newydd, ac roedd y swydd honno yn swydd barhaol. Ni wyddai ychwaith y byddai'n cefnu ar swyddi newyddiadurol am byth ym 1909. Ond a fyddai'n ddedwydd yn ei swydd newydd?

NODIADAU

1 'Cwm'/'Sympathy', *The Rhyl Journal*, Mehefin 30, 1906, t. 4.

2 Bangor MS/19467, llythyr oddi wrth T. Gwynn Jones at R. Silyn Roberts, Rhagfyr 23, 1906.

3 Ibid.

4 Ibid.

5 LLGC TGJ, B56, llythyr oddi wrth T. Gwynn Jones at Daniel Rees, Ionawr 7, 1907.

6 Bangor MS/19467.

7 'Dialedd *John Homer*', *Papur Pawb*, Hydref 13, 1906, t. 4; *Yr Herald Cymraeg*, Hydref 16, 1906, t. 3. Cyhoeddwyd rhagor o straeon am John Homer, ynghyd â'r rhai a gyhoeddwyd ym 1906, yn *Y Genedl Gymreig*, rhwng Mai 24 ac Awst 16, 1910. Casglwyd y cyfan ynghyd a'u cyhoeddi'n nofel, *John Homer*, 1923, ailargraffiad, 1927.

8 'Hunanaberth Marged', *Yr Herald Cymraeg*, Ionawr 1, 1907, t. 2. Ni chrybwyllir y stori hon yn *Llyfryddiaeth Thomas Gwynn Jones* D. Hywel E. Roberts, ond T. Gwynn Jones a'i piau, yn sicr.

9 'Clenig Elin Fach', *Papur Pawb*, Ionawr 12, 1907, t. 4; 'Calenig Elin Fach', *Yr Herald Cymraeg*, Ionawr 15, 1907, t. 2.

10 Ibid.

11 Ibid.

12 Ibid.

13 Ibid.

14 LLGC TGJ, B57, llythyr oddi wrth T. Gwynn Jones at Daniel Rees, Ionawr 13, 1907.

15 LLGC TGJ, B58, llythyr oddi wrth T. Gwynn Jones at Daniel Rees, Ionawr 28, 1907.

16 'Profedigaeth Dafydd Huws', *Papur Pawb*, Ionawr 19, 1907, t. 6; *Yr Herald Cymraeg*, Ionawr 22, 1907, t. 2.

17 Ibid.

18 *Y Cymro*, Ionawr 17, 1907, t. 4.

19 'Llyfrau a Llenorion', Ibid., Chwefror 7, 1907, t. 5.

20 Ibid.

21 Ibid.

22 Ibid., Mai 23, 1907, t. 5.

23 Ibid., Mawrth 7, 1907, t. 3.

24 Ibid.

25 'Tlws yr Eira', 'Y Golofn Farddol', *Y Llan*, Mehefin 5, 1896, t. 7. Ni cheir unrhyw gyfeiriad at y gerdd hon yn *Llyfryddiaeth Thomas Gwynn Jones* D. Hywel E. Roberts.

26 'Prydnawn yn Chwefror (yn ôl Longfellow)', *Y Faner*, Awst 25, 1897, t. 11; *Y Llan*, Medi 3, 1897, t. 7; *Papur Pawb*, Chwefror 11, 1899, t. 13. Ni nodir iddi ymddangos yn Y Llan yn *Llyfryddiaeth Thomas Gwynn Jones*, D. Hywel E. Roberts.

27 'Llyfrau a Llenorion', *Y Cymro*, Mawrth 28, 1907, t. 5

28 Ibid., Ebrill 18, 1907, t. 7.

29 Ibid.

30 Ibid.

31 Ibid.

32 Ibid.

33 'Y Beirdd a'r Beirniaid', *Y Geninen*, cyf. XXV, rhif 1, Ionawr 1907, t. 11.

34 Ibid.

35 Ibid., t. 12.

36 Ibid., tt. 12–13.

37 Ibid., t. 13.

38 Ibid.

39 Ibid.

40 Ibid.

41 Ibid.

42 Ibid.

43 Ibid., t. 14.

44 Ibid., t. 11.

45 Ibid., t. 14.

46 Ibid., t. 11.

47 Bangor MS/19468, llythyr oddi wrth T. Gwynn Jones at R. Silyn Roberts, Mai 7, 1907.

48 Ibid.

49 Ibid.

50 Ibid.

51 Ibid.

52 'Profiad Wil Prys', *Papur Pawb*, Gorffennaf 6, 1907, t. 7; *Yr Herald Cymraeg*, Gorffennaf 9, 1907, t. 3.

53 Ibid.

54 Ibid.

55 'Y [P]en a'r Galon', *Papur Pawb*, Ebrill 27, 1907, tt. 6–7; *Yr Herald Cymraeg*, Ebrill 30, 1907, t. 2.

56 Ibid.

57 Ibid.

58 Ibid.

59 Ibid.

60 Ibid.

61 'Elin Eisieu Fôt', *Papur Pawb*, Mehefin 8, 1907, t. 7; *Yr Herald Cymraeg*, Mehefin 11, 1907, t. 4. Cyhoeddwyd y stori hefyd yn *Cymru*, cyf. XLIII, rhif 261, Ebrill 1913, tt. 230-3 (anghywir yw'r cofnod hwn yn *Llyfryddiaeth Thomas Gwynn Jones*). Cyhoeddwyd hefyd yn *Brethyn Cartref: Ystraeon Cymreig*, tt. 105-112.

62 'Cwymp y Ddynes Newydd', *Papur Pawb*, Awst 25, 1906, t. 8; *Yr Herald Cymraeg*, Awst 28, 1906, t. 2.

63 'Darn o Fywyd', *Papur Pawb*, Chwefror 22, 1908, t. 5. Cyhoeddwyd y stori hefyd yn *Cymru*, cyf. XLIII, rhif 259, Chwefror 1913, tt. 117–19, ac yn *Brethyn Cartref: Ystraeon Cymreig*, tt. 58-64.

64 LLGC TGJ, B60, llythyr oddi wrth T. Gwynn Jones at Daniel Rees, Mehefin 7, 1907.

65 'O Wlad y Teulu Teg', *Yr Herald Cymraeg*, Mehefin 11, 1907, t. 2. Ar Fehefin 7 yr anfonodd T. Gwynn Jones air i ddiolch i Daniel Rees am y gerdd, ac efallai fod y dyddiad uwch y llythyr yn anghywir. Ar Fehefin 5 yr oedd Eluned yn dathlu'i phen-blwydd.

66 LLGC TGJ, B60.

67 'Y Bardd', *Ymadawiad Arthur a Chaniadau Ereill*, t. 171.

68 LLGC TGJ, B59, llythyr oddi wrth T. Gwynn Jones at Daniel Rees, Ebrill 28, 1907.

69 Ibid., B61, llythyr oddi wrth T. Gwynn Jones at Daniel Rees, Mehefin 27, 1907.

70 'Betio a Bygylu', *Yr Herald Cymraeg*, Ebrill 16, 1907, t. 4.

71 LLGC TGJ, B61.

72 Ibid.

73 Ibid., B62, llythyr oddi wrth T. Gwynn Jones at Daniel Rees, Gorffennaf 8, 1907.

74 Ibid., B63, llythyr oddi wrth T. Gwynn Jones at Daniel Rees, Medi 2, 1907.

75 Ibid., B65, llythyr oddi wrth T. Gwynn Jones at Daniel Rees, diddyddiad.

76 CRG, llythyr oddi wrth T. Gwynn Jones at Tom Owen, Hydref 24, 1907.

77 LLGC TGJ, B78, llythyr oddi wrth T. Gwynn Jones at Daniel Rees, Medi 12, 1907.

78 Ibid., B64, llythyr oddi wrth T. Gwynn Jones at Dan Rhys, Hydref 2, 1907.

79 'Adolygiad y Wasg'/'"Traethodydd" Gorffennaf', *Yr Herald Cymraeg*, Gorffennaf 16, 1907, t. 7.

80 LLGC TGJ, B174, llythyr oddi wrth T. Gwynn Jones at Caleb Rees, Tachwedd 22, 1907.

81 LLGC TGJ, B66, llythyr oddi wrth T. Gwynn Jones at Daniel Rees, Tachwedd 24, 1907.

82 Ibid.

83 Ibid.

84 Ibid., B61.

85 'Trefi Fflint', *Yr Herald Cymraeg*, Hydref 1, 1907, t. 8; gw. hefyd *Llangollen Advertiser Denbighshire Merionethshire and North Wales Journal*, Hydref 4, 1907, t. 7, a *Cymro a'r Celt Llundain*, Hydref 12, 1907, t. 6.

86 David Thomas, 'Cofio Thomas Gwynn Jones', *Cyfres y Meistri 3*, t. 152; cyhoeddwyd yn wreiddiol yn *Yr Eurgrawn*, cyf. CLl, 1959.

87 Ibid.

88 'Socialists And Parliament'/'Mr David Thomas' Views', *The North Wales Express*, Tachwedd 20, 1908, t. 7.

89 'Cofio Thomas Gwynn Jones', *Cyfres y Meistri 3*, tt. 152–3.

90 'Eisteddfod Gadeiriol Nantglyn, Nadolig, 1907', *Y Faner*, Ionawr 1, 1908, t. 11.

91 LLGC TGJ, B68, llythyr oddi wrth T. Gwynn Jones at Daniel Rees, Ionawr 2, 1908.

92 LLGC TGJ, B70, llythyr oddi wrth T. Gwynn Jones at Daniel Rees, Mawrth 20, 1908.

93 CRG, llythyr oddi wrth T. Gwynn Jones at Tom Owen, Mai 12, 1908.

94 'Y "Genedl" a'r "Herald"', *Yr Herald Cymraeg*, Mawrth 10, 1908, t. 8.

95 LLGC TGJ, B71, llythyr oddi wrth T. Gwynn Jones at Daniel Rees, Ebrill 9, 1908.

96 'Papur Pawb', *Yr Herald Cymraeg*, Mai 26, 1908, t. 5.

97 *Lona*, 'Nofel Gymraeg gan "G"', 1923, t. 14.

98 Ibid., t. 19.

99 Ibid., t. 35.

100 Ibid., t. 38.

101 Ibid., t. 41.

102 CRG, llythyr oddi wrth T. Gwynn Jones at Thomas Jones, Mehefin 26, 1929.

103 *Lona*, t. 52.

104 Ibid., t. 58.

105 Ibid., t. 49.

106 Ibid., t. 51.

107 Ibid., t. 160.

108 'Angyles Ifan Siencyn', *Papur Pawb*, Ionawr 26, 1907, t. 10; *Yr Herald Cymraeg*, Ionawr 29, 1907, t. 6.

109 *Lona*, t. 66.

110 Ibid., tt. 65–6.

111 Ibid., t. 99.

112 Ibid.

113 Ibid., tt. 114–115.

114 'Y Nadolig', *Y Faner*, Rhagfyr 23, 1891, t. 12, dan y ffugenw Rurik Dhu. Gw. hefyd 'Amser a Lle' yn *Dyddgwaith*, tt. 17–18. Gw. yn ogystal *Cofiant* David Jenkins, tt. 28–29, lle nodir bod Gwynn wedi ailadrodd y syniad hwn yn *Papur Pawb* ac mewn cerdd Saesneg, 'Fancies', a gyhoeddwyd yn T.P.'s Weekly, Gorffennaf 2, 1909. Nid yw David Jenkins yn sôn am y defnydd a wneir o'r syniad yn *Lona*.

Nid yw'n crybwyll *Lona* o gwbl.

115 *Lona*, t. 156.

116 'Hydref', *Caniadau*, t. 176.

117 *Lona*, t. 136.

118 'Yr Offeiriad Rhaid', *Papur Pawb*, Tachwedd 15, 1902, t. 6.

119 CRG, llythyr oddi wrth T. Gwynn Jones at Thomas Jones, Mehefin 26, 1929.

120 LLGC EMH, A/2055, llythyr oddi wrth T. Gwynn Jones at E. Morgan Humphreys, Tachwedd 9, 1923.

121 'Pa Le Mae'r Un Wlad Fel Tydi', 'Enid' a 'Breuddwyd', *Papur Pawb*, Hydref 29, 1907, t. 13; *Yr Herald Cymraeg*, Hydref 29, 1907, t. 2.

122 'Dyn a Duw', *Papur Pawb*, Tachwedd 2, 1907, t. 13; *Yr Herald Cymraeg*, Tachwedd 5, 1907, t. 2. Dyma'r cerddi eraill: 'Y Gaeaf', 'Yr Haf', dau gyfieithiad o'r Wyddeleg, 'Tir Ieuenctid', 'Yr Aderyn To', cyfieithiad o gerdd Saesneg gan Ernest Rhys, a 'Tragwyddoldeb', *Papur Pawb*, t. 13; *Yr Herald Cymraeg*, t. 2.

123 LLGC TGJ, B73, llythyr oddi wrth T. Gwynn Jones at Daniel Rees, Mai 30, 1908.

124 Ibid.

125 Ibid.

126 Ibid., B75, llythyr oddi wrth T. Gwynn Jones at Daniel Rees, Gorffennaf 5, 1908.

127 Ibid.

128 Ibid.

129 'Canu'r Cymry a'r Gwyddyl', *Y Genedl Gymreig*, Ionawr 16, 1912, t. 6.

130 Ibid.

131 'Cywydd Iwerddon', *Irisleabhar na Gaedhilge*, Haf 1908, t. 498. Cyhoeddwyd cyfieithiad Gwyddeleg o'r cywydd, 'Comhad ar Éirinn', yn yr un rhifyn o'r cylchgrawn, t. 499, fel y nodir gan Gwynn ap Gwilym yn 'Atodiad 1', *Cyfres y Meistri 3*, tt. 471–2.

132 LLGC TGJ, B76, llythyr oddi wrth T. Gwynn Jones at Daniel Rees, Gorffennaf 27, 1908.

133 Cystadleuaeth y Gadair: beirniadaeth T. Gwynn Jones, *Cofnodion a Chyfansoddiadau Eisteddfod Genedlaethol 1908 (Llangollen)*, Golygydd: E. Vincent Evans, tt. 11–12.

134 Ibid., t. 27.

135 Ibid., t. 30.

136 LLGC TGJ, B77, llythyr oddi wrth T. Gwynn Jones at Daniel Rees, Tachwedd 3, 1908.

137 LLGC TGJ, B176, llythyr oddi wrth T. Gwynn Jones at Caleb Rees, Rhagfyr 21, 1908.

138 'Sanctum', *Caniadau*, tt. 149–50.

139 LLGC EMH, A/2083, llythyr oddi wrth T. Gwynn Jones at E. Morgan Humphreys, Ionawr 11, 1927.

140 'Cywydd Gwynn Jones', *Y Ford Gron*, cyf. III, rhif 5, Mawrth 1933, t. 109.

141 'Dafydd ab Edmwnd', *Y Traethodydd*, cyf. LXIV, Ionawr 1909, t. 77. Cyhoeddwyd y gerdd hefyd yn *Manion*, tt. 38–9, gyda rhai mân newidiadau.

142 'Yr Ystori Fer', *Y Faner*, Mawrth 6, 1915, t. 3.

143 Ibid.

144 Ibid.

145 Ibid.

Isaac Jones a Jane Roberts (neu Siân Jones), rhieni T. Gwynn Jones.

T. Gwynn Jones yn fachgen ifanc.

Sarah Ellen (Elin), chwaer T. Gwynn Jones.

Y Gwyndy Uchaf, Betws-yn-Rhos, ger Abergele lle y ganed T. Gwynn Jones ym 1871. Ceredig, ŵyr Gwynn, yw'r gŵr yn y llun.
Llun: Jean Gwynn

Y plac sydd ar y Gwyndy heddiw.
Llun: Siôn Jones

Pentre Isa ger Hen Golwyn, lle y treuliodd T. Gwynn Jones ddeng mlynedd cyntaf ei fywyd.

Trwy ganiatâd Archifau Conwy

Hen Gapel Mynydd Seion, Dinbych, lle y bu T. Gwynn Jones yn aelod ac yn mynychu'r ysgol Sul yn nyddiau ei blentyndod.

Llun: Siôn Jones

Plas-yn-Grin, ar gyffiniau tref Dinbych. Symudodd y teulu yno ym 1882.

Tyddyn Morgan ger Abergele, Sir Ddinbych. Symudodd y teulu yno ym 1886.
Llun: Jean Gwynn

Capel y Fron, Dinbych. Cymerodd ran mewn sawl cyfarfod adloniadol a gynhaliwyd yno pan oedd yn byw yn Nhyddyn Morgan.

Llun: Iestyn Hughes

E. Morgan Humphreys.
Trwy ganiatâd Llyfrgell Genedlaethol Cymru

Emrys ap Iwan.
Trwy ganiatâd Llyfrgell Genedlaethol Cymru

Silyn Roberts.
Trwy ganiatâd Llyfrgell Genedlaethol Cymru

E. Tegla Davies.
Trwy ganiatâd Llyfrgell Genedlaethol Cymru

Rhai o staff *Y Faner*:
John Williams,
T. Gwynn Jones,
Robert Griffiths
a J. J. Evans.
Ymunodd Gwynn
â'r *Faner* ym 1891.
Trwy ganiatâd Llyfrgell
Genedlaethol Cymru

Adeilad Gwasg Gee, swyddfa Thomas Gee yn Ninbych.
Llun: Iestyn Hughes

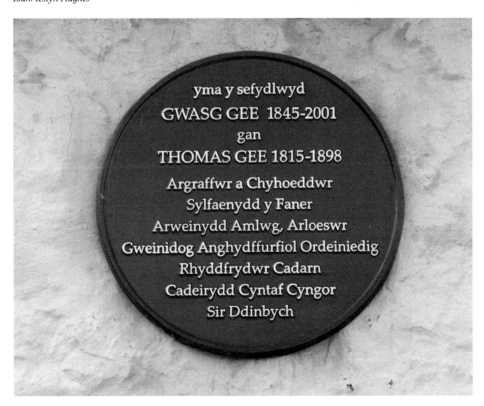

yma y sefydlwyd
GWASG GEE 1845-2001
gan
THOMAS GEE 1815-1898
Argraffwr a Chyhoeddwr
Sylfaenydd y Faner
Arweinydd Amlwg, Arloeswr
Gweinidog Anghydffurfiol Ordeiniedig
Rhyddfrydwr Cadarn
Cadeirydd Cyntaf Cyngor
Sir Ddinbych

'Y Byd Llenyddol.'

(Gan RURIK DHU).

'CYMRU.'

DYMA'R cyhoeddiad hyglod i law am fis Hydref etto; a mawr groesaw iddo. Rhifyn yr Eisteddfod a Dyffryn Clwyd yw y rhifyn hwn; a rhifyn da yw, yn llawn o sylwedd gwerthfawr. Trinir yr eisteddfod yn wirioneddol dda ynddo. Diolch yn fawr i'r un a eilw ei hun yn 'Fo Lol' am ei sylwadau, yn enwedig ar ffwlbri'r Orsedd, ac yn fwy fyth am groniclo'r llinellau a ganlyn, a adroddwyd yn yr orsedd :—

> 'Dyma'r lle, a dim o'r llaid,
> I anuno un enaid :
> O! na, na, enyna'n uwch
> Y gn gyfa gogyfuwch !'

Cyfansoddiad un o feirdd y gwallt mawr, os nad wyf yn camgymmeryd, ydyw yr uchod ; ac adroddwyd ef gyda'r difrifwch mwyaf, a'r llais mawreddocaf a glywais er's talm. Yr oeddwn wedi medru dal yn o lew i wrandaw hyd yn hyn ; ond pan glywais yr uchod, tybiais mai ofer sefyll yno, gan nad oeddwn yn deall beth a ddywedid ; ac am a welaf fi, 'does bossibl i neb arall ddeall y llinellau uchod ; a dïau na fuasent yn cael eu hadrodd pe buasai'r awdwr yn meddwl y buasai rhywun yn gallu eu cofio. Mor fuan ag yr ebychwyd yr uchod, teimlais ar fy nghalon fyned draw, i edrych ar y bechgyn oeddynt yn mwynhau eu hunain ar y *switchback railway!* Yn mhellach draw yr oedd golwg bruddaidd ar Forfa Rhuddlan, a'r awel oer yn dyfod â mwy o fendith lawer i ddyn nag ebychiadau'r orsedd. Yn y rhifyn hwn, ceir awdl Elfyn ar destyn y gadair. Y mae hi yn dda, nid oes dadl; ond waeth heb ddyweyd dim byd oni welir y fuddugol. Da genyf weled yn '*Nghymru'r Plant*' fod y golygydd llafurus yn bwriadu dwyn allan gyfres o fân lyfrau ar hanes Cymru i'r plant. Byddant yn dderbyniol gan rywrai heb law'r plant, yn ddïau, gan fod nifer y rhai wyddant rywbeth am hanes Cymru yn neillduol o fychan hyd yn oed y tu allan i gylch y plant. Y mae y rhifyn hwn i fyny â'i ragflaenoriaid, ac yn ddïau yn un o'r cyhoeddiadau gwerthfawrocaf welodd Cymru erioed.

Derbyniais '*Ddrama ddirwestol*' a '*Samson*,' gan y Parch. J. Evans (*Ioan o Feirion*). Y mae'r cyfansoddiad yn dda a dyddorol, a gobeithwn y gwneir defnydd da o hono.

Erthygl gan 'Rurik Dhu'
yn *Y Faner*,
Tachwedd 9, 1892.
*Trwy ganiatâd Llyfrgell
Genedlaethol Cymru*

Jane Roberts, mam T. Gwynn Jones a fu farw'n 51 mlwydd oed ym 1896.

Margaret Jane Davies (Megan Jones) yn ferch ifanc.

Y Capel Mawr, Dinbych, lle y priodwyd T. Gwynn Jones a Margaret Jane Davies ym 1899.
Llun: Iestyn Hughes

Stryd Dinorwig, cartref
Gwynn a'i wraig ar
ddechrau'r 1900au.
Llun: Siôn Jones

Cadair Eisteddfod Genedlaethol
Bangor, 1902.
Llun: Jean Gwynn

T. Gwynn Jones yn cael ei anrhydeddu a'i gyfarch gan yr Archdderwydd Hwfa Môn wedi iddo ennill
Cadair Eisteddfod Genedlaethol Bangor ym 1902 am ei awdl 'Ymadawiad Arthur'.
Trwy ganiatâd Llyfrgell Genedlaethol Cymru

Moeddrodd y gri dof Medrawd
Oni thröes yn eitha'i rhawd
Rhag newid nwy' deufwy deet
A ryferthwy torf Arthur.

Ac ymlid o faes Camlan,
Uthr fu, onid aeth o'r fan,
I'n helynt ar eu holau,
Maun' nwyd erch, brawd namyn dau.

Yno, mal duw celanedd,
A'i bwys ar garn glwys ei gledd,
Y naill oedd, a'r llall ger llaw,
A golwg synn yn gwyliaw.

"Arglwydd," eb hwnnw, "erglyw,
"Ymaros, di achos yw,
"Atteb, beth deryw 'tti,
"Neud, tost nad erlynnit-ti!"

Ebr yntau: "Clyw, briwol y clwyf
"Hwn, clyw, Fedwyr, claf ydwyf."

"Bid briw y byd!" ebr Bedwyr,
"Arthur drech nis gorthrech gwyr!"

Detholiad o'r awdl 'Ymadawiad Arthur' yn llawysgrifen T. Gwynn Jones.
Trwy ganiatâd Llyfrgell Genedlaethol Cymru

T. Gwynn Jones a'i
gyfeillion yn yr Aifft.
Treuliodd gyfnod yn yr
Aifft ym 1905–6 er mwyn
ceisio gwella ei iechyd.
*Trwy ganiatâd Llyfrgell
Genedlaethol Cymru*

T. Gwynn Jones fel un o
ysgrifenyddion y Gyngres Geltaidd
yng Nghaernarfon ym 1903–4.
Trwy ganiatâd Gwasanaeth Archifau Gwynedd

[Oddiwrth lun gan Debenham, Caernarfon.

Yr eiddoch yn gywir,
T. Gwynn Jones.

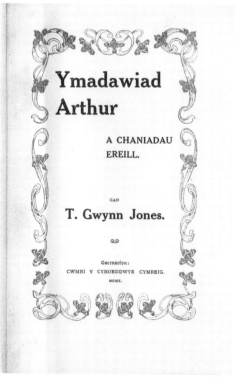

Ymadawiad
Arthur

A CHANIADAU
EREILL.

GAN

T. Gwynn Jones.

Caernarfon:
CWMNI Y CYHOEDDWYR CYMREIG.
MCMX.

T. Gwynn Jones fel yr ymddangosodd ar wynebddalen
y gyfrol *Ymadawiad Arthur a Chaniadau Ereill* ym 1910.

T. Gwynn Jones yn ennill
Cadair Eisteddfod Genedlaethol
Llundain am ei awdl 'Gwlad
y Bryniau' a gynhaliwyd yn
Neuadd Albert ym 1909.
Trwy ganiatâd Llyfrgell
Genedlaethol Cymru

Gwlad y Bryniau.

1.

Traddodiad.

"Issot bet ef y mae Kae
nywyl, ac y mae yn hwn-
nw gwarydau lletrithawc
ar geninet dyn a doeth'
yno ny dodyw vyth dra-
cherwyn." — Gereint ab
Erbin.

a haen ledrith niwl hydref
Yn hug rhwng daear a nef,
Ag ambr wawl dros gwm a bryn
Trwyddo fal gwrid rhuddfelyn,
Hyd ymyl werdd drwy y coed y cerddais,
Murgwhau segurddydd, 'em nis gwaherddais, —
Deuwell im' oedd wrando bais yr adar
Na garw deydar gwŷr y dre a edais.

Detholiad o'r awdl 'Gwlad y Bryniau' yn llawysgrifen T. Gwynn Jones. Dyma gopi o'r awdl a gyflwynodd T. Gwynn Jones i'w gyfaill Alafon (LlGC 16132A).
Trwy ganiatâd Llyfrgell Genedlaethol Cymru

Staff y Llyfrgell Genedlaethol yng nghyfnod T. Gwynn Jones wedi iddo gael ei benodi'n gatalogydd y llyfrgell ym 1909. Eistedda John Ballinger a Gwynn yn y blaen.
Trwy ganiatâd Llyfrgell Genedlaethol Cymru

Llyfrgell Genedlaethol Cymru.
Llun: Iestyn Hughes

Eirlys ar y Buarth, cartref cyntaf y teulu
yn ardal Aberystwyth.
Llun: Rhisiart Hincks

Bedd Isaac Jones a Mary Jones, ei ail wraig a llysfam T. Gwynn Jones, ym mynwent Marian Cwm, Sir y Fflint. Buont farw o fewn deuddydd i'w gilydd ac fe'u claddwyd yn yr un bedd ar yr un diwrnod ym mis Mawrth 1929.

Llun: Jean Gwynn

Yr Hafan, Bow Street.

Llun: Iestyn Hughes

Yr Athro T. Gwynn Jones. Fe'i penodwyd yn Ddarllenydd ac yn ddarlithydd yn y Gymraeg yng Ngholeg y Brifysgol Aberystwyth ym 1913 a dyfarnwyd gradd Meistr yn y Celfyddydau iddo ym 1915.
Trwy ganiatâd Llyfrgell Genedlaethol Cymru

Capel y Garn, Bow Street, lle'r ymaelododd T. Gwynn Jones wedi iddo symud i'r Hafan.
Lluniau: Iestyn Hughes

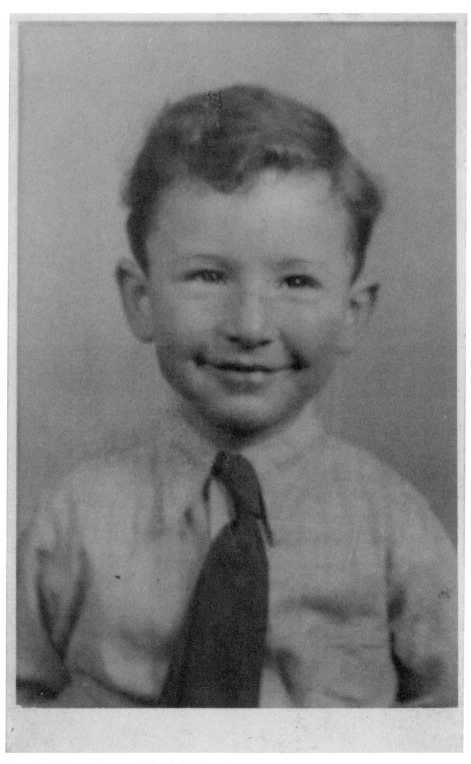

Rhys, ŵyr T. Gwynn Jones, a fu farw'n bedair oed ym 1943.

Arthur, Llywelyn,
Eluned, Francis,
T. Gwynn Jones
a'i wraig, Megan.

Bardd

Canodd ei gerdd i gyfeiliant berw ei waed;
canodd hi, a safodd gwlad ar ei thraed.

Canodd ei gân yn gyfalaw i derbysg dyn;
canodd hi, ac nid yw ein llên yr un.

— T. H. Parry-Williams

Ugain o Gerddi (1949)

Mawrth, 1968

Cerdd i T. Gwynn Jones gan T. H. Parry-Williams yn ei lawysgrifen ef ei hun.

Willow Lawn, Aberystwyth, cartref olaf T. Gwynn Jones.
Llun: Iestyn Hughes

Plac i goffáu T. Gwynn Jones yn Neuadd Betws-yn-Rhos, Abergele.

Llun: Siôn Jones

Beddfaen T. Gwynn Jones ym Mynwent y Dre, Aberystwyth. Bu farw ym 1949.

Llun: Iestyn Hughes

Pennod 7

THOMAS GWYNN JONES
CATALOGYDD A CHOFIANNYDD
1909–1913

O ran cynnyrch, 1907 oedd y flwyddyn brysuraf a thrymaf a welodd Gwynn erioed. Nid oedd 1908 fawr gwell. Roedd yn gorweithio eto, ac ar ôl ei waeledd ym 1905, nid oedd hynny'n beth doeth. Er iddo ddianc o'r Aifft, roedd yn garcharor o hyd yng nghaethglud ei alwedigaeth. Swydd ddidostur oedd newyddiadura, a swydd ddiddiolch hefyd. Câi gildwrn am galedwaith. Ar ben popeth, nid oedd yn swydd addas iddo o gwbl. Llenor a bardd oedd Gwynn, ac ysgolhaig hefyd, er na fu'n fyfyriwr nac yn ddarlithydd mewn unrhyw goleg. Er bod elfen greadigol a llenyddol i'w waith fel newyddiadurwr, wrth i'w benaethiaid hawlio nofelau a straeon byrion yn rheolaidd ganddo, dan straen a than bwysau y cynhyrchai'r rhain. Ac roedd yr ysgolhaig ynddo yn crefu am gael ei ryddhau o'i swydd gaethiwus fel y gallai ganolbwyntio ar ei astudiaethau. Gŵr rhwystredig iawn oedd Gwynn ar drothwy ail ddegawd y ganrif newydd, a dechreuodd ei gyfeillion synhwyro hynny.

Un ddihangfa iddo oedd darlithio i gymdeithasau llenyddol ledled y wlad. Ar achlysuron o'r fath, nid newyddiadurwr mohono ond darlithydd prifysgol. Ac roedd gofyn mawr am ei wasanaeth. Ar Ionawr 15, 1909, roedd oddeutu 30 o Gymry llengar a diwylliedig wedi dod ynghyd yng ngwesty'r 'Cwch Gwenyn' yng Nghaernarfon i goffáu marwolaeth Goronwy Owen, a Gwynn a siaradodd amdano ar y noson. Llywydd y noson oedd Anthropos (Robert David Rowland), awdur *Y Pentref Gwyn*, ymysg cyhoeddiadau eraill. Ymhlith y rhai a oedd yn bresennol ar y noson yr oedd Gwynfor, E. Morgan Humphreys, ac O. Llew Owain, yr awdur a'r newyddiadurwr. Cafwyd noson hwyliog, gymaint felly nes y penderfynwyd, ar gynnig S. Maurice Jones, sefydlu Cymdeithas Gŵyl Goronwy yn y fan a'r lle, ond newidiwyd enw'r gymdeithas newydd yn Glwb Awen a Chân wedyn. Byddai

O. Llew Owain ymhen blynyddoedd lawer yn croniclo hanes y clwb yn ei lyfr *Anthropos a Chlwb Awen a Chân.*

Ar ddechrau mis Mawrth 1909, roedd yn darlithio ar gerddi anghyhoeddedig gan feirdd o'r bymthegfed ganrif hyd at yr ail ganrif ar bymtheg gerbron aelodau Cymdeithas Cymrodorion Caerdydd. Yn ôl un adroddiad ar y cyfarfod:

> Mr. Gwynn Jones, after reading some of the choicest of the poems, said he had come to the conclusion that a large number of these unpublished poems, more particularly those described as prophetic, would enable students to practically re-write the history of the Glyndwr rebellion and the Tudor struggle for supremacy. The poems contained frequent references to some personalities under various epithets, such as the lion, the wolf, the eagle, the cat, and the stoat. The words "winter" and "summer" were also used in the poems in such a way as to indicate that the former meant the loss of national independence, and that the latter referred to an expectation of regaining supremacy.[1]

Felly, cenhadu yr oedd Gwynn o hyd ym 1909.

Digwyddodd dau beth hynod o bwysig i Gwynn ym 1909. Yn Neuadd Albert yn Llundain y cynhaliwyd Eisteddfod Genedlaethol y flwyddyn honno, rhwng Mehefin 15 a Mehefin 18. Testun yr awdl oedd 'Gwlad y Bryniau', a'r ddau feirniad oedd John Morris-Jones a J. J. Williams, Prifardd cadeiriol y flwyddyn flaenorol. Derbyniwyd deunaw awdl ddilys ymhlith yr ugain o gyfansoddiadau a ddaeth i law, ac ymhlith y deunaw yr oedd awdl gan Gwynn. Ar ôl iddo fwrw'r ymgeiswyr gwan a chyffredin o'r neilltu, nododd John Morris-Jones fod chwe awdl ragorol yn y gystadleuaeth, ond y pedair awdl orau oedd eiddo 'Alun Wyn' (Brynfab), 'Arthur Wynn' (Pedrog), 'Alastor' (R. Williams Parry) a 'Hiraethus'. Gwynn oedd 'Hiraethus'. Roedd 'Hiraethus' yn rhagori ar y lleill am mai '[m]oddion ac nid diben' oedd y gynghanedd iddo yn ôl John Morris-Jones.[2] 'Os yw Cymraeg Alastor yn llawn, y mae Cymraeg hwn yn llawnach,' meddai drachefn.[3] Roedd Gwynn 'wedi yfed o ysbryd ein hen lenyddiaeth ac wedi dysgu ei hiaith', a chelfyddyd o'r radd flaenaf a gafwyd ganddo, 'celfyddyd llawer uwch na chlecian cydseiniaid'.[4] 'Yng ngwreiddiolder ei chynllun, dieithrwch ei hawyrgylch, ac ansawdd ei barddoniaeth, saif yn hollol ar ei phen ei hun,' meddai J. J. Williams am awdl 'Hiraethus', gan restru rhinweddau eraill yn ogystal, sef 'nerth dychymyg, cyfoeth iaith, a mireinder llenyddol na bu erioed ei dlysach'.[5] Nid oedd cynghanedd 'Hiraethus', meddai, 'yn gref, ond mae'n gywir a phersain,' ac er bod R. Williams

Parry yn rhagori ar bawb arall '[a]r dir cynghanedd, a ffyddlondeb i'r testun', yr oedd Gwynn ymhell ar y blaen iddo '[a]r dir newydd[-d]eb a beiddgarwch cynllun, bywiogrwydd dychymyg [*sic*], a chyfanedd celfydd, tlws'.[6]

Awdl newydd yn ei dydd oedd 'Gwlad y Bryniau', a deil hyd y dydd hwn yn ei blas. Ar lawer ystyr, yr oedd yn rhagori ar 'Ymadawiad Arthur' o ran ceinder a grym mynegiant. Roedd y llinellau yn hynod o gaboledig a gorffenedig. 'Diolch i'r awdwr am ddigon o feiddgarwch i adael y fintai, a cherdded maes disathr am dro. Teimlem er's llawer dydd fod angen codi'r Awdl o'r hen rigolau; ac ymfalchïwn fod gŵr cyn gryfed wedi ymgymmeryd â'r gwaith,' meddai J. J. Williams.[7]

Cofiai E. Morgan Humphreys am union adeg ac union amgylchiadau llunio'r awdl:

> Feallai na ddigia wrthym am fradychu un gyfrinach am ei waith fel bardd. Gwelsom un o'i awdlau enwocaf yn tyfu dan amgylchiadau a ystyriai y rhan fwyaf o bobl yn hollol anfarddonol. Adeiladwyd hi o gwpled i gwpled mewn ystafell digon aflêr a diolwg yng nghanol gwahanol dyrfau swyddfa papur newydd. Ond nid aeth ddim o'r llwch na'r twrw iddi hi, er mai yn y trên y'i gorffenwyd. Ni bu bardd mawr erioed â llai o osodiad traddodiadol bardd arno na Mr. Gwynn Jones. Nid oes ganddo ddim, trwy drugaredd. Ond er hynny agorodd gyfnod newydd ym marddoniaeth Cymru a gwnaeth lawer i roddi cyfeiriad newydd i feddwl y wlad.[8]

Cafwyd un o'r disgrifiadau gorau o ddefod y cadeirio yn y *Cardiff Times*:

> To-day's chairing ceremony was undoubtedly one of the most striking which has been witnessed for many years. The Archdruid and his attendant bards were present in strong force, and the empty chair stood awaiting to be claimed by the king of bards, according to immemorial custom. The adjudicators, Professor J. Morris Jones and the Rev. J. J. Williams, Pentre, were called to the front, and the vast audience strained its ears to catch every sound. Professor Morris Jones does not boast of a strident voice, but it has a wonderful carrying capacity, and is peculiarly well attuned in Welsh rhythmic alliteration. This makes him one of the most popular adjudicators with the crowd. The candidates, however, would not readily endorse the popular verdict, for Professor John Morris Jones possesses a power of sarcasm seldom spared and still more seldom equalled ...

Coming finally to the prize ode bearing the nom de plume of Hiraethus, Prof. Jones said it dealt with four great visions of Wales ...

The Archdruid announced the victor's nom de plume and amidst tense silence every eye searched through the vast building, for the envied king of bards, who was at length discovered in the person of Mr T. Gwynn Jones of Carnarvon. Standing pale and nervous amidst the seated but excited throng his old journalistic chief, Mr Daniel Rees, of the "Carnarvon Herald," was, fittingly enough, one of the two chosen guardian spirits to escort him to the platform. As they reached him and turned to face the homeward journey the great organ pealed forth in thund[e]rous notes, "See the Conquering Hero Comes," its magnificent tones reverberating through the hall, but still almost overborne by the thunderous cheers of the great throng ...[9]

Bu o fewn dim i Gwynn beidio â bod yn bresennol i gael ei gadeirio yn Llundain, gan ailadrodd ei hanes ym Mangor saith mlynedd ynghynt, fel y dywedodd wrth E. Morgan Humphreys:

Yr wyf yn cofio'n eithaf na pharodd tynged yr awdl ddim cyffro i mi, ddim mwy na thynged "Ymadawiad Arthur" – euthum i briodas fy mrawd ynghyfraith – sy bellach yn y bedd – ddiwrnod y cadeirio hwnnw, ac yr wyf yn cofio bod ar fy nghyngor a awn i Lundain ai peidio. Alafon a'm perswadiodd i fynd yn y diwedd.[10]

Bu Eisteddfod Llundain yn eisteddfod ryfeddol o lwyddiannus i dref Caernarfon, ac ymhlith yr enillwyr yr oedd rhai o gyfeillion agosaf Gwynn. Yn ôl adroddiad yn *Y Faner*:

Nid aeth dim llai na thua 260p. o wobrwyon i dref Caernarfon a'r cylch o'r Eisteddfod Genedlaethol yn Llundain yr wythnos ddiweddaf; a chymmerodd arddangosiad mawreddog le yn y dref, nos Sadwrn, er dathlu y buddugoliaethau hyn. Ffurfiwyd gorymdaith yn[g] ngorsaf y ffordd haiarn, yn cael ei blaenori gan seindorf. Cludwyd y bardd cadeiriol (Mr. T. Gwynn Jones); Mr. John Williams, arweinydd Cymdeithas Gorawl Caernarfon; Mr. T. O. Jones, a Mr. E. M. Humphreys, yr ennillwr ar y 'ddrama' Gymreig, a'r ennillwr ar y nofel Gymreig; Mr. D. J. Williams, ennillydd yn adran celf, ac eraill, mewn cerbydau trwy yr heolydd. Yr oedd y maer a'r gorphoraeth, ac eraill, yn yr orymdaith, yr hon oedd yn rhifo amryw gannoedd. Wedi cyrhaedd Ysgwâr y Castell traddodwyd amryw areithiau, ac yr oedd yr oll o'r gweithrediadau yn hynod o frwdfrydig.[11]

Ceir pedwar caniad yn yr awdl fuddugol, a phob caniad yn cyflwyno pedair gweledigaeth wahanol neu bedwar profiad gwahanol. Alegori yw'r awdl i raddau, ac agweddau ar hanes a gorffennol Cymru a geir ynddi. Consurir yr awyrgylch priodol ar ddechrau'r awdl, sef awyrgylch lledrithiol, dieithr, sy'n gweddu i ddieithrwch naws a byd yr awdl:

> A haen ledrith niwl hydref
> Yn hug rhwng daear a nef,
> Ag ambr wawl dros gwm a bryn
> Trwyddo fal gwrid rhuddfelyn,
> Hyd ymyl werdd drwy y coed y cerddais,
> Mwynhau segurddydd, im nis gwaherddais,
> Deuwell im oedd wrando llais yr adar
> Na garw drydar gwŷr y dre a edais.[12]

Yn y caniad cyntaf, 'Traddodiad', mae'r llefarydd yn yr awdl yn gadael prysurdeb y dref o'i ôl ac yn crwydro i ganol coedwig. Mae'r ddelwedd o goedwig yn ddelwedd bwysig yng nghanu'r Mudiad Rhamantaidd a gododd yng Nghymru yn negawd cyntaf yr ugeinfed ganrif. Ymhen rhai blynyddoedd, byddai coedwig arall, y goedwig yn 'Broséliâwnd', yn cynrychioli byd o ddirgelwch a lledrith. Gwynn, yn anad neb, oedd arweinydd a brenin y mudiad hwnnw. Fel y dywedodd un o feirniaid llenyddol amlycaf Cymru ar y pryd, Elidir Sais (W. Hughes Jones):

> The influence of the romantic school is ... spreading wide, and soon the Welsh literary taste, we hope, will be unsatisfied till it obtains all the charm of its *Mabinogi* set in the tuneful and concentrated scheme of the *Awdl*. To Wales, the supreme test of the *Awdl* should be: can it hold and convey the poetry of the *Mabinogion*? If the reply is satisfactory, we pray our poets to weave in song the noble tales left them as the heritage of a once glorious period of Wales. That this can be done is sufficiently proved by the *Awdl*, "*Ymadawiad Arthur*", of Mr. Gwynn Jones.[13]

Ym myd tywyll, caeedig a dirgelaidd y goedwig y daw profiadau dieithr i ran y beirdd hyn, yn union fel y mae'r syniad o gwsg a breuddwyd yn allweddol i'r math hwn o ganu. Trwy'r cyflwr breuddwydiol, lled-lesmeiriol hwn, y cyflwr o fod ar wahân i'r byd gwirioneddol, yr agorir byd y dychymyg i'r beirdd hyn, a'u galluogi i grwydro broydd rhithiol, arallfydol. 'Minnau braidd fel mewn breuddwyd,' meddai Gwynn, ac 'A mi'n hanner mwyn hunaw'.[14] Ac yn y cyflwr breuddwydiol, hanner-effro hwn, wedi iddi nosi yn y goedwig, mae'r un sy'n llefaru drwy'r awdl yn gweld mintai fechan yn cerdded law yn llaw,

> Ac un lân i'w canol oedd,
> O sud brenhines ydoedd ...[15]

Ond brenhines drist yw hon, oherwydd bod y nos bellach wedi meddiannu ei theyrnas:

> Yn lle goleuni llawen
> Hirnos sydd i'r Ynys Wen;
> Bro oedd deg fel breuddwyd oedd,
> Miragl dychymig moroedd.[16]

Roedd ei phobl unwaith yn byw'n rhydd ac yn llawen, ac yn cymuno'n agos â natur:

> Hyd foelydd y dyfelynt
> Hiraeth a gwae certh y gwynt;
> A thrwy goed disathr a gwŷdd
> Dysgasant dasg eosydd ...[17]

Dinistriwyd y bywyd gwaraidd a dedwydd hwn pan oresgynnwyd teyrnas y frenhines gan luoedd estron:

> Ond gwae'r dydd y dygai'r don
> I'n distryw laniad estron!
> Creulon oedd y don a'i dug,
> Llafn a saeth oll fu'n seithug,
> Rhag mor ddihir oedd diriad
> Ei gwrwgl hir ar gwrr gwlad.[18]

Bu'n rhaid i ddeiliaid y frenhines ddianc i'r bryniau a'r mynyddoedd am nawdd ac amddiffynfa rhag y lluoedd estron hyn:

> Bryd nos, rhyw ysbrydion ŷm,
> Diddadwrdd liw dydd ydym,
> Heb ran, ond Gwlad y Bryniau,
> Inni yn borth o'n hen bau;
> Rhag distryw y gad estron,
> Nawdd hir fu mynyddau hon;
> Adanedd cysgod inni
> Ydoedd wyll ei choedydd hi ...[19]

Ac yn nos y mynyddoedd y mae'r frenhines a'i phobl bellach yn trigo, gan ddyheu am ddychwelyd i'w hen deyrnas:

> Yng nghiliau'r mynyddau, nos
> Ddu oer sy'n llonydd aros,
> A thros eu haruthr resi
> Taen niwl llwyd, fel tonnau lli;
> A'u gwelo, tros ei galon,
> Aml y tyrr hiraeth, mal ton
> A lifo'n drom ar lyfn draeth,
> Lli anaraf llanw hiraeth,
> Wyllt hiraeth y pellterau,
> Pwy a'u lludd fyth rhag pellhau?
> Fwyned in fyned yno,
> Ond o fynd ni phaid efô ...[20]

Mewn cywair alegorïaidd, traethir am y modd y collodd y Brythoniaid cynnar eu gafael ar Ynys Brydain, a chael eu gwthio gan eu gelynion i Wlad y Bryniau, sef Cymru, nes eu gorfodi i ymgartrefu yno.

Yn yr ail ran, 'Rhyfel', sonnir am frwydrau cynnar a chanoloesol y Cymry i amddiffyn eu tiriogaeth, Gwlad y Bryniau, rhag lluoedd a fynnai eu gorchfygu. Gwêl a chlyw y traethydd bellach y rhyfeloedd cynnar hyn yn fyw o'i flaen:

> Yna torres, nes crynai y tiredd,
> Enbyd ddolef eu tanbaid ddialedd,
>   Cyn fod bâr a chynddaredd dau elyn
> Yn toi y glyn â distaw gelanedd.[21]

Awgrymir bellach mai cenedl orchfygedig yw Cymru. Collwyd pob brwydr, ond mae dau yn fyw ymhlith y celanedd, hen ŵr, gŵr cynefin â brwydrau ac archollion – 'Llesg oedd un at waith trin a byddinoedd/A blin ei wedd gan rychau blynyddoedd' – a gŵr ifanc.[22] 'Hir hunant,' meddai'r henwr am y meirwon, ond

> Eb ei gymar: "Ba gamwedd,
> Gwedi'r gad orig o hedd?"[23]

Bellach mae'r rhyfela ar ben, ac nid drwg o beth mo hynny, yn nhyb y gŵr ifanc. Mae'r genedl yn haeddu cyfnod o heddwch. Gofynna i'r henwr ganu ei delyn, fel y gwnaeth ganwaith cyn hynny. Bardd a thelynor a chyfarwydd yw'r henwr, a daw'r dorf i wrando arno yn canu ei delyn:

> Ebrwydd â dwylaw y bardd, o'i delyn
> Bu wae a llawenydd, o bob llinyn,
>   Ac ebrwydded o'r rhedyn, gyfodiad
> Torf, fel ar alwad rhyfel rhyw elyn;
>   Ond â'i glir, grynedig lais,
>   Galwodd y bardd, a gwelais
>   Fil yn fud o'i flaen efô,
>   Ni bu'r undyn heb wrando.[24]

Mae'r henwr yn datgan ac yn darogan y bydd i'r Brythoniaid neu'r Cymry gadw'u tiriogaeth am byth er gwaethaf pob bygythiad:

> Carwn y dywell, bell bau,
> Bro annwyl coed a bryniau,
> Ni ffy Brython ohoni –
> Cyd â'i fod y ceidw ef hi![25]

Awgrymir nad trwy ryfela y ceidw'r Brythoniaid, neu'r Cymry, eu gwlad, ond trwy iaith a diwylliant, a chadw'r iaith yn gyfystyr â chadw'r genedl.

Yna mae'r henwr yn adrodd stori, gan chwarae rhan y cyfarwydd. Math o alegori yw'r stori hon eto, ac mae'n gyfuniad o sawl chwedl, gan gynnwys chwedl Osian y Gwyddelod. Yn ôl y stori, aeth mab hynaf pennaeth y llwyth i hela un diwrnod. Clywodd gân yn dod o'r clogwyni, cân bruddfelys, ac yna:

> Ac wrth droed y graig gerth draw,
> Gwelodd, ac yntau'n gwyliaw,
> Ryw ieuanc, eiddil riain,
> A'i gwrid o ros brigau'r drain;
> Ei bron fel brig y don dêr
> Gan orferw pan gynhyrfer;
> A'i thresi'n dulathr osod
> Meddal wyll am ddeuliw ôd.[26]

Dilynodd y ferch 'i ryw lwys ddieithr wlad', ac

> Yno'r feinwar a fynnai
> A gafodd, o'i bodd, tra bai
> Heb holi camp a helynt
> Ei wlad goll na'i olud gynt,
>
> Mor ddedwydd, ddedwydd fu'r ddau,
> Fel nad oedd flin eu dyddiau,
> Oni holodd ef helynt
> Ei wlad goll a'i olud gynt.[27]

Ond mae'n torri'r amod hon, ac yn dychwelyd i'w wlad i holi am ei hynt a'i helynt. Pan ddychwel i'r wlad ddieithr i chwilio am y ferch eto, mae hi wedi diflannu, ac mae yntau yn marw 'O'i wlad heb ei gweled hi'.[28] A daw'r stori i ben. Dameg o ryw fath sydd yma. Dilyn merch estron a wnaeth mab hynaf y pennaeth; collodd y ferch a chollodd ei wlad yn y fargen. Trwy beidio â bod yn deyrngar i'w genedl ac i'w bobl ei hun, trengodd, a bellach mae ei ysbryd anniddig yn crwydro drwy'r wlad. Chwedl a geir yma, gan bwysleisio mai trwy eu hiaith a'u diwylliant y llwyddodd y Cymry i oroesi, nid trwy ryfela. Ac mae'r chwedlau hyn, yn ôl pedwerydd caniad yr awdl, wedi cyfareddu'r holl fyd.

Felly, pan â'r traethydd i chwilio am yr hen ymladdwyr gynt yn nhrydydd caniad yr awdl, 'Rhamant', dim ond beddau digysur a wêl:

A dydd a'i dywel melyn

Yn cyrraedd brig hardd y bryn

O'i lys uchel i sychu

Deigr nos oddi ar ddaear ddu,

O dan y swyn y dihunais innau

I geisio'r fyddin – digysur feddau

　Yno oedd, dan garneddau yr oesoedd –

Hen a dwfn ydoedd hundai fy nhadau![29]

Y rhamant yn y caniad hwn yw carwriaeth Dafydd ap Gwilym a Morfudd. Priodir y ddau yn 'eglwys deg lwys y dail', ac un o themâu'r caniad hwn, gan adleisio canu Dafydd ap Gwilym, yw'r frwydr a'r gwrthdrawiad rhwng serch a chrefydd. Meddai Morfudd:

Heddyw, Dafydd, y deifir

Blodau ein heneidiau'n wir;

Yfory caf i'r cwfaint

Ymwadu â serch ym myd saint![30]

Daw dau gariad arall atynt, ac wedyn:

Rhwng y bedw aeth y pedwar

I eglwys ddail briglaes ddâr,

Ac ym mrys eu cam yr oedd

Traserch hyfryta'r oesoedd.[31]

Ni ddywedir pwy yw'r ddau arall hyn, ond gellir tybied mai cynrychioli cariadon yr oesoedd a wnânt, o gofio mai parhad a goroesiad yw prif thema'r awdl. Mae'n anodd credu heddiw i'r cwpled olaf uchod gael ei gondemnio'n hallt gan amryw yn y cyfnod oherwydd ei anfoesoldeb!

'Dadeni' yw pennawd y pedwerydd caniad. Y tro hwn, gwêl y traethydd gastell ac ar ei lawnt 'dorf alawnt'.[32] Mae'r hen delynor yma eto, yn canu'i delyn 'yng ngŵyl ein gwyliau', rhyw fath o eisteddfod yn ôl John Morris-Jones, ac 'o flaen y dorf lonydd', gwêl y traethydd rywun 'hefelydd/O lais ac wyneb i lesg awenydd', sef bardd y bobl hyn.[33] Dathlu parhad a goroesiad Gwlad y Bryniau a wna'r bardd. Ni lwyddodd y Rhufeiniaid na gwŷr y Gogledd na'r Normaniaid i drechu'r Cymry. Daeth y Norman i'r wlad, cododd gestyll yma a thraw, ond ni lwyddodd i ladd meibion Cymru nac i ddifa'u hiaith. Pan adawodd y wlad, aeth â chwedlau'r Cymry gydag ef, a'u lledaenu drwy'r byd:

> Maith fu ei obaith am ladd dy feibion
> A difa'r iaith nas gadawai Frython;
>   Tithau â'th ramant, weithion a'i meddwaist,
>   Oni liwiaist y byd â'th chwedleuon.[34]

Seiliwyd sawl disgrifiad o natur yn yr awdl ar olygfeydd a oedd yn gyfarwydd i Gwynn pan oedd yn byw yn y Pentre Isa, ac y mae'r pennill canlynol yn seiliedig ar ddigwyddiad gwirioneddol:

> A phan araf orffennai ei eiriau,
> Torri'n llaes a wnaeth taran, ail lleisiau
>   O'r entyrch, ac ebr yntau yn uchel
>   A'i wedd yn dawel, "Clywch floedd ein duwiau!"[35]

'Digwyddodd hyn yn llythrennol pan oedd Arglwydd Castletown yn gorffen llefaru, a dywedodd yntau'r geiriau,' meddai Gwynn mewn nodyn ar yr awdl, gan gyfeirio at araith Arglwydd Castletown yn y Gyngres Geltaidd yng Nghaernarfon ar Awst 30, 1904.[36]

Mae'r awdl yn cloi gyda datganiad pendant a hyderus:

> Ysbryd gwlad! Os bradog lu
> Cas lwyth fu'n ceisio'i lethu,
> Iddo, trwy hyn, ni ddaw tranc,
> Heb ddiwedd y bydd ieuanc![37]

Dathlu gwydnwch a chryfder yr ysbryd anorchfygol hwn a wneir drwy'r awdl, yr ysbryd na ellid ei ladd gan holl ryfeloedd y canrifoedd, na chan y gwahanol bobloedd a chenhedloedd a fu'n ceisio difa Cymru a'i hiaith. Mae heddychiaeth Gwynn yn tywynnu drwy'r awdl. Ni lwyddodd y Cymry i gadw'u hunaniaeth na'u treftadaeth drwy ddwyn arfau ac ymladd â'u gelynion, a bu'n rhaid iddynt chwilio am ddulliau mwy gwaraidd o oroesi. Trwy ei llên, ei barddoniaeth a'i chwedlau y llwyddodd y genedl i sicrhau parhad a goroesiad. Mae pedwerydd caniad yr awdl hefyd yn dathlu'r deffroad newydd a gafwyd ym myd llên ac ysgolheictod Cymru ar ddiwedd y bedwaredd ganrif ar bymtheg a dechrau'r ugeinfed ganrif. Ac ar lawer ystyr mae hi'n dathlu arweiniad a chyfraniad un o feirniaid cystadleuaeth y Gadair ym 1909 – John Morris-Jones.

Roedd 1909 yn flwyddyn bwysig iawn i'w gyfaill mawr W. J. Gruffydd hefyd. Gruffydd a enillodd Goron Eisteddfod Genedlaethol Llundain am ei bryddest 'Yr Arglwydd Rhys'. Ym Mangor ym 1902, enillwyd y Gadair a'r Goron gan ddau o brif gynheiliaid y canu rhamantaidd newydd, Gwynn a Silyn, gyda W. J. Gruffydd yn ail am y Goron, ond yn Llundain, Gwynn a Gruffydd a enillodd y ddwy brif wobr. Y cyfnod hwn hefyd oedd cyfnod darganfod hanes a chwedloniaeth Cymru o'r newydd, cyfnod ailddarganfod Cymru ei hun, mewn gwirionedd, a bu ymgiprys mawr rhwng dau fath o ganu eisteddfodol, yr hen ganu diwinyddol a bywgraffyddol, ar y naill law, a'r canu ar hen chwedloniaeth Cymru, ar y llaw arall, a beirdd yr Ysgol Newydd a enillodd y dydd ym 1909. Roedd 1909 yn flwyddyn fawr i W. J. Gruffydd am reswm arall hefyd. Ar Awst 16, priododd â merch o'r enw Gwenda Evans. Lluniodd Gwynn gywydd, 'Hendref Serch', i ddathlu'r achlysur, a hwnnw'n gywydd rhamantaidd ac ynddo gyfeiriadau at hen lenyddiaeth a hen chwedloniaeth Cymru. Yn ôl y cywydd, priodir y ddau yn nheml serch yr oesoedd, ac y mae holl gariadon y byd yn ymuno yn y dathlu, syniad nid annhebyg i'r un a geir ar ddiwedd y caniad 'Rhamant' yn 'Gwlad y Bryniau':

> Ni bu loew drem belydr haul
> Eroch erioed mor araul,
> Na dail y coed o liw cain
> Unrhyw fore mor firain.
> Adnabuoch dân bywyd
> A nwyf ag awch nef i gyd;
> Teimlasoch mai teml oesau
> Cariad yw byd cred heb au –
> Fel cred ddifefl cariadau –
> Cred sy ddawn cariadus ddau.[38]

Ymhlith y cariadon hyn sy'n ymuno yn y dathlu y mae rhai o gariadon enwocaf hanes a llenyddiaeth Cymru: Trystan ac Esyllt, y ddau gariad chwedlonol y lluniodd Gruffydd ei bryddest iddynt ym 1902; Hywel ab Einion Llygliw, y bardd o'r bedwaredd ganrif ar ddeg a ganodd awdl i Fyfanwy Fychan o Gastell Dinas Brân, a Dafydd ap Gwilym a'i gariadferch Morfudd:

Chwardded pob atgas chwerwddu,
Da, mal y gwn, yw'r deml gu;
Yno i'ch gwylio e gaid
O lwyr hoen lawer enaid –
Rhyw fyrdd o bêr brifeirdd byd
A'u rhianedd drwy'r ennyd;
Hyd i'r wiw deml gyda'r dydd,
O draphell i'th weld, Ruffydd,
A gant âg awch, gynt, ei gân,
Di-drwst y deuai Drystan
A roes ei serch ar Esyllt,
Ym merw a gwaedd y môr gwyllt;
Ag un ferch ei gân a'i fyd,
Wen ddwylaw, yn ei ddilyd!
Draw ymhlith y dorf aml hon
Y bu hwnnw, Fab Einion,
Gynt â gloes a gant i'w glwy,
Ef a'i feinir Fyfanwy.
A Dafydd a'i Forfydd, fo,
Y ddau anwyl oedd yno,
Heb fod i neb ofidiau
I ganfod dydd gwynfyd dau.[39]

A bellach y mae'r ddau sydd newydd briodi yn byw mewn hendref serch, rhyw fath o Ynys Afallon i gariadon:

Yno y mae rhianedd
Awen byd – nid yn y bedd!
Pob tyner felusterau,
Pob hoew dymp a wybu dau;
Pe bai gelaf, pob golwg,
Pob gair heb anap a gwg:
Chwithau a aethoch weithian
Draw i lys yr hendre lân;
Yno'r ydych yn rhodiaw
Heno yn llon, law yn llaw ...[40]

Yn fuan ar ôl Eisteddfod Genedlaethol Llundain, tua chanol mis Gorffennaf, aeth Gwynn i Iwerddon eto – am yr ail flwyddyn yn olynol. Y tro hwn aeth i Ddulyn i ddarlithio ar iaith a llenyddiaeth Cymru i fyfyrwyr Gwyddelig gyda J. Glyn Davies o Brifysgol Lerpwl, a'r gŵr a oedd yn perthyn iddo trwy waed. Anfonodd lythyr at E. Morgan Humphreys o Clontarf (Cluain Tarbh, sef Gwaun y Tarw) ar gyrion Dulyn, lle'r oedd yn aros, ar Orffennaf 24, 1909. Cwynai ei bod yn bwrw cenllysg 'fel wyau geifr' ym mis Gorffennaf, ac nid oedd y tywydd oer o ddim lles i'w ysgyfaint, yn enwedig gan iddo ddal annwyd trwm yn Llundain.[41] Treuliodd ryw dair wythnos yn Iwerddon, a dychwelodd i Gymru ganol Awst.

Dychwelodd i swyddfa'r *Genedl*, yn ôl at yr un hen drefn haearnaidd. Ond roedd pethau ar fin newid. Ac yntau'n Brifardd cenedlaethol am yr eildro, roedd yn rhaid iddo bellach chwilio am swydd fwy cymwys i'w alluoedd. Roedd wedi glân syrffedu ar newyddiadura, ond beth arall a wnâi? Ac yn sydyn agorodd dau ddrws iddo, dau bosibiliad. Roedd sôn wedi bod ers tro y byddai swydd newydd yn mynd yn y Llyfrgell Genedlaethol. Pan glywodd Gwynn am y swydd, ym mis Rhagfyr 1908, cysylltodd â'r Llyfrgell i ofyn am fanylion amdani, ond nid oedd Cyngor y Llyfrgell wedi penderfynu dim byd yn derfynol ynglŷn â'r swydd ar y pryd, ac nid oedd yr un hysbyseb yn ei chylch wedi ymddangos yn unman. Fodd bynnag, wedi iddo ddychwelyd o Iwerddon, roedd y swydd hirddisgwyliedig yn cael ei hysbysebu. Un o'r cymwysterau y gofynnid amdano oedd 'a thorough knowledge of Welsh Language and Literature', ac nid oedd neb a ddôi'n agos at Gwynn yn hyn o beth, er i 29 ymgeisio am y swydd.[42]

Ond nid swydd y Llyfrgell Genedlaethol yn unig a hysbysebwyd y mis Awst hwnnw. Fel yr eglurodd wrth Daniel Rees, ar ôl i'w gyfaill gytuno i fod yn un o'i ganolwyr am y swydd yn y Llyfrgell:

> The post I am applying for is that of Welsh Lecturer in the new Irish University. I have some Irish backing, but probably the academics will get their man in. Yet I felt I was bound to try. The salary is only £150, but there would be outside classes & coaching, & the chance to do some real work in Irish, besides vindicating myself to some extent as not being a complete failure.[43]

Ond roedd Gwynn mewn cyfyng-gyngor:

> The Welsh Library are advertising for a Cataloguer. Must have knowledge of Welsh Literature. Salary £150. Applications to be in before Sept 8th.

I may try, if I hear from Professor Anwyl & if he encourages me. Will you therefore give me a testimonial for that purpose? I take it the job mainly requires some knowledge of palaeography, which I possess. On the whole, I should prefer Aberystwyth to Dublin, but it is a pity both came together, so closely. If I lost one I might try for the other if they were more apart, but what if, trying, I got both![44]

Ac nid oedd yn amhosibl y câi gynnig y ddwy. 'If an appointment is not made on strictly academical grounds, I may have a chance, as I know Breton rather well & know my way about in Irish,' meddai wrth Daniel Rees.[45] Ar y llaw arall, gallasai'n rhwydd golli'r ddwy swydd, a syrthio rhwng dwy stôl. Roedd ganddo broblem arall yn ogystal. Tybiai y byddai E. Morgan Humphreys hefyd yn ymgeisio am y swydd, a theimlai Gwynn braidd yn anesmwyth o'r herwydd:

> Y mae rhyw fusnes fel hyn yn benbleth gynddeiriog, onid yw! Os ydych yn awyddus iawn am gynnyg, ac os nad ellwch gael rhywun â mwy o ddylanwad na mi, peidiaf â chynnyg fy hun, a rhof destimonial iawn i chwi ... Peidiwch chwithau â rhoi'r goreu i'r bwriad am y gallwn i gynnyg, ac os nad ellwch gael gair rhywun amgenach na mi o hyn i ddiwedd yr wythnos, rhowch wybod, a pheidiaf â chynnyg ...[46]

Nid Gwynn yn unig a ffafriai Aberystwyth ar draul Dulyn. Mynnai Megan fod ei gŵr yn ymgeisio am y swydd yn y Llyfrgell Genedlaethol yn ddi-oed. Ond nid oedd raid i Gwynn na'i briod boeni. Rhoddwyd y swydd newydd yn Iwerddon o'r neilltu am y tro. Yn y cyfamser, rhoddwyd enw Gwynn ar y rhestr fer ar gyfer y swydd yn y Llyfrgell, yn un o blith pump. Y lleill oedd H. E. H. James, Hwlffordd (Cyfarwyddwr Addysg Sir Benfro); D. R. Jones, Blaenau Ffestiniog; Timothy Lewis, Aberaman; a D. Rhys Phillips, Abertawe. Gwysiwyd y rhain i ymddangos gerbron Cyngor y Llyfrgell yn yr Wyddgrug ar Hydref 29, a Gwynn a gafodd y swydd.

Adroddodd yr hanes wrth Silyn ar y diwrnod cyntaf o Dachwedd, 1909:

> Yr oeddwn yn ymgeisydd am swydd Darlithydd Cymraeg ym Mhrifysgol newydd Iwerddon, a myfi yn unig a enwyd gan y Senedd i'm penodi gan y Cyngor. Yr oeddwn yn disgwyl i hynny ddigwydd cyn penodiad Aberystwyth, ond beth a wnaeth y Cyngor ond creu cadair newydd (Hynafiaeth) ac er mwyn cael arian ar ei chyfer, gohiriasant ryw ddeg

o'r Lectureships. Clywais drwy gyfeillion fy mod yn sicr o'r swydd, os penodid, ond y gellid gohirio'r peth am dymor neu ragor. Felly, ymleddais am Aberystwyth, a llwyddais. Curais bedwar.[47]

Yr oedd i gychwyn ar ei swydd fel catalogydd ar Ragfyr 1, 1909. Trefnwyd noson i ffarwelio ag ef ac i ddymuno'n dda iddo yn ei swydd newydd gan aelodau o Glwb Awen a Chân. Llywyddwyd y noson gan Anthropos, a chafwyd noson hwyliog o ganu ac adrodd. Roedd llawer iawn o gyfeillion Gwynn wedi dod i ddymuno'n dda iddo yn ei swydd a'i gartref newydd, fel O. Llew Owain, Gwynfor ac Alafon. Un arall a oedd yn bresennol oedd y bardd a ddaeth yn ail iddo yn Eisteddfod Genedlaethol Llundain, R. Williams Parry. Ei gyfraniad ef i'r noson oedd nifer o benillion dan y teitl 'Cathl y Gair Mwys', penillion chwareus a doniol a chwaraeai ar yr enw Gwynn, ac efelychiad o 'Cathl y Gair Mwys', Peter Lewis, sy'n chwarae ar yr enw Lewis:

> Gresyn, gresyn i Gaernarfon
> Golli'i henw da yr awron,
> Beth mewn difri' ddaw ohoni
> Heb ddim Gwyn yn aros ynddi?
>
> Llawer, llawer sydd o sôn
> Am Oronwy Ddu o Fôn;
> Mwy o sôn fydd gyda hyn
> Am Oronwy Ddu a Gwyn.
>
> Dysgwyd inni gan rieni
> Barchu henaint a phenwynni;
> Pwy ohonom sydd yn gwybod
> Am ben Gwyn heb ei gydnabod? ...[48]

Ar ddiwedd y cyfarfod, anrhegwyd Gwynn â thri darlun yn yr un ffrâm, sef dau ddarlun o aelodau'r clwb o flaen man genedigaeth Goronwy Owen, a darlun ohono ef ei hun.

Erbyn dechrau mis Tachwedd 1909, roedd Gwynn yn paratoi ar gyfer symud i Aberystwyth. Cyn iddo symud, gofynnodd Silyn i'w gyfaill am ddrama fer y gallai pobl ifainc ei eglwys yn Nhanygrisiau, Blaenau Ffestiniog, ei chwarae. Roedd Gwynn wrthi ar y pryd yn ailwampio ei ddrama *Dafydd ap Gruffydd* ar gyfer ei chyhoeddi'n llyfr (er mai ym 1914 y cyhoeddwyd hi), ond tybiai ei bod yn rhy hir at ddiben Silyn, er iddo gwtogi cryn dipyn arni. Serch hynny, pe byddai Silyn yn ei derbyn i'w pherfformio, câi ganiatâd i wneud hynny am ddwy gini, pe câi ei chwarae unwaith, a phum gini, pe chwaraeid hi lawer gwaith. Poeni am y costau o symud o Gaernarfon i Aberystwyth yr oedd Gwynn. Roedd ganddo hefyd bedair drama fer, a chynigiodd y rheini hefyd i Silyn am delerau llai.

Ar Ragfyr 5, ysgrifennodd at E. Morgan Humphreys i ddweud wrtho ei fod wedi cyrraedd Aberystwyth yn ddiogel. Y diwrnod blaenorol y cyrhaeddodd y dodrefn i gyd, ond bu'n rhaid i'r teulu cyfan gysgu yn rhywle arall am ryw ddeuddydd, gan fod y gwelyau wedi gwlychu ormod yn ystod y mudo i neb gysgu arnynt. Tasg gyntaf Gwynn oedd catalogio llyfrgell y Parchedig Owen Jones, Llansanffraid-ym-Mechain, llyfryddwr a hynafiaethydd adnabyddus yn ei ddydd. Sylweddolodd y gallai'r sefydliad newydd hwn fod 'o werth anrhaethadwy [sic] i Gymru'.[49] Ond os oedd ar fin cychwyn gyrfa newydd, tybiai fod yr hen alwedigaeth wedi tynnu at ei therfyn. 'Y mae'n ddiameu gennyf yr af nad allaf byth mwy ganu barddoniaeth. Dyna'r daledigaeth am ddyfod yma!' meddai wrth Morgan Humphreys.[50]

Cychwynnodd y flwyddyn newydd, 1910, felly, mewn swydd newydd mewn tŷ newydd mewn lle newydd. 'Y mae gennym dŷ mewn lle o'r brafiaf yn y dref,' meddai wrth Silyn ym mis Ionawr.[51] A'r tŷ hwn, Eirlys, y Buarth, Aberystwyth, fyddai ei gartref ef a'i deulu am flynyddoedd lawer. Un o atyniadau'r tŷ oedd y golygfeydd o'r dref ac o Fae Ceredigion a welid drwy'i ffenestri. Ac eto, cafodd drafferth i ymgartrefu yno ar y cychwyn. Hiraethai am y Gogledd o hyd, a hiraethai am ei gyfeillion. 'Mae'r gwynt yn rhuo yn ogoneddus oddi allan, ac yn fy atgoffa am Eryri ardderchog,' meddai wrth E. Morgan Humphreys ar ddechrau Ionawr.[52] Y môr oedd y peth gorau yn Aberystwyth, a phwt o gywydd i'r môr oedd yr unig beth yr oedd wedi ei lunio oddi ar iddo gyrraedd ei gartref newydd. Amgaeodd gopi o'r cywydd, 'Ar Lan y Môr yn Aberystwyth, yn y Nos', gyda'i lythyr at E. Morgan Humphreys:

> Mae'r eigion, a'r môr, agos
> Â throi yn un aruthr nos,
> Ond trwy dawch y pellter du,
> Gwêl waneg yn gwelw wynnu,
> Mal gwan wawr ymhlygion nos
> Yn torri, gan chwant aros;
> Hoew y naid ei hewyn hi
> I'r lan, fel rhyw oleuni;

Rhithiol daen, fel erthyl dydd,

Ban dyffo – buan diffydd,

Ond tragywydd trig ewyn

Môr y nos, er marw, yn wyn,

A'r düwch oer mor dawel

Hyd y fan i'w orfod fel

Pe dwedai ef: "Paid, y don,

Ferw ddadwrdd, â'th freuddwydion;

Am oriau dydd ymaros,

Duw gwyll ni âd golli nos!"[53]

'Nid oes gennym yma gyfeillion wyneb lawen, nag ond ychydig os neb â digon o synnwyr yn eu pennau i roi llun yn y byd ar ddim a ddyfyd eu tafodau,' meddai wrth E. Morgan Humphreys ym mis Mehefin.[54] Cwynai ei fod yn unig. Ac eto, roedd gan y Gymdeithas Gymraeg yn Aberystwyth ddigon o feddwl ohono i'w wahodd i draddodi araith yn eu cinio Gŵyl Ddewi ym mis Mawrth, ac i lunio cân ar gyfer yr achlysur. Llenyddiaeth Gymraeg a phosibiliadau'r nofel a'r ddrama Gymraeg yn y dyfodol oedd pwnc ei araith:

> Mr. Gwynn Jones, in replying to the toast, said the ancient Welsh literature was practically unknown to the great body of Welshmen for the reason that those who were once its patrons had lost their love for the language. They had, however, to thank a few patriotic gentlemen who had once more made the treasures of Welsh literature available to them ... He agreed that a great deal could be done to develop the literature of their country on the lines of the drama and the novel. In connection with the drama it ought to be possible to erect theatres. In Russia they had what were called municipal theatres in the villages, supported by Government contributions. With such institutions in Wales he believed they could get plenty of men to write Welsh plays, which could be performed by local companies, and would be much better than the third and fourth rate plays presented on the English stage.[55]

Ni chafodd gychwyn addawol yn y Llyfrgell, a cheir awgrym cynnar mewn llythyr a anfonodd at Silyn y câi gryn dipyn o drafferth i ddygymod â'i swydd newydd:

Yr ydym yma bellach ers tua chwech wythnos. Prin y cefais hwyl iawn ar bethau yn y Llyfrgell hyd yma, ond y maent yn dyfod, ac yr wyf yn meddwl yr hoffaf y gwaith yn eithaf. Y drwg yw mai awdurdod ar gaead llyfr ac nid ar ei gynnwys y disgwylir imi fod o hyn allan.[56]

Dywedodd yr un peth wrth Daniel Rees ym mis Mawrth. Roedd yn mwynhau rhai agweddau ar y gwaith. 'Whilst there are things I would like better, I must admit that I like the library duties very well – indeed, I enjoy much of the work, particularly the difficulties, which I may describe as detective work,'[57] meddai. Ac eto, ar ôl ychydig fisoedd yn unig yn y swydd, ni allai lai na theimlo bod Cyngor y Llyfrgell wedi gwyngalchu'r swydd braidd, a'i dwyllo i raddau:

I was given to understand, before being appointed, that I might be sent to some of the Continental Libraries on the hunt, but have heard nothing of that since. How interesting it would be to be sent to Rome and Milan, where there must be some Welsh MSS and books![58]

Llyfrgellydd y Llyfrgell Genedlaethol pan gafodd Gwynn y swydd fel catalogydd yno oedd John Ballinger. Brodor o Bontnewynydd yn ymyl Pont-y-pŵl, Sir Fynwy, oedd John Ballinger. Bu'n gweithio fel cynorthwywr yn Llyfrgell Rydd Caerdydd ac yn Llyfrgell Gyhoeddus Abertawe cyn cael ei benodi'n Llyfrgellydd Llyfrgell Gyhoeddus Doncaster ym 1880. Dychwelodd i Gaerdydd ym 1884 ar gael ei benodi'n Llyfrgellydd Llyfrgell Rydd Caerdydd. Ym 1908, cynigiodd Syr John Williams, prif sylfaenydd y Llyfrgell Genedlaethol a'i Llywydd cyntaf, swydd Llyfrgellydd y Llyfrgell Genedlaethol newydd-anedig iddo, heb gystadleuaeth, a chychwynnodd ar ei waith ar Ionawr 1, 1909, bron i flwyddyn cyn i Gwynn gychwyn ar ei waith yn y Llyfrgell. Creodd Ballinger argraff ffafriol ar Gwynn pan gyfarfu ag ef gyntaf, yn yr Wyddgrug ar ddiwedd mis Hydref. 'Ymddengys i mi ei fod yn ŵr rhadlon,' meddai wrth Silyn.[59] Un peth a oedd wedi plesio Gwynn yn arw oedd y ffaith mai ef oedd dewis John Ballinger a Syr John Williams ar gyfer y swydd. Aelod arall o'r staff oedd Richard Ellis, a oedd wedi graddio o Goleg Iesu, Rhydychen, a gŵr a oedd yn awdurdod ar Edward Lhuyd. Roedd Gwynn yn hoff iawn ohono. 'Cefais y fraint o gydweithio ag ef am ryw dair blynedd a hanner, ac ychydig iawn fu nifer y dyddiau yn ystod y cyfnod hwnnw na byddai a wnelem lawer y naill â'r llall,' meddai Gwynn amdano ymhen blynyddoedd, ar ôl ei farwolaeth ym 1928.[60] 'Er mai byr fu'r cyfnod a chymysglyd, yn wir, y mae iddo bellach helaethach mesur ac unrhywiach modd,' meddai drachefn.[61] Y tu ôl i'r ansoddair 'cymysglyd' yr oedd tair blynedd o rwystredigaeth ac anniddigrwydd yn cuddio, ond gallai Gwynn, o bellter amser, synio am y cyfnod hwnnw 'fel llannerch heulog, mor ddistaw ac araul fel y byddai anodd gan ddyn feddwl dorri erioed ar ei thawelwch gan gymaint â gwich flin un wenynen farch'.[62]

Ni laddwyd ei awen na'i waith llenyddol yn llwyr trwy fod yn awdurdod ar gloriau llyfrau yn hytrach na'u cynnwys. Casglodd ynghyd rai o'r traethodau a'r ysgrifau beirniadol a oedd wedi ymddangos yn *Y Traethodydd* rhwng 1904 a 1909, a'u cyhoeddi dan y teitl *Traethodau*. Dangosai'r ysgrifau hyn ehangder a dyfnder ei ddiwylliant a'i ddysg. Ceid yn y llyfr, ymysg eraill, ysgrifau ar Leo Tolstoi, Cervantes, Uhland, Garibaldi a Tennyson.

Ym mis Mai 1910 cyhoeddwyd pennod gyntaf *Gorchestion John Homer*, sef 'Penodau yn Hanes y Godidog Fardd John Homer Jones', yn y *North Wales Express*, a nodwyd y byddai'r stori yn parhau yn rhifyn yr wythnos ddilynol o'r *Genedl Gymreig*. Ond yr oedd penodau yn hanes John Homer wedi ymddangos yn *Papur Pawb* a'r *Herald Cymraeg* bedair blynedd ynghynt. Cyhoeddwyd y nofel yn gyflawn ym 1923, a'i hailargraffu bedair blynedd yn ddiweddarach.

Ym mis Gorffennaf 1910, cyhoeddwyd ei drydydd casgliad o farddoniaeth, *Ymadawiad Arthur a Chaniadau Ereill*. Dywedodd wrth E. Morgan Humphreys ei fod 'yn fodlon iawn ar y llyfr'.[63] Roedd Morgan Humphreys wedi adolygu'r gyfrol yn *Y Genedl*, ac wedi canmol 'Ymadawiad Arthur' yn arbennig. 'Y mae'n dda odiaeth gennyf fod yr awdl yn cadw ei blas,' meddai Gwynn, 'er fy mod i yn barnu'r llall a'r *"Nef a Fu"* yn well na hi'.[64] Y 'llall' oedd 'Gwlad y Bryniau', nad oedd wedi cael ei chynnwys yn y llyfr. 'Y Nef a Fu' ac 'Ymadawiad Arthur' yw'r ddwy brif gerdd yn y casgliad, ond ceir rhai o'i gywyddau gorau ac enwocaf yn y casgliad hefyd, fel 'Penmon', cywydd i gofio taith Gwynn a'i gyfaill W. J. Gruffydd, a oedd yn athro yn Ysgol Ramadeg Biwmares ar y pryd, i Benmon, Ynys Môn, un Sul ym mis Hydref, 1906, a 'Hydref'. Ceir cerddi personol yn y gyfrol hefyd, fel 'Y Gennad' a 'Daear a Nef'.

Cerddi storïol ar fesurau rhydd – baledi i bob pwrpas – am arwyr hanesyddol a geir yn yr adran 'Cerddi Ddoe', fel Caradog, Arthur, Maelgwn Gwynedd, a 'Nest ac Owain', sef hanes Nest, merch Rhys ap Tewdwr, ac Owain ap Cadwgan. Yn yr adran 'Cerddi Heddiw', ceir rhai cerddi diddorol. Cyflwynwyd y gerdd 'Yr Hen Ffermwr' i Stephen Rees ac Isaac Jones. Tad ei gyfaill Daniel Rees oedd Stephen Rees, ac Isaac Jones, wrth gwrs, oedd tad Gwynn ei hun. Bu farw Stephen Rees yng Nghrymych yn hen ŵr llawn o ddyddiau ym mis Mai 1914. Cymerodd ran flaenllaw yn Rhyfel y Degwm yn ei sir ac roedd yn un o edmygwyr pennaf Thomas Gee. Anfonodd Gwynn lythyr at Daniel Rees ar Fai 21, 1914, i gydymdeimlo ag ef yn ei brofedigaeth o golli ei dad, wedi darllen am hanes claddedigaeth Stephen Rees yn y papur, ac fe wnaeth hynny ar y diwrnod y derbyniodd y newyddion am farwolaeth Dan Rhys o Gaernarfon, a oedd yn gyfaill i'r ddau. A soniodd am benillion 'Yr Hen Ffermwr':

> Seiliwyd hwy ar ystori a ddywedasoch ryw dro wrthyf am ewythr i chwi a gysgodd yn y grug ar Fforch y Garan, yr wyf yn meddwl. Ie, eich tad oedd Stephen Rees, a'm tad innau oedd y llall. Gwneuthum y gerdd pan oeddwn glaf ar ôl dyfod yn ôl o'r Dwyrain, a dodais y cyflwyniad i mewn am y gwyddwn ei bod hi yn wir am fy nhad fy hun, ac hefyd am eich tad chwithau, fel y clywswn chwi gynifer gwaith o dro i dro yn sôn am dano.[65]

Portreadu'r ffermwyr a adnabu Gwynn yn ei blentyndod a'i ieuenctid a wneir yn y gerdd, gan gynnwys ei dad ef ei hun. Pobl onest, gytbwys a phwyllog eu barn, a diwylliedig hefyd, oedd yr hen ffermwyr hyn, a gwŷr cynefin â gofidiau hyn o fyd. Gweithwyr caled oeddynt, a'r tirfeistri gorthrymus yn eu gwaedu'n sych:

> Er garwed llawer tymor,
> Ni phallwyd dwyn y rhent
> Yn llawn i'r conach unoes oedd
> Yn honni hen ystent.[66]

Honni bod eu hystad neu eu treftadaeth yn hen a wnâi'r landlordiaid, ond y ffermwyr oedd gwir ddisgynyddion y pendefigion gynt. '[C]onach unoes' oedd y tirfeistr, ond dolen yng nghadwyn yr oesoedd oedd y ffermwyr:

> Os celyd oedd ei ddwylaw,
> Os truan oedd ei ffawd,
> 'Roedd gwaed uchelwyr Cymru gynt
> Yngwythi'r ffermwr tlawd.[67]

Cerdd er cof am Emrys ap Iwan yw 'Y Dysgawdr'. Cenedlaetholwr digymrodedd a fynnai adfer urddas ei iaith oedd Emrys, a gŵr a fynnai ryddid i'w wlad:

Mynasai ef gael iaith ei wlad yn lân,
   A gwneud ei llên yn eang ac yn gref,
A thybiai hithau, gyda'r beirniaid mân,
   Mai mympwy ydoedd ei wybodaeth ef ...

Fe roddwyd iddo nawdd gan ambell un
   Nad oedd ond teilwng i fod iddo'n was;
Am fynnu rhyddid yn ei wlad ei hun
   Rhoed dirmyg arno gan estroniaid bas.[68]

Un o'r cerddi mwyaf diddorol yn y gyfrol yw 'Y Bardd', a hynny am mai portread ohono ef ei hun a geir ynddi. Dyma'r Gwynn ifanc yn byw ym myd ei ddychymyg:

Ag efe yn mynych grwydro
   Gan freuddwydio ar yr hynt,
Gwelodd fannau lle bu frwydro
   Dros y fraint a gollwyd gynt.

Carodd hanes tywysogion
   Cymru pan oedd Gymru rydd,
Arthur Frenin a'i Farchogion,
   A ddaw'n ôl pan d[d]elo'r dydd.

Chwiliodd lawer am yr ogo
   Lle maent hwy yn huno'n hir,
Nes daw'r alwad a'u harfogo
   Unwaith eto dros eu tir ...

Hyfryd oedd y dyddiau hynny,
   Teg a rhyfedd oedd y byd –
Pan orffenno'r enaid synnu,
   Cyll ei dwf a'i nerth i gyd.[69]

'When a small boy, I organised hundreds of imaginary armies, and won as many battles. Every cave seemed to be the possible resting-place of Arthur – I explored every one I knew or could find,' meddai yn 'Nationality and Patriotism', ac at y cyfnod hwnnw y cyfeirir ym mhenillion cychwynnol y gerdd.

Hunanbortread yw'r gerdd. Tynnwyd y bardd o'i gynefin, ac aeth i'r dref i ennill ei fywoliaeth:

> Ond yn nhreiglad y blynyddau,
>> Mynd a ddarfu iddo ef
> O dawelwch y mynyddau,
>> Lle mae'r ddaear yn y nef.
>
> Yn y dref yn flin ei drafael
>> Wedyn cafodd lawer croes,
> Ond ni chollodd ef ei afael
>> Ar freuddwydion bore oes.[70]

Gwynn yr ieithydd a ddisgrifir yn y pennill hwn. Er iddo ddysgu nifer o ieithoedd, ei iaith ei hun a garai fwyaf:

> Gwybu estron draddodiadau,
>> Dysgodd bennaf ieithoedd byd;
> Iaith a hanes gwlad ei dadau,
>> Mwy y carodd hwy o hyd.[71]

A breuddwydiodd am fod yn fardd i'w fro a'i genedl:

> Hir freuddwydiodd ganu cerddi
>> A rôi fri i'w fro ei hun,
> Gwneuthur llawer gorchest erddi
>> A'i chyfodi'n uchaf un.[72]

Creodd fyd bythol ifanc iddo ef ei hun, byd fel Ynys Afallon, y fro dirion nad arhosai cwyn yn ei thir, na haint na henaint:

> Yn ei galon fe ddychmygodd
>> Ieuanc fyd heb wae na chŵyn;
> Credodd ynddo a dirmygodd
>> Aur ac arian er ei fwyn.[73]

Breuddwydiai unwaith am gael mynd yn fyfyriwr i Rydychen, nes i'w iechyd bregus ac anallu'i dad ac eraill i'w gefnogi'n ariannol falurio'r breuddwyd hwnnw yn chwilfriw:

> Wyched oedd ei weledigaeth,
>   Uched oedd ei gais ef gynt!
> Ond yn nydd y brofedigaeth
>   Chwalwyd hwythau gyda'r gwynt.
>
> Daeth tynghedfen i wahanu
>   Rhyngddo a'r idëol fyd;
> Mae y cerddi heb eu canu,
>   Mae y bardd yn adfail mud.[74]

Ni fynnai'r byd mo'i farddoniaeth. Siomwyd y bardd i'r byw. Byd y geiniog oedd y byd, nid byd y gân. Materoldeb a reolai'r byd, ac nid oedd ynddo le i farddoniaeth:

> Gwrthun, ebe gwŷr y geiniog,
>   Ofer oedd ei lafur ef,
> A'i ddychymyg ffôl, adeiniog,
>   Melltith oedd, nid bendith nef.[75]

A dyna hanes T. Gwynn Jones y bardd. Mae'r gerdd yn ddrych cywir i'w siomedigaethau a'i ddadrithiadau. Bellach, ym 1910, adeg cyhoeddi'r gyfrol, catalogiwr a fu unwaith yn newyddiadurwr oedd T. Gwynn Jones. Bu'n rhaid iddo aberthu galwedigaeth a gweledigaeth er mwyn ennill bywoliaeth.

Ei gyfaill Alafon a adolygydd y llyfr i'r *Brython*. 'Fe fuasai ei le yn uchel yn y byd Seisnig pe buasai wedi canu a ganodd yn Gymraeg yn iaith y Saeson,' meddai.[76] Gwynn, yn ôl Alafon, oedd y bardd pwysicaf yng Nghymru ar y pryd:

> Y mae y gwahaniaeth mawr rhwng GWYNN JONES a bron yr oll o feirdd Cymru yn ei nerth a'i ddeheurwydd, a'i gyfoeth a'i goethder. Y mae ôl meddwl a llaw meistr gwirioneddol ar ei waith. Fe deimlir hyn i fesur neilltuol o fawr wrth fynd trwy ei awdl nodedig ar "Ymadawiad Arthur". Nid ydyw hi yn gywrain na rhwydd ei chynghanedd mewn llawer man, ond y mae hi yn gampwaith trwyddi – yn eithriad o gampwaith ymhlith yr awdlau a welodd Eisteddfodau Cymru o'i blaen.[77]

A chytunai â Gwynn mai 'Y Nef a Fu' oedd un o'r cerddi gorau yn y gyfrol.

Canmolwyd y llyfr yn hael gan Anthropos yn 'Y Golofn Lenyddol' yn *Y Faner*. 'Onid cywir fyddai dyweyd fod yr awdl hon yn ddechreuad cyfnod newydd yn hanes awdlau ein hiaith?' meddai am 'Ymadawiad Arthur'.[78] Camp Gwynn, meddai, oedd 'canu bywyd cenedl yn ystod ei gyrfa droiog a blin'.[79] Sylweddolodd adolygydd *Cymru* hefyd fod *Ymadawiad Arthur a Chaniadau Ereill* yn gyfrol bwysig, a bod ei hawdur yn grëwr cyfnod newydd:

> Nid wyf am gychwyn dadl yma ar le a nodweddion y bardd newydd, ac
> nid af o'm ffordd i gymharu dylanwad cyfrol fel hon â dylanwad cyfrol fel
> y *Lyrical Ballads* ar lenyddiaeth Lloegr. Yn unig dywedaf fod yr awdwr,
> wrth astudio'r hen feirdd, wedi cael eu gallu i dynnu darlun clir a chywir,
> eu gallu i ddweyd yn union y peth feddylient, dim mwy na dim llai.[80]

R. Silyn Roberts a adolygodd y gyfrol i'r *Goleuad*. 'Dyma gyfrol gymer ei lle yn nhreigl amser ymhlith clasuron telediwaf Llenyddiaeth Cymru,' meddai.[81] A dywedodd wrth drafod 'Y Dysgawdr', sef cerdd Gwynn er cof am Emrys ap Iwan:

> Gŵr anghyffredin iawn oedd Emrys. Gwynn Jones yw un o'r ychydig
> welodd ei fawredd, ac efe eto yn fyw. Nid oedd nemor iaith yn Ewrob na
> feddai Emrys grap go lew arni; ac yn hyn y mae ei ddisgybl yn debyg iddo,
> er na chafodd ddiwrnod o goleg erioed.[82]

Ond ar draws y côr unllais hwn o fawl, torrodd llais o anghytgord llwyr, gan frifo Gwynn i'r byw. Yr hyn a'i cythruddodd oedd ysgrif gan 'a Member of the Gorsedd' yn rhifyn mis Hydref 1910 o'r *Nationalist*. Gwyddai Gwynn a gwyddai eraill mai Syr T. Marchant Williams, sefydlydd a golygydd *The Nationalist* ac un o'r Gorseddogion mwyaf blaenllaw a phengaled, oedd awdur yr ysgrif, gelyn digymrodedd i John Morris-Jones a gŵr a wrthodai gredu mai twyll ac ystryw ar ran Iolo Morganwg oedd Gorsedd y Beirdd. Teitl yr ysgrif oedd 'The New School of Welsh Poets', ysgol newydd yr oedd pedwar bardd yn unig yn perthyn iddi, sef, yn ôl trefn eu pwysigrwydd yn nhyb Marchant Williams, y 'Marsiant' fel y'i gelwid: T. Gwynn Jones, R. Silyn Roberts, W. J. Gruffydd a John Morris-Jones. Ymosododd ar eirfa ac arddull y pedwar bardd i gychwyn:

... they are very correct writers, have a great command of the Welsh language, know something of other languages than their own, and possess unmistakable poetic gifts, and yet, affecting as they all do, the language and form and stilted style of ancient Welsh literature, and deliberately rejecting the simple words of contemporary speech, not one of these four men can by any possibility become popular poets ... and why Gwynn Jones and the other members of his school deliberately put before us the obsolete phrases and forms of the fifteenth and sixteenth centuries, and frequently buttress them with North Welsh words and phrases, passes my comprehension ...[83]

Honnodd mai cynulleidfa fechan iawn a oedd gan y beirdd hyn, oherwydd eu defnydd o eiriau anghyfarwydd, a byddai'r gynulleidfa honno yn crebachu fwyfwy gydag amser:

It is just possible that these bards of the new school may say that they specially aim at enlarging and enriching the working vocabulary of the literary Welshman and are perfectly indifferent to the tastes and demands of the ordinary Welsh reader of the day. Be it so. My reply is that these gifted men, even to-day, address a very small audience; that their audience will become steadily smaller and smaller as the years roll by, and that eventually it will resolve itself into a small group of collectors of curios in the deserted corners and scrap-heaps of the fields of literature.[84]

Beirniadodd awdl 'Gwlad y Bryniau' yn hallt. 'There are some exquisite passages in this Chair Ode, and yet it is not going to live,' haerai.[85] Prin fod angen i feirdd yr Orsedd ofni beirdd yr Ysgol Newydd. Dyma'r math o ragfarnau ac o agweddau hen ffasiwn y bu'n rhaid i feirdd y Dadeni Rhamantaidd eu goddef, wrth iddynt ymlafnio i arwain barddoniaeth Gymraeg o grastir crin yr Eisteddfod i werddonau ireiddiach:

The bards of the Gorsedd have nothing to fear from the rivalry of the bards of the new school, as they are at the present day. They will become dangerous only when they drop their offensive airs, their ostentatious pedantry, their foolish academic snobbishness, and, especially also, when they cease to mimic the mummies of Welsh literature.[86]

Anfonodd Gwynn lythyr at E. Morgan Humphreys yn cwyno am y 'conach Marsiant', ac amgaeodd lythyr o ateb i'w sylwadau, gan ofyn i'w gyfaill ei roi yn y *Genedl*.[87] 'Y mae gennyf fi lai o eiriau dieithr na'r cyffredin o'r prydyddion, pe bae hynny rywbeth ynddo'i hun, ac e ŵyr pawb a ŵyr rywbeth fy mod yn ysgrifennu'r iaith fel y sieryd y Cymry goreu hi, heb ei damnio â dulliau Saesneg bob cynnyg,' meddai.[88] Unwaith yn rhagor, teimlai fod y Cymry yn ei ddibrisio fel bardd a llenor, a dyma'r artist rhwystredig yn codi ei ben eto:

> Yr wyf fi wedi penderfynu, rhyngoch chwi a minnau, na phrydyddaf mwy yn Gymraeg, ac nad ysgrifennaf ychwaith ar ôl gorffen y pethau sydd gennyf ar eu hanner. Y mae arnaf flys cynnyg ar ysgrifennu ystraeon Saesneg, os na chaf rywfodd afael ar ffarm. Gadawer i daeogion ysgrifennu i daeogion, o'm rhan i. Gwastraffu'n hamser yn ofer yr ydym, canys fe ddarfu am y Cymry bron i gyd.[89]

A hawdd deall ei rwystredigaeth. Ei ymateb dieithriad i ymosodiadau o'r fath oedd bygwth rhoi'r gorau i farddoni am byth.

Pan gâi ei frifo, câi ei frifo'n ddwfn. Ac eto, nid sylwadau'r sawl a'i beirniadai a'i poenai, oherwydd, yn amlach na pheidio, nid oedd gan y rhai hynny a geisiai ei ddiraddio mo'r cymwysterau na'r hawl i wneud hynny. Nid oedd T. Marchant Williams, er enghraifft, yn fardd nac yn feirniad o fath yn y byd, er ei fod wedi cyhoeddi cyfrol o farddoniaeth, *Odlau Serch a Bywyd*, ond canu rhigymaidd ac ystrydebol a gaed yn honno. Ofni a wnâi Gwynn y byddai pobl eraill yn credu'r bobl hyn, heb sylweddoli bod diffyg gwybodaeth a diffyg gallu, yn ogystal ag elfen gref o ragfarn a chenfigen, yn lliwio eu barn. Nid oedd barn Marchant Williams ei hun yn cyfri dim iddo, gan nad oedd unrhyw werth nac awdurdod i'r farn honno, ond gallai pobl fel Marchant wneud drwg mawr iddo ef, ac i eraill. Ymosododd Marchant ar y pedwar bardd gorau yng Nghymru ar y pryd, ac roedd hynny yn dweud llawer. Y broblem gyda T. Marchant Williams, a phawb tebyg iddo o blith cyfoeswyr Gwynn, oedd eu llwyr anallu i sylweddoli pa mor wych oedd rhai beirdd o'u cymharu â beirdd eraill, mwy israddol. Diffyg crebwyll, diffyg deallusrwydd a llawer gormod o ragfarn a nodweddai'r 'bolcloddiaid' hyn, ond gallent wneud drwg mawr i feirdd a oedd yn wir feirdd, a hynny a boenai Gwynn, fel yr addefodd wrth E. Morgan Humphreys ym mis Rhagfyr 1910:

> Am feirniadaeth y cnaf o'r De, mi wn ei gwerth cystal â neb. Tra bwyf fi yn abl i ennill gair da beirniaid gwirioneddol, fel chwychwi, byddaf yn

ddigon bodlon, ond y mae'r bolcloddiaid yn lliosog, ac yn chwanocach i gredu ffŵl neu gnaf na dyn call, ac am hynny yr wyf wedi penderfynu nad ymboenaf fi eto gyda phrydyddiaeth Gymraeg, os na ddaw rhyw dro rhyfedd ar fyd. Y mae digon o le yn Saesneg, ond cael gafael ar ben y llinyn, a mwy o dâl a rhywfaint o barch yn [y] fargen.[90]

Newydd gael pwl arall o dostrwydd yr oedd Gwynn ar y pryd, a theimlai'n isel ei ysbryd o'r herwydd.

Yn rhyfedd iawn, roedd Gwynn ei hun wedi cyfrannu ysgrif i gylchgrawn Marchant Williams ym mis Gorffennaf, ac yn yr ysgrif honno, galwodd am weithiau barddonol dyfnach ac ehangach, a mwy uchelgeisiol, yn hytrach na cherddi bach syml a thelynegion ystrydebol, sef y math o gerddi yr oedd Marsiant a'i gyfeillion gorseddol yn eu llunio, ac efallai mai hynny a oedd wedi corddi golygydd *The Nationalist*:

> A new generation of readers is springing up, and to them if training means anything, Welsh will become practically a dead language unless it has something to offer which is of the best in the literary market. That we have many writers of pretty conceits and tuneful lyrics is generally admitted, but there is a demand for deeper and wider work, and in that work must be sincerity and simplicity. And for poetry, at least, I do not think that the resources of the language as a medium of artistic expression have been exhausted.[91]

Gwaith dyfnach ac ehangach: dyna'r pwynt. Apeliai hefyd am fwy o amrywiaeth a rhyddid mydryddol, a mwy o amrywiaeth o ran themâu a phynciau yn ogystal. Mewn geiriau eraill, roedd Gwynn eisoes yn myfyrio ar fesurau hirion – ar gyfer cerddi'r dyfodol.

Ymunodd W. J. Gruffydd yn y ffrae. Atebodd haeriadau T. Marchant Williams, yn ogystal â sylwadau difrïol gan un o lythyrwyr *Y Brython*, ym mis Hydref 1910:

> Nid oes arnaf gywilydd dweyd na orffwyswn ... nes bydd pob gair wedi mynd yn gelwydd a yngenir yn erbyn sobrwydd, gonestrwydd, tegwch a thalent beirdd Cymru. Ni byddwn yn ffyddlon i'r addysg a roes Cymru ini, i draddodiadau y werin na welodd y byd erioed ei chystal, i grefydd ddilychwin y tadau a'r mamau anwyl a'n magodd os na ch[o]dwn ein llef yn uchel, ac os na tharawn ambell dro ergydion caled yn erbyn y

drindod o ellyllon sy'n bygwth Cymru a'i hawen heddyw – Mamon ac Anwybodaeth ac Anhegwch. A chyn tewi, cywilydd, meddaf, i'r taeog a fyn godi ei law yn erbyn gwŷr fel Gwynn Jones a Morris Jones ac eraill o'n cymheiriaid sy'n cynrychioli bywyd meddyliol a moesol Cymru ar ei oreu. Y mae a'u hedwyn ac a'u câr yn ysgrifennu.[92]

Nid T. Marchant Williams oedd yr unig un i ymosod ar Gwynn ddiwedd 1910. Roedd adolygydd yn y *Western Mail* hefyd wedi ei gyhuddo o ddefnyddio geiriau hynafol, ac annealladwy i'r mwyafrif, yn ei farddoniaeth. Ac meddai wrth Daniel Rees:

> I know I have used many "archaic" words, but is Welsh the only language in Europe in which one's vocabulary is to be limited to that of unlettered people? If we are to be restricted to the 500 words or so understood by all uneducated Welshmen, our literature is doomed. Besides, most of my so-called "archaisms" are living forms & words in the Hiraethog speech as I learnt it, & I have here in Cardiganshire heard some of the forms & words which I had myself regarded as having long gone out of use. I could make the Mail critic look rather ignorant if I chose to reply, which I don't. Probably I shall drop Welsh poetry after this, and try English fiction, though I understand my book is selling well. I love the old language, as you know, and have sacrificed something for that love. But I will never attempt to write the horrible jargon that is gradually but surely replacing it.[93]

Gyda'r iaith yn crebachu fwy a mwy a'i geirfa'n lleihau, roedd y bardd neu'r llenor o Gymro yn wynebu argyfwng. Ni allai bratiaith na bastardiaith gyfleu unrhyw fath o ddyfnder na rhoi graen ar unrhyw fynegiant, ac roedd angen geirfa eang ar bob bardd a llenor i roi grym a manylder i'r dweud. Ni allai plentyn dwyflwydd oed lunio cywydd gwych.

Erbyn mis Medi 1910, roedd Gwynn wrthi'n paratoi'r ffordd ar gyfer tasg feichus a llafurus, sef llunio cofiant i'w gyfaill a'i athro, Emrys ap Iwan. Apeliodd, drwy'r papurau, am gael benthyca llythyrau Emrys gan bwy bynnag yr oedd llythyrau yn eu meddiant. Yr oedd papurau Emrys ei hun ganddo eisoes, ond roedd yn awyddus hefyd i gael gafael ar ei lythyrau at bobl eraill.

Daeth y flwyddyn newydd. Ymwneud â mân bethau yr oedd Gwynn ym mis Ionawr 1911. Roedd newydd ddarganfod barddones o'r Eidal o'r enw Ada

Negri, a chafodd ei gyffroi gan ei gwaith i'r fath raddau nes iddo lunio ysgrif ar ei cherddi a'i hanfon i'r *Socialist Review*. Roedd wrthi hefyd yn cyfieithu gwaith Anna Ambrosius, y farddones o'r Almaen, a gobeithiai gyhoeddi cyfrol fechan o gyfieithiadau yn y man. Poenai am ei gyfaill E. Morgan Humphreys yn gorfod ymlafnio mewn swyddfa bapur newydd o hyd, a chynigiodd fod o help iddo i gael swydd newydd, pe bai'n dymuno hynny. Hiraethai am gwmni ei gyfaill o hyd. Nid oedd yn hoff o Aberystwyth. 'Y mae yma le digynnyg, a dydd Sul fel barn ar bopeth,' meddai wrth ei gyfaill pell.[94]

Yr oedd pasiant arwisgo'r Tywysog Edward yn Dywysog Cymru i'w gynnal ar Orffennaf 13, 1911, gyda David Lloyd George yn gyfrifol am y trefniadau; ddeuddydd yn ddiweddarach, byddai'r Brenin, Siôr V, a'r Frenhines Mary yn gosod carreg sylfaen y Llyfrgell Genedlaethol. Gwyddai Gwynn y byddai'r Cymry yn ymdrybaeddu yn eu taeogrwydd ar yr achlysuron hyn, ac mewn pwl o gynddaredd yr anfonodd air at E. Morgan Humphreys, a oedd, wrth gwrs, yn byw ac yn gweithio yn y dref lle y cynhelid yr arwisgo:

> ... e fydd yn anodd byw yng Nghaernarfon ac yn Aberystwyth am fisoedd bellach, a phob ffŵl o gwmpas dyn dan glwy'r brenin ... Y mae'n drueni fod y byd mor wasaidd, onid yw? Sôn am ryddid. Ymha le y cair? Y mae'r boblach yma o'u couau am fod rhyw greadur o ddyn cyffredinach na'r cyffredin yn dyfod yma.[95]

Teimlai'n ddiflas ei fyd o hyd. 'Yr wyf wedi blino ar lenydda a diflasu ar lyfrydda, ac nid oes hwyl ar ddim bron, ond tipyn o Roeg,' meddai wrth Morgan Humphreys.[96] Dwysáu'r diflastod a'r syrffed a wnâi'r holl baratoi gogyfer ag ymweliad y Brenin a'r Frenhines. Wrth i'r achlysur rhwysgfawr hwnnw ddod yn nes ac yn nes, gwaethygai'r sefyllfa yn y Llyfrgell. 'Taeogion in excelsis sydd yma, Duw a'i gŵyr, ac y mae clwy'r brenin ar bob adyn ohonynt yn gythreulig y dyddiau hyn,' meddai wrth Morgan Humphreys ar ddechrau Ebrill.[97] Codai taeogrwydd y Cymry gywilydd arno. Gwladgarwch rhad ydoedd. 'Pwdr drwyddo yw bywyd cyhoeddus Cymru, ie yn wir, ac yn enwedig yng Nghaerdydd,' meddai yn yr un llythyr.[98] Ofnai y byddai popeth Cymreig yn darfod cyn bo hir. Fodd bynnag ni fwriadai fod yn y Llyfrgell 'pan haloger yr awyr gan y corrach'.[99] Cafodd lythyr oddi wrth olygydd y *Western Mail* ddiwedd Mehefin, yn gofyn iddo lunio cân ar yr Arwisgo yng Nghaernarfon, i'w chyhoeddi yn y papur hwnnw. 'Prin y rhaid i mi ddywedyd mai rhy brysur oeddwn!' meddai wrth Morgan Humphreys.[100]

Yn ystod haf 1911 roedd Gwynn yn meddwl am ysgrifennu nofel Saesneg. Bu'n darllen straeon H. G. Wells eto, a bwriadai lunio ei nofel ef ei hun trwy gymryd 'syniad Wells yn *The Sleeper Awakes* yn ganiataol cyn belled â hyn – fod dynoliaeth yn byw mewn dinasoedd, ac na thrinir ond y tiroedd breision,' eglurodd wrth E. Morgan Humphreys.[101] Mewn llythyr arall ato, rhoddodd fwy o fanylion am ei nofel arfaethedig:

> Y mae gennyf gynllun ar ei hanner. Bardd ymhlith y trefolion bethau yn hiraethu am yr hen fywyd, ac yn troseddu yn erbyn y meistradedd drwy godi plaid newydd ym mysg y caethion (h.y., gweithwyr). Yna, yn dianc o'i garchar, ac wrth grwydro yn fforestydd yr Wyddfa, yn dyfod o hyd i bobl yno – the savages, who have refused to be civilised, & who live in the forests, unknown to the townsmen. He gets to know presently that through the countries of Europe there are Savages in large numbers. Leading a wild life in the open, they have become enormous men, with chests & muscles well developed. On the other hand, the townsmen have been reduced in stature through the effects of conveyances, lifts, & luxuries, & bad air and confinement among the workers. The poet becomes a leader, and leakages from the towns supply brains trained to modern habits & means of warfare ... Practical annhiliation of commercial capitalism & town dwellers. Hints at reorganisation of society on Socialist basis ... The poet is to be of Welsh descent, of course, named Gwawr, or something symbolical.[102]

Nofel wyddonias wedi ei lleoli yn y dyfodol, mewn geiriau eraill.

Roedd Gwynn 'yn ddihwyl ddychrynllyd' eto ar ddechrau mis Awst, ond treuliodd wythnos yn gweithio ar fferm ei dad yn ystod yr haf hwnnw, a gwnaeth hynny fyd o les iddo.[103] Yr oedd newydd gytuno i ymgymryd â'r dasg anferthol o lunio cofiant i'w hen feistr, Thomas Gee, ar y pryd, yn union fel roedd ei gofiant i Emrys ap Iwan bron â bod yn barod ganddo. 'Bydd yn hanes Cymru mewn gwirionedd am gyfnod lled faith a dyddorol,' meddai am gofiant Thomas Gee wrth E. Morgan Humphreys.[104]

Bu farw Thomas Gee ym mis Medi 1898, ac roedd ei fab, Howel Gee, yn awyddus i gael cofiant i anrhydeddu'i dad. Bu farw Howel Gee ym 1903, gan adael Mary, merch ddibriod Thomas Gee, a'i fab-yng-nghyfraith, D. S. Davies, i ymgymryd â'r gwaith o gomisiynu'r cofiant. Y Parchedig Griffith Ellis, cofiannydd profiadol a llwyddiannus yn ei ddydd, oedd dewis cyntaf D. S. Davies, ond rhoddodd y cofiannydd y gorau i'r gwaith ar ei ganol, oherwydd bod rhyw ugain mlynedd o hanes Gee yn rhy fylchog ac yn rhy anghyflawn ganddo. Bu'n gweithio ar y cofiant am bum mlynedd cyn i'r teulu ei ryddhau. Rhaid bellach oedd cael rhywun arall i lunio'r cofiant. Er na wyddai Gwynn hynny ar y pryd, cofiannydd arall, D. E. Jenkins, oedd ail ddewis y teulu, ond gwrthododd y cynnig, ac awgrymodd y gwnâi Gwynn gofiannydd teilwng iawn. Ar Awst 29, 1911, anfonodd D. S. Davies wahoddiad ffurfiol iddo i lunio'r cofiant. Disgwylid iddo ddod i ben â'r gwaith i gyd erbyn dechrau mis Medi, 1912, a bwriadai'r wasg gysodi'r llyfr fesul pennod, fel y dôi'r penodau i mewn.

Roedd Mary Gee yn amau ai Gwynn oedd y dewis gorau i lunio cofiant i'w thad. Gwyddai ei fod yn gweithio ar ei gofiant i Emrys ap Iwan ar y pryd, gŵr a oedd wedi ffraeo'n gyhoeddus â'i thad. Credai hefyd fod angen rhywun sicrach a chadarnach ei safbwyntiau crefyddol na Gwynn, ond ceisiodd D. E. Jenkins ei darbwyllo mai ef oedd yr union ddyn i ddarparu cofiant i'w thad. Gofynnodd Gwynn am £50 am y gwaith, ac addawodd Mary Gee roi pob cymorth iddo. Ac meddai Gwynn, wrth ddiolch iddi am addo trosglwyddo papurau ei thad iddo:

Of course, as you know well, I had as much to do with your father as most young men who had the privilege of knowing him in my time. Rash as I then used to be, I sometimes ventured to argue with him, but I am happy to say that I enjoyed his confidence and respect to the end, and to remember that invariably his good-humoured laughter at some of my youthful notions amply testified to his fatherly interest in me and to his recognition of my admiration and reverence for him. It is a genuine pleasure now to think of those days, when I learnt much of what has made me whatever I may be, from the one man who practically made modern Wales what it is politically. You will understand me when I say that I look forward to the task I have undertaken with the certainty, whether I succeed or not, of finding in it that refined pleasure mixed with tender regret which one must ever experience in contemplating one's early association with some of the great departed. If I fail to do justice to your dear father's memory, I am sure you will know it will not be through lack of interest or of effort.[105]

Derbyniodd Gwynn gan y teulu, ymhlith tomennydd o bapurau a defnyddiau, y penodau yr oedd Griffith Ellis wedi eu paratoi, a bu'r penodau hynny yn gaffaeliad iddo. Trwy gydol yr amser y bu'n gweithio ar y cofiant, edrychai Mary Gee a D. S. Davies dros ei ysgwydd, ac awgryment doriadau, diwygiadau ac ychwanegiadau fel yr âi'r gwaith rhagddo.

Oherwydd John Ballinger, sefydliad digon Seisnigaidd oedd Llyfrgell Genedlaethol Cymru – o bobman dan haul. Ar ôl bod yn y Llyfrgell ers blwyddyn a rhagor bellach, dechreuodd Gwynn fagu atgasedd tuag at ei bennaeth, a hynny ar gorn ei agwedd anghymreig a'i drahauster yn bennaf, ac ni chytunai â pholisïau'r Llyfrgell ychwaith. Cafodd ei gythruddo ym mis Hydref, wedi i swydd newydd gael ei chreu yn y Llyfrgell, ac arllwysodd ei fol mewn llythyr at E. Morgan Humphreys:

> Rhyngoch chwi a minnau, yr wyf yn ofni mai Sais fydd y tebycaf o gael y lle. Yr wyf yn deall eu bod yn awr yn adferteisio yn yr *Athenæum* am gynorthwywr arall yma, a dywed yr adt. "that a knowledge of Welsh is desirable but not essential!" Dyma ddiawl o beth! Y mae un Sais uniaith yma yn ormod o fwrn ac o dwyll a ffug, myn f'einioes i, a pha werth a fyddai *classifier* heb fedru'r iaith y mae'r rhan fwyaf o'r llyfrau sydd yma eisoes ynddi?[106]

A gofynnodd i'w gyfaill ddinistrio'r llythyr ar ôl ei ddarllen.

Ddiwedd mis Tachwedd, digwyddodd ffrae enfawr rhwng Gwynn a John Ballinger. Roedd rhyw newyddiadurwr wedi galw Ballinger yn 'eminent Celtic Scholar', ac meddai Gwynn wrth Morgan Humphreys:

> Yr wyf yn credu bellach fod un journalist yng Nghymru â humour ynddo, heblaw chwi, pwy bynnag ydyw! Bu awr o ffrae rhyngof a'r ysgolhaig Celtaidd echdoe. Dywedais bethau melltigedig wrtho, a heriais ef chwe gwaith to suspend me instantly, to report me to the Council, or to dare me to resign myself. He took it all lying down. I am sick of the damned show – it is the greatest fraud in Wales as carried on – and that is saying a good deal! I will get out of it as soon as I can.[107]

O fis Hydref 1911 ymlaen, roedd gaeaf prysur o'i flaen unwaith eto. Roedd wedi addo traddodi deunaw o ddarlithoedd ar lenyddiaeth Gymraeg i ddosbarth nos a oedd ganddo yn Aberystwyth, hyn oll ar ben gweithio ar gofiant Thomas Gee, a sawl peth arall a oedd ar y gweill ganddo. Fel arbenigwr ar y cywydd yr ystyriai Gwynn ei hun bellach, ac roedd yn awyddus i'r byd a'r betws wybod hynny. Gofynnodd i E. Morgan Humphreys roi geirda iddo yn un o'i bapurau:

... to the following effect – that I have paid particular attention to the history and development of the kywydd, and that I mean to write it up in time. That I have already lectured on the subject to various societies, & that I am to give a course of lectures on the kywydd at the Welsh Summer School at Llandudno next August.[108]

Dywedodd wrth Morgan Humphreys y bwriadai adael y Llyfrgell unwaith y dôi cyfle i wneud hynny. Ar ôl blwyddyn yn y swydd, yr oedd, y mae'n amlwg, yn chwilio am swydd arall, ac mai swydd darlithydd yn y Brifysgol fyddai honno. Dyna pam y gofynnodd i Morgan Humphreys roi pwt canmoliaethus amdano yn y papur. Ar ben hynny, cyfres o ddeunaw darlith ar lenyddiaeth Gymraeg drwy'r canrifoedd a draddodwyd ganddo yn ystod gaeaf 1911-1912, a bu rhai o bobl bwysig Coleg Aberystwyth yn gwrando arno. Roedd y darlithoedd hyn yn ffenestr siop ardderchog i'w alluoedd, ac ymhlith y rhai a ddôi i wrando arno roedd cynrychiolaeth gref o'r Brifysgol – yr Athro Edward Anwyl, pennaeth yr Adran Gymraeg, T. F. Roberts, y Prifathro, a J. H. Davies, Cofrestrydd y Coleg. Traddodid y darlithoedd hyn dan nawdd Pwyllgor Addysg Sir Aberteifi, ond yn fuan ar ôl dechrau eu traddodi, roedd aelodau o Gyngor y Coleg yn awyddus i gysylltu'r gyfres hon o ddarlithoedd â'r Coleg, a gwnaed Gwynn yn diwtor a oedd i dderbyn cyfarwyddyd gan y Coleg.

Ddechrau 1912, roedd Gwynn yn anniddig iawn yn ei swydd, ac roedd y gwrthdaro rhyngddo a John Ballinger yn parhau. Meddai wrth Morgan Humphreys:

Dywedais wrthych dro yn ôl fy mod wedi ffraeo â'r Sais uniaith, hanner anllythrennog sy'n bosio'r shou yma, a bod pethau ar ddigwydd. Wel, rhyngom ill dau, y mae hi yn o ddigrif yma. Gwelais i cyn hir ar ôl dyfod yma, fel y dywedais wrthych, mai twyll oedd y gŵr, na wyddai odid ddim, ond sut i osod llyfr ar silff. Am hynny, gadewais iddo gymryd ei dennyn, ac os nad wyf yn methu fe aeth yn agos iddo yntau ymgrogi. Tua dechrau'r flwyddyn yma, ymddengys fod yr awdurdodau wedi mynd i edrych o'u cwmpas, a deall sut yr oedd pethau yn y shou. Gwelsant, mae'n debyg, nad allent yn ddiberygl, sefyll yn gefn i'r gŵr gwellt yn erbyn y gweddill ohonom, ac awgrymasant i'r gŵr gwellt hwnnw y byddai buddiol iddo fynd am dro i rywle am ddeufis neu dri. Erbyn canol Chwefror, yr oedd yntau yn glaf o glefyd cyfleus iawn, ac y mae bellach ar y Cyfandir yn rhywle yn iacháu ...[109]

Yn absenoldeb John Ballinger, gweithredai J. H. Davies, Cofrestrydd y Coleg, fel pennaeth dro dro, a daeth gwell trefn ar bethau o'r herwydd. Tybiai Gwynn fod Cyngor y Llyfrgell 'yn awyddus am guddio eu trwstaneiddiwch di-esgus yn penodi dyn mor anllythrennog i swydd sy'n gofyn ysgolhaig a gŵr bonheddig'.[110] Roedd y 'parasite noethlymun' hwn wedi cael bywoliaeth fras ar ymennydd pobl eraill.[111]

Roedd Gwynn bellach yn casáu'r swydd i'r eithaf, yn enwedig gan fod John Ballinger yn ennill cyflog a oedd bum gwaith yn fwy na'i gyflog ef, a hynny am fwnglera popeth:

> O'm rhan fy hun, yr wyf wedi edifaru am bob blewyn sy'n aros ar fy mhen fy mod wedi dyfod yma. Y mae'n gas gennyf feddwl am y lle. It is really an insult to one's intelligence to be compelled to take orders from such a person, and the case is still more intolerable when you think that he is paid about £700 a year, & that Dick Ellis and myself get only £150 ... I have never been treated as I have been treated here, and if I had only myself to consider, I should not have remained three months, even if I had been compelled to become a tramp.[112]

Roedd yn dal i weithio ar gofiant Thomas Gee, a oedd yn 'ystori ddyddorol anghyffredin', ac yn chwilio am gyhoeddwr i'w gofiant i Emrys ap Iwan.[113] Gobeithiai hefyd gasglu darlithoedd ei ddosbarthiadau nos ynghyd a chyhoeddi dwy neu dair cyfrol ar lenyddiaeth Gymraeg, o'r Cynfeirdd a Beirdd y Tywysogion hyd at feirdd y mesurau rhyddion a beirdd yr Eisteddfod.

Treuliodd Gwynn a'r teulu wythnos o wyliau yn Ystrad Meurig ar ddechrau mis Mai 1912. Roedd annwyd ar ei ysgyfaint pan aeth yno, ac ofnai fod yr hen afiechyd yn dod yn ôl eto, ond wedi deuddydd, roedd ei ysgyfaint yn glir. 'Overwork during the winter & the intolerable condition of things in this establishment brought about a nervous strain, & I had to give up work about a week before Easter,' meddai wrth Daniel Rees.[114] Ac fel yr oedd yn dechrau gwella, trawyd Gwynn, Megan ac Eluned gan y ffliw. Ar ben hynny, roedd Eluned yn cael trafferth â'i llygaid. Mwynhaodd Gwynn y gwyliau hynny yn Ystrad Meurig. Roedd yn aros mewn ardal gyfoethog, yn hanesyddol ac yn llenyddol, fel yr eglurodd wrth E. Morgan Humphreys:

> Y mae yno le gogoneddus. Ystrad Fflur y gelwir y stesion, a rhyw chwarter milltir sydd oddiyno i Ystrad Meurig, lle y mae hen ysgol Edwart Risiart yn fyw a llwyddiannus hyd heddyw. Ryw bedair milltir o'r dafarn lle'r arhosem, y mae adfeilion hen Fynachlog Ystrad Fflur. Buom yno, a

gwelsom bopeth sydd yno i'w weled – y porth, bwa ardderchog ei waith maen; darnau o'r muriau, pileri nâdd, teils y llawr, o amryw liwiau; beddau rhyw ddwsin o'r hen Frodyr, ond heb enwau arnynt; ychydig ddelwau dadfeiliedig – un yn llun pen mynach; hen fedyddfaen ar lun cragen; llun ar bren, nad eill fod tros ryw drichanmlwydd oed ... a'r ywen y dywed traddodiad fod Dafydd ap Gwilym yn cysgu wrth ei bôn.[115]

Ym 1920 y lluniodd ei delyneg enwog 'Ystrad Fflur', ond roedd rhyfeddodau ac awyrgylch yr hen fynachlog adfeiliedig wedi gwaelodi yn ei gof ymhell cyn hynny. Collodd Gwynn ddeufis o waith i gyd yng ngwanwyn 1912, oherwydd ei helbulon, a dechreuodd feddwl na allai byth orffen *Cofiant Thomas Gee*.

Roedd yr anghydfod rhyngddo a John Ballinger yn parhau. Yn wir, roedd pethau'n mynd o ddrwg i waeth. Roedd Gwynn bellach yn ysu am adael y Llyfrgell. Honnodd fod y staff i gyd, yn ogystal ag aelodau Cyngor y Llyfrgell a thrigolion tref Aberystwyth i gyd yn ei erbyn. Roedd amgylchiadau gwaith bellach yn annioddefol, oherwydd John Ballinger:

I have done with him for ever, and have told him so & told members of the Council as well. They promise some rearrangement, but they don't want to let people know what fools they have been, so we have to suffer. If B. is worth £600, I am worth £10,000, & I say so myself ... What a cursed fool I was not to have gone to Ireland![116]

Clywodd, meddai wrth Daniel Rees ganol mis Mehefin, mai ymgeisydd arall am y swydd oedd dewis John Ballinger, er iddo gael yr argraff, ar ôl cael ei benodi, mai ef oedd dewis cyntaf y Llyfrgellydd. Cwynai fod Ballinger yn ei drin fel bachgen ysgol a'i fod yn gorfod gwneud gwaith y gallai unrhyw fachgen o'r Ysgol Sir ei gyflawni. 'I stood the policy of pin pricks & petty annoyance for two years – not a bad record for a person of my temperament,' meddai wrth Daniel Rees.[117]

Roedd Gwynn yn ddigalon eto ym mis Gorffennaf. Bellach, ac yntau yn 41 oed, roedd canol oed yn nesáu. I ble'r aeth ei yrfa? I ble'r aeth yr holl gynlluniau gynt? Ac meddai wrth E. Morgan Humphreys:

Y mae bywyd yn mynd yn ddiflasach beunydd, ac y mae hen gyfeillion ieuenctid dyn yn werthfawr, onid ŷnt mewn gwirionedd. When the world was young and we were generous & enthusiastic! All our blasted cynicism cannot overcome the young corner in our hearts![118]

Ni chafodd yr un swydd a oedd wrth ei fodd, ac roedd ei swydd ar y pryd yn waeth na'r un:

> Gwelais lawer tro sâl mewn offis papur newydd, a chefais brofiad o foesoldeb digon candryll ambell dro; ond ni wyddwn i mo'm geni cyn dyfod yma. Gynt, ymladdem gan mwyaf yn y goleuni, fel rhyw fath o wŷr bonheddig wedi cyfarfod ag anffawd a cholli eu tiroedd a chryn ddarn o'u hanibyniaeth. Eto yr oeddym yn weddol rydd, gorff ac enaid, ac yn byw ar gyflog bach a gwaith caled heb golli'n parch i ni'n hunain. Ond yma! I am sick of the vulgar slime of it, and I despise my very self for not having the courage to chuck it up and fight the lot of them even if I had to die of sheer hunger in the end.[119]

Yn awr ac yn y man, câi E. Morgan Humphreys geisiadau rhyfedd ganddo. Gyda'i olwg ar y dyfodol, ac wrth iddo gynllunio i ddianc o garchar y Llyfrgell, gofynnodd i'w gyfaill ddwyn sylw ato yn y papurau:

> Am danaf fi, fe wnâi beth lles i mi ar hyn o bryd pe bai f'enw yn ymddangos yn y papurau yn weddol aml ynglŷn â rhyw bethau o'r tu allan. Gan mai ymladd a raid, ymladder fel y galler, ynte. Oni allech gael gan rywun yn rhywle grybwyll fy enw fel ymgeisydd seneddol cymwys? Gellid ynglŷn â'r peth ddywedyd fy mod wrthi yn ysgrifennu cofiant T. Gee, tad Rhyddfrydiaeth Gymreig; fy mod cyn bod yn ugain oed wedi bod yn siaradwr ar bolitics yn etholiadau Sir Ddinbych, a'm bod yn gwybod cymaint â neb am wleidyddiaeth Gymreig o'r tu mewn.[120]

Gofynnodd hefyd i'w gyfaill nodi bod ganddo ddigon o ddeunydd yn hylaw barod i ysgrifennu tair neu bedair o gyfrolau ar hanes llenyddiaeth Gymraeg.

Gyda 1912 yn tynnu tua'i therfyn, roedd Gwynn wedi cael pwl arall o annwyd trwm a oedd wedi treiddio o'i ben i'w ysgyfaint. Roedd hefyd yn gorweithio unwaith eto, treulio diwrnod gwaith llawn yn y Llyfrgell, o 9.30 yn y bore hyd at 4.30 yn y prynhawn, a gweithio ar ei lyfrau gyda'r nos a thrwy'r penwythnosau. Roedd ei lyfr am ei gyfnod yn yr Aifft ym 1905 a 1906, *Y Môr Canoldir a'r Aifft*, wedi ei gyhoeddi, roedd ei gofiant i Emrys ap Iwan yn y wasg, ac roedd Gwasg Gee wedi cychwyn ar y gwaith o gysodi *Cofiant Thomas Gee*, yn ôl y trefniant rhwng Gwynn a'r wasg, tra oedd Gwynn yn dal i weithio arno, bennod wrth bennod.

Bu'n gweithio'n ddyfal ar y cofiant rhwng mis Gorffennaf a mis Hydref 1912. Ni lwyddodd y Llyfrgell i fygu ei waith creadigol yn llwyr.

Ac eto, teimlai fod y Llyfrgell yn ei gaethiwo, a hiraethai am y dyddiau gynt pan oedd yn fachgen rhydd a diofid. Cofiai am y gaeafau a dreuliodd ar fryniau Dyffryn Clwyd gynt yn fachgen:

> ... ambell gelynnen yma ac acw, a'i dail dan eu howmal tanlli wyrdd mor fyw yn erbyn coch gloew ei grawn, heb sôn am bîn a ffynidwydd arogleuog, a'r llarwydd a'u nodwyddau fel gwely o fân lafnau aur hyd lawr. Anghofiwn bob gofid yn eu canol; bywiwn fel yr adar a'r gwiwerod a'r llwynogod am ddiwrnod cyfan heb weled dyn byw, heb flino, heb hiraethu am na chwmpeini na llyfr hyd yn oed.[121]

Ac meddai wrth E. Morgan Humphreys, gan sôn am Natur, 'y fam dyner a'n cymer i'w breichiau pan fynnom ac a'n tawela â'i gwirionedd tragywydd':

> Allan gyda hi y dylem fod, dynion fel chwi a minnau. Hynny a rydd nerth i gorff a grym i feddwl a chadernid i ysbryd; a dysg ymddiried a hyder hyd yn oed i ddyn wedi claddu ei dduwiau dan rôs a meillion ei ieuenctid, ac a bair iddo edrych o'i gwmpas heb ofn na phryder; a rhyw ias dawel weithiau yn rhedeg drwy ei feddwl fod popeth yn iawn, ac y gallai fod rhyw un Duw yn fyw wedi'r cwbl, yn ei ddistawrwydd ysblennydd, yn clywed ei gyfeiliorn blant yn ei felltithio a'i gablu, ac yn gwenu arnynt trwy lygedyn haul a phob lliw prydferth, gan wybod fod y felltith a'r gabl yn gymaint clod iddo Ef ei hun âg yw'r weddi a'r mawl, os nad mwy.[122]

Caeodd y drws ar yr hen flwyddyn ac agorodd y drws ar y flwyddyn newydd. Y tu ôl i'r drws caeedig yr oedd blwyddyn gron gyfan o rwystredigaeth; prin y gwyddai ar y pryd y byddai drws newydd yn agor cyn diwedd y flwyddyn newydd, a hwnnw'n ddrws gwaredigaeth, nid rhwystredigaeth.

Ar ddechrau 1913, fodd bynnag, yn y Llyfrgell yr oedd o hyd. Roedd *Cofiant Emrys ap Iwan* newydd ei gyhoeddi ddiwedd 1912, ond parhâi i weithio ar gofiant Thomas Gee, 'a phob hanner awr yn mynd at hwnnw'.[123] Erbyn diwedd mis Mawrth, 1913, roedd 'wedi gorffen Cofiant Gee, namyn pennod i gau'r mwdwl'.[124] 'Felly,' meddai, 'byddaf beth tebycach i ddyn arall bellach'.[125] Credai mai *Cofiant Thomas Gee* oedd y 'peth goreu a wneuthum i eto, at ei gilydd, a dylai dalu i mi rywfodd, 'does bosibl'.[126]

Yn wir, roedd diwedd 1912 a 1913 ar ei hyd yn gyfnod ffrwythlon iawn iddo o safbwynt cyflawni a chyhoeddi. Cyhoeddwyd *Y Môr Canoldir a'r Aifft*, sef ysgrifau'r 'Crwydryn' yn *Cymru*, ddiwedd 1912. 'Y mae llyfr y Dramp yn gwerthu'n dda yma,' meddai wrth E. Morgan Humphreys.[127] Yn nes ymlaen ym 1913, byddai'n cyhoeddi *Brethyn Cartref*, sef detholiad o'i straeon byrion hen a diweddar. 'Hen frethyn yw'r "Brethyn Cartref," wedi ei lanhau a'i frwsio dipyn,' meddai wrth ei gyfaill, ac er nad oedd y llyfr yn ddim byd mawr, efallai, roedd ynddo 'stwff eithaf gonest'.[128]

Ond cerdd o'i eiddo, nid llyfr na chofiant, a gynhyrfodd y dyfroedd ym 1913. Yn rhifyn y gwanwyn o'r *Beirniad*, cylchgrawn John Morris-Jones, cyhoeddwyd cerdd ac iddi'r teitl 'Pro Patria', gan gyfeirio, wrth gwrs, at linell enwog Horas, 'Dulce et decorum est pro patria mori' – 'Melys ac anrhydeddus yw marw er mwyn mamwlad'. Cerdd sy'n seiliedig ar ddigwyddiad gwirioneddol adeg Rhyfel De Affrica yw 'Pro Patria'. Adroddir y stori yng ngherdd Gwynn gan filwr o Gymro, a sonnir ynddi am nifer o filwyr yn treisio merch mewn ffermdy yn Ne Affrica:

'Hurry up! you're dam' slow at it, laggards!'
  Medd rhywun o'r ugain, yn groch;
Ar hynny, daeth Jobkins a Jaggards
  O'r tŷ, a'u hwynebau yn goch;
Daeth Juggins a Muggins a Snoddy,
  Gan regi 'these bloody Boers';
'Taffy!' medd un, a mi'n codi,
  'Buck up! there's some fun indoors!' ...

Duw a faddeuo i ddynion,
  Os oedd un ohonom yn ddyn
Ac nid diawliaid noeth lymynion –
  Ai diawl oeddwn i fy hun?
Cofiais am sŵn y piano –
  'Roedd honno yn yfflon mân,
A'r llawr – 'rwy'n cofio amdano –
  Pwy ond Duw allsai'i wneud o'n lân?
Bu agos i minnau gyfogi
  Wrth weld yr anfadrwydd i gyd,
Ond clywais ryw beth yn ysgogi –
  Ac yno, ar lawr, ar ei hyd,

'Roedd geneth, ac oddi amdani,
　Rhwygesid ei dillad yn rhydd –
Duw! cofiais am wyneb Shani,
　A'i chwyno bach isel a phrudd! ...

'Stand back!' 'rydwy'n cofio dweyd hynny,
　'Or I'll brain you, by God, that I'll do!'
Gan droi bôn fy ngwn i fyny,
　Rwy'n cofio cynddaredd fy llw:
Nid wn at ba le yr anelais
　Bob ergyd am chwarter awr,
Ond tawodd y twrw. A gwelais
　Ddau glwt o ymenydd ar lawr![129]

Ond roedd rhai yn canmol y gerdd, T. Huws Davies yn y *Cambria Daily Leader*, er enghraifft:

> Whatever be our opinion of its value, we have to admit that it is new and strong, as well as in close kinship with the best of modern poetry in other countries.
>
> It was bound to come – though we never thought it would arrive quite so early. We will venture to express the hope, however, that Gwynn Jones will not forget that in poetry, he has other gifts than that of realism.[130]

A gallai 'Giraldus', yn yr un papur, gyfiawnhau'r defnydd a wnaeth yr awdur o regfeydd: 'Dywed rhai fod yr iaith ddefnyddia weithiau yn frwnt – "iaith rhegu." Onid disgrifiad o beth brwnt sydd ganddo? ... a phaham y rhaid ei ddarlunio fel darn o nefoedd? Iaith uffern yn unig a wedda iddo'; ac y mae 'Giraldus' yn dyfynnu'r hyn a ddywedodd 'Macwy' yn *Y Brython*, sef mai'r gerdd hon 'yw'r ddyrnod drymaf, effeithiolaf a gafodd rhyfel erioed yn ein hiaith'.[131]

Soniodd am 'Pro Patria' wrth E. Morgan Humphreys:

> A welsochi'r *Beirniad* diweddaf? Y mae'n debyg fy mod wedi pechu'r pechod anfaddeuol o'r diwedd. Sylwais fod Ernest Rhys yn y *Guardian* yn dwedyd na bu bath fy ngherdd yng Nghymru er pan afaelodd y "moral muse" yn yr Eisteddfod. Druan gŵr! faint a ŵyr ef? Yr wyf yn meddwl

mai moesoldeb tipyn gwell na'r cyffredin a barodd i mi ganu'r gerdd, ar ôl i gyfaill i mi o'r sir yma ddywedyd ei fod wedi gweled llythyr oddiwrth Gymro oedd yn un o 30 o ddiawliaid a dreisiodd eneth ieuanc mewn ffermdy yn South Africa adeg y rhyfel. Diawl, aeth fy enaid ar dân, ac ni chefais lonydd nes cenais y gerdd. Dyweder, os mynnir, fod dylanwad Masefield arni, yr wyf yn tybio fy mod yn amgenach crefftwr nag ef er ei gystal. Tyngodd Morris Jones y cyhoeddai hi bob gair, am yr adwaenai ef "lenyddiaeth fyw pan welai hi".[132]

Dewi Morgan, un a oedd i ddod yn gyfaill iddo yn y dyfodol, a welodd y llythyr oddi wrth y milwr o Gymro a adroddodd yr hanes am y ferch yn cael ei threisio. Ond nid oedd Morgan Humphreys yn hoff o'r gerdd. Tybiai fod Gwynn wedi ei llunio mewn pwl o dymer, ond nid dyna'r gwir. Clywodd y stori fisoedd cyn iddo lunio'r gerdd, ac nid oedd Gwynn ei hun yn ei hoffi ychwaith. 'Pwy a hoffai waith o'r fath?' gofynnodd.[133] Ond rhaid oedd iddo 'ei gwneud mor ysgythrog âg y gallwn er mwyn iddi ddywedyd ei neges fel y glynai yn y cof ac y perai boen hefyd'.[134] Roedd yn sôn am 'Pro Patria' eto ym mis Mai. Clywodd fod amryw byd wedi ei feirniadu am gyhoeddi'r gerdd. Ond roedd Gwynn yn ddi-syfl yn ei amddiffyniad ohoni:

> Digon i mi wybod na ddywedais *dim ond y gwir noeth, llythrennol,* fel y medraf brofi os bydd raid, o enau un oedd yno. Am y gwaith fel llenyddiaeth neu beidio, yr wyf erbyn hyn yn sicr mai dyma'r peth goreu a mwyaf llwyddiannus a wneuthum erioed. Gyrrodd y filwriaeth a'r Phariseaeth o'u co; gwnaeth i rai o'm cyfeillion ddigio wrthyf; gwnaeth i ereill na chlywais erioed sôn am danynt ysgrifennu ataf i ddiolch i mi.[135]

O safbwynt ennyn adwaith, y gerdd hon oedd y peth gorau a wnaeth, ond roedd ei frwdfrydedd o'i phlaid yn cymylu'i farn. Nid oedd i'r gerdd werth parhaol. Cynhyrfu'r dyfroedd yn unig a wnaeth, nid cyffroi'r dychymyg.

Cyn diwedd mis Ebrill 1913, roedd Gwynn wedi gorffen ysgrifennu *Cofiant Thomas Gee* yn gyfan gwbl, er bod y mynegai i'r llyfr eto i'w lunio, ar ôl iddo dderbyn y proflenni, a byddai hefyd yn gorfod newid nifer o bethau yn y ddwy bennod olaf, ar gais y teulu. Cymerodd Gwynn a'i briod eu gwyliau yn gynnar ym mis Mehefin i gywiro'r proflenni a chwblhawyd y dasg erbyn canol mis Mehefin. Derbyniodd Gwynn y tâl am y gwaith ar Orffennaf 4. Cyhoeddwyd y cofiant mewn dau ddiwyg gwahanol, sef argraffiad arbennig, mwy drudfawr, o 250 o gopïau mewn dwy gyfrol ar gyfer tanysgrifwyr, ac argraffiad mwy poblogaidd mewn un gyfrol ar gyfer y cyhoedd yn gyffredinol. Derbyniodd ei gopïau cyfarch o'r cofiant ganol mis Gorffennaf. Un o'r rhai cyntaf i dderbyn copi o'r gyfrol oedd Daniel Rees. Yr oedd yn fawr ei ganmoliaeth i'r cofiant, ond tybiai fod ynddo orfanylu ar brydiau. Cytunai Gwynn â'i gyfaill ar y pwynt hwnnw, ond roedd ei ddwylo wedi eu clymu:

> … ceisio cyfarfod teimladau'r teulu yr oeddwn, fel y tybiech, ac nid amhosibl nad ellid fy nghyfrif innau yn yr un cwch, mewn ffordd. Y mae cysylltiad rhwng teulu fy ngwraig a theulu Gee; yr oedd fy nhaid a theulu Mr Gee a Mrs Gee yn hen gymdogion a chyfeillion; yr oeddwn innau yn adnabod yr hen ŵr er pan oeddwn blentyn.[136]

Roedd y Llyfrgell Genedlaethol yn ei boenydio o hyd. Ciciai fwy a mwy yn erbyn y tresi a stranciai fwy a mwy yn erbyn awdurdod John Ballinger. 'Ceudwll bach drewllyd dan lywodraeth dyrnaid o lechgwn budron' oedd y Llyfrgell.[137] Roedd yn barod i adael y lle cyn gynted ag y medrai, unwaith y câi gyfle. '[M]eddyliwch,' meddai am John Ballinger wrth Morgan Humphreys, 'am fod yn gyfrifol i ddyn a soniodd y diwrnod o'r blaen am Lanvatches [Llanfaches], ac a ofynnodd drannoeth a oedd lle â'i enw "Llungwyn" i'w gael yn y Bala ac Aberteifi, a rhyw hanner dwsin o leoedd ereill y cynhelir eisteddfodau ynddynt yng Nghymru!'[138] Dywedodd wrth aelod o'r staff unwaith, 'It seems to me you have never had anything to do with high-class men,' a thro arall, 'I am capable of speaking to any Duke or Lord or any titled person in the kingdom'.[139] Na, nid oedd llawer o Gymraeg na Saesneg rhwng Gwynn a'i bennaeth.

Yn yr hydref, dechreuodd adolygiadau ar gofiant Thomas Gee ymddangos yn y cylchgronau a'r papurau, ac ar ôl y fath lafur trwm, siom iddo oedd sawl adolygiad. Ymddangosodd adolygiad hirfaith ar y cofiant yn rhifyn yr hydref o'r *Traethodydd*, ond nid adolygiad mohono, mewn gwirionedd. Y cyfan a wnaeth yr adolygydd, Pierce Owen, oedd ailadrodd ac olrhain hanes Thomas Gee, gan ddilyn yr hyn yr oedd Gwynn wedi ei ddweud amdano, ond heb grybwyll Gwynn unwaith yn yr holl adolygiad. Yn ôl awdur y cofiant, 'cawdel ofnadwy' oedd yr holl druth.[140] Nid oedd Gwynn yn hoff o adolygiad *Y Goleuad* ychwaith. Er bod adolygydd dienw'r papur wedi canmol y llyfr, nododd hefyd nifer o fylchau ac o ddiffygion a geid ynddo, a chyhuddodd Gwynn o ddefnyddio geiriau a oedd yn ddieithr i'r Cymro cyffredin. Roedd adolygiadau eraill yn fwy gwerthfawrogol. 'The task, though arduous, was evidently a pleasant one, and the result is that he has enriched the literature of his country with a most interesting book,' meddai adolygydd y *Cambria Daily Leader* amdano.[141]

Daeth tro ar fyd iddo ym mis Hydref 1913. Roedd y llythyr a anfonodd at E. Morgan Humphreys ar Hydref 19, 1913, yn llawn gorfoledd:

> Daeth dydd fy rhyddid o'r diwedd. Penodir fi yn swyddogol ddydd Gwener nesaf yn ddarlithydd ymchwil ar Hanes Llenyddiaeth Gymraeg yng Ngholeg Aberystwyth ... Rhyngom ein dau, dyma fi o'r diwedd wedi cyrraedd y nod oedd gennyf mewn golwg bum mlynedd ar hugain yn ôl.[142]

Trwy haelioni noddwr dienw, sefydlwyd swydd newydd sbon yn Adran y Gymraeg yng Ngholeg Prifysgol Cymru, Aberystwyth. Swydd Darllenydd mewn Llenyddiaeth Gymraeg oedd hon a chyfrannodd y noddwr anhysbys £150 tuag at ei sefydlu. Cynigiwyd y swydd i Gwynn. Yr oedd bellach wedi cyrraedd y Brifysgol, ac o gofio na fu ar gyfyl unrhyw goleg fel myfyriwr erioed, roedd wedi cyflawni cryn gamp. Penodwyd Gwynn i'r swydd yn swyddogol ar Hydref 24, 1913. 'Felly,' meddai, 'dyma fi'n canu'n iach â Mr Llymgi Llungwyn, cyfaill Arglwyddi a Dugiaid etc am byth'.[143]

Pennaeth Adran y Gymraeg yn Aberystwyth ar y pryd oedd yr Athro Edward Anwyl. Wedi ei addysgu yng ngholegau Oriel a Mansfield, Rhydychen, fe'i penodwyd yn Athro Celtaidd yn Aberystwyth ym 1892, ac yn Athro Ieitheg Gymharol yn yr un adran wedi hynny. Ond erbyn i Gwynn gyrraedd y Coleg roedd Edward Anwyl yn hwylio i ymadael. Ym mis Tachwedd 1913, fe'i penodwyd yn brifathro ar goleg newydd sbon, Coleg Hyfforddi Mynwy, yng Nghaerlleon-ar-Wysg.

Fodd bynnag, cafodd Gwynn gryn dipyn o'i gwmni cyn iddo ymadael ag Aberystwyth. Gan nad oedd neb wedi ei benodi yn Athro yn ei le wedi iddo dderbyn y swydd yng Nghaerlleon-ar-Wysg, trefnodd fod gwaith yr adran yn cael ei rannu rhwng y tri darlithydd a weithiai dano, sef Gwynn ei hun, Timothy Lewis, a bardd ac ysgolhaig ifanc o'r enw T. H. Parry-Williams, a oedd wedi ymuno â'r adran ym mis Ionawr 1914. Ymhen ychydig flynyddoedd, byddai cadair wag Syr Edward Anwyl yn creu cynnen a helynt enfawr rhwng y tri darlithydd, a hynny yng nghysgod daeargryn a fyddai'n siglo'r byd i'w seiliau. Ond pwy a benodid i'r Gadair ym 1913 neu 1914? Er mai newydd gychwyn yn ei swydd yr oedd Gwynn ar y pryd, yr oedd o leiaf yn ystyried y posibliad y gallai mai ef fyddai olynydd Edward Anwyl. Ysgrifennodd lythyr at Silyn ar Ragfyr 10, 1913, ac roedd y Gadair wag yn llenwi ei feddyliau:

> Am sedd Anwyl, fe allwn i wneud y rhan lenyddol o'r gwaith, mi gredaf,
> a'r gramadeg Cymraeg a'r Philology Celtaidd, ond nid wn i ddim digon
> i gymryd arnaf fedru Comparative Philology. Heblaw hynny, yr wyf
> yn teimlo y byddai yn rhywfaint o ddiraddiad ar y gŵr bonheddig sy'n
> rhoi'r arian at fy nghyflog presennol pe cynhygiwn ymadael â'r gwaith
> cyn gwneud dim ohono. Pe cynhygiai'r awdurdodau y lle i mi, neu ped
> awgrymid i mi gynnyg am dano, byddai raid i mi ystyried y peth.[144]

'There are few Welshmen in Wales who have read more Welsh than I have,'
meddai wrth Daniel Rees ar noswyl y Nadolig, 1913.[145] Er hynny, credai ei bod
yn rhy gynnar iddo ymgeisio am swydd Syr Edward Anwyl. 'I shall take a degree
in time, as my status will allow me to submit a thesis,' ychwanegodd.[146] Tybiai y
byddai W. J. Gruffydd yn un o'r rhai a allai ymgeisio am y swydd, ac felly, peth ffôl
fyddai iddo ymgiprys amdani yn erbyn ei gyfaill. Gwyddai y gallai gydweithio'n
rhwydd â Gruffydd. Ond er ei fod bellach â'i law ar fraich Cadair Athro mewn
coleg prifysgol, roedd yr hen israddoldeb yn ei blagio o hyd:

> Felly, teimlo yr wyf fi na ddylwn symud gyda golwg ar y mater o honof
> fy hun, ond ni byddai ddrwg gennyf pe cawn y cyfle i wrthod y cynnyg,
> fel na byddai gan bwy bynnag a ddêl yma ddim rheswm i dybio fy mod
> mewn modd yn y byd yn israddol iddo yng ngolwg ereill.[147]

Yn ogystal â chael ei benodi i swydd a oedd wrth fodd ei galon, roedd Gwynn
wedi cael ei dderbyn hefyd, trwy gymorth a chefnogaeth W. J. Gruffydd, fel
arholwr rhan-amser mewn Cymraeg i'r Bwrdd Canol, a dôi hynny â £30–40 yn
ychwanegol iddo, ar ben ei gyflog o £175 y flwyddyn. Blwyddyn galed oedd 1913
iddo, blwyddyn cwblhau *Cofiant Thomas Gee*, ymhlith llawer o orchwylion eraill,
a blwyddyn o orfod gweithio mewn swydd yr oedd yn ei chasáu, a than bennaeth
na allai ei ddioddef. Bellach yr oedd blwyddyn newydd ar fin gwawrio, 1914.
Ond y flwyddyn fwyaf gorfoleddus yn ei fywyd fyddai hefyd y flwyddyn fwyaf
arswydus yn ei fywyd; yn ei fywyd ef a bywydau miliynau o bobl ar draws y byd i
gyd. Cyrhaeddodd Gwynn baradwys pan oedd y byd ar fin suddo i uffern.

NODIADAU

1   'History in Poems', *Evening Express*, Mawrth 6, 1909, t. 2.

2   Cystadleuaeth y Gadair: beirniadaeth John Morris-Jones, *Cofnodion a Chyfansoddiadau Buddugol Eisteddfod Genedlaethol 1909 (Llundain)*, Gol. E. Vincent Evans, t. 13.

3   Ibid.

4   Ibid., tt. 13–14.

5   Cystadleuaeth y Gadair: beirniadaeth J. J. Williams, Ibid., t. 23.

6   Ibid., t. 24.

7   Ibid., t. 23.

8   'Nodiadau'r Dydd', *Y Goleuad*, Gorffennaf 16, 1915, t. 4.

9   'Chairing of the Bard', *The Cardiff Times*, Mehefin 19, 1909, t. 7.

10 LLGC EMH, A/2125, llythyr oddi wrth T. Gwynn Jones at E. Morgan Humphreys, Mehefin 5, 1934.

11 'Caernarfon/Derbyniad Brwdfrydig i Fuddugwyr yr Eisteddfod', *Y Faner*, Mehefin 23, 1909, t. 13.

12 'Gwlad y Bryniau', *Caniadau*, t. 35.

13 'Ffetan Elidir Sais', *Y Brython*, Tachwedd 4, 1909, t. 5.

14 'Gwlad y Bryniau', t. 36.

15 Ibid., t. 38.

16 Ibid.

17 Ibid., t. 39.

18 Ibid.

19 Ibid., t. 40.

20 Ibid., tt. 40–1.

21 Ibid., t. 44.

22 Ibid., t. 47.

23 Ibid.

24 Ibid.

25 Ibid.

26 Ibid., tt. 48–9.

27 Ibid., t. 49.

28 Ibid., t. 50.

29 Ibid., t. 51.

30 Ibid., t. 53.

31 Ibid., t. 54.

32 Ibid., t. 56.

33 Ibid., tt. 56, 57.

34 Ibid., t. 58.

35 Ibid., t. 59.

36 'Nodiadau T. Gwynn Jones ar *Caniadau*', R. I. Aaron, t. 122.

37 'Gwlad y Bryniau', t. 59.

38 'Hendref Serch', 'Cyflwynedig i Mr. W. J. Gruffydd, M.A., a Miss Gwenda Evans, Caerdydd, ar eu priodas', *Y Geninen*, cyf. XXVII, rhif 4, Hydref 1909, t. 222.

39 Ibid.

40 Ibid.

41 LLGC EMH, A/1904, llythyr oddi wrth T. Gwynn Jones at E. Morgan Humphreys, Gorffennaf 24, 1909.

[42] 'National Library of Wales'/'Appointment of Cataloguer', *Y Goleuad*, Awst 25, 1909, t. 15, er enghraifft; a sawl papur arall.

[43] LLGC TGJ, B82, llythyr oddi wrth T. Gwynn Jones at Daniel Rees, Awst 28, 1909.

[44] Ibid.

[45] Ibid., B83, llythyr oddi wrth T. Gwynn Jones at Daniel Rees, Medi 4, 1909.

[46] LLGC EMH, A/1905, llythyr oddi wrth T. Gwynn Jones at E. Morgan Humphreys, Awst 31, 1909.

[47] Bangor MS/19470, llythyr oddi wrth T. Gwynn Jones at R. Silyn Roberts, Tachwedd 1, 1909.

[48] Dyfynnir yn *Anthropos a Chlwb Awen a Chân*, O. Llew Owain, 1946, t. 43.

[49] LLGC EMH, A/1907, llythyr oddi wrth T. Gwynn Jones at E. Morgan Humphreys, Rhagfyr 5, 1909.

[50] Ibid.

[51] Bangor MS/19471, llythyr oddi wrth T. Gwynn Jones at R. Silyn Roberts, Ionawr 11, 1910.

[52] LLGC EMH, A/1909, llythyr oddi wrth T. Gwynn Jones at E. Morgan Humphreys, Ionawr 8, 1910.

[53] Ibid. Cyhoeddwyd y cywydd yn *Ymadawiad Arthur a Chaniadau Ereill*, t. 77, ac yn *Manion*, t. 40. Ar Ionawr 3, 1910, y lluniodd y cywydd.

[54] LLGC EMH, A/1913, llythyr oddi wrth T. Gwynn Jones at E. Morgan Humphreys, Mehefin 29, 1910.

[55] 'St. David's Day'/'Celebrations at Aberystwyth'/'Welsh Society's Banquet', *Welsh Gazette and West Wales Advertiser*, Mawrth 3, 1910, t. 8.

[56] Bangor MS/19471, llythyr oddi wrth T. Gwynn Jones at R. Silyn Roberts, Ionawr 11, 1910.

[57] LLGC TGJ, B84, llythyr oddi wrth T. Gwynn Jones at Daniel Rees, Mawrth 12, 1910.

[58] Ibid.

[59] Bangor MS/19470.

[60] 'Richard Ellis', *Cymeriadau*, t. 106.

[61] Ibid.

[62] Ibid.

[63] LLGC EMH, A/1920, llythyr oddi wrth T. Gwynn Jones at E. Morgan Humphreys, Medi 22, 1910.

[64] Ibid.

[65] LLGC TGJ, B94, llythyr oddi wrth T. Gwynn Jones at Daniel Rees, Mai 21, 1914.

[66] 'Yr Hen Ffermwr', *Ymadawiad Arthur a Chaniadau Ereill*, t. 148.

[67] Ibid., t. 146.

[68] 'Y Dysgawdr', Ibid., t. 166.

[69] 'Y Bardd', Ibid., tt. 168–9.

[70] Ibid., t. 170.

[71] Ibid.

[72] Ibid.

[73] Ibid., t. 171.

[74] Ibid.

[75] Ibid.

[76] 'Llyfr Newydd Gwynn Jones', *Y Brython*, Hydref 20, 1910, t. 5.

[77] Ibid.

[78] 'Y Golofn Lenyddol', *Y Faner*, Medi 28, 1910, t. 4.

[79] Ibid.

[80] 'Llyfrau a Llenorion', *Cymru*, cyf. XL, rhif 234, Ionawr 1911, t. 79.

[81] 'Bardd Rhamant', *Y Goleuad*, Rhagfyr 7, 1910, t. 9.

[82] Ibid.

[83] 'The New School of Welsh Poets', *The Nationalist*, cyf. III, rhif 33, Hydref, 1910, tt. 6–7.

[84] Ibid., t. 7.

[85] Ibid., t. 12.

[86] Ibid., t. 16.

[87] LLGC EMH, A/1922, llythyr oddi wrth T. Gwynn Jones at E. Morgan Humphreys, Hydref 19, 1910. Ymddangosodd y llythyr a atebai T. Marchant Williams yn *Y Genedl Gymreig*, Tachwedd 1, 1910, t. 6.

[88] Ibid.

[89] Ibid.

[90] LLGC EMH, A/1924, llythyr oddi wrth T. Gwynn Jones at E. Morgan Humphreys, Rhagfyr 22, 1910.

[91] 'The Future of Welsh Poetry', *The Nationalist*, cyf. III, rhif 32, Gorffennaf 1910, t. 59.

[92] 'Snechian Tu Ôl i'r Gwrych', *Y Brython*, Hydref 20, 1910, t. 4.

[93] LLGC TGJ, B85, llythyr oddi wrth T. Gwynn Jones at Daniel Rees, Hydref 12, 1910.

[94] LLGC EMH, A/1928, llythyr oddi wrth T. Gwynn Jones at E. Morgan Humphreys, Ionawr 3, 1911.

[95] Ibid., A/1929, llythyr oddi wrth T. Gwynn Jones at E. Morgan Humphreys, Mawrth 4, 1911.

[96] Ibid.

[97] Ibid., A/1930, llythyr oddi wrth T. Gwynn Jones at E. Morgan Humphreys, Ebrill 2, 1911.

[98] Ibid.

[99] Ibid., A/1931, llythyr oddi wrth T. Gwynn Jones at E. Morgan Humphreys, Ebrill 29, 1911.

[100] Ibid., A/1935, llythyr oddi wrth T. Gwynn Jones at E. Morgan Humphreys, Mehefin 26, 1911.

[101] Ibid., A/1933, llythyr oddi wrth T. Gwynn Jones at E. Morgan Humphreys, Mehefin 12, 1911.

[102] Ibid., A/1935, llythyr oddi wrth T. Gwynn Jones at E. Morgan Humphreys, Mehefin 26, 1911.

[103] Ibid., A/1936, llythyr oddi wrth T. Gwynn Jones at E. Morgan Humphreys, Awst 1, 1911.

[104] Ibid., A/1938, llythyr oddi wrth T. Gwynn Jones at E. Morgan Humphreys, Medi 20, 1911.

[105] Llyfrgell Genedlaethol Cymru, 8311D (528), llythyr oddi wrth T. Gwynn Jones at Mary Gee, 12 Medi, 1911. Rwy'n ddyledus i ysgrif ardderchog Philip Henry Jones, 'Saernïo'r Gofeb: T. Gwynn Jones a Chofiant Thomas Gee', am lawer iawn o'r wybodaeth a geir yma am y cefndir i *Cofiant Thomas Gee*. Cyhoeddwyd yr ysgrif yn *Y Traethodydd*, cyf. CXLVII, 1992, tt. 183–206.

[106] LLGC EMH, A/1939, llythyr oddi wrth T. Gwynn Jones at E. Morgan Humphreys, Hydref 11, 1911.

[107] Ibid., A/1942, llythyr oddi wrth T. Gwynn Jones at E. Morgan Humphreys, Rhagfyr 1, 1911.

[108] Ibid., A/1944, llythyr oddi wrth T. Gwynn Jones at E. Morgan Humphreys, diddyddiad.

[109] Ibid., A/1948, llythyr oddi wrth T. Gwynn Jones at E. Morgan Humphreys, Mawrth 14, 1912.

[110] Ibid.

[111] Ibid.

[112] Ibid.

[113] Ibid.

[114] LLGC TGJ, B91, llythyr oddi wrth T. Gwynn Jones at Daniel Rees, Mehefin 6, 1912.

[115] LLGC EMH, A/1950, llythyr oddi wrth T. Gwynn Jones at E. Morgan Humphreys, Mai 9, 1912.

[116] LLGC TGJ, B91.

[117] Ibid., B92, llythyr oddi wrth T. Gwynn Jones at Daniel Rees, Mehefin 12, 1912.

[118] LLGC EMH, A/1951, llythyr oddi wrth T. Gwynn Jones at E. Morgan Humphreys, Gorffennaf 21, 1912.

[119] Ibid.

[120] Ibid.

[121] Ibid., A/1957, llythyr oddi wrth T. Gwynn Jones at E. Morgan Humphreys, Tachwedd 15, 1912.

[122] Ibid.

123 Ibid., A/1959, llythyr oddi wrth T. Gwynn Jones at E. Morgan Humphreys, Chwefror 11, 1913.

124 Ibid., A/1961, llythyr oddi wrth T. Gwynn Jones at E. Morgan Humphreys, Mawrth 30, 1913.

125 Ibid.

126 Ibid.

127 Ibid.

128 Ibid.

129 'Pro Patria', *Y Beirniad*, cyf. III, rhif 1, Gaeaf 1913, tt. 5, 6, 7.

130 'Literary and Other Notes', *The Cambria Daily Leader*, Ebrill 24, 1913, t. 4.

131 '"Pro Patria"', Ibid., Ebrill 22, 1913, t. 4.

132 LLGC EMH, A/1961.

133 Ibid., A/1962, llythyr oddi wrth T. Gwynn Jones at E. Morgan Humphreys, Ebrill 4, 1913.

134 Ibid.

135 Ibid., A/1963, llythyr oddi wrth T. Gwynn Jones at E. Morgan Humphreys, Mai 8, 1913.

136 LLGC TGJ, B94.

137 LLGC EMH, A/1963.

138 Ibid., A/1967, llythyr oddi wrth T. Gwynn Jones at E. Morgan Humphreys, Medi 18, 1913.

139 Ibid.

140 Ibid., A/1968, llythyr oddi wrth T. Gwynn Jones at E. Morgan Humphreys, Hydref 2, 1913.

141 'Thomas Gee'/'A Great Biography', *The Cambria Daily Leader*, Hydref 4, 1913, t. 4.

142 LLGC EMH, A/1969, llythyr oddi wrth T. Gwynn Jones at E. Morgan Humphreys, Hydref 19, 1913.

143 Ibid., A/1970, llythyr oddi wrth T. Gwynn Jones at E. Morgan Humphreys, Hydref 24, 1913.

144 Bangor MS/19477, llythyr oddi wrth T. Gwynn Jones at R. Silyn Roberts, Rhagfyr 10, 1913.

145 LLGC, B93, llythyr oddi wrth T. Gwynn Jones at Daniel Rees, Rhagfyr 24, 1913.

146 Ibid.

147 Bangor MS/19477.

Pennod 8

MADOG A MABON
BLYNYDDOEDD Y RHYFEL MAWR
1914–1918

Yn ystod misoedd cychwynnol 1914, roedd Gwynn yr un mor brysur ag arfer, yn y coleg a'r tu allan iddo, ac âi bywyd yn ei flaen o ddydd i ddydd wrth ei drefn a'i drafferth. Prin y synhwyrai neb ar y pryd mai dyma flwyddyn olaf yr hen wareiddiad a blwyddyn gyntaf yr anwareidd-dra newydd. Ar ddechrau Ionawr roedd yn annerch Cymdeithas Cymrodorion y Barri. Ei bwnc oedd 'Cymru a'r Oes Efydd', ond aeth i draethu ar nodweddion y Cymry ac ar gynhysgaeth lenyddol y genedl. Pe collid yr iaith, meddai, byddai'r genedl yn dioddef colled enfawr, ac ni allai'r iaith a fyddai yn ei disodli ddod yn agos ati o ran llenyddiaeth, prydferthwch a grym mynegiant. 'The Welsh people would lose immensely, and would gain nothing in its place,' meddai.[1] Cenhadu yr oedd o hyd.

Roedd Gwynn, o'r diwedd, wedi gwireddu ei freuddwyd. Câi yn awr astudio a myfyrio wrth fodd ei galon. Llenyddiaeth Gymraeg, bellach, oedd ei fara beunyddiol, ac nid ei friwsion nosweithiol a phenwythnosol. Bu'n rhaid iddo ddechrau o'r dechrau, i raddau, gan nad oedd ganddo brofiad blaenorol o weithio fel darlithydd prifysgol. Rhaid oedd ymchwilio'n gyson, paratoi cruglwyth o ddarlithoedd, a thraddodi'r darlithoedd hynny. Ar ôl bod yn y swydd am ryw bedwar mis, cwynai nad oedd ganddo fawr o amser i gael ei wynt ato, ac edrychai ymlaen at egwyl hir yr haf fel y câi weithio wrth ei bwysau.

Cymerai ran yn nosweithiau a gweithgareddau cymdeithasol y Coleg hefyd. Perfformiwyd ei ddrama 'Cariad a Thlodi' gan y myfyrwyr fel rhan o ddathliadau Gŵyl Ddewi 1914, a dyna'r tro cyntaf i fyfyrwyr Coleg Aberystwyth berfformio drama Gymraeg; ond hen ddrama a gyhoeddwyd yn *Papur Pawb* ym mis Ionawr 1907 oedd y ddrama mewn gwirionedd. Gwynn hefyd oedd beirniad y cystadlaethau barddoniaeth yn eisteddfod flynyddol y Coleg ar yr un achlysur. I fyfyrwraig o'r India, merch i fargyfreithiwr, y rhoddodd Gwynn y gadair, a hynny am gerdd Saesneg ar y testun 'Owain Lawgoch'! Bu hefyd yn westai mewn cinio Gŵyl Ddewi a gynhaliwyd yng ngwesty'r Ship yn Nolgellau. Yn ei anerchiad dywedodd fod gan y cenhedloedd Celtaidd lenyddiaeth goeth a oedd yn ymdroi o gylch hanes eu seintiau boreol, Iwerddon a Llydaw yn enwedig, gan fod y ddwy wlad hynny wedi glynu wrth y grefydd Gatholig, yn wahanol i Gymru. Soniodd am y traddodiadau a gysylltid â Dewi Sant, ac er bod rhai o'r hen hanesion a geid amdano yn ymddangos braidd yn chwerthinllyd i oes fwy materol, roedd y straeon, er hynny, yn bethau i'w trysori yn eu symlder, yn enwedig pan oedd 'yr ymosodiadau haerllug a gwag oedd yn cael eu gwneud ar grefydd yn cael eu gwneud o herwyd[d] ymwybyddiaeth o'r gwagder oedd wedi ei greu trwy anwesu y fateroliaeth hunanol a elwir yn "fusnes"'.[2]

Roedd yn rhyfeddol o brysur o hyd, fel yr eglurodd wrth E. Morgan Humphreys ym mis Ebrill 1914:

> Ychydig iawn o Saesneg a ddarllenais ers blynyddoedd, a byddaf yn cael fy ngwybodaeth newydd am bethau'n bennaf drwy'r Ffrangeg. Medrwn i fyw yn iawn heb ddarllen gair o Saesneg fyth mwy! Rhyfedd na safai'r byd, onid e? Yr wyf wrthi yn ysgrifennu'r llyfryn i'r *Faner* ar lenyddiaeth Gymraeg, ac yn paratoi llyfr i'r Cymmrodorion ar y Beirdd a'r Rhamantwyr, neu helaethiad o'r ymchwil a fu yn *Y Beirniad* ar y traddodiad llenyddol. Yn Saesneg, gwaetha'r modd, y bydd hwnnw, canys yn yr iaith honno y gofynnwyd i mi ddarllen y papur. Addewais ysgrif ar lenyddiaeth Cymru hyd ddiwedd y ddeunawfed ganrif i ryw gylchgrawn Belgaidd hefyd ... Gwelwch faint y llafur sy gennyf eto.[3]

Ac eto, er nad oedd yn darllen Saesneg, roedd o hyd yn meddwl am droi i lenydda yn Saesneg. Roedd cylchgrawn o'r enw *The St. George Magazine for Boys and Girls* wedi prynu'r hawl ganddo i gyhoeddi cyfieithiad o *Yn Oes yr Arth a'r Blaidd*, stori i blant a gyhoeddwyd ym 1913, fesul pennod. Cyhoeddwyd y bennod gyntaf, gyda'r teitl 'In the Age of the Wolf and the Wild Boar', ym mis Mai 1914, ac efallai mai Gwynn ei hun a'i cyfieithodd i'r Saesneg, ond nid oes prawf pendant o hynny. 'Er lleied o Saesneg a wn y dyddiau hyn, y mae'n ddigon posibl i mi droi i fyw eto ar ysgrifennu yn yr iaith honno!' meddai wrth E. Morgan Humphreys.[4]

Ac eto, fe bryderai o hyd am yr iaith Gymraeg:

... ar y plant y dibynna'r hen iaith ymhen ychydig flynyddoedd. Ond ar y rhieni y dibynna dysgu eu plant i'w siarad – y "werin" y mae cymaint sôn am dani fel noddfa'r iaith – y bobl sy'n ei siarad yn ddigon drwg yn gyffredin i beri i ddyn ddymuno ei marw cyn pen y mis.[5]

Nid bod yn sarhaus o'r werin yr oedd, ond, yn hytrach, anelai ei feirniadaeth at bobl gyffredin a siaradai Gymraeg gwael, ac a drosglwyddai'r Gymraeg fregus honno i'w plant. Bardd oedd Gwynn, a thrin geiriau oedd ei grefft a'i alwedigaeth. Iaith gywrain a phrydferth oedd y Gymraeg iddo, iaith ei galon a'i enaid, iaith ei feddyliau a'i fynegiant, er gwaethaf ei fygythiadau i droi at y Saesneg yn awr ac yn y man. Ni allai bratiaith na bastardiaith achub yr iaith na chreu llenyddiaeth o safon. Dyna un o'i safbwyntiau cyson. Ni allai oddef clywed pobl yn dirmygu'r iaith drwy ei siarad yn flêr ac yn ddiog, fel rhyw fath o fratiaith. 'Ni bydd byw yr un iaith ar brydyddiaeth weddol,' meddai wrth E. Morgan Humphreys.[6]

Ac yna digwyddodd! Rhyfel! O ganlyniad i lofruddio'r Arch-ddug Franz Ferdinand, yr aer i orsedd Ymerodraeth Awstria-Hwngari, a'i wraig, Sophie, yn Sarajevo, Bosnia, ar Fehefin 28, 1914, gan un o Serbiaid Bosnia, cenedlaetholwr ifanc o'r enw Gavrilo Princip, cyhoeddodd Awstria-Hwngari ryfel yn erbyn Serbia, gyda chefnogaeth yr Almaen, a chyhoeddodd yr Almaen ryfel yn erbyn Gwlad Belg, Ffrainc a Rwsia. Ar Awst 4, cyhoeddodd Prydain ryfel yn erbyn yr Almaen, a dyna ddechreuad y Rhyfel Byd Cyntaf, Rhyfel yr Ymerodraethau Mawrion. 'Nid oes gennyf flas i ddim,' meddai Gwynn wrth E. Morgan Humphreys, ddeuddydd ar ôl i Brydain ymuno yn y rhyfel.[7] 'Aeth y cythraul i'r nefoedd, ac y mae'r byd yn mynd i uffern, a ninnau'n honni bod yn Gristionogion,' ychwanegodd.[8]

Heddychwr wrth reddf ac wrth ras oedd Gwynn. Casâi ryfel, a phopeth yr oedd rhyfel a milwriaeth yn ei gynrychioli. Unwaith yn unig y cydiodd y dwymyn ryfel ynddo, ond ni pharhaodd yn hir:

Cefais innau y dwymyn ryfel unwaith ar ôl dyfod i oed cyfrifol, a hynny pan oedd y Groegiaid yn ymladd â'r Tyrcod. Yr wyf yn cofio yn dda fwriadu cynnyg mynd, fel yr aeth Cymro neu ddau ac amryw Saeson, i helpu'r Groegwr wynebu ei elynion, a bûm ddyddiau lawer â'm dychymyg ar dân wrth feddwl am weled Marathon a Thermopylæ fel y gwelwyd hwy gynt, pan oedd y Groegwr yn hanner duw. Ond fe ddywedodd un a garwn fod yn rheitiach i mi aros gartref i wneud fy nyledswydd i'm gwlad

fy hun na myned i redeg rhag y Twrc, a bu'r papur newydd mor greulon –
neu hwyrach mai caredig a fu – â thynnu llawer o'r hud a roes dychymyg
o gwmpas disgynyddion yr hen Roegiaid.[9]

Mae'n bur debyg mai Emrys ap Iwan oedd yr 'un a garwn'. Bu Gwlad Groeg a
Thwrci yn rhyfela â'i gilydd o Ebrill 18 hyd at Fai 20, 1897, ac felly, pump ar hugain
oedd Gwynn pan drawyd ef gan y dwymyn ryfel. Ond ni pharhaodd hynny'n hir,
a bu'n heddychwr o argyhoeddiad byth wedi hynny.

Lluniodd Gwynn gerdd i gondemnio rhyfel ar y diwrnod cyntaf o Awst, sef
yr union ddiwrnod ag y cyhoeddodd yr Almaen ryfel yn erbyn Rwsia. Roedd
Ymerodraeth Awstria-Hwngari eisoes wedi dechrau rhyfela â Serbia, ac roedd
llawer o ofn ar ddechrau Awst y byddai Prydain yn cael ei llusgo i ganol y gyflafan
yn fuan iawn. Yn y gerdd honno, 'Rhyfel', rhyfel ei hun sy'n llefaru, a chignoeth
yw'r disgrifiadau, mewn ymdrech i achub y blaen ar y gwaetgwn a fyddai cyn
hir yn dechrau rhethregu am ogoniant rhyfel, ac am ddyletswydd a braint ac
anrhydedd. Rhyfel yw rhyfel, dyfais y Diafol, ac nid oes dim byd yn anrhydeddus
yn ei gylch:

> Gwyddoch mai lladd a threisio
>   Yw'm huchaf ogoniant i;
> Paham y rhaid ofer geisio
>   Fy ngwisgo â'ch celwydd chwi?
> Pam y danfonwch feddygon
>   I drwsio ebyrth y drin,
> A chuddio'u gwae rhag golygon
>   Eiddicach am waed nag am win?
>
> Ymaith â'ch geiriau llyfnion
>   Sy'n cuddio fy nghampau drud,
> Gogoniant y clwyfau dyfnion,
>   Y rhegi a'r rhwygo i gyd;
> Trychu a dryllio aelodau,
>   Darnio esgyrn a chnawd,
> Dyna un diben catrodau,
>   Nid dandlwm pob burgyn tlawd!

Y lleiddiad â'i ddwylaw rhuddion
  Yw'n hunig ardderchog dduw,
A rego pan sathro goluddion
  Y meirwon wrth ymlid y byw;
Cymar y llewod a'r bleiddiau,
  Hafal yr eirth a'r cŵn,
A chwardd rhag y gwaedlyd reiddiau
  Ynghanol syfrdanllyd sŵn.[10]

Dechreuodd Gwynn, felly, brotestio yn erbyn y rhyfel yn ddi-oed, yn wir, dechreuodd daranu yn erbyn y rhyfel cyn i Brydain ddechrau gloywi ei harfau ar gyfer y gad. Ymosododd ar filwriaeth, a milwriaeth yr Almaen yn enwedig, mewn ysgrif a gyhoeddwyd yn *Y Traethodydd*, dan y teitl '"Trechaf, Treisied"'. Lluniodd yr ysgrif honno ar Awst 6, 1914, ddeuddydd ar ôl i Brydain gyhoeddi rhyfel yn erbyn yr Almaen. Beiai unbennaeth y Kaiser yn yr Almaen am y sefyllfa yn Ewrop. 'Rai blynyddoedd yn ôl, fe ddywedodd Ymherawdr yr Almaen, wrth nifer o ddynion ieuainc oedd newydd fynd i'r fyddin, mai eu dyledswydd bellach oedd ufuddhau i orchmynion, ac os erchid iddynt saethu eu tadau a'u brodyr, eu bod yn rhwym o wneuthur hynny,' meddai.[11] Hawliai'r Kaiser ufudd-dod llwyr i'r Wladwriaeth ar ran ei ddeiliaid, ac roedd gorfodaeth filwrol, yn y pen draw, yn rhwym o esgor ar ryfel.

Nid oedd gan hyrwyddwyr a chefnogwyr y rhyfel yr un hawl i'w galw eu hunain yn Gristnogion. Bu Cristnogion drwy'r oesoedd yn gweithredu'n groes i ddysgeidiaeth Crist, a dyna oedd y broblem. Ar un adeg, roedd yr Eglwys Gatholig yn llosgi hereticiaid; yn awr yr oedd Cristnogion Ewrop benben â'i gilydd, yn barod i ladd a difa ei gilydd. Nid ar Gristnogaeth, fel y cyfryw, yr oedd y bai, ond ar y rhai a oedd yn eu galw eu hunain yn Gristnogion, heb fod ganddynt unrhyw hawl i'r enw:

... nid oes lawer o amser er pan ddysgasom beidio â llosgi ein gelynion crefyddol. Hynny yw, â thân. Cyhyd y cymerth i ni ddysgu cymaint â hynny o athrawiaeth Crist. Eithr pa beth am dangnefedd yr Arglwydd y difwynasom ei enw? Ni bu ar wyneb daear erioed drosedd mwy anferth yn ei erbyn nag y sydd yn digwydd rhwng gwledydd "Cristionogol" Ewrob heddyw. Ceisiwn sylweddoli hynny. Ceisiwn, ceisiwn, ie, ceisiwn ei sylweddoli. Ac na byddwn mor llwfr a rhagrithiol â bwrw'r bai ar Gristionogaeth. Nag hyd yn oed ar Gristionogion. Byddwn yn hytrach yn ddigon gonest i gydnabod nad oes gennym gysgod o hawl i'r enw.[12]

'[N]id ymwrthododd gwledydd Cred erioed â dull bwystfilod o dorri eu dadleuon,' meddai.[13]

Trwy ganrifoedd hanes, bu'r beirdd a'r llenorion yn dyrchafu'r ymladdwr. Yr ymladdwr oedd arwr cymdeithas. Clodfori'r ymladdwr a'i ddyrchafu'n arwr a wnaeth beirdd yr henfyd clasurol, Homer a Fyrsil, er enghraifft; mawrygu'r llofrudd, mewn geiriau eraill. Ac felly hefyd ein hynafiaid Celtaidd ni:

> Cymerwch lenyddiaeth ddiweddarach gwledydd ereill. Darllenwch lenyddiaeth ein hynafiaid ni ein hunain, yn Wyddyl a Brythoniaid. Y mae termau canmol y Gwyddyl yn dangos i ni pa beth oedd yn digwydd. Yr arwr oedd y gŵr a hoffai gochi ei ddwylaw a'i arfau â gwaed ei elynion; ei brif ddifyrrwch oedd malu cyrff ac esgyrn dynion; dygai wartheg a thiroedd ereill. Yr un peth a geir yn Gymraeg. Creulon a threisgar oedd yr arwr, llew cad, tarw trin, blaidd brwydr; lleidr gwartheg a thir, porthwr adar rhaib, a gwyddgwn coed; llofrudd oedd y gair clodforusaf y gellid ei arfer am dano yn y ddeuddegfed ganrif. Ac y mae'r llenyddiaeth ogleddol, Deutonig, yn ffyrnicach fyth.[14]

Wrth iddo wareiddio, troes dyn at y gyfraith, yn hytrach nag at y cleddyf, i ddal ei afael ar ei dir a'i feddiannau. Ym myd masnach a diwydiant, roedd dyn o hyd yn treisio'i gyd-ddyn, wrth i'r meistri diwydiannol ormesu eu gweithwyr a chwyddo eu cyfoeth ar draul caledwaith eu gweision. Felly, roedd y llofrudd wedi ei ddofi i raddau ym mywyd cymdeithasol y gwledydd, ond nid ym mherthynas gwledydd â'i gilydd. Unwaith roedd anghydfod neu ymrafael rhwng gwledydd, dôi'r llofrudd i'w deyrnas drachefn; ac ni chyffyrddwyd mohono erioed gan genhadon brawdgarwch a heddwch. 'Gwir fod tystion ardderchog dros Grist, Buddha, ac ereill o broffwydi Duw, ond nid rhaid dywedyd na ddaeth y llofrudd erioed mewn gwirionedd tan ddylanwad eu dysgeidiaeth,' meddai.[15]

Byddai ein hynafiaid yn galw'r awch hwn am waed yn 'bechod', meddai. Ond beth oedd yr esboniad o ddifri? Beth a yrrai ddyn i gyflawni erchyllterau? Pam na allai Cristnogion fyw yn ôl dysgeidiaeth Crist? Ac y mae ganddo ateb i'r cwestiwn:

> Oni orfydd arnom gydnabod mai'r anifail ynnom ydyw? Y gweddill sydd eto heb ei ddarostwng gan na rheswm na deall na moes? Pa nifer o honom y sydd, ped aem trwy un frwydr, na byddai ein syched gwaed wedi ei ddeffro fel na byddai gennym garreg i'w thaflu at drigolion Serfia, a sarnwyd am oesau dan draed, ac a wnaeth weithredoedd yr ydym ni

yn eu condemnio, unwaith y cafodd yr anifail ynddynt y cyfle lleiaf?
A fynnwn ni ynteu ddadleu mai dulliau'r anifail sydd i fod yn oruchaf
ynnom eto?[16]

Ac i gloi'r ysgrif mae'n dyfynnu Maurice Maeterlinck, y llenor a'r dramodydd
o Wlad Belg. Yn ôl Maeterlinck, roedd yr anghysondeb a'r anwastadrwydd
hwn yn yr hil ddynol, sef yr elfennau gwâr a gwyllt yn ein natur, i'w briodoli i'r
ffaith fod dyn yn un â deddfau natur;[17] yn unol, hynny yw, â goroesiad y cryfaf
a dilead y gwannaf. Ar y llaw arall, crëwyd y ddynoliaeth, meddai Maeterlinck,
'i ymddyrchafu uwchlaw rhai o ddeddfau natur'. Gellid tybied mai'r hyn y mae
Maeterlinck yn ei olygu yw bod dyn wedi cael y cyfle i godi uwchlaw'r baw, trwy
foes a chrefydd, trwy wyddoniaeth a thrwy'r celfyddydau. 'Collodd Cristionogion
un cyfle arall, am na ddeallasant hyd heddyw mo'r egwyddor a broffesant,' meddai
Gwynn ei hun wrth gloi'r ysgrif.[18]

Ynfydrwydd llwyr yw rhyfel. Rhyfel yw'r drosedd fwyaf gan ddyn yn erbyn
dyn. Nid oes trosedd waeth. Pam, felly, y mae dynion yn benderfynol o gyflawni'r
drosedd hon, dro ar ôl tro? Chwilio am ateb i'r cwestiwn hwn yr oedd Gwynn yn
ei ysgrif, a bu'n dadansoddi'r sefyllfa drwy gydol blynyddoedd y rhyfel.

Tynnodd sylw at ein hynafiaid rhyfelgar mewn ysgrif yn *Y Faner* ym 1915.
Os gwir damcaniaeth y milwriaethwyr fod rhyfel yn cryfhau'r cenhedloedd,
gofynnodd, sut nad oedd y Cymry wedi llwyddo i amddiffyn eu tir rhag
goresgynwyr estron. Gwanhau trwy ormod o ymladd a wnaeth y Cymry, ac wedi
colli eu hewyllys a'u hannibyniaeth, roeddynt yn barod i ymladd ar ochr Lloegr yn
ei brwydrau a'i rhyfeloedd hi:

> Od oes ogoniant heddyw ar y dull hwnnw o dorri dadleuon – a gyddfau,
> nid ydym ni o lawer cystal ymresymwyr â'n hynafiaid, canys pan elom
> ati, yr ydym yn ymesgusodi. Pan fyddai tywysog Cymreig wedi ffraeo
> â'i frawd, fe dynnai ei lygaid neu fe dorrai ei wddf rhag blaen, unwaith
> y dysgodd y gelfyddyd honno gan y Norman. Gwnaeth gwrhydri felly
> yn ddiameu gryn hafog ar elynion o dro i dro, a'r syndod yw, gan mor
> r[h]yfelgar oedd y Cymry gynt, na bae hi y genedl gryfaf, o leiaf yn y
> rhan hon o'r byd, erbyn hyn, canys dywed y milwriaethwyr wrthym mai
> rhyfel sydd yn cryfhau cenhedloedd. Fel mater o hanes syml, fel arall y bu
> profiad y Cymry. Wedi treulio eu nerth yn ymladd yn barhaus, weithiau
> â'r gelyn, weithiau â'i gilydd, trechwyd hwynt, a dwyn eu gwlad a'u
> hanibyniaeth oddiarnynt.[19]

Ergyd i bawb oedd y rhyfel, ond cafodd Gwynn ergyd bersonol fawr ar Awst 8, 1914, a'r ergyd honno yn bwrw Cymru gyfan yn ogystal, cyn i'r miloedd ar filoedd o ergydion fwrw Cymru'n ddidostur yn ystod y blynyddoedd a oedd i ddod. Ar y diwrnod hwnnw o Awst, bu farw Syr Edward Anwyl, cyn iddo gychwyn yn ei swydd newydd fel Prifathro Coleg Hyfforddi Mynwy, yng Nghaerlleon-ar-Wysg. Talodd Gwynn deyrnged iddo. Roedd ganddo gryn dipyn o feddwl o'r ysgolhaig hynod wybodus hwn:

> Swynid chwi gan ei Gymraeg perffaith, oedd fel lleferydd Cymro o Leyn na wybu ddywedyd ei feddwl erioed mewn unrhyw iaith arall. Deuai'r wên dirion a'r gair cynefin – "Wel, rhyfedd iawn, rhyfedd iawn!" Yna, yn Saesneg, mor rhugl a pherffaith eto, fel na wybuasech ei fyw yn unman ond yn Lloegr. Clywais ef at hynny, mewn cwmpeini lle'r oeddym yn ymdrechu'n boenus i siarad â Ffrancod ac Almaeniaid, yn troi i'r ieithoedd hynny heb anhawster na phall am eiriau na phriod-ddull, nes peri i ni wladeiddio.[20]

Ar wyliau yn Ystrad Meurig yr oedd Gwynn a'i deulu pan dorrodd y rhyfel. Arhosent mewn bwthyn o'r enw Pen y Graig, ac yn Ystrad Meurig y clywodd am farwolaeth Syr Edward Anwyl. Lluniodd soned er cof amdano yn y fan a'r lle, ac roedd sŵn y rhyfel bron â boddi sŵn y galar yn y soned:

> A thruain feibion dynion wrthi'n lud
> Yn ysgrifennu gwarth â min y cledd
> A gwaed eu brodyr, ti, i'th gynnar fedd
> Y syrthiaist, wedi rhoddi'n aberth drud
> Olud dy ddawn a'th ddysg ar allor byd
> Er dwyn daioni i'w oruchaf sedd,
> A meithrin undod dyn yn[g] nghwlwm hedd ...
> O ffrydiau dysg yr oesoedd yfaist ti,
> Ac nid oedd gamp na wybu'th fedr ei dwyn
> Yn eiddot, fal y maith ryfeddem ni
> Dy gryf diriondeb a'th gadernid mwyn;
> Un gair a wyddem a fynegai'th fri
> A hwnnw yw'th enw a saif fyth yn ei swyn.[21]

Mawr oedd y diddordeb yn olynydd Syr Edward Anwyl. Nid oedd dewis bellach, ar ôl blwyddyn o oedi a chadw'i swydd ar agor iddo, ond penodi rhywun yn ei le. Fel y nododd un o'r papurau:

> The death of Sir Edward Anwyl will probably accelerate the appointment of his successor to the chair of Welsh at Aberystwyth. In order to keep the position open to Sir Edward, in case he found his work at Caerleon Training College uncongenial, the council of the college resolved last spring to postpone the election of a successor to the end of next session, Sir Edward's services being retained as internal examiner in Welsh for 1915, and Principal Roberts acting as head of the department of Welsh, the instruction being imparted by Messrs. Timothy Lewis and T. Gwynn Jones and Dr. T. H. Parry Williams. Now, however, it may be necessary, apart from other reasons, to make the appointment soon, in order that the new professor may act as internal examiner at the degree examination next June.[22]

Fodd bynnag, penderfynwyd peidio â phenodi neb i'r swydd oherwydd y rhyfel, ac nid dyna'r unig beth i gael ei ohirio. Dechreuodd y rhyfel amharu ar weithgareddau cymdeithasol a diwylliannol o bob math. Gohiriwyd eisteddfodau, gemau pêl-droed, ac arddangosfeydd a sioeau amaethyddol, a phob math o weithgareddau eraill. Penderfynwyd gohirio'r Eisteddfod Genedlaethol hyd yn oed. Roedd Eisteddfod Genedlaethol 1914 i'w chynnal ym Mangor, ond bu'n rhaid ei gohirio am sawl rheswm. Ofnid, yn un peth, na fyddai trenau ar gael i gludo eisteddfodwyr o wahanol leoedd i Fangor, ac yn ôl o Fangor wedyn, er bod Arolygydd Cwmni Rheilffordd Llundain a'r North Western wedi addo trefnu gwasanaeth cyson ar gyfer yr Eisteddfod. Roedd Gwynn wedi cael ei ddewis i fod yn un o feirniaid cystadleuaeth y Gadair ym Mangor, yn naturiol, gan mai ym Mangor yr enillodd ei Gadair Genedlaethol gyntaf. Ar Awst 24 y clywodd fod Eisteddfod Genedlaethol Bangor wedi cael ei gohirio am flwyddyn, oherwydd y rhyfel. Anfonodd lythyr at un o'i gyd-feirniaid ar gystadleuaeth y Gadair, John Morris-Jones, y diwrnod wedyn. Yn wahanol i J. J. Williams, y trydydd beirniad, yr oedd Gwynn a John Morris-Jones mewn cyfyng-gyngor ynghylch yr awdl orau yn y gystadleuaeth, eiddo 'Rhuddwyn Llwyd':

> Cefais air oddiwrth J.J.W. Ymddengys bod y gerdd oreu wedi gwneuthur argraff arno. Ni atebais ef eto. Tybiais y buasai hwyrach yn ysgrifennu

atoch chwi. Meddyliais lawer am yr awdl. Darllenais hi drwyddi ddwywaith wedyn. Yr wyf yn teimlo fod yr hyn a ddywedech yn wir am dani, ac eto y mae yn ddiau gennyf wobrwyo ugeiniau o rai anrhaethol [sic] salach na hi erioed. Yr unig undod ynddi, wrth gwrs, yw'r hyn a awgrymir wrth ei galw yn "Awdl Gromatig" ... Ni wn i pa beth i'w wneud, ond cawn ddigon o amser i ystyried bellach, mae'n debyg.²³

Prin y gwyddai mai cyd-weithiwr iddo, T. H. Parry-Williams, oedd 'Rhuddwyn Llwyd', ddim mwy nag y gwyddai y byddai John Morris-Jones yn un o ryfelgwn mwyaf cyfnod y rhyfel.

Cadwodd Gwynn ddyddiadur ysbeidiol yn ystod blynyddoedd y rhyfel. Ysgrifennwyd hwnnw, yn rhyfedd iawn, yn Saesneg i gyd. Y teitl a roddwyd i'r dyddiadur oedd 'The Diary of a Pacifist', ond dileodd y teitl ar ryw adeg neu'i gilydd. Ai'r nod oedd cyhoeddi'r dyddiadur ar ffurf llyfr yn dwyn y teitl 'The Diary of a Pacifist' rywbryd yn y dyfodol, ac iddo'i ysgrifennu yn Saesneg er mwyn i'w genadwri gyrraedd y gynulleidfa ehangaf bosib? Nid mater i Gymru yn unig oedd heddychiaeth. Roedd yn egwyddor y dylai holl genhedloedd y ddaear ei harddel a'i hymarfer.

Cofnododd fel y cafodd ei siomi gan yr Anghydffurfwyr Cymreig:

> An anti-militarist intellectually more than anything else, I must admit that the Quakers whom I came to know & some Catholics as well, impressed me strongly as having been faithful to Christian principles & humanitarian views. Among Welsh Nonconformists, with the exception of some of the older Baptists, the war-fever raged with fury almost to the end.²⁴

Dan y pennawd 'War Fever', soniodd am y modd y ceisiodd drefnu cyfarfod ar ddechrau Awst i brotestio yn erbyn bwriad Prydain i ymuno yn y rhyfel:

> Many so-called Christian Churches actually passed resolutions calling upon the Government to keep out of the war. At the time I was not a member of any church, but I had so frequently heard it said that European Christianity should prevent a European war that I thought there might be something in the saying. I went to see a ministerial friend, for whom I had respect, with the object of suggesting that a meeting be called in the town to join the protest against participating in the struggle.²⁵

Dywedodd y cyfaill wrtho y byddai llawer o'r bobl leol, gyda'r tymor ymwelwyr yn ei anterth, yn rhy brysur i gymryd rhan mewn protest o'r fath.

Yn fuan wedi hynny, bu'n trafod y rhyfel â dau gapelwr. Cytunai'r ddau fod rhyfel yn beth erchyll, ond nid oedd dewis gan Brydain ond mynd i ryfel. Honnodd un o'r capelwyr hyn nad oedd Crist yn erbyn rhyfel, gan ddyfynnu geiriau'r Gwaredwr ei hun i brofi ei bwynt: 'Na thebygwch fy nyfod i ddanfon tangnefedd ar y ddaear: ni ddeuthum i ddanfon tangnefedd, ond cleddyf' (Mathew 10:34). Atebodd Gwynn trwy ddweud bod llawer o esbonwyr yn anghytûn ynghylch union ystyr yr adnod a ddyfynnwyd, ond nid oedd unrhyw ddadl ynghylch ystyr yr adnod 'Na wrthwynebwch ddrwg: ond pwy bynnag a'th darawo ar dy rudd ddehau, tro y llall iddo hefyd' (Mathew 5:39). Yn ôl Gwynn, y genedl a wrthodai wrthwynebu drwg a fyddai gryfaf. Anfonodd Pwyllgor Ymrestru Aberystwyth blismon ato un diwrnod i ofyn iddo a fyddai'n fodlon siarad o blaid y rhyfel yn un o'u cyfarfodydd.

Yn Ystrad Meurig, lle'r oedd yn aros ar y pryd, roedd cyfaill iddo o'i ddyddiau ysgol yn Ninbych gynt, Robert Osborne Jones, yn byw. Arhosodd Gwynn gydag ef yn ei gartref, yr Henblas, ym mis Mai 1912, wedi iddo gael pwl arall o waeledd. Robert Osborne Jones oedd ysgolfeistr ysgol fechan Swyddffynnon, ryw filltir o bellter i'r de o Ystrad Meurig a rhyw ddwy filltir a hanner o bellter i'r gorllewin o Bontrhydfendigaid. Roedd yr ardal yn llawn o gysylltiadau llenyddol a hanesyddol, ac roedd Gwynn wrth ei fodd yno.

Roedd yn ymwybodol iawn o gyfoeth hanesyddol a llenyddol yr ardal, ac yn ymwybodol hefyd o'i harddwch daearyddol:

> I am at Ystrad Meurig, a small village in Cardiganshire, where Edward Risiart kept his grammar school & where Ieuan Brydydd Hir was educated. The locality is elevated & open, with the wide expanse of Cors Garon below the village, Pont Rhydfendigaid & the ruins of the abbey in the distance. We have rooms in a cottage surrounded by trees, but with a fine view of the bog as far as Tregaron. It is quiet and restful here, and I find it impossible to realize that possibly the greatest crime in the history of the world is being perpetrated not very far away.[26]

Roedd yn ymwybodol hefyd fod beirdd y gorffennol wedi canu clodydd arwyr ac ymladdwyr, a bod dewrder a ffyrnigrwydd mewn brwydr yn rhinwedd aruchel. Canmolid 'the man who reddened his hands with the blood of his fellows, who delighted in breaking their bones & mangling their bodies, and who besides had to come face to face with them to do it,' meddai.[27] O leiaf roedd yr hen ymladdfeydd, cyn i'r oes ddiwydiannol greu arfau llawer mwy effeithiol a dinistriol, yn rhoi cyfle i'r ymladdwyr i brofi eu gwrhydri ar faes y gad, cytuno â rhyfel neu beidio. Bellach, meddai, 'the murderer may be miles away. He kills men he has never seen'.²⁸ Roedd Ail Ryfel y Boeriaid yn Ne Affrica, rhyfel yr oedd Gwynn yn chwyrn yn ei erbyn, wedi newid natur brwydrau a rhyfeloedd y dyfodol trwy ddefnyddio gynnau peiriannol ar raddfa eang am y tro cyntaf. Bellach, gallai un neu ddau o ddynion ladd ugeiniau. 'And the coward is called a hero,' meddai Gwynn.²⁹ Roedd rhyfela modern yn llwfr yn ei hanfod.

Wrth grwydro'r mynyddoedd un prynhawn yn ystod yr Awst hwnnw, Awst cyntaf y rhyfel, y mae'n nodi iddo ddod ar draws milwr wrth gefn a oedd wedi cael i alw i'r fyddin. Gwyddai Gwynn na fyddai ei aberth, pe bai yn cael ei ladd, yn golygu dim:

> He was going to "fight for his country" – "for his King and country", I think, is the proper phrase. Thousands like him have gone before him. He is not one whit better off because they have done it. One tiny bullet, coming from a man very much like him, but whom he cannot see, & to whom he has certainly done no wrong, will bore a hole through him. He will fall, dead, perhaps, or it may take him a long time & much suffering to die. And not a man of the thousands who will follow him in the same station in life will be benefited in the least degree by his death, anymore than his life. He was simply a thing to be shot down, by another such thing, at the bidding & for the benefit of the social parasites who have always made, who still make, & who ever will make all wars.³⁰

Lledaenodd teimladau gwrth-Almaenig trwy Brydain ar ddechrau'r rhyfel, a thrwy bob llan a thref a phentref yng Nghymru hefyd. Chwiliwyd am Almaenwyr ymhobman, i'w herlid a'u hymlid. Digwyddodd un o'r erledigaethau gwaethaf yn nhref Aberystwyth ei hun ym mis Hydref 1914. Roedd y digwyddiad hwnnw yn ymwneud â Hermann Ethé, Athro Almaeneg y Coleg. Roedd Ethé yn ymweld â'i deulu yn yr Almaen pan dorrodd y rhyfel. Tybid mai'r peth gorau i'w wneud â'r Athro oedd ei adael yn yr Almaen hyd nes y byddai'r rhyfel wedi dod i ben, a rhoi ei hen swydd yn ôl iddo bryd hynny. Ond ni fynnai'r awdurdodau iddo aros yn ei famwlad, a gofynnwyd iddo ddychwelyd i Aberystwyth. Roedd hynny'n codi problem yn syth: unwaith y rhôi ei droed ar ddaear Lloegr neu Gymru, fe'i cyfrifid yn elyn ac yn estron, a golygai hynny y câi ei arestio a'i garcharu. I osgoi'r broblem, cysylltodd awdurdodau'r Coleg â'r Swyddfa Gartref i ofyn am ganiatâd arbennig i'w esgusodi, fel y gallai barhau â'i waith yn y Coleg. Dychwelodd i Aberystwyth ar Hydref 14, ac aeth Prifathro a Chofrestrydd y Coleg, yn ogystal â Phennaeth y Llyfrgell Genedlaethol, John Ballinger, i'r orsaf i'w groesawu'n ôl i Aberystwyth yn ffurfiol-swyddogol. 'It was this ill-advised action which really roused public indignation to such a pitch as resulted in the recent regrettable demonstration,' meddai'r *Amman Valley Chronicle*, gan gyfeirio at y brotest fawr a gynhaliwyd yn Aberystwyth yn erbyn penderfyniad awdurdodau'r Coleg.[31] Cafwyd sawl adroddiad ar y brotest honno, a dyma un ohonynt:

> Y mae cryn deimlad yn Aberystwyth oherwydd fod awdurdodau'r Coleg wedi dwyn yn ôl Dr. Hethe [*sic*], yr athro Germanaidd. Foreu Mercher diweddaf cynhaliwyd cyfarfod tuallan i gapel Siloh i brotestio yn erbyn gwaith yr awdurdodau.
>
> Nodid lle'r cyfarfod gan faner fawr, ac yr oedd rhai canoedd o bobl yn bresenol. Aeth y Cynghorwr Samuel i ben llwyfan ac anerchodd y dorf. Ffurfiwyd yn orymdaith ac aed tua thŷ Dr. Hethe. Dringodd y dorf tros wal yr ardd ac aethant at ddrws y ffrynt gan roi y faner i fyny o flaen y drws. Rhoesant rybudd i Dr. Hethe ymadael o'r lle. Y pryd hwnw daeth yr Athro Marshall allan o'r tŷ a gwnaeth sylwadau anffafriol am y dorf, a chafodd driniaeth lled chwerw.
>
> Oddi yno aeth y dorf tua phreswyl Dr. Schott, yr hwn hawlia ei fod yn Brydeiniwr o enedigaeth. Rhoed iddo yntau rybudd i ymadael, a dywedwyd wrtho fod ei wraig yn canu anthem genedlaethol Germani bob nos er blinder i'w chymdogion. Gwadai Dr. Schott hyny.
>
> Wedi hyny aed i rai o westai'r dref i chwilio am Germaniaid oedd yn gwasanaethu yno, a thorwyd ffenestr un o'r gwestai. Aed drachefn i siop barfwr, a phan o flaen pawnshop cythruddwyd y dorf gan sylwadau rhyw efrydydd. Ymosodwyd arno a chafodd gurfa lled dost, a bu'n ymladdfa rhwng y dorf a rhai o gyfeillion yr efrydydd. Yr oedd ffoaduriaid o Belgium yn cymeryd dyddordeb mawr yn yr helynt.
>
> Ymadawodd Dr. Hethe o'r dref, ac addawodd Germaniaid eraill ymadael yn fuan.[32]

Ac meddai Gwynn am y digwyddiad:

> Aberystwyth has made itself notorious. There has been a hunt for aliens. This is an account of it from the beginning, so far as I know it ... Dr Ethé

is a German professor, who has been here practically since the opening of the College. He is a man of seventy years of age at least. When a young man in Hanover, I think, he was a promising poet, & a member of a school of literary men who, it seems, started a new movement which greatly influenced the country. He however became interested in Persian & oriental languages, & his name is now probably unknown in Germany, except to Orientalists. At Aberystwyth, he seems to have been a conscientious worker, Many of his pupils speak highly of him.[33]

Roedd Gwynn yn llygad-dyst i'r brotest y tu allan i Gapel Siloh:

The following morning, Dr Ethé went to the College. I saw him there about twelve o'clock. Coming along North Parade shortly afterwards, I noticed, near Shiloh Chapel, what appeared from the distance like a procession, with flags ... When I came up to the crowd, I noticed there were some policemen. I went up to a Superintendent & asked him what the crowd meant. He said they were waiting for Dr Ethé, & asked me what I thought of the College authorities' action in the matter. He evidently sympathized with the crowd. I remained there for some time & spoke to several people. The crowd was then quite good humoured, & a sensible speaker could, I think, have managed them.[34]

Aeth adref am ginio, a daeth un o'i feibion ato i ddweud bod y dorf wedi cyrraedd tŷ Dr Ethé, a bod cryn dipyn o ymladd yno. Aeth Gwynn at dŷ Hermann Ethé i weld beth oedd yn mynd ymlaen, ond roedd popeth wedi tawelu erbyn iddo gyrraedd.

Roedd y dorf wedi gorymdeithio at gartref darlithydd arall, y mathemategydd disglair Dr George Adolphus Schott, fel y nodwyd yn adroddiad *Yr Utgorn* ar yr helynt. Er mai yn Bradford y cafodd ei eni, Almaenwyr oedd ei rieni ac Almaenes oedd ei wraig, ac roedd hynny yn ddigon o reswm i'r bobl droi yn ei erbyn. Llwyddodd Schott, fodd bynnag, i dawelu'r dorf:

Dr Schott explained that he was legally an Englishman, & that he was no friend of the Kaiser. As to his wife, she could not play the piano, & there was no piano in the house. After this, the crowd dispersed, someone having given Dr Schott a Union Jack to hang out of his window as a token of his British nationality & loyalty. Among Dr Schott's colleagues it was understood that he was an opponent of militarism, & that his wife was strongly against the war. So patriotism cleared the Germans out of Aberystwyth.[35]

Adnewyddwyd yr ymosodiadau ar Schott ym 1915. Yn ôl Gwynn:

When the Lusitania was sunk, there was a fresh outbreak of feeling against Dr Schott. He received several threatening letters, in which it was stated that his house would be wrecked unless he cleared out of the town. He was naturally much distressed, & his wife was in terror. Professor Morgan Lewis slept in their house one evening, Professor Edward Edwards another evening, & Mr. J. H. Davies a third.[36]

Roedd y rhyfel yn magu casineb, gwenwyn, drwgdybiaeth a dicter, hynny a welai Gwynn, gan ddyfnhau a dwysáu ei gasineb at ryfel. Dinistriai'r rhyfel bawb a phopeth. Ac yntau bellach yn rhan o fywyd y coleg, gallai weld yn glir yr effaith a gâi'r rhyfel ar rai o'i gyd-ddarlithwyr. Nid lladd pobl yn unig a wnâi rhyfel, ond lladd yr ysbryd hefyd, ac achosi chwerwedd a surni, yn ogystal â chwalu pob trefn. Effaith y protestiadau hyn yn erbyn Almaenwyr Aberystwyth oedd peri i Gwynn golli ei ffydd yn y ddynoliaeth.

Parhâi i brotestio yn erbyn y rhyfel ym mis Medi 1914. Ymbil am drugaredd Duw 'drwy gur a bai' a wnâi yn 'Te Deum', a chondemnio dyn am ladd a difa gan foli Duw ar yr un pryd:

Treisied, arteithied, rhuthred, anrheithied,
Cabled, areithied ei druthwyr mân,
Daear er hyny a'th fawl gan ffynnu
Draw wedi'i thynnu drwy waed a thân![37]

Ac fel y dynesai Nadolig 1914, roedd yn amlwg na fyddai'r rhyfel yn dod i ben yn fuan.

Hiraethai Gwynn am gwmnïaeth wâr rhai o'i gyfeillion yng nghanol enbydrwydd yr amseroedd, yn enwedig E. Morgan Humphreys. 'Y mae arnaf ddirfawr hiraeth am danoch, yn wir, canys cawsom ieuenctid a phrofiad, ac os cawn ni ddywedyd hynny am danom ein hunain, ddawn mor debyg fel nad wyf fi byth yn disgwyl cyfarfod cyfaill arall a fyddai'n hafal i chwi,' meddai wrtho.[38]

Gobeithiai y câi ei weld cyn y Nadolig, ond ni welsant ei gilydd. Roedd gan Morgan Humphreys y ddawn i ganfod rhagoriaeth mewn llenyddiaeth, ac erbyn 1914, roedd ganddo lyfr i'w enw, *Dirgelwch yr Anialwch*, casgliad o straeon antur a gyhoeddwyd ym 1912. Erbyn y Nadolig, roedd tref Aberystwyth dan ei sang:

> Y mae'r dref yma'n llawn o filwyr ers pythefnos – o wyth i ddeng mil ohonynt. Yr ydym yn byw mewn amseroedd enbyd, ac ni wn i beth i'w feddwl. Pe cawswn fy newis, buaswn wedi byw a marw yn y canol oesoedd.[39]

Roedd encilwyr yn ogystal â milwyr yn llenwi'r dref, ffoaduriaid o Wlad Belg yn enwedig, a nifer o gerddorion yn eu plith. Cyn Nadolig 1914, cyfarfu Gwynn â'r bardd Emile Verhaeren, un o feirdd gwirioneddol bwysig Gwlad Belg. Yn ôl adroddiad yn *Y Cymro*:

> Emile Verhaeren yw prifardd Belgium. Ffoadur yw yntau, hefyd, yr awron, fel cynifer o oreugwyr ei genedl. Ymwelodd ag Aberystwyth yr wythnos ddiwaethaf, a thraddododd ddwy ddarlith yng Ngholeg y Brifysgol. Braint ydoedd gweled a chlywed y gŵr sydd yn anad odid neb arall yn y byd yn fardd gwerin, gweithiwr a gwyddor. Yn ystod y misoedd alaethus hyn y mae ei enw a'i waith wedi dyfod yn llawer mwy adnabyddus na chynt yng nghylchoedd llenyddol y deyrnas, er nad oeddynt yn ddieithr hyd yn oed yng Nghymru ... Drwy haelioni Miss Gwendoline Davies, Llandinam, y trefnwyd i gael y bardd i draddodi ei ddwy ddarlith; y gyntaf ar "Ysbryd Belgium," a'r ail ar "Drefydd bychain Belgium." Y Prifathro Roberts a lywyddai'r dydd cyntaf, a Mr. T. Gwynn Jones drannoeth ... Dangosodd Gwynn Jones ei fedr fel ieithydd, hefyd, drwy gyfarch ei gydfardd, yn niwedd ei anerchiad, yn Ffrangeg.[40]

'Terfynodd ei araith huawdl,' meddai'r Athro J. Young Evans, awdur yr adroddiad, 'gyda chondemniad urddasol miniog o'r ysbryd Prwssiaidd, nes peri i bawb lawenhau na choleddid gan neb yn y sefydliad y syniadau enbyd hynny sydd wedi dwyn cymaint dinistr a difrod ar y byd, ac yn bygwth dymchwelyd Cristionogaeth ei hun'.[41]

Yn ogystal â chyfarfod ag Emile Verhaeren, daeth Gwynn i adnabod nifer o gerddorion o Wlad Belg hefyd. Roedd amryw byd ohonynt yn preswylio yn nhref Aberystwyth, meddai mewn llythyr at Silyn ar ddechrau 1915. Yn anffodus, yr oedd yna eraill hefyd yn llenwi'r dref:

Y maent wedi damnio'r dref trwy ei gorllenwi â milwyr, ac y mae'r merched yn marw o'u cyrrau yma, mi glywais – dros eu gwlad, y mae'n debyg! Yr wyf wedi llwyr ffieiddio ar yr holl ddiawligrwydd – y twyll a'r rhagrith a'r celwydd, y cigydda, y "gwladgarwch," a'r cwbl.[42]

Ym mis Ionawr 1915, ar y Rhodfa yn Aberystwyth, daeth Gwynn ar draws gŵr ifanc yr oedd yn ei adnabod. Athro wrth ei alwedigaeth oedd y gŵr hwn, ond roedd newydd dderbyn comisiwn yn y fyddin. Roedd yn ddigalon pan gyfarfu Gwynn ag ef, a gwahoddodd ef i'w gartref i gael pwt o swper. Uwchben swper ac wedi hynny, dadlennwyd trasiedi a phenbleth y gŵr ifanc hwn, a phob llanc ifanc a oedd wedi ymuno â'r fyddin yn wirfoddol:

> He did not tell me to begin with that he regretted what he had done. He did not give me the impression that he was afraid – in fact, I am sure he is no more afraid than any man who goes to meet probable death. But I understood that he had realised that he had hired himself to be taught, hourly & daily, how most effectively to murder his fellow-men. That they are similarly taught how to murder him & others does not matter. When a man in cold blood considers that his only task is to learn how deliberately to drive a piece of steel through another man, at the bidding of a third, he has to do one of two things – to become brutalised or sick of the horrible truth. This man was very sick. Still he goes on.[43]

Y drasiedi oedd bod dynion ifainc gwaraidd a galluog yn cael eu troi'n beiriannau lladd, oherwydd bod y Wladwriaeth yn ewyllysio ac yn gorchymyn hynny, gwŷr ifanc na fyddai'r syniad o ladd dyn arall yn croesi eu meddyliau am rith o eiliad cyn y rhyfel, ond ar ôl cael eu hyfforddi yn y grefft o lofruddio, disgwylid iddynt ladd cymaint ag a ellid o ddynion ifanc eraill. Dyna ynfydrwydd rhyfel. A'r broblem oedd y ffaith fod gweinidogion yr Efengyl yn curo cefnau'r bechgyn hyn a yrrid yn lluoedd i'w tranc. 'Ministers from pulpits call it bravery, sacrifice, duty,' meddai yn ei ddyddiadur.[44]

Clywodd Gwynn fod rhai o fechgyn Sir Fôn a Sir Gaernarfon yn ymrestru oherwydd eu bod yn ddi-waith, ac oherwydd y caent eu galw'n llyfrgwn am beidio ag ymrestru. Dywedodd Caplan yn y fyddin wrtho fod areithiau Lloyd George yn gyfrifol am yrru nifer helaeth o fechgyn Cymru i'r gad. Yn ôl Lloyd George, trwy osgoi ymrestru roedd bechgyn ifanc Cymru yn esgeuluso'u dyletswydd. Ym mis Chwefror cyfarfu Gwynn â ffoadur o Fflandrys a ddywedodd wrtho mai ariangarwch a chyfalafiaeth oedd y tu ôl i'r rhyfel, ac nad oedd ei wlad ei hun mor ddibechod â hynny:

> He admitted that the Flemish people were naturally inclined to favour the Germans, & that the Flemish capitalists in particular were under German influence. He even suggested that some of them would have been prepared to become German subjects in order to be enabled to make more money.[45]

'So much then for the sacredness of Belgian neutrality and our own canting hypocrisy about its defence,' meddai.[46] Rhuthro i amddiffyn amhleidiaeth Gwlad Belg a wnaeth Prydain, ond dim ond esgus oedd hynny i fynd i ryfel.

Ar ddechrau mis Chwefror traddododd anerchiad yn Eglwys y Tabernacl yn Aberystwyth ar y testun 'Croes ai Cors?' Roedd gan y ddynoliaeth ddewis, y dewis rhwng baw a llaid a chyntefigrwydd y gors, ar y naill law, a gwaredigaeth y Groes, ar y llaw arall. Rhwng y ddau eithaf hyn yr oedd y frwydr mewn gwirionedd. Credai'r Almaenwyr, meddai, mai Napoleon oedd y proffwyd a oedd wedi gorchfygu Crist. Hwn oedd proffwyd y 'Gorddynion', sef adlais o *Übermenschlich*, 'Gor-ddyn' Friedrich Nietzsche, yr athronydd o'r Almaen a gyhoeddodd farwolaeth Duw.

Roedd Gwynn wedi sôn am *Übermenschlich* Nietzsche yn *Y Goleuad* ym mis Medi 1914, wrth iddo geisio mynd i'r afael â phroblem yr Almaen. Sut y gallai'r genedl ddiwylliedig a deallus hon droi at arfau a lladd a dinistr yn y fath fodd ac ar y fath raddfa? Sut y gallai cenedl mor wâr ac mor flaenllaw ym myd dysg suddo i'r fath bwll o anwareidd-dra a ffieidd-dra? Yr Almaen yn anad yr un genedl arall a roddodd drefn ar astudiaethau Celtaidd:

> Rhaid cydnabod eu bod ar y blaen am ddiwydrwydd mewn casglu a dosbarthu ffeithiau. Ac nid yn unig eu hanesyddion, eithr hefyd eu hysgolheigion ym mhob cylch. Buont wrthi yn ddygn a gonest ar hyd y blynyddoedd yn casglu ac yn dosbarthu ffeithiau. Rhaid edmygu eu diwydrwydd. Daw'r peth adref i ni Gymry pan gofiom mai hwy yw'r bobl a wnaeth fwyaf o bawb i ddwyn dysg Geltaidd i'r safle y mae ynddo heddyw. Tra bu'r Saeson yn sôn gyda dirmyg am y "Celtic fringe," neu ynte gyda rhyw hanner syndod am y "Celtic emotionalism," a dychmygion tebyg; a thra bu'r Cymry hwythau yn dadleu â'i gilydd ynghylch dyblu llythrennau neu beidio, a'r Gwyddyl yn colli eu hen iaith odidog, bu'r

Almaeniaid yn darllen ac yn cyhoeddi hen lawysgrifau Celtaidd, ac yn astudio gramadeg yr ieithoedd yn fanwl ac yn drefnus.[47]

Beio athroniaeth ddryslyd Nietzsche am yr holl argyfwng a wnaeth Gwynn. Gan fod Duw wedi marw, rhaid oedd cael rhyw ffurf arall o fod uwchraddol, a'r Gorddyn oedd hwnnw. Hwnnw a ddaeth i ddisodli Duw a Christ:

> Melltithiwyd yr Almaen â tho o wallgofiaid galluog ac awdurdodol – Niet[z]sche yn engrhaifft [sic] o'r naill, a'r Kaiser o'r llall. Arbenigrwydd amwyll Niet[z]sche oedd credu ei fod ef ei hun yn fwy na dyn, "*Übermenschlich*." Sail cred o'r fath, cyn belled ag y gall bod iddi unrhyw sail gyson o gwbl, yw y gellwch orfod ar ddynion ereill ond ichwi ymwadu â phob moes a safon a berthyn i gymdeithas ddynol yn gyffredin, a meistroli eich cyd-greaduriaid trwy dwyll a rhagrith a thrais a gorthrech ... Ac yr oedd pawb yn cydnabod fod Niet[z]sche wedi colli ei gof cyn marw. Eto fe'i credodd yr Almaeniaid, a chawsant wallgofddyn fel yntau, heb ddim o'i allu ar ei gyfyl, yn benadur, a hwnnw â phob awdurdod yn ei law ef a'i greaduriaid – neu ei feistriaid, feallai. Unig ddylanwad posibl meddwl cryf ond dyrys, fel meddwl Niet[z]sche, ar feddwl gwan a dyrys fel meddwl y Kaiser, fyddai cynhyrchu actor cwbl wallgof, agored i bob chwiw a gymerai afael ynddo.[48]

Yr un byrdwn sydd i'r ysgrif yn *Y Goleuad* ac i'r ddarlith 'Croes ai Cors?' yn y Tabernacl yn Aberystwyth, sef bod rhyfelgarwch Napoleon wedi gorchfygu heddgarwch Crist. Mae 'cors' yn nheitl y ddarlith yn chwarae ar 'Corsica', man geni Napoleon. 'Gair olaf ei phlaid waedlyd yw fod "Corsica wedi gorchfygu Galilea," hynny yw, fod Napoleon a'i ddulliau wedi gorfod ar Grist a'i efengyl,' meddai Gwynn am yr Almaen.[49] Mewn geiriau eraill, câi'r Almaen ei harwain a'i rheoli gan wallgofddyn o unben, ac roedd y byd wedi mynd yn wallgof i'w ganlyn.

Cyfeiriodd at Nietzsche mewn ysgrif arall, 'Faust a Mephistopheles', a gyhoeddwyd yn *Y Goleuad* ar ddechrau Rhagfyr 1914. Nietzsche, ac athronydd arall, Heinrich von Treitschke, a oedd yr un mor orffwyll â Nietzsche, a fu'n gyfrifol am ffurfio meddylfryd cenedlaethol yr Almaen yn ôl Gwynn. A dyma brif bwyntiau'r ddau athronydd:

> Mai pennaf amcan bod dyn yw rhyfel a pharatoi at ryfel; mai o ewyllys grym a thrais arfau y tardd pob diwylliant; mai gweiniaid, yn peryglu bod eu cenedl eu hunain, yw cefnogwyr heddwch; ac mai'r rhyfelwyr

yw'r dynion goreu. Pa grefydd neu foes bynnag a fo yn erbyn y pethau hyn, drwg yw. Nid oes genedl ond yr Almaeniaid a all drin y byd yn y ffordd hon. Iddi hi y rhoed mwynhau ynddi ei hun yr hyn a roddwyd i ddynoliaeth i gyd. Am hynny, hi sydd i arwain ym myd y deall, ac er mwyn hynny rhaid iddi drechu'r byd â'r cleddyf.[50]

Roedd yna elfen broffwydol i'r hyn a ddywedai, ac fel proffwyd y llefarai yn aml yn ystod cyfnod y rhyfel. Ymhlyg yn y prif bwyntiau hyn y mae meddylfryd Adolf Hitler a'i ddilynwyr, a'u cred yng ngoruchafiaeth yr Almaen adeg rhyfel byd arall. Yn wir, y mae Gwynn yn ei gywydd byr 'Y Gor-ddyn' yn dychanu ac yn dilorni'r syniad hwn o *Übermenschlich*:

> Oblegid i'w aur blygu
> A dwyn i lawr dano lu,
> Dywedid uched ydoedd –
> Diau un o'r duwiau oedd!
> Ei wanu o bryf digon brau –
> Dan ei ddaint dyn oedd yntau.[51]

Nid digon gan Gwynn oedd condemnio rhyfel fel rhyfel, er nad oedd angen unrhyw gyfiawnhad nac esboniad dros gondemnio rhyfel, mewn gwirionedd. Uffern yw pob rhyfel. Ond ceisiodd Gwynn ddeall pam yr oedd yr Almaen wedi datblygu i fod yn wlad mor filwriaethus a gormesgar.

Ac eto, gwrthodai feio'r Almaen yn gyfan gwbl am y gyflafan fawr. Meddai wrth E. Morgan Humphreys ddechrau Ionawr, 1915:

> Ni allaf fi, yn un, roi'r holl fai ar yr Almaen. Yr ydym yn y camwedd i gyd, ac y mae'n anodd gweled rhithyn o gyfiawnder yn unman. Os ydym ni yn ymladd am ryddid a gobaith yn awr, am ba beth y buom yn ymladd cynt, ac am ba beth yr ymladdwn pan gaffo'r milwriaethwyr y llaw uchaf, fel y cânt – fel y maent eisoes wedi cael? A sylwasoch chwi fel y maent yn damnio'r Gwyddyl am na baent yn barotach i ymladd dros y boblach sydd hyd yn oed eto am drin Iwerddon fel y mynnai'r Almaen drin y byd? Nid wyf yn credu y byddai well i'r Gwyddyl yr Almaen na Lloegr, ond pa beth a ddywedwn pe bawn Wyddel o waed coch cyfa? Beth a ddywedaswn pe buaswn Foer yn Neheudir Affrica, hyd yn oed? Na, y mae'n dwylo ni yn rhy fudron i ni allu fforddio agor llawer ar ein cegau, yn sicr. Pe cawn i

gyfle, mi adawn y wlad hon am byth, hyd yn oed er mwyn byw mewn un *newydd* heb fod yn ddim gwell na hi![52]

A dyna'r awydd i ddianc yn codi ei ben eto, ond, y tro hwn, roedd ganddo ddigon o bethau i ddianc rhagddynt. 'Pe cawn rywbeth i'w wneud yno, fe awn i i'r America rhag blaen, ac ni ddown byth yn fy ôl i Ewrop mwy,' meddai wrth ei gyfaill Gwynfor ym mis Hydref 1915.[53]

Ym mis Chwefror 1915, ac yntau wedi bod yn ddarlithydd prifysgol am dros flwyddyn, gallai Gwynn edrych yn ôl ar droeon yr yrfa. Roedd brwydrau'r gorffennol yn fyw yn ei gof, er ei fod bellach wedi hen gyrraedd ei nod. Un o'r pethau a'i poenai'n gyson oedd y modd y câi ei wneud yn gocyn hitio gan rai a oedd yn llawer llai gwybodus ac yn llawer iawn llai dawnus nag ef. Nid snobyddiaeth oedd hyn ynddo. Darlithydd prifysgol neu beidio, tybiai a theimlai o hyd fod y Cymry yn ceisio'i ddifrïo a'i iselhau. Câi ei frifo'n hawdd a châi ei gythruddo'n hawdd. Meddai wrth Morgan Humphreys:

> Fu 'rioed bobl ryfeddach na ni'r Cymry. Mentrwn bopeth, ac ni wnawn ddim, a phan fo dyn a wypo'i fusnes, rhaid caniatáu i bob lliprin bol clawdd luchio'i laid ato. Yn wir, pe cawn i fy mywoliaeth trwy ddarlithio ar rywbeth arall a wn, mi rown y goreu i Gymraeg o ddiflasdod noeth! ... Byddaf yn teimlo y gallaf wneuthur un peth – ysgrifennu – weithiau. Ond faint haws fyddaf, a'r gohebwyr lleol yn gwybod cymaint mwy na mi, heb golli awr erioed i ddysgu dim? Chwerthin am eu pennau a ddylai dyn, ond fedr dyn yn ei fyw chwerthin yn ddi-dor![54]

Y Brifysgol oedd y lle goreu iddo fod, yn sicr, ac fe wyddai hynny, ond bu'n frwydr:

> Pan ddeuthum adref o'r Aifft, penderfynais y trown fy ieithoedd yn fwyd a diod, os gallwn ... Cymerodd i mi wyth mlynedd, ond gwneuthum y job, ryw fath. Yn wir, pan oeddwn yn hogyn, yr oedd arnaf awydd mawr mynd i Rydychen. Bûm yn cael fy mharatoi at *Fatric* Llundain gan hen offeiriad – ysgolhaig clasurol ardderchog. Torrodd fy iechyd i lawr, aeth amgylchiadau fy nhad yn salach nag y buasent. Felly yr euthum i at y papurau. Bûm gyda hwy o'r adeg yr oeddwn yn 19 hyd nes cyrraedd 38 – agos i ugain mlynedd. Ond yr oeddwn wedi penderfynu y cyrhaeddwn f'amcan. Bu agos iddo gostio fy hoedl. Pan synnech gynt at fy anfodlonrwydd, yr oeddwn yn ysu am fy rhyddid. Gwyddwn bod rhai a wyddai ac a fedrai lai na mi yn well

eu byd na mi [o] lawer, am fod gradd wrth eu henwau. Wel, os yw gradd o ryw werth, fe'i henillaf finnau eto cyn diwedd y flwyddyn hon, ac os caf fyw, mi gymeraf Ddoctorate cyn bo hir wedyn, o ran sport glân.[55]

Roedd yn ymdroi ym myd llên a dysg ar ddechrau 1915. Astudiai lenyddiaeth y Celtiaid yn bennaf, a bu wrthi'n paratoi chwe darlith ar farddoniaeth ddiweddar pedair iaith Geltaidd: Llydaweg, Gaeleg, Gwyddeleg a Chymraeg. Gobeithiai droi'r darlithoedd hyn yn llyfr. Ni ddarllenai ddim yn Saesneg, na phapur na llyfr.

Ym mis Mawrth 1915, cyfarfu Gwynn â ffoadur arall o Wlad Belg, Walwniad y tro hwn. Closiai'r Walwniaid at y Ffrancwyr a'r Eidalwyr yn hytrach nag at Fflandrys a'r Almaen. Roedd y Walwniaid yn casáu'r Fflemeg. Er eu bod yn cydymdeimlo â Ffrainc a'r Eidal, credai'r Walwniaid fod y Ffrancwyr yn gelwyddgwn, yr Eidalwyr yn llyfrgwn, a'r Almaenwyr yn waetgwn. Felly, gwlad holltedig, a gwlad ragrithiol i raddau, oedd Gwlad Belg, a dyma'r wlad yr aeth bechgyn Cymru i'w hamddiffyn. Cofiodd Gwynn am ddwy ddarlith Emile Verhaeren yn Aberystwyth:

> Verhaeren, lecturing at Aberystwyth, said that the war had made Wallons & Flemish one people. Not a bit of it. I know Flemish & Wallons who would not come to listen to him. To the Flemish, he was a Frenchman. To the Wallons, he was not a Christian of the proper type, at least. And they cannot agree together here, any more than Welsh people and the second-hand English-speaking Welsh people can generally agree. Language and tradition must be everything, & the only reasonable solution is that there should be one universal language and the native language taught in the schools. Esperanto and the national languages would save Europe.[56]

A dyna weledigaeth Gwynn ym 1915.

Pwdodd wrth grefydd a chrefyddwyr yn ystod blynyddoedd y rhyfel. Erbyn mis Ebrill 1915 roedd agwedd Cristnogion honedig at y rhyfel wedi ei lwyr ddadrithio a'i lwyr ddigalonni:

> I have determined not to attend a religious service until this war is over. I cannot stand the attitude of the preachers & the churches. I believe that every Christian church should have been closed at the outbreak of the war, & not opened again until peace were proclaimed. As it is, things are intolerable. Men go into the pulpits to bless war, & if not to do that, at least to tell the man-slayers to their faces that they admire them for their

devotion to duty. This is a slur upon everyone who believes that all war is wrong & opposed to Christianity.[57]

Nid oedd ystyr i Gristnogaeth bellach. Y rhyfel a reolai bopeth. 'To compare Christ to Napoleon is intolerable,' meddai yn ei ddyddiadur rhyfel.[58]

Cerddodd allan o'r Tabernacl yn Aberystwyth yn ystod cyngerdd a gynhaliwyd yno i gasglu arian ar gyfer y ffoaduriaid o Wlad Belg. Aeth merch ifanc i fyny i'r pulpud, a chanodd, i gyfeiliant organ, un o faledi brwnt y neuaddau cerdd, 'about the women who were prepared to hug & kiss the men who went to fight'.[59] Roedd Catholigion yn bresennol yn y gynulleidfa. 'A fine idea they had of Protestant common decency,' meddai.[60] Roedd y rhyfel bellach yn halogi'r lleoedd mwyaf cysegredig. Tyngai na fyddai byth eto yn tywyllu drws na chapel nac eglwys, ond newidiodd ei feddwl yn ddiweddarach, a dechreuodd fynychu gwasanaethau crefyddol unwaith eto, ond i ddim diben:

> I did go to chapel afterwards several times, but only got war sermons, &
> defence of war. One evening, when the Rev. R. J. Rees officiated, I failed
> to put up with it any longer, & left the building when they were singing
> after the introductory prayer, which was no better than a barbarian's
> appeal to the god of his tribe, which god was thanked for the willingness
> of his creatures to serve their country & beseeched to grant victory to
> his fighting hosts ...[61]

Mae rhannau o ddyddiadur yr heddychwr yn disgrifio gweithredoedd ysgeler a gyflawnwyd yn y rhyfel, yn ôl yr hyn a ddarllenasai ac a glywsai amdanynt gan eraill. Un o'r rheini oedd ei gyfaill Silyn. Treuliodd Silyn rai wythnosau ym Mharis ym misoedd Mawrth ac Ebrill 1915. Yno, gwelodd, oddi ar do ei westy, yr Hotel Cavour, ddwy long-awyr Zeppelin yn gollwng bomiau ar y ddinas, gan ladd a dinistrio. Rhannai Silyn gerbyd trên â nifer o filwyr un tro, ac roedd un o'r rheini yn ymffrostio iddo feichiogi sawl merch mewn sawl man. Roedd y rhyfel yn troi dynion yn fwystfilod ac yn foch. Roedd Gwynn yn gyfeillgar â Madame Staquet, un o'r ffoaduriaid o Wlad Belg a oedd wedi cael lloches yn Aberystwyth, a dywedodd stori erchyll wrtho. Roedd y rhyfel wedi effeithio'n drwm ar feddwl nai iddi, 'through seeing the Germans in South Africa compel a prisoner to eat the gouged-out eyes of a fellow-countryman'.[62] Y pwynt y ceisiai ei wneud, er mai gydag ef ei hun yn unig y siaradai ar y pryd, oedd bod rhyfel yn dadwareiddio dyn ac yn ei yrru'n ôl i'w gyflwr cyntefig. Yn ôl Gwynn, y lle gorau i fod ynddo bellach oedd uffern, oherwydd bod y diawliaid i gyd wedi gadael y lle hwnnw.

Mae'r dyddiadur yn llawn o straeon rhyfel. Os bu dogfen erioed a gondemniai ryfel yn llawn ac yn llwyr, y dyddiadur hwn yw'r ddogfen honno. Y ddogfen hon, mewn gwirionedd, yw llawlyfr yr heddychwr. Mae pob drygioni, bron, yn deillio o ryfel – creulondeb, casineb, cythreuldeb a thrais, dioddefaint corfforol a meddyliol, tlodi, drudaniaeth, rhagrith a rhagfarn. Un o'r pethau mwyaf diddorol ynddo yw'r stori a adroddir am Lloyd George, a'r tro hwn, ffolineb llwyr a rhagrith noeth yw'r pechod:

> In Mr Lloyd George's great speech at the Queen's Hall, which was translated into many languages, there was one interesting paragraph which was afterwards censored. Editors throughout the United Kingdom were informed that they would publish that paragraph at their peril. It was not discovered until the speech had been telegraphed, and the paragraph was published in "The Times of India", or some such paper in India. The paragraph was an attack upon the Kaiser, attributing to him (no doubt rightly) a desire to conquer the world. Then came a statement to this effect: "Only one other fool attempted this task, viz Mohammed." In view of the Mohammedan participation in the war, this inconceivable blunder had to be rectified somehow.[63]

Cwynai ar ddechrau 1915 nad oedd ganddo lawer o amser i farddoni. Canai ambell waith pan ddôi'r hwyl heibio iddo. Ysgolhaig oedd Gwynn bellach. 'Am ddarlithio ac ysgrifennu pros beirniadol y telir i mi,' meddai wrth Morgan Humphreys.[64] Ac roedd yn fodlon ar hynny. Cydnabuwyd ei ysgolheictod pan ddyfarnodd Prifysgol Cymru radd M.A. iddo ym mis Gorffennaf 1915 am draethawd ar y testun *Bardism and Romance*. Dyma'r radd y dywedodd Gwynn wrth E. Morgan Humphreys, ganol mis Chwefror, y byddai yn ei hennill cyn diwedd y flwyddyn. 'Yn awr, dyma i chwi fab ffarm wedi dringo yn ddarlithydd mewn Prifysgol heb erioed gael diwrnod o addysg mewn prifysgol ei hun,' meddai un o'r papurau amdano, a dyna oedd ei gamp.[65] 'Rhwng rhyw ddifrif a chware, gyrrais thesis i mewn, bydd hynny yn werth rhywbeth, y mae'n siŵr, yn eu golwg Hwy,' meddai wrth Silyn, gyda chryn ddirmyg tuag at yr academyddion.[66] Nid oedd eto wedi llwyr faddau i'r byd academaidd am ei hepgor cyhyd. Ac nid ei draethawd *Bardism and Romance* oedd yr unig waith beirniadol academaidd iddo'i gyhoeddi ym 1915. Cyhoeddodd gyfrol hynod o ddefnyddiol, *Llenyddiaeth y Cymry: Llawlyfr i Efrydwyr*, cyfrol 1, ym 1915, sef astudiaeth o lenyddiaeth Gymraeg hyd at gyfnod y Tuduriaid. Cyfres o ysgrifau a gyhoeddwyd yn *Y Faner* drwy gydol 1914 wedi eu casglu ynghyd oedd y gyfrol hon. Gobeithiai ymestyn y gwaith rywbryd yn y dyfodol. 'Am ysgrifennu hanes Llenyddiaeth Cymru o ddifrif, yr wyf yn ddigon hy i feddwl y gallwn ei wneud yn well na'r rhan fwyaf, ac feallai y gwnaf, ond nid mewn blwyddyn na dwy,' meddai wrth E. Morgan Humphreys.[67] Mewn gwirionedd, Morgan Humphreys a berswadiodd Gwynn i ysgrifennu hanes llenyddiaeth Gymraeg hyd yr ugeinfed ganrif, a'r gyfrol hon oedd y dechreuad.

Trwy gyhoeddi ysgrifau cynhwysfawr ar lenyddiaeth Gymraeg o'r dechreuad, roedd Gwynn yn lledaenu dysg. Ni chyfyngai ei ddarlithoedd na'i ddysg i'r ystafelloedd darlithio yn unig. Mewn ffordd, Cymru i gyd oedd ei ystafell ddarlithio.

Roedd y rhyfel yn dal i'w boeni ganol haf 1915. Roedd pruddglwyf parhaol arno oherwydd cyflwr y byd:

> Ie, anfad fyd yw yn wir, ond y mae'n werth cadw cas a dial a chwerwedd allan, os gellir. Yr wyf yn fynych bron ag ymollwng fy hun i ganlyn y llif gwaedlyd. Gofyn yn aml i mi fy hun pa beth a ddigwyddai i'r wlad hon pe bae bawb fel y fi. Ond wedi'r cwbl, ni allaf ildio. Y mae'n ddyled ar ddyn pwyllog gadw ei bwyll. Ac fe ŵyr pob dyn a ŵyr rywbeth na setlodd rhyfel ddim byd erioed ac na setla hwn ychwaith. Heblaw hynny, ni fedrwn i ladd dynion, galwer fi beth y mynner. Felly dal yr wyf at fy hen safle, gan gredu mai dyna fy nyledswydd. Bodlonaf i gymryd fy saethu drosti heb wingo, mi obeithiaf, os bydd raid.[68]

Cynhaliwyd Prifwyl ohiriedig Bangor 1914 yn ystod wythnos gyntaf Awst 1915. Dim ond pedair awdl a anfonwyd i'r gystadleuaeth. Cyhoeddwyd beirniadaeth Gwynn yn *Y Genedl* yn fuan ar ôl yr Eisteddod. Roedd yn llawdrwm iawn ar awdl y bardd a oedd yn arddel y ffugenw 'Y Gwyn Gyll', a hawdd dychmygu'r siom a deimlai hwnnw wrth ddarllen beirniadaeth Gwynn ar ei awdl yn *Y Genedl*:

> Y mae cynllun i'r awdl hon ... Ond nid oes nemor wreiddioldeb yn y cynllun na'r cynnwys. Y cwbl a wneir yw rhyw chware â'r pethau y mae'n ymddangos bod yn rhaid eu dynwared yn llenyddiaeth Cymru heddyw ... Ceir ambell ddisgrifiad gweddol dda ynghanol y cwbl; ond y mae darnau ereill yn hollol annealladwy i mi. Gwneir y gerdd yn drosgl gan liaws o freichiau cywydd wyth sillaf; brithir hi gan ffurfiau anghywir ... Tra mynychir y geiriau mympwy, a hynny weithiau heb eu deall, a thrinir gramadeg fel y galwo'r mesur a'r gynghanedd.[69]

Mab fferm oedd 'Y Gwyn Gyll' hefyd, fel Gwynn ei hun, heb gael fawr ddim o addysg ysgol heb sôn am addysg prifysgol. Efallai mai ffolineb ar ran y mab fferm hwnnw oedd breuddwydio y gallai ennill y Gadair Genedlaethol un diwrnod, a dod yn enw cenedlaethol. Ar y pryd, roedd yn byw mewn tŷ fferm diarffordd o'r enw yr Ysgwrn ar gyrion pentref Trawsfynydd, ac ni wyddai fawr neb amdano y tu allan i'w gylch a'i gynefin ef ei hun.

Mewn gwirionedd, un o gyd-ddarlithwyr Gwynn yn yr Adran Gymraeg yn Aberystwyth a enillodd y Gadair. Penderfynodd Gwynn a John Morris-Jones fod 'Rhuddwyn Llwyd' (sef T. H. Parry-Williams) yn deilwng o'r Gadair wedi'r cyfan, ond o drwch blewyn. Ac meddai Gwynn:

> Y mae gallu a medr mawr yn y gerdd yn ddiameu. Ei gwendid yw nad yw'r disgrifiad "Awdl gromatig" a'r arweingerdd ar "Liw," yn llwyddo i'w chlymu yn un cyfanwaith, a bod y disgrifiadau naturiol a'r teimladau mewnol yn ffaelu cwbl ymdoddi i'w gilydd ... Dyma'r awdl oreu o ddigon.[70]

Wrth drafod Eisteddfod Genedlaethol Bangor yn *Y Goleuad*, daeth i'r casgliad fod pawb yn gyfrifol am y rhyfel, a bod dwylo pob aelod o'r ddynoliaeth yn goch gan waed. Pryderai am y dyfodol. Pa fath o fyd a geid drannoeth y drin? Y mae'n sicr mai byd euog, byd â gwaed ar ei gydwybod, fyddai'r byd hwnnw:

> Fe allai ein bod ni, oedd ym Mangor yr wythnos ddiweddaf, wedi gweled yr Eisteddfod ddiweddaf am byth. Y mae'n sicr, o leiaf, os gwelwn ni un eto, na bydd hi yr un fath â chynt. Erbyn hynny, pa lun bynnag fo ar Ewrop, bydd cyfnod yn hanes y byd wedi darfod; bydd y ddaear, ein mam, wedi glasu ar feddau miloedd o'n brodyr, a byddwn ninnau efallai yn sicr erbyn hynny nad oedd neb o honom heb rywfaint o'r cyfrifoldeb am yr anferth beth a'u dododd yno cyn eu hamser. Daw cyfnod eto pryd y bydd dynion yn gymharol ddiniwed, feallai. Ni welwn ni, sydd yn fyw heddyw, mono. Awn ni i'n beddau â gwaed ar ein cydwybodau, pa un bynnag a fuom ryfelgar ai peidio.[71]

Ychydig cyn i'r rhyfel dorri aeth Gwynn yn gyfeillgar iawn â chyd-weithiwr iddo yn y Llyfrgell Genedlaethol. E. Stanton Roberts oedd enw'r gŵr ifanc hwnnw. Ganed E. Stanton Roberts yng Nghynwyd, Meirionnydd, ar Fawrth 11, 1878, felly, roedd yn iau na Gwynn o bron i saith mlynedd. Derbyniodd ei addysg gynnar yn Ysgol Fwrdd Cynwyd, ac aeth ymlaen wedyn i'r Coleg Normal ym Mangor. Ar ôl gadael y coleg bu'n gweithio fel athro yn Cumberland am blwc, ac yn Ysgol Fwrdd y Ponciau, Rhosllannerchrugog, o 1898 hyd at 1905. Yno daeth i adnabod y bardd I. D. Hooson, a chymerai ran gyson yng nghyfarfodydd llenyddol a gwleidyddol y fro, gan gynnwys cyfarfodydd Cymdeithas Cymru Fydd yr ardal, er mai rhyw lusgo ymlaen a wnâi'r cyfarfodydd hynny, wedi i'r mudiad chwythu ei blwc. Wedyn aeth yn fyfyriwr i Goleg Prifysgol Cymru, Aberystwyth, ym mis Hydref 1907, i astudio'r Gymraeg. Graddiodd ym 1911, ac o 1912 hyd at 1915, bu'n copïo ac yn golygu llawysgrifau ar ran Urdd y Graddedigion. Yr oedd felly mewn cysylltiad beunyddiol â Gwynn.

Roedd y ddau yn rhannu'r un diddordebau a'r un argyhoeddiadau. Roedd E. Stanton Roberts yn gynganeddwr medrus, ac yn ŵr a chanddo ddiddordeb mewn hen lawysgrifau ac yn niwylliant Cymru yn gyffredinol, fel Gwynn ei hun. Ym 1917 enillodd radd M.A, am ei waith ar *Llysieulyfr Meddyginaethol* a briodolir i William Salesbury, gwaith a gyhoeddwyd flwyddyn ynghynt. Fel Gwynn yntau, roedd Stanton Roberts yn heddychwr, ac y mae'n sicr fod ei heddychiaeth hefyd yn nodwedd a oedd wedi peri i Gwynn glosio ato. 'Cawsom ddigon o "drenches" yn bregeth heno i'm gyrru o'm cof. Yn ddiau y mae'r byd a'r Eglwys yn wallgof hollol, yn enwedig yr Eglwys,' meddai Gwynn mewn llythyr at Stanton Roberts ym 1915.[72] Gadawodd Stanton Roberts y Llyfrgell Genedlaethol ym 1915, pan benodwyd ef yn brifathro Ysgol Pentrellyncymer.

Arferai Stanton Roberts grwydro Mynydd Hiraethog a mannau eraill gyda Gwynn. Bu'r ddau yn gwersylla ac yn cerdded sawl tro ar Fynydd y Berwyn a Mynydd Hiraethog yn ystod y Rhyfel Mawr, i geisio balm a bendith rhag y boen a oedd yn y byd. Nawdd y mynydd am ennyd. Ar rai o'r gwyliau hyn, caent gwmni'r Parchedig Ffoulke Evans, neu Ffowc Ifan, yntau, fel y ddau gyfaill, yn medru cynganeddu, a byddent yn aml yn barddoni ac yn cynganeddu yn erbyn ei gilydd. Ar un o'r troeon hyn y lluniodd Gwynn ei englyn enwog i'r 'englyn'. Ym 1917 y bu hynny yn ôl cofnod yn nyddiadur Stanton Roberts: 'Cyfansoddwyd ganddo ef ar y ffordd wrth gerdded o Bentrellyncymer i Gynwyd. Gwnaeth ef ar ychydig o ystyriaeth – ef a minnau am y goreu (!!!)'.[73] A hwn oedd yr englyn:

Di-wall we'r deall a'i waith, – dil moddus
   Yn dal meddwl perffaith;
   Cain lurig cynnil araith,
   Enaid byw cywreindeb iaith.[74]

Treuliodd y tri chyfaill wythnos ar y Berwyn ddiwedd haf 1915. Soniodd Gwynn am yr wythnos dangnefeddus honno wrth E. Morgan Humphreys:

> Treuliais wythnos ar Fynydd Berwyn. Cysgem, dri ohonom, mewn pabell. Crwydrasom filltiroedd lawer. Yr oedd yno le odidog, a bywyd gwerth ei fyw, aed gwareiddiad a busnes a phopeth i gythraul – fel yr ânt. Un diwrnod, cerddasom o Gynnwyd ar draws y mynydd i weled Pistyll Rhaeadr – golygfa ardderchog – ac oddi yno i Lanrhaeadr ym Mochnant. Cysgasom noswaith yno, a cherdded drannoeth drwy Lanarmon Dyffryn Ceiriog, drwy Lyn Ceiriog, a thros Allt y Badi – yr allt serthaf a welais erioed – i Langollen. Gwelsom Eglwys yr Esgob Morgan yn Llanrhaeadr; cartref Huw Morrus – Pont y Meibion – yn ymyl Glyn Ceiriog, a Neuadd Goffa Ceiriog yn y pentref.[75]

Cyfeiriai Gwynn yn gyson at y gwyliau a dreuliodd yn gwersylla ar y Berwyn gyda Ffowc Ifan a Stanton Roberts ym 1915. Meddai mewn llythyr at Stanton Roberts ym 1930: 'Nid yw onid pe ddoe gennyf gofio amdanom yn pebylla ar Fynydd Berwyn. Yr oedd y byd y pryd hwnnw ynghanol helynt y rhyfel, ac eto, rhywfodd yr oeddym ninnau'n ieuainc, a rhywfaint o obaith o'n blaenau o hyd'.[76] Dywedodd hefyd fod gobaith yn lleihau 'fel y daw diddymdra yn nes, a'r holl drwbl i gyd yn edrych yn eithaf diystyr – dyna fy mhrofiad i o leiaf'.[77]

Yn union ar ôl y gwyliau hynny ym 1915, anfonodd Gwynn gywydd at Stanton Roberts:

> Am Ferwyn y myfyriaf,
> Ferwyn hen dan firain haf,
> Rhodio drwy'i rug a'i redyn,
> A gwylio'i niwl gwelw neu wyn
> Yn dyrchu'i fraith dorchau fry
> O fan i fan, i fyny;
> Ei ddefaid, mor ddiofal;
> A'i lynnau dwfn, fel yn dal
> Drych i'r wawr edrych ar wrid
> Sanctaidd a thlws ieuenctid.

Ac ar ei odre, crwydrem

Gan wylio tro llawer trem,

Ei lwch tarth, ei lewych têr,

A'i liwiau cymysg lawer;

Gwrando'r gwynt hyd grindir gŵydd,

A dwysterau'r distawrwydd;

Bod yno o'r byd annuw,

Gwyleiddio dan gael hedd Duw;

Deall felly'r myfyr mud

Heb ddadwrdd, heb ddywedud;

Deall yno dwyll einioes,

A gweled gwerth gwledig oes;

Adnabod yno obaith,

Gwybod fod trugaredd faith

Eto ar ran rhyw druan dri

Wedi'r anial drueni![78]

Ym mis Hydref 1915, anfonodd Gwynn stori at E. Morgan Humphreys, gan ofyn iddo ei chyhoeddi yn *Y Goleuad*. 'Hwyrach ei bod yn rhy ddiffygiol mewn parch i Ymherodraeth a'i gogoniant,' iddi gael ei chyhoeddi, meddai wrtho, ac roedd yn llygad ei le.[79] Daeth mis Rhagfyr, ac ni chyhoeddwyd y stori yn *Y Goleuad* o gwbl. Ar noswyl y Nadolig, gofynnodd amdani yn ôl. Bwriadai ei chyhoeddi yn *The Venturer*, cylchgrawn 'The Brotherhood of Reconciliation'. Yn yr un llythyr, hiraethai am y dyddiau a fu:

> Bûm yn dipyn o gredwr yn y gorffennol erioed. Gwn bellach mai nid o'i flaen ond ar ei ôl y mae'r oes aur i bob dyn deugain oed, ac heddyw, hawdd y gall y byd ystyried, pe bae wiw ganddo ystyried o gwbl, bod ei oes aur yntau hefyd wedi mynd heibio ers llawer dydd.[80]

Cofnododd y modd y gwrthodwyd y stori yn ei ddyddiadur:

> A couple of months ago, I sent to "Y Goleuad" a story descriptive of a man's feelings in a bayonet charge – which I will publish somewhere, if possible – but it was not used by the editor. Writing to him last week, I asked him to return the story, if unsuitable. He has done so, & says: "In accordance with your request, I return the story. The picture is true

enough, but it is possible that I would only have brought trouble upon my head if I had published it now, & to tell the truth, I am too tired for a row.[81]

Cyfieithodd y stori ddadleuol hon dan y teitl 'Beyond' yn ei ddyddiadur, a dyma ran ohoni:

> The hour had come. And there was in it neither romance nor glory. Those things are found at home, on easy chairs & in newspapers only. In my agitation, I fell, as we were running. Tho' I was down only a few seconds, the other men, by the time I had got up, were coming up to the enemy. They were shouting horribly. All kinds of things – curses, pieces of comic songs, pieces of prayers. On the ground between me & them were men, some dead, some dying. I observed all these things in an instant. Then I began running after the others. This was the first time for me to be in a bayonet charge. I had not driven it into any living creature before. I was in terror. That is the naked truth. Yet, I ran. Somewhere. For everybody was running ... My only aim was to get that steel blade into something. Perhaps I succeeded several times, but I only remember running & shouting with all my might.[82]

Wrth gwrs, ofni gwg yr awdurdodau yr oedd E. Morgan Humphreys, a phryderai hefyd y gallai straeon o'r fath dolcio cylchrediad *Y Goleuad*.

Nid oedd popeth, fodd bynnag, yn erchyll ac yn hagr. O leiaf yr oedd llawer iawn o harddwch yn nychymyg Gwynn yng nghanol yr holl faweidd-dra. Ym mis Rhagfyr 1915 anfonodd gerdd newydd sbon at Silyn, i'w chyhoeddi yn y *Welsh Outlook*, i ddechrau, gan ofyn iddo iddo a fyddai'n fodlon ei chyhoeddi ar ffurf llyfryn bychan wedyn. 'Y mae gennyf ychydig hoffter ati, gan bod fy ngwaed Gwyddelig ynddi, ond odid, a'm bod wedi cymryd pum mlynedd i geisio ei pherffeithio,' meddai.[83] 'Tir na N'Og' oedd y gerdd honno, 'Awdl Delynegol at Beroriaeth'. Yn unol â chais Gwynn, cyhoeddodd Silyn yr awdl mewn llyfryn bychan ar ôl iddi ymddangos yn y *Welsh Outlook*, ac ar ôl i Gwynn ychwanegu rhyw lond dwrn o gerddi eraill ati. Cywydd yn dwyn y teitl 'Y Ddau Ddewin' oedd un o'r cerddi ychwanegol hyn, heb yr un nodyn i esbonio pwy oedd y ddau ddewin. Mewn gwirionedd, Glynn a Meilir, meibion Silyn a'i briod, Mary, oedd y ddau ddewin hyn, a dathlu afiaith a diniweidrwydd plentyndod a wneir yn y cywydd:

Gwelwch angel penfelyn,

Ie, mil, os chwi a'i myn;

A chennych mae'n ychwaneg

Esmwyth wlad y Tylwyth Teg,

Ag yn nhir di gyni hon

O degwch fwy na digon;

A'i deiliaid i'ch enaid chwi

Yn aros yn aneiri!

A myfyr, ond ymofyn,

Cewch eu gweld, mewn coch a gwyn,

Yn dawnsio'r nos dan sêr nen

Heibio'n llu buan, llawen.

Gwyn eich byd! Gennych y bo

Y fath gyfoeth i'w gofio;

Dau ddewin fach, diddan fyd

Iwch [Ichwi] fo tra gaffoch fywyd;

Boed i Lyn fyd hyfryd, hir,

A boed melys byd Meilir![84]

Ym 1910 y lluniodd y gerdd yn wreiddiol. Dangosodd gopi ohoni i'w gyfaill Alafon rywbryd yn ystod y flwyddyn honno:

> Mi a gefais y fraint ryw ddydd yn ddiweddar o weled copi o Libretto y
> mae Mr. Gwynn Jones newydd ei hysgrifennu, ac ni welais yn fy nydd
> ddim cyn dlysed. Y mae hi wedi ei sylfaenu ar hen chwedl Wyddelig
> darawiadol. Ei theitl ydyw "Tir na Nôg" (ffugenw Gwynn ym Mangor, ac
> enw ar Ynys Afallon y Gwyddyl).[85]

Ac y mae'n dyfynnu rhai o linellau'r awdl, cyn i Gwynn newid a gloywi rhai ohonynt, er enghraifft, aeth 'Nia Ben Aur, yn ei[n] hoew bau ni/Yw yr enw, O, fardd, a roir arnaf fi' 1910 yn 'Nia Ben Aur, yn ein glân bau ni/Yw'r enw, O fardd, a roir arnaf fi' ym 1917, ac aeth 'Ni ddaw yno arwydd henaint,/Ofn na braw i fennu bron' yn 'Ni ddaw yno arwydd henaint,/Gwae na braw fo'n gwanu bron'.[86]

Credai mai 'Tir na n'Og' oedd un o'i gerddi mwyaf llwyddiannus, am fod ynddi ystyr gudd, yn un peth. 'Ni wn i er hynny fy mod yn ei deall yn iawn, ond y mae ynddi ryw ias o farwnad dyn i'w ieuenctid a'r pethau teg a garodd gynt,' meddai wrth Silyn.[87] Mae hiraeth Gwynn am ddyddiau ei ieuenctid yn amlwg drwyddi:

> Trist yw nad oes heddyw sôn
> Am daith fy nghydymdeithion;
> Nid oes, lle'r oedd gannoedd gynt,
> Hanes am un ohonynt;
> A'm hannedd yma heddyw
> Wele, noeth adfeilion yw!
> Gwae hefyd yw, mi gofiaf,
> Fel doe'r oedd dan flodau'r haf ...[88]

Ond ceir yn yr awdl fwy na hiraeth personol. Mae'r seiri maen yn y gerdd yn codi llys newydd, gan ddefnyddio meini cartref adfeiliedig Osian ar gyfer y gwaith. Mae'r hen fyd, yr hen wareiddiad, wedi darfod â bod, a bellach mae gwareiddiad newydd wedi cyrraedd. Y seiri yn yr awdl yw penseiri ac adeiladwyr y gwareiddiad newydd. Mae'r rhain â'u bryd ar adfer ac ail-greu'r gogoniant gynt:

> I gaer ein tadau gwrol,
> Mynnwn ni eu meini'n ôl.[89]

Ond nid yw'r gwareiddiad newydd gystal â'r hen wareiddiad, ac nid yw'r gweithwyr sy'n creu'r gwareiddiad newydd gystal â'r gweithwyr gynt:

> Adferant henllwyd furiau
> Ddoe fu wych – yr annedd fau,
> Ond, adail, wanned ydynt
> Wrth y rhai a'th godai gynt![90]

Credid a gobeithid y byddai'r rhyfel yn esgor ar well byd, ond ni wnaeth hynny, a gwyddai rhai, fel Gwynn, na fyddai'r rhyfel yn creu gwell byd ymhell cyn i'r gyflafan ddod i ben. Yn wir, ni theimlai Gwynn fod iddo le yn y byd rhyfelgar newydd hwn. Oherwydd ei wrthwynebiad chwyrn i'r rhyfel, roedd rhai o'i gyfeillion hyd yn oed yn cefnu arno, ac yn ei ddadrith a'i ddigalondid, credai ei fod wedi llunio ei gerdd olaf:

Dyma hwyrach y peth olaf a ganaf fi. Collwyd agos bopeth a garwn o'r byd, ond ychydig gyfeillion, ac y mae rhai ohonynt hwythau yn fy namnio. Fy nheimlad i yw y dylai'r Wladwriaeth fy saethu, gan nad oes iddi angen am gymaint ag un o'm bath i mwy, ac nad oes gennyf finnau y mymryn lleiaf o barch iddi hithau nag o ymddiried ynddi.[91]

Ym mis Ionawr y flwyddyn newydd, 1916, cafodd Gwynn afael ar ddigon o straeon erchyll am ryfela i'w rhoi yn ei ddyddiadur. Gwelodd ei gyfaill Dewi Morgan lythyr yr oedd milwr o Gymro wedi'i anfon at ei rieni. Dywedodd y milwr fod yr awdurdodau yn cuddio rhai pethau. Saethwyd sawl mab i fam am fod yn llwfr, meddai'r milwr, ond roedd y fyddin hefyd yn dienyddio milwyr am droseddau dibwys iawn weithiau, fel bod yn absennol am ryw awr neu fwy. Câi llawer o filwyr eu lladd gan ffrwydron eu byddin eu hunain. Clywodd gan filwr o Wlad Belg fod milwyr ei wlad yn cael digonedd o win i'w yfed cyn cymryd rhan mewn cyrch bidogau, fel na byddent yn malio dim am ddim, yn union fel y câi milwyr Prydain gwrw a milwyr Ffrainc absinthe cyn rhuthro ar y gelyn â bidogau. Dyma un o ogoniannau rhyfel modern, meddai Gwynn, yn goeglyd, a gobeithiai fod Lloyd George a rhai eraill a oedd yn ymgyrchu o blaid dirwest yn ymfalchïo yn y modd y defnyddiai'r fyddin ddiod feddwol i roi dewrder ffug i'r milwyr. Roedd y rhyfel hefyd yn bwystfileiddio dynion, meddai'r milwr o Wlad Belg. Saethid swyddogion gan eu dynion eu hunain, ac nid oedd unrhyw werth ar fywyd o gwbl yn y ffosydd.

Cofnodai straeon a glywsai am y tribiwnlysoedd, o Fawrth 1916 ymlaen, wedi i'r Ddeddf Gwasanaeth Milwrol ddod i rym. Bellach, roedd dynion ifainc a chymharol ifanc o dan orfodaeth i ymuno â'r fyddin. Roedd llawer o'r straeon a glywai yn straeon am fechgyn ifainc a fu'n fyfyrwyr yn y Coleg yn Aberystwyth, er enghraifft, yr hanesyn canlynol:

A young fellow who was a student at Aberystwyth three or four years ago, who was wounded about a year ago, & sent out afterwards upon recovery, has been home again. He told his friends that the men in France are utterly & hop[e]lessly sick of the business. When they come home, they would almost do anything to avoid going back. In the trenches, he said, they had continually to do the silliest things imaginable simply to keep themselves from going mad. Sometimes this sorry make-believe breaks down, only to be forcibly recommenced again merely & mechanically to keep away the ever-threatening madness.[92]

Roedd rhagrith y capeli a'r eglwysi yn stwmp ar ei stumog. Disodlwyd Methodistiaeth gan jingoistiaeth:

> A few weeks ago, a Welsh Methodist minister, formerly a great pacifist, stated in the course of a sermon at Moss Side Chapel, Manchester, that every man who fought at Verdun was serving God, & would go to heaven if he died in the trenches. The one Christian duty of the day, he said, was to fight. About the same time, a train-load of syphilitic patients was brought to Manchester, from Egypt, I believe. A school was cleared of the children, & converted into a hospital for them. All women were removed from the surroundings. One wonders whether this sort of Christian duty would be commended by the Jingo priest.[93]

Roedd y rhyfel, yn sicr, yn esgor ar ynfydrwydd noeth. O daflu carreg y rhyfel i ganol pwll llonydd bywyd beunyddiol, dôi'r effaith a gâi'r garreg honno yn ôl yn grychdonnau i'r lan, a phob crychdon yn cynrychioli rhyw ddrwg neu ryw aflwydd.

Er iddo ddweud wrth Silyn ym mis Rhagfyr 1915 ei fod wedi colli popeth a garai o'r byd ac eithrio ychydig gyfeillion, cafodd ergyd enfawr ym mis Chwefror pan glywodd am farwolaeth un o'r ychydig gyfeillion hynny, Alafon. 'A oes Gristion a gŵr bonheddig yn y byd bellach?' gofynnodd mewn llythyr at E. Morgan Humphreys.[94] Dechreuodd ysgrifennu ychydig atgofion am Alafon, ond, meddai, 'torrais i lawr ac wylais fel na fedraf ysgrifennu rhagor'.[95] Cyhoeddwyd atgofion Gwynn am ei gyfaill yn *Y Goleuad*. Gŵr mwyn a thwymgalon, Cristion, gŵr gwâr, bardd a llenor, cyfaill anifail ac aderyn, oedd Alafon. Roedd ganddo ryw allu rhyfeddol i ddenu dyn, aderyn ac anifail ato. Daeth Gwynn i'w adnabod yn dda pan aeth i fyw i Gaernarfon ym 1898, a daethant yn gyfeillion pennaf. Bu farw Alafon ar Chwefror 8, 1916. Lluniodd Gwynn englyn er cof amdano:

> Daeth gynt o nef y nefoedd – belydryn
> Heibio i lwydrew'r oesoedd;
> A'r rhin o'i wawr a hanoedd,
> Eilfyw wnaeth – Alafon oedd.[96]

Ym mis Ebrill 1916, cyhoeddwyd ysgrif o'i eiddo, 'Nationality and Patriotism', yn y *Welsh Outlook*. Ynddi ceisiodd wahaniaethu rhwng gwladgarwch a chenedligrwydd. Gwladgarwch yw'r ymdeimlad rhad hwnnw sydd weithiau yn rhedeg yn wyllt, ac yn troi yn rhywbeth treisgar ac ymladdgar. 'Is not this

Patriotism of ours, and of all countries in Europe, a paltry object for which to slay and mangle men in thousands?' gofynnodd.[97] Y mae'n sôn am 'the murderous atavism which passes for patriotism, the violent selfishness which seems to have made of Germany what it is'.[98] Cenedligrwydd yw'r cyflwr o fod yn perthyn i un genedl yn unig, a'r genedl honno yn ein diffinio. Trwy fedru iaith y genedl honno, a thrwy fod yn rhan o'i bywyd cenedlaethol, ei thraddodiadau, ei hanes a'i llenyddiaeth, y crëir ein hunaniaeth a'n cenedligrwydd. Dyna ein stad gynhenid, naturiol, ac ni allem fod yn ddim byd arall hyd yn oed pe dymunem hynny. Tra erys cenedligrwydd yn genedligrwydd, ni cheir rhyfeloedd. 'In a healthy, unfostered state, it is only the natural milieu in which we live. Fostered, it becomes "Patriotism," and contributes to everything that is evil – envy, suspicion, selfishness, arrogance, hatred, and revenge,' meddai.[99]

Yn ôl Gwynn eto: 'Nationality is training and habit. Patriotism is politics. Nationality is the natural product of human diversity. Patriotism is the forced product of human perversity'.[100] Amrywiaeth yw cenedligrwydd; unffurfiaeth yw gwladgarwch. Mae problem yn codi unwaith y mae un genedl yn tybio ei bod yn uwchraddol i genhedloedd eraill, ac unwaith y mae un genedl yn chwennych eiddo cenedl arall – ei thir a'i chyfoeth naturiol yn enwedig. Nid cenedl yw ymerodraeth. Cenedligrwydd naturiol wedi troi'n wladgarwch eithafol a gormesol yw hanfod a chraidd pob ymerodraeth. Troi cenedligrwydd Cymreig yn wladgarwch Seisnig a wnaeth y Tuduriaid; chwennych brenhiniaeth Lloegr a wnaeth Harri Tudur, yn hytrach na bodloni ar ei etifeddiaeth Gymreig. '[A]n alien artificial "Patriotism" took the place of natural nationality,' meddai am achosion o'r fath.[101]

Y gwladgarwch rhad a pheryglus hwn sy'n creu rhyfeloedd. Condemniai'r math hwn o wladgarwch:

> I protest against this blackguard "patriotism." It is due to the policy of the more powerful governmental organisations – they call themselves "nations" – who through their methods first forced it upon the smaller cultural groups – generally called "nationalities" – afterwards adopting it themselves in the development and defence of their own schemes.[102]

Defnyddio cenhedloedd bychain a chenhedloedd gorchfygedig i'w dibenion eu hunain a wna ymerodraethau:

> Who could have thought two years ago that in 1916 the British Government would have discovered the recruiting value of Gaelic? Or

that the English newspapers would have come to speak of our "Indian brothers," formerly mere "natives"?[103]

Unwaith yn rhagor, gallai weld rhagrith y Llywodraeth yn glir. Ac mae'n cloi'r ysgrif yn rymus:

As long as there is militarism, there will be rancorous patriotism, and more militarism, and so on. With due respect to those who may differ from me, I believe that militarism can not suppress militarism, any more than fire can extinguish fire.[104]

Tra bo gwladgarwch bydd militariaeth, a thra bo militariaeth bydd rhyfel. Trwy gydol y rhyfel, defnyddiai'r gair 'gwladgarwch' i ddynodi'r math hwnnw o wladgarwch sy'n creu ymerodraethau, a rhaid cael milwriaeth i gynnal ymerodraeth. Ymosodir ar y gwladgarwch barus a milwriaethus hwn yn y cywydd dau-gwpled 'Gwladgarwch':

Annwyl yw gwlad ein tadau,
Cadwed Dur y bur hoff bau!
Mynnwn ni er mwyn y naill
Diroedd gwlad tadau eraill.[105]

Ni allai Gwynn anghofio'r rhyfel am un eiliad. Roedd yn rhuo yn y cefndir o hyd. Ganol Mai 1916, anfonodd ei gyfieithiad o *Macbeth* Shakespeare at O. M. Edwards, i'w gyhoeddi yn Cymru, pe dymunai hynny. 'Y mae i chwi roeso ohono os tybiwch y bydd o ryw werth y dyddiau anfad hyn, pryd y mae cryn lawer o gerdded llwybr Macbeth,' meddai.[106] Tybiai fod y ddrama ddreng honno yn addas i'r amseroedd. 'Daw awydd am olchi'r dwylaw yn y man hefyd, yn ddiameu,' ychwanegodd, gan gyfeirio at yr olygfa enwog honno lle mae Arglwyddes Macbeth yn ceisio golchi ei dwylo'n lân o olion gwaed dychmygol wedi iddi ysgogi ei gŵr i gyflawni sawl llofruddiaeth yn eu hymgais i gipio gorsedd yr Alban.[107] 'Dyma aroglau'r gwaed o hyd; ni phereiddiai holl berarogleuon Arabia mo'r llaw fach hon,' meddai Gwynn yn ei gyfieithiad o un o linellau mwyaf adnabyddus y ddrama.[108] Gwyddai y byddai dwylo'r rhyfelgarwyr yn goch am genedlaethau lawer, ac nid dychmygol oedd y gwaed y tro hwn. Ac un o'r rhyfelgarwyr mwyaf oedd O. M. Edwards.

Daeth y Pasg, a bu'r Pasg hwnnw yn Basg pryderus a gofidus iawn i Gwynn, ac nid oherwydd y rhyfel y tro hwn, ond oherwydd gwrthryfel. Ar ddydd Llun y Pasg,

Ebrill 24, 1916, cododd tua mil a hanner o genedlaetholwyr Gwyddelig mewn gwrthryfel yn erbyn Prydain i hawlio rhyddid ac annibyniaeth i Iwerddon. Sut y byddai Gwynn yn ymateb i'r gwrthryfel? Afraid dweud mai ochri â'r gwrthryfelwyr a wnâi, ond gwrthryfel arfog oedd hwn, ac yntau'n heddychwr. Croniclodd ei agwedd at y gwrthryfel yn ei ddyddiadur rhyfel bum niwrnod ar ôl i'r ymladd gychwyn ar strydoedd Dulyn:

> I have not the shadow of a doubt that the Sinn Feiners are absolutely justified. If England is entitled to fight, so is Ireland, & if tactics can be defended, then now is the Time. The last people in the world to condemn the Irish rising should be the English militarists. They should fight and be quiet.[109]

Roedd gwaed Gwyddelig Gwynn yn berwi pan glywodd am y gwrthryfel. Enynnwyd ei lid, ac, am eiliad, anghofiodd mai heddychwr ydoedd; ac eto, roedd yn ddigon o heddychwr i sylweddoli bod gwaed yn arwain at ragor o waed:

> This morning, I played Irish airs on the piano, & my Irish blood, that is, my Irish sympathies, born of the knowledge that my maternal grandfather had some Irish connections which I have not even been able to trace, was simply boiling with rage against all the tyranny which Ireland has suffered. If I had gone to Dublin, as I might have gone six years ago, I should perhaps now be one of the "Rebels," with no control over the violence of my blood, seeing nothing but the opportunity to avenge past wrongs, fired with a tragic hope, fighting, not only the enemies of Ireland, but also the many hundred friends of Ireland who are of English blood. It costs me a great effort to control my feelings & to regard things dispassionately. Europe is full of this struggle, & certainly it would be as heroic to die for Ireland as for any country or cry for which men now die. Yet is the whole thing nothing but hatred & uncontrolled passion, and nothing can come of it but the same thing for ever. And even blood has nothing to do with it. Sinn Feiners, if brought up in the English tradition, would certainly be the most violent English militarists.[110]

'Y mae rhywbeth yn fy ngwaed sydd yn peri i mi gydymdeimlo wrth natur â phob gwrthryfelwr, o'r *poacher* hyd at genhedloedd darostyngedig,' meddai wrth E. Morgan Humphreys unwaith, a chadwodd at hynny trwy'i fywyd.[111] Hyd yn oed pe na bai ganddo ddiddordeb mawr yn Iwerddon a'i hiaith, byddai wedi cefnogi'r Gwyddelod o ran natur ac o ran egwyddor.

Un cofnod diddorol iawn yn y dyddiadur yw'r rhan sy'n sôn am Gwynn a darlithwyr eraill yn cyfarfod â Syr Henry Jones yn Aberystwyth. Athro Athroniaeth Foesol ym Mhrifysgol Glasgow o 1894 hyd at 1922 oedd Henry Jones, ac roedd yn un o'r rhai mwyaf brwd o blaid y rhyfel. Anerchai mewn cyfarfodydd ymrestru trwy gydol blynyddoedd y rhyfel. Yr oedd yn gyfaill i Lloyd George ac i John Williams Brynsiencyn. Henry Jones, a aned yn Llangernyw, oedd ewythr Angharad Williams (Jones cyn priodi), sef mam Waldo Williams, y bardd a'r heddychwr. Cafodd Gwynn gyfle i gyfarfod â Henry Jones ar Fehefin 29, pan aeth i Goleg Aberystwyth fel aelod o Gomisiwn Haldane, y corff a archwiliai anghenion ariannol a chyflwr y prifysgolion. Hen ŵr ffwndrus a chyffredin yr olwg oedd Henry Jones bellach, ac ni adawodd argraff ffafriol iawn ar Gwynn:

> He asked me to introduce him to some of the younger men on the College Staff, Welshmen in particular, & wanted to talk to us together somewhere. We went into my room – Dr E. A. Lewis, T. Levi, Timothy Lewis, Dr Parry Williams & myself. He began by telling us that he wanted us to realise large issues & not to bother about unimportant things ... He emphasised his points with an occasional "damn it!" which was painfully vulgar from such a man. He seemed to feel it rather badly that no one appeared to be fired with great enthusiasm by his talk. "Damn it!" he said, rising briskly, "I might as well talk to a lot of sheep!"[112]

Ar ôl iddo annerch y cwmni bychan, am faterion yn ymwneud â'r brifysgol, aeth Gwynn a T. H. Parry-Williams am dro gyda Henry Jones ar hyd y Rhodfa – dau heddychwr a gŵr a geisiai yrru'r bechgyn wrth y cannoedd i feysydd y gwaed yn cydrodio o flaen y môr ar ddiwrnod o haf. Soniodd Henry Jones am ei gefndir yn Llangernyw, a phan ddeallodd mai brodor o Sir Ddinbych oedd Gwynn, ysgydwodd ei law yn wresog. 'This interview with the remains of a great man left me quite sad, & prepared to forgive him everything for sheer pity,' meddai Gwynn.[113] Aelod arall o Gomisiwn Haldane y cafodd Gwynn sgwrs ag ef ar y diwrnod hwnnw o Fehefin oedd O. M. Edwards, gŵr arall a fu'n annerch cyfarfodydd ymrestru ledled Cymru drwy gydol blynyddoedd y rhyfel. Roedd O. M. Edwards hefyd wedi heneiddio: 'There is a hunted, harrassed [sic] look about him, and he has aged heavily'.[114] Roedd y rhyfel yn cymryd ei doll ar bawb.

Dau fardd, dau gyd-weithiwr, a dau gyfaill hefyd, mae'n amlwg, oedd Gwynn a Parry-Williams, a dau heddychwr yn ogystal. Un prynhawn roedd Dewi Morgan yn nhŷ Gwynn, yn aros iddo ddod yn ôl o dref Aberystwyth. Pan ddychwelodd Gwynn, roedd T. H. Parry-Williams gydag ef, ac roedd y ddau'n chwerthin wrth fynd i mewn i'r tŷ. '[G]welsom Syr D. C. Roberts a'r Athro Edward Edwards ar y stryd yn ricrwtio, a dyma fi'n gofyn iddynt, "Faint ydech chi'n gyfrif o ddynion lladdadwy sydd yn Aberystwyth yn awr?"'[115]

Mae'r dyddiadur yn llawn o straeon am y ffordd yr oedd y fyddin yn trin y milwyr. Llyfr tystiolaethau o ryw fath ydyw. Mae'n portreadu'r fyddin fel corff annynol, anhyblyg, anfoesol a chreulon ddychrynllyd. Y pwynt y ceisir ei wneud yn y dyddiadur yw fod rhyfel yn ei hanfod yn tynnu dyn i'r gwaelodion isaf, ac yn ei lusgo drwy'r llaid a'r baw. Rhyfel yw'r gwrthbwynt i wareiddiad, ac mae popeth sy'n gysylltiedig â rhyfel yn annynol ac yn farbaraidd. Mae'r fyddin ei hun yn sefydliad ffiaidd a chreulon, a rhaid iddi fod felly, i ddad-ddynoli dynion, a dwyn eu rhyddid a'u hurddas a'u hannibyniaeth oddi arnynt. Ar lawer ystyr, nid dyddiadur o gwbl yw dyddiadur rhyfel Gwynn. Nid ei brofiadau ef ei hun a groniclwyd ynddo ond profiadau milwyr, a llawer o'r rheini yn hen fyfyrwyr iddo. Ai'r diben oedd cofnodi rhai agweddau ar y bywyd milwrol, a natur militariaeth, rhag ofn y gallai'r tystiolaethau hynny fod yn ddefnyddiol yn y dyfodol?

Cofnodwyd y canlynol ar Orffennaf 2, 1916:

> Saw E.J., a medical student, formerly a teacher, a man of about 35, now in the army, against his will, & employed in "anti-gas research" in London. He told me how he was called up at Manchester & sent with the scum of that town, packed like herrings in a railway waggon [sic], to Aldershot. There, having reported himself, a sergeant told him to stand in a certain place until called for. It was bitterly cold & raining heavily. He went & stood under cover from the rain. The Sergeant came to him & said "You bloody well better stand where I put you." There he stood for two hours & a half. He was then taken to a room with [a] stone floor & whitewashed walls, given a blanket & told to sleep in a corner, one of four in the room. There was no mat[t]ress, & his clothes were wet through.[116]

A dyna hanes y meddyg hwnnw a geisiodd gynghori'r milwyr ynghylch y ffordd orau i osgoi'r clwy gwenerol:

> ... "if you must have women, find the old class of experienced prostitutes, who know how and what to do; do not go to the new ones who have

come in during this war." He expressed his belief that thousands of women had become prostitutes during this crisis out of a sense of public duty, their belief being that the best service they could give their country was to keep the men contented.[117]

Roedd y rhyfel, mewn geiriau eraill, yn datod holl wead moesol cymdeithas.

Ym mis Hydref 1916, ymddangosodd cylchgrawn newydd sbon, *Y Deyrnas*, sef misolyn Cymdeithas y Cymod, wedi ei olygu ar y cyd gan y Prifathro Thomas Rees a'r Parchedig H. Harries Hughes. Diben y cylchgrawn oedd lledaenu egwyddorion heddychiaeth a chollfarnu'r rhyfel. Yn y rhifyn cyntaf hwnnw roedd ysgrif gan Gwynn ac iddi'r teitl 'Gwladwriaeth a Chydwybod'. Y mae'r ysgrif yn ymdrin, yn un peth, â chyddudiad gan weinidog yn erbyn aelod o'r eglwys a berthynai i Gymdeithas y Cymod. Trwy fod yn aelod o'r gymdeithas honno, meddai'r gweinidog, roedd yr aelod hwn yn peryglu'r Wladwriaeth, gan fod Cymdeithas y Cymod yn gymdeithas a oedd yn wrthwynebus i'r rhyfel. 'Yn awr, os yw'r geiriau hyn yn golygu rhywbeth o gwbl, golygant fod gan y wladwriaeth hawl oruchaf ar yr eglwys ac ar gydwybodau dynion,' meddai Gwynn.[118] Nid eiddo'r unigolyn mo'i gydwybod na'i enaid bellach, a chaethwas oedd pob dyn.

Daeth y gwyliau haf hirddisgwyliedig. Yn Aberystwyth y cynhaliwyd Eisteddfod Genedlaethol 1916, ond, yn rhyfedd iawn, ni wahoddwyd Gwynn i feirniadu cystadleuaeth y Gadair, er bod yr Eisteddfod ar ei libart ef ei hun. Nid aeth ar gyfyl yr Eisteddfod y flwyddyn honno. Un peth hynod am Eisteddfod 1916 oedd y ffaith mai awdl o waith y bardd ifanc o Drawsfynydd, Hedd Wyn, a ffafriai un o feirniaid y gystadleuaeth, J. J. Williams, sef yr union fardd, dan y ffugenw 'Y Gwyn Gyll', a gystwywyd gan Gwynn flwyddyn ynghynt ym Mangor. Ni chytunai'r ddau feirniad arall, John Morris-Jones a Berw, â dewis J. J. Williams. Galwodd J.J. yng nghartref Gwynn yn Aberystwyth i ddangos y ddwy awdl orau iddo, i gael ei farn. Pan ofynnodd rhywun i Gwynn, ar drothwy'r Eisteddfod, a wyddai pwy a fyddai'n codi i gael ei gadeirio yn Aberystwyth, 'Nid y gore' oedd yr ateb swta a gafodd.

Ganol mis Medi, anfonodd Gwynn ysgrif at Silyn Roberts i'w chyhoeddi yn y *Welsh Outlook*. 'Gwell gennyf fod yn ddienw, am y caiff y peth a ddywedaf felly well chware teg gan elyn a chyfaill,' meddai wrth Silyn.[119] Roedd Gwynn erbyn hyn, yng nghanol holl ladd a holl lanast y rhyfel, yn holi ei enaid ei hun ac yn chwilio am waredigaeth rhag yr anhrefn a'r anrhaith a oedd ymhobman o'i gwmpas:

Byddaf yn ameu pob argyhoeddiad sy gennyf, ac mewn perigl o wneud pethau aruthr. Ond pan gofiwyf rai pethau eraill a wn, daw tawelwch ar

f'ysbryd, a gwn, yr adegau hynny, nad wyf fi mewn perigl o fath yn y byd.
Fwy nag unwaith, ar ôl oriau o ymboeni, medrais ymdawelu ar un ergyd,
a chysgu fel plentyn. Diolch i Un fu'n gweithio gwaith saer gynt – aed
y gwŷr mawr i ddistryw i gyd, a'u masnach a'u moethau a'u hawdurdod
i'w canlyn. Pan fwyf yn y cyflwr hwnnw, medrwn farw cyn daweled ag
y cysgais erioed, medrwn, pe bai gan filiwn o wladwriaethau i'm lladd.
Dyna'r fuddugoliaeth a ddug Crist i'r byd. Nid bob amser y daw'r fendith
i ddyn, ond fe ddaw pan fo'r galw, yr wyf yn sicr.[120]

Mewn geiriau eraill, ar ôl blynyddoedd helaeth o amheuaeth ac o agnostigiaeth,
roedd Gwynn yn closio at grefydd, ac at Grist yn enwedig. Yn ei ofid a'i ddigalondid,
dôi athrawiaeth heddychlon Crist â thawelwch meddwl a thangnefedd mewnol
iddo. Tua'r un adeg cyhoeddwyd ail ganiad cerdd yr oedd ei chaniad cyntaf wedi
ymddangos yn *Y Drysorfa* ym 1914, sef 'Lux Mundi' ('Goleuni'r byd'). Dyma dri
phennill olaf yr ail ganiad hwn:

> Druaned, Arglwydd Grist! na welswn wawr
> Dy lân oleuni, gynt, ar flaen fy nhaith,
> Nid am na phrofais lawer melys awr,
> Wrth bris y byd; nid er gochelyd, 'chwaith,
> Y boen a'r gofid, cyd y buont fawr,
> Ond am mai gwir na bu ond gwaeth na gwegi'r gwaith!
>
> Cyn im' wastraffu trysor ieuanc ffydd,
> A rhoddi hyder ar freuddwydion ri,
> Pe gwelswn nad oes ond dy gaeth yn rhydd,
> A bod fy nyfod i'th Dangnefedd Di,
> Heddyw, ni bawn, â chalon ysig, brudd,
> Yn cynyg ger dy fron ddrylliau yr hyn fûm i.
>
> Ni wyddwn gynt mai rhagot Ti dy Hun
> Y ciliwn i, a'm calon, oedd â'i bryd
> Ar brofi llawndid nad oes onid Un
> A'i rhydd, yn ofer ganlyn rhithiau'r byd;
> Rhag unig Oleu a Thangnefedd dyn,
> O hiraeth am eu cael, y ffoais i, cyhyd![121]

Yma y mae'r bardd yn cyfaddef nad oedd wedi gweld goleuni Duw ar y ddaear pan oedd yn ifanc gynt. Gwir iddo brofi llawer o fendithion y byd, ond gwegi, a gwaeth na gwegi, hyd yn oed, oedd pleserau'r byd. Gwastraffodd ei ieuenctid trwy adael i bethau ofer a disylwedd fynd â'i fryd. Pe gwyddai mai'r unig rai a oedd yn wirioneddol rydd oedd y rhai a oedd yn gaeth i Grist, sef ei ddilynwyr, y rhai na allent ffoi rhagddo, ac y byddai un dydd yn dod yn rhan o dangnefedd Duw ar y ddaear, ni fyddai raid iddo gynnig ei fywyd drylliedig, darniog, yn awr i Grist. Ni wyddai ychwaith mai ffoi rhag Crist y bu drwy ei fywyd, er mwyn cael dilyn rhithiau disylwedd wrth chwilio am foddhad a llawenydd, heb sylweddoli mai Crist yn unig a rôi oleuni a thangnefedd i ddyn. Ni fu mor agos erioed at fod yn wir Gristion ag y bu yn ystod y cyfnod hwn.

Yr ysgrif a anfonodd Gwynn at Silyn ym mis Medi oedd 'Challenge Everything'. Fe'i cyhoeddwyd yn rhifyn Tachwedd 1916 o'r *Welsh Outlook*, ond nid yn llwyr ddienw ychwaith. Rhoddwyd yr 'G' gyfarwydd ar waelod yr ysgrif. Gofidiai fod pawb, hyd yn oed y rhai a gasâi filwriaeth, wedi gorfod mabwysiadu dulliau'r gelyn i geisio trechu'r gelyn:

> However honestly and thoroughly we in this country may have detested, and may still detest, the views and vices of militarists and militarism, we have ourselves adopted them one by one. If we finally triumph, it will be because we shall have beaten the enemy at his own game, however far from our intention such a development of means may have been. All this may have been politically inevitable. Merely to say that, cannot justify or remove the results. To whatever degree, succumbing to the teaching of German militarists, we may idolise the State – that is to say, the persons whom certain groups of men allow to dispose of them as they like – the interests of humanity at large will remain, simply because nothing less than the interest of humanity can be the interest of individual States and men.[122]

Rhyfel ymerodraethol oedd y rhyfel hwn. Ymerodraeth oedd Prydain, a phrif waith ymerodraeth oedd gorchfygu, a dwyn tir a golud oddi ar wir berchnogion y tir neu'r golud hynny. Ni allai Prydain, felly, gondemnio'r Almaen am gychwyn y rhyfel:

> The present crisis proves nothing if it does not show that political nationalism, as well as military imperialism, has failed. The root idea

of Empire, however we may dress it up, is conquest. If we accept that, then we can have no ground for complaint, at least, against any other attempt to obtain Empire. We may oppose, but how can we have the face to condemn? While we condemn the action of those others who would obtain Empire by the only means of obtaining it that men have ever practised or recognised, we certainly strengthen the case of the other side by boasting as we do of our own Empire. Political nationalism is the direct outcome of military imperialism. There is in it much that cannot honestly be condemned.[123]

Roedd angen i'r ddynoliaeth gychwyn o'r cychwyn, ailymaflyd yn y gwaith o greu gwareiddiad. Roedd angen archwilio a herio popeth, athrawiaethau, polisïau, dulliau a hanes pob gwladwriaeth. Dylai prifysgolion arwain yn hyn o beth, a pheri bod astudio camgymeriadau'r gorffennol yn bwnc sefydlog. 'Let us for ever have done with the methods that have landed us in this criminal folly,' meddai.[124] Roedd casineb hiliol o fewn Prydain ei hun yn gryfach nag erioed o'r blaen, a hynny oherwydd yr holl siarad ac areithio a geid ar y pryd am y modd yr oedd yr Ymerodraeth yn gwarchod ac yn amddiffyn cenhedloedd bychain. Dyna safbwynt a chred dau o Gymry mwyaf blaenllaw'r dydd, O. M. Edwards a John Morris-Jones. At ymerodraethwyr o'r fath yr anelai Gwynn ei lid. Rhagrith oedd y cyfan.

Ym mis Rhagfyr, a Nadolig trist arall yn nesáu, roedd Gwynn yn taranu eto – yn erbyn sawl peth. Roedd wrthi ar y pryd yn astudio'r berthynas rhwng chwedloniaeth Geltaidd a mytholeg Roegaidd, ac yn chwilio am chwedlau Tylwyth Teg fel rhan o'i ymchwil. Turiodd trwy rifynnau o *Cymru* O. M. Edwards, a gwaith llafurus oedd hynny. Penderfynodd mai methiant oedd 'llenyddiaeth werinol' Cymru. 'Yr wyf cystal gwerinwr â neb o honynt – gwell, ond odid – ond y mae llanceiddiwch y "werin oleuedig lenyddol" yn codi syrffed arnaf,' meddai wrth E. Morgan Humphreys.[125] Roedd y rhyfel yn dal i'w boeni, ac roedd dyfodol y Gymraeg ac ieithoedd lleiafrifol eraill yn ei ofidio:

> Ni ddysgir Cymraeg gan ddigon o bobl i'w hachub. Peth i'r ychydig yw llenyddiaeth Gymraeg heddyw, ac odid nad un o effeithiau'r Rhyfel gogoneddus hwn dros genhedloedd bychain fydd lladd iaith un neu ddwy o honynt – Cymraeg a Llydaweg, os nad Flemish hefyd.[126]

Rhyfelgi oedd Lloyd George bellach yn nhyb Gwynn. Ceir sawl cyfeiriad dilornus ato yn ei lythyrau at ei gyfeillion. 'A pha beth am y diawliaid politicaidd

sy'n cega o hyd, fel y dyn bach yna o Gricieth a'i debyg?' gofynnodd i Morgan
Humphreys ym mis Rhagfyr;[127] ac mewn llythyr arall, ddeuddydd cyn y Nadolig,
dymunodd Nadolig Llawen a Blwyddyn Newydd Dda i'w gyfaill 'er gwaethaf yr
holl ddemoniaid o Annwn hyd Gricieth'.[128] Peth arall a bwysai'n drwm arno, fel yr
oedd 1916 yn tynnu tua'i therfyn, a gorfodaeth filwrol bellach mewn grym, oedd
dyfodol ei feibion. Roedd y ddau bron â chyrraedd yr oedran priodol i ymuno â'r
fyddin, ac ni allai neb, ar drothwy pedwaredd flwyddyn y rhyfel, ragweld diwedd
y gyflafan. Gallai bara am flynyddoedd eto. 'Os rhaid i fy mechgyn i ymladd trwy
orfod, nid tros y Saeson y bydd hynny, hyd y gallaf fi ei rwystro,' meddai wrth
Morgan Humphreys.[129] 'Ni fynnwn iddynt ymladd o gwbl,' ychwanegodd, 'ond y
mae meddwl am ymladd dros ragrith Lloegr yn annioddefol'.[130]

Nadolig digon annifyr oedd Nadolig 1916 i Gwynn a Megan. Un ymwelydd
cyson â'u cartref, bob gaeaf bron, oedd yr anwydwst – y ffliw – a bu'r ddau'n
dioddef ohono dros gyfnod y Nadolig. Gyda dyfodiad 1917, roedd Gwynn wedi
gwella digon i anfon gair at Daniel Rees. Roedd llawer o amser wedi mynd heibio
oddi ar y cyfnod pan gydweithiai'r ddau yng Nghaernarfon gynt, ac roedd llawer
iawn o bethau wedi newid, yn y byd ac ar yr aelwyd:

> Y mae'r plant wedi tyfu'n fawr, a'u tad â'i wallt yn glaerwyn bron. Y mae'r
> ddau hynaf yn Ysgol y Sir, Arthur tua'r blaen yn gyson am Gymraeg,
> Lladin, Ffrangeg a Saesneg, ac yn sôn am ddechreu Groeg; ac Eluned
> tua'r blaen yn gyson am Gymraeg, cyfansoddi Saesneg, Ffrangeg, Tynnu
> Lluniau a gwneud bwyd. Yn yr Ysgol Elfennol y mae Llywelyn eto, a
> Hanes yw ei hoffter ef.[131]

Ymfalchïai yn llwyddiant ei blant, a gwyddai y caent addysg uwch pe dymunent
hynny, yn wahanol i'r tad.

Anfonodd Gwynn sawl llythyr at Daniel Rees ym mis Ionawr 1917. Yn ei
ail lythyr ato y mis hwnnw, dywedodd fel yr oedd wedi llunio ambell gân neu
gerdd 'i geisio pwyllo ychydig ar fy nghyd-ddynion'.[132] Cwynodd ar yr un pryd fod
rhai papurau crefyddol wedi gwrthod rhai o'i gyfraniadau, 'er cydnabod bod eu
cynnwys yn cyd-fynd â'u golygiadau hwy'.[133] Soniodd am gylchgrawn *Y Deyrnas*,
organ y gainc Gymreig o 'Frawdoliaeth y Cymod'. Ym 1917, closiodd fwyfwy at
Gristnogaeth, wrth iddo chwilio am noddfa a dihangfa rhag y rhyfel, a byddai'r
closio hwn at Gristnogaeth yn esgor ar un o'i gerddi gwirioneddol fawr yn
ddiweddarach yn y flwyddyn. Meddai wrth Daniel Rees:

Erbyn hyn, yr wyf yn gwbl sicr bod yr Arglwydd Grist yn ei le ar bob pwnc, ac mai yn llythrennol y mae deall ei eiriau ac ufuddhau iddynt, os gellir. Pe bawn ddibriod, euthwn yn fynach weddill f'oes, fel y cawswn dangnefedd.[134]

Ac fe ddôi iddo'r cyfle i droi'n fynach hyd yn oed cyn diwedd y flwyddyn. Yn sicr, roedd perthyn i Frawdoliaeth y Cymod wedi rhoi llawer iawn o dangnefedd mewnol iddo. 'Y mae rhai o bob rhyw enwad yn eu plith,' meddai am y cwlwm brawdoliaeth, 'yn cynnwys hanner Catholigion fel fi'.[135] Un peth a barodd iddo glosio at y ffydd Gristnogol oedd y ffaith iddo golli ffydd yn ei gyd-ddynion. 'Y mae personau da i'w cael, ond Cristnogion ydynt,' meddai wrth Daniel Rees.[136] Ac roedd Gwynn wedi hen golli ffydd yn Lloyd George, er iddo gael ei benodi'n Brif Weinidog Prydain Fawr ym mis Rhagfyr 1916. Gobeithiai nad oedd ei gyfaill yn y Bwrdd Masnach yn dod dan awdurdod y Prif Weinidog newydd. 'Ni wn i am ddim cas a ddywedwyd am y Cymry erioed nad yw ef wedi ei gyfiawnhau bellach,' meddai am Lloyd George.[137] Ac y mae'n cloi'r llythyr â dau gwpled cywydd:

> Wedi glew ennill dy glod,
> Gwad aberth dros gydwybod;
> Nawdd a roi i'th dduw, er hyn,
> Drwy gymorth powdr ag emyn![138]

Nid closio at Gristnogaeth yn unig a wnaeth Gwynn ar ddechrau 1917, ond, yn fwy penodol, closio at y ffydd Gatholig yn ogystal. Roedd yr Eglwys Gatholig, meddai wrth Daniel Rees ym mis Chwefror, yn lluosocach na'r holl grefyddau eraill gyda'i gilydd. '[A]m Eglwys Rufain, os honno oedd Babilon, y mae ynddi hithau wybodaeth, caredigrwydd, medr a phob camp a geir yn unman arall, faint bynnag o ddrwg sydd ynddi hefyd,' meddai wrth Daniel Rees.[139] Tybiai y gallai'r Eglwys Gatholig fod yn rym i uno dynion, yn hytrach na'u chwalu. Dywedodd droeon yn ystod y rhyfel fod angen i'r cenhedloedd oll fabwysiadu Esperanto, er mwyn uno dynion, a gallai Eglwys Rufain gyflawni'r un diben – un iaith, un grefydd, un byd – a dim rhyfeloedd.

Soniodd am y 'cydgenedligrwydd' hwn mewn llythyr at Morgan Humphreys ym mis Mawrth. Roedd ysgrif yn rhifyn mis Ionawr 1917 o'r *Welsh Outlook*, 'English Minds and Welsh Translations', gan 'H.M.V.', ac ni fynnai Gwynn wrando ar lais y meistr hwn. Ni fynnai, ychwaith, ladd ar yr Almaen, er ei holl wendidau, na dyrchafu Lloegr uwchlaw pob gwlad arall:

Ni fedraf ddioddef barnau anwybod hurt yn dawel. Fel pe na bai fodd
bod gŵr o awen yn unman ond ymhlith y cenhedloedd "mawrion", a
disgyblion y "Prifysgolion," fel y galwant eu clybiau snobeiddiwch.
A dyma ni'n dilorni'r unig wlad a wnaeth Brifysgolion effeithiol eu
dysg, pa beth bynnag yw ei beiau. Caech yn y wlad honno gryn nifer
o ddynion na fedrech ddywedyd llawer a fyddai newydd iddynt am
lenyddiaeth Gymraeg. Yno y gwnawd y gwaith helaethaf a goreu ar
Ddafydd ap Gwilym eto. Ni ŵyr Lloegr ddim am dano, nag am ddim o'n
llenyddiaeth, ac ni waeth ganddi chwaith ronyn. A waeth i ni sodlau pwy
a lyfom? Yr wyf fi o blaid y cydgenedligrwydd lletaf, ond nid dyna amcan
Llywodraeth Lloegr.[140]

Daeth yr haf ag un achlysur teuluol dedwydd, yng nghanol holl drybestod a holl
drybini'r byd. Ar Fehefin 7, priodwyd Sarah Ellen, chwaer Gwynn, ag Owen Jones
yng Nghapel y Cwm, ger Diserth, sef y capel yr oedd Owen Jones yn flaenor
ynddo.

Ym mis Medi, fodd bynnag, daeth Gwynn yn rhan o ddigwyddiad
cenedlaethol; yn wir, roedd yn rhannol gyfrifol am y digwyddiad hwnnw. Yn
Birkenhead y cynhaliwyd Eisteddfod Genedlaethol 1917, ac roedd Gwynn yn un o
feirniaid cystadleuaeth y Gadair yn yr eisteddfod honno. Awdl gan fardd yn dwyn
y ffugenw 'Fleur-de-lis' a ddyfarnwyd yn orau gan y beirniaid, ond pan ofynnwyd
i'r bardd buddugol sefyll ar ei draed ni chododd neb. Hysbyswyd y dorf mai bardd
o Drawsfynydd, Ellis Humphrey Evans, neu Hedd Wyn, fel y câi ei adnabod yn
y cylchoedd barddol, oedd 'Fleur-de-lis', a'i fod wedi ei ladd ar y diwrnod olaf o
fis Gorffennaf ym Mrwydr Cefn Pilkem, ar ddiwrnod agoriadol Trydydd Cyrch
Ypres. Gorchuddiwyd y Gadair â hugan ddu, a galwyd yr eisteddfod honno yn
'Eisteddfod y Gadair Ddu' byth wedi hynny.

Roedd y dorf yn ei dagrau. 'Digwyddwn sefyll ar y pryd yn ymyl Dr. John
Williams, Brynsiencyn, Syr Henry Jones, a'r Athro J. Morris Jones, ac wylent ill
tri fel plant,' meddai'r Parchedig D. Tecwyn Evans, ysgolhaig a gramadegydd
adnabyddus iawn yn ei ddydd.[141] A hawdd y gallai'r tri wylo, o gofio mai hwy ill tri,
ynghyd ag O. M. Edwards, a fu'n fwy cyfrifol na neb am yrru cannoedd o fechgyn
Cymru i'r lladdfa fawr. Roedd y Gadair wag ac absenoldeb y bardd buddugol
wedi cyffwrdd â'r dorf. 'Yr oedd yno gannoedd â rhai annwyl iddynt yn y Rhyfel
Mawr, a llawer wedi colli anwyliaid: parai hyn oll fod y teimladau'n ddwysach a
dyfnach, ac yr oedd yr olwg ar y dorf o'r llwyfan yn galonrwygol,' meddai Tecwyn
Evans eto.[142] Gwynn a draddododd y feirniadaeth o'r llwyfan, a 'gwnaeth yn dda,

er iddo bron golli ei dymer yn fuan wedi dechreu am i rywun weiddi rhywbeth o'r pellteroedd,' yn ôl Tecwyn Evans.[143]

Do, fe gollodd ei dymer, ond nid yn unig oherwydd bod rhywun yn y dorf wedi gweiddi rhywbeth. Roedd araith Lloyd George, yn union cyn defod y cadeirio, wedi ei gythruddo, fel yr eglurodd wrth Daniel Rees:

> Do, bûm yn Birkenhead. Go ddi-hwyl oedd. Sentimentalwch oedd llawer o'r hyn a gyhoeddwyd am y Gadair wag, er bod yr amgylchiadau'n ddigon trist. Dywedai dynion trigain oed, a fu wrthi fel diawliaid yn hela hogiau i'r fyddin, eu bod yn methu peidio âg wylo, ond nid oedd deigryn yn fy llygaid i, ac ereill, a'u peryglodd eu hunain dros beidio âg aberthu'r bechgyn. Pan gododd y dyn bach cegog i siarad, euthum allan i gael mygyn. Ond nid oedd *matches* gennyf, na lle hwylus i fynd i gael rhai. Gan mai mwg yr oedd arnaf ei eisiau, euthum i mewn yn f'ôl, a chlywais y druth – truth ymhonfawr, anonest a thwyllodrus, ond methiant fu, diolch am hynny. Darfyddai'r gymeradwyaeth fel clindarddach drain. Ni eill dwyllo'r cynulleidfaoedd mwy. Y mae'r codwm eisoes wedi dechreu. Y mae'r werin Gymreig yn dyfod i'w phwyll eto ...
>
> Dyma ddechrau cân newydd –
>
> Ond ydi braidd yn biti
> Dy fod ti'n drigain oed? –
> 'Does fawr o obaith iti
> Fyth golli llaw na throed;
> Cei eistedd yn dy hafod,
> A sôn am garu'th wlad,
> A throi a thrin dy dafod
> A gyrru'r lleill i'r gad.[144]

Yn sefyll wrth ochr Gwynn ar y llwyfan am ychydig funudau yr oedd gŵr cymharol ifanc a oedd i ddod yn gyfaill agos iddo, E. Tegla Davies. Yn Eisteddfod Birkenhead y cafodd Tegla ei dderbyn i'r Orsedd, a'i gael ei hun, ar ôl gorymdeithio gyda'r gorseddogion, yn sefyll yn ymyl Gwynn. Er iddo gael cip arno yn Eisteddfod Genedlaethol Llangollen ym 1908, tua diwedd 1916 y cyfarfu Tegla â Gwynn, pan aeth cyfaill ag ef i'w dŷ, a chael croeso twymgalon ganddo. Synnwyd Tegla 'gan ei foneddigeiddrwydd a'i hynawsedd'.[145]

Gweinidog gyda'r Wesleaid, ac un o lenorion mwyaf adnabyddus Cymru yn y blynyddoedd i ddod, oedd E. Tegla Davies. Roedd eisoes wedi cyhoeddi llyfr poblogaidd iawn i blant, *Hunangofiant Tomi*, ym 1912. Meddai yn ei hunangofiant, *Gyda'r Blynyddoedd*:

> Eisteddfod Birkenhead, 1917, oedd fy [Eisteddfod Genedlaethol] nesaf, wedi cymryd fy mherswadio gan Gadvan, er mwyn yr enwad, i adael i Ddyfed rwymo rhuban gwyn am fy mraich a dweud wrth y dyrfa oddi ar y maen llog beth oedd fy enw. Yna talu chweugain yn onest a chilio'n ôl i ddinodedd, a Chadvan wedi ei fodloni. Safwn yn ymyl T. Gwynn Jones ar y llwyfan yn rhinwedd y rhuban a'r chweugain, ychydig cyn iddo fynd ymlaen i draddodi beirniadaeth y gadair ddu, ef yn wynias o gynddaredd wrth wrando ar araith jingoaidd Lloyd George. Methu dal, ac allan ag ef am fygyn nes i Lloyd George orffen, yna dychwelyd i draddodi ei feirniadaeth gan resynu oherwydd gorfod byw yn y fath oes. Eisteddfod ddagreuol iawn oedd honno.[146]

Roedd Tegla bron i ddeng mlynedd yn iau na Gwynn. Ni wyddai'r naill na'r llall, ar y pryd, y byddent un diwrnod yn dod yn gyfeillion agos.

Ceir tystiolaeth bellach fod Gwynn wedi closio at Gristnogaeth dan bwysau'r rhyfel, a thrwy Tegla Davies y daeth y dystiolaeth honno. Ym mis Tachwedd 1917, penderfynodd pobl Llanrhaeadr ddathlu deucanmlwyddiant geni William Williams, Pantycelyn, trwy wahodd Gwynn, yn un o ddau, i ddod atynt i draddodi darlith ar y Pêr Ganiedydd. Er i Tegla glywed mai anffyddiwr oedd Gwynn, gydag ef a'i briod yr arhosodd dros nos ar ôl y ddarlith. Ceisiodd Tegla dynnu arno trwy gynnig y sylw bod 'yr hen ryfel 'ma wedi creu llawer o anffyddwyr'.[147] Cafodd ei syfrdanu gan ateb yr anffyddiwr hwn o fardd:

> Ydi, ond wyddoch chi beth a wnaeth o i mi? Fy ngwneud yn Gristion. 'Roeddwn i'n meddwl bod dynoliaeth yn datblygu'n ara' a sicir, drwy addysg a datblygiad a gwareiddiad, i rywbeth niwlog a alwn i yn Deyrnas Dduw. Heddiw 'rydwi'n gweld nad oes dim ond dau ddewis iddi – cyflawni hunan-laddiad, fel y mae hi'n gwneud, neu ailgreadigaeth drwy'r Arglwydd Iesu Grist.[148]

Collai ei ffydd mewn Cristnogion yn aml, meddai Tegla, ac fe'u condemnid ganddo am gefnogi'r rhyfel, fel y tystia'r cywydd amser-rhyfel a adroddodd wrth ei gyfaill:

Fy hunan wrth borth Annwn –
Dinas wag heb dân na sŵn,
Rhyfeddais, pand rhyfeddawl,
Synio nad oedd yno ddiawl?
Ond ar gil ei dôr gwelwn
Roi o ddiawl yr arwydd hwn –
'Ar osod mae'r hafod hon,
Ewrop yw'n siop ni'r awron,
A gloywsaint yr Eglwysi
Ydyw'n hoff brentisiaid ni,
A damniant mor gondemniawl
Onid ŷnt yn synnu diawl.'[149]

Bu'n darlithio ar Williams Pantycelyn yn Bootle ar nos Sadwrn, Medi 1, hefyd, a dywedodd mai Pantycelyn oedd y bardd mwyaf a fagodd Cymru erioed. Gweithgaredd arall ynglŷn â'r Eisteddfod oedd y Gynhadledd Geltaidd a gynhaliwyd yn Birkenhead fore a phrynhawn dydd Mawrth, Medi 4. Yn y gynhadledd, cafwyd anerchiadau ar 'Y Sefyllfa Bresennol a Rhagolygon Iaith a Llenyddiaeth' yng Nghymru, Iwerddon, yr Alban, a Llydaw, a Gwynn a fu'n traethu am y sefyllfa yng Nghymru.

Treuliodd ychydig ddyddiau ar Fynydd Hiraethog ar ôl Eisteddfod Birkenhead – 'ynghanol pobl dangnefeddus, garedig a bonheddig'.[150] Roedd hi 'mor dawel yno â phe buasai Duw yn y nefoedd, a'i reol ar y byd,' meddai.[151] Roedd angen egwyl arno. 'Am danaf fi, y mae'r byd amherffaith yn fy nhrin fe allai cystal âg yr haeddais, ond yr wyf agos wedi blino hyd farw arno'.[152] Roedd wedi blino ar y Cymry hefyd. Câi fwy o ddifyrrwch yn darllen Gwyddeleg nag a gâi wrth ddarllen unrhyw iaith arall, ac roedd yn 'well byw gyda Gwyddyl meirw na Chymry byw'.[153]

Roedd yn dal i feddwl am gyhoeddi nofel Saesneg, ond gwyddai, hyd yn oed pe bai yn ei gorffen, mai siawns fechan oedd ganddi o gael ei chyhoeddi, a phapur mor brin. Wrth i 1917 brysuro tua'i therfyn, âi Gwynn yn fwy digalon a phruddglwyfus wrth yr eiliad. Roedd y cysyniad o 'wladgarwch' yn pwyso'n drwm arno o hyd. Edrychodd ar y chwedl Wyddelig am Dir na N'Og trwy wydrau gwahanol. Darllenai, meddai wrth Daniel Rees,

... hanes Oisin yn mynd i *Tir na n-Og*, ac yn mynd yn gleiriach dall pan darawodd ei droed ar dir Iwerddon eilwaith. Ymddangosai i mi mai dyna dynged gwladgarwch. Er i genhedloedd Ewrop feddwi ar ryw sentimentalwch ynghylch "patrie," daw'r adeg cyn hir pryd na welant yn eu gwledydd ddim ond pethau i'w cashau. The ideal is only a d——lie! I remember the time when such patriotism as that of the French poets was also mine, between my fifteenth & my twenty fifth year, or so. How unreal, how comically foolish, it now seems! I still love Wales – its mountains & valleys, some of its people, much of its literature, & its language altogether, but I cannot rave about them any more. There are higher mountains, quite as beautiful valleys, people quite as pleasant, greater literatures, & languages equally fine.[154]

Nid bradwr sy'n llefaru fan hyn. Mae'r pwynt y ceisiai ei wneud yn ddigon clir. Os caru gwlad, dylid ei charu fel ag y mae ac am yr hyn ydyw, heb or-ddweud na dweud celwydd amdani. Gall gwladgarwch droi'n wlad-addolgarwch. Y gwledydd hynny sy'n credu eu bod yn well na gwledydd eraill yw'r gwledydd sy'n gorfodi eu hiaith a'u ffordd o fwy hwy eu hunain ar y gwledydd a orchfygir ganddynt. Dyna berygl gwladgarwch, a dyna'r math o wladgarwch eithafol a ysgogodd yr Almaen i geisio gorchfygu a meddiannu gwledydd eraill. Delfrydiaeth o ryw fath yw gwladgarwch, nid realaeth. Oni bai bod ganddo deulu, byddai wedi troi'n grwydryn, meddai wrth Daniel Rees. Dyna Gwynn y dyn diwreiddiau eto, y dyn di-filltir-sgwâr. 'If I had no family ... I should go from country to country, & stay longest where things pleased me most,' meddai.[155]

Wrth i Nadolig arall nesáu, teimlai yn ddigalon iawn. Nid oedd 1918 yn argoeli'n dda ychwaith. Meddai wrth E. Morgan Humphreys, ychydig ddyddiau cyn y Nadolig:

> Wel, o ddrwg i waeth o hyd, onid ê? Tybiaf fod pethau a ddywedais i ag eraill fisoedd yn ôl am y naill ochr a'r llall yn beryglus o debyg i wir erbyn hyn, er fy mod yn gobeithio, pan ddêl y distryw eithaf sy'n berffaith sicr o ddyfod, y caf ras i beidio âg edliw i neb mai felly y dywedais i.[156]

Gwawriodd 1918. Ni allai neb bellach ragweld diwedd y rhyfel. Un o'r effeithiau mwyaf a gafodd y rhyfel ar Gwynn oedd peri iddo golli ffydd mewn pobl. Anfonodd lythyr at E. Morgan Humphreys ar ddechrau Ionawr. Mae'n amlwg fod Morgan Humphreys wedi gofyn iddo lunio ysgrif ar John Morris-Jones, a'r ysgrif honno i fod yn rhan o gyfres o ysgrifau ar enwogion y dydd. Gwrthod a wnaeth Gwynn. 'Na chymerwch sylw o "Ddynion y Dydd," da chwi, canys y mae'r byd wedi myned yn uffern o'u plegid,' meddai wrth ei gyfaill.[157] 'Ni allaf fi ysgrifennu ysgrif fel y gofynnwch heb orfod dywedyd amryw bethau y mae'n well gennyf beidio â'u dywedyd, canys yr wyf yn hoff o J.M.J. wedi'r cwbl,' ychwanegodd – 'wedi'r cwbl', wrth gwrs, oherwydd bod John Morris-Jones mor gryf o blaid y rhyfel.[158] Roedd Gwynn erbyn hyn wedi blino ar anghytuno â'i gyd-ddynion ar amryw byd o bethau, a gwell, bellach, oedd tewi. 'Fe allai y dof allan o'r ystad hon eto i ryw fesur, pan ddêl pethau i gyflwr normal, os dônt cyn fy niwedd i, ond ar hyn o bryd, nid allaf fi synio yn amgen, oddieithr am fy nghyfeillion personol, y gwn eu bod uwchlaw'r gwallgofrwydd a'r anonestrwydd cyffredinol,' meddai.[159]

Er iddo golli ffydd mewn dynion, ni chollodd ffydd yn Nuw. Credai ynddo o hyd. Diolchai i Dduw am roi iddo feddwl annibynnol, a barn annibynnol. Nid un i ddilyn yr haid yn ddof ddifeddwl oedd Gwynn. Meddai wrth Morgan Humphreys: 'Ai cyrff gwael a roes Ef i chwi a minnau? Feallai. Ond yr wyf yn diolch yn ostyngedig iddo na adawodd mo fy meddwl yn agored i bigiad pob trychfilyn hanner gwallgof'.[160] Er gwaethaf cyflwr bregus ei iechyd ar adegau, bendithiwyd Gwynn â chryfder corfforol, a gallai hyd yn oed ymffrostio yn hynny. 'Gyda'r corff a gefais, gwn yn iawn y gallaf weithio cymaint â thri o'r dynion iach, heb flino llawn cymaint âg un o honynt'.[161] Ond, rai blynyddoedd cyn iddo gyrraedd ei hanner cant, roedd ei wallt wedi gwynnu i gyd, ac efallai mai gorweithio a oedd yn gyfrifol am yr henaint cynamserol hwn. Roedd yr hen bren gwydn a chadarn, ar ôl wynebu drycinoedd bywyd gyhyd, yn gorwedd dan haen o eira, ac er mai'r hydref ydoedd, roedd y gaeaf yn agosáu.

Canol oed neu beidio, cafodd Gwynn ei lusgo i ganol y rhyfel ei hun ym mis Gorffennaf 1918. Ym mis Ebrill, codwyd yr oedran ymrestru dan orfodaeth o 18–41 i 18–51. Roedd Gwynn yn 46 oed ym mis Gorffennaf 1916, a golygai hynny y gallai gael ei alw i ymuno â'r fyddin unrhyw adeg, ar yr amod y byddai'n pasio'r prawf meddygol. Fe'i galwyd i gael archwiliad meddygol ar ddechrau Gorffennaf:

> Yr wyf i fynd o flaen y meddygon ddydd Mercher nesaf, yn Llanbedr. Fy meddwl cyntaf oedd gwrthod mynd, a chymryd pa beth bynnag a ddeuai, a phe na bae ond myfi fy hun i'w ystyried, hynny a wnaethwn hefyd. Ond mynn fy nghyfeillion i mi fynd yno, am eu bod yn credu y dof yn rhydd, ac mai dyna'r ffordd leiaf ei thrafferth. Rhaid i mi gydnabod bod gennyf innau wrthwynebiad cyndyn i'r syniad am gael fy nhrin yn y fath fodd yn y carcharau fel y collwn fy mhwyll fe allai. Rhwng y cwbl, yr wyf yn meddwl yr af – gallaf wrthod eto os bydd raid. Pe saethent ddyn ar ei gyfer am wrthod, ni phetruswn, canys yr wyf yn sicr ddigon nad yw

byw bellach yn werth y boen, ac ni ddaw hi ddim gwell tra byddwn ni'n anadlu, mae'n siŵr.[162]

Go brin y byddai'n pasio'r prawf meddygol, fodd bynnag. Nid oedd yn holliach, ddim o bell ffordd. Roedd wedi colli llawer o bwysau ar y pryd ac ni allai gerdded i fyny gallt heb golli ei wynt. Hyn gan gofio nad oedd eto wedi cyrraedd ei hanner cant hyd yn oed. Ar y diwrnod cyntaf o Orffennaf cafodd archwiliad gan arbenigwr Sir Aberteifi ar y ddarfodedigaeth. Rhoddodd adroddiad anffafriol am ei iechyd i Gwynn i'w roi i'r meddygon yn Llanbedr. 'If you give them that at Lampeter, I don't think that they will ask you to strip,' meddai'r arbenigwr wrtho, ac roedd yn iawn.[163]

Erbyn haf 1918, roedd Gwynn wedi cwblhau un o'i gerddi gwirioneddol fawr, ei gerdd fwyaf oll hyd at hynny. Dechreuodd weithio ar y gerdd ym 1917, ac anfonodd y gerdd at John Morris-Jones mewn da bryd i'w chynnwys yn rhifyn Awst 1918 o'r *Beirniad*. Synnodd braidd fod y golygydd wedi ei derbyn hi, fel yr eglurodd wrth E. Morgan Humphreys:

> Go brin hwyrach y deallodd ei hergyd, er nad oes dim personol ynddi, wrth reswm – dim ond darganfyddiad dyn mai diawligrwydd yw gwladgarwch, ac mai siawns yn unig y sydd fod byd y tu draw i hwn a fo rywfaint gwell. Yn wir, nid dwl o beth oedd gyhoeddi cerdd felly yn un o'r cyhoeddiadau rhyfelgar ar ganol yr helynt! Bydd pobl yn ei deall ryw dro, o leiaf.[164]

Roedd yn synnu bod John Morris-Jones wedi derbyn y gerdd i'w chyhoeddi oherwydd ei bod yn collfarnu'r rhyfel, a'r golygydd yn un o'r dynion hynny yr oedd gwladgarwch jingoistaidd Prydeinig wedi cydio ynddo.

Uchafbwynt blynyddoedd helaeth o fyfyrio a meddwl oedd 'Madog' o ran mesur; a ffrwyth pedair blynedd o orfod byw trwy gyfnod y Rhyfel Mawr, a gorfod goddef holl wallgofrwydd dynion, o ran cynnwys. Bu Gwynn yn pendroni droeon uwchben y syniad o greu mesur newydd yn y Gymraeg a oedd yn seiliedig ar y llinell chweban yn Lladin a Groeg. Cyn belled yn ôl â mis Ionawr 1908, bu'n trafod y posibiliad o greu mesur tebyg i fesur *Iliad* ac *Odyséi* Homer yn y Gymraeg. Mewn llythyr at Daniel Rees ar Ionawr 2, 1908, bu'n darllen, meddai, am y ddadl fawr ynghylch cyfieithu Homer rhwng Matthew Arnold ac F. W. Newman ym 1860 a 1861. Traddododd Matthew Arnold gyfres o ddarlithoedd yn Rhydychen, yn rhinwedd ei swydd fel Athro Barddoniaeth Rhydychen, ar gyfieithu gwaith Homer i'r Saesneg. Condemniodd, ymhlith eraill, gyfieithiad Newman o *Iliad* Homer, a gyhoeddwyd ym 1856. Dadleuodd Arnold y dylid cadw at linellau chweban (*hexameters*) y gerdd wreiddiol wrth ei chyfieithu, yn hytrach na mesur mwy baledol Newman. Atebodd Newman haeriadau Arnold yn *Homeric Translation in Theory and Practice: a reply to Matthew Arnold, Esq.*, a gyhoeddwyd ym 1861.

Pa fesur, felly, a weddai orau i gyfieithu Homer? Meddai wrth Daniel Rees:

> ... as to the metre, I hardly have made up my mind which would be best. I think the Welsh quantitative metres (for that is what the mesurau caethion undoubtedly are, or at least were) might answer in some respects. For instance, the Gwawdodyn Byr might answer, taking care to vary the lines sufficiently ...

> > "A fu im, diau," eb ef, "mai dewin
> > Gwybodus a'i peris drwy rymus rin,"
> >   Ac aeth rhwng grug ac eithin, a thrwy'r fron
> > Lle'r oedd y meillion ger bron y Brenin.

> I think this might be adapted to a long narrative. It gives variety, and the rhyme is not burdensome to the ear, unless it were made double. The effect, too, would be somewhat archaic, for which Newman pleads (justly, I think) ... In this metre that I suggest, epithets could be used much as they are used in the older Welsh poets. But the fatal objection is undoubtedly the cynghanedd. That applies equally in the case of cywydd deuair hirion, which besides is too short a line, perhaps. But I hold there are points in favour of some irregularly accented metre.[165]

Chwilio am fesur a oedd yn addas ar gyfer cyfieithu arwrgerddi Homer yr oedd Gwynn: chwilio am fesur epig, mewn geiriau eraill, fel Goronwy Owen o'i flaen. Credai, fel Goronwy, fod mesurau traddodiadol Cerdd Dafod yn rhy fyr ac yn rhy gyfyngedig ar gyfer llunio cerddi hir storïol. Rhaid oedd wrth fesur ac iddo linellau hirion, mesur a allai gynnal yr elfen storïol yn effeithiol ac yn naturiol. 'Unless one could devise some new metre or adapt some of the old ones as I have suggested, I think the choice lies between the hexameter & blank verse,' meddai, a'r hyn a wnaeth yn 'Madog' oedd addasu hen fesur, mesur yr englyn, a dilyn egwyddor y llinell chweban, ond gan hepgor yr odl.[166] Nid y gynghanedd oedd y broblem. Dymunai gadw'r gynghanedd. 'O'm rhan fy hun, gallaf brydyddu'n well mewn cynghanedd nag hebddi, megis y gellir dywedyd fod yn haws i baentiwr baentio gyda phaent nag hebddo,' meddai wrth Daniel Rees.[167] Mesurau'r gynghanedd oedd y maen tramgwydd, nid y gynghanedd ei hun. Fel arbrawf ac fel ymarferiad, cyfieithodd Gwynn rai o linellau *Iliad* Homer i'r Gymraeg, i weld beth oedd yn bosibl:

> Fenyw, meddwl yr wyf am hyn; ac eto meddyliaf
> Am a sisialai gwŷr a gwragedd Troia o'm plegyd
> Pe llechwn i megys llwfr draw o ganol yr aerfa.
> Ni âd fy nghalon i hyn, pair mai cadarn a fyddwyf
> Fyth, ac yn ymladd fyth ynghanol blaenaf y Troiaid,
> Eiddig dros enw Priaf a'm heiddof er gwaethaf a ddelo.[168]

'I think you could in Welsh beat Arnold's hexameters, even his best, with no great trouble, and the result would I have no doubt be readable and flowing as both Arnold and Newman argue in saying a translation of Homer ought to be,' meddai.[169]

Roedd Gwynn wedi arbrofi â'r mesur newydd hwn – y daethpwyd i'w alw yn 'Fesur Madog' – ddwy flynedd cyn iddo lunio 'Madog' ei hun. Yn rhifyn y Gwanwyn, 1916, o'r *Beirniad*, cyhoeddwyd cerdd o'r enw 'Gwanwyn' o'i waith. Dyma'r mesur:

> Iôn! a ddaw nos ein drygioni ninnau yn wenwawr oleuni,
> Gwanwyn yn dwyn daioni y nef i'n calonnau ni?
> Blin ydyw bod heb oleuni dy wir, er daearol dlysni,
> Gwell fyddai'i hirfaith golli, hyd awr dy dangnefedd Di![170]

A dyna'r Mesur Madog, ond gydag odl. Englynion unodl union wedi eu hacennu mewn ffordd wahanol i'r arfer yw mesur y gerdd 'Gwanwyn'. Trwy roi'r acen ar sillafau blaen y llinellau, y sillaf gyntaf neu'r ail sillaf, yn bennaf, ac osgoi'r arferiad o roi'r acen ar y drydedd neu'r bedwaredd sillaf mewn cynganeddion Croes a Thraws seithsill, a thrwy ddefnyddio llawer iawn o gynganeddion traws fantach, y llwyddwyd i roi i'r mesur ei sigl arbennig a'i rythm llifeiriol. Ond yn 'Madog' aeth gam ymhellach. Cadwodd y gynghanedd a'r aceniad, ond bwriodd ymaith yr odl.

Madog, mab Owain ap Gruffudd (Owain Gwynedd), tywysog a mordeithiwr chwedlonol, yw arwr y gerdd, ac arwrgerdd, epig, yw 'Madog'. Anfonodd Gwynn gopi o'r gerdd at ei gyfaill Thomas Jones Cerrigellgwm ym mis Rhagfyr 1918, a thraethodd am beth o'i chefndir:

Gwyddoch yr hen ystori mai Madog a ddarganfu America. Y mae traddodiad cynarach na hwnnw mai gŵr a gashâi ryfeloedd ac a garai'r môr ydoedd, a darfod iddo wneuthur llong o gyrn ceirw, a elwid "Gwennan Gorn," a theithio'r moroedd ym mhell ac agos yn honno, a'i golli yn agos i Enlli wrth ddychwelyd o un fordaith bell.[171]

Ar ddechrau'r gerdd, mae Madog yn crwydro'r traeth ar ei ben ei hun, yn drist ei enaid. Ymladdwr oedd Madog, 'arf ysol ar feysydd ei genedl', ac ef hefyd oedd 'dewr ben llyngesydd ei dad'.[172] Ond mae ei dad bellach wedi ei gladdu ym Mangor, a'r mab yn galaru ei golli. Bu farw Owain ap Gruffudd, Brenin Gwynedd, ym 1170, gan beri llawer o gynnen rhwng ei feibion ynglŷn â sofraniaeth Gwynedd. Ond nid marwolaeth ei dad yn unig sy'n peri bod Madog yn drist yn ei enaid. 'Cymwys im addef oferedd myfyrion ieuenctid,/Dyn ni chaiff na daioni na hedd ar y ddaear hon,' meddai Madog.[173] Buan y mae gerwinder bywyd yn lladd breuddwydion a dyheadau ieuenctid. Dyheu, bellach, am heddwch a llonyddwch i'w enaid y mae Madog. Roedd iddo athro unwaith, Mabon, y mynach. Hwnnw a ddysgodd iddo garu Duw a dilyn Crist, ond cefnodd Madog ar y gwerthoedd y ceisiodd Mabon eu rhoi iddo. 'Gwrthod dy wisg a'm gwerthu fy hun am siomedig foeth' a wnaeth Madog; chwiliodd am gysuron a bendithion materol, ac aeth balchderau byd â'i fryd, ac am hynny, 'wyf heno edifar'.[174] Daw Madog i sylweddoli mai gwagedd ac oferedd yw popeth materol. Edifeirwch a galar yw'r ddau beth sy'n llethu ysbryd Madog ar ddechrau'r gerdd.

Yn y cyflwr edifeiriol a phruddglwyfus hwn, y mae Madog yn dyheu am i'w hen athro ddychwelyd ato, i gael ei fendith a'i faddeuant, ei gyngor a'i gysur. Daw Mabon ato o'r gwyll, gan roi cyfle i Madog i agor ei galon iddo, a chyfaddef ei bechodau:

> "Dad," meddai yntau, "diodid na haeddwn heddiw dy gariad,
> Gwedais rym dy ddysgeidiaeth, a brad fu i'm llwybrau i;
> Trinais y cledd trwy wyniau, trwy euog ystrywiau y ffynnais,
> Braen a fu raib yr enwir, a gwae fu wybod y gwir;
> Cerais fy ngwlad, ond cariad oedd hwnnw at ddinistr a gorfod,
> Llid at rai eraill ydoedd, haint fy nghynddaredd fy hun!"[175]

Yr hyn y mae Madog yn euog ohono yw iddo arddel a gweithredu, ar un cyfnod o'i fywyd, y gwladgarwch rhad a pheryglus hwnnw sy'n troi'n gasineb at eraill. Cariad at ladd a dinistrio oedd y cariad hwnnw, a dicter at eraill. Y gwladgarwch hwnnw a wnaeth y Rhyfel Mawr yn bosibl. I Gwynn, roedd gwahaniaeth rhwng gwladgarwch a chenedlgarwch. Galwodd Emrys ap Iwan, yn is-deitl ei gofiant iddo, yn dri pheth: 'Dysgawdr, Llenor, Cenedlgarwr'. Dewisodd ei eiriau'n ofalus. Cariad dall at wlad yw gwladgarwch; cariad dwfn at hanfodion cenedl yw cenedlgarwch. Gwladgarwch sy'n magu atgasedd at genhedloedd eraill, a gwladgarwch hiliol yw hwnnw. Cenedlgarwch yw caru cenedl er ei mwyn ei hun, am yr hyn ydyw, a gofalu am ffyniant a buddiannau'r genedl honno, heb ymyrryd dim â chenhedloedd eraill. Nid yw cenedlgarwch yn ormesol nac yn hiliol.

Gwadu dysgeidiaeth Mabon a throi'n ymladdwr a wnaeth Madog, yn union fel yr oedd miloedd o fechgyn Cymru, plant y capel a'r ysgol Sul, wedi gorfod gwadu dysgeidiaeth Crist a dwyn arfau, un ai o wirfodd neu dan orfod. Milwyr Cymru i gyd, a milwyr y byd hefyd, yw Madog. Gwledydd Cristnogol yn ymladd benben â'i gilydd a thrigolion y gwledydd hynny yn troi'n anwariaid – dyna wir drasiedi'r Rhyfel Mawr. Gwaetha'r modd, troes sawl Mabon yn Fadog hefyd, wrth i'r gweinidogion a'r offeiriaid roi dysgeidiaeth capel ac eglwys heibio er mwyn cyfiawnhau a chefnogi'r rhyfel. Adroddir yr hanesyn canlynol gan Gwynn yn ei ddyddiadur rhyfel:

> A poor young fellow of Pen Llwyn, a small village near Aberystwyth, who had a rooted objection to human butchery, was practically compelled, like thousands of men, to attest. He told a Calvinistic Methodist deacon, of the "church" of which he was himself a member, that he did not know what would become of him. "You don't think," he said, "that I could ever kill a human being!" "Well, no, of course," said Mister deacon, "no, of course, not at once, but you would get into it in time, with the band, and all that!"[176]

Un alegori enfawr yw 'Madog'. Y Rhyfel Mawr yw gwir thema'r gerdd. 'Cyfansoddwyd fel rhyw fath ar ddihangfa rhag erchyllterau'r cyfnod,' meddai am y gerdd, ond mae'n fwy na dihangfa, er bod y dyhead am wlad bell a gwlad well yn rhan o'r gerdd.[177] Madog yw pob milwr, a phob heddychwr hefyd, o ran hynny. Ef yw'r un sy'n cwestiynu'r drefn:

> "Dywed, O, dad," medd Madog, "O, dad, a oes Duw yn y nefoedd?
> Onid aeth byd i'r annuw, O, dad, oni threngodd Duw?"[178]

Diysgog yw ffydd Mabon, sef yr union ffydd a gollasai Madog:

> "Duw," medd y llall, "ni adawodd ei nef, na'i ofal amdanom,
>> Duw a luniodd ein daear, Duw o'i thrueni a'i dwg ..."[179]

Ar ôl marwolaeth Owain Gwynedd ym 1170, bu ymgiprys mawr am arglwyddiaeth Gwynedd rhwng ei feibion. Mewn brwydr gerllaw Pentraeth ym Môn ym mlwyddyn marwolaeth y tad, lladdwyd Hywel ab Owain Gwynedd, y bardd a'r ymladdwr, gan ddau hanner brawd iddo, Dafydd a Rhodri. Yn y gerdd, mae Madog yn llygad-dyst i'r frwydr. Yn y frwydr honno, bu brodyr yn ymladd â'i gilydd, gwir frodyr, a bu cyd-ddyn yn ymladd yn erbyn cyd-ddyn, brawd yn erbyn brawd, yn y Rhyfel Mawr yn ogystal. '[B]ydd y ddaear, ein mam, wedi glasu ar feddau miloedd o'n brodyr,' meddai yn ei adroddiad ar Eisteddfod Genedlaethol 1915 yn *Y Goleuad*. 'Brodyr, er pob bâr ydym,' meddai Madog.[180]

Creadur rhyfelgar yw dyn, a dywedodd Gwynn fwy nag unwaith mai pobl ymladdgar oedd yr hen Gymry. Lladd, treisio a dial a wnâi'r hen Gymry, a dyna hefyd ffordd y byd:

> "Ebyrth," medd yntau Fabon, "yw dynion i dân eu hanwydau,
>> Cam am gam ni bydd cymwys, a thwyll am dwyll ni bydd da."[181]

Ac meddai Madog:

> Waeled yw byw yn hualau ynfydion ddefodau meirwon,
>> Moli trachwant a malais, byw ar elyniaeth a bâr;
> Ystryw rhwng Cymro ac estron, a brad rhwng brodyr a'i gilydd,
>> Celwydd yn nyfnder calon, a'i dwyll ar y wefus deg;
> Lladd heb ymatal na lluddio, a mawl am wanc a gormesu,
>> Dial ar feddwl a deall, clod am orchest y cledd;
> Beirdd yn frwysg wrth y byrddau yn moli pob milain weithredoedd,
>> Gwin yn cynhyrfu gweniaith, a gweniaith yn prynu gwin;
> Dewisaf clod i dywysog o ddyn oedd ei enwi'n llofrudd,
>> Gorau oedd dreisiwr gwerin, a glew a'r a ddygai wlad.[182]

'They simply praise the man who reddened his hands with the blood of his fellows, who delighted in breaking their bones & mangling their bodies, & who besides had to come face to face with them to do it,' meddai am y beirdd yn ei ddyddiadur rhyfel.

Gofynna Madog i Mabon a oes yna 'well tir ym mhellterau'r moroedd', ac enwir nifer o froydd hud ac ynysoedd pell gan Mabon, gan gynnwys Tir na n'Og ac Ynys Afallon. Bydoedd yw'r rhain 'heb na gofid na bedd', heb alar nac wylo.[183] Mae geiriau Mabon yn codi awydd ar Madog i hwylio ymaith i chwilio am un o'r bydoedd hyn, fel y gall fyw'n ddedwydd ac osgoi rhyfeloedd am byth:

> Tân oedd yn llygad Madog, a thân drwy'i wythiennau yn rhedeg,
>   Galwad y môr i'w galon, y don yn ei hudo ef;
> Hiraeth difesur bellterau, hudoliaeth diwaelod ddyfnder,
>   Suad esmwythlais awel, a gwanc y tymhestlog wynt.[184]

'Ef a rydd iti dangnefedd beunydd, lle bynnag yr elych,/Fel na'th boeno gofalon trawster na balchter y byd,' meddai Mabon wrth Madog, ac yntau bellach ar fin cychwyn ar fordaith i chwilio am fyd mwy heddychlon.[185] Caiff ei sicrhau gan Mabon y bydd Duw yn gofalu amdano ac yn ei amddiffyn yn ystod y fordaith: 'Rhydd Iôr y moroedd ei heddwch a'i nodded i'th enaid'.[186]

Daw rhan olaf y gerdd fel sioc. Suddir llong Madog, Gwennan Gorn, ynghyd â'r llongau eraill a oedd wedi cychwyn ar y fordaith, gan storm enbyd. Boddir y trichant o forwyr a hwyliai ar y llongau hyn. Yng nghanol y storm, mae Mabon yn ymddangos eto, yn torri arwydd y Groes ac yn tawelu ofn y morwyr. Mae'r diwedd yn amwys benagored. A oedd Tad yn y nefoedd, neu ai dychymyg dyn a greodd Dduw? Ai awgrymu a wneir fod Duw wedi marw, fel y cyhoeddodd Nietzsche gynt? Ai ymddygiad dyn, a brad gweinidogion ac offeiriaid Duw adeg y Rhyfel Mawr, a fu'n gyfrifol am farwolaeth Duw? Ar y llaw arall, efallai fod Gwynn, tua diwedd y rhyfel, wedi colli ei ffydd yn Nuw eto. Rhaid cofio mai Gwynn ei hun yw Madog i raddau, a chyflwr meddwl Gwynn adeg y Rhyfel Mawr yw cyflwr meddwl Madog yn y gerdd. Awgrym arall yw mai myth a chreadigaeth ramantaidd yw'r fro berffaith, ac na all heddwch a thangnefedd deyrnasu byth tra bo dyn ar y ddaear. Pa ffordd bynnag yr edrychir arni ac y dehonglir hi, cerdd rymus ryfeddol yw 'Madog'. 'Madog', ac 'Ynys yr Hud' W. J. Gruffydd, yw'r ddwy gerdd sy'n dynodi tranc y Mudiad Rhamantaidd. Mae rhyfel yn lladd rhamant.

Tynnodd E. Morgan Humphreys sylw at rym a newydd-deb y gerdd yn ei golofn 'Wrth Fyn'd Heibio' yn rhifyn Awst 30, 1918, o'r *Goleuad*. 'Ymdrech enaid cryf a llednais yn erbyn byd creulon, direswm, gwallgof sydd yn y gân, ac wrth ei darllen teimlwch yn y stori hon o'r hen oesoedd adlais ein dyddiau ninnau hefyd,' meddai.[187] Roedd Gwynn yn ddiolchgar i'w gyfaill am dynnu sylw at y gerdd: '... mi gyffesaf fod yn dda iawn gennyf eich bod yn bwrw gadw o Fadog ei enaid ei hun. Eisiau awgrymu oedd arnaf mai rhywbeth felly a ddigwyddodd'.[188] Ac meddai mewn llythyr arall:

> Nid wyf yn amau fy hun nad dyma'r peth goreu a wneuthum i erioed. Am "Ymadawiad Arthur", gwyddoch nad oes gennyf fi fawr o feddwl o'r gerdd honno. Nid wyf fi yn deall sut y mae hi yn twyllo pobl canys y disgrifiadau naturiol yn unig sydd â rhyw wirionedd ynddynt – tân gwyllt yw'r gweddill.[189]

Yn yr un llythyr, poenai am ddyfodol y Gymraeg:

> Y mae'r hen Gymraeg yn ddiau yn iaith odidog iawn, a gwych fuasai meddwl y gallai ddyn ei hysgrifennu i ryw bwrpas. Ond y mae hi yn marw, er hynny, ac oni ddigwydd gwyrth, ni bydd nemor yn ei siarad, ond yn y lleoedd mwyaf gwledig, ymhen hanner can mlynedd. Gwyddoch mai nid gelyn i'r iaith a ddywed hynny, ond a'i câr. Ni waeth am y llyfrau a gyhoeddir, na'r esgus o ddysgu'r iaith yn yr ysgolion, y mae'r plant yn ei hanghofio, ac yn chware yn Saesneg yn y trefi a'r pentrefi, a phan ddêl eu tadau a'u brodyr adref o'r rhyfel, dônt wedi dysgu "Saesneg", a dyna ben arni.[190]

Treuliodd fisoedd yr haf – tri mis i gyd – ar Fynydd Hiraethog, a bu'r teulu yn gwmni iddo am bron i ddeufis. Arhosai ym Mhentrellyncymer. Roedd 'meddygon y Cigyddion' wedi ei ryddhau, meddai wrth Morgan Humphreys.[191] Gan nad oedd ei iechyd yn rhy dda ar y pryd, roedd gwir angen gorffwys arno. Cas ganddo oedd gorfod dychwelyd i Aberystwyth. 'Ni welais odid un ffŵl yno yn ystod y tri mis, ond dyma fi weithian yn ôl ynghanol y lle blaenaf yn yr Ymherodraeth am y darfodedigaeth, cyflogau bychain a war loans – prawf go lew na cheir mwy o ffyliaid ar wyneb daear y diawl,' meddai.[192] Ar y diwrnod olaf o fis Medi y dywedodd hyn. Prin y gwyddai Gwynn na neb arall y byddai diwedd y rhyfel yn dod ymhen llai na chwe wythnos. A beth wedyn? Ni allai feddwl am fyw 'ynghanol yr ynfydion colledig yma' sef trigolion Aberystwyth.[193] Roedd ganddo gynlluniau amgenach:

> Os daliaf hyd nes bo'r môr yn rhydd unwaith eto, ni wêl "gwlad fy nhadau" fwy arnaf fi. Ffyliaid, wrth gwrs, sydd ymhobman, ond y mae'r brid Cymreig tua'r mwyaf anodd i'w ddioddef, mi gredaf, yn nesaf at y Seisnig. Gobeithio na ddychrynwch chwi ddim, fy mod yn siarad mor amharchus am "y wlad oreu tan haul" &c &c. Ond pa bryd bynnag y

byddaf farw, nid gwladgarwch fydd y clwyf a'm lladd. Pe gallaswn fyw ar Fynydd Hiraethog, gallaswn wneud yn eithaf, peth sy'n ymddangos yn groes i'r hyn yr wyf newydd ei ddywedyd am wlad fy nhadau. Ond y gwir yw, y mae gwladwyr pob gwlad yn gallach na'i threfwyr a'i chaethion nad ellir eu galw hyd yn oed yn drefwyr.[194]

Peth ffug-deimladol oedd gwladgarwch, a gallai gwladgarwch ffug-deimladol o'r fath fod yn beth peryglus a chyfeiliornus. Gwladgarwch dall, a'r methiant i weld gwendidau cenedl, a arweiniai at ryfel yn aml. Casâi rwysg a rhagrith, ac roedd yn llawer mwy cartrefol yn cylchdroi ymysg gwladwyr cyffredin a naturiol Hiraethog nag yr oedd ymhlith trefwyr Aberystwyth. Mynydd Hiraethog oedd ei Ynys Afallon. Er cymaint ei ddiddordeb mewn materion cyfoes, rhamantydd oedd Gwynn yn yr ysbryd o hyd. Chwiliai am y fro berffaith, ac am bobl ddoeth a deallus, diwylliedig ac egwyddorol y gallai ymddiried ynddynt, yn hytrach na'r 'ffyliaid' a welai o'i gwmpas ymhobman. O bob lle y bu Gwynn yn byw ynddynt, yng Nghaernarfon yn ystod degawd cyntaf yr ugeinfed ganrif y bu ar ei fwyaf dedwydd a diddig, er gwaethaf ei holl gwynion am gaethiwed a syrffed ei swydd. 'Yr oeddwn yn meddwl heddyw am yr amser difyrrus a gawsoch chwi a minnau yng Nghaernarfon gyda'n gilydd gynt ... A llawer noson hygof a fu ini – dônt y naill ar ôl y llall i'm meddwl, rhyw gip ar ryw ddigwyddiad neu dro difrif neu ddigrif,' fel y dywedodd wrth E. Morgan Humphreys.[195] Ac eto, cyffesodd Gwynn iddo fod yn ddelfrydwr yn y gorffennol, a'i fod wedi edrych ar Gymru ac ar bethau'n gyffredinol drwy sbectol rosynnog. '[Y]r wyf yn ofni,' meddai, 'mai'r hyn a ddigwyddodd yw fy mod wedi deffro o gwsg gwladgarwch politicaidd, ac y gwn bellach nad angylion difai oedd ein hynafiaid ac nad diawliaid digymysg oedd eu gelynion'.[196] Yn nhyb Gwynn, y 'gwladgarwch politicaidd' hwn oedd y bwgan. Y math hwn o wladgarwch a arweiniai at ryfel. 'Os mynnwn ni le â bodau perffaith, rhaid i ni chwilio am danynt yn rhywle arall,' ychwanegodd.[197] Y chwilio eto – chwilio am le perffaith ac am bobl berffaith.

Anfonodd Gwynn lythyr at E. Morgan Humphreys ddeuddydd cyn Nadolig 1918. Gyda'r rhyfel wedi dod i ben oddi ar Dachwedd 11, gallai ddymuno Nadolig Llawen a Blwyddyn Newydd Dda i E. Morgan Humphreys, 'petae ddim ond o ran defod o'r hen fyd gynt'.[198] Roedd yr hen fyd wedi marw. Ac ar ôl pedair blynedd o uffern, roedd Gwynn yn hiraethu am yr hen fyd hwnnw. Er hynny, roedd yn rhaid wynebu'r byd newydd, y byd ôl-ryfel ansicr ac adfeiliedig, byd yr oedd angen ei ailadeiladu, mewn gwirionedd. 'Yr wyf fi wedi mynd i berthyn i'r I.L.P.,' meddai wrth Morgan Humphreys.[199] Gyda'r Blaid Ryddfrydol bellach wedi colli llawer o'i grym, yn bennaf oherwydd yr ymgiprys rhwng Herbert Asquith a Lloyd George am yr arweinyddiaeth, closiodd Gwynn, fel mab i ffermwr cyffredin, at sosialaeth eithafol y Blaid Lafur Annibynnol. Ac wrth gwrs, roedd y ffaith fod Lloyd George, y Prif Weinidog, yn un o'r Rhyddfrydwyr mwyaf blaenllaw yn ddigon i yrru Gwynn i borfeydd amgenach. Canai glodydd y Blaid Lafur mewn llythyr at y bardd Canwy ym mis Ionawr 1918:

> Y Blaid Lafur yw'r grym gwareiddiaf a chrefyddolaf yn y wlad hon heddyw, hyd yn oed er bod ynddi lawer o ddynion sy'n meddwi ac yn tyngu ac yn rhegi. Nid oes yn y deyrnas yma, na[c] yn yr Ymherodraeth, gymaint o *Idealism* ag y sydd yn Sir Forgannwg, er gwaethaf mwg a budreddi'r gweithfeydd, ac er pardduo'r Socialists a'r Syndicalists gan wasg gyflog yr holl oludogion diegwyddor i gyd.[200]

Casâi Lloyd George o hyd. Rhyfelgi ac aelod o'r sefydliad Seisnig oedd y Prif Weinidog iddo bellach. Newydd ei chyhoeddi yr oedd blodeugerdd Annie Ffoulkes, *Telyn y Dydd*, casgliad o delynegion a sonedau gan feirdd cyfoes, gan gynnwys Gwynn ei hun. Yn anffodus, o safbwynt Gwynn, beth bynnag, roedd Annie Ffoulkes wedi cynnwys cerdd gan Lloyd George, 'Cymru'n Un', yn y flodeugerdd. 'Ac am druth y burgun o Lanystumdwy, pe gwybuaswn i y buasai yn y llyfr, ni buasai f'eiddo i,' meddai wrth Morgan Humphreys.[201] Blodeugerdd denau iawn oedd *Telyn y Dydd* ym marn Gwynn, ond roedd ganddo feddwl uchel o ddau o'r beirdd a gynhwyswyd ynddi. Cynan oedd un, bardd gwych yn ôl Gwynn. Y llall oedd ei gyd-weithiwr, T. H. Parry-Williams, er mai dim ond dwy gerdd o'i eiddo a gynhwyswyd yn y flodeugerdd:

> Yr wyf fi yn deall Parry Williams yn burion. Y mae'n ddyn gonest, cywir, ac hyd yn oed pe bae "chware â duwioldeb neu â phaganiaeth" yn ddisgrifiad cywir o'i waith, mi a'i dewiswn ef filwaith o flaen y diawliaid sy'n chware â Christnogaeth, ac hyd yn oed y rhai a geisiodd gefnogi'r rhyfel a'i gondemnio yr un pryd. Daw'r dydd pryd y deellir pethau P.W., cymerwch fy ngair i ar hynny.[202]

Ac fe ddaeth y dydd.

Blynyddoedd anodd a dirdynnol fu blynyddoedd y Rhyfel Mawr i Gwynn. Câi byliau o ddigalondid ac iselder ysbryd yn aml. Trwy gydol cyfnod y rhyfel, bu'n protestio yn erbyn yr anfadwaith, trwy gyfrwng cerdd, ysgrif a dyddiadur.

Cyhoeddodd nifer o gerddi a oedd yn collfarnu'r rhyfel.

Roedd rhai o'i delynegion, hyd yn oed, yn cyfeirio at y rhyfel; er enghraifft, ym mhennill olaf 'Ein Tadau', y mae'n dyheu am i'w hynafiaid doeth a gwâr ddychwelyd i'w cynefin:

> Pan fyddo rhyfel yn y byd,
>   A phawb i gyd yn griddfan,
> Rhyfedd na ddôi ryw gyngor bach
>   Gan ddoethach yn ei guddfan![203]

A dyna'r gerdd 'Hen Fynyddwr', gwladwr nad oedd y byd rhyfelgar y tu allan yn dod yn agos ato:

> Dim iddo wegi penadur
>   A chelwydd y gwleidydd croch –
> Gwell oedd y salwaf creadur
>   A fagodd, o fyllt neu foch.[204]

Canodd a tharanodd 'i geisio pwyllo ychydig ar fy nghyd-ddynion,' fel y dywedodd wrth Daniel Rees. Un o'i gerddi grymusaf oedd 'Miserere, Domine!', a luniwyd ym 1916. Ymbil ar Grist a wneir yn y cywydd, erfyn arno i iacháu a glanhau'r galon ddynol, a throi dynion yn ôl i fod yn wir Gristnogion:

> Grist, Arglwydd yr Arglwyddi,
> Rho dy nawdd, a gwared ni;
> Ped fai traws, pe deufwy trom
> Iau dy deyrnas, dod arnom,
> Am dy fyw, ym myd y fall,
> Yn dda, yn lân, yn ddiwall,
> Yn bur o galon a barn,
> I gyd yn ŵyl, yn gadarn,
> Yn gyfion heb ddiglloni,
> Yn wâr heb ein gwendid ni!
> Dod arnom iau dy deyrnas
> Megis na bôm gas na bas;
> Heb wae mwy, fel y bôm wir,
> Heb un gau, yn byw'n gywir ...[205]

Trowyd Crist yn filwr ac yn rhyfelgarwr yn ôl llawer o Gristnogion honedig, er mwyn cyfiawnhau'r rhyfel, fel y capelwr hwnnw a honnodd nad oedd Crist yn erbyn rhyfel, ac a ddyfynnodd yr adnod 'Na thebygwch fy nyfod i ddanfon tangnefedd ar y ddaear: ni ddeuthum i ddanfon tangnefedd, ond cleddyf' i brofi ei bwynt. Ac meddai Gwynn:

> Maddeu dwyll a chamwedd dyn,
> Droi a chamu d'orchymyn,
> Rhoi drwy dwyll ar d'eiriau Di
> Drwydded i'n salw fudreddi;
> Dwyn, i fyd na fu ei waeth,
> Dy wers lân, dros elyniaeth,
> A'th rifo'n bennaeth rhyfig,
> Dy wneuthur Di'n athro dig![206]

Teitlau Lladin a roddodd i lawer o'r cerddi hyn, ac fel y Catholigion, mae'n rhoi pwys mawr ar y Forwyn Fair. Yn 'Mater Dolorosa', cerdd arall a luniwyd ym 1916, y mamau sy'n ymbil ar Fair am dosturi, nid dynion yn erfyn ar Grist:

> O Fair, urddasolaf mam,
>   paham,
> Paham na wrandewi di
>   nyni?
> Paham na wrandewi di
>   ein cri,
> Weled ein meibion dan draed
>   a'u gwaed
> Heno yn porthi'r cŵn?
>   clyw'r sŵn!
> Och na baem feirw ni,
>   clyw'n cri,
> Gwrando o'th uchel radd,
>   a'n lladd,
> Mamau heb galon mwy,
>   fyth mwy.[207]

Ond ni wrandawodd neb.

NODIADAU

1   'Beauty of the Welsh Language'/'Mr. Gwynn Jones' Address to Barry Cymrodorion', *Barry Dock News*, Ionawr 9, 1914, t. 8.
2   'Ciniaw Gŵyl Ddewi', *Y Dydd*, Mawrth 6, 1914, t. 5.
3   LLGC EMH, A/1975, llythyr oddi wrth T. Gwynn Jones at E. Morgan Humphreys, Ebrill 27, 1914.
4   Ibid.
5   Ibid., A/1976, llythyr oddi wrth T. Gwynn Jones at E. Morgan Humphreys, Mai 1914.
6   Ibid.
7   Ibid., A/1978, cerdyn post oddi wrth T. Gwynn Jones at E. Morgan Humphreys, Awst 6, 1914.
8   Ibid.
9   'Hanes Crwydryn', *Cymru*, cyf. XLIII, rhif 253, Awst 1912, t. 93; *Y Môr Canoldir a'r Aifft*, t. 157.
10   'Rhyfel', *Y Gwyliedydd Newydd*, Awst 11, 1914, t. 8.
11   '"Trechaf, Treisied"', *Y Traethodydd*, cyf. LXIX, rhif 313, Hydref 1914, t. 312.
12   Ibid., t. 315.
13   Ibid., t. 316.
14   Ibid., t. 317.
15   Ibid.
16   Ibid., t. 320.
17   Ibid.
18   Ibid.
19   'Cymry ym Myddin Lloegr', *Y Faner*, Medi 18, 1915, t. 3.
20   'Syr Edward Anwyl', *Y Goleuad*, Awst 14, 1914, t. 9.
21   'Syr Edward Anwyl', *Y Brython*, Awst 20, 1914, t. 2; *Y Genedl*, Awst 25, 1914, t. 4; *Y Darian*, Medi 10, 1914, t. 3. Ymddengys fod yr wythfed linell ar goll, ond dyma'r fersiwn a gyhoeddwyd ymhob un o'r papurau uchod.
22   'Chair of Welsh', *The Amman Valley Chronicle and East Carmarthen News*, Awst 27, 1914, t. 4.
23   Bangor MS/3248, llythyr oddi wrth T. Gwynn Jones at John Morris-Jones, Awst 25, 1914.
24   'The Diary of a Pacifist', t. l.
25   Ibid., t. 2.
26   Ibid., tt. 3–4.
27   Ibid., t. 4.
28   Ibid.
29   Ibid.
30   Ibid., t. 6.
31   'Aberystwyth Indignation'/'Cause of the Anti-German Demonstration', *The Amman Valley Chronicle*, Hydref 29, 1914, t. 7.
32   'Aberystwyth a'r Germaniaid', *Yr Udgorn*, Hydref 21, 1914, t. 3.
33   'The Diary of a Pacifist', t. 10.
34   Ibid., t. 14.
35   Ibid., t. 17.
36   Ibid., t. 16.
37   'Te Deum', *Y Goleuad*, Medi 18, 1914, t. 10; *Baner ac Amserau Cymru*, Medi 19, 1914, t. 4; *Yr Herald Cymraeg*, Medi 22, 1914, t. 7; *Papur Pawb*, Hydref 3, 1914, t. 11.
38   LLGC EMH, A/1982, llythyr oddi wrth T. Gwynn Jones at E. Morgan Humphreys, Tachwedd 26, 1914.

[39] Ibid., A/1983, llythyr oddi wrth T. Gwynn Jones at E. Morgan Humphreys, Rhagfyr 23, 1914.

[40] 'Verhaeren yn Aberystwyth', *Y Cymro*, Rhagfyr 16, 1914, t. 10.

[41] Ibid.

[42] Bangor MS/19479, llythyr oddi wrth T. Gwynn Jones at R. Silyn Roberts, Chwefror 1915.

[43] 'The Diary of a Pacifist', t. 21.

[44] Ibid., tt. 21-2.

[45] Ibid., t. 23.

[46] Ibid.

[47] '"Diwylliant" Almaenaidd', *Y Goleuad*, Medi 18, 1914, t. 9.

[48] Ibid.

[49] Ibid.

[50] 'Faust a Mephistopheles', *Y Goleuad*, Rhagfyr 4, 1914, t. 9.

[51] 'Y Gor-ddyn', *Manion*, t. 111.

[52] LLGC EMH, A/1984, llythyr oddi wrth T. Gwynn Jones at E. Morgan Humphreys, Ionawr 7, 1915.

[53] LLGC TGJ, B145, llythyr oddi wrth T. Gwynn Jones at T. O. Jones, Hydref 15, 1915.

[54] LLGC EMH, A/1986, llythyr oddi wrth T. Gwynn Jones at E. Morgan Humphreys, Chwefror 15, 1915.

[55] Ibid.

[56] 'The Diary of a Pacifist', tt. 25-6.

[57] Ibid., t. 27.

[58] Ibid.

[59] Ibid., t. 29.

[60] Ibid.

[61] Ibid., t. 28.

[62] Ibid., t. 33.

[63] Ibid., t. 39.

[64] LLGC EMH, A/1984.

[65] 'Doed a Ddêl'/'Wrth Weld Graddio Gwynn Jones', *Y Brython*, Gorffennaf 22, 1915, t. 5.

[66] Bangor MS/19483, llythyr oddi wrth T. Gwynn Jones at R. Silyn Roberts, Gorffennaf 7, 1915.

[67] LLGC EMH, A/1985.

[68] Bangor MS/19483.

[69] 'Yr Eisteddfod'/'Y Gadair a'r Goron'/'Y Beirniadaethau', *Y Genedl*, Awst 10, 1915, t. 5.

[70] Ibid.

[71] 'Yr Eisteddfod', *Y Goleuad*, Awst 13, 1915, t. 9.

[72] Dyfynnir yn '"Onid Hoff Yw Cofio'n Taith ...": E. Stanton Roberts a T. Gwynn Jones', Dylan Iorwerth, *Barddas*, rhif 23, Hydref 1978, t. 2.

[73] Ibid., t. 1.

[74] 'Yr Englyn', *Caniadau*, t. 202.

[75] LLGC EMH, A/1993, llythyr oddi wrth T. Gwynn Jones at E. Morgan Humphreys, Hydref 6, 1915.

[76] '"Onid Hoff Yw Cofio'n Taith ..."', t. 3.

[77] Ibid.

[78] 'Berwyn', *Tir Na N-Óg: Awdl Delynegol at Beroriaeth*, 1916, dim rhif tudalen. Cyflwynir y cywydd yn y llyfryn bach hwn 'I E.S.R. a Ff.E.'. 'A'i lond o ieuanc lendid!' oedd llinell 10 yn y fersiwn o'r cywydd a anfonodd at E. Stanton Roberts, a 'Gyda gwlyb lygad a gloes' oedd llinell 22.

[79] LLGC EMH, A/1993.

[80] Ibid., A/1994, llythyr oddi wrth T. Gwynn Jones at E. Morgan Humphreys, Rhagfyr 24, 1915.

81   'The Diary of a Pacifist', t. 42.

82   Ibid., t. 43.

83   Bangor MS/19485, llythyr oddi wrth T. Gwynn Jones at R. Silyn Roberts, Rhagfyr 14, 1915. Ymddangosodd yr hysbyseb ganlynol yn y *Welsh Outlook*, cyf III, rhif 1, Ionawr 1916, t. 30: 'We have pleasure in announcing that in our next number we shall publish a striking new poem by Mr. T. GWYNN JONES entitled *Tir Na'n Og*. It deals with an old Irish myth, in the metre of the *awdl* and in the form of a drama. Critics who have read the poem regard it as one of the finest works of the author, and we are sure its appearance will be welcomed by all lovers of Welsh literature'. Cyhoeddwyd 'Tir na n'Og', fodd bynnag, yn y *Welsh Outlook*, cyf. III, rhif 3, Mawrth 1916, tt. 92–5, nid rhifyn mis Chwefror, ac wedyn yn *Caniadau*. Defnyddir y ffurf 'Tir na N'Og' yn y testun, gan ddilyn yr hyn a geir yn *Caniadau,* ond nid yn y dyfyniadau.

84   'Y Ddau Ddewin', Tir Na N-Óg: Awdl Delynegol at Beroriaeth, dim rhif tudalen. Dyfynnir y cwpled clo yn *Silyn (Robert Silyn Roberts) 1871–1930*, t. 53.

85   'Llên a Chân', *Y Brython*, Tachwedd 24, 1910, t. 2.

86   Ibid.

87   Bangor MS/19485.

88   'Tir na n'Og', *Caniadau,* t. 71.

89   Ibid., t. 70.

90   Ibid., t. 72.

91   Bangor MS/19485.

92   'The Diary of a Pacifist', t. 58.

93   Ibid., t. 64.

94   LLGC EMH, A/1995, llythyr oddi wrth T. Gwynn Jones at E. Morgan Humphreys, Chwefror 9, 1916.

95   Ibid.

96   Ceir yr englyn ar garreg fedd Alafon ym mynwent Capel Bryn'rodyn, ger y Groeslon.

97   'Nationality and Patriotism', *The Welsh Outlook*, cyf. III, rhif 4, Ebrill 1916, t. 112.

98   Ibid.

99   Ibid., t. 113.

100   Ibid.

101   Ibid.

102   Ibid., t. 114.

103   Ibid.

104   Ibid.

105   'Gwladgarwch', *Manion*, t. 109.

106   'Llythyrau at y Golygydd', *Cymru*, cyf. LI, rhif 304, Tachwedd 1916, t. 247. Cyhoeddwyd aralleiriad rhydd o *Macbeth* Shakespeare ar ffurf nofel yn *Papur Pawb* rhwng Ionawr 18 a Mawrth 15, ond cyfieithiad llawn o'r ddrama ei hun, ar ffurf drama, a anfonwyd at O. M. Edwards.

107   Ibid.

108   *Macbeth*, cyfieithiad T. Gwynn Jones, 1942, t. 84. Perfformiwyd trosiad Gwynn o'r ddrama am y tro cyntaf yn Llanelli ym mis Ebrill 1938, a chafwyd perfformiad arall yn Eisteddfod Genedlaethol Caerdydd ym mis Awst 1938.

109   'The Diary of a Pacifist', t. 68.

110   Ibid., t. 69.

111   LLGC EMH, A/1948, llythyr oddi wrth T. Gwynn Jones at E. Morgan Humphreys, Mawrth 14, 1912.

[112] 'The Diary of a Pacifist', tt. 76–7.

[113] Ibid., tt. 77–8.

[114] Ibid., t. 78.

[115] 'Atgofion: Dewi Morgan', *Cyfres y Meistri 3*, t. 122; cyhoeddwyd yn wreiddiol yn *Y Llenor*, cyf. XXVII, rhif 2, Haf 1949.

[116] 'The Diary of a Pacifist', t. 79.

[117] Ibid., t. 81.

[118] 'Gwladwriaeth a Chydwybod', *Y Deyrnas*, cyf. I, rhif 1, Hydref 1916, t. 4.

[119] Bangor MS/19488, llythyr oddi wrth T. Gwynn Jones at R. Silyn Roberts, Medi 14, 1916.

[120] Ibid.

[121] 'Lux Mundi', *Y Deyrnas*, cyf. I, rhif 5, Chwefror 1917, t. 5. Ailwampiwyd y pennill cyntaf o'r tri uchod a'i gynnwys yn y gerdd 'Y Gynneddf Goll', *Caniadau*, tt. 123–4.

[122] 'Challenge Everything', *The Welsh Outlook*, cyf. III, rhif 11, Tachwedd 1916, t. 344.

[123] Ibid.

[124] Ibid.

[125] LLGC EMH, A/1998, llythyr oddi wrth T. Gwynn Jones at E. Morgan Humphreys, Rhagfyr 2, 1916.

[126] Ibid.

[127] Ibid.

[128] Ibid., A/1999, llythyr oddi wrth T. Gwynn Jones at E. Morgan Humphreys, Rhagfyr 23, 1916.

[129] Ibid.

[130] Ibid.

[131] LLGC TGJ, B95, llythyr oddi wrth T. Gwynn Jones at Daniel Rees, Ionawr 3, 1917.

[132] Ibid., B96, llythyr oddi wrth T. Gwynn Jones at Daniel Rees, Ionawr 4, 1917.

[133] Ibid.

[134] Ibid.

[135] Ibid.

[136] Ibid.

[137] Ibid.

[138] Ibid., atodiad Ionawr 8, 1917.

[139] LLGC TGJ, B98, llythyr oddi wrth T. Gwynn Jones at Daniel Rees, Chwefror 23, 1917.

[140] LLGC EMH, A/2000, llythyr oddi wrth T. Gwynn Jones at E. Morgan Humphreys, Mawrth 9, 1917.

[141] 'Yr Eisteddfod Genedlaethol, Birkenhead: Medi 5–7, 1917', *Y Cymro*, Medi 12, 1917, t. 9.

[142] Ibid.

[143] Ibid.

[144] LLGC TGJ, B99, llythyr oddi wrth T. Gwynn Jones at Daniel Rees, Hydref 3, 1917.

[145] 'Atgofion: E. Tegla Davies', T. Gwynn Jones: *Cyfres y Meistri 3*, t. 124. Cyhoeddwyd yn wreiddiol yn *Y Llenor*, cyf. XXVII, rhif 2, Haf 1949.

[146] *Gyda'r Blynyddoedd*, 1951, tt. 201–2.

[147] 'Atgofion: E. Tegla Davies', t. 127.

[148] Ibid.

[149] Ibid., t. 128.

[150] LLGC TGJ, B99, llythyr oddi wrth T. Gwynn Jones at Daniel Rees, Hydref 3, 1917.

[151] Ibid.

[152] Ibid.

[153] Ibid.

[154] Ibid., B100, llythyr oddi wrth T. Gwynn Jones at Daniel Rees, Hydref 15, 1917.

[155] Ibid.

[156] LLGC EMH, A/2003, llythyr oddi wrth T. Gwynn Jones at E. Morgan Humphreys, Rhagfyr 21, 1917.

[157] Ibid., A/2004, llythyr oddi wrth T. Gwynn Jones at E. Morgan Humphreys, Ionawr 6, 1918.

[158] Ibid.

[159] Ibid.

[160] Ibid., A/2008, llythyr oddi wrth T. Gwynn Jones at E. Morgan Humphreys, diddyddiad, 1918 [?].

[161] Ibid.

[162] Ibid., A/2005, llythyr oddi wrth T. Gwynn Jones at E. Morgan Humphreys, Gorffennaf 1, 1918.

[163] Ibid.

[164] Ibid.

[165] LLGC TGJ, B68, llythyr oddi wrth T. Gwynn Jones at Daniel Rees, Ionawr 2, 1908.

[166] Ibid.

[167] Ibid., B98, llythyr oddi wrth T. Gwynn Jones at Daniel Rees, Chwefror 23, 1917.

[168] Ibid., B68.

[169] Ibid.

[170] 'Gwanwyn', *Y Beirniad*, cyf. VI, 1916, t. 16; *Caniadau*, tt. 153–4.

[171] CRG, llythyr oddi wrth T. Gwynn Jones at Thomas Jones Cerrigellgwm, Rhagfyr 23, 1918.

[172] 'Madog', *Caniadau*, t. 87.

[173] Ibid., tt. 87–8.

[174] Ibid., t. 88.

[175] Ibid., tt. 89–90.

[176] 'The Diary of a Pacifist', t. 51.

[177] 'Nodiadau T. Gwynn Jones ar *Caniadau*', R. I. Aaron, t. 305.

[178] 'Madog', t. 90.

[179] Ibid.

[180] Ibid., t. 95.

[181] Ibid., t. 97.

[182] Ibid., tt. 97–8.

[183] Ibid., t. 98.

[184] Ibid., t. 99.

[185] Ibid., t. 100.

[186] Ibid., t. 101.

[187] 'Wrth Fyn'd Heibio', *Y Goleuad*, Awst 30, 1918, t. 4.

[188] LLGC EMH, A/2006, llythyr oddi wrth T. Gwynn Jones at E. Morgan Humphreys, Medi 30, 1918.

[189] Ibid., A/2007, llythyr oddi wrth T. Gwynn Jones at E. Morgan Humphreys, Rhagfyr 23, 1918.

[190] Ibid., A/2006.

[191] Ibid.

[192] Ibid.

[193] Ibid.

[194] Ibid.

[195] Ibid.

[196] Ibid.

[197] Ibid.

[198] LLGC EMH, A/2007.

[199] Ibid.

[200] Bangor MS/23466, llythyr oddi wrth T. Gwynn Jones at John Henry Williams (Canwy), Ionawr 23, 1918.

[201] A/2007.

[202] Ibid.

[203] 'Ein Tadau', *The Welsh Outlook*, cyf. VI, rhif 3, Mawrth, 1919, t. 54.

[204] 'Hen Fynyddwr', Ibid.; *Manion*, t. 50.

[205] 'Miserere, Domine!', *Y Traethodydd*, cyf. LXXI, rhif 318, Ionawr 1916, t. 27.

[206] Ibid., t. 28.

[207] 'Mater Dolorosa', *Manion*, t. 51.

Pennod 9

YR ATHRO T. GWYNN JONES
ATHRO AC YSGOLHAIG
1919–1929

Yn fuan iawn wedi i holl frwydrau'r Rhyfel Mawr ddirwyn i ben ym mis Tachwedd 1918, roedd gan Gwynn ei frwydr ei hun i'w hymladd. 'Yr wyf fi yn bur agos, mi gredaf, i'r frwydr fwyaf, ond odid, yn fy hanes eto, ac os collaf hon, bydd ar ben arnaf, mae'n ddiau,' meddai wrth E. Morgan Humphreys.[1] Pan ddechreuodd Gwynn weithio yn y Coleg, addawyd pethau gwell iddo yn y dyfodol. Chwe blynedd yn ddiweddarach, roedd yn dal i aros.

Y frwydr am y Gadair a adawyd yn wag ar ôl marwolaeth Edward Anwyl ym 1914, y gohiriwyd penodi olynydd iddo oherwydd y rhyfel, oedd y frwydr. Pwy a gâi'r Gadair honno? Roedd tri ymgeisydd amlwg oddi fewn i'r Adran Gymraeg ei hun: Gwynn, T. H. Parry-Williams a Timothy Lewis, a chredai rhai o'r cychwyn mai Timothy Lewis a ddylai gael y Gadair oherwydd iddo ymladd yn y Rhyfel Mawr, yn wahanol i'r ddau arall, a oedd yn heddychwyr.

Sefydlwyd pwyllgor arbennig i ddewis ymgeiswyr ar gyfer y swydd ym mis Mawrth 1919, a chyfarfu'r pwyllgor hwnnw am y tro cyntaf yn Llundain ar Fai 22. Ar ôl trafodaeth faith ar union natur a chymwysterau'r swydd, penderfynwyd mai i Athro yn y Gymraeg, yn hytrach nag i ysgolhaig Celtaidd, y dylid rhoi'r Gadair. Argymhellwyd hefyd y dylid sefydlu dwy Gadair yn hytrach nag un – Cadair mewn Llenyddiaeth a Chadair Iaith – ond byddai'n rhaid i Gyngor y Coleg roi sêl ei fendith ar yr argymhelliad cyn y gellid symud ymlaen i'w weithredu. Bum niwrnod ar ôl i'r Pwyllgor Dewis gyfarfod yn Llundain y cysylltodd Gwynn â Morgan Humphreys i sôn wrtho am y frwydr fwyaf yn ei fywyd. Ac meddai ymhellach:

Yn awr, y mae'r bwriad ar droed i sefydlu Cadair mewn Llenyddiaeth Gymraeg. Y mae cryn syniad ar led yma ac yn y wlad mai myfi yw'r dyn am dani o bob ysgolhaig a geir. Ac os na wn i fwy am y pwnc na neb arall, wedi cael deng mlynedd at chwilota yn y Llyfrgell Genedlaethol yma, a gwybodaeth go fanwl o'r holl ieithoedd Celtaidd, yn gystal â'r clasuron a'r rhan fwyaf o'r ieithoedd rhamantaidd ac ereill (Ffrangeg, Eidaleg, Sbaeneg, Provençal, Almaeneg, a thipyn o Sanscrit) at fy ngalwad, dylai fod yn gywilydd i mi.[2]

Y broblem ydoedd mai bwriad ar droed oedd y syniad ynghylch y ddwy Gadair ar y pryd. Nid oedd dim wedi ei benderfynu'n derfynol. Dywedodd Gwynn wrth Morgan Humphreys fod rhai yn ceisio'i rwystro rhag cael Cadair Athro, ac y byddai'n rhaid iddo ymladd amdani. Cafodd o leiaf chwe chyfle i adael y Coleg yn ystod y chwe blynedd y bu'n darlithio yno, meddai, ond arhosodd yn ei swydd oherwydd i'r awdurdodau ei sicrhau y byddai Cadair Athro yn dod i'w ran un dydd, gyda chyflog o bum cant neu chwe chant o bunnoedd y flwyddyn. Gofynnodd i E. Morgan Humphreys lunio ysgrif ar ei waith a'i chyhoeddi yn Y Genedl er mwyn cryfhau ei achos. Roedd angen y swydd a'r arian arno er mwyn cwblhau addysg ei blant, Arthur yn enwedig, a oedd eisoes yn ysgolhaig gwych.

Manylodd ar y gwrthwynebiad iddo rhag cael ei ddyrchafu'n Athro:

> Y dyn sy'n gweithio yn f'erbyn yw Gwenogfryn, am na fedrwn i dderbyn ei ffwlbri am Daliesin. Cyn hynny, yr oedd yn fy nghanmol i'r cymylau, ac y mae ei holl lythyrau gennyf, pe bai eisieu eu cyhoeddi. Dywedir yma nad oes ganddo gefnogwyr. Ond medrodd beri gohirio pethau, o leiaf.[3]

Fel aelod o Gyngor y Coleg, roedd hawl gan Gwenogvryn Evans i fod y bresennol ymhob un o gyfarfodydd y Pwyllgor Dewis, a mwy na thebyg mai ef a awgrymodd mai Cadair ar gyfer ysgolhaig Celtaidd oedd hon i fod. Er bod Gwynn yn medru Gwyddeleg a Llydaweg, llenyddiaeth oedd ei faes yn y coleg, nid ieitheg. Cyhoeddodd J. Gwenogvryn Evans *Facsimile and Text of the Book of Taliesin* ym 1910 a *Poems from the Book of Taliesin* ym 1915, a gofynnodd i Gwynn lunio rhagymadrodd i'r ail lyfr ym 1915. Yn ôl Dewi Morgan:

> Digiodd Gwenogfryn wrtho am beidio ag ysgrifennu rhagymadrodd i'w lyfr ar Daliesin. ''Allwn i ddim gwneud hynny o gydwybod o achos bod yn y llyfr gynifer o bethau yr anghytunwn yn bendant â hwy,' oedd dadl Gwynn.[4]

A gwir hynny. Roedd rhai o ddamcaniaethau Gwenogvryn Evans yn ymddangos yn ddi-sail i Gwynn, a llawer o'i syniadau a'i gyfieithiadau yn rhai cyfeiliornus. Anfonodd lythyr at Gwenogvryn i leisio'i farn ar ei waith yn groyw ddigon. Ni fynnai gymryd rhan mewn dadl gyhoeddus am gywirdeb neu anghywirdeb damcaniaethau Gwenogvryn:

> ... I believe you will excuse me, as you invited more observations, & as I w[oul]d not make them except in this way, being naturally a non-controversial animal. I am forty, & have been attacked not infrequently d[u]r[in]g the last 20 y[ea]rs. I have never taken part in a controversy, & never intend to do so ... I do not want you to take the trouble of replying to these observations. If you find amongst them anything you may agree to or consider of some value, well & good. If I offend you, I am sure you will be good enough to pardon an unmeaning offender.[5]

Aeth y stori ar hyd ac ar led mai Gwynn a gâi'r Gadair. 'Nid oes wir yn yr ystori fy mod i wedi fy mhenodi eto,' meddai wrth Morgan Humphreys.[6] 'Daw'r mater ymlaen ddydd Gwener nesaf, mi gredaf,' ychwanegodd.[7] Mehefin 27 oedd y dydd Gwener hwnnw. Ar y diwrnod hwnnw y cyfarfu Cyngor y Coleg, ac yn y cyfarfod hwnnw penderfynwyd hysbysebu am swydd Athro yn y Gymraeg, gan wahodd arbenigwyr ar lenyddiaeth ac ar y Gymraeg i ymgeisio am y swydd.

Roedd yr holl fater yn llusgo ymlaen yn ormodol, yn ôl Gwynn, yn enwedig ar ôl i'r Cyngor benderfynu mai ar gyfer un Gadair yn unig y gwneid penodiad yn yr Adran Gymraeg. Roedd wedi cael digon. Teimlai'n hollol rwystredig. 'Pe buasai fy mater i wedi ei setlo, buaswn yn Abertawe heddyw, yn ymladd brwydr dyn yn erbyn diawl,' meddai wrth E. Morgan Humphreys, gan nodi bod 'amryw o'm cyfeillion yng nghanol yr ymladd'.[8] A chafodd Morgan Humphreys englyn ganddo yn y fargen:

> Fe ddylai Dafydd Wiliam – eu bwrw oll
>   Heibio'r wal ddiadlam;
> Rhoed hwn ar gorgwn gwyrgam
> Egni ei ddwrn âg un ddam![9]

Ar yr union ddiwrnod ag y lluniodd y llythyr hwn, Gorffennaf 10, roedd David Williams yn sefyll fel ymgeisydd y Blaid Lafur yn isetholiad Dwyrain Abertawe, ac er nad enillodd y sedd honno, daeth yn agos iawn. Arddel egwyddorion a daliadau sosialaidd a wnâi Gwynn o hyd.

Roedd E. Morgan Humphreys wedi ufuddhau i gais ei gyfaill ac wedi rhoi geirda iddo yn *Y Genedl*:

> Da gennyf feddwl fod Syr John Morris-Jones a Mr Ivor Williams ym Mangor, Mr Gwynn Jones a Dr Parry-Williams yn Aberystwyth, Mr W. J. Gruffydd, Gwili ac ereill yng Nghaerdydd. Braint Prifysgol Cymru yw rhwymo dynion fel hyn wrthi.[10]

Ni chrybwyllodd Timothy Lewis o gwbl. Un o'r rhai a gefnogai gais Timothy Lewis am y swydd oedd Beriah Gwynfe Evans, hen gyfaill i Gwynn a'r gŵr a gadeiriwyd yn ei absenoldeb yn Eisteddfod Genedlaethol Bangor ym 1902. Ond cadair wahanol oedd hon, ac ni fynnai Gwynn i Beriah Gwynfe Evans na'i fab-yng-nghyfraith ddod yn agos ati. Mab-yng-nghyfraith Beriah Gwynfe oedd Timothy Lewis, a galwodd Beriah heibio i swyddfa Morgan Humphreys i gwyno wrtho am y modd y diystyrwyd Timothy Lewis ganddo. Dywedodd Morgan Humphreys wrth Gwynn fod Beriah Gwynfe wedi honni mai Timothy Lewis oedd 'gwir olynydd John Rhys fel ysgolhaig Celtaidd!'[11] 'Digrif oedd y sôn am olynydd naturiol John Rhys!' oedd ymateb Gwynn.[12] Roedd Beriah Gwynfe Evans a J. Gwenogvryn Evans yn arwain yr ymgyrch o blaid penodi Timothy Lewis i'r swydd. 'Pe caech gyfle ar ergyd i'r llyffant gwyrdd byth, na chollwch ac nac arbedwch er dim,' meddai Gwynn wrth Morgan Humphreys.[13] Y llyffant gwyrdd oedd J. Gwenogvryn Evans. *Greenfrog* y câi ei alw gan rai di-Gymraeg a fethai ynganu Gwenogvryn.[14] 'Am danaf fi, byddai rhyw baragraff diniwed o wythnos i wythnos o hyn tan hynny yn eithaf peth, os ceir esgus,' ychwanegodd.[15]

Anfonodd Gwynn ei gais am y swydd i mewn ar Orffennaf 25. Meddai wrth E. Morgan Humphreys:

> Aeth y cais i mewn ddoe, a bellach, nid oes ond aros. Clywais fod cad o blaid Timotheos yn y papurau Saesneg. Ni wna lawer o ddrwg i P.W. na minnau, na llawer o les iddo yntau, canys gŵyr pobl o ble y daw. Dywedwyd celwyddau am P.W. Ac am danaf fi, ni wn pa beth a ddywedwyd. Ond nid gwir mai gradd Anrhydedd sydd gennyf, o ran hynny, ond Research Degree, a bod yn fanwl.[16]

Roedd Gwynn, fodd bynnag, yn bur hyderus mai ef a gâi'r swydd Athro, fel y dywedodd wrth E. Morgan Humphreys:

Credaf, rhyngoch chwi a minnau, mai myfi ddaw allan ar y top, hyd yn oed os un gadair a fydd. Ni all neb sy'n debyg o gynnyg, fy nghyffwrdd am Research a gwybodaeth am yr *ieithoedd* Celtaidd *a'u* llenyddiaeth. Cais byrr iawn a wneuthum, heb ddim manylion. Ni roddais ond un rhan o dair o'm hysgrifeniadau, na sôn am fy ngorchestion eisteddfodol, &c. Rhoddais fanylion am fy ymchwiliadau sydd heb eu cyhoeddi oblegid y rhyfel.[17]

'Oni lwyddaf, af i South America,' meddai wrth ei gyfaill, gan ei wahodd i ymuno ag ef.[18] Roedd yn paratoi ar gyfer gadael Cymru:

Cymerais gwrs mewn Ysbaeneg yn barod gydag Archentinad oedd yn y Coleg, Cymro o waed. Medraf gyfieithu'n rhugl yn awr, a deall ymddiddan yn weddol rwydd.[19]

'Y mae Rhamant eto'n galw. Dros y môr,' meddai.[20] Roedd pellterau dieithr yn atyniad iddo o hyd.

Roedd y ddwy chwaer gyfoethog, Gwendoline a Margaret Davies, Gregynog, wedi cyflwyno rhodd o £74,000 i Goleg Aberystwyth i sefydlu nifer o gadeiriau newydd, a chredai aelodau o'r Pwyllgor Dewis y gellid cyfiawnhau creu dwy Gadair newydd yn Adran y Gymraeg yn Aberystwyth, un ar gyfer Llenyddiaeth a'r llall ar gyfer Iaith. Cyfarfu'r Pwyllgor Dewis ar Awst 1 i drafod y ceisiadau. Roedd pedwar enw ar y rhestr fer, ar gyfer un Gadair yn unig, gan ddilyn yr hyn a benderfynwyd gan Gyngor y Coleg, sef Gwynn, T. H. Parry-Williams, Timothy Lewis a Morgan Watkin, a oedd yn Athro Ffrangeg mewn coleg yn Johannesburg, De Affrica, ar y pryd. Penderfynodd y Pwyllgor Dewis benodi Gwynn yn Athro Llenyddiaeth yn y coleg, ond gohiriwyd penodi Athro yn y Gymraeg tan Awst 8, yn Eisteddfod Genedlaethol Corwen. Gohiriwyd cyfarfod Awst 8, fodd bynnag, oherwydd mai ar yr union ddiwrnod hwnnw y cynhaliwyd cynhebrwng T. F. Roberts, Prifathro Coleg Aberystwyth.

Aeth Gwynn i'r angladd. Parhaodd y cynhebrwng 'am ryw dair awr a hanner, ar wres annioddefol,' meddai mewn llythyr at Morgan Humphreys drannoeth yr angladd a thrannoeth y cyfarfod.[21] Tra oedd Gwynn yn chwysu yn y cynhebrwng, roedd ei dynged wedi ei selio, er na wyddai beth oedd y dynged honno; hynny yw, roedd ei dynged wedi ei phennu yn ôl barn unfryd y Pwyllgor Dewis. Nid oedd dim yn derfynol hyd nes y byddai Cyngor y Coleg yn cytuno â phenderfyniad y Pwyllgor Dewis i greu dwy swydd Athro, yn hytrach nag un, ac i benodi Gwynn i un o'r swyddi hynny, sef Athro Llên.

Roedd Gwynn, fodd bynnag, wedi diflasu ar yr holl gecru a gwawdio a oedd wedi codi yn sgil y swydd. Clywodd fod ymosodiad ffyrnig arno wedi ymddangos yn y *North Wales Chronicle*:

> A dywedyd y gwir wrthych, y mae'n gywilyddus gennyf fy mod mewn cystadleuaeth mor fudr, er nad ymosodais i ar neb o'm cydymgeiswyr, a'm bod wedi gwneud fy ngoreu o blaid un o honynt ... Wythnos eto, a bydd drosodd, ac ni'm dawr i pa fodd, am y bo drosodd.[22]

'Rhyngom a'n gilydd – yn ôl a glywaf, bydd fy mater i yn ddiogel, oni ddigwydd rhyw ddamwain ...' meddai eto.[23]

Anfonwyd penderfyniad y Pwyllgor Dewis at Gyngor y Coleg. Cyfarfu'r Cyngor ar Awst 15, a heriwyd penderfyniad y Pwyllgor Dewis. Ar ôl trafodaeth hir, fodd bynnag, cytunwyd i dderbyn argymhellion y Pwyllgor Dewis. Penodwyd Gwynn yn swyddogol yn Athro Llenyddiaeth yng Ngholeg Prifysgol Cymru, Aberystwyth. 'Yr wyf i gyfarfod y Cyngor 2.30 y prynhawn yma. Cewch wybod gyda'r post heno, os bydd popeth drosodd mewn pryd,' meddai wrth Morgan Humphreys, yn llawn cyffro.[24] Roedd y penodiad arall eto i'w benderfynu. 'Os gellwch rywfodd roi help llaw i T.H.P.W., gwnewch. Gobeithiaf mai efe a gaiff y gadair arall,' meddai wrth Morgan Humphreys.[25] T. H. Parry-Williams oedd dewis Gwynn, ond nid heb lawer mwy o ymgecru ac oedi y cynigid y swydd Athro yn y Gymraeg i un o'r ymgeiswyr. Wythnosau ar ôl i Gwynn gael ei benodi'n Athro Llenyddiaeth yn y coleg, cafwyd adroddiad manwl yn *Y Cymro* ar fater yr ail Gadair:

> Ychydig wythnosau yn ôl aeth y Coleg at y gorchwyl o benodi olynydd mewn Cymraeg i Syr Edward Anwyl, gan gynnyg, yn ôl y raddfa ddiwygiedig newydd, chwe chan punt o gyflog ... Penodwyd pwyllgor neilltuol i ystyried y ceisiadau a chyfarwyddo'r etholwyr, fel y rhaid gwneud bellach ynglŷn â phob penodiad i gadair yn y Colegau Cenedlaethol, gan fod Dirprwyaeth ddiweddar Arglwydd Haldane wedi cymeradwyo'r cynllun hwn o ddewis y goreuon o'r ymgeiswyr. Nid oes weledigaeth eglur eto fod hyn yn welliant o gwbl ar yr hen ymddiriedaeth yn y 'Council.' Dyfarnodd y pwyllgor yn unfrydol mai buddiol oedd sefydlu cadair Llenyddiaeth Gymreig a phenodi Gwynn Jones iddi, ac wedi cael ar ddeall y byddai cymwynaswyr "dienw" y Coleg, oedd wedi rhoddi swm mawr o arian i hyrwyddo'r astudiaeth o'r Gymraeg, yn barod

i sefydlu cadair newydd ac ychwanegol yn yr iaith Gymraeg, etholwyd Gwynn Jones yn unfrydol i'r Gadair Lenyddiaeth, a gohiriwyd y dewisiad rhwng y tri ymgeisydd arall am y Gadair ieithyddol. Cyfarfu'r pwyllgor neilltuol drachefn, a chymeradwyasant yn unfrydol fod Dr. Parry-Williams i'w benodi i'r gadair, a threfnwyd i Gyngor y Coleg gyfarfod i wneud yr etholiad ddydd Gwener diweddaf yn Aberystwyth. Yr oedd penodiad Gwynn Jones wedi dadrys un broblem, ond wedi gadael yr un anosaf i'w phenderfynu eto.[26]

Roedd y rhyfel o hyd yn ymyrryd â'r holl fater:

Diau mai siomedigaeth i lawer oedd gweled yn y newyddiaduron drannoeth fod y penodiad wedi ei oedi hyd yr haf nesaf, a bod yr holl bwnc i'w ystyried o newydd. Ond yn ddiddadl oedi oedd y peth doethaf yn yr amgylchiadau, a deallaf fod y Cyngor o un farn am hyn. Hwyrach na synnodd neb, serch hynny, fod llywodraethwyr y Coleg, yn wyneb yr ymryson sydd er ys peth amser wedi britho'r wasg, wedi barnu'n unfrydol nad doeth fyddai penodi nes i deimladau oeri. Ni pherthyn i'ch gohebydd benderfynu rhwng hawliau Dr. Parry-Williams a Mr. Lewis. Ymddangosai, oddiwrth yr ymddiddanion a gafwyd â chyfeillion yn Aberystwyth, fod dau fater mewn dadl. Y cyntaf oedd, pa un o'r ddau ymgeisydd oedd yr ieithegydd ('philologist') goreu. Rywfodd neu['i] gilydd bu llawer mwy o siarad am wreiddiau geiriau nag am eu hysbryd a'u hystyr. Dyfarnodd y pwyllgor cyfarwyddiadol, mae'n debyg, o blaid Dr. Parry-Williams. Ond bychan oedd y pwnc o wybodaeth, ym marn y lliaws, wrth y pwnc o gydwybod. Fel y gŵyr pawb sydd wedi dilyn y ddadl yn y wasg yn ddiweddar, y mater oedd yn cynhyrfu teimladau oedd, pwy ddylid ei ddewis ar dir ei ymagweddiad ynglŷn â'r rhyfel.[27]

Llongyfarchwyd Gwynn gan rai o'r papurau, fel y *Cambrian News*:

The position of first professor of Welsh literature has been filled by the appointment of Mr. T. Gwynn Jones, M.A. He became engaged in literary work and journalism at an early age, following the profession at home and abroad, and contributing largely to various publications. Owing to a temporary breakdown in health, due to overwork, he relinquished active journalism and took up the systematic study of the Celtic language. In 1909 he was nominated by a selection committee for a lectureship in Welsh in the National University of Ireland, but withdrew on being appointed cataloguer at the National Library of Wales. In 1913 he accepted a readership in Welsh literature at the University College of Wales, and since 1914 has also taken the classes in literature and intermediate composition, as well as classes in Welsh for normal students. In 1915 he took a research degree in the University of Wales. He is external examiner in Celtic for the University of Liverpool, and is a co-opted member of the Language and Literature Committee of the Board of Celtic Studies. He has a considerable list of linguistic, critical, and or[igin]al publications to his credit. His linguistic work has been mainly the interpretation of obscure Celtic texts. The founder of a new school of Welsh poetry, he has won many eisteddfodic successes, including the chair prize at the National Eisteddfod. His fame as a short story writer is also well-known.[28]

A diddorol nodi y câi ei ystyried yn enwog ym myd y stori fer hyd yn oed ym 1919, flynyddoedd ar ôl iddo roi'r gorau i lunio straeon byrion.

Roedd llawer o ymgecru yn y wasg o hyd. Cwynodd 'Cwmystwyth' yn y *Cambrian News*, er enghraifft, mai yn y dirgel y penodwyd Gwynn yn Athro, ac mai y tu ôl i ddrysau caeedig, yn gyfrinachol, y gwnaed y penderfyniad, ac nid yn llygad y cyhoedd:

> It surely cannot be to the interests of the College that so important an appointment should be made without any public advertisement. Why it should have been so made is a profound mystery. So irregular a proceeding, insisted upon in the face of formal protest at the meeting, is naturally circulated both to create uneasiness and to arouse suspicion in the public mind. This suspicion is deepened by the fact that irregularity in the proceedings at the last Council was not confined to one appointment. It was a high compliment to Mr. Gwynn Jones that the appointment was offered him. It would have been a much higher compliment had the candidature been an open one and had he been selected after the post had been publicly advertised for open compe[t]ition. Had the meeting of the Council been open to the Press, this method of secret appointment would hardly have been resorted to.[29]

Atebwyd 'Cwmystwyth' gan olygydd y *Cambrian News*: 'The College authorities have a perfect right to do what they please, and in this case those who applied for the Chair of Welsh have been dealt with in a strictly fair manner. Professor Gwynn Jones's appointment is a different appointment altogether'.[30] Ond ni thawodd 'Cwmystwyth'. 'It is an open secret perfectly well-known in Aberystwyth,' meddai, 'that weeks before Mr. Gwynn Jones's appointment was announced, and before the Appointments Committee which recommended the appointment had met, the creation of such a chair, and the appointment of its present holder, were alike matters of common knowledge in certain College circles'.[31]

Er gwaethaf yr holl ddrwgdeimlad a gorddwyd gan y mater, er gwaethaf y brygowthan a'r bytheirio, y cweryla a'r cecru, roedd Gwynn wedi cyflawni camp anhygoel. Er na chafodd addysg o fewn cynteddau unrhyw brifysgol ei hun, yr oedd bellach yn Athro Coleg Prifysgol Cymru yn Aberystwyth. Ac eto, pwy a ddôi'n agos iddo o ran dysg a gallu, o ran gwybodaeth am lenyddiaeth Gymraeg, ac am lenyddiaethau gwledydd eraill yn ogystal?

Roedd y coleg a benododd Gwynn yn Ddarllenydd ynddo ym 1913 yn bur wahanol i'r coleg a'i penododd yn Athro ym 1919. Ym 1913, ar drothwy'r Rhyfel Mawr, roedd 429 o fyfyrwyr yn Aberystwyth. Flwyddyn ar ôl y rhyfel roedd y nifer wedi mwy na dyblu, gyda 971 o fyfyrwyr ar gofrestr y coleg. Ym 1920, cofrestrwyd bron i 1,100 o fyfyrwyr yn y coleg. Torrodd y rhyfel ar addysg uwch llawer iawn o fyfyrwyr a darpar fyfyrwyr ifainc. Gwysiwyd nifer o fyfyrwyr Aberystwyth i faes y gad, ac ar ôl y rhyfel dychwelodd y rhain i'r coleg yn lluoedd, i gwblhau eu haddysg brifysgol, a hefyd daeth nifer o gyn-filwyr i'r coleg i gychwyn arni o'r newydd.

Ymhlith y cyn-filwyr a aeth i'r coleg yn Aberystwyth yr oedd T. Hughes Jones, brodor o ardal Blaenafon, Ceredigion, un o lenorion Cymraeg y dyfodol, awdur *Sgweier Hafila* ac *Amser i Ryfel*, nofel a seiliwyd ar ei brofiadau yn y Rhyfel Mawr. Cyn-filwr arall oedd Hywel Davies o Nantgaredig, Sir Gaerfyrddin, y gŵr a gyfieithodd bryddest fuddugol E. Prosser Rhys yn Eisteddfod Genedlaethol Pont-y-pŵl ym 1924, 'Atgof', i'r Saesneg dan y teitl *Memory*, ac un arall o awduron y dyfodol, dan y ffugenw Andrew Marvell.

Daeth dau o feirdd y dyfodol dan ei adain, Iorwerth Cyfeiliog Peate a Gwenallt. Roedd Iorwerth Peate yn fyfyriwr yn y coleg cyn i'r Rhyfel Mawr ddirwyn i ben. Cafodd Gwynn ddylanwad arno o'r cychwyn cyntaf, fel y cofiai yn dda:

> Yr oeddwn yn afresymol o swil, yn gwbl ddibrofiad, ac, yn wir, yn ddiargyhoeddiad hefyd – hogyn ysgol wedi'i daflu'n sydyn i lifeiriant bywyd prifysgol. Yr oedd yr awdurdodau eisoes wedi fy hysbysu trwy

lythyr na dderbynnid mohonof i'r coleg o gwbl onid ymunwn â'r *Officers'*
Training Corps a chan nad oedd ffordd arall amdani, euthum dan yr iau
honno'n llyweth ddigon. Y pryd hwnnw, a'r rhyfel eto heb ddibennu,
y ddeddf oedd ein bod oll i wisgo'r lifrai *khaki*'n gyson ac euthum i
ddarlithiau Gwynn Jones yn nechrau fy nhymor cyntaf wedi fy ngwisgo
fel cyw soldiwr! Beth tybed a feddyliai ohonom? Mae'r darlithiau cynnar
hynny yn fyw iawn yn fy nghof: fe'n dysgai i sgrifennu – traethodau
ar 'Arddull', 'Fy hoff awdl' a phynciau cyffelyb – a rhoddai'n gyson i mi
gyfarwyddyd a chyngor a chanmoliaeth hael. Ar yr un pryd traethai ei
farn yn bendant ar bynciau mawr llenyddiaeth ac, wrth fynd heibio, ar
ryfel a heddwch a'r meddwl ymerodrol yn arbennig. Gwelwyd effaith hyn
oll yn fy hanes i cyn pen chwech wythnos, ar yr 11eg Tachwedd, 1918.
Wynebais gynddaredd cyfiawn *commandant* yr O.T.C. bondigrybwyll y
bore hwnnw trwy wneuthur parsel o'm dillad *khaki* a'i gyflwyno iddo
gan ddywedyd na welid byth mohonof wedyn yn y lifrai honno. Yr oedd
fy agwedd at ryfel wedi'i setlo am byth cyn fy mod yn ddeunaw oed ac
i ddylanwad T. Gwynn Jones yn unig (er na ddywedodd air erioed yn
bersonol wrthyf ar y pwnc) y priodolaf y penderfyniad terfynol hwnnw
... Cyfarfyddem yn yr ystafell Gymraeg i drafod pob cwr o'n cwrs ac yn
aml dilynem drywydd a'n cymerai ymhell y tu hwnt i'w ffiniau. Dyna'r
pryd y gwelem Gwynn Jones ar ei orau, yn anghofio'i ddisgyblion petrus
ac yn dyfynnu Dante yn y gwreiddiol, a'r dagrau efallai yn ffrydio tros ei
ruddiau, neu ar gorn rhyw bwt o gywydd a ddigwyddai fod at y llaw, yn
rhuo'i ddicter oherwydd rhyw ddrwg cymdeithasol neu wleidyddol, gan
orffen trwy chwerthin am ben ei ddicter ef ei hun. Anaml y soniai am
wladgarwch a phan wnâi, dirmyg a fyddai amlaf yn ei lais.[32]

A dyna brawf arall o'r modd y casâi wladgarwch.

Ar y llaw arall, dod i'r coleg fel cyn-garcharor, nid fel cyn-filwr, a wnaeth
Gwenallt. Gwrthwynebwr cydwybodol oedd Gwenallt adeg y Rhyfel Mawr, ac fe'i
carcharwyd am ei ddaliadau. O blith ei ddarlithwyr, Gwynn a gafodd y dylanwad
mwyaf arno yntau hefyd, er na wyddai, ar y pryd, y byddai, ymhen ychydig
flynyddoedd, yn un o gyd-ddarlithwyr Gwynn yn y coleg. Traethodd Gwynn, yn
un o'i ddarlithoedd, ar y gwahanol fathau o gywyddau gofyn a oedd gan feirdd
yr Oesoedd Canol, a phan ddaeth i'r ystafell ddarlithio ymhen yr wythnos, roedd
oddeutu hanner dwsin o gywyddau gofyn wedi eu pinio ar y bwrdd du. Roedd
Gwenallt yn cofio'r digwyddiad yn fyw iawn:

Fe'u dadbiniodd; eu darllen i'r dosbarth, a rh[o]i arnynt ei sylwadau mwstashlyd, llygaid-serennog. Fe luniodd un bardd yn y dosbarth gywydd marwnad, er nad oedd neb wedi marw; un arall gywydd gofyn, sef gofyn i'r athrawon beidio â darlithio; bardd arall gywydd serch, er nad oedd yn ferchetwr; Idwal Jones yn cyfansoddi cywydd llatai, sef anfon Sersiant y Coleg yn llatai at Miss Cassie Davies i'w gwahodd i'r oed yng Nghlarach; Evan Jenkins, neu fel y galwem ni ef, Ianto Ffair Rhos, a mi bob o gywydd ymryson. 'Rwy'n cofio'r cwpled cyntaf yn fy nghywydd:

> Ianto Ffair Rhos, dos y diawl,
> Was cilwgus Colegawl.[33]

'Athro a bardd wedi ei eni ac wedi byw ar hyd y blynyddoedd yn yr Oesoedd Canol ydoedd ef,' meddai Gwenallt amdano, ac roedd ganddo hefyd 'gydymdeimlad rhamantus' â'r Eglwys Gatholig.[34] Roedd ganddo atgofion eraill am ei Athro:

> Cenedlaetholwr milwriaethus hefyd. Pan oedd rhyw fardd wedi disgrifio brwydr yn yr Oesoedd Canol, a'r Cymry wedi curo'r Saeson, yr oedd yn chwerthin yn fuddugoliaethus; ond pan oedd y Saeson wedi curo'r Cymry, yr oedd yn rhegi; ac ni chlywais i neb yn dweud y gair "diawl" fel efe.[35]

Oes Aur y gynghanedd yn ôl Gwynn oedd cyfnod y Cywyddwyr. Barddoniaeth ar gynghanedd oedd barddoniaeth y Cywyddwyr, 'ac ar honno yn unig y gellid mynegi syniad a phrofiad yn gryno ac yn berffaith, ac yn enwedig yn y cwpledi epigramatig'.[36] Roedd yn hoff iawn o adrodd y cwpled epigramatig 'Mor druan yw'r dyn drannoeth/O roi barn a fo ry boeth'. 'Crynoder oedd ei air ef ar y peth hwn,' meddai Gwenallt.[37]

Roedd y coleg yn wahanol o ran staff hefyd. Ym 1919, penodwyd A. E. Zimmern yn Athro yn Adran Gwleidyddiaeth Ryngwladol y coleg. Ym 1919 hefyd y penodwyd H. J. Rose, gŵr o Ganada a addysgwyd yn Rhydychen, yn Athro Lladin. A dyrchafwyd sawl un arall i Gadair Athro.

Bwriai'r rhyfel ei gysgod dros bawb a phopeth o hyd, ar wahân i ohirio penodi olynydd i Edward Anwyl, a'r gred ymysg rhai mai i Timothy Lewis, fel cyn-filwr, y dylid rhoi'r Gadair. Ac yntau yng nghanol yr holl helynt ar y pryd, ychydig fisoedd ar ôl i'r Rhyfel Mawr ddirwyn i ben, collodd Gwynn un o'i gyfeillion mwyaf – Richard Hughes Williams, sef Dic Tryfan, yr awdur straeon byrion. Bu farw Dic Tryfan ar Orffennaf 26, 1919. Brodor o Rostryfan, yn ardal y chwareli, oedd Dic

Tryfan. Mab i chwarelwr ydoedd, a bu yntau hefyd yn gweithio yn y chwarel pan oedd yn fachgen ifanc, tua'r deuddeg oed. Derbyniodd rywfaint o addysg mewn ysgol ramadegol fechan yng Nghaernarfon, ac ar ôl gadael yr ysgol, aeth i fyd newyddiaduriaeth, ond ni ddôi newyddiadura yn naturiol iddo. 'Ar lenydda yr oedd ei fryd ef, a darganfu'n fuan iawn nad llenorion sydd eisiau at y gwaith,' meddai Gwynn amdano, gan siarad o brofiad.[38] Bu'n ohebydd gyda'r *North Wales Pioneer*, yn aelod o staff y *Carnarvon and Denbigh Herald*, ac yn glerc yn swyddfa'r *Goleuad*. Yn ystod y cyfnod hwn y daeth Gwynn i'w adnabod yn dda. Gadawodd Gaernarfon, ac aeth i Lundain i dderbyn hyfforddiant fel newyddiadurwr ar ôl casglu digon o arian ynghyd trwy gyflawni nifer o fân swyddi yma a thraw. Ar ôl meistroli'r grefft o newyddiadura, bu'n gohebu i nifer o bapurau, yng Nghymru ac yn Lloegr, cyn dychwelyd i Gaernarfon drachefn. Arhosodd yno am ysbaid cyn symud i nifer o leoedd eraill yng Nghymru i weithio ar wahanol bapurau – Aberystwyth, Llanelli a Chaerdydd, lle bu'n gweithio fel un o is-olygyddion y *Western Mail*. Gwrthodwyd iddo ymuno â'r fyddin adeg y rhyfel oherwydd cyflwr bregus ei iechyd, ac aeth i weithio i ffatri gad-ddarpar ym Mhen-bre, yn ymyl Porth Tywyn, yn Sir Gaerfyrddin. Gwelodd Gwynn ei gyfaill yn Llanelli ar ddechrau Ionawr 1917, a chafodd gryn fraw. 'Y mae mor ddigrif âg erioed, yn ei ffordd gwta, sychlyd, ond â'i wallt yn wyn, ac wedi teneuo nes bod ei ddillad yn lleicion am dano,' meddai Gwynn wrth Daniel Rees.[39] Treiddiodd y pylor i mewn i'w ysgyfaint, dirywiodd ei iechyd, a bu farw yn Ysbyty Tregaron, ac yntau ar y pryd yn un o olygyddion y *Cambrian News*. Fel y dywedodd Gwynn amdano mewn teyrnged iddo yn y *Cambrian News*, gan ategu'r hyn a ddywedasai wrth Daniel Rees:

> Called up to the army, he was rejected, but incredible as it may seem, was passed for munition work which proved his death. During the time he worked at Bury Port he was reduced almost to a skeleton and was ultimately released by the "authorities".[40]

Yn ôl Gwynn, y Rhyfel Mawr a'r awdurdodau a laddodd Richard Hughes Williams. Ac roedd yn barod bob amser i gollfarnu rhyfel a tharanu yn erbyn yr awdurdodau. Gwasgodd lawer iawn o ddicter i mewn i'r ansoddair 'caredig' wrth iddo gyhuddo'r awdurdodau o ladd ei gyfaill:

> Yng ngwasanaeth ei "wlad" y lladdwyd ef. Yr oedd yn ddrwg iawn gan yr holl swyddogion caredig dros ei weddw, meddent hwy, ond nid oedd fodd gwneuthur dim erddi, wrth gwrs, ac y mae hi'n gorfod ennill ei

thamaid orau y gallo ... Pan gofiwyf amdano, ni bydd gennyf i ddim parch i'm "gwlad," mi gyfaddefaf.⁴¹

Yn wir, gyda'r ymdeimlad cryf hwnnw o gyfiawnder a thegwch a oedd yn rhan annatod o'i gyfansoddiad, yn ogystal â'i fawr awydd i amddiffyn gweiniaid a thrueiniaid cymdeithas, ceisiodd, gydag eraill, ddarbwyllo'r awdurdodau fod pensiwn gweddw yn ddyledus i weddw Dic Tryfan, gan mai'r rhyfel a laddodd ei gŵr. Cyhoeddodd *Y Genedl* nodiadau Gwynn ar yr helynt yn ogystal â llythyr gan weddw Dic Tryfan. Ceisiodd hyd yn oed gael Haydn Jones, yr Aelod Seneddol dros Feirionnydd, i ymyrryd yn y mater, fel y dywedodd wrth E. Morgan Humphreys:

> Pe gallai Mr Haydn Jones gymryd yr achos mewn llaw, gwnâi ddyletswydd gŵr bonheddig i weddw druan, sy'n rhyfeddol o drist a thorcalonnus, heb ddim o'i blaen ond slafri noeth, a hynny o achos diawledigrwydd y cnafon sy'n byw'n fras ar sugno gwaed eu cyd-ddynion, y llau a'r chwain damniedig a elwir "Y Llywodraeth".⁴²

Os oedd Gwynn yn dueddol o golli'i dymer a rhegi'r byd a'r betws ar adegau, cynddaredd a ddeilliai o drugaredd oedd ei ddicter yn aml, rheg uwch annhegwch.

Roedd Dic Tryfan yn un o arloeswyr y stori fer Gymraeg. Lluniodd hefyd nifer o nofelau, ond ni chyhoeddwyd yr un ohonynt. Roedd yn gweithio ar nofel a oedd yn seiliedig ar ei brofiadau yn y gwaith pylor pan fu farw. Fe'i claddwyd yn Aberystwyth bedwar diwrnod ar ôl ei farwolaeth, ac roedd Gwynn yn bresennol yn yr angladd.

Lluniodd Gwynn ddwy gerdd er cof amdano, y naill yn Saesneg a'r llall yn Gymraeg. Cerdd ryddiaith oedd y gerdd Saesneg, ac ym mhedwaredd ran y gerdd, mae'n beirniadu'r Cymry yn hallt:

I.

Pensive, with the quarry gait, with head bent low, and with deep, sad eyes; round-faced, and dark as a Greek; with a smile like the lightning's flash; with a short, dry laugh, and a shot-like word; with the sighing quarry voice sad as the moan of a far-off wave; he was hard as the very rock he had hewn, but the core was a heart of gold.

II.

Of this sad world there was not much that he had not seen through;

long, labouring days, the midnight oil; tea, bread and butter, and the oaths of upstart cads[;] then the worry and nuisance of "news," laughter at the seamy side of things, and the pettiness of the great.

III.

With a punctured lung and a shrivelled frame, shade of his former self, he was passed by the noble Science of Health to the furies and fumes of Death. Still he laughed, and saw in his fellow-men the good well up, like God's own bits, through the stifling stinks of Hell.

IV.

And for you he wrote, and for you he wrought, for you, who let him die; you, who are Welsh to the very core; you, who sometimes read. And always talk.[43]

Cywydd byr oedd y gerdd Gymraeg er cof amdano, ac ynddo dywedir mai'r byd a gaeodd fedd Dic Tryfan, hynny yw, y byd rhyfelgar yr oedd yn byw ynddo a fu'n gyfrifol am ei farwolaeth:

> Wedi'r boen a'r drybini,
> Nid oes a'th ddihuno di!
> O'th ddau lygad cofiadwy,
> Ffodd y tân, diffoddwyd hwy;
> E ballodd d'air prin, bellach,
> Aeth o'n byd dy chwerthin bach;
> Distawodd pur dosturi
> Hudolus dôn dy lais di;
> Dy wên, a loewai d'wyneb
> Â gwawl, yn awr nis gwêl neb;
> Daearwyd llawer stori,
> Do, yn dy arch fudan di.
> Gwedi i fyd gau dy fedd,
> Di gei'n rhad wag anrhydedd.[44]

O 1919 ymlaen, trwy gydol y 1920au, bu galw mawr am wasanaeth Gwynn fel beirniad yn yr Eisteddfod Genedlaethol, ac nid ar y prif gystadlaethau yn unig. Roedd yn un o feirniaid y Goron yn Eisteddfod Genedlaethol Corwen, 1919, ar y cyd ag Elfed. Testun y gystadleuaeth oedd 'Morgan Llwyd o Wynedd', a'r enillydd oedd Crwys. Roedd Gwynn yn feirniad rhagorol. Nid trafod yr ymgeiswyr unigol yn unig a wnâi, wrth chwilio am y bardd gorau yn y gystadleuaeth, ond manteisiai ar ei gyfle i drafod egwyddorion celfyddyd, diben a swyddogaeth y gynghanedd, a rhoddai aml i gyngor buddiol i feirdd ifainc. Pregethai gynildeb wrth feirniadu cystadleuaeth y Goron yng Nghorwen, er enghraifft:

> A sôn am y cwbl yn eu crynswth, y maent yn rhy hir o lawer. Nid ar yr ymgeiswyr, yn wir, y mae'r bai fod Pwyllgorau Eisteddfodau yn caniatáu saith gan linell iddynt; ond bai oedd ar bob un o'r rhai hyn ganu hyd ben ei dennyn, a rhai hyd yn oed yn ysgrifennu dwy linell fel un er mwyn cadw oddimewn i'r terfynau. Nid dywedyd yr wyf na ellid ac na ddylid canu cerdd hir i Forgan Llwyd, ond na ddylai dyn gymryd saith gan linell i ddywedyd peth a ddywedai'n llawer gwell mewn tri.[45]

Roedd llawer o ddadlau am ieithwedd barddoniaeth yn ystod y cyfnod hwn a chyn hynny, ieithwedd cerddi eisteddfodol yn enwedig. Barnwyd bod rhai beirdd yn defnyddio hen eiriau er mwyn rhodresa yn unig. Dyma un cyhuddiad cyson yn erbyn Gwynn ei hun, wrth gwrs. Meddai yn ei feirniadaeth yng Nghorwen:

> Wrth bob safon ... y mae rhywbeth i'w ddywedyd dros arfer ambell hen air neu ffurf, pan wasanaetho fel lliw mewn llun neu gord mewn miwsig, yn un â natur y testun; ond y mae tra mynychu rhyw eiriau ffansi a rhyw ddulliau neilltuol am ddarfod eu barnu yn addas at rai amcanion, yn codi diflastod ar ddyn; a salw yw difrïo beirniad wedi hynny am na thwyllwyd hwynt gan y rhodres.[46]

Hynny yw, os oedd yr Eisteddfod yn mynnu rhoi testunau canoloesol i'r beirdd ganu arnynt, gellid cyfiawnhau defnyddio ambell air hynafol.

Cododd y mater hwn ei ben eto yn Eisteddfod Genedlaethol y Barri, 1920, ac roedd Gwynn yn ei chanol hi. Tynnodd rai o gondemnwyr yr hen eirfa i'w ben wrth feirniadu cystadleuaeth y cywydd. Ffafriai ef gywydd 'Puror y Gell', a bwriadai ei wobrwyo, ond er bod ei gyd-feirniad, Eifion Wyn, yn cytuno ag ef mai cywydd 'Puror y Gell' oedd y gorau yn y gystadleuaeth, ni fynnai ei wobrwyo. Canmolwyd y cywydd gan Gwynn am rym ei ramadeg, cywirdeb ei iaith a nerth ei feddyliau. Yr unig broblem oedd yr eirfa. Ceid ynddo lawer o hen eiriau ansathredig. Yn nhyb gelynion y canu ffug-ddysgedig, yr oedd Gwynn yn rhoi sêl ei fendith ar y math hwn o brydyddu. 'Y mae'n well gennyf i hen eiriau y gellir gwybod eu hystyr na geiriau gwneud, croes i ddeddfau'r iaith,' meddai.[47] Ni ddywedwyd hynny yng nghyfrol y Cyfansoddiadau, ond bu'n rhaid cael canolwr i ddyddio rhwng Gwynn ac Eifion Wyn. John Morris-Jones oedd hwnnw, ac ochrodd gydag Eifion Wyn. Ymosododd y bardd a'r newyddiadurwr Meuryn (R. J. Rowlands) ar Gwynn am gymeradwyo a chyfiawnhau defnyddio hen eiriau mewn barddoniaeth. 'Condemnir y farddoniaeth rodresgar honno a orlwythir â geiriau ansathredig gan bob beirniad erbyn hyn, ac eithrio Mr. Gwynn Jones,' meddai, gan ddiolch 'fod chwaeth heddyw wedi troi'n bendant yn erbyn yr ystryw hon i ffugio dysg'.[48] Os oedd unrhyw un erioed nad oedd angen iddo ffugio dysg, Gwynn oedd hwnnw. Yr oedd hefyd yn beirniadu cystadleuaeth y Goron yn y Barri, ar y cyd â W. J. Gruffydd a Wil Ifan. Rhoddwyd dewis o destunau i'r beirdd, ond 'Trannoeth y Drin' oedd y testun a ddewiswyd gan y bardd buddugol, James Evans – y Rhyfel Mawr eto.

Meuryn, wrth gwrs, a enillodd Gadair Eisteddfod Genedlaethol Caernarfon ym 1921. Er bod Gwynn yn un o hen drigolion y dref, nid oedd yn un o feirniaid y ddwy brif gystadleuaeth y flwyddyn honno. Yn hytrach, fe'i dewiswyd i feirniadu rhai o'r cystadlaethau llai: y cywydd a'r englyn, a sawl cystadleuaeth hir-a-thoddaid. Eisteddfod ryfedd i Gwynn oedd honno. Roedd y testunau yn ogystal â'r bardd a enillodd ar y testunau hynny yn perthyn i gylch ei gyfeillion. Gofynnwyd am hir-a-thoddeidiau er cof am Alafon a Robert Bryan, ymysg eraill, a'i hen gyfaill Dewi Morgan a enillodd y ddwy gystadleuaeth. Dewi Morgan hefyd a enillodd ar y cywydd a'r englyn.

Eto o 1919 ymlaen, âi Iwerddon â'i fryd, yn enwedig yr Iwerddon ôl-wrthryfel yr oedd ei thynged eto i'w phennu. Cyhoeddodd bump o ysgrifau ar farddoniaeth Wyddeleg yn *Y Darian* ddiwedd 1919, a chyhoeddwyd yr ysgrifau hynny i gyd gyda'i gilydd mewn llyfryn wedyn, *Iwerddon*, yn yr un flwyddyn. Cyfieithwyd nifer o'r cerddi ar gynghanedd ganddo, a hynny yn fedrus, prawf arall o'i allu digamsyniol fel cyfieithydd. Ceisiodd ddangos bod traddodiad barddol anrhydeddus ac urddasol yn iaith gysefin y Gwyddelod, yn rhannol er mwyn amddiffyn Iwerddon yn erbyn y Saeson trahaus a oedd mor barod i'w chondemnio fel gwlad anwar, anwybodus ac isel ei moesau. Dyma un o'i gyfieithiadau:

> Berroes fydd o'i herwydd hi,
> A gerais i, digaraf;
> Gwae i'r mab a garo mwy,
> A'i fwrw i'r clwy afaraf.

Acen gu, fel cân y gog,
   Wallt eurog, sylliad araf,
Gwyn loew ddaint, gwawn aeliau, ddwy –
   A gerais, mwy, digaraf.

Min sy goch, a mynwes gain,
   Llaw firain, llais llafaraf;
Onid hyn na wypont hwy –
   A gerais, mwy, digaraf!

A ac R, dwy O ac N,
   Anffurfio'i henw ni pharaf;
Na bo gêl rhag neb a'i gŵyr,
   A gerais, llwyr ddigaraf.

Ni bydd fun na wybydd fai,
   Ond rhai fydd anhygaraf;
Geirio beth yw'r gwir, o bwy' –
   A gerais, mwy, digaraf![49]

'A dyma waith "Wild Irish" y Saeson, o bawb yn y byd! Gallai dyn feddwl wrth y pethau a ddywedwyd ac a ddywedir yn Lloegr nad oedd yn Iwerddon onid barbariaid noeth-lymynion,' meddai am y gerdd.[50] Ac eto:

> Dygesid oddiar y Gwyddyl bopeth. Afradlonodd y bobl ddiobaith hwythau holl angerdd eu teimlad ar eu cerddi, nad allai'r gelyn rwystro'u canu. Difriodd eu gelyn hwy fel barbariaid llofruddiog. Erys eu caneuon yn brawf o'i gelwydd brwnt. Pa feirniadaeth bynnag sydd deg arnynt, nid barbariaid mohonynt ...[51]

Y mae'r hyn a ddywed am waith bardd o'r enw Michael Comyn yn ddiddorol, yng nghyd-destun 'Tir na N'Og', ac fel yr oedd yr awdl honno yn gân ffarwél neu'n alargan i'w ieuenctid:

> I'm bryd i, y mae camp odidog ar waith bardd fel Michael Comyn (1750), yn ei gerdd ar daith Ossian i Dir na n-Og, lle y mae'r bardd yn dynwared y dull cynt, heb ei wendidau amlycaf, megis cystrawen aneglur

ac iaith ddyrys. Diau i Comyn seilio ei gerdd ar bethau hŷn, megis y cerddi Ossianaidd, ac feallai fod ffurf draddodiadol tan rai o'i benillion. Y mae'r gerdd er hynny yn gampwaith o ran cynnwys a chrefft. Gofyn Padrig i Ossian pa fodd y bu efe fyw mor hir. Edrydd yntau fel y daeth Nia Ben Aur, merch brenin *Tir na n-Og*, ato gan ei wahodd gyda hi i'r ynys ddedwydd. Disgrifir y daith yno, mwynder y lle, fel y bu Ossian fyw yno dri chan mlynedd, fel y daeth yn ei ôl i Erin, ac yr aeth yn hen a dall pan darawodd ei droed ar ei daear. Y mae'r penillion yn syml a llithrig, yn llawn miwsig, heb ormod o gywreindeb i alw sylw ato'i hun. Er fod yn y gerdd rai digwyddiadau y buasai'n well hebddynt, adroddir yr ystori yn dda, a llenwir enaid dyn âg angerdd hiraeth am ieuenctid a phrydferthwch wrth ei darllen. Wele ddau bennill, yn enghraifft o'r mesur, ac yn disgrifio *Tir na n-Og*:

> Y tir sy lanaf ar glawr y byd,
> Y mwyaf ei hud dan haul y nen –
> Y coed yn crymu dan flodau a ffrwyth,
> A'r dail yn llwyth hyd y brig uwch ben.
>
> Goludog ynddi yw mêl a gwin,
> Pob rhin y gwelodd y llygad hwy,
> Henaint yno ni'th ddeil tra bych,
> A nych a marw ni weli mwy.[52]

Ac anodd yw peidio â meddwl am Gwynn ei hun wrth iddo sôn am fardd Gwyddelig arall, Owen Roe:

> Gweithiwr oedd Owen Roe i ddechrau, a bu'n canlyn y wedd. Daeth i sylw gyntaf drwy egluro darn o Roeg na fedrai mab ei gyflogwr, oedd newydd ddyfod adref o goleg yn Ffrainc, mo'i ddeall. Wedi hynny, bu'r bardd ei hun yn cadw ysgol i ddysgu Groeg a Lladin. Bu farw yn ieuanc. Pan gyhoedder holl waith y beirdd hyn, bydd raid deall na ddarfu am wareiddiad ar du'r dwyrain i Glawdd Offa.[53]

Anfonodd Gwynn gerdd Saesneg am Iwerddon at Silyn ym mis Gorffennaf 1920, i'w chyhoeddi yn y *Welsh Outlook*. '[T]eyrnged Cymro-Wyddel i wlad rhai o'i hynafiaid gynt' oedd y gerdd.[54] Roedd ganddo nifer o ddarnau tebyg, meddai, y cyfan yn waith y bardd Fionn Mac Eóghain. 'Ryw dro, pan godo'r haul, argreffir hwy i gyd yn Iwerddon, tan yr enw Fionn Mac Eóghain, ac ychydig o geisiadau Gwyddeleg a wnaeth yr un gŵr i'w canlyn, ac hwyrach mai yn Iwerddon y cofir ef pan fo'r Cymry wedi cwbl Seisnigeiddio,' meddai wrth ei gyfaill.[55] Cyhoeddwyd y gerdd, 'Eire', yn rhifyn Awst 1920 o'r *Welsh Outlook*.[56]

Cyhoeddodd ddau lyfr arall a oedd yn ymwneud ag Iwerddon ym 1921 a 1922. *Y Peth nas Lleddir* a gyhoeddwyd ym 1921. Cyfrol o gyfieithiadau o lên Wyddeleg, blodeugerdd fechan o ryw fath, yw'r gyfrol hon, ond gwaith un bardd yn unig a geir ynddi, sef Piaras Béaslaí, bardd a fu'n ymladd yng Ngwrthryfel y Pasg, ac a garcharwyd o'r herwydd. Cyhoeddodd Béaslaí gyfrol o gerddi, *Bealtaine 1916 agus Dánta Eile*, ym 1920, a chynhwysir cyfieithiadau o nifer o gerddi'r gyfrol yn *Y Peth nas Lleddir*. Lluniwyd nifer o'r cerddi hyn mewn gwahanol garcharau yn Lloegr, er enghraifft, 'Yr Ysbryd a'r Corff', cerdd a luniodd yng Ngharchar Mountjoy ym mis Ebrill 1918:

Rhoed fy nghorff dan glöau'r gelyn,
　Fel nad wyf yn rhydd fy nhroed,
Ond nid mawr i mi ei ddichell –
　Ffydd ni thyngais iddo erioed.

Ennyd, bydd fy nghorff yngharchar,
　Ar fy mryd, does glo na thrais;
Bach fy mhris ar benyd gefyn,
　Byrr y pery rhwysg y Sais.

Daw yn fuan heulwen Rhyddid,
　Daw gorfoledd gwŷr fy ngwlad;
Mae fy nghorff tan glo a gefyn[,]
　Mae fy ysbryd yn y gad![57]

'Cyfieithais ychydig o gerddi Piaras Beaslai, ac yr wyf yn eu dodi yma, fel clo ar hyn o ble tros ryddid cenhedloedd, y peth y gofynnid i ni ymladd trosto yn y Rhyfel Mawr, gan yr un dosbarth – gan yr un dynion – ag y sydd yn awr yn treisio cenedl arall, na thyngodd erioed ffydd iddynt,' meddai yn ei ragymadrodd i'r llyfr.[58] Ceir yn y gyfrol hefyd gyfieithiadau o straeon byrion Gwyddeleg ac un ddrama fechan. 'Fel rhan o'm dyletswydd, fel yr wyf i yn ei deall, gwneuthum fy ngoreu ers blynyddoedd i ddehongli'r Gwyddyl a'r Cymry i'w gilydd,' meddai yn *Y Peth nas*

Lleddir.[59] Gwnaeth hynny eto yn *Awen y Gwyddyl* (1922), cyfrol o gyfieithiadau o gerddi Gwyddeleg ar draws y canrifoedd, gan gynnwys cerddi gan ei gyfaill Tórna a Piaras Béaslaí.

A daeth 1919 i ben, y flwyddyn gyffrous a rhwystredig honno yn ei hanes. Roedd Gwynn bellach yn Athro Llenyddiaeth, a gallai wynebu'r dyfodol yn hyderus, er ei fod hefyd wedi cyrraedd ei ganol oed. Hiraethus oedd cywair ei lythyr at E. Morgan Humphreys ar drothwy Nadolig 1919. 'Ai tybed fod y gorffennol mor hyfryd âg y mynnwn ni weithiau edrych arno?' gofynnodd, cyn dyfynnu dau bennill o'i eiddo'i hun:

> Pe câi dyn canol oed fynd yn llanc yn ôl
>   Ni byddai ond ffôl gaffaeliad –
> I wanwyn ei hud ac i haf ei ffo,
>   Ac i ddyn ei dro, a dirywiad!

> 'Does dim ar wyneb y ddaear lawr,
>   Er a dwng fod yn fawr ei fwriad,
> Ond ofer hiraeth am bethau coll
>   A thalu'r doll â didwyllad![60]

Nid academydd y twr ifori oedd yr Athro T. Gwynn Jones. Âi allan i'r priffyrdd a'r caeau i genhadu, i ledaenu dysg. Bu'n hael â'i athrylith. Fel y dywedodd Prosser Rhys amdano ym mis Tachwedd 1919:

> Gweithia yr Athro T. Gwynn Jones, M.A., yn egnïol mewn llawer i gylch o hyd. Nos Fercher, wythnos i'r diweddaf, yr oedd yn annerch ar "Werin a Dysg" i Gymdeithas Lenyddol Annibynwyr Cymreig, Aberystwyth. Nos Lun, wedyn, bu'n agor Cymdeithas Gymraeg y dref honno am y tymor, gan ddarlithio ar "Lenyddiaeth a Bywyd," a'r Maer (yr Athro Edward Edwards) yn gadeirydd y cyfarfod. Mewn llên a llafar anodd meddwl am un mwy prysur ac amryddawn na Mr. Gwynn Jones.[61]

Roedd ganddo amser hyd yn oed i roi ei awen ar waith er mwyn eraill. Yn awr ac yn y man, gofynnai cymdogion a chyfeillion iddo am englyn coffa i berthynas agos, fel yr englyn crwn a luniodd er cof am William Owen, fferm Penywern Llygad yr Hwrdd, Borth, ar gais ei fab, John Owen, ym mis Mawrth 1921:

Iaith gywrain fyth a garai, – drwy honiad
 Er hynny y gwelai;
 Oedd ddidwyll a ddywedai,
 Union oedd yr hyn a wnâi.[62]

Arferai Gwynn dreulio llawer o amser yn cwmnïa gyda William Owen, a oedd yn berthynas i Dewi Morgan, ar fferm Penywern Llygad yr Hwrdd. John Owen a gadwodd yr englyn hwn hefyd, englyn i ofyn am datws gan William Owen:

A oes datws hyd eto – gan y bardd?
 Gawn ni bwn, pan fedro?
 Oni chawn o'i gynnyrch o
 Beth a gawn byth i ginio?[63]

Bu wrthi'n brysur drwy hanner cyntaf 1920, o fis Chwefror hyd fis Gorffennaf, yn llunio ysgrifau ar lenyddiaeth Gymraeg y bedwaredd ganrif ar bymtheg i'r Genedl ar gais E. Morgan Humphreys. Awgrymodd i olygydd *Y Genedl* y byddai casglu'r ysgrifau hyn ynghyd i'w cyhoeddi'n llyfr yn syniad da, a chytunodd Morgan Humphreys. Credai Gwynn y gallai'r llyfr fod yn ddefnyddiol i golegau ac ysgolion Cymru, a hefyd i ddosbarthiadau nos. Cyhoeddwyd y llyfr, *Llenyddiaeth Gymraeg y Bedwaredd Ganrif ar Bymtheg: Llawlyfr at Wasanaeth Darllenwyr*, yn ail hanner y flwyddyn, a bu'n rhaid ei ailargraffu o fewn ychydig wythnosau.

Mae *Llenyddiaeth Gymraeg y Bedwaredd Ganrif ar Bymtheg* yn arolwg rhyfeddol o eang o holl weithgareddau llenyddol y ganrif. Ceir yn y llyfr lawer iawn o sylwadau craff a diddorol. Bodloner ar un enghraifft yn unig, sef sylwadau Gwynn ar farddoniaeth eisteddfodol canol y ganrif. 'Drwodd a thro, dwl annioddefol yw'r brydyddiaeth eisteddfodol,' meddai, a cheisiodd egluro pam yr oedd y canu hwn yn fethiant:

Naturiol iawn fyddai gofyn pa les yw ei ddarllen. Y gwir yw nad oes gan neb hawl i sôn amdani heb wneuthur hynny yn gyntaf. Heblaw hynny, dylai dyn ddysgu rhywbeth drwy'r astudiaeth. Ac fe ddysg. Gwelir yn y brydyddiaeth hon adlewyrchiad o undonedd aruthr bywyd y bedwaredd ganrif ar bymtheg, ei hagrwch dwl, natur ddi-lawenydd y meddwl masnachol ac arferion cribiniwr y geiniog – y creadur a alwai bob difyrrwch a defod brydferth yn ofergoel, ac a ddywedai yn eich hwyneb mai oferedd oedd popeth oni thalai, rhyw fath o gybydd crybychlyd ar ôl ei log ym mhobman, ac wedi sychu'r nodd hyd yn oed allan o grefydd a llenyddiaeth. Eto, yn ei ffordd, nid oedd y llenyddia[e]th hon yn aml ond ymdrech aruthr, drist ddigon mewn gwirionedd, i gadw'r hyn a ystyrrid yn ddiwylliant llenyddol, ynghanol arglwyddiaeth y peiriant siop a'r llyfr banc ar bawb a phopeth. Meluriesid ac ysgydwesid yr hen fyd hyd ei seiliau gan ryfeloedd Napoleon a dyfodiad y bywyd masnachol ... Daliodd ein beirdd i fod yn boenus o union eu cred, yn fanwl grefyddol eu hosgo, ac eto, ni chynyrchasant ddim gwir farddoniaeth grefyddol – nid oedd ganddynt ddim o danbeidrwydd eu cydwladwyr yn y ddeunawfed ganrif, na ffydd syml eu hynafiaid Catholig. Ceisient wneud i'w barddoniaeth gydymffurfio â'u hantimacassars, â phatrwm eu bywyd a'u syniadau, oedd dan ormes y peiriant, a'r siop.[64]

A disgrifiodd y canu eisteddfodol fel y 'gwastadedd marw hwn o ymdrech lafurus ond aneffeithiol'.[65]

Cyfnod pryderus iawn, fodd bynnag, oedd hanner cyntaf y flwyddyn newydd iddo ef a Megan, fel yr eglurodd wrth E. Morgan Humphreys mewn llythyr a anfonodd ato ddiwedd Gorffennaf o'r gwesty yn Lerpwl lle'r oedd yn aros:

Yr ydym yma er dydd Llun. Y mae Megan mewn cartref yn Hope Street, dan ofal Dr Thelwall Thomas, un o'r llawfeddygon goreu yn y deyrnas, ac un o'r gwŷr bonheddicaf a welais erioed. Ofnid bod rhywbeth adfydus arni, odditan y groth. Rhoed hi dan y gyllell heddyw'r bore am 9.30. Erbyn 11, yr oedd hi yn ei gwely yn ei hôl. Adroddiad y Dr oedd: "I am glad to tell you there was no cancerous growth – nothing malignant. We have removed the cause of trouble. There were other weaknesses. They have all been seen to. She ought to be quite well again in a short time."[66]

Gollyngodd Gwynn ochenaid o ryddhad. Erbyn diwedd y flwyddyn roedd Megan wedi gwella'n llwyr ar ôl y llawdriniaeth. Ym mis Mehefin bu wrthi'n darllen oddeutu 400 o bapurau arholiad, a phrin y gallai sefyll ar ei draed gan ludded – pryder a blinder yn un. A bu wrthi'n darparu'r ysgrifau hynny ar lenyddiaeth y bedwaredd ganrif ar bymtheg i'r *Genedl* trwy gydol y misoedd pryderus hyn.

Ac yntau wedi bod yn fregus ei iechyd erioed, gofid mawr iddo oedd gweld eraill yn dioddef yn waeth nag ef ei hun. Tipyn o ergyd iddo oedd clywed am farwolaeth Robert Bryan yng Nghairo ar Fai 5, 1920. Bu farw yn y wlad yr aeth

Gwynn ac yntau yno gyda'i gilydd er mwyn eu hiechyd oddeutu pymtheng mlynedd ynghynt, a Gwynn, ar y pryd, yn meddwl mai mynd yno i farw yr oedd. Eraill oedd yn marw.

Ddeng niwrnod yn ddiweddarach bu farw O. M. Edwards. Roedd Gwynn wedi anfon cerddi ac ysgrifau at O. M. Edwards i'w cyhoeddi yn ei gylchgrawn *Cymru* ers blynyddoedd helaeth. Lluniodd bum soned er cof amdano, a dyma'r bumed:

Gŵr oedd a wnâi ffenestri glân o hyd
  I ddwyn goleuni i bob rhyw gilfach ddu;
  A godai bontydd dros hen bantiau fu
Yn ysgar brodyr a chyfyngu bryd;
A hwyliai lestri, ac a ddygai ddrud
  Drysorau estron wledydd adre'n llu
  I'w rhoi yn nifreg iaith ei henfro gu
I gaethion ysgol bwli penna'r byd;
Dewin, tywysog oedd, ym mlaen y drin,
  A'i gadau ef i gyd ar feysydd hedd;
Goblygodd, gwedi llawer ymdrech flin,
  A'i londer wedi gwywo ar ei wedd;
Er hyn ni dderfydd am ei ryfedd rin –
  A'i nod yn fyw, Dewin ni edwyn fedd![67]

Wrth i'r flwyddyn 1920 dynnu ei thraed ati, dywedodd Silyn wrtho fod Cofrestrydd y Brifysgol wedi ymddeol, a cheisiodd Gwynn ei ddarbwyllo i ymgeisio am y swydd. Poenai y penodid rhywun di-Gymraeg i'r swydd, ac y byddai Cymry taeogaidd y brifysgol yn fodlon ar hynny:

Nid oes amheuaeth yn y byd na ddylai'r Cofrestrydd fod yn Gymro – gwaseiddiwch annioddefol yw dewis Sais i bob swydd, a llanceiddiwch diawledig ar Sais yw derbyn swyddi hyd yn oed pan gaffo genedl o gaethion i'w cynnyg iddo.[68]

Wedi blino ar gymdeithas dynion, yn enwedig ar ôl i wleidyddion a militarwyr Ewrop geisio dedfrydu'r holl fyd i farwolaeth, breuddwydiai'r breuddwyd ffôl ac amhosibl hwnnw o fod yn ffermwr unwaith eto:

O'm rhan fy hun, mi garwn fod ym mhlith defaid a moch! Y mae ôl dwylaw budron gwaedlyd y politicians ar bopeth ym mhobman, ac i'r rhai hynny, dyma un gelyn digymod.[69]

Roedd Gwynn bellach yn ganol oed. Roedd breuddwydion ei ieuenctid wedi mynd i'r gwellt. Cofiai am y cyfnod cyffrous a rhamantus hwnnw yn union wedi troad y ganrif, pan oedd Silyn ac yntau yn ennill Cadair a Choron Eisteddfod Genedlaethol Bangor ym 1902, ac, ynghyd â W. J. Gruffydd ac eraill, yn arwain barddoniaeth Gymraeg o ddiffeithwch y canu eisteddfodol prennaidd a chlogyrnaidd i feysydd iraidd a pheraidd y canu rhamantaidd. Ac meddai Gwynn, yn hiraethus:

> Ebrwydded yr aeth y rhamant yn yfflon dan ein dwylaw! A ydych yn cofio amser Eisteddfod Fangor? Gymaint o dduwiau a laddwyd er hynny, ac onid yw'r amser yn edrych fel pe bai ganrifoedd yn ôl bellach?[70]

Lladdwyd rhamant gan rym arfau, llofruddiwyd breuddwydion ieuenctid y ddau. Ac fe luniodd Gwynn bennill:

> Os nad yw dyn ond eiddil gwan,
>   A'i yrfa'n ddim ond arfod,
> Pa beth yw'r duwiau, fawr a mân,
>   A wêl yn dyrfa'n darfod.[71]

Er bod Gwynn yn beirniadu sawl cystadleuaeth yn Eisteddfod Genedlaethol Caernarfon, roedd rhwng dau feddwl a âi yno ai peidio. Ac fel yr oedd yn cofio am Eisteddfod Bangor ym 1902 wrth ohebu â Silyn, cofiai am Eisteddfod Genedlaethol Caernarfon ym 1906 wrth lythyru â Morgan Humphreys. Yn wir, roedd yn teimlo'n isel ei ysbryd ar drothwy Eisteddfod Genedlaethol 1921:

> Cofiaf mor dda oedd gennyf fyned i honno, er nad oeddwn ond tra gwachul fy iechyd. Bu farw lawer o'r duwiau er hynny, ac y mae eu nifer yn mynd yn llai bob blwyddyn. Cyn hir, byddwn wedi blino ar yr "arddanghosfa", chwedl y "Werin" ers talwm, ac yn barod i orwedd i lawr i gysgu. Chwith gennyf i feddwl am golli'r goleuni a lliwiau a pheroriaeth seiniau, dyna'r cwbl, am wn i.[72]

Ac yn union fel yr oedd wedi anfon pennill o'i waith ei hun at Silyn, cynhwysodd yn ei lythyr bennill Saesneg a anfonwyd ganddo at y bardd Huw Menai:

> When Earth is gone, & all the worlds are nought
>   But eddying vapour in the boundless space,
> He, the Creator, who is only Thought,
>   Shall start again, from where he failed, & face
> His task once more. And when we come again
> May we have eyes & ears, & heart and brain![73]

Fe aeth i'r Eisteddfod Genedlaethol ym 1921 wedi'r cyfan, ond, fel y dywedodd wrth Daniel Rees:

> ... lle gwlyb annhirion oedd yno, a dim hwyl fel cynt. Yr hen ddwylo wedi diflannu, a rhai dieithr ym mhobman bron, mawr wahaniaeth er pan ddeuthum i yno'n hogyn ifanc heb ddysgu doethineb! Eto, am wn i nad yno y carwn ddiweddu, yng ngolwg Menai a'r mynyddoedd mawr, a chlywed rhu'r gwynt trwy Dŵr yr Eryr noson o aeaf ystormus.[74]

Roedd yn hoff o gofio am Gaernarfon, fel y dywedodd wrth Daniel Rees ym mis Mai 1921, 'er maint yr helynt a fyddai arnaf yno, yn cadw f'enaid fel ysgolhaig ac yn ennill ceiniog fel caethwas'.[75]

Bellach roedd yn cadw'i enaid ac yn ennill ceiniog fel ysgolhaig, ond ni chladdwyd ei awen gan ei ysgolheictod, er maint y cwynai am faint y gwaith ar adegau. Ym 1919, lluniodd dair o'i gerddi mwyaf poblogaidd, tair telyneg gynnil a hiraethus-leddf, 'Ystrad Fflur', 'Ynys Enlli' a 'Rhos y Pererinion'.[76] Dyheu yr oedd yn y rhain am noddfa rhag y byd a'i holl ynfydrwydd. Er nad oedd angen iddo wneud llawer mwy na darlithio yn y coleg a marcio papurau arholiad, ac er nad oedd angen iddo wneud unrhyw fath o waith ychwanegol, y tu allan i'r coleg, i chwyddo'i incwm, roedd yr hen dueddiad i orweithio yn dal i fod yn rhan ohono. Ym mis Mai 1922, roedd wrthi'n trosi *Faust* Goethe i'r Gymraeg, ac er bod tri chwarter o'r gwaith wedi ei gwblhau, roedd deufis o waith o'i flaen o hyd. Roedd wedi blino'n lân, ac edrychai ymlaen am bwt o wyliau yn ei hoff le yn yr holl fyd. 'Arholiadau yn ymyl, thesis a phapurau i'w darllen a'u marcio, Eisteddfodau, a chyfansoddiadau anfarwol i'w beirniadu, a Mynydd Hiraethog yn disgwyl yn dawel yn yr haul am un o'i feibion sy'n hiraethu amdano yntau, a'i dawelwch perffaith a'i liwiau gogoneddus, a'i bellter oddiwrth ddiawledig wagedd gwareiddiad a dysg a'r holl ffoliineb annioddefol,' meddai wrth E. Morgan Humphreys ddiwedd Mai.[77]

Y '[c]yfansoddiadau anfarwol' a oedd i'w beirniadu ganddo oedd y pryddestau yng nghystadleuaeth y Goron yn Eisteddfod Genedlaethol Rhydaman ym 1922, a'i gyd-feirniaid oedd Gwili a Dyfnallt. 'Y Tannau Coll' oedd y testun, a bardd o'r enw Robert Beynon a enillodd y Goron. Roedd llawer o'r cerddi a anfonwyd i'r gystadleuaeth yn ymwneud â'r Rhyfel Mawr a chondemnio hynny a wnaeth Gwili a Dyfnallt. Gwendid arall yn y gystadleuaeth oedd y ffaith fod dylanwad 'Mab y Bwthyn' Cynan yn ormodol ar ganu'r ymgeiswyr. Ni sylweddolodd y beirniaid mai Cynan ei hun oedd un o'r ymgeiswyr am y Goron. Yn wahanol i'r ddau feirniad arall, nid oedd Gwynn yn beio'r beirdd am ddwyn y rhyfel i mewn i'w cerddi, oherwydd mai 'dyna'r peth mwyaf ym mhrofiad dynion ers blynyddoedd lawer, a rhaid i'r rhai a fu'n chwythu'r tân ddygymod â gwrthryfel y beirdd bellach'.[78] Teimlai ddicter mawr o hyd tuag at y rhai a fu mor barod i aberthu bechgyn Cymru i'r duw rhyfel. 'Dengys y gystadleuaeth hon yn eglur ddigon mai nid dynion yn unig a laddwyd,' meddai, oherwydd 'mae'r hen grefydd wedi marw, ac y mae dynion yn berwi gan anniddigrwydd ysbryd'.[79]

Daeth i ben â chyfieithu *Faust*, ac roedd y blynyddoedd 1919–1922 yn flynyddoedd prysur iawn i Gwynn fel cyfieithydd. Newydd ei sefydlu, flwyddyn ar ôl i'r Rhyfel Mawr ddirwyn i ben, yr oedd cyfres o lyfrau a fwriedid i addysgu'r werin, Cyfres y Werin. Sefydlwyd y gyfres gan Henry Lewis, a benodwyd yn ddarlithydd yn Adran Gymraeg Coleg Prifysgol Cymru, Caerdydd, wedi iddo ddychwelyd o'r yml2ad yn Ffrainc, ac Ifor Leslie Evans, a oedd yn astudio yn yr Almaen pan dorrodd y rhyfel, a chael ei garcharu yng ngharchar Ruhleben drwy gydol blynyddoedd y rhyfel. Ar gais y golygyddion yr aeth Gwynn ati i gyfieithu drama Henrik Ibsen, *Dychweledigion*, ddiwedd 1919. Fe'i cyhoeddwyd fel yr ail gyfrol yn y gyfres ym 1920. Cyhoeddwyd *Awen y Gwyddyl* fel cyfrol rhif 9 yn y gyfres, a chyhoeddwyd *Faust* yn yr un flwyddyn, 1922, fel rhif 11 yn y gyfres. Adolygwyd dwy o'r cyfrolau hyn gan W. J. Gruffydd yn *Y Llenor*. Dywedodd 'mai Gwynn Jones yw'r cyfieithydd barddoniaeth cyntaf o bwys (heblaw Syr John Morris-Jones) a welodd ein gwlad';[80] os oedd bai arno fel cyfieithydd, 'gwneuthur ei waith yn rhy dda y mae, hynny yw, ceir yn rhai o'i gyfieithiadau, yn enwedig o'r hen Wyddeleg, gaboliad na pherthyn i'r gwreiddiol'.[81] Ac meddai ymhellach: 'Gorffwys penillion metaffysical Goethe mor esmwyth yn eu cartref newydd ag y buont erioed yn yr Almaeneg, ac yn wir, braidd na ellir dywedyd bod y cyfieithiad weithiau, nid wrth gwrs yn rhagori ar y gwreiddiol, ond yn arddelw ei berthynas â phrydyddiaeth arddunol y Gymraeg yn well nag y gwna'r gwreiddiol â phrydyddiaeth arddunol yr Almaen'.[82]

Câi byliau o bruddglwyf bob tro y dôi'r Nadolig heibio. Am gyfnod Caernarfon yr hiraethai yn bennaf, yn enwedig y cyfnod byr a dreuliasai gydag E. Morgan Humphreys yn swyddfa'r *Genedl*. Daniel Rees oedd ei gyfaill mawr pan weithiai i'r *Herald* a *Papur Pawb*, ond casâi ei swydd bryd hynny. Daeth E. Morgan Humphreys yn fwy o gyfaill iddo na neb, a hynny a wnaeth y gwahaniaeth. Morgan Humphreys oedd ei garreg ateb. Câi fwy na chyfeillgarwch ganddo. Byddai yn gwahodd Gwynn yn gyson i lunio ysgrifau ar gyfer *Y Genedl*, a byddai'n ei amddiffyn yn y wasg pan fyddai rhai Cymry cenfigenllyd a chynhenllyd yn ymosod arno. 'Onid oedd rywbeth yn y byd y pryd hwnnw sydd wedi diflannu erbyn hyn?' gofynnodd i'w gyfaill mawr ddeuddydd cyn Nadolig 1922.[83]

Ac nid gyda Silyn ac Edward Morgan Humphreys yn unig y byddai'n hel atgofion ac yn hel meddyliau o gylch adeg y Nadolig. Anfonodd lythyr llawn hiraeth at Gwynfor dridiau cyn dydd Nadolig 1922:

> Dyma flwyddyn eto wedi treiglo at y lleill, na welwn byth yn dragywydd monynt eto. Y maent yn ysgythru heibio fel y gwynt bellach, a mwyned fyddent gynt, a maint eu hamdden. Ond y mae'n hyfryd atgofio'r hen amseroedd er hynny, a phan ddaw'r Nadolig, byddaf yn mynd trostynt yn fy nghof. Ni byddaf byth yn anghofio'r tro hwnnw yr aethom i grwydro glannau Menai, ddechreu haf, pan fynnech chwithau fy ngharrio drwy afon Gwyrfai. A'r tro arall yn yr hydref y buom yn hel mwyar duon. Yr oedd y dyddiau hynny yn hirion ac ardderchog, er bod yr amgylchiadau'n fynych yn llawer gwaeth nag ydynt bellach.[84]

Roedd yn dal i hiraethu am yr hen ddyddiau ar ddydd Calan 1923. 'Yr wyf fi yn awr yn llawer hapusach nag a fyddwn am ysbeidiau helaeth yn fy ieuenctid, ac mewn amgylchiadau a gwaith anhraethol well, wrth gwrs,' meddai, ond er hynny, credai y byddai'n newid ei ganol oed am ei ieuenctid.[85] Yn wir, wrth i flwyddyn arall gychwyn ar ei hymdaith, teimlai'n ysbrydol ddiymadferth. Ysbeidiau o arddel crefydd a Christnogaeth a gâi Gwynn, ac yn ystod cyfnodau o argyfwng yn bennaf y câi byliau o broffesu crefydd. Yna, byddai'r hen amheuon yn dod yn ôl. 'Onid ydym ni wedi glân golli'r peth oedd gan ein tadau – gelwch yn grefydd, os mynnwch – ac wedi mynd fel llong heb angor, at drugaredd y tonnau?' gofynnodd.[86] Ac eto, pa mor gryf oedd ffydd y tadau mewn gwirionedd? Ystyriaethau fel hyn a'i blinai ar ddechrau'r flwyddyn newydd.

Ym mis Chwefror 1923, anfonodd lythyr at y dramodydd J. O. Francis wedi iddo ddarllen ei ddrama *Cross Currents* mewn llawysgrif. *A Play of Welsh Politics in Three Acts* oedd is-deitl y ddrama pan gyhoeddwyd hi ym 1924, ac wrth longyfarch yr awdur am lunio drama mor wych, aeth Gwynn i sôn am ei wleidyddiaeth ef a'i dad:

> I was, naturally, brought up a Nationalist, but became a convinced Socialist before I was twenty. My father, who is 80, has become sympathetic to Socialism in his old age, having been a Radical from his youth. I was discussing the subject with him last summer, & he told me that, intellectually, there is nothing for it but Socialism, of an international character, & yet, he admitted the pull of the old sentiment.[87]

At ei ddrama ef ei hun, *Anrhydedd*, a gyhoeddwyd ym 1923, y cyfeiriai: 'It is more personal than yours, in a way, but really touches the same subject,' meddai.[88] Un o'r elfennau personol yn *Anrhydedd*, ond yn lled-guddiedig, yw'r rheswm pam y bu farw ei fam. Meddai un o'r cymeriadau:

> ... priododd fy nhad ferch wedi arfer â byw'r bywyd yr ydym yn sôn amdano. Erbyn fy mod i tua deuddeg oed, yr oedd fy nhad wedi laru ar y cwbl. Prynodd y ffarm lle'r wyf innau'n byw, ac aethom yno. Costiodd hynny fywyd fy mam, achos yr oedd hi wedi ei dwyn i fyny felly. Ond nid ildiai fy nhad.[89]

Ddiwedd Mehefin 1923 aeth i Iwerddon am fis cyfan, ond cyn ymadael â Chymru, anfonodd ddwy feirniadaeth eisteddfodol at E. Morgan Humphreys, gyda rhybudd iddo beidio â'u cyhoeddi cyn eu bod wedi eu darllen yn yr Eisteddfod. Eisteddfod Genedlaethol yr Wyddgrug oedd honno, ac roedd Gwynn yn beirniadu cystadleuaeth y Goron, ar y cyd â Gwili a J. T. Job, yn ogystal â rhai mân gystadlaethau eraill. Ymhen ychydig wythnosau, byddai'r tri beirniad yn rhoi'r Goron i Cynan am ei bryddest 'Yr Ynys Unig'. Gobeithiai fynd i'r Eisteddfod ar ôl y mis yn Iwerddon. Roedd wrth ei fodd yno, fel arfer. 'Y mae yma hwyl ragorol – pobl ddiddan garedig, yn llefaru Gwyddeleg yn rhugl i gyd,' meddai wrth E. Morgan Humphreys.[90]

Cyrhaeddodd yr Wyddgrug. Yn ystod wythnos yr Eisteddfod, cymerodd ran flaenllaw mewn cyfarfod pur chwyldroadol. Trefnwyd cyfarfod gan Gymdeithas y Tair G. o Goleg Prifysgol Cymru, Bangor, i drafod ymreolaeth, a daeth rhyw hanner cant o genedlaetholwyr ynghyd i'r cyfarfod hwnnw. Cadeiriwyd y cyfarfod gan Gwynn, a dadleuodd Saunders Lewis yn ystod y trafodaethau o blaid ffurfio mudiad milwrol ei osgo. Mewn symposiwm yn *Y Faner* ar 'Ddyfodol y Mudiad

Cenedlaethol', ar Awst 9, 1923, roedd Saunders Lewis wedi argymell y dylid ffurfio bataliwn a gwersyll Cymreig, ac y dylai pob cenedlatholwr ymuno â'r bataliwn i dderbyn hyfforddiant ac i ufuddhau i orchmynion swyddog. Ailgododd y syniad hwn o ymarfer ymddullio milwrol mewn gwersyll haf yn y cyfarfod yn yr Wyddgrug, ond ni chafodd unrhyw gefnogaeth i'w gynllun. Dychrynwyd Cymru benbaladr gan y fath awgrym, fodd bynnag, a bu llawer o chwythu celanedd a bygythion yn y wasg. A rhaid bod Gwynn wedi cael tipyn o ysgytwad wrth wrando ar Saunders Lewis yn dadlau o blaid sefydlu mudiad milwrol.

Wedi iddo gyhoeddi *Awen y Gwyddyl* ym 1922, daeth awydd drosto i gyhoeddi cyfrol awdurdodol, derfynol o'i farddoniaeth. Honno, meddai, fyddai ei gyfrol olaf, a gofynnodd i Morgan Humphreys am ei farn ynglŷn â chynnwys rhai cerddi ynddi. Roedd yn sicr am gynnwys 'Madog', 'Ex Tenebris', 'Gwlad Hud' a 'De Profundis', a nifer o fân bethau eraill. Gofynnodd a ddylai gynnwys 'Ymadawiad Arthur' a 'Gwlad y Bryniau' ynddi ai peidio. 'Pe bawn Sais neu Ffrangwr, y peth a wneid fyddai cyhoeddi "definitive edition" o'm pethau, bellach, ond ni wiw i druan o Gymro feddwl am beth o'r fath, wrth gwrs,' meddai.[91]

Roedd yn dal i farddoni yn sicr. Ym Mrynaman ym mis Ebrill 1924 cafodd Gwynn gyfrol o'r enw *O Lwch y Lofa* yn rhodd gan Amanwy (D. R. Griffiths), golygydd y gyfrol. Cerddi gan chwech o lowyr o Sir Gaerfyrddin a geid yn y llyfr hwn, ac ar ddechrau Mai, anfonodd Gwynn lythyr at Amanwy i ddiolch iddo am y llyfr, ac fe wnaeth hynny gan ymollwng i chwarae â geiriau ar yr un pryd:

> Am eich callineb, yr wyf yn eich llongyfarch, y chwech ohonoch, ac yn hyderu mai dewis bod yn gynnil ac yn gall a wnewch. Nid rhaid i ddyn na brochi na rhodresu i sgrifennu barddoniaeth; nid mantais yw diffyg mantol; gwell arfer y ffrwyn pan neidio'r gwaed i'r ffroen, ac nid yr un peth yw chwitholygrwydd a chatholigrwydd.[92]

Lluniodd gerdd fechan, 'I'r Chwech', i ddatgan ei edmygedd o waith y glowyr hyn:

> Ni wn gelfyddyd torri'r glo na'i dynnu,
>   A fferrai'r byd o annwyd, o'm rhan i;
> Dysgasoch chwi gelfyddyd iaith, er hynny,
>   Ni byddai'r byd heb lyfrau, o'ch rhan chwi;
> Nid oes i mi ond darn celfyddyd hen
> Wrth ŵr a godo lo, a gadwo lên.[93]

Fel pe na bai yn ddigon prysur fel roedd hi, ym mis Mehefin bu'n ystyried sefydlu cylchgrawn newydd, gan ddilyn awgrym E. Morgan Humphreys, yn ei bamffled *Cymru a'r Wasg*, fod angen math arbennig o gylchgrawn newydd ar Gymru. Roedd rhyw wendid neu ddiffyg yn bod ar bob un o brif gylchgronau Cymru ar y pryd, gan gynnwys *Y Llenor* dwyflwydd oed, a oedd 'yn ormod o organ i gyhoeddi ffitiau tymer y golygydd' ac yn 'rhy gyfyng ei faes a'i ysgrifenwyr'.[94] Yn nhyb Gwynn, roedd angen cylchgrawn a fyddai'n trin a thrafod y celfyddydau mewn modd call a chyfrifol. 'Fel yr wyf yn mynd yn hŷn, rhaid i mi gydnabod bod fy ng[h]ydwladwyr yn siomi mwy arnaf na chynt,' meddai, ond, er hynny, credai 'fod digon o Gymry deallus eto, pe ceid hyd iddynt, i gynnal cylchgrawn â rhyw raen arno a phwyll o'i gwmpas'.[95] Ac nid siarad ar ei gyfer yr oedd. Roedd o ddifri:

> Y peth cyntaf i'w wneuthur fyddai hel enwau derbynwyr, nes cael digon
> i gyfreithloni'r antur ... Pe gellid clirio'r "Traethodydd", "Y Geninen",
> "Y Llenor" a'r 'Cymru" allan o'r maes, a chael un cylchgrawn synhwyrol
> yn eu lle, gwnâi fwy o les na'r holl haid gyda'i gilydd. Ac o dipyn i beth,
> gallai yntau ladd y mân gylchgronach enwadol hefyd. O ran egwyddor,
> nid wyf yn credu mewn gyrru popeth i'r un felin, ond lle na bo mwy o
> ddwfr nag a dry un felin, ffolineb yw cadw deg i esgus malu.[96]

Ysgrifennodd lythyr ar unwaith at Rowland Thomas, perchennog cwmni Hughes a'i Fab, Wrecsam. Cafodd ateb gan Rowland Thomas, ond roedd ganddo ef fath gwahanol o gylchgrawn neu bapur yn ei feddwl, ac ni ddaeth dim o'r bwriad i sefydlu cylchgrawn newydd. Mae'n debyg mai cylchgrawn neu bapur mwy poblogaidd a oedd gan Rowland Thomas mewn golwg, ond er na fedrai gymeradwyo na chefnogi syniad Gwynn, roedd dod i adnabod Rowland Thomas yn gam rhyfeddol o bwysig yn ei fywyd a'i yrfa. Brodor o Groesoswallt oedd Rowland Thomas, ac er na fedrai siarad Cymraeg, roedd yn hynod o gefnogol i'r Gymraeg. Prynodd Gwmni Hughes a'i Fab ym 1921, ac roedd ganddo gynlluniau cyffrous ar gyfer cyhoeddi yn y Gymraeg. Daeth Gwynn, yn fuan iawn, yn rhan o'r cynlluniau hynny. Cyhoeddodd Rowland Thomas doreth o lyfrau Cymraeg i blant yn ystod ei flynyddoedd cyntaf fel perchennog y wasg, gan gynnwys llyfr gan Gwynn, *Llyfr Gwion Bach*, a gyhoeddwyd ym 1924, sef casgliad o gerddi syml ar gyfer plant, gyda darluniau yr un mor syml yn cyd-fynd â'r cerddi.

Roedd Gwynn yn beirniadu cystadleuaeth y Gadair eto yn Eisteddfod Genedlaethol Pont-y-pŵl, 1924, ar y cyd â John Morris-Jones ac Elfed'. 'I'r Duw nid Adwaenir' oedd testun y gystadleuaeth, a Cynan a enillodd, union flwyddyn ar ôl i Gwynn fod yn un o'r tri i roi'r Goron iddo am ei bryddest 'Yr Ynys Unig'. Cododd cystadleuaeth y Gadair fymryn o storm. Nid awdl ar fesurau traddodiadol Cerdd Dafod oedd hon, ond cerdd ar fesur y tri thrawiad. Bu Cynan yn ffodus na chafodd ei 'awdl' ei diarddel o'r gystadleuaeth. John Morris-Jones a achubodd y dydd drwy nodi bod mesur y tri-thrawiad yn perthyn i ddosbarth Morgannwg o fesurau, sef y dosbarth a ddyfeisiodd Iolo Morganwg ei hun. Ni fyddai rhywun mor radicalaidd ac arbrofol â Gwynn yn condemnio'r mesur a ddewisodd Cynan. '[R]hoddwn y wobr o'm rhan fy hun i brydydd a ddyfeisiai fesur nas gwarantwyd erioed, am y byddai ef yn feistr ar gelfyddyd yr iaith, fel y gallai droi'r ffrwd honno i'r ffurf a fynnai,' meddai.[97]

Aeth i Eisteddfod Pont-y-pŵl ar ôl bod yn Iwerddon am bron i fis. Cafodd amser wrth fodd ei galon yno, fel yr eglurodd wrth Silyn:

> Deuthum i yno o Iwerddon (Cork) lle bûm am fis yn darlithio mewn Ysgol Haf. Y mae fy niddordeb mewn Gwyddeleg, Groeg ac Esperanto yn dal o hyd. Gwych oedd fod yn Baile na Gearaidh, ynghanol gwladwyr Gwyddelig iawn, yn siarad Gwyddeleg ac yn medru canu hen gerddi ac adrodd hen ystraeon eu tadau – pobl fodlon, arafaidd, hynaws a charedig, yn byw ynghanol eu creigiau yn ddigon hapus. A hanes i bob bwlch a chraig yno ...[98]

Gyda'r flwyddyn 1924 ar fin dod i ben, roedd un o brosiectau mawr ysgolheigaidd Gwynn ar fin dod i ben hefyd. Ers tro bu'n gweithio ar gerddi Tudur Aled gyda'r bwriad o ddarparu testun cywir ac awdurdodol o waith y bardd, ynghyd â rhagymadrodd a nodiadau. Anfonodd air at Morgan Humphreys ar drothwy'r Nadolig:

> Yr wyf wedi cwpla Gwaith Tudur Aled, a rhagymadrodd llawn. Ni wn pa bryd y bydd allan ... Diolchwn i chwi pe rhoech sylw go fanwl iddo, canys nid wyf yn meddwl y cyhoeddwyd llyfr o'r fath yn Gymraeg o'r blaen – hynny yw, *critical text*, nodiadau mor llawn, cais i gasglu hanes yr awdur, braslun o hanes y cyfnod, a beirniadaeth ddiweddar fel yr ysgrifennir ar y cyfandir, ac nid y *dilettantism* a geir yn Lloegr, ac o ganlyniad, yng Nghymru ...[99]

Cysylltodd â Silyn hefyd ar drothwy'r Nadolig. Er iddo ollwng ochenaid o ryddhad ar ôl cwblhau *Gwaith Tudur Aled*, roedd gorchwyl arall yn ei aros yn y flwyddyn newydd:

> Bûm i'n gweithio'n bur galed er pan ddeuthum adref o wyliau'r haf, yn ceisio gorffen gweithiau Tudur Aled i'r wasg. Yr wyf bellach wedi cwpla bron iawn. Bûm wrthi fwy neu lai am ddeng mlynedd ar y gwaith, ac y mae arnaf yn awr hanner blys rhoi'r goreu i bethau o'r fath, a throi at ryw bwnc arall, i'm difyrru fy hun yn unig, a gadael i lau a chwain y wasg fod heb fy nghymorth i i fyw. Y mae Gwasg Gregynog am gyhoeddi detholiad o'm prydyddiaeth, a hwnnw ond odid fydd yr olaf. Pe cawn dipyn o dir, mi awn i fyw fel ysgwier gwlad, ynghanol fy nghŵn, ar ôl adar a physgod, ac ni chymerwn sylw o ddim arall.[100]

Un peth a ddifethodd fisoedd olaf 1924 iddo. Cododd yr hen gynnen rhyngddo a J. Gwenogvryn Evans ei phen unwaith eto. Cyhoeddwyd ysgrif gan Gwenogvryn Evans yn *Y Cymmrodor*, 'Taliesin, or the Critic Criticised', ac er mai bwriad yr ysgrif oedd ymosod ar rai o ddamcaniaethau John Morris-Jones ynghylch Canu Taliesin, pardduodd rai eraill ar yr un pryd, gan gynnwys Gwynn:

> Sir John Morris-Jones writes Welsh as if it were a dead language. He is careful in the observation of the stereotyped rules of grammar, and the result is smooth enough – as smooth as ditch water, and almost as flat. Professor Gwynn Jones aims at the gaudy pageantry of the grandiloquent, and attains the flatulent style, as if sound and thunder were more valuable than light.[101]

Gwylltiodd Gwynn:

> Gwelsoch ateb bawaidd y Llyffant Gwyrdd i Syr John Morris Jones, y mae'n ddiau. Ni ddylasai'r Cymmrodorion brintio'r fath beth. Gan eu bod wedi gwneud, dylid agor llygaid pobl. A gyhoeddwch chwi'r amgaeedig … Os gwnewch, byddaf ddiolchgar, ond cedwch f'enw i yn gyfrinach …[102]

Fodd bynnag, newidiodd ei feddwl ynghylch y llythyr:

Os oes sôn am gyfraith – a gobeithio fod! – cedwch allan o'r helynt, ac na chyhoeddwch y llythyr. Yn wir, cyfraith neu beidio, fe allai mai gwell fyddai peidio â chymryd sylw yn y byd o'r Llyffant Gwyrdd ... Ond os medr J.M.J. gael cyfraith arno, fe ddylai ei dwyn. Dyna'r unig ffordd i ddelio â'i fath.[103]

Aeth y Nadolig heibio. Er ei fod dan annwyd ac yn dioddef o'r fogfa ar y pryd, roedd Gwynn wrthi ym mis Chwefror yn paratoi cyfrol o'i farddoniaeth ar gyfer Gwasg Gregynog, trwy wahoddiad ei gyfaill, Thomas Jones, ysgrifennydd y wasg. 'Bydd ynddo rai hen bethau, wedi eu diwygio dipyn, a rhai pethau newydd,' meddai wrth Morgan Humphreys.[104] Teimlai Gwynn ei fod o'r diwedd yn dechrau dod i'w deyrnas fel bardd: 'A rhoi bod mwy o'r anial dir y tu ôl na'r tu blaen, eto, y mae'n wir, er mor anodd oedd gennym ei gredu gynt, na ddaw dyn i'w lawn fedr lawer cyn bod o ddeugain i hanner cant'.[105] Dywedodd Boris Pasternak, y bardd mawr o Rwsia, yr un peth yn union. Ymhlith y 'rhai pethau newydd' yn y gyfrol byddai dwy o'i gerddi aeddfetaf, 'Broséliâwnd', a luniwyd ym 1922, ac 'Anatiomaros', a luniwyd ym 1925. Roedd 'Argoed' eto i ddod ym 1927, a'i ddiwygio wedyn ym 1930.

Byddai'r detholiad newydd hwn o'i gerddi yn ei ddangos ar ei orau, fel y dywedodd wrth E. Morgan Humphreys ym mis Mawrth 1925:

... nid ydys eto wedi dysgu bod pob llenyddiaeth yn cynnwys peth wmbredd o sothach, ac mai'r unig ffordd synhwyrol yw cyhoeddi detholion o'r pethau goreu. Y mae Ifor Williams ac ereill newydd gyhoeddi Iolo Goch ac ereill, gyda rhagymadroddion cyhyd deirgwaith ag yr oedd raid iddynt fod hyd yn oed i gynnwys y cwbl a gynhwysant. Ac ni buasai golled i neb pe gadewsid llawer o'r brydyddiaeth yn llonydd ... Llenyddiaeth newydd sydd yn eisiau yn awr, nid hen lenyddiaeth na fedr neb ond ysgolheigion wrth eu swydd na'i darllen na'i deall. Y mae un Tegla yn werth mil Iolo Goch.[106]

Yng nghanol ei holl brysurdeb, cymerodd ran mewn sawl gweithgaredd yn Eisteddfod Genedlaethol Pwllheli ym 1925. Cymerodd ran, gydag eraill, yn y gyfres o anerchiadau ar 'Gadwraeth yr Iaith', a drefnwyd gan Anrhydeddus Gymdeithas y Cymmrodorion. Os collir iaith a thraddodiad oesoedd, meddai, fe gollir gwareiddiad cyfan. Ac roedd y Gymraeg yn sicr mewn perygl:

> Yn lle Cymraeg urddasol a helaeth, ni cheir ond bratiaith anhygar salw, a
> llwyr anallu i ddeall y diwylliant oedd dra chyffredin yng Nghymru gynt,
> ar y naill law, a'r diwylliant sydd eiddo i'r ychydig yn Lloegr, ar y llall.
> Canlyniad hyn yw bod rhannau o Gymru heddyw yn llawn o bobl gwbl
> ddi-wraidd.[107]

Trwy gadw'r iaith y cedwid gwareiddiad y wlad:

> Nid cadw pethau fel yr oeddynt, heb dwf na newid, yw ystyr hynny, ond
> cadw'r peth sy'n gwneuthur gwareiddiad a chynnydd gwareiddiad yn
> bosibl; nid cau allan ddylanwadau amgen, ond peri y galler eu treulio
> a'u troi'n rhan o etifeddiaeth gwlad. Nid ydys yn gwneuthur hynny yng
> Nghymru heddyw.[108]

Roedd yn un o feirniaid cystadleuaeth y Gadair yn Eisteddfod 1925, ynghyd â
John Morris-Jones a Pedrog. Dewi Morgan, ei gyfaill, a enillodd y gystadleuaeth
honno â'i awdl 'Cantre'r Gwaelod'. Rhwng dau Ddewi yr oedd y gystadleuaeth yn
ôl Gwynn, Dewi Morgan a Dewi Emrys, a Dewi Morgan oedd dewis unfrydol y
tri beirniad. Nid rhyfedd i Gwynn fwrw'i goelbren o blaid Dewi Morgan. Gwynn
oedd ei eilun a'i feistr llenyddol, a dysgodd gynildeb a mynegiant epigramatig
gan ei feistr. Yn wir, mae rhai o gwpledi a llinellau Dewi Morgan yn adleisio rhai
o linellau ei feistr llenyddol, fel 'Hual trwm yw meddwl tru' Dewi, sy'n atgoffa
rhywun am un o gwpledi epigramatig 'Ymadawiad Arthur': 'Meddwl trwm a ddeil
y troed,/Ufuddhau a fydd ddioed'.

Pan benodwyd Gwynn yn Athro Llenyddiaeth yn yr Adran Gymraeg yng
Ngholeg Aberystwyth ym 1919, penodwyd David John de Lloyd yn ddarlithydd
yn Adran Gerddoriaeth y coleg ar yr un pryd. Ym 1905, David de Lloyd oedd y
myfyriwr cyntaf i dderbyn y radd B. Mus. gyntaf a ddyfarnwyd gan Brifysgol
Cymru, a hynny pan oedd yn fyfyriwr yn Aberystwyth. Ym 1927 fe'i penodwyd
yn Athro Cerddoriaeth yn Adran Gerdd y coleg, ac erbyn hynny, roedd Gwynn ac
yntau yn adnabod ei gilydd yn dda iawn, ac wedi hen arfer cydweithio â'i gilydd.
Ym 1923 y daethant ynghyd gyntaf, pan oedd de Lloyd yn gweithio ar opera
newydd, *Gwenllian*. Ysgrifennwyd y libretto gan lyfrwerthwr o Lanelli, Eurwedd
(T. Williams), ond mae'n amlwg fod diffygion yn y libretto gwreiddiol, oherwydd
fe ofynnwyd i Gwynn weithio ymhellach arno cyn perfformio'r opera. Yn ôl Arthur
ap Gwynn, 'Ar dir arddull a ieithyddiaeth gellir tybio bod T.G.J. wedi adolygu llawer
iawn ar y libretto ac ychwanegu cryn lawer hefyd'.[109] Perfformiwyd *Gwenllian* gan

gôr o fyfyrwyr, Côr Angharad, yn Aberystwyth ym 1924, cyn ei pherfformio yn Eisteddfod Pwllheli.[110] 'If the Pwllheli Eisteddfod deserves to be remembered for anything at all, it is for having given us a performance of "Gwenllian",' meddai adroddiad am y perfformiad ym Mhwllheli.[111]

Bu'r ddau'n cydweithio droeon wedi hynny. Gosododd de Lloyd awdl Gwynn, 'Tir na N'Og', ar gerddoriaeth, a chyhoeddwyd y geiriau a'r gerddoriaeth, ynghyd â chyfieithiad Saesneg o'r awdl, ar ffurf llyfr, *Tir na n-Óg, an opera in three acts, Welsh libretto by T. Gwynn Jones, with an English translation. Music by David de Lloyd*, gan Wasg Rhydychen ym 1930. Mewn gwirionedd, nid de Lloyd oedd yr unig gyfansoddwr i geisio asio geiriau'r awdl â cherddoriaeth. Y cerddor cyntaf i roi cynnig ar ei gosod ar gerddoriaeth oedd David Evans, Athro Cerddoriaeth yng Ngholeg Prifysgol Cymru yng Nghaerdydd, a'r ail oedd y cyfansoddwr tra enwog, David Vaughan Thomas.

Roedd Gwynn yn hoff o gerddoriaeth. 'O'r celfyddydau cain cerddoriaeth a brisiai uchaf. Dywedai weithiau y rhôi'i holl waith sgrifenedig am gael meistroli'r piano yn llwyr,' meddai Arthur ap Gwynn amdano.[112] Medrai ganu'r piano, er na chafodd yr un wers erioed. Ac roedd yn hoff o ganu. Arferai ganu'n gyhoeddus yn y cyfarfodydd adloniadol hynny a gynhelid yn Sir Ddinbych ei lencyndod. Yn ôl ei fab eto:

> 'Roedd ganddo lais tenor dymunol a byddai clywed ymchwydd ei denor ei hun ar nodau uchel yn rhoi dirfawr bleser iddo. Byddem yn aml, mewn cyfarfodydd lle y cenid 'Hen Wlad fy Nhadau' i ddiweddu, yn gweld llawer yn troi i weld pwy oedd yn cael y fath hwyl ar y nodau olaf.[113]

Un o'r rhai a'i clywodd yn canu ar ei libart ei hun oedd Cassie Davies, a ddaeth yn wraig flaenllaw ym myd addysg. Aeth Cassie Davies i'r Coleg yn Aberystwyth ar ddechrau'r 1920au, ac roedd yn gyfeillgar yno ag Eluned, merch Gwynn. 'Yr hyn sy'n aros fwya yn fy nghof o'i ddarlithiau yw ei ddull rhyfeddol o ddyfynnu o waith y beirdd, y gwreichion fel pe'n tasgu o'i lygaid a'r cyffro mawr yn ei fwstas ar brydiau,' meddai.[114] Ac oherwydd ei chyfeillgarwch ag Eluned a'r ffaith fod un o'i ffrindiau yn dal perthynas â theulu Gwynn:

> ... fe gefais i gyfle mynych i fynd i'r cartre ar y Buarth yn Aberystwyth a chael cwmni'r bardd mawr hwn gyda'i wraig hawddgar a'i deulu ar yr aelwyd. Anghofia i byth mo'r tro y bûm i gyda nhw ar wyliau yn Gyffylliog, pan oedd Gwynn Jones yn gallu bod fel crwt yn llawn afiaith a

direidi a thynnu coes, yn chwarae campau rhyfeddol ar gae twmpathog yn y dydd ac yn canu cerddi hen a newydd yn y tŷ fin nos. Roedd hi'n wledd gwrando arno'n canu am "Y Gŵr boldew â'r gwar bwldog" ac am "Y Saith Rhyfeddod" … a'i glywed e'n adrodd hen hanesion a phenillion, yn chwarae â geiriau fel dewin a chynganeddu fel y gwynt. Yn gymysg â'r hwyl a'r miri mawr, ei farnau a'i ragfarnau cryfion am bobl a chymdeithas yng Nghymru, am yr Ymerodraeth Brydeinig ac am y Saeson yn gyffredinol.[115]

Er pan oedd yn ifanc iawn, cyfieithai ganeuon Cymraeg i'r Saesneg a chaneuon Saesneg i'r Gymraeg, yn aml ar gais cyfansoddwyr lleol. Roedd cyfieithu barddoniaeth o wahanol ieithoedd i'r Gymraeg yn rhan o'i weithgarwch llenyddol o'r cychwyn cyntaf. Bu'n trosi cerddi o'r Gymraeg i'r Saesneg ac o'r Saesneg i'r Gymraeg er pan oedd yn gweithio yn swyddfa'r *Faner*. Pan fu farw cyn-aelod o staff *Y Faner*, gŵr o'r enw Humphrey Williams, ym mis Mawrth 1892, un o'r emynau a ganwyd ar ddiwrnod ei angladd oedd 'Yn dy waith y mae fy mywyd', ac er mwyn cyfeillion di-Gymraeg yr ymadawedig, troswyd y pennill i'r Saesneg gan Gwynn. Roedd yn ugain oed, a hwn oedd y cyfieithiad:

> In thy work my life is ever
>   Filled with joy and peace divine;
> And till death that life will sever,
>   Shall thy work, Oh Lord! be mine;
> When above all sad afflictions,
>   Those effulgent realms I see,
> Shall my endless work be praising
>   Him that died on Calvary.[116]

Byddai'r math hwn o weithgarwch llenyddol a cherddorol yn parhau yn y dyfodol.

Ym mis Medi, cafodd lawdriniaeth feddygol. Fel yr eglurodd wrth Morgan Humphreys:

> Fe fuaswn wedi sgrifennu'n gynt, ond bûm dan gyllell y meddyg, ac yn fy ngwely mewn ysbyty prifat am dridiau. Yr wyf yn gwella'n dda, ac yn gallu cerdded yn ddidrafferth eto. Rhyw wythïen yn gwrthod gweithio, neu rywbeth o'r fath, oedd y drwg.[117]

Teimlai'n chwerw iawn tuag at ei gyd-wladwyr o hyd, ac yn waeth, os rhywbeth:

> Ansicr iawn wyf i y dyddiau hyn pa beth sy'n mynd i ddigwydd yng
> Nghymru, felly, os gellwch fyw ar ysgrifennu yn Saesneg, gwnewch. O
> leiaf, fe'ch darllenir gan ddynion call, ac fe'ch perchir rywfaint yn well
> na phe baech gi. Cegymod diddim yw'r rhan fwyaf o'r Cymry. Cegant
> faint a fynnir tra bo'n weddol saff. Pan ddaw perigl, swatiant fel corgwn.
> Ni wariant ond cyn lleied fyth ag a fedrant ar lyfrau. Peth chwithig yw
> i ddyn ddarganfod hynny ar ôl rhyw ddeng mlynedd ar hugain o geisio
> sgrifennu i'r ffyliaid llymrig![118]

Ar ôl i'w droed wella, treuliodd wythnos ym Morgannwg, cyn dechrau'r tymor
newydd yn y coleg. Arhosodd y ddau, Gwynn a Megan, am wythnos gyda
chyfeillion ym Mhen-y-bont ar Ogwr, ond gresynai fod Bro Morgannwg wedi
ei Seisnigo gymaint. Mawr oedd y cyferbyniad rhwng gwychder y gorffennol a
gwacter y presennol:

> Buom yn St Donat's, lle'r oedd y Stradlingiaid gwych gynt, a'r lle bu
> Siôn Dafydd Rhys yntau. Ni chawsom weld y castell – rhyw ddiawl o
> American cyfoethog wedi ei gymryd ... Pe buaswn i yno yn yr unfed
> ganrif ar bymtheg, nid bychan fuasai fy nghroeso, gan foneddigion
> Cymreig iawn. Ac nid oes yno heddyw, nac yn unman arall ym
> Morgannwg na thrwy Gymru oll, gystal gwŷr â'r rhai hynny, am ddim
> yn y byd. Cynnydd? Democratiaeth? Yr wyf yn ofni fy mod i yn mynd yn
> Geidwadwr. Nid heb reswm. Ond yr oedd yn hyfryd hyd yn oed weled y
> lle y bu wychter gynt.[119]

Roedd yn dal i weithio ar farddoniaeth Tudur Aled wrth i'r flwyddyn 1925 brysuro
tua'i therfyn, ac roedd Gwasg Gregynog ar fin gorffen gosod *Detholiad o Ganiadau*,
ar gyfer ei gyhoeddi yn y flwyddyn newydd. 'Hwnnw, mae'n debyg, fydd y llyfr
prydyddiaeth olaf a wnâf i, canys yr wyf yn mynd yn ddifraw am bethau felly
bellach,' meddai wrth Morgan Humphreys.[120]

Ar noswyl y Nadolig, teimlai'n ddigalon eto, fel y gwnâi bron bob Nadolig.
'Y mae bywyd rywfodd yn mynd yn ddiflasach gyda'r blynyddoedd, a ninnau, y
mae'n sicr, yn edrych yn ôl gyda hiraeth ar bethau nad oeddynt mor hapus i ni
ar y pryd,' ysgrifennodd at Morgan Humphreys.[121] Gwyddai ei fod yn cythruddo'i
gyd-Gymry, ac ar brydiau roedd hynny yn ei boeni. Dyn geirwir, plaen ei dafod

oedd Gwynn, ond roedd yn byw mewn Cymru ofnus, ochelgar a chyfrwys, Cymru nad cymeradwy ganddi bobl a oedd yn ei beirniadu'n gyhoeddus ac yn dinoethi ei beiau a'i gwendidau i'r byd a'r betws:

> Un peth a ofnant yn unig yng Nghymru, sef yw hwnnw, dyn a ddywed ei feddwl yn blaen ac yn rymus. Ni wn i, a bod yn onest, am wlad ag ynddi gynifer o gachgwn. A wyddoch chwi? Nid oes ond un cysur bach pan gyhoeddais i yn *Y Cymmrodor* ymosodiad ar y Tuduriaid – y tro cyntaf i neb ddywedyd y gwir am y cnafon hynny – fe'm melltithiwyd yn hael gan y papurach. Ond weithian, y mae pawb yn dywedyd yr un peth, fel pe baent wedi ei ddarganfod ers amser maith – hyd yn oed yr "hanesyddion", ac wele nid "hanesydd" a'i darganfu ac a gychwynnodd y bêl! Ni waeth am hynny, wrth gwrs, ond y mae'n anodd i ddyn beidio â chwerthin yn ei lewys![122]

Ymddangosodd ymosodiad Gwynn ar y Tuduriaid yn *Y Cymmrodor* ym 1921. Bu bron i'r Tuduriaid ladd Cymru. Yn wahanol i lawer iawn o Gymry, ni allai Gwynn ymfalchïo yn nhras Gymreig y Tuduriaid. Oherwydd y Ddeddf Uno a pholisïau'r Tuduriaid y gwthiwyd diwylliant a gwerthoedd Seisnig ar Gymru. 'The Tudor policy of pretending that Welshmen were Englishmen may have been kindly meant, and it may have been better than the other way of repression, but to become sentimental over the supposition that it converted a land of wild anarchy into a perfect Paradise where ever since there has not been the slightest cause for complaint or the least deflection from that policy, is matter for laughter,' meddai yn yr ysgrif honno.[123]

Roedd 1926 yn addo bod yn flwyddyn gyffrous iddo. Byddai tair o'i gyfrolau pwysicaf yn ymddangos yn ystod y flwyddyn, *Detholiad o Ganiadau* a *Gwaith Tudur Aled* mewn dwy gyfrol. 'Barnu yr wyf i, bellach, mai goreu po symlaf y bydd peth, o ran geirfa a chystrawen,' meddai yn ei ragair i'r gyfrol o'i farddoniaeth ei hun.[124] Dyna'i athroniaeth erbyn iddo gyrraedd ei ganol oed, a chyn hynny, mewn gwirionedd. Credai yn y dyfnder syml, arddull glir gyfewin yn mynegi meddyliau mawrion. 'Credaf hefyd,' ychwanegodd, 'fod lle i ddatblygu eto ar egwyddor mydr a chynghanedd yn Gymraeg, a hynny hefyd yng nghyfeiriad symledd a naturioldeb'.[125] Gwyddai fod posibiliadau fyrdd i'r gynghanedd, a bod gwir angen arbrofi â gwahanol fesurau, yn ogystal â dyfeisio mesurau newydd. A oedd yn rhy hwyr iddo ef ei hun wneud hynny?

Roedd Gwynn mewn hwyliau da yn y gwanwyn. Roedd Arthur newydd gael swydd llyfrgellydd Cymraeg yng Nghaerdydd, ac roedd Llywelyn yn y Coleg Technegol yn yr un ddinas. Rhaid cofio, bardd mawr neu beidio, mai dyn ei deulu oedd Gwynn yn y pen draw. Mewn llythyr at Silyn y mynegodd ei lawenydd yn llwyddiant ei feibion. Soniodd yn yr un llythyr am un o'i hen fyfyrwyr, W. Ambrose Bebb:

> Un tanbaid oedd erioed. Bu'n ddisgybl i mi, ond nid yn ddigon hir i mi geisio dofi tipyn arno. Aeth wedyn i Ffrainc, a daeth i adnabod rhai o'r cenedlgarwyr tanbaid yno. Cawsant ddylanwad mawr arno.[126]

Newydd ei sefydlu flwyddyn ynghynt yr oedd Plaid Genedlaethol Cymru, gyda Saunders Lewis, H. R. Jones a Lewis Valentine ymhlith y sylfaenwyr. Yn sgil y symudiad newydd hwn yng ngwleidyddiaeth Cymru y soniodd Gwynn am Bebb. Bwriad y blaid newydd hon oedd gwasanaethu Cymru yn unig, ac ennill annibyniaeth yn y pen draw. Mewn gwirionedd, roedd Plaid Genedlaethol Cymru yn cyfateb yn berffaith i'r math o blaid Gymreig neu 'blaid genhedlig' yr oedd Gwynn ei hun yn dyheu amdani pan oedd yn ei ugeiniau cynnar. Bellach, ym mis Mai 1926, ac yntau erbyn hynny yn 54 oed, roedd y gwaed yn dechrau oeri, er iddo draddodi darlithoedd yn rhai o ysgolion haf y Blaid Genedlaethol o 1926 ymlaen. Yn Ysgol Haf gyntaf y Blaid, ym Machynlleth ym 1926, roedd Gwynn yn darlithio ar 'Addysg Cymru a'r Gymraeg', ond ar ôl iddo rwyfo'i gwch drwy foroedd digon tymhestlog ar brydiau, credai mai gorffwys ar ei rwyfau a ddylai bellach:

> Mi fyddaf yn fynych yn blino'n llwyr ar fy nghenedligrwydd fy hun (fy ngair i yw – neu'n hytrach, air fy hen athro Emrys ap Iwan – peth yn perthyn i genhedlaeth yw cenedlaetholdeb, meddai ef – generationality, felly) ond pan ddof wyneb yn wyneb â'r dewis – bod yn Sais neu fod yn Gymro, yna Cymro a fyddaf, wedi'r cwbl. Pe cawn ddewis rhwng bod yn Gymro a bod yn ddim ond dyn, heb un ansoddair, mi fyddwn ddyn, rwy'n meddwl. Ond pan ddywedir wrthyf am fod yn ddyn, a minnau'n gwybod mai ystyr hynny yw bod yn Sais yn unig, mi fyddaf yn gwrthod, ac yn gallu deall rhywfaint ar ddynion ieuainc fel Bebb a Saunders Lewis … Ond boed pethau fel y bônt, ni'm dawr i fawr bellach. Y mae fy hen danbeidrwydd yn oeri'n araf, ac yr wyf, fe allai,'n mynd yn "ddoeth" yn ystyr y Cyfarfod Misol i'r gair, ac yn "barchus" yn ystyr pobl ganol oed a hen i'r gair hwnnw. Ac eto, mi rown y "ddoethineb" a'r "parchusrwydd"

i gyd, a'r swydd, a'r cyflog, a'r cwbl, am gael bod yn ieuanc ac yn boeth fy ngwaed eto, ac ymladd fel diawl dros ddim ond syniad neu freuddwyd.[127]

Ddiwedd Mai, fodd bynnag, cwynai fod gormod o waith ganddo o beth wmbredd – traethodau diwedd tymor a phapurau arholiadau i'w cywiro, cyfansoddiadau Eisteddfod Powys yn ogystal â 32 o gasgliadau o gerddi yng nghystadleuaeth y Goron yn Eisteddfod Genedlaethol Abertawe y flwyddyn honno i'w beirniadu, proflenni dau lyfr i'w darllen, ysgrif i'w chwblhau a dau lyfryn i'w paratoi cyn mynd ar wyliau. Roedd yn gweithio'n galetach nag erioed. Er iddo fygwth rhoi'r gorau i farddoni sawl tro yn y gorffennol, ac er iddo honni mai'r *Detholiad o Ganiadau* fyddai ei ddiweddgan, gwyddai, yn y bôn, nad oedd wedi gorffen canu nac wedi gorffen llenydda. Meddai wrth Morgan Humphreys:

> Carwn fyw ugain mlynedd eto, ond i mi gael iechyd gweddol, canys ni orffennais mo'm gwaith o dipyn. Y mae llyfr Gregynog bron yn barod. Bydd allan o'r wasg ddiwedd Awst i ddechrau Medi.[128]

Cyhoeddodd Gwasg Gregynog 500 o gopïau o *Detholiad o Ganiadau*, ac erbyn diwedd y flwyddyn roedd pob copi o'r llyfr wedi ei werthu.

Yn gyffredinol, nid oedd ganddo fawr ddim i'w ddweud wrth farddoniaeth Gymraeg gyfoes. 'Mynd i deimlo yr wyf fod llenyddiaeth Gymraeg yn aruthr o unffurf a di-liw – y brydyddiaeth yn enwedig, ac yn agos iawn yn aml i'r hyn a alwai Sais yn *piffle*,' meddai wrth Morgan Humphreys ganol yr haf; ac eto, meddai, 'ychydig siawns sydd iddi fod yn amgen'.[129] Yr hyn a olygai oedd mai gweithgaredd oriau hamdden oedd barddoni neu lenydda yn y Gymraeg, ac roedd angen amser ac amynedd i lunio barddoniaeth neu ryddiaith o'r radd flaenaf. Nid barddoniaeth felly a wobrwywyd gan Gwynn, Elfed a W. J. Gruffydd yng nghystadleuaeth y Goron yn Eisteddfod Genedlaethol Abertawe, 1926. Gofynnwyd am gasgliad o farddoniaeth wreiddiol yn y mesurau rhyddion ar gyfer cystadleuaeth y Goron, a Dewi Emrys, gyda chasgliad o gerddi digon cyffredin ac ystrydebol, 'Rhigymau'r Ffordd Fawr', a enillodd y gystadleuaeth.

Blwyddyn i'w mwynhau ac i orfoleddu yn ei chylch, felly, oedd 1926, nes i rywrai gymysgu gwermod â'r gwin. Ymosodwyd arno ddwywaith yn y *Welsh Outlook*, cylchgrawn yr oedd cysylltiad agos rhyngddo a dau o'i gyfeillion, Silyn a Thomas Jones, un o'i sylfaenwyr, a chylchgrawn y bu Gwynn ei hun yn cyfrannu'n gyson iddo drwy'r blynyddoedd, oddi ar iddo gael ei sefydlu ym 1914.

Ymosodwyd ar Gwynn – ac eraill – yn nodiadau golygyddol rhifyn mis Tachwedd o'r *Welsh Outlook*. Beirniadwyd y Blaid Genedlaethol newydd-sefydledig i gychwyn. Nid oedd gan y blaid honno unrhyw ddyfodol nac unrhyw ddiben, ar wahân i greu drwgdeimlad rhwng Cymry a Saeson. Yna, ymosododd ar feirdd a llenorion Cymru:

> ... we cannot refrain from registering a protest against the habit, now indulged in by a small coterie of academic literary men in Wales, of making idols of one another (and thus, incidentally, making laughing stocks of themselves!) and calling upon the reading public to fall down and worship. We feel strongly tempted to name some of these gentlemen, and so holding them up to the opprobrium which they so richly deserve; but for the present, at least, we will refrain. A glaring, and nauseating, example of this practice came under our notice only a few days since. It so happens that one of the super-men who misdirect the literary studies of some of our unhappy youth is a very fair writer of verses. A colleague of his was reviewing a volume of these verses; and, we suppose, without a blush, he described the publication as an epoch-making event in the annals of European culture! What a weapon this would be in the hands of enemies who still assert that Welshmen are barbarians, devoid both of truth and culture![130]

'Chwi welsoch yr athrod arnaf gan olygydd yr Outlook, mae'n debyg,' meddai Gwynn wrth E. Morgan Humphreys.[131] Tybiai, yn gywir, mai ef oedd 'one of the super-men' y cyfeirid ato yn llith y golygydd, a bu'n ystyried dwyn achos o enllib yn erbyn y cylchgrawn. Roedd y golygydd gystal â dweud bod Gwynn yn hollol anghymwys ar gyfer ei swydd, a'i fod yn arwain cenedlaethau o fyfyrwyr ar gyfeiliorn. Newidiodd ei feddwl, fodd bynnag, fel y dywedodd wrth Morgan Humphreys:

> Y mae gennyf air cyfreithiwr y gallwn gael iawn mewn llys barn, ond nid wyf yn teimlo ar fy nghalon roi cymaint â hynny o sylw i'r llencyn. A dywedyd y gwir, yr wyf o'r diwedd wedi penderfynu nad ysgrifennaf ragor o Gymraeg. Bygythiais hynny lawer tro, yn wir, ped fai rywun waeth am hyny, ond bellach, os bydd arnaf chwant ysgrifennu, yn Saesneg y gwnâf, canys pe gwnawn hynny, ni chawn na'm canmol na'm condemnio gan rai na fedrant ddeall.[132]

Yn yr un llythyr at Morgan Humphreys diolchodd iddo am ateb 'E.D.J.' yn *Y Genedl*. Ymddangosodd adolygiad 'E.D.J.' ar *Detholiad o Ganiadau* yn yr un rhifyn o'r *Welsh Outlook* ag y cyhoeddwyd yr ymosodiad ar Gwynn yn nodiadau misol y cylchgrawn. Roedd adolygiad 'E.D.J.' yn un herllyd a haerllug. Cyhuddodd Gwynn o farddoni ar gyfer yr etholedig rai yn unig, yn wahanol i Geiriog, y cyhoeddwyd detholiad o'i waith gan Wasg Gregynog cyn cyhoeddi *Detholiad o Ganiadau*:

> Ceiriog's poems are simplicity and naturalness itself; they can be read and enjoyed by any Welshman who knows enough of his language to read his Welsh Bible. Most of Gwynn Jones's poems on the other hand are highly elaborate and artificial in form, and thoroughly to understand his language the reader must have constantly at his elbow a good Welsh dictionary – unless, indeed, he happened to be very conversant with Welsh poetic diction from Dafydd ap Gwilym to Goronwy Owen. For, unlike Ceiriog. who wrote for the common people, our poet-professor writes for the initiated.[133]

Er bod awdur y *Caniadau* yn fardd arbrofol, nid oedd pob arbrawf o'i eiddo yn llwyddiannus. Diflastod pur a siom enfawr i Gwynn oedd gorfod darllen condemniad yr adolygydd o'i gampwaith 'Madog':

> That he has not been at all times equally successful in his experiments with new forms is only to be expected. Probably his least successful venture from the point of view of technique is his poem MADOG. While the long lines of this poem with their elaborate alliteration are very effective in the description of natural scenery, their backward and forward movement renders them unsuitable for the expression of action and dialogue. And in spite of the author's skill in varying the pause in the line the metre becomes tediously monotonous long before the end of the poem is reached.[134]

Ac i gloi, cyhuddodd Gwynn o ddefnyddio iaith farw yn ei farddoniaeth, a rhwystro twf naturiol y Gymraeg:

> The poems written in the cynghanedd gaeth raise a question of vital importance to Welsh poetry. The author has introduced many obsolete words and expressions, not only because of the demands of the verse,

but also of malice aforethought. May one venture to contend that this practice is adverse to the natural development of the language? Does it not lay the writer open to the charge that he "writ no language?" A language is a living organism, and it will adopt new words or revive old words only when it needs them for the expression of new ideas; obsolete words and expressions cannot be injected into the language merely to humour any particular rules of versification, or because they are regarded by scholars as more in harmony with the genius of the language than certain modern words and expressions. If Welsh poetry is to be a living force in our national life it must be written in a language understood of the people.[135]

Adolygiad damniol oedd hwn, ac nid rhyfedd iddo gythruddo Gwynn. Teimlai, unwaith yn rhagor, ei fod yn gwastraffu'i amser yn barddoni yn y Gymraeg:

Y mae'n syndod fel y mae pobl yn edrych ar bopeth Cymraeg, hyd yn oed ddynion bach wedi cael rhyw fath ar addysg, ac ennill tipyn o radd yn Lloegr hyd yn oed. Saesneg oedd pwnc "E.D.J.", os wyf yn iawn pwy yw, ac fe fuasai'n amhosibl iddo ddeall barddoniaeth Saesneg oni wyddai fwy o'r iaith honno nag a ŵyr y "werin". Ond Cymro, Duw a'i helpo![136]

Diffyg geirfa oedd un o wendidau 'E.D.J.', yn enwedig o'i gymharu â Gwynn a'i helaethrwydd o Gymraeg. Yn ffodus iddo, roedd Saunders Lewis, yn ogystal â Morgan Humphreys, wedi canmol y gyfrol. 'Prif gampwaith Cymru' yn yr ugeinfed ganrif oedd y *Caniadau* yn ôl adolygiad Saunders Lewis yn *Y Faner*.[137]

Roedd Gwynn yn dioddef pyliau o ddigalondid wrth i flwyddyn newydd arall nesáu. Gweithiodd yn galed ryfeddol ar y ddwy gyfrol o waith Tudur Aled, a dechreuodd amau gwerth a diben ei holl lafur. 'Bwytawn, yfwn, byddwn lawen, canys yfory, meirw fyddwn,' meddai yn ei bruddglwyf ym mis Ionawr 1927, gan adleisio'r hyn a ddywedasai yn ei gywydd 'Rhyddid a Rhaid' ym 1905.[138]

Roedd y cyfeillgarwch rhwng Gwynn a W. J. Gruffydd wedi claearu cryn dipyn erbyn y 1920au. Nid bod y ddau wedi cweryla â'i gilydd mewn unrhyw fodd; yn hytrach, prysurdeb ar eu rhan a'u cadwai ar wahân, hynny a'r ffordd yr oedd W. J. Gruffydd wedi newid, fel y cwynodd wrth gyfaill llawer mwy gwastadfryd a mwy digyfnewid na Gruffydd, Silyn Roberts:

Fe aeth yn bwysicach a phrysurach gŵr lawer nag y byddai. Mi fyddwn i yn arfer meddwl mai arnaf i fy hun yr oedd y bai na chawn mono mwy fel y byddai gynt, ond gwelaf mai tebyg ŷch chwithau yn eich meddwl ... Wrth gwrs, rhyw anwastad oedd erioed, a rhyw hanner anfonheddig weithiau, ond nid oedd dim i'w wneuthur ond maddeu iddo'n rhwydd am ei dda. Ond erbyn hyn ni wn i ddim beth a ddigwyddodd iddo. Fe aeth bron yn bopeth a ddirmygai gynt, rywsut, ac y mae'n ddrwg gennyf am hynny. Byddaf yn ceisio'i esgusodi. Y mae'n debyg mai uchelgais, fel y dywedwch, yw'r drwg ...[139]

Natur anwadal ac anfonheddig Gruffydd, efallai, oedd y rheswm pam y gwrthododd Gwynn gefnogi ei gais am Brifathrawiaeth Aberystwyth ym 1927, ar ôl marwolaeth J. H. Davies ym 1926.

Roedd Gwynn hefyd yn anghytuno â W. J. Gruffydd ynglŷn â nifer o bethau. Ni allai ddeall agwedd Gruffydd tuag at rai beirdd, Eifion Wyn yn un. Roedd gan Gruffydd gryn feddwl ohono fel bardd, ond yn nhyb Gwynn, dim ond dwy neu dair cerdd weddol dda a oedd ganddo, ac nid oedd yr un o'r rheini yn wreiddiol. Ar dro yn unig y ceid sylwadau ganddo yn ei lythyrau am feirdd a barddoniaeth gyfoes, a diddorol yw'r modd y mae'n bwrw'i linyn mesur ar rai beirdd cyfoes ar y pryd, gan ei gynnwys ef ei hun, mewn llythyr at E. Morgan Humphreys ar ddechrau Gorffennaf 1927. Newydd ei chyhoeddi ar y pryd yr oedd cyfrol Cynan, *Caniadau*:

Cefais lyfr Cynan heddiw. Wrth y gip a gefais drosto, ofni'r wyf innau mai adlais teneu yw. Gormod o ryw awgrymu pethau am y rhyfel. Hyd y sylwais i, ni bydd ar y dynion fu'n ymladd ac yn y lleoedd gwaethaf nemor awydd sôn am y peth. Yr wyf yn sicr yn falch o'ch barn am fy stwff i, er y byddaf fy hun yn meddwl yn aml nad bardd monof i wedi'r cwbl – yn wir, a bod yn onest, prin yr wyf yn meddwl i mi erioed dybio o ddifrif fy mod yn ddim amgen na mydrydd a thrinwr geiriau. Wrth gwrs, mi wn fy mod yn feistr ar y grefft honno – nid hunanoldeb sy'n peri i mi addef hynny chwaith – ond am y stwff, byddaf yn ameu, ac yn tybio mai prôs yw fy iawn gyfrwng i. Am Williams Parry, yr wyf o'r un farn â chwi. Fe ddeil ei waith aeddfetaf ef, a chryn dipyn o'i ddarnau dynwared hefyd. Ac un prawf o'i fod yn fardd yw ei fod yn gwbl ddifater ynghylch bod ai peidio. Yr oeddwn yn darllen ei soned i'r "Llwynog" neithiwyr. Nid oes ynddi odid ddim ond ffeithiau noeth,

cwbl syml, ac eto! dyna waith un o feibion y duwiau! Am Ruffydd, nid
wyf innau mor sicr. Rhyw ofni y byddaf ei fod yn rhy gynhyrfus pan
fo o ddifrif, ac mai pregethu y mae mewn gwirionedd. Ond pe bai yng
Nghymru heddiw ddau brydydd o'r radd flaenaf, pwy bynnag fyddent,
oni thybiech fod hynny lawn cymaint ag y gellid ei ddisgwyl byth?[140]

Ar ôl i Wasg Gregynog gyhoeddi ei brif gerddi ym 1926, erbyn canol 1927, roedd
Gwynn yn meddwl am gasglu ei ddarnau byrion ynghyd i'w cyhoeddi'n gyfrol.
'Y mae arnaf ryw hanner blys casglu f'epigramau at ei gilydd, er mai antur go hy
fyddai i mi eu cyhoeddi!' meddai wrth Morgan Humphreys.[141] Dyma egin y gyfrol
Manion. Yn wir, anfonodd swp o gerddi ar ffurf yr hen benillion at Thomas Jones
Cerrigellgwm ym 1927 yn ei lawysgrifen gain, a rhoddodd 'Manion' yn deitl i'r
casgliad. Byddai'n cynnwys y rhan fwyaf o'r rhain yn y gyfrol *Manion* ymhen rhyw
dair blynedd ond nid pob un, y penillion diatalnodau hyn, er enghraifft:

> Chwerddwch lanciau a lodesi
> cyn eich dal a'ch dwyn i'r tresi
> ni bydd hynny ond amrentyn
> ddoe yr oeddwn innau'n blentyn.
>
> Oer y goleu ar y gwelydd
> Suliau, gwyliau fel ei gilydd
> ymlid newydd yn fy newyn
> mynd i'r gors ar ôl hudlewyn.[142]

A'r ddau bennill hyn, sy'n ffurfio un gerdd:

> Aros, angeu, aros ennyd,
> pan orffennwyf, mi ddof gennyd
> pe baut gelfydd, cywilyddud
> fynd rhwng celfydd a'i gelfyddyd.
>
> Ond ni waeth i minnau dewi
> nid wyt gelfydd, ni wrandewi
> nid rhaid iti aros ennyd
> dos y bawai [cnaf] mi ddof gennyd![143]

Bu'n beirniadu cystadleuaeth y Gadair yn Eisteddfod Genedlaethol Caergybi ym 1927, gyda John Morris-Jones ac Elfed. 'Y Derwydd' oedd y testun, ond cystadleuaeth wachul iawn a gafwyd, a bu'n rhaid atal. Serch hynny, cyflawnodd Gwynn ei hun lawer ym 1927. Enillodd ei ddwy gyfrol o waith Tudur Aled £50 o wobr fel Llyfr y Flwyddyn, dan drefniant yr Orsedd, ym Mhrifwyl Caergybi, ac yn rhifyn y gaeaf o'r *Llenor*, cyhoeddwyd un o'i gerddi hir mwyaf llwyddiannus, 'Argoed'. Eglurodd beth oedd y cymhelliad y tu ôl i'r gerdd wrth E. Morgan Humphreys:

> ... y mae rhywbeth yn drist mewn meddwl bod yn ddigon posibl na bydd neb a fedro lefaru'r Gymraeg yng Nghymru gan mlynedd i heddiw! Fe welsoch, y mae'n ddiau, mai eisiau dywedyd rhywbeth felly oedd arnaf mewn gwirionedd yn "Argoed" – yn wir, pan ddigwydd peth felly yn unig y byddaf i'n ceisio prydyddu.[144]

Diflaniad gwareiddiad, dan bwysau o du gwareiddiad arall, yw thema 'Argoed'. Rhoir mynegiant yn y gerdd i bryder parhaol Gwynn ynglŷn â'r Gymraeg. Gwareiddiad Celtaidd a geid yn Argoed. Parchai trigolion Argoed yr elfennau hynny a oedd yn creu gwrareiddiad ac yn diffinio cenedl: hanes, iaith, traddodiadau, credoau ac arferion:

> Yn neutu Gâl a'i gogoniant a'i golud
> Enwog oedd ddirgel unigeddau Argoed;
> Yno, gynt, y ceid awen ac antur,
> A gwir y doethion mewn geiriau dethol;
> Ffyddlon ydoedd ei chalon; ni chiliai
> O gof fyth yno gyfoeth ei hanes,
> A pheraidd yno a phur oedd heniaith
> A hen arferion ei chynnar fore.[145]

Roedd trigolion Argoed yn byw yn ôl y tymhorau ac yn un â rhythm y tymhorau, a dyn yn un â natur:

> O dir Gâl pan giliai y gaeaf,
> Ac yno'n ôl ddyfod gwanwyn eilwaith,
> Yn nistaw ddirgel fforestydd Argoed
> Bywhâi hen wyrth ddiwrthwyneb ei nerthoedd;

Yno, dan guriad ei adain, agorai
Yn araf lygaid aneirif flagur
Drwy y bau, ac ymdorrai bywyd
Yn llanw o liwiau a lluniau lawer,
Onid âi ei nwyf drwy waed anifail,
A'i dreiglo'n dân drwy galonnau dynion;
Rhyw newydd ynni o rinwedd anian
A'i nerth yn prifio, er syrthni profiad,
Edwa, heneiddia, ond adnewyddir –
Y fflam anniffodd honno a rodded
I orfod ar ing a chryfder angau.[146]

Âi bywyd yn ei flaen yn hamddenol ac yn naturiol yn Argoed. Dilynai pob cenhedlaeth

Y bywyd dedwydd a wybu eu tadau –
Hela, bugeilio, fel y bai galwad,
Dioddef a byw yn ôl deddfau bywyd,
Heb ofni methiant, heb ofyn moethau,
Heb fynnu trais a heb ofni treisiwr;
Magu o do i do yn dawel
Feibion nerth a merched prydferthwch;
Adrodd hanesion dewredd hen oesau ...[147]

Ac fe aned bardd yn Argoed, bardd a oedd yn tynnu maeth o orffennol ei genedl ac yn gwarchod ei hen hanesion, ei chwedloniaeth a'i llenyddiaeth:

Onid yno y ganed awenydd,
Hwnnw a ganodd ei hen ogoniant,
A drodd hanesion dewredd hen oesau,
Geiriau y doethion a'r gwŷr da hwythau,
A dirgel foddau eu mydr gelfyddyd,
Yn newydd gân a gynyddai ogoniant
Ei wlad a'i hanes, a chlod ei heniaith?[148]

Clyw'r awenydd sŵn gwledda, dawnsio a meddwi yn dod o gyfeiriad llys y Rhufeiniaid yn ninas Alesia, a gŵyr ynddo'i hun fod gwareiddiad a diwylliant Argoed dan fygythiad:

> Yntau a wybu am byth fynd heibio
> Hen ogoniant a rhamant ei genedl –
> Efô, a ganodd ei phrif ogoniant,
> A drodd hanesion dewredd hen oesau,
> Geiriau y doethion a'r gwŷr da hwythau,
> A dirgel foddau eu mydr gelfyddyd,
> Yn newydd gân a gynyddai ogoniant
> Ei wlad a'i hanes a chlod ei heniaith –
> Yn ofer aethai ei lafur weithion,
> O dynnu Gâl dan wadnau ei gelyn,
> A dyfod ystryw a defod estron
> I ddofi ei hynni, i ddifa heniaith
> A hen arferion ei chynnar fore.[149]

Yn y gerdd, Cymru yw Argoed, wrth gwrs, y Saeson yw'r Rhufeiniaid, a'r Saesneg yw'r Lladin, a Gwynn yw'r awenydd yn y gerdd. Sôn amdano'i hun a wna yn Argoed. Gwynn, yn anad neb, a fu'n gwarchod hen hanesion a hen chwedloniaeth ei genedl, ond y gair allweddol yma yw 'ofer' – 'Yn *ofer* aethai ei lafur weithion'. Ailadroddir y llinell ymhen ychydig linellau. Methiant fu ymdrechion bardd y llwyth i amddiffyn ei iaith rhag yr iaith estron a fynnai ei difa – 'A bregliach bas yn lle iaith urddasol,/A budron anwiw lle bu dewrion unwaith'.[150] Oherwydd bod yr iaith yn marw a'r Cymry eu hunain yn ei difrïo ac yn ei dinistrio trwy ei throi'n fratiaith, bu holl lafur awenydd Argoed yn ofer. Ac felly y teimlai Gwynn. Credai ei fod wedi gwastraffu ei fywyd. 'Ddydd claddu'r hen gyfaill,' meddai wrth Morgan Humphreys ar ôl bod yn angladd John Morris-Jones, 'yr oedd fy nerfau yn chwilfriw, a'm holl oes a'm holl lafur yn ymddangos yn ofer i mi'.[151] Ar ôl bod yn llafurio ar ei ddwy gyfrol o waith Tudur Aled, lluniodd gwpled:

> Caledwaith? Oferiaith fu,
> Oferedd, i'm difyrru.[152]

'Ar Owen Edwards a'i "Gymru" a'i "Lenor" &c, y mae'r bai fy mod i wedi gwastraffu f'oes ar bethau fydd wedi mynd yn ofer cyn pen hanner can mlynedd,' meddai wrth

Morgan Humphreys ymhen rhai blynyddoedd.[153] Dro ar ôl tro, codai'r ansoddair 'ofer' ei ben yn ei lythyrau at ei gyfeillion. 'Ofer oedd fyw awr iddi,' meddai eto yn y pwt hwnnw o gywydd a anfonodd at Silyn ym mis Chwefror 1905. Yn wir, mae'r llinell 'Yn ofer aethai ei lafur weithion' yn cyfeirio'n ôl at y pennill hwnnw yn y gerdd 'Y Bardd' yn *Ymadawiad Arthur a Chaniadau Ereill*:

> Gwrthun, ebe gwŷr y geiniog,
>   Ofer oedd ei lafur ef,
> A'i ddychymyg ffôl, adeiniog,
>   Melltith oedd, nid bendith nef.

Ofer neu beidio, roedd yn dal i fod wrthi mor ddiwyd ag erioed. Cyhoeddodd hefyd ym 1927 gyfieithiadau o epigramau Groeg a Lladin, *Blodau o Hen Ardd*, cyfrol yng Nghyfres y Werin, gyda rhagymadrodd a nodiadau gan yr Athro H. J. Rose, a benodwyd yn Athro Lladin yn y coleg ym 1919, yr un flwyddyn ag y penodwyd Gwynn yn Athro Llenyddiaeth, ond rhoddodd Rose y gorau i'w swydd ym 1927, blwyddyn cyhoeddi'r flodeugerdd.

A daeth Nadolig 1927 gyda'i blwc arferol o bruddglwyf. Newydd ymadfer ar ôl cael dau bwl o annwyd a'i cyfyngodd i'r gwely am wythnos ac wedyn am ryw dridiau yr oedd Gwynn wrth i'r Nadolig nesáu. 'Byddaf yn brudd bob amser tua'r Nadolig, wrth gofio'r hen amser dedwydd, pan oedd dyn yn byw ar ormod o waith a rhy fychan o gyflog, ond eto heb golli ffydd mewn rhai pethau,' meddai, wrth ddymuno Nadolig Llawen i E. Morgan Humphreys a'i briod.[154]

Agorodd 1928 gyda phriodas, a chydag anrheg briodas. Ar Ionawr 11, priododd ei gyfaill E. Prosser Rhys, â Mary Prudence Hughes. Rhoddodd Gwynn ei ddwy gyfrol *Gwaith Tudur Aled* mewn diwyg arbennig yn anrheg i'r ddau, gyda'r cyfarchiad 'I'm cyfaill Prosser Rhys a'i Wraig ar eu priodas' ac englyn cyfan ar fesur Madog:

> Hyn gan a hwyliodd un hanner o'i ddyddiau i ddeuddyn yn cychwyn,
>   Heulwen a weno tra hwyliach, a haul pan neshao'r hwyr.[155]

Daethai Gwynn i adnabod Prosser Rhys yn dda ar ôl i'r *Faner* symud o Ddinbych i Aberystwyth ym 1922, pan oedd Prosser yn is-olygydd ar y papur. Ym 1923 fe'i penodwyd yn olygydd y papur, a galwai beirdd a llenorion yn gyson heibio i swyddfa'r *Cambrian News* a'r *Faner*, Ffordd y Môr (Terrace Road), Aberystwyth, i roi'r byd yn ei le, a Gwynn yn eu plith. Heidient hefyd i'w ddau gartref yn

Aberystwyth, tŷ o'r enw 'Gwar yr Allt', yn Ael Dinas, i gychwyn, a 33 Ffordd y Gogledd o 1936 ymlaen. Roedd Prosser Rhys yn un o gefnogwyr mwyaf Gwynn, a chyfrannai Gwynn yntau yn rheolaidd i'w bapur.

Yn *Y Faner* ar ddechrau mis Mawrth, cyhoeddwyd cyfaddasiad o gerdd enwog Thomas Gray, 'Elegy Written in a Country Churchyard' gan Tomas Llwyd. Thomas Gwynn oedd y Tomas Llwyd hwn. Ymarferiad mewn cynildeb yw'r gerdd, ac fe ddewiswyd mesur byrrach na mesur Gray i sicrhau'r cynildeb hwnnw, er enghraifft:

> Hendwr Dysg ni roed i'w plaid;
> Mygwyd gwiw nwyd; rhewodd rhaid
> Dirionach ffrwd yr enaid ...
>
> Bychan eu da a'u drygedd,
> Nid enillsant glod trwy gledd,
> Na chau drws ar drugaredd.[156]

Un o'r rhai a sylweddolodd mai Gwynn oedd awdur y cyfaddasiad oedd ei gyfaill David Thomas. '[Y] mae'n gysur i *joker* ddeall bod rhai a fedr adnabod ei ysmaldod, a bod rhyw ddigrifwch o'r fath yn peri difyrrwch i ambell un yn y wlad fach ddifrif ofnadwy hon!' meddai Gwynn mewn llythyr ato.[157] Eglurodd mai protest yn erbyn geiriogrwydd oedd y cyfaddasiad:

> Diddorol iawn oedd deall i chwi benderfynu mai myfi oedd "Tomas Llwyd," a wnaeth y penillion, rywbryd yn yr ail ganrif ar bymtheg, yn ôl yr amseriad oedd wrth droed y darn! Ta beth, dyma, rhwng dau gyfaill, hanes y peth. Adeg dathlu geni neu gofio marw Dafydd Dafis, Castell Hywel, cyhoeddwyd argraffiad o rai o'i gerddi gan rywun yn Aberystwyth. Wrth ddarllen ei drosiad o gerdd Gray, syrffedais ar ei aml eiriau a'i ramadeg carpiog, ac euthum i ddarllen Gray ei hun er mwyn cael tipyn o gysur. A'r gwrthryfel yn erbyn amleiriau yn fy meddwl, sylwais ar beth na'm tarawsai o'r blaen, sef y gallasai Gray ei hun gynilo peth hefyd. Felly amcenais droi rhai penillion i ffurf Gymraeg gryno, yn null Llywarch Hen (neu rywun y rhoed ei enw arno) ...[158]

Daeth Ebrill â bendith i'r teulu. Ysgrifennodd at Morgan Humphreys i adael iddo wybod bod Eluned ar ddechrau mis Ebrill wedi rhoi genedigaeth i ferch fach y rhoddwyd Nia yn enw iddi. Ond ynghlwm wrth y gorfoledd o eni Nia i'r byd yr oedd elfen o dristwch wrth i Gwynn sylweddoli ei fod yn heneiddio. 'Nid yw ond fel doe gennyf gofio geni Eluned, ac er nad wyf fy hun yn teimlo cyn hyned o lawer bellach ag yr oeddwn yn teimlo yn y blynyddoedd hynny, rhaid i mi geisio sylweddoli bod fy mlynyddoedd wedi dianc fel mwg,' meddai wrth Morgan Humphreys.[159] I ychwanegu at ei ymdeimlad o farwoldeb, roedd newydd ddarllen am farwolaeth Ap Gwyneddon yn y papur, a chofiodd Gwynn am ei garedigrwydd tuag ato pan oedd y ddau yn yr Aifft dair blynedd ar hugain ynghynt. Roedd Ap Gwyneddon yn aelod amlwg o'r cylch y trôi Gwynn ynddo pan aeth i fyw i Gaernarfon gyntaf, bron i ddeng mlynedd ar hugain ynghynt. 'Y mae'r rhai oedd yn y cylch hwnnw yn dechreu mynd yn brin bellach,' meddai, â chwithdod.[160]

Parhâi i fyfyrio am grefydd a chred, y grefydd Gatholig yn enwedig:

> Pe cawn i fod yn Gatholig heb gredo bendant, dyna fyddwn, ond y mae'n debig mai cymryd arnom fod yn beth nad ŷm yw'r unig beth i rai fel fi, sydd wedi mynd yn rhy ddidaro i wrthryfela! Eto, rhwng dau, mi fyddaf yn meddwl mai rhywbeth ar wahân i gredo yw crefydd. Ychydig Suliau'n ôl, yr oeddwn yn gwrando ar bregethwr yn traethu syniadau tebig iawn i'r eiddof i fy hun, rhyw fath ar etheg gwbl oer a di-gorff, ac yn teimlo fod y cwbl yn waeth na gwegi, yn ofer, yn dwyllodrus, yn arwynebol. Yr oeddwn yn wir yn ddigon anhapus, ond cofiais am fod yng ngwasanaeth yr Offeren mewn Eglwys Gatholig, a dechreuais glustfeinio am lais yr offeiriad a'r côr, yn canu. A bu gwyrth. Tawelodd fy meddwl. Ni ddaeth meddyliau gwrthryfelgar na beirniadol i mi, na dim ond gorffwys a bendith tra fûm yn gwrando ar leisiau a seiniau pell yr offeren honno ...[161]

Pryderai am ddyfodol y Gymraeg o hyd. Ymhen rhyw wyth mlynedd, byddai carcharu tri chenedlaetholwr Cymreig am losgi defnyddiau gwersyll hyfforddi awyrenwyr yn Llŷn yn rhoi hwb aruthrol i genedlaetholdeb Cymreig, ond roedd Gwynn wedi rhagweld y byddai angen aberth o'r fath i ddeffro Cymru o'i thrwmgwsg ymhell cyn hynny:

> O'm rhan fy hun, tybio'r wyf mai'r peth goreu i'r iaith yn awr fyddai i'r Saeson ei gwrthwynebu â'u holl egni – fe stiffiai hynny asgwrn cefn y Cymry a fedr Gymraeg cyn iddi fynd yn rhy hwyr. Ni waeth addef na pheidio, byddai carcharu ychydig Gymry go flaenllaw yn fwy effeithiol na mil o bwyllgorau neis neis, celwyddog a diegwyddor, i wrando tystiolaethau cynffongwn a chachaduriaid y wlad (chwedl Dr Siôn Dafydd Rhys).[162]

Roedd Gwynn yn teimlo'n bur ddigalon eto ganol mis Mehefin 1928. Teimlai fod cylch ei gyfeillion yn lleihau. Roedd un o'i gyfeillion cynnar, W. J. Gruffydd, wedi ymosod ar gyfaill arall, mwy diweddar, iddo, yr Athro W. Garmon Jones o Brifysgol Lerpwl, ar dudalennau rhifyn mis Mehefin o'r *Welsh Outlook*. Ym 1928, ar ôl dwy flynedd o waith, cyhoeddwyd casgliadau Pwyllgor yr iaith Gymraeg, pwyllgor arbennig a sefydlwyd i archwilio cyflwr yr Iaith Gymraeg, gyda golwg ar ei chadwraeth a'i ffyniant yn y dyfodol, ym myd addysg yn enwedig. Wedi i adroddiad y pwyllgor ar sefyllfa'r Gymraeg yng Nghymru ymddangos, bu llawer o ddadlau ffyrnig ynghylch cynnwys yr adroddiad yn y *Welsh Outlook*. Beirniadwyd y ddogfen yn hallt gan W. Garmon Jones mewn ysgrif yn dwyn y teitl 'Prejudiced History', a bu gwrthymosodiad o du Iorwerth Peate a W. J. Gruffydd. Dywedodd Garmon Jones fod yr adroddiad yn hanesyddol anghywir ac yn ddryslyd o ran mynegiant mewn mannau, ond fe'i cyhuddwyd gan Iorwerth Peate o fod yn hanesydd anghyson. Ym 1918 cyhoeddwyd ysgrif gan W. Garmon Jones ar 'Welsh Nationalism and Henry Tudor' yng nghylchgrawn Anrhydeddus Gymdeithas y Cymmrodorion, a chyhoeddwyd yr ysgrif fel gwahanlith wedyn. Wrth feirniadu adroddiad Pwyllgor yr Iaith Gymraeg ym 1928, dywedodd Garmon Jones rai pethau a oedd yn gwbl groes i rai pethau a ddywedodd ym 1918 am gyflwr Cymru a chyflwr ei diwylliant yn oes y Tuduriaid, ac at hynny y tynnodd Iorwerth Peate sylw, fel y gellid diystyru Garmon Jones fel rhywun cwbl anghymwys a llwyr annibynadwy ei farn. Ymunodd W. J. Gruffydd, a oedd yn aelod o Bwyllgor yr Iaith Gymraeg, yn y ffracas, a dywedodd bethau rhyfeddol o gas am Garmon Jones ac am Brifysgol Lerpwl. 'I may be pardoned for attempting to give here a short description of the famous Liverpool Virus supposed to be potent against rats and Welsh professors,' meddai Gruffydd, fel rhagarweiniad i'w ymosodiad ar Brifysgol Lerpwl ac ar Garmon Jones.[163] 'Ie yn sicr, truan o beth fod Garmon a Gruffydd yn ffraeo,' meddai Gwynn, braidd yn drist.[164] Ni allai ddeall y naill na'r llall:

> Yr oedd yn syn gennyf glywed cynnwys ysgrif Garmon – gallwn feddwl ei fod yn hollol groes i'r farn oedd ganddo rai blynyddoedd yn ôl. Wrth gwrs, gallai ei fod wedi newid ei farn. Sut bynnag, clywais fod Gruffydd yn awgrymu mai gŵr rhagfarnllyd ac anwybodus yw. Ni all hynny fod yn wir, beth bynnag.[165]

Gŵr anwadal, oriog a mympwyol oedd Gruffydd, deilen mewn trobwll, a gwamal gyda'i gyfeillion yn aml, yn wahanol i Gwynn, a oedd mor driw i'w gyfeillion.

'Chwi a Silyn yw'r unig rai o'm hen gyfeillion gynt sy'n dal heb newid,' meddai wrth Morgan Humphreys.[166] Roedd Daniel Rees ar dir y byw o hyd, ond ysbeidiol iawn oedd y llythyru rhwng y ddau bellach.

O safbwynt ei gyfeillgarwch â Gruffydd, byw ar ei atgofion a wnâi Gwynn bellach. Clywodd fod E. Morgan Humphreys a'i briod wedi mynd i Benmon am seibiant yn ystod haf 1928, a daeth hynny ag atgofion yn ôl iddo am y prynhawn dydd Sul a dreuliodd Gruffydd ac yntau ym Mhenmon ym 1906. '[D]ywedais fwy o wir nag a wyddwn y pryd hwnnw – "Mwy ni chaem weld myneich Môn!",' meddai wrth Morgan Humphreys, gan ddyfynnu llinell olaf ei gywydd 'Penmon'.[167] Oedd, roedd y dyddiau rhamantus a lledrithiol hynny wedi darfod am byth, ond roedd gan fywyd lawer iawn i'w gynnig o hyd:

> Ym mis Gorffennaf, bûm am wythnos yn Rhydychen, yn darlithio mewn ysgol haf. Yr oedd Megan gyda mi, a chawsom amser hyfryd ddigon. Buom wedi hynny wythnos yn Nyffryn Clwyd ac wythnos yng Ngwrecsam. Bûm i wedyn yn Llundain mewn Cynhadledd Lên Gwerin, a dyna'n gwyliau i gyd yr haf hwn.[168]

Ddeuddydd cyn Nadolig 1928, anfonodd lun pedair cenhedlaeth at Morgan Humphreys, llun o'i dad, Isaac Jones, Gwynn ei hun, ac Eluned yn dal Nia ar ei glin, 'yr hynaf o'r twrr yn 87 a'r ieuengaf yn rhyw chwe mis,' meddai am y llun. Roedd y llun yn gofnod unigryw o olyniaeth y cenedlaethau.[169]

Pan ddaeth 1929 i hawlio'i theyrnas yn olyniaeth y blynyddoedd, fe ddaeth â newidiadau mawr yn ei sgil i Gwynn a'i deulu. Tŷ wedi'i rentu oedd Eirlys, ac ar ôl i Gwynn a'r teulu fod yn byw ar y Buarth am bron i ugain mlynedd, ym mis Ionawr penderfynodd y perchennog ei fod am ei werthu. Cafodd Gwynn y cynnig cyntaf i'w brynu, a hwnnw'n gynnig pur resymol, ond gwrthododd ei brynu oherwydd bod yr allt a arweiniai at y tŷ yn rhy serth i Megan, a ddioddefai o gaethdra anadl yn aml. Ddechrau mis Chwefror, roedd y teulu wedi cyrraedd tŷ o'r enw Hafan ym mhentref bychan Bow Street, rhyw bedair milltir o gyrraedd Aberystwyth, ac roedd y tŷ newydd, 'helaeth a chyfleus', wrth fodd calon ei berchennog newydd.[170] Tŷ newydd ymhob ystyr oedd Hafan, gan mai Gwynn a'i deulu oedd y rhai cyntaf i fyw ynddo.

Ond fel yr oedd Gwynn yn newid aelwyd roedd ei dad a'i lysfam yn newid byd. Mawrth tyngedfennol oedd y Mawrth hwnnw. Bu farw Isaac a Mary Jones, llysfam Gwynn, o fewn deuddydd i'w gilydd, y naill ar Fawrth 16 a'r llall ar Fawrth 14, yn Ysbyty Llanelwy. Fe'u claddwyd yn yr un bedd ar yr un diwrnod. Roedd

Gwynn a'i dad yn agos iawn at ei gilydd, ac er i Isaac Jones gyrraedd oedran teg, ni leihaodd hynny ddim ar y boen a'r hiraeth a deimlai'r mab ar ei ôl. Lluniodd gerdd er cof amdano, 'Y Tro Olaf':

> Safai â'i bwys ar y pennor,
> > a threm bell synn yn ei lygaid,
> Gweddill y corff gosgeiddig,
> > darn o'r cadernid a fu,
> Minnau, fel popeth, yn myned
> > a'i ado'n hen ac yn unig,
> Gwyddwn na welwn eilwaith
> > byth mo'i ardderchog ben;
> Llosgai y tân yn y llygaid yn isel
> > y noswaith honno,
> Atal ar lymder y deall,
> > cur yn cnoi trysor y cof;
> Chwerwach na difod yw'r chwarae
> > sy'n cnewian y cnawd bob yn ronyn,
> Onid cynysgaeth fo hynny
> > at raid y meddylfod rhydd.[171]

Ac mae'r llinellau clo yn cyfeirio at un o syniadau Isaac Jones: 'Mi fyddaf weithiau'n synio nad yw dioddef ond dull o ddeol meddwl a mater, fel y gallo'r meddwl fod ynddo'i hun'.[172]

Anfonodd E. Morgan Humphreys lythyr at ei gyfaill i gydymdeimlo ag ef, ac meddai Gwynn wrtho:

> Bu fy nhad a minnau'n gyfeillion da erioed. Ni ormesodd mewn un modd arnaf erioed, a deallai f'agwedd at bethau, hyd yn oed yn ei henaint. Parhaodd yn ehang ei fryd hyd y diwedd bron – derbyniai syniadau diweddar am y Beibl a Chrefydd. Cafodd oes hir (86 mlwydd), ond bu angau'n dirionach wrtho nag y bu bywyd. Wrth gario ei arch yn un o bedwar, a'i gollwng i lawr i'r ddaear, teimlwn ryw fodlonrwydd trist ei fod ef bellach yn rhydd am byth oddi wrth bob helbul a phoen. Ac eto, gyda'i farwolaeth ef, y mae llawer o bethau'n darfod i minnau mwy. Un peth a sylweddolais – nid angau yw gelyn gwaethaf dyn.[173]

Soniodd am ddiwedd ei dad a'i lysfam, ac am yr hyn a olygai ei dad iddo, mewn llythyr at Thomas Jones, Cerrigellgwm, drimis a rhagor wedi marwolaeth y ddau:

> Bu'r ddau farw o fewn deuddydd i'w gilydd, yn ward brifat Ysbyty Llanelwy, lle y cawsom ganddynt fyned ddechreu'r flwyddyn, am fod yn nesaf peth i amhosibl cael neb medrus a gofalus i edrych ar eu holau gartref yng nghanol gwlad. Yr oedd yn drugaredd eu bod yno pan ddaeth y tywydd caled ddechreu Chwefror ... Yn un o naw o'r tylwyth, gan mwyaf o'r hen gynnefin [sic] lle bu'r hynafiaid gynt ac y mae eu disgynyddion eto – Penmachno – cludais ei arch i'w dodi yn naear garegog y Cwm, Sir y Fflint, gan deimlo mai gwir a ddywedodd ef wrthyf y tro olaf y gwelais ef – nad gwerth oedd byw trwy boen ac adfyd mewn henaint mawr. Ni roed erioed ŵr bonheddig gwell na'm tad yn naear Gymru ... Gweithiodd yn galed fel ffermwr ar hyd ei oes, ac ni adawodd ond ychydig ar ei ôl yn y diwedd. Ond ni wnaeth dro anfonheddig â neb yn ei oes. Yr oedd ganddo feddwl o'r cryfaf a'r gloywaf a adnabûm i erioed, a chorff lluniaidd a llygaid fel tân gynt, llais croew a soniarus iawn, dawn ymadrodd llithrig, a mwynder digyffelyb, meistrolaeth berffaith ar waed poeth. Gwelais ef yn gwylltio lawer tro, ond ni ddywedai air pan ddigwyddai hynny. Cyn pen ychydig funudau byddai fel pe na ddigwyddasai dim.[174]

Mewn tŷ o'r enw Tŷ Pella, Marian Cwm, ar ben y moelydd uwchlaw Dyffryn Clwyd, y trigai'r ddau yn eu dyddiau olaf, ac ym mynwent Marian Cwm, nid mynwent y Cwm, y claddwyd y ddau. Ceir englyn ar garreg fedd y ddau, ond nid Gwynn a'i lluniodd:

> Ar Iesu eu pwys roisant, – yn ei nerth
> Hyd nawn oes cerddasant:
> Oes o gysur – gras gawsant,
> Â'u gynnau'n wyn esgyn wnânt.[175]

Ym mis Ebrill collodd Gwynn ŵr yr oedd ganddo barch mawr tuag ato, a gŵr hefyd a ystyriai'n gyfaill iddo, hyd yn oed os na allai ei alw yn un o'i gyfeillion agosaf. Bu farw John Morris-Jones ar Ebrill 16, yn 64 oed. Yn ddiarwybod iddo, gwelsai Gwynn ef am y tro olaf yn Amwythig ychydig cyn Nadolig 1928. Tybiai 'ei fod yn edrych yn flinedig, wedi heneiddio mwy nag oedd raid, a rhyw olwg dyn wedi cael ysgytiad neu fraw arno'.[176] Tosturiai wrtho. 'Mi fyddaf yn ddigon hoff o'r hen greadur, er anghytuno yn ddigon aml â'i bendantrwydd mawr, ac er gwaethaf ei anallu i chwerthin am ben ffyliaid,' meddai.[177]

Gofynnodd Morgan Humphreys iddo lunio teyrnged i'w gyfaill ar gyfer *Y Genedl*, ond roedd Gwynn yn rhy wael ar y pryd i fedru llunio dim. Roedd eisoes wedi llunio pwt am John Morris-Jones i'r *Faner*, ond ar ei gefn ar ei wely y gwnaeth hynny, gyda chryn dipyn o ymdrech. Bwriwyd Gwynn yn galed gan farwolaeth John Morris-Jones. Er ei wendidau, roedd yn meddu ar rinweddau amlwg, sef yr union rinweddau a brisid uwchlaw popeth gan Gwynn:

> ... yr oedd yn sefyll dros rywbeth prin iawn yng Nghymru – disgyblaeth a manylder a gonestrwydd gwaith, nid yr hwylustod didrafferth a chwbl ddiddisgyblaeth a feithrinodd O.M.E. [O. M. Edwards] mor rhwydd ar hyd ei oes. A phan ddoech i adnabod Syr John yr oedd, fel y dywedwch, rywbeth yn hoffus ynddo er gwaethaf popeth. Gallwn ysgrifennu llawer amdano na ellid ei gyhoeddi yng Nghymru yn awr heb i bobl ei gwbl gamddeall, wrth gwrs. Bydd arnaf flys weithiau sgrifennu f'atgofion, canys yr wyf innau'n mynd yn hen ar fy ngwaethaf. Pan oeddwn glaf ddiwethaf, euthum dros dymhorau fy mywyd. Byddant weithiau'n ymddangos yn foel ac ofer i mi, ond wrth eu hatgoffa, gan feddwl eu bod yn tynnu at y pen, nid oeddynt mor anniddorol hyd yn oed i mi – bu dyddiau disglair yn eu canol.[178]

Fodd bynnag, fe gafodd gyfle i lunio teyrnged haeddiannol i John Morris-Jones yn y man. Cofiai mai yn Eisteddfod Genedlaethol Llandudno ym 1896 y cyfarfu â John Morris-Jones am y tro cyntaf, a chafodd gipolwg ar yr elyniaeth agored a oedd yn bod yn y cyfnod hwnnw rhwng yr ysgolhaig ifanc disglair ac aelodau o'r Orsedd:

> Yn un o gyfarfodydd y bore, eisteddwn wrth fwrdd y wasg, yn disgwyl i'r cystadleuaethau [sic] ddechrau. Nid oedd y beirdd eto wedi cyrraedd o'u "Gorsedd," ac yr oedd rhai mân bethau eisoes ar droed. Yn fy ymyl eisteddai gŵr ieuanc dieithr i mi; gwallt du iawn, syth ac yn hytrach yn llaes a thrwchus, weithiau'n tueddu i ddisgyn dros ei dalcen ar un tu a chuddio ei lygad, ac yntau'n ei droi ymaith yn rhyw chwyrn â'i law; un llygad fel pe buasai'n gibddall, y llall yn anghyffredin o fyw a gloyw; gwawr felen braidd ar ei groen; gwên yn chwarae ar ei wefusau, gan ddangos dannedd cryfion braf. Sylwais ar y pethau hyn wrth iddo ef siarad ag un o swyddogion y llwyfan a ddaethai heibio.

Yn y man, dyma orymdaith y beirdd i mewn. Wrth basio'r lle yr oeddym ni yn eistedd, troes yr "Archdderwydd" (Hwfa Môn), edrychodd yn dra digllon ar y gŵr ieuanc, estynnodd ei law a rhol o bapur ynddi tuag ato, gan fwmian rhywbeth yn dra chynhyrfus, fel yr ymddangosai i mi ... Chwarddodd y gŵr ieuanc.[179]

Yn ôl Gwynn, roedd gan John Morris-Jones 'fwy o ffydd nag y sydd gan rai ohonom gyda golwg ar barhâd yr iaith,' ond ni rwystrai ei optimistiaeth mohono rhag gweithio'n ddiarbed dros y Gymraeg.[180]

Ni chredai Gwynn y gallai fynd i'r Eisteddfod Genedlaethol, a gynhelid yn Lerpwl y flwyddyn honno. Derbyniodd gomisiwn i ysgrifennu llyfr ar lên gwerin Gymraeg gan wasg Methuen yn Llundain, ac roedd y llyfr hwnnw i fod yn barod erbyn mis Medi, ac yntau heb hyd yn oed ddechrau ar y gwaith, fel y cyfaddefodd wrth Morgan Humphreys ym mis Gorffennaf.[181] Mae'n debyg iddo gael estyniad gan y wasg, ac ym mis Awst, dechrau Tachwedd oedd dyddiad anfon y llawysgrif at y wasg. Aberthodd Gwynn ei wyliau haf i weithio ar y llyfr.

Collodd Gwynn ei dad a'i lysfam ym 1929. Collodd Gwynfor, ei gyfaill o actor, ei fam yntau yn yr un flwyddyn. Gwraig garedig iawn oedd mam Gwynfor, a byddai yn atgoffa Gwynn am ei fam ef ei hun. 'Pan ddown i mewn i'r tŷ yn Stryd y Llyn, byddai ei llygaid prydferth yn gloewi o garedigrwydd, ac nid annhebig moni, o ran golwg a natur, i'm mam i fy hun,' meddai mewn llythyr o gydymdeimlad at Gwynfor ar drothwy'r Nadolig.[182] Yn yr un llythyr cynhwysodd bennill er cof amdani, englyn ar fesur 'Madog', ond bod y ddwy linell gyntaf ar un odl, a'r ddwy linell olaf ar odl wahanol:

Heddwch tragywydd iddi, dedwyddwch wedi dioddef cyni,
A heulwen ei hun olaf iddi hi'n ddiddiwedd haf.[183]

Daeth y teulu oll ynghyd i ddathlu Nadolig 1929 yn Hafan. Treuliodd Eluned a'i gŵr, Wynn, a'u merch fach Nia, yn ogystal ag Arthur, ychydig ddyddiau ar aelwyd Gwynn a Megan. Roedd Llywelyn yn byw gyda'i rieni o hyd. Disgwyliai Wynn iddo gael ei drosglwyddo i'r Weinyddiaeth Lafur yn Llundain yn y flwyddyn newydd. 'Truan fydd mynd â'i bath i Lundain,' meddai'r taid am ei wyres fach wrth E. Morgan Humphreys yn ei lythyr ato ar nos Galan 1929.[184] Roedd Gwynn wedi gwirioni arni, a hithau hefyd wedi gwirioni ar ei thaid a'i nain. 'Ar y ffordd adref, ynghanol Sir Drefaldwyn, yr oedd hi'n llefain dros y wlad am gael dyfod yn ei hôl i Hafan,' meddai.[185]

Cofnodwyd llawenydd a thristwch y Nadolig hwnnw yn y gerdd gyntaf yn *Llyfr Nia Fach*, sef casgliad o gerddi i blant o eiddo Gwynn a gyhoeddwyd ym 1932, cymar perffaith i'r casgliad o gerddi i blant a gyhoeddodd ym 1924, *Llyfr Gwion Bach*. Lluniwyd y gerdd dridiau ar ôl y dydd Nadolig hwnnw ym 1929, a theitl eironig sydd iddi, 'Nadolig Llawen!', oherwydd mai trist yw'r cywair, mewn gwirionedd:

> Nia Fach wedi mynd,
>   Popeth ryw hanner drwy'i hun,
> Daear ac awyr yn llwyd,
>   Taid ddeng mlynedd yn hŷn.
>
> Wnc Asil yn ddistaw iawn,
>   Wnc Welyn yn edrych yn llwyd,
> Dim byd yn debyg i ddoe,
>   Nain heb ddim blas ar fwyd.
>
> Nadolig llawen iawn
>   Am ryw ddeuddydd neu dri;
> B'le'r aeth y llawenydd oll? –
>   Gyda Hi.[186]

'Wnc Asil' ac 'Wnc Welyn', wrth gwrs, oedd dau ewythr Nia, Arthur a Llywelyn. A 'Hi' gyda phrif lythyren, sylwer, hi fel brenhines yr aelwyd a chanolbwynt pob sylw. Er mor fyr a syml yw'r gerdd, mae hiraeth yn llosgi drwyddi hyd y dydd hwn, a bron nad yw'n farwnad o ryw fath. Mae popeth yn mynd heibio, yn darfod â bod, a byr yw pob llawenydd.

Yn yr un llythyr, ceir dadleniad rhyfeddol. Roedd Gwasg Aberystwyth, Gwasg Prosser Rhys, newydd gyhoeddi *Y Gelfyddyd Gwta*, sef detholiad o hen englynion a hen benillion wedi eu casglu a'u golygu gan Gwynn. Roedd wedi anfon copi o'r llyfr at E. Morgan Humphreys, a chafodd yntau flas ar ei ddarllen. Ac meddai'r golygydd:

> Da gennyf i chwi gael pleser wrth ddarllen "*Y Gelfyddyd Gwta*". Cesglais yr englynion o dro i dro, wrth ddilyn gwaith arall, a chrefodd "Gwasg Aberystwyth" am y llyfryn. Gan fod amryw resymau paham nad ysgrifennaf i ryw lawer o Gymraeg mwy, gadewais iddynt ei gael. Y mae

yn y llyfryn ryw ddau neu dri englyn o'r eiddof (cedwch y gyfrinach, dyma'r teitlau – "Caru Aur", "I Gegwm", ac un sy'n dechreu "Fy Nuw, gwêl finnau &c" nid wyf yn cofio teitl hwnnw). Rhyw awydd oedd arnaf am wybod a fedrai rhywun adnabod gwahaniaeth rhwng pethau o'r fath. Wele chwi! Go brin y bydd neb arall.[187]

Y 'gwaith arall' a grybwyllir yn y llythyr oedd paratoi'r ddwy gyfrol o waith Tudur Aled ar gyfer y wasg, a theitl yr englyn 'hwnnw' yn *Y Gelfyddyd Gwta* oedd 'Trugaredd'. Dyma'r englyn:

> Fy Nuw, gwêl finnau, Owen; trugarha
> At ryw grydd aflawen,
> Fel y gwnawn pe bawn i'n ben
> Nef, a thi o fath Owen![188]

Daeth hwn yn englyn adnabyddus iawn, nid yn gymaint oherwydd iddo ymddangos yn *Y Gelfyddyd Gwta* ond oblegid i Thomas Parry ei godi o'r llyfryn hwnnw, a'i gynnwys yn *The Oxford Book of Welsh Verse* – Blodeugerdd Rhydychen – fel englyn anhysbys. Ni wyddai golygydd y flodeugerdd honno, ddim mwy na neb arall, pwy oedd awdur yr englyn 'dienw' hwn. Un peth arall diddorol ynglŷn ag englyn Gwynn yw'r ffaith mai aralleiriad o bennill Saesneg ydyw. Fe'i ceir yn wreiddiol yn nofel George MacDonald, *David Elginbrod*, a gyhoeddwyd ym 1863, a rhaid, felly, fod Gwynn wedi darllen y nofel honno. Dyma'r pennill:

> Here lie I, Martin Elginbrod:
> Hae mercy o' my soul, Lord God;
> As I wad do, were I Lord God,
> And ye were Martin Elginbrod.

Dyma 'Caru Aur':

> Cerais aur, ac er rhoi sen, ba gerydd?
> Bwy garai beth amgen?
> Cywrain fal coron felen
> Y troed y gwallt ar iâd Gwen![189]

'Cegwm', nid 'I Gegwm', yw teitl llawn y trydydd englyn a ffugiwyd ganddo:

> Edrydd y gwledydd dy glod oherwydd
> Dihirwch dy dafod;
> Derfydd y gwledydd â'th glod
> Wedi dofi dy dafod.[190]

Cyfnod trawsnewidiol yn hanes yr englyn (a Cherdd Dafod yn gyffredinol) oedd yr ail ganrif ar bymtheg a'r ddeunawfed ganrif, sef y cyfnod rhwng tranc yr hen gyfundrefn nawdd a dechreuad yr eisteddfod gystadleuol. Mae englynion y ddwy ganrif hyn yn cyfateb, o ran ffraethineb a doethineb, ac o ran pynciau a themâu, i'r hen benillion telyn, a oedd yn gynnyrch yr un cyfnod. Gan mai cyfnod trawsffurfiol yn hanes yr englyn oedd yr ail ganrif ar bymtheg a'r ddeunawfed ganrif, ac wrth i feirdd gwerinol gael gafael ar gyfrinachau'r gynghanedd, ceir llawer o wallau cynganeddol yn eu henglynion. Fel y dywedodd Gwynn ei hun:

> Nid yw'r gynghanedd bob amser yn ateb i safonau'r ganrif ddiwethaf, a dygir ffurfiau'r iaith lafar i mewn i rai penillion weithiau. Nid gwaeth mo'r gwaith er hynny, canys y mae synnwyr ynddo, a gwiwdeb ymadrodd, min, cynildeb ac afiaith, lleferydd dynion nad oeddynt na di-gywilydd na digalon, ac na thywynnodd ar eu meddwl mai eu busnes yn y byd oedd ymddiheuro tros fod ar ffordd rhywun arall.[191]

Un gwall gweddol gyffredin yn englynion y cyfnod gwerinaidd hwn oedd defnyddio'r un brifodl ddwywaith, ac roedd Gwynn yn ddigon cyfrwys i gynnwys 'Owen' ddwywaith yn 'Trugaredd', a defnyddio dwy brifodl yn unig yn 'Cegwm', 'clod'/'tafod'. Dyma enghraifft arall o'r un gwall yn un o englynion *Y Gelfyddyd Gwta*, 'Gwedi Gwin':

> Nid da cellwair, gair a wna gwarth, Dafydd,
> Ail dyfiad Deheubarth;
> Nid da awen, nid diwarth
> Min, yn ôl gwin, a wnêl gwarth.[192]

Yn wahanol i'r rhan fwyaf o englynion y llyfr, ni nodir ffynhonnell wreiddiol y tri englyn o waith Gwynn.

Trwy gadw'r llythyr, ni chadwodd Morgan Humphreys y gyfrinach! A beth fyddai ymateb Gwynn pe bai wedi byw'n ddigon hir i weld cyhoeddi Blodeugerdd Rhydychen a darllen ei englyn ynddi? Roedd yn hoff iawn o 'ddal' pobl, ac mae'n sicr mai chwerthin a wnâi. Yn anffodus, ni chafodd E. Morgan Humphreys ychwaith weld yr englyn ym Mlodeugerdd Thomas Parry, gan iddo farw saith mlynedd cyn ei chyhoeddi.

Ceir sylwadau difyr iawn gan Gwynn yn ei ragair i'r llyfryn. Credai fod i'r englyn fel ffurf werth arbennig: '... o ba le bynnag y daeth yr Englyn, da fu ei ddyfod, canys dysgodd gynildeb i brydyddion lawer, ac ynddo ef y ceir rhai o'r pethau goreu yn Gymraeg'.[193]

Roedd ei lyfr ar lên gwerin Gymraeg, *Welsh Folk-lore and Folk-custom*, hefyd ar fin ymddangos pan gysylltodd ag E. Morgan Humphreys ar nos Galan 1929. 'Yr wyf yn meddwl mai dyma'r cais cyntaf i sgrifennu llyfr *scientific* ar y pwnc,' meddai.[194] Cafodd hefyd ddau neu dri chais arall i ysgrifennu llyfrau yn Saesneg. Tybiai mai dyna fyddai ei ddiwedd

> ... wedi gwastraffu f'oes i sgrifennu i'm hannwyl gydwladwyr, sy'n dechreu sylweddoli mai dyn i sgrifennu llythyrau dienw ato, a phethau anrhydeddus o'r fath wyf. Gwir a ddywed rhyw hen ŵr bonheddig o Gymro gynt "Cos din taeog ac ef a gach yn dy ddwrn," ac hyd y gwelaf fi, y mae contrôl y taeog yn lledu'n arw yng Nghymru'r dyddiau hyn. O'm rhan fy hun, ni welaf fod cachadur (chwedl Siôn Dafydd Rhys) fymryn gwell am ei fod yn llefaru Cymraeg o ryw fath.[195]

Wrth adolygu *Y Gelfyddyd Gwta* yn *Y Traethodydd*, dyfynnodd Cynan dri englyn yn unig fel tri o englynion goreu'r gyfrol, ac un o'r tri oedd 'Trugaredd'.[196] Fel cyfrannwr achlysurol i'r *Traethodydd*, ac fel darllenwr cyson ohono, mae'n rhaid bod Gwynn wedi darllen yr adolygiad, er mawr ddifyrrwch iddo.

Nid yn faleisus y beirniadai Gwynn eraill wrth drafod llenyddiaeth. Disgwyliai i feirdd a llenorion barchu a dyrchafu'r iaith Gymraeg, fel yntau, a llunio gweithiau o safon er mwyn ei ffyniant a'i pharhad; ond malais yn hytrach na mawl a gâi gan rai o'i gyd-wladwyr. Llythyrau dienw drwy'r post ac yng ngholofnau'r papurau newydd oedd ei dâl am ei gyfraniad helaeth a hael i lenyddiaeth Gymraeg, ac i ysgolheictod a Chymreictod, y ddau fel ei gilydd.

Anfonodd lythyr at Daniel Rees hefyd ar drothwy 1930. Roedd blwyddyn o newyddion ynddo. Soniodd am y tŷ newydd, am farwolaeth ei dad a'i lysfam, am ei deulu ef ei hun ac am ei waith. Dywedodd mai'n anaml iawn y dôi hwyl brydyddu heibio iddo bellach, dim ond ambell bennill yn awr ac yn y man, a chynhwysodd bwt o gywydd yn y llythyr.

Gyda thinc o chwerwedd a siom y daeth y 1920au i ben iddo. A fyddai bywyd yn well yn ei gartref newydd ym mhentref bychan Bow Street?

NODIADAU

1   LLGC EMH, A/2009, llythyr oddi wrth T. Gwynn Jones at E. Morgan Humphreys, Mai 27, 1919.
2   Ibid.
3   Ibid.
4   'Atgofion: Dewi Morgan', *Cyfres y Meistri 3*, t. 122.
5   LLGC TGJ, B129, llythyr oddi wrth T. Gwynn Jones at J. Gwenogvryn Evans, Gorffennaf 5, 1915.
6   LLGC EMH, A/2011, llythyr oddi wrth T. Gwynn Jones at E. Morgan Humphreys, Mehefin 21, 1919.
7   Ibid.
8   Ibid., A/2012, llythyr oddi wrth T. Gwynn Jones at E. Morgan Humphreys, Gorffennaf 10, 1919.
9   Ibid.
10 'Wrth Fynd Heibio', *Y Genedl*, Mehefin 17, 1919, t. 2.
11 LLGC TGJ, G2242, llythyr oddi wrth E. Morgan Humphreys at T. Gwynn Jones, Mehefin 23, 1919.
12 A/2012.
13 Ibid.
14 Gw. *Pris Cydwybod: T. H. Parry-Williams a Chysgod y Rhyfel Mawr,* Bleddyn Owen Huws, 2018, t. 122. Ceir ymdriniaeth lawnach â holl fater y ddwy Gadair yn y llyfr hwn, yn enwedig o safbwynt T. H. Parry-Williams.
15 A/2012.
16 LLGC EMH, A/2013, llythyr oddi wrth T. Gwynn Jones at E. Morgan Humphreys, Gorffennaf 26, 1919.
17 Ibid.
18 Ibid.
19 Ibid.
20 Ibid.
21 LLGC EMH, A/2015, llythyr oddi wrth T. Gwynn Jones at E. Morgan Humphreys, Awst 9, 1919.
22 Ibid.
23 Ibid.
24 Ibid., A/2016, llythyr oddi wrth T. Gwynn Jones at E. Morgan Humphreys, Awst 15, 1919.
25 Ibid., A/2018, llythyr oddi wrth T. Gwynn Jones at E. Morgan Humphreys, Awst 26, 1919.
26 'Cadeiriau Cymreig Coleg Aberystwyth', *Y Cymro*, Hydref 15, 1919, t. 9.
27 Ibid.
28 'New Professors', *The Cambrian News and Merionethshire Standard*, Awst 29, 1919, t. 3.
29 'College Appointments', Ibid., Medi 5, 1919, t. 6.
30 Ibid.
31 'College Appointments', Ibid., Medi 12, 1919, t. 8.
32 'Atgofion: Iorwerth C. Peate', *Cyfres y Meistri 3*, tt. 135–6. Cyhoeddwyd yn wreiddiol yn *Y Llenor*, cyf. XXVIII, rhif 2, Haf 1949.
33 'Rhai Atgofion', *Llais y Lli*, Mai 25, 1966, t. 2.
34 Ibid.
35 Ibid.
36 Ibid.
37 Ibid.
38 'Dic Tryfan', *Cymeriadau*, t. 31.
39 LLGC TGJ, B96, llythyr oddi wrth T. Gwynn Jones at Daniel Rees, Ionawr 4, 1917, atodiad Ionawr 8, 1917.

⁴⁰ 'An Appreciation'/'Noted Welsh Journalist'/'Death of Mr. R. Hughes Williams', *The Cambrian News*, Awst 1, 1919, t. 5.

⁴¹ *Cymeriadau*, t. 35.

⁴² LLGC EMH, A/2028, llythyr oddi wrth T. Gwynn Jones at E. Morgan Humphreys, Mai 4, 1920.

⁴³ 'Dick Tryvan – In Memoriam', *The Western Mail*, Gorffennaf 29, 1919, t. 4; *The Cambrian News and Merionethshire Standard*, Awst 8, 1919, t. 8.

⁴⁴ 'In Memoriam', *Y Darian*, Awst 14, 1919, t. 1. Cyhoeddwyd y cywydd yng ngholofn 'Euroswydd' (E. Prosser Rhys), 'Chwaon o Geredigion', gyda'r dyddiad Gorffennaf 30, 1919, wrth ei gwt.

⁴⁵ 'Eisteddfod Genedlaethol Werinol, 1919'/'Testyn y Goron: Morgan Llwyd o Wynedd'/'Beirniadaeth yr Athro T. Gwyn[n] Jones, M.A.', *Y Darian*, Awst 21, 1919, t. 7.

⁴⁶ Ibid.

⁴⁷ Cystadleuaeth y Cywydd: beirniadaeth T. Gwynn Jones, *Cofnodion a Chyfansoddiadau Eisteddfod Genedlaethol 1920 (Barri)*, Golygydd: E. Vincent Evans, t. 75.

⁴⁸ 'Byd y Bardd a'r Llenor', *Y Darian*, Medi 15, 1921, t. 7.

⁴⁹ 'Iwerddon', *Y Darian*, Hydref 2, 1919, t. 5.

⁵⁰ Ibid.

⁵¹ Ibid.

⁵² Ibid

⁵³ Ibid.

⁵⁴ Bangor MS/19496, llythyr oddi wrth T. Gwynn Jones at R. Silyn Roberts, Gorffennaf 10, 1920.

⁵⁵ Ibid.

⁵⁶ 'Ei[r]e', *The Welsh Outlook*, cyf. VII, rhif 8, Awst 1920, t. 198. Yn rhyfedd iawn, 'Eine' yw teitl y gerdd yn y *Welsh Outlook*, ac fe ailadroddwyd y cam-brint yng nghorff y gerdd.

⁵⁷ 'Yr Ysbryd a'r Corff', *Y Peth nas Lleddir*, 1921, t. 13.

⁵⁸ 'I Leddfu Gofid', Ibid., t. 9.

⁵⁹ Ibid., t. 3.

⁶⁰ LLGC EMH, A/2020, llythyr oddi wrth T. Gwynn Jones at E. Morgan Humphreys, Rhagfyr 20, 1919.

⁶¹ 'Chwaon o Geredigion', *Y Darian*, Tachwedd 27, 1919, t. 1.

⁶² LLGC TGJ, B171, cerdyn post oddi wrth T. Gwynn Jones at John Owen, Mawrth 15, 1921. 'Ar unwaith y gwelai' oedd yr ail linell yn wreiddiol, ac 'Oedd odiaeth a ddywedai' oedd y drydedd linell yn wreiddiol.

⁶³ Gan Vernon Jones, Bow Street, y cefais yr englyn hwn. Roedd Vernon Jones yn gymydog i T. Gwynn Jones ar un adeg.

⁶⁴ *Llenyddiaeth Gymraeg y Bedwaredd Ganrif ar Bymtheg: Llawlyfr at Wasanaeth Darllenwyr*, 1920, t. 34.

⁶⁵ Ibid.

⁶⁶ LLGC EMH, A/2031, llythyr oddi wrth T. Gwynn Jones at E. Morgan Humphreys, Gorffennaf 29, 1920.

⁶⁷ 'Y Dewin', *Cymru*, cyf. LX, 1921, t. 46.

⁶⁸ Bangor MS/19497, llythyr oddi wrth T. Gwynn Jones at R. Silyn Roberts, Rhagfyr 2, 1920.

⁶⁹ Ibid.

⁷⁰ Ibid.

⁷¹ Ibid.

⁷² LLGC EMH, A/2037, llythyr oddi wrth T. Gwynn Jones at E. Morgan Humphreys, Gorffennaf 20, 1921.

73 Ibid.

74 LLGC TGJ, B104, llythyr oddi wrth T. Gwynn Jones at Daniel Rees, Mehefin 14, 1922.

75 Ibid., B102, llythyr oddi wrth T. Gwynn Jones at Daniel Rees, Mai 13, 1921.

76 Nodir yn *Caniadau* mai ym 1920 y lluniwyd 'Ystrad Fflur', ond fe'i cyhoeddwyd yn *The Welsh Gazette*, rhifyn Mehefin 19, 1919, t. 3.

77 LLGC EMH, A/2043, llythyr oddi wrth T. Gwynn Jones at E. Morgan Humphreys, Mai 30, 1922.

78 Cystadleuaeth y Goron: beirniadaeth T. Gwynn Jones, *Cofnodion a Chyfansoddiadau Eisteddfod Genedlaethol 1922 (Rhydaman)*, Golygydd: E. Vincent Evans, t. 17.

79 Ibid.

80 'Cyfres y Werin', *Y Llenor*, cyf. ll, rhif 3, Hydref 1923, t. 198.

81 Ibid., tt. 198–9.

82 Ibid., t. 200.

83 LLGC EMH, A/2049, llythyr oddi wrth T. Gwynn Jones at E. Morgan Humphreys, Rhagfyr 23, 1922.

84 LLGC TGJ, B149, llythyr oddi wrth T. Gwynn Jones at T. O. Jones, Rhagfyr 22, 1922.

85 LLGC EMH, A/2050, llythyr oddi wrth T. Gwynn Jones at E. Morgan Humphreys, Ionawr 1, 1923.

86 Ibid.

87 LLGC TGJ, B131, llythyr oddi wrth T. Gwynn Jones at J. O. Francis, Chwefror 16, 1923.

88 Ibid.

89 *Anrhydedd*, E.P.C. Welsh Drama Series, No. 64, 1923, t. 74.

90 LLGC EMH, A/2054, llythyr oddi wrth T. Gwynn Jones at E. Morgan Humphreys, Gorffennaf 8, 1923.

91 LLGC EMH, A/2052, llythyr oddi wrth T. Gwynn Jones at E. Morgan Humphreys, Ebrill 16, 1923.

92 LLGC TGJ, B132, llythyr oddi wrth T. Gwynn Jones at D. R. Griffiths (Amanwy), Mai 1, 1924.

93 Ibid. Cyhoeddwyd y gerdd yn *Manion*, dan y teitl 'Cyffes', t. 72.

94 LLGC EMH, A/2059, llythyr oddi wrth T. Gwynn Jones at E. Morgan Humphreys, Mehefin 2, 1924.

95 LLGC EMH, A/2060, llythyr oddi wrth T. Gwynn Jones at E. Morgan Humphreys, Mehefin 9, 1924.

96 Ibid.

97 Cystadleuaeth y Gadair: beirniadaeth T. Gwynn Jones, *Cofnodion a Chyfansoddiadau Eisteddfod Genedlaethol 1924 (Pontypŵl)*, Golygydd: E. Vincent Evans, t. 17.

98 Bangor MS/19500, llythyr oddi wrth T. Gwynn Jones at R. Silyn Roberts, Rhagfyr 22, 1924.

99 LLGC EMH, A/2064, llythyr oddi wrth T. Gwynn Jones at E. Morgan Humphreys, Rhagfyr 18, 1924.

100 Bangor MS/19500.

101 'Taliesin, or the Critic Criticised', *Y Cymmrodor*, cyf. XXXIV, 1924, t. 105.

102 LLGC EMH, A/2063, llythyr oddi wrth T. Gwynn Jones at E. Morgan Humphreys, Tachwedd 19, 1924.

103 Ibid., A/2064.

104 Ibid., A/2066, llythyr oddi wrth T. Gwynn Jones at E. Morgan Humphreys, Chwefror 24, 1925.

105 Ibid., A/2067, llythyr oddi wrth T. Gwynn Jones at E. Morgan Humphreys, Mawrth 19, 1925.

106 Ibid.

107 'Cadwraeth yr Iaith', *Y Cymmrodor*, 1924–1925, t. 41.

108 Ibid.

[109] 'T. Gwynn Jones a David de Lloyd', *Cyfres y Meistri 3*, t. 81. Cyhoeddwyd yn wreiddiol yn *Y Traethodydd*, cyf. CXXVI, rhif 538, Ionawr 1971.

[110] Ceir ymdriniaeth ragorol â chyfraniad T. Gwynn Jones i fyd cerddoriaeth yn nhraethawd PHD Elen Ifan, "Y Gelfyddyd Gymodlawn': Gwaith T. Gwynn Jones a Cherddoriaeth', Ysgol y Gymraeg, Prifysgol Bangor, Mai 2017. Ceir copi o'r traethawd ar y we.

[111] 'Notes of the Month', *The Welsh Outlook*, cyf. XII, rhif 9, Medi 1925, t. 228.

[112] T. Gwynn Jones', *Cyfres y Meistri 3*, t. 57. Cyhoeddwyd yn wreiddiol yn *Yr Efrydydd*, Cyfres Newydd, I, 1950.

[113] Ibid.

[114] *Hwb i'r Galon: Atgofion Cassie Davies*, 1973, t. 60.

[115] Ibid., t. 61.

[116] 'Marwolaeth Mr. Humphrey Williams, Bryn-disgwylfa, Dinbych', *Y Faner*, Mawrth 30, 1892, t. 4.

[117] LLGC EMH, A/2072, llythyr oddi wrth T. Gwynn Jones at E. Morgan Humphreys, Medi 26, 1925.

[118] Ibid.

[119] Ibid., A/2074, llythyr oddi wrth T. Gwynn Jones at E. Morgan Humphreys, Hydref 27, 1925.

[120] Ibid., A/2076, llythyr oddi wrth T. Gwynn Jones at E. Morgan Humphreys, Tachwedd 28, 1925.

[121] Ibid., A/2077, llythyr oddi wrth T. Gwynn Jones at E. Morgan Humphreys, Rhagfyr 24, 1925.

[122] Ibid.

[123] 'Cultural Cases: A Study of the Tudor Period in Wales', *Y Cymmrodor*, cyf. XXXI, 1921, t. 173.

[124] 'Rhagair', *Detholiad o Ganiadau*, 1926, t. vi.

[125] Ibid.

[126] Bangor MS/19504, llythyr oddi wrth T. Gwynn Jones at R. Silyn Roberts, Mai 20, 1926.

[127] Ibid.

[128] LLGC EMH, A/2080, llythyr oddi wrth T. Gwynn Jones at E. Morgan Humphreys, Mehefin 21, 1926.

[129] Ibid.

[130] 'Notes of the Month', *The Welsh Outlook*, cyf. XIII, rhif 11, Tachwedd 1926, t. 285.

[131] LLGC EMH, A/2081, llythyr oddi wrth T. Gwynn Jones at E. Morgan Humphreys, Tachwedd 8, 1926.

[132] Ibid.

[133] 'On the Editor's Table'/*Caniadau, The Welsh Outlook*, cyf. XIII, rhif 11, Tachwedd 1916, t. 305.

[134] Ibid., t. 306.

[135] Ibid.

[136] LLGC EMH, A/2081.

[137] '"Caniadau" Gregynog', *Y Faner*, Medi 16, 1926, t. 5.

[138] LLGC EMH, A/2083, llythyr oddi wrth T. Gwynn Jones at E. Morgan Humphreys, Ionawr 11, 1927.

[139] Bangor MS/19502, llythyr oddi wrth T. Gwynn Jones at R. Silyn Roberts, Rhagfyr 30, 1925.

[140] LLGC EMH, A/2089, llythyr oddi wrth T. Gwynn Jones at E. Morgan Humphreys, Gorffennaf 1, 1927.

[141] Ibid., A/2088, llythyr oddi wrth T. Gwynn Jones at E. Morgan Humphreys, Mehefin 19, 1927.

[142] CRG, 'Manion', 1927.

[143] Ibid.

[144] LLGC EMH, A/2093, llythyr oddi wrth T. Gwynn Jones at E. Morgan Humphreys, Ionawr 22, 1928.

[145] 'Argoed', *Caniadau*, tt. 105–6.

[146] Ibid., tt. 106–7.

[147] Ibid., t. 108.

[148] Ibid., t. 109.

[149] Ibid., tt. 110–111.

[150] Ibid., t. 111.

[151] LLGC EMH, A/2104, llythyr oddi wrth T. Gwynn Jones at E. Morgan Humphreys, Mai 2, 1929.

[152] Ibid., A/2082, llythyr oddi wrth T. Gwynn Jones at E. Morgan Humphreys, Tachwedd 16, 1926.

[153] Ibid., A/2139, llythyr oddi wrth T. Gwynn Jones at E. Morgan Humphreys, Chwefror 25, 1937.

[154] Ibid., A/2092, llythyr oddi wrth T. Gwynn Jones at E. Morgan Humphreys, Rhagfyr 22, 1927.

[155] Mae'r ddwy gyfrol yn awr ym meddiant awdur y cofiant hwn.

[156] 'Cân Anghyffredin', *Y Faner*, Mawrth 9, 1928, t. 6; 'Hen Fynwent', *Manion*, t. 150.

[157] Bangor MS/19260, llythyr oddi wrth T. Gwynn Jones at David Thomas, Mawrth 9, 1930.

[158] Ibid.

[159] LLGC EMH, A/2095, llythyr oddi wrth T. Gwynn Jones at E. Morgan Humphreys, Ebrill 18, 1928.

[160] Ibid.

[161] Ibid.

[162] LLGC EMH, A/2096, llythyr oddi wrth T. Gwynn Jones at E. Morgan Humphreys, Ebrill 25, 1928.

[163] 'A Foot-note to "Prejudiced History"', *The Welsh Outlook*, cyf. XV, rhif 6, Mehefin 1928, t. 149.

[164] LLGC EMH, A/2098, llythyr oddi wrth T. Gwynn Jones at E. Morgan Humphreys, Mehefin 14, 1928.

[165] Ibid.

[166] Ibid.

[167] Ibid., A/2100, llythyr oddi wrth T. Gwynn Jones at E. Morgan Humphreys, Hydref 1, 1928.

[168] Ibid.

[169] Ibid., A/2101, llythyr oddi wrth T. Gwynn Jones at E. Morgan Humphreys, Rhagfyr 23, 1928. Llun 101, t. 57, yn *Bro a Bywyd* yw'r llun.

[170] Ibid., A/2103, llythyr oddi wrth T. Gwynn Jones at E. Morgan Humphreys, Mawrth 22, 1929.

[171] 'Y Tro Olaf', *Manion*, t. 98.

[172] Ibid.

[173] LLGC EMH, A/2103, llythyr oddi wrth T. Gwynn Jones at E. Morgan Humphreys, Mawrth 22, 1929.

[174] CRG, llythyr oddi wrth T. Gwynn Jones at Thomas Jones, Mehefin 26, 1929.

[175] Ceredig Gwynn a roddodd imi'r union wybodaeth ynghylch lleoliad carreg fedd y ddau. Nodir ar y garreg mai ar Fawrth 13 y claddwyd y ddau, ond nid cywir hynny.

[176] LLGC EMH, A/2102, llythyr oddi wrth T. Gwynn Jones at E. Morgan Humphreys, Ionawr 23, 1929.

[177] Ibid.

[178] Ibid., A/2104, llythyr oddi wrth T. Gwynn Jones at E. Morgan Humphreys, Mai 2, 1929.

[179] 'John Morris-Jones', *Cymeriadau*, tt. 89–90.

[180] Ibid., t. 101

[181] LLGC EMH, A/2105, llythyr oddi wrth T. Gwynn Jones at E. Morgan Humphreys, Gorffennaf 10, 1929.

[182] LLGC TGJ, B152, llythyr oddi wrth T. Gwynn Jones at T. O. Jones, Rhagfyr 20, 1929.

[183] Ibid.

[184] LLGC EMH, A/2108, llythyr oddi wrth T. Gwynn Jones at E. Morgan Humphreys, Rhagfyr 31, 1929.

[185] Ibid.

[186] 'Nadolig Llawen!', *Llyfr Nia Fach*, 1932, t. 3.

[187] LLGC EMH, A/2108,

[188] 'Trugaredd', *Y Gelfyddyd Gwta*, y Gyfres Ddeunaw, rhif 1,1929, t. 52; *The Oxford Book of Welsh Verse*, 1962, rhif 144, t. 272. Ceir fersiwn arall hefyd o'r pennill, a hwnnw hefyd yn waith rhyw fardd anhysbys:

> Yma y gorwedd Dai Morgan Puw,
> Trugarha wrtho, O Arglwydd Dduw,
> Fel pe bai yntau yn Arglwydd Dduw
> A thithau, O Arglwydd, yn Dai Morgan Puw.

[189] 'Caru Aur', *Y Gelfyddyd Gwta*, t. 13.

[190] 'Cegwm', Ibid., t. 37.

[191] 'Rhagair', Ibid., t. 8.

[192] 'Gwedi Gwin', Ibid., t. 44.

[193] 'Rhagair', Ibid., t. 6.

[194] LLGC EMH, A/2108.

[195] Ibid.

[196] Adolygiad ar *Y Gelfyddyd Gwta*, *Y Traethodydd*, cyf. LXXXV, rhif 375, Ebrill 1930, t. 126.

Pennod 10

RHUFAWN
ARBROFI A CHYFLAWNI
1930–1938

Ar ddechrau'r 1930au, cafodd Gwynn orchwyl arbennig, fel yr eglurodd wrth ei gyfaill David Thomas:

> Am y "Sgolor Mawr," dyma'r hanes. Daeth i ben Mr. J. W. Jones, o Ffestiniog, osod carreg ar ei fedd yn Llangernyw. Yr oedd Mr. Jones a chyfaill iddo, nad wyf yn sicr o'i enw, yn talu am y garreg a'i gosod. Gyrrodd Mr. Jones, sy'n gyfaill i minnau, ataf i ofyn a gâi ryw ddwy linell gennyf i'w dodi ar y maen. Gwneuthum innau'r ddwy a gawsoch, ac o gywilydd noeth leied y peth wrth a wnâi'r ddau chwarelwr, telais am dorri'r argraff, ar yr amod nad oeddis i gyhoeddi hynny, na dodi f'enw ar y maen (fel y byddis weithiau'n mynnu gwneuthur!) Aeth rhyw offeiriad gyda'r ddau chwarelwr, ar ddiwrnod gwlyb aruthr, i godi'r maen ar y bedd, ac amharchodd yr offeiriad fy nymuniad (yn ddifeddwl, efallai), drwy ddanfon yr hanes i un o bapurau'r Saeson. Felly, hyd y gwn, yr aeth yr epigram ar led, ac fe'i cododd rhai o'r papurau Cymraeg wedyn. So, "the best-laid schemes of mice & men gang aft agley!" ... Ymddangosai i mi mai dwy linell fach syml ddi-enw yn unig a weddai ar y maen hwnnw, a godwyd yn y glaw mawr ar fedd truan gan ddau werinwr nad oedd arnynt eisiau sylw at eu gwaith. Och ni yng Nghymru am wŷr bonheddig felly, yn lle'r taclau llygad-y-geiniog sy'n llywodraethu ac yn rhedeg pob peth yn ein plith![1]

A hwn oedd y pennill a dorrwyd ar feddfaen Robert Roberts, er mai ym 1927 y cafodd ei lunio:

> Byr fu ysblander y bore;
>
> diweddwyd y dydd mewn cymylau.
>
> Hyn, gan ryw estron galonnau,
>
> er cof am y gwynfyd a'r cur.[2]

'Y Sgolor Mawr' y gelwid Robert Roberts, yr offeiriad a'r ysgolhaig a aned yn Llanddewi (Pandy Tudur), Sir Ddinbych, ym 1834, ac a fu'n gurad yn y Cwm, ger Diserth, ymhlith lleoedd eraill, ac yn athro preifat ym Metws-yn-Rhos, Abergele, am dair blynedd. Bu farw ym 1885.

Roedd y newid aer wedi gwneud lles iddo. 'I am better in health than I have ever been, I think, & working in the garden is a great consolation. I grafted roses to-day, & forked up potatoes,' meddai wrth Daniel Rees.[3] Er hynny, câi ei blagio o hyd gan rai pethau, ei byliau o anffyddiaeth, yn un peth. Trwy'i fywyd, bu'n pendilio rhwng anffyddiaeth a ffydd, rhwng gwadu a chredu. 'My Unfaith, I suppose, is incurable. I have tried to get rid of it in various ways. It always comes back, but does not trouble me much,' meddai eto wrth Daniel.[4] Bron nad oedd symud i gartref newydd yn argoeli gyrfa a bywyd newydd. Roedd ei lyfr, *Welsh Folk-lore and Folk-custom*, newydd gael ei gyhoeddi gan gwmni Methuen yn Llundain. Roedd y cyhoeddwyr yn fodlon iawn ar werthiant y llyfr. 'I can have any work I may write published in England now,' meddai'n obeithiol.[5] Treuliodd y rhan fwyaf o fis Gorffennaf 1930 gydag Eluned a'i theulu:

> I was in London for 3 weeks in July – I gave an address to the Celtic Congress on Folklore. Eluned, who is married & has a wonderful little daughter, lives at North Wembley ... Her husband is a Civil Servant, & was recently transferred from Wrexham to the Ministry of Labour. He works at an office they have opposite St. James' Station, facing Epstein's monstrosity. He is an economist, with good literary taste & training ...[6]

'Epstein's monstrosity' oedd cerflun Jacob Epstein, *Dydd*, y cerflunydd a gyhuddwyd gan artistiaid a beirniaid o hyrwyddo cwlt hagrwch. Ni charai Gwynn foderneiddiwch mewn celfyddyd.

Prin y gwyddai ar y pryd mai degawd o brofedigaethau fyddai'r 1930au iddo, degawd o golli cyfeillion agos, o un i un. Silyn oedd y cyntaf i ymadael. Bu farw ar Awst 15, yn 59 oed. Lluniodd Gwynn farwnad deimladwy a diffuant er cof am ei gyfaill, un o'i gyfeillion agosaf oll:

Buraf cydymaith y bore ysblennydd
　　nas blinai trallodion,
Diddan gynghorwr y dyddiau blin
　　pan aeth bywyd yn bla;
Hael dy farn ym mhob helynt,
　　tirion lle byddai grasterau,
Gwelaist mai un, yn y gwaelod,
　　yw difrif a digrif dyn;
Agos er pellter ac eigion,
　　cyson bryd bynnag y ceisid,
Tawel yng nghanol pob tywydd,
　　dewr hyd ddiwedd y daith.[7]

Bu mis Rhagfyr 1930 yn fis rhyfeddol o brysur iddo. Cafodd Rowland Thomas, Hughes a'i Fab, y syniad o gyhoeddi cyfres o chwech o gyfrolau unffurf ac urddasol o ran diwyg o eiddo Gwynn, a gofynnodd iddo ddechrau casglu ei waith ynghyd ar gyfer y gyfres. Casglwyr a chyfoethogion yn unig a allai afforddio prynu *Detholiad o Ganiadau* Gregynog, ac roedd angen cyhoeddiad rhatach o'i ganiadau ar gyfer y cyhoedd llengar a darllengar. Nid yr un fyddai'r ddwy gyfrol o ran cynnwys, wrth gwrs. Byddai'r gyfrol newydd yn cynnwys 'Argoed', er enghraifft, cerdd a luniwyd ar ôl iddo gyhoeddi casgliad Gregynog, a sawl cerdd arall. Erbyn canol mis Rhagfyr roedd wedi casglu deunydd ar gyfer pump o'r cyfrolau, ond roedd angen mwy o amser arno i gywain y deunydd ynghyd ar gyfer y *Caniadau* newydd.

Ar ddiwrnod olaf 1930, roedd yn taranu yn erbyn y Cymry a siaradai gymysgiaith o'r Gymraeg a'r Saesneg. 'O'm rhan fy hun, yr wyf wedi gorffen ysgrifennu i boblach o'r fath,' meddai.[8] Roedd sefyllfa'r iaith Gymraeg yn ei ddigalonni o hyd, ac yn ei wylltio. Y Cymry eu hunain oedd lleiddiaid yr iaith.

Felly, rhwng popeth, cafodd gychwyn addawol i'r 1930au, o gofio hefyd fod opera David de Lloyd, *Tir na n-Óg: an opera in three acts*, wedi ei chyhoeddi ym 1930. Cyhoeddodd hefyd yr un flwyddyn ddetholiad o waith Talhaiarn, hen gyfaill ei daid ar ochr ei fam, *Talhaiarn: Detholiad o Gerddi*, yr ail gyfrol yng Nghyfres Deunaw Gwasg Aberystwyth. Mewn gwirionedd, *Y Gelfyddyd Gwta* oedd y gyfrol gyntaf yn y gyfres.

Ni chafodd y flwyddyn 1931 gychwyn addawol, fodd bynnag:

Ddydd Calan, cefais i annwyd a ddaliodd ataf am dros ddeufis. Cafodd Wynn y *flu* yn Llundain, ac yr oeddynt heb forwyn. Aeth fy ngwraig yno. Wrth ddychwel ymhen pythefnos cafodd hithau adwyth a bu yn ei gwely am bythefnos ... Yna cafodd Eluned y *flu* ac ias o'r pneumonia.[9]

Roedd Gwynn yn dechrau heneiddio ac yn dechrau teimlo edifeirwch am rai pethau yn ei orffennol:

> ... y mae bywyd yn dechreu mynd yn faich yn aml, iechyd, na bu erioed arno lawer o gamp, yn mynd yn haws i'w fwrw oddiar ei echel, a dyn bellach yn sylweddoli llawer o gamgymeriadau'n cyfnod ni, cyfnod pawb yn "feistr ar ei enaid ei hun", cyfnod cryn ffyliaid, wedi'r cwbl. Nid heb dalu'r doll y dibrisir y pethau a ddysgodd profiad yr oesoedd, ac er fy mod yn burion gwrthryfelwr gynt, y mae bellach yn wrthun gennyf lanceiddiwch y cyfnod, hyd yn oed er i mi (diolch i'm Groeg a'm Lladin!) ddianc rhag rhai o'i gampau dylaf.[10]

Roedd un o'i blant, Eluned, uwchben ei digon. Roedd yn hapus yn ei phriodas ac yn fam i Nia, a oedd bron yn deirblwydd oed. Ond pryderai Gwynn am un arall o'i blant, Llywelyn. Ysgrifennodd at Daniel Rees ganol mis Chwefror, 1931. 'Ymddengys,' meddai wrth Daniel Rees, 'fod y "Council for the Preservation of Rural Wales" yn sôn am benodi trefnydd ... ac yr wyf yn deall bod enw fy mab ieuengaf, Llywelyn ap Gwynn, wedi ei awgrymu'.[11] Diben y llythyr oedd gofyn i'w gyfaill gael gair gydag aelod blaenllaw o'r Cyngor ynghylch cais Llywelyn am y swydd:

> Cafodd hyfforddiad mewn celfyddyd am ddwy flynedd yng Ngholeg Aberystwyth, ac y mae ganddo drwydded i ddysgu drawing &c. Yna, bu ddwy flynedd yn y Technical College yng Nghaerdydd yn astudio *Architecture*, ond oherwydd gwendid yn ei fraich chwith sydd heb y *deltoid muscle*, bu raid iddo roi'r goreu i'r pwnc – buasai dringo adeiladau uchel a gwneuthur mesuriadau &c yn berigl bywyd iddo, ac ni châi mo'i ddiploma heb hynny. Bu wedyn yn y Llyfrgell Genedlaethol, lle cafodd beth profiad gyda *drawings*, mapiau, &c. Y mae'n fachgen hoffus gan bawb ...[12]

Ond parhau â'i yrfa fel pensaer a wnaeth Llywelyn yn y pen draw.

Roedd Gwynn yn ymweld â'i ferch Eluned yn Llundain eto ddiwedd mis

Mawrth 1931, a hynny am reswm arbennig. 'Y mae gan Eluned fab bach, deufis oed eisoes, Emrys y gelwir, ac y mae hi ac yntau yn ffynnu'n dda iawn,' meddai wrth Daniel Rees ym mis Gorffennaf 1931.[13] Roedd Gwynn yn daid am yr eildro. Gwelodd Daniel Rees hefyd yn Llundain, a hynny efallai am y tro olaf.

Ym Mangor y cynhaliwyd Eisteddfod Genedlaethol 1931. Yn rhyfedd iawn, o gofio iddo ennill y Gadair yn Eisteddfod Bangor bron i ddeng mlynedd ar hugain ynghynt, ni ofynnwyd iddo feirniadu cystadleuaeth y Gadair ym 1931. Gofynnwyd iddo feirniadu un o gystadlaethau'r traethodau a hefyd y gystadleuaeth arbennig i lunio awdl er cof am John Morris-Jones, ac ef hefyd oedd y Llywydd fore dydd Gwener yr Eisteddfod. 'Rhyfedd yw meddwl bod naw mlynedd ar hugain er pan ymadawodd Arthur! Prudd fydd yr achlysur i mi, a chynifer o'm hen gyfeillion wedi mynd nas gwelir mwy,' meddai wrth Morgan Humphreys.[14]

Ac yna, ar Dachwedd 8, 1931, yn St Mary Cray yng Nghaint, bu farw Daniel Rees. Aeth Gwynn i'r angladd a manteisiodd ar ei gyfle i fynd i weld Eluned a'i theulu. Dau begwn bywyd: y newydd-anedig a'r ymadawedig. Rhaid mai gyda theimladau cymysg yr aeth i weld ei ŵyr a'i wyres y mis Tachwedd hwnnw. Llifai atgofion am ei ddyddiau cynnar yng Nghaernarfon yn ôl. Gwynn, wrth gwrs, a luniodd y 'Rhagdraith' i *Dwyfol Gân Dante* ym 1903, a dyna un o'r pethau a gofiai ar ôl marwolaeth ei gyfaill:

> O'i holl hoffterau, efallai mai Dante oedd y pennaf. Ni wn yn fanwl pa bryd y dechreuodd droi'r *Divina Commedia* i'r Gymraeg, ond yr oedd yn tynnu at orffen y gwaith pan ddeuthum i'w adnabod gyntaf, a rhaid ei fod wrthi ers blynyddoedd. Gofynnodd i mi ryw noswaith, pan wyliem yr Eifl megis ar dân ym machlud haul, a ddarllenswn i Dante. Cyfaddefais nas darllenswn. Diwedd yr ymddiddan fu iddo ofyn i mi a ddarllenwn drwy ei gyfieithiad fel y byddai yntau'n ei baratoi. Pan ddywedais na fedrwn i ddim Eidaleg, meddai yntau, "O, fe'ch dysg eich Lladin." Darllenais y cyfieithiad o ganiad i ganiad, ochr yn ochr â'r gerdd gysefin, ac er fy syndod, cefais fy mod yn dysgu Eidaleg heb yn wybod i mi fy hun.[15]

Ym Mehefin 1932, bu'n rhaid i Megan gael llawdriniaeth arall. Erbyn y Nadolig, fodd bynnag, yr oedd yn well nag y bu ers amser, meddai Gwynn mewn llythyr at ei gyfaill Syr J. Herbert Lewis, ac roedd pethau'n edrych yn addawol at y flwyddyn newydd. Dywedodd yr un peth wrth Morgan Humphreys, ond roedd y driniaeth wedi ei gadael yn fusgrell, a blinai yn hawdd.[16]

Tua blwyddyn ar ôl iddo golli Daniel Rees, collodd Gwynn gyfaill arall. Ar

Hydref 31, 1932, bu farw Thomas Jones, Cerrigellgwm. Gwerinwr diwylliedig a aned yn Nhyn-y-gors, Nantglyn, Sir Ddinbych, ym 1860 oedd Thomas Jones. Symudodd i Gerrigellgwm Isa, Ysbyty Ifan, ym 1912, ac yno yr arhosodd hyd ei farwolaeth. Yn ogystal â barddoni, roedd ganddo ddiddordeb mawr mewn cerdd dant. Cyhoeddodd ei gyfrol gyntaf o gerddi, *Caneuon*, ym 1902; ym 1930 cyhoeddodd *Beirdd Uwchaled*, a *Pitar Puw a'i Berthynasau* ym 1932. Mae'n sicr mai ar un o'i fynych ymweliadau â bro Hiraethog y cyfarfu Gwynn â Thomas Jones. Roedd y llinyn cyfeillgarwch rhwng y ddau wedi ei glymu'n dynn, ac ymestynnai'r llinyn hwnnw ymhell bell i'r gorffennol. Byddai'n cofio yn ei lythyrau at Thomas Jones am y troeon aml a gawsent gynt ar Fynydd Hiraethog, fel y tro a gafwyd un haf rywbryd cyn diwedd y Rhyfel Mawr, a chael yno dawelwch yng nghanol diawlineb y rhyfel:

> O! am ddyddiau Gorffennaf ar Fynydd Hiraethog, dyddiau heulog a hirion a thirion a thawel, a chyfaill wedi cerdded o Ysbyty Ifan i Bentre Llyn Cymer i edrych am ddyn, a chael ymgom hir am bethau a garo dyn! Nid oes ond rhyw dair blynedd ar ddeg er hynny, ac eto mor bell yr edrych! A ninnau'n mynd i rywle, heb aros eiliad na dydd na nos.[17]

Cyhoeddwyd *Pitar Puw a'i Berthynasau* gan wasg Prosser Rhys, Gwasg Aberystwyth. Mewn gwirionedd, hon oedd y drydedd gyfrol yn 'y Gyfres Ddeunaw', ar ôl i gyfrol Gwynn, *Y Gelfyddyd Gwta*, roi cychwyn addawol i'r gyfres. Roedd Thomas Jones wedi gofyn i Prosser Rhys ofyn i Gwynn lunio rhagair byr i'r gyfrol, a chydsyniodd Gwynn. Anfonodd Prosser Rhys y cerddi at Gwynn, ac ni allai ond eu canmol:

> Neithwyr, darllenais holl hanes "Pitar Puw a'i berthynasau." Ac ar fy ngair gwir, od oes un bardd i'w gael yng Nghymru heddiw, yng Ngherrig Ellgwm y mae hwnnw'n byw. Ni sgrifennwyd yn Gymraeg ddim byd tebig ers canrif a hanner neu ddwy ganrif, na phethau cystal, mor wreiddiol a nodedig ag sydd yma, hyd yn oed yr adeg honno. Nid oes neb arall yng Nghymru heddiw a fedrai ganu'r pethau hyn – dim un.[18]

Awgrymodd Gwynn rai gwelliannau gramadegol iddo, ac fe'u derbyniwyd. Cynhwyswyd yn yr un llythyr gerdd yr oedd Gwynn wedi ei llunio i ddathlu cyfeillgarwch clòs y ddau Domos, gan eu portreadu fel dau ysbryd yn ymweld â'i gilydd:

> Mae'r gwynt yn oer yn Sir Aberteifi heno,
>   Mawrth yn peledu'r ffenestri â'i gerain gwyllt –
> A'm hysbryd innau yn cerdded o Sbyty Ifan
>   At Gerrig Ellgwm hyd lwybrau defaid a myllt;
> Gyfaill, pan godi dy ben yn sydyn a gwrando,
>   Gwybydd mai f'ysbryd i oedd yn hollti'r gwynt,
> Minnau yn syllu i'r tân yn Sir Aberteifi –
>   Fu d'ysbryd dithau fan yma, ryw ddau funud cynt ...?[19]

'Dyma waith meddwl iach mewn corff iach, barddoniaeth gynnil dynoliaeth hael,' meddai Gwynn yn ei ragair i'r gyfrol.[20]

Yn ystod gwyliau Nadolig 1932 roedd Gwynn yn hynod o brysur yn cyfieithu drama-basiant Hugo von Hofmannsthal, *Jedermann* (*Pobun*), o'r Almaeneg i'r Saesneg ar gais Pwyllgor Eisteddfod Genedlaethol Wrecsam. Bwriad y Pwyllgor oedd ei lwyfannu yn y Pafiliwn yn ystod wythnos yr Eisteddfod.

Ym mis Tachwedd 1931 aeth Gwynn i angladd Dr John Sampson, 'yr ysgolhaig Romani pennaf yn Ewrop'.[21] Ar Dachwedd 21, gwasgarwyd llwch John Sampson ar ddaear y Foel Goch, mynydd bychan ger pentref Llangwm sy'n ffinio â Meirionnydd. Yn yr angladd hefyd yr oedd yr arlunydd Augustus John, cyfaill pennaf John Sampson. Roedd gan Gwynn, wrth gwrs, ddiddordeb mawr mewn sipsiwn ac yn eu hiaith, y Romani.

Ond am iaith arall y pryderai, ei iaith ei hun. Roedd Cymraeg y papurau newydd, *Y Cymro* yn enwedig, yn drychineb. Roedd *Y Faner* yn well o dipyn, ond digon anllythrennog oedd y papur hwnnw hefyd ganddo. Dyma'r papurau y bu Gwynn yn eu golygu mewn oes arall, ac mewn byd arall, a gofid iddo oedd gweld y dirywiad yng Nghymraeg y papurau hyn. A chafodd bwl arall, yn ei ddigalondid, o ddyheu am adael Cymru am byth, ac o deimlo, unwaith yn rhagor, ei fod wedi gwastraffu ei fywyd:

> Carwn dreulio gweddill fy nyddiau yn rhywle ymhell o Gymru, a thrawo ar ryw bwnc a gymerai fy nwyd fel na chofiwn byth mwy ddim amdani – felly y byddaf yn teimlo yn aml, aml. Y mae'n holl fywyd ni wedi mynd yn ofer.[22]

Roedd Gwynn wastad yn chwilio am her newydd, am rywbeth newydd i fynd â'i fryd. Roedd ganddo feddwl aflonydd, ymholgar, a buan y gallai ddiflasu ar yr un hen bethau. Yn union fel yr oedd yn chwilio am ryw bwnc newydd i gymryd ei nwyd ym 1933, roedd yn dyheu am yr un peth bum mlynedd yn ddiweddarach.

'Y gwir amdani yw fy mod wedi blino ar bethau, a bydd yn rhaid i mi ymgladdu mewn rhywbeth newydd cyn hir!' meddai wrth Morgan Humphreys.[23]

Cyhoeddwyd ysgrif ar waith Gwynn, 'Dysgeidiaeth yr Athro T. Gwynn Jones', gan D. Miall Edwards yn rhifyn Gwanwyn 1933 o'r *Llenor*. Nid oedd y gyfrol *Caniadau* wedi cael ei chyhoeddi ar y pryd, ac ar y cerddi yn *Manion* y canolbwyntiodd Miall Edwards yn bennaf. Tipyn o ysgegfa oedd yr ysgrif i Gwynn. 'Ni synnodd neb fwy at fy "Nysgeidiaeth" na mi fy hun,' meddai, gan ryfeddu na allai'r 'athronyddion yn eu byw ddeall y celfyddion'.[24] Wrth Tegla y dywedodd hyn. Gyda chyhoeddi *Caniadau*, cafodd Gwynn gyfle i ddangos bod D. Miall Edwards yn cyfeiliorni. 'Gan nad ŷnt onid cais i fynegi profiadau, digon croes i'w gilydd yn aml, heb un cais i'w cysoni wrth ofynion un broffes, fe wêl y cyfarwydd mai ofer ceisio ynddynt na dysgeidiaeth nac athroniaeth,' meddai yn ei ragair i'r gyfrol.[25]

Nododd yn yr un llythyr at Tegla fod Arthur wedi priodi ers rhyw dair wythnos â 'merch fach garedig iawn o'r Rhondda'.[26] Gwraig Arthur oedd Catherine Eluned Isaac, a fu'n fyfyrwraig ym Mhrifysgol Cymru, Caerdydd.

Cafwyd dau berfformiad o *Pobun* yn Eisteddfod Wrecsam. Noddwyd y fenter gan yr Arglwydd Howard de Walden, un o garedigion mwyaf y ddrama Gymraeg ar y pryd, a chyflogodd Dr Stefan Hock, y cyfarwyddwr drama enwog o Awstria, i gyfarwyddo'r ddrama. Yn ôl y *Western Mail*, ar drothwy'r perfformiad:

> "Everyman" will be a landmark in the history of Welsh drama, and Lord Howard de Walden deserves the warm thanks of all lovers of Welsh culture. It is due to him that "Everyman" will be performed to-morrow night. Without him "The Pretenders" would not have been staged at Holyhead. Without him the Welsh National Theatre Movement would be safely buried away, instead of being a lively youngster ... He is also making Wales known to the world. Bernard Shaw, Dame Sybil Thornd[i]ke, Lilian Baylis, Phyllis Neilson Terry, and St. John Ervine will be present at the performance ...[27]

Roedd y perfformiad i'w gymharu â'r perfformiad o ddrama Ibsen, *Yr Ymhonwyr*, yng Nghaergybi ym 1927, er i E. Morgan Humphreys gwyno nad oedd y pafiliwn enfawr, a ddaliai 12,000 o bobl, yn hollol addas ar gyfer llwyfannu drama uchelgeisiol o'r fath; ond er iddo fethu clywed y rhan fwyaf o'r ddeialog, 'even without the words, the spectacle itself was a thing to remember, and the whole production and the acting certainly reached a standard to which we are too little accustomed on the Welsh stage,' meddai.[28] Beirniadwyd y bwriad i lwyfannu drama-basiant estron a chostus o'r fath yn y wasg cyn yr Eisteddfod, ond canmolwyd y perfformiad gan neb llai na'r actores enwog Sybil Thorndike:

> It was one of the most wonderful things, if not the most wonderful thing, I have ever seen in my life. I was carried away by it. It was beautiful. I find it hard to believe that the members of the cast were not all professional actors. They were born for the stage. As for Clifford Evans, I think he has a brilliant future.[29]

'Wrexham will be distinguished in Eisteddfodic history by its spectacular performance of "Everyman" and its linking up with mediæval drama – the drama of the simple people,' meddai beirniad drama'r *Western Mail*.[30]

Canmolwyd cyfieithiad Gwynn gan amryw, gan gynnwys Stefan Hock, a aeth ati i ddysgu cymaint o Gymraeg ag a fedrai. Roedd cyfieithiad Gwynn yn un graenus, yn ôl ei arfer, a llwyddodd i Gymreigio'r caneuon Almaeneg yn y ddrama drwy ddefnyddio cyffyrddiadau o gynghanedd, eto yn ôl ei arfer wrth gyfieithu, yn y gân 'Gwanwyn', er enghraifft:

> Pan ddêl gwanwyn drwy y dolau,
> Pan ddêl gwên y gwanwyn;
> Bydd y dydd yn deg a golau,
> Pan ddêl gwên y gwanwyn;
> Cân yr adar, gwên y blodau,
> Pob peth byw,
> Hoen a gawn o wên y gwanwyn,
> Hoen, hoen, hyfryd hoen,
> Gwanwyn hardd a gawn yn hoen.[31]

Roedd Gwynn hefyd yn un o feirniaid cystadleuaeth y Gadair yn Wrecsam, ar y cyd â J. J. Williams ac R. Williams Parry. Edgar Phillips (Trefin) a enillodd a Gadair honno.

Ddiwedd y flwyddyn, cafodd gyfle yn y *Welsh Outlook* i fwrw'i linyn mesur dros gyflwr llenyddiaeth Gymraeg yn ystod yr ugain mlynedd rhwng 1914, y flwyddyn y cyhoeddwyd y rhifyn cyntaf o'r cylchgrawn, a 1934, ac y mae'n sicr fod un neu ddau o'i sylwadau wedi cythruddo rhai beirdd a llenorion, beirdd eisteddfodol yn enwedig. Prin oedd y llwyddiannau ym myd cystadleuaeth, meddai, ac ni ellid disgwyl dim byd arall:

Within the period there have been few of the odes and longer poems –
barely half a dozen – which stand above the level of the barren rhetoric
so common during the last century, but it must be admitted that there
has been an improvement in the handling of the language and that quite
a facility for alliteration and versification is found among competitors.
It may be held that much more cannot be expected, especially from
competitors who must generally be young, and some critics have openly
declared that in such competitions one can hardly look for anything
beyond exercises showing varying degrees of promise.[32]

Canmolodd awdl 'Yr Haf' R. Williams Parry, oherwydd bod ynddi, yn un
peth, weledigaeth wreiddiol, ac un o brif wendidau barddoniaeth ar y pryd
oedd diffyg gweledigaeth a diffyg gwreiddioldeb. Clodforodd hefyd *Ysgrifau*
T. H. Parry-Williams: 'Parry Williams has given us the thing without the imitation,
a performance of rare originality and excellence'.[33] Ym myd rhyddiaith, y prif
lwyddiannau oedd *Gŵr Pen y Bryn*, Tegla Davies, a rhai gweithiau llai ganddo, a
Monica, Saunders Lewis. Nododd mai ei gyfaill Richard Hughes Williams oedd
sylfaenydd y stori fer yng Nghymru, ond bellach roedd y stori fer wedi cyrraedd
ei llawn anterth yng ngwaith Kate Roberts.

O safbwynt y dyfodol, roedd angen deffroad newydd o ryw fath, rhywbeth
newydd mwy cyffrous a gwahanol, ac osgoi materoldeb y bywyd modern ar yr un
pryd:

... with regard to all forms of literature, we are probably not going to do
much until we have a fresh awakening of some kind, a new interest in
life, which will enable humanity once more to escape from the death-
trap of mechanized materialism.[34]

A oedd eisoes wedi sylweddoli bod angen rhyw ysgogiad newydd neu ryw bwnc
newydd i'w sbarduno yntau hefyd? Pa un a wyddai hynny ai peidio, roedd ar fin
troi dalen newydd yn ei fywyd, a honno'n ddalen ryfeddol o gyffrous a fyddai'n
llenwi tudalennau eraill yn llyfrau'r dyfodol.

Roedd 1934 yn flwyddyn hynod o bwysig iddo, a hynny am dri rheswm. Y prif
reswm yw'r ffaith mai ym 1934 y cyhoeddwyd y gyfrol bwysicaf yng nghyfres
Wrecsam, *Caniadau,* cyfrol a gynhwysai gerddi a oedd yn gyfraniad iasol ac oesol i
lenyddiaeth Gymraeg. Roedd *Manion* eisoes wedi ymddangos, ym 1932, sef casgliad
o ddarnau byrrach Gwynn gan mwyaf, a chyfrol ragorol ar ben hynny. Cyflwynodd

y gyfrol i Rowland Thomas, 'oedd a chanddo ddigon o ffydd i fynnu cyhoeddi'r Manion hyn'.[35] Cyhoeddwyd yr ail gyfrol yng nghyfres Wrecsam, *Cymeriadau*, ym 1933. Cyflwynodd hon i'w hen gyfaill J. Herbert Roberts, Arglwydd Clwyd, 'er cof am a ddysgais ganddo gynt'.[36]

Cynhwyswyd y prif gerddi i gyd yn *Caniadau*. Ac eto, cafodd Gwynn ei synnu pa mor arwynebol oedd rhai o'r adolygiadau. Ac er iddo gyhoeddi campwaith o gyfrol, ymwyleiddio a wnâi, yn hytrach nag ymffrostio:

> A'r peth digrif yw na honnais erioed fy hun fod arnaf un awydd fy nghyfrif hyd yn oed yn "fardd" – diolch i'r Arglwydd am gymaint â hynny o'm hadnabod fy hun – nid wyf fi ond un yr aeth ei nwyd gelfyddyd i rigol mydr a thrin geiriau pryd nad oedd yng Nghymru fodd i nwyd felly gael hyd i un rhigol arall – llosgais ddwy gyfrol o *experiments* bachgendod, gan mwyaf yn Saesneg, pan oeddwn tuag un ar hugain oed, ac ni ddechreuais arni wedyn nes oeddwn tua 26, pryd, fel y bu waethaf i mi, y troais i'r Gymraeg, pan oedd fwy fy hyder na'm gwybod ... Er maint yr hoffter at drin geiriau a rhythm, fe sgrifennais gymaint ddengwaith o bros ag a sgrifennais o brydyddiaeth, mi gredaf, a gwell stwff hefyd o ran hynny, hyd yn oed i'm plesio fy hun bellach.[37]

Dyma gyffes ingol, cyffes dyn a ddadrithiwyd i'r eithaf gan y wlad y gweithiodd mor galed er mwyn ei hiaith a'i llenyddiaeth. Câi ei sarhau gan selogion yr Orsedd yn ei ieuenctid, a theimlai drwy'r amser fod Cymru yn brin iawn ei gwerthfawrogiad ohono. Ac ni chafodd ei dderbyn o gwbl fel nofelydd a storïwr, er iddo wneud y fath gyfraniad i ryddiaith greadigol a beirniadol. Fel nofelydd a storïwr, roedd dawn y cyfarwydd ganddo yn sicr, ac roedd ei ddeialog yn ystwyth ac yn naturiol o'r cychwyn cyntaf. Fel y nodwyd eisoes, roedd yn un o arloeswyr mawr y nofel a'r stori fer yn y Gymraeg, ond bwriwyd y rhyddieithwr yn llwyr i'r cysgodion gan y bardd.

Un o adolygwyr y gyfrol oedd y bardd a'r ysgolhaig J. Lloyd Jones, Prifardd Eisteddfod Genedlaethol Rhydaman, 1922. Hon oedd y drydedd gyfrol yng nghyfres Wrecsam, a maentumiodd 'mai'r drydedd hon a werthfawrogir yn fwyaf ohonynt oll gan Gymry sydd a Chymry fydd'.[38] Canmolodd feistrolaeth lwyr y bardd ar ei gyfrwng a helaethrwydd ei Gymraeg. Arbrofwr o fardd oedd awdur *Caniadau,* ond bu'n rhaid iddo wrth gynsail o draddodiadaeth cyn y gallai lwyddo i greu cerddi arbrofol o wir werth:

> I fardd a ymdrwythodd gyn helaethed â mesurau traddodiadol Cerdd

Dafod, ac ennill cymaint meistraeth arnynt, nid hwyrach mai naturiol ydoedd arbrofion newyddion ar eu posibilrwydd; ac i wneuthur hynny'n synhwyrus ac yn fawreddog, yr oedd amgyffred artistig yn anhepgor. Gan fod hwnnw'n ddifeth gan ein bardd, llwyddodd ef i lwybro'n ddiogel a didramgwydd ar hyd ffyrdd a fuasai'n llawn maglau a phyllau i rai llai eu medr a'u celfyddyd.[39]

Un arall o adolygwyr y gyfrol oedd Gwenallt, ac fe ddywedodd bethau diddorol. 'Ni fu erioed yng Nghymru brydydd mor wybodus, bardd mor ddiwylliedig', meddai.[40] Bu Gwenallt ei hun, yn ystod y 1920au, yn ystyried ymuno â'r Eglwys Gatholig, a chyn hynny, Sosialaeth Farcsaidd a âi â'i fryd. Bellach y Cristion sosialaidd a'r cenedlaetholwr a lefarai:

Un o wendidau rhamantiaeth yw bod ei byd delfrydol hi mor ansylweddol ac mor amhosibl. Yr unig fyd "arall" yw'r byd ysbrydol, ac ni all dim drawsnewid bywyd ond iechydwriaeth a gras, ond nid yw'r rhain yn ymwybod barddonol y rhamantwyr. Y mae ganddynt gydymdeimlad â'r Eglwys Gatholig, ond y mae yn y cydymdeimlad hwnnw lawer o ddiddordeb hynafiaethol ... Y maent yn meddalu'r Oesoedd Canol, ac yn annheg tuag at eu hoes eu hunain. Nid yw'r goleuni a'r gwirionedd wedi mynd, ac ni ddarfu pob dewrder a boneddigrwydd. Deued y rhamantwyr i blith gweithwyr Sir Forgannwg a gwladwyr Sir Gaerfyrddin.[41]

Ond eto, roedd yr Athro – a'r cyd-weithiwr – wedi cyflawni camp:

Camp Gwynn Jones, fel bardd, yw iddo, drwy ei feistrolaeth ar fesurau cerdd dafod a'r gynghanedd, ei wybodaeth o hen eiriau, hen gystrawennau a chwedlau'r Oesoedd Canol, wneuthur y rhamantiaeth hon yn rhan o draddodiad y canu caeth, a thrwy hynny ei ledu a'i gyfoethogi. Ni ellid gwneuthur hynny cyn diwedd y ganrif ddiwethaf a dechrau'r ganrif hon.[42]

Yr ail beth pwysig i ddigwydd iddo ym 1934 oedd darganfod cyfrwng mydryddol newydd sbon, a rhoi'r cyfrwng hwnnw ar waith oedd y trydydd peth pwysig. Yn Eisteddfod Castell-nedd ym 1934, 'Ogof Arthur' oedd testun cystadleuaeth y Gadair, ac roedd Gwynn yn un o'r beirniaid, ar y cyd â J. J. Williams a J. T. Job. Derbyniwyd un ar ddeg o gerddi, ac yn eu plith gerdd *vers libre* cynganeddol gan fardd ac iddo'r ffugenw 'Bardd y Bedd'. E. Gwyndaf Evans, 21 oed, oedd hwnnw. Gosodwyd yr 'awdl' yn ail, er ei bod yn torri tir hollol newydd. Roedd cerdd Gwyndaf yn arbrawf addawol yn ôl Gwynn. Yr oedd hefyd yn arbrawf chwyldroadol, gan ei fod yn herio'r awdl draddodiadol, ac, yn wir, yn bygwth dileu'r awdl fel ffurf draddodiadol. Arbrawf mentrus a rhyfygus oedd hwn yn ei ddydd. Y gerdd oedd 'problem y gystadleuaeth' yn ôl J. J. Williams.[43] 'Yn ôl ein safonau presennol, a phob safon a fu erioed, amheuwn a ellir cyfrif hon yn awdl o gwbl,' meddai.[44] Ond ni chondemniwyd yr arbrawf ganddo; amau ei hawl i fod yn y gystadleuaeth a wnaeth J.J., nid amau'r ffurf. Yn wir, fe'i croesawodd, ac awgrymodd y dylid ystyried newid gofynion y gystadleuaeth i gyfreithloni derbyn a gwobrwyo 'newyddbeth' o'r fath.[45] 'Dichon ei bod yn bryd newid y safon a gallai gwneuthur hynny fod yn fantais hefyd; eithr dylai hynny ddibynnu ar gyd-ddealltwriaeth, ac nid ar fympwy bersonol'.[46] O ran cynnwys a chrefft, yr oedd yr awdl yn uchel iawn ym marn J. J. Williams. Roedd annhestunoldeb y gerdd yn fwy o gamwedd yn ei dyb na hyd yn oed ei gwreiddioldeb. Er ei bod yn gloff ei cherddediad mewn mannau, yr oedd gan Gwynn yntau feddwl uchel o'r arbrawf. 'Ni bûm erioed o blaid cyfyngu ar yr hen fesurau pendant,' meddai, ac nid oedd ganddo ychwaith unrhyw wrthwynebiad i'r 'wers lafar', sef ei derm ef ei hun am y *vers libre*.[47] Cymerodd Gwynn at y gerdd hefyd, er iddo fwrw'i lach ar ambell doriad annaturiol yn y gynghanedd ac ar yr 'ailadrodd rhetoregol' ynddi.[48] Ac meddai, yn eironig ac yn ddadlennol, gan y byddai yntau hefyd yn mabwysiadu'r ffurf, ar ôl beirniadu awdlau Castell-nedd ac ar ôl gwobrwyo Gwyndaf am gerdd *vers libre* arall yn Eisteddfod y Colegau ym mis Chwefror yr un flwyddyn: 'Ni ryfeddwn i pe bai'r ysgrifennydd hwn, o fanylu ar rediad naturiol brawddegau Cymraeg glân a mirain, yn gallu gwneuthur y ffurf a ddewisodd yn gymeradwy gan lawer o'i gyd-wladwyr'; barnodd hefyd nad 'anhyfryd mo'r effaith gynghaneddol yn y ffurf, ond gofyn am fwy o fanylder nag hyd yn oed yn yr hen fydrau'.[49] Yn ddiarwybod iddo'i hun, roedd Gwynn wedi agor y drws led y pen i'r beirdd arbrofol a fynnai ymryddhau o lyffetheiriau'r awdl.

Roedd bardd arall wedi llunio awdl ar gyfer Eisteddfod Genedlaethol Castell-nedd, ond ni chyrhaeddodd y gystadleuaeth. Ffugenw'r bardd hwnnw oedd 'Don Ciceto', a Gwynn ei hun a fwriadai roi cic eto i'r canu Arthuraidd eisteddfodol hwn. Roedd wedi llunio awdl ar destun Castell-nedd, ac fe'i dychmygai ei hun yn beirniadu'r awdl yn gyhoeddus ac yn cael cryn dipyn o hwyl. Os gallai Gwynn dynnu'n groes yn aml, gallai hefyd dynnu coes. Dan yr holl ddifrifwch roedd llawer o ddigrifwch. Fodd bynnag, methodd ei chwblhau mewn pryd, ac fe'i cyhoeddwyd yn *Yr Efrydydd* ar ôl yr Eisteddfod. Heriodd E. Tegla Davies, golygydd *Yr Efrydydd*, i'w chyhoeddi yn ei gylchgrawn, a derbyniodd yntau'r her. Cyhoeddwyd awdl

Gwynn, dan y ffugenw 'Don Ciceto', yn rhifyn mis Awst 1934 o'r cylchgrawn.

Siop yn Lloegr yw'r ogof yn yr awdl, a dychenir y canu rhamantaidd ynddi, trwy barodïo awdl 'Yr Haf', R. Williams Parry, a'i 'Ymadawiad Arthur' ef ei hun. Roedd Williams Parry wedi achub y blaen ar Gwynn fel hunanddychanwr trwy gynnwys yr awdl ddychanol 'Yr Hwyaden' yn *Yr Haf a Cherddi Eraill*, 1924. 'Un o hud fu'n ei throi'n hwyaden,' meddai 'Don Cicero' am yr 'eneth wiwlon', merch berffaith y dychymyg rhamantaidd, na fu '[e]rioed ar y ddaear hon', gan gyfeirio at 'Yr Hwyaden' Williams Parry.[50] Mwy amlwg yw'r parodïo ar awdl 'Yr Haf', y pennill hwn, er enghraifft:

> A daw yr eneth a'r adar yno
> Dymor hud o doi di yma i rodio,
> A berw hoyw aber yn bwrw heibio;
> Yno rhyw nawn daw y rhiain honno
> Megis y dlos o Do Boso – eilwaith
> A thân gobaith o'i threm laith yn gwibio.[51]

Adleisir y llinellau hyn yn awdl 'Yr Haf':

> A thyrd â'r eneth a'r adar yno,
> A sawr paradwys hwyr pêr i hudo
>   Hyd ganllaw'r bompren heno bob mwynder;
> A bwrlwm aber i lamu heibio.[52]

Mwy amlwg fyth, fodd bynnag, yw'r parodïo ar 'Ymadawiad Arthur':

> 'Henffych!' medd llais, 'o'th anffawd,
> Dyma fro, tyrd yma frawd,
> I sanctaidd lys ieuenctyd
> Croeso i ti o'th gyni i gyd!
>
> Yma cei gân pob awen a ganodd,
> Grym a dur awch pob gŵr a ymdrechodd,
> Hoen ddi-wg pob un a ddiwygiodd,
> Hoyw bau byth i bawb a obeithiodd;
> Ni heneiddia a'i noddodd – ond gwiwfoes,
> Daw ail einioes i'r sawl a'i dilynodd!'

> Minnau'n ddidrist a distaw,
> Tua'r sêt ris y trois draw.[53]

Yna, ym mis Medi 1934, ymddangosodd cerdd yn dwyn y teitl 'Eog' yn *Yr Efrydydd*. Cerdd *vers libre* oedd hon, ond nid *vers libre* cynganeddol, fel arbrofion Gwyndaf. Ond rhwng 1934 a 1935 cyhoeddwyd deuddeg o gerddi *vers libre* cynganeddol yn *Yr Efrydydd*, un bob mis, dan y ffugenw 'Rhufawn'. Rhufoniog oedd yr hen enw ar y cantref a gynhwysai'r rhan fwyaf o Fynydd Hiraethog, ond dim ond ychydig o gyfeillion Gwynn a wyddai am ei hoffter mawr o Fynydd Hiraethog, ac ni chysylltwyd 'Rhufawn' â Rhufoniog a Hiraethog gan fawr neb. Byddai'n rhaid aros tan 1944, gyda chyhoeddi'r gyfrol *Y Dwymyn*, cyn y byddai'r awdur yn arddel y cerddi hyn yn gyhoeddus dan ei enw ei hun, ac yn y bennod nesaf y trafodir cerddi'r gyfrol, fel cyfanwaith.

Gofynnodd i Tegla gadw'r gyfrinach mai ef oedd Rhufawn, ac fe wnaeth. Fel y cofiai Tegla:

> Llithrodd 'Rhufawn' i mewn rhwng dalennau *Yr Efrydydd* ym Medi 1934, heb utganu o'i flaen, gyda chân fach, 'Eog', sef 'Y Saig' yn y llyfr. Y mae'n wir y bu arloeswr iddo yn Awst 1934 – 'Don Ciceto', gyda chân 'Ogof Arthur' – ond ni ddeëllais ei fod yntau wedi tynnu rhyw lawer o sylw er ei fedr mawr, na bod neb wedi cysylltu'r ddau â'i gilydd. Pe bawn yn dweud yr hyn nas dywedwyd wrthyf yn eglur, ond fy mod yn digwydd adnabod yr awdur, ni synnwn nad oedd tipyn o ddireidi yn y cymhelliad cyntaf i sgrifennu'r caneuon – beth a ddywedai'r rhai a oedd o hyd yn seboni cymaint arno, tybed, pe gwelent ei waith heb ei enw wrtho? Os felly cyfiawnhawyd y direidi.[54]

Ni chymerwyd llawer o sylw o'r cerddi i gychwyn, ond wedyn, ar ôl i sawl cerdd ymddangos yn *Yr Efrydydd*, dechreuwyd dyfalu:

> Gwili oedd y cyntaf imi wybod amdano i sylwi bod y gwaith yn eiddo bardd anghyffredin iawn. Mewn ymddiddan hir ar yr heol ym Mangor, ryw brynhawn, ceisiai ei orau gennyf ddadlennu'r gyfrinach. Wedi methu cael gennyf ddweud pwy oedd yr awdur, ceisiodd ei orau gennyf ddweud pwy nad ydoedd, gan enwi llu o rai tebygol ac annhebygol, ac yn eu plith feirdd ieuainc anhysbys. Wedi methu drachefn, dywedodd yn bendant, pwy bynnag oedd, fy mod wedi gwneud darganfyddiad pwysig

iawn, fod bardd mawr yn codi yn ein plith, fod 'Cynddilig' gystal cân bob tipyn ag 'Ymadawiad Arthur' Gwynn Jones, a llawenychai Gwili fod bardd ieuanc mor arbennig yn dyfod i'r golwg. O dipyn i beth deffrôi'r chwilfrydedd fwyfwy, a deuai chwaneg i chwilio am y trywydd fel yr âi'r misoedd heibio. Erbyn diwedd y flwyddyn yr oedd amryw yn ffroeni yng nghyfeiriad Hafan, Bow Street, Aberystwyth, yn cael eu harwain gan Prosser Rhys.[55]

Penderfynodd Gwynn beidio â mynd i Gastell-nedd. '[Y] mae fy niddordeb mewn pethau o'r fath yn mynd,' meddai wrth Morgan Humphreys.[56] Dywedodd hyn ym mis Hydref 1934. Beth a olygai wrth 'bethau o'r fath', mae'n anodd dweud. Ai eisteddfota a olygai, neu ai barddoniaeth a llenyddiaeth yn gyffredinol? Roedd arbrofion Gwyndaf yn Eisteddfod y Colegau ac yn yr Eisteddfod Genedlaethol wedi ei gyffroi, mae'n amlwg. Gwelodd bosibiliadau'r *vers libre* cynganeddol. Dechreuodd weithio ar un o gerddi Rhufawn, 'Dadannudd', ym mis Gorffennaf 1934, un ai pan oedd ar ganol beirniadu cerddi'r Gadair yn Eisteddfod Castell-nedd neu ar ôl iddo feirniadu'r gystadleuaeth.

Cynhaliwyd Eisteddfod Genedlaethol 1935 yng Nghaernarfon unwaith eto, a'r tro hwn fe wahoddwyd Gwynn i feirniadu cystadleuaeth y Gadair. Roedd canlyniad y gystadleuaeth honno yn chwyldroadol ar lawer ystyr. Roedd y testun yn agored, gan ddilyn traddodiad unigryw Eisteddfodau Caernarfon yn ystod yr ugeinfed ganrif. Gofynnwyd am 'Awdl mewn cynghanedd gyflawn', a manteisiodd y beirdd ar y geiriad amwys a phenagored hwn, ac ar y ffaith na ofynnid am awdl ar y pedwar mesur ar hugain, neu ddetholiad o'r mesurau hynny. Anfonodd dau o feirdd y dosbarth cyntaf (yn ôl dosbarthiad Gwynn) gerddi *vers libre* cynganeddol i'r gystadleuaeth. Un o'r rhain oedd Tom Parry-Jones, y bardd o Fôn, y gosodwyd ei gerdd 'Y Rhith' yn weddol uchel gan Gwynn. Ceid yn ogystal arbrofion mydryddol yn yr awdl ailorau, 'Y Brenin', gan Roland H. Jones, Rolant o Fôn, a chafwyd cerdd ar fesur arbrofol gan un arall o'r cystadleuwyr, Simon B. Jones.

Wedi'i sbarduno gan ei lwyddiant yng Nghastell-nedd, ac yn enwedig wedi i Gwynn ddatgan nad oedd ganddo'r un gwrthwynebiad i'r 'wers lafar', anfonodd E. Gwyndaf Evans gerdd *vers libre* ar gynghanedd i'r gystadleuaeth, dan y teitl 'Magdalen', a Gwyndaf a enillodd. Awdl ryfedd oedd awdl Gwyndaf yn ôl Gwili, un o'r tri beirniad, ond at ei chynnwys y cyfeiriai'n bennaf. Ni ddywedodd fawr ddim am y ffurf. Roedd Gwyndaf yn ffodus ar lawer ystyr mai Gwynn oedd un o'r beirniaid. Dechreuodd Gwyndaf a Gwynn arbrofi â'r *vers libre* cynganeddol tua'r un pryd. Os Gwyndaf a wthiodd y cwch i'r dŵr, Gwynn a'i rhwyfodd i gyrraedd y lan. Ond a oedd cerdd o'r fath yn awdl? Yn ôl Gwynn, yr oedd cerdd ar gynghanedd gyflawn yn awdl o ryw fath, ond, meddai, '[c]liriach a mwy didramgwydd i gystadleuwyr a beirniaid fyddai pe dywedid "Cerdd, neu Ganiad mewn cynghanedd gyflawn" ... Yn niffyg datganiad pendant ar y pen hwnnw, ymddengys i mi nad oes i feirniaid ddim i'w wneud ond cymryd bod caniad cynghaneddol ar ryw fesur neu ddull yn Awdl yn ôl gofynion y gystadleuaeth'.[57]

Cyhoeddwyd y tair cyfrol olaf yng nghyfres Wrecsam un ar ôl y llall, *Beirniadaeth a Myfyrdod* ym 1935, *Astudiaethau* ym 1936 a *Dyddgwaith* ym 1937. Credai Gwynn fod *Dyddgwaith* yn 'beth newydd yn Gymraeg, onid mewn llenyddiaeth yn gyffredin', gan nad 'atgofion yn y ffordd gyffredin monynt,' fel y dywedodd wrth E. Morgan Humphreys.[58] Croesawyd y chwe chyfrol gan y cyhoedd.

Treuliodd Gwynn wythnos gyfan yn wael yn ei wely rhwng diwedd Mai a dechrau Mehefin 1936. Ar wahân i'w dduedd i ddal annwyd ar ddim, byddai hefyd yn ei orweithio ei hun hyd at wendid a blinder eithafol. Hiraethai am yr hen ddyddiau, yn Ninbych ac yng Nghaernarfon, yn enwedig gan na fu erioed yn gartrefol yn Aberystwyth, fel yr eglurodd wrth E. Morgan Humphreys: '... nid wyf ers blynyddoedd ond aelod mewn enw o gymdeithas Aberystwyth, a damwain fawr i mi fynd i gyfarfod o'r eiddo'.[59] Anfonodd englyn at y meddyg o Ddinbych, J. G. Thomas, flwyddyn yn ddiweddarach, gan grynhoi ynddo ei bryder am ei iechyd yn ogystal â'i hiraeth am yr hen ddyddiau:

> Brau a breg fydd pob tegan, – wtres gwag
> $\quad$ Â tros gof yn fuan;
> $\quad$ Hen ddyddiau gynt fu'n ddiddan
> $\quad$ Sy yn y cof fel sain cân.[60]

Cofiai am hen gyfeillgarwch ym mis Mai 1937. Adroddwyd ei gywydd 'Penmon' ar un o'r rhaglenni Cymraeg ar y radio, a gwelodd Megan feirniadaeth danllyd ar yr un a fu'n adrodd y cywydd. Rhag ofn nad oedd E. Morgan Humphreys yn cofio'r cywydd, cafodd ei atgoffa gan Gwynn mai 'hanes pererindod W. J. Gruffydd a minnau i Benmon, yn y blynyddoedd difyr hynny cyn i Ruffydd fynd yn aelod o'r blaid genedlaethol a chyn i minnau fwrw fy ngwladgarwch' oedd y cywydd – prawf arall fod y berthynas rhwng Gwynn a Gruffydd wedi dieithrio rhywfaint.[61] Ym 1935 gofynnodd Gwasg Gregynog iddo baratoi cyfieithiad Saesneg o *Gweledigaetheu y Bardd Cwsc* Ellis Wynne i Saesneg. Awgrymodd yntau i'r wasg y dylid gosod y testun Cymraeg yn gyfochrog â'r testun Saesneg. Roedd newydd yrru ei drosiad at y wasg 'yr wythnos diwethaf', pan gysylltodd â Morgan Humphreys ym mis

Chwefror 1937.[62] Paratowyd y testun Cymraeg gan J. E. Caerwyn Williams, a chyhoeddwyd *Gweledigaetheu y Bardd Cwsc/The Visions of the Sleeping Bard* ym mis Mawrth 1940, dair blynedd ar ôl i Gwynn gwblhau'r dasg.

Ym 1937, ac yntau'n 65 oed, ymddeolodd. Cafodd anrhydedd anghyffredin – ac annisgwyl ar lawer cyfri – ym mlwyddyn ei ymddeoliad, sef ei urddo â'r CBE. Cam gwag oedd hwn yn ei hanes yn ôl amryw, aelodau o Blaid Genedlaethol Cymru yn enwedig. Eglurodd pam y derbyniodd yr anrhydedd wrth William Eames:

> Bûm yn petruso tipyn a dderbyniwn i'r cynnig i roi i mi beth a elwir yn anrhydedd cyhoeddus. Pan euthum i ystyried, sylweddolais, gyda rhywfaint o fodlonrwydd hefyd, fy mod innau yn fy nhro yn llai penboeth na chynt, a bod fy hunanoldeb personol efallai, beth yn llai nag y byddai. Beth bynnag am briodoldeb yr urdd, fe'i derbyniwyd gan ysgolheigion cystal â minnau, o leiaf, a meddyliais fod llai o rodres personol yn ei derbyn na'i gwrthod.[63]

Tybed, hefyd, iddo dderbyn yr anrhydedd fel rhyw fath o iawn, rhyw fath o gydnabyddiaeth am ei holl lafur drwy'r blynyddoedd, yn enwedig gan fod y Cymry, yn ei dyb, yn dibrisio'i waith. Efallai i'r CBE roi iddo'r ymdeimlad nad ofer fu ei holl lafur wedi'r cyfan. Roedd Gwynn hefyd, trwy gydol y 1930au, yn meddwl am symud i Loegr i fyw ac i weithio, yn enwedig ar ôl iddo gael y fath lwyddiant gyda *Welsh Folk-lore and Folk-custom*, ac oni fyddai cael ei urddo yn y fath fodd yn creu argraff ar gyhoeddwyr yn Lloegr? Pryderai am ei ddyfodol. 'Ymhen rhyw dair blynedd neu bedair byddaf yn ymneilltuo ar bensiwn ry fychan i'm cadw, a da i mi'r pryd hwnnw fydd fy mod yn medru tipyn o Saesneg, ar ôl gwastraffu f'oes gyda Chymraeg,' meddai wrth Tegla ym 1934.[64]

Bu'n elyn anghymodlon i'r Ymerodraeth Brydeinig erioed, a dyna un rheswm pam na allai rhai o aelodau mwyaf blaenllaw'r Blaid Genedlaethol ddeall ei gymhellion dros dderbyn yr anrhydedd. Ar Fai 11, 1937, y cyhoeddwyd yn y *London Gazette* fod yr Athro T. Gwynn Jones i'w urddo yn *Commander of the Most Noble Order of the British Empire*, 'on the occasion of His Majesty's Coronation', ar y diwrnod canlynol, Mai 12.[65] Felly, roedd yr anrhydedd a dderbyniasai Gwynn ynghlwm wrth y frenhiniaeth yn Lloegr, y frenhiniaeth honno a gasâi â chas perffaith. Hyn oedd y dirgelwch i bawb. Ond, i fod yn deg, roedd un o aelodau mwyaf blaenllaw'r Blaid, D. J. Williams, wedi ymosod ar Gwynn ym mis Ebrill 1936, fisoedd cyn iddo dderbyn y CBE, a hynny braidd yn gas, er mai mewn llythyr at Kate Roberts a Morris T. Williams y gwnaeth hyn:

> Geiriau ac nid gair sydd gan Gwynn Jones ers blynyddoedd bellach ...
> a welsoch chi, o ddifri beth mor gwbl hesb a diddim â'i *Feirniadaeth a
> Myfyrdod*? Gresyn na roddai ei hun yn llwyr i gyfieithu o hyn i maes, canys
> y mae'n gallu gwneud hynny yn ddiguro. Rwy'n ofni fod cysêt Gwynn
> wedi difetha rhin ei awen ers tro, – dyn wedi tyfu'n rhy sydyn i allu sefyll
> ar ei draed. Nid oes ganddo ddim yn aros ond ei hen 'jugglery' ar eiriau fel
> G. K. Chesterton. Ond pe'r awgrymai rhywun hynny wrtho, fe gâi stroc –
> ei strôc olaf. (Dyna strôc deilwng o'i strôcs ef – 'Llundain i'r llundai' etc.)
> Maddeued Duw i mi os wyf yn gwneud cam ag un sydd wedi'r cyfan, yn
> ddios, yn un o wŷr mawr ein cenedl. Ond y mae ei wacder diddim ers tro
> wedi fy syrffedu.[66]

Annheg oedd yr ymosodiad. Roedd Gwynn ar y pryd newydd gyhoeddi swp
o gerddi arbrofol yn *Yr Efrydydd* pan ymosododd D. J. Williams arno, ond ni
wyddai D.J. hynny. Casgliad o ysgrifau a darnau o feirniadaethau eisteddfodol
a geir yn *Beirniadaeth a Myfyrdod*, ac roedd yn gyfrol werthfawr yn ei dydd, a
deil i fod felly. Ceir ynddi ysgrifau buddiol iawn ar y grefft o lunio stori fer, ar y
grefft o englyna, ar ieithoedd ac ar y ddrama yng Nghymru, ac ar y gynghanedd
yn gyffredinol. Mae'r gyfrol yn llawn o gynghorion buddiol i feirdd a llenorion,
ac i feirdd yn enwedig, er enghraifft, y cyngor hwn ynglŷn â'r gynghanedd:
'Rhan o grefft prydydd craff ... fyddai osgoi ei hawgrymiadau nesaf at law a pheri
iddi hi wasanaethu'r meddwl yn hytrach na gormesu arno'.[67] Ac eto ynglŷn â'r
gynghanedd:

> Bydd meddwl manwl yn sicr o fynnu iaith fanwl. Diau fod a wnêl y
> gynghanedd ag anghysylltni ac aneglurder llawer o waith ymgeiswyr
> eisteddfodol, peth a bair hyd yn oed i ddyn a hoffo gynghanedd feddwl
> mai cyfrwng i ychydig yw hi. Er fy mod o'r farn mai gwrthod un o
> nodweddion mwyaf arbennig yr iaith fyddai bwrw egwyddor cynghanedd
> allan yn llwyr o fydryddiaeth Gymraeg, yr wyf yr un pryd o'r farn mai
> mwy o wasanaeth i brydyddiaeth newydd fyddai ehangu rheolau mesur
> a chynghanedd yn hytrach na'u caethiwo.[68]

Dyna'n union beth a wnaeth Gwynn ei hun, gyda 'Madog' a cherddi Rhufawn.
   Ac eto, roedd yr hen gasineb tuag at yr Ymerodraeth Brydeinig yn corddi
ynddo o hyd. Yn oriau mân bore dydd Mawrth, Medi 8, 1936, llosgwyd rhai o
gytiau a defnyddiau'r adeiladwyr ar safle'r ysgol i hyfforddi awyrenwyr y bwriedid

ei sefydlu ym Mhenyberth yn Llŷn, gan dri aelod o'r Blaid Genedlaethol – a D. J. Williams yn un o'r tri, ynghyd â Saunders Lewis a Lewis Valentine. Aeth y tri wedyn i swyddfa'r heddlu ym Mhwllheli i gyfaddef mai nhw oedd yn gyfrifol am y weithred symbolaidd hon. Ymddangosodd y tri gerbron llys ynadon Pwllheli am gyflawni'r drosedd, cyn symud yr achos i Gaernarfon, ac wedyn i'r Old Bailey yn Llundain. Anfonodd Gwynn lythyr at Tegla Davies ar Fedi 18, 1936, ar ôl darllen am wrandawiad y tri ym Mhwllheli:

> Yr wyf newydd ddarllen hanes y tanwyr cenedlaethol o flaen ustusiaid ymherodrol Pwllheli. Nid wyf finnau'n credu yn y dulliau hyn o ymresymu, y mae'n wir, ond ni ellais innau na ryfeddais fod tri Chymro digon dewr i herio'r Ymherodraeth i'w cael hyd heddiw! Gallwn feddwl mai'r lle peryclaf i'r tri am eu bywyd yw tref dduwiol Pwllheli! Bûm yn siarad ag amryw Gymry yn Llundain, heb fod yn aelodau o'r blaid, oedd eto'n edmygu plwc y tri, a chlywais am rai Saeson yn gwneud yr un peth. Ond nid oes ryw fradwyr felly i'w cael ym Mhwllheli, y mae'n siŵr.[69]

Ar ddechrau Ionawr 1938, roedd yn sôn eto am fynd i Lundain i fyw, yn ôl yr hyn a ddywedodd wrth Morgan Humphreys:

> Hyd yma, nid oes dim sicrwydd y byddwn yn mynd i fyw i Lundain, er y byddai'n eithaf gennyf fy hun pe bawn yn mynd, ac ymgolli yng nghanol y lliaws, ac anghofio'r ychydig gannoedd o'r pedantiaid sy'n darllen rhywfaint o Gymraeg.[70]

Roedd yn gweithio'n galetach nag erioed, 'er mwyn gallu byw fel yr wyf wedi arfer byw'.[71] Nid symud i fod yn nes at Eluned a'r plant bach yn unig oedd y tu ôl i'r posibiliad yr âi ef a Megan i Lundain, fel yr eglurodd wrth E. Morgan Humphreys: 'Er bod Methuen yn gofyn am lyfr gennyf ers blynyddoedd, nid oes fodd cael llonydd yma i sgrifennu at y farchnad Saesneg – dyna pam yr awn i Lundain'.[72]

Ond i ddinas arall yr aeth ar ddechrau Awst 1938. Yng Nghaerdydd y cynhaliwyd yr Eisteddfod Genedlaethol y flwyddyn honno. Roedd gofyn iddo fod yn bresennol yn yr Eisteddfod honno am ddau reswm. Yn gyntaf, roedd yn un o feirniaid cystadleuaeth y Gadair, ar y cyd â Saunders Lewis; yn ail, roedd Cwmni'r Eisteddfod, dan hyfforddiant Haydn Davies, yn perfformio'i gyfieithiad o *Macbeth* Shakespeare yn ystod wythnos yr ŵyl. Bwriadwyd ei chwarae yn Eisteddfod

Genedlaethol Machynlleth flwyddyn ynghynt, gyda'r actores enwog, Sybil Thorndike, yn chwarae rhan Arglwyddes Macbeth, ond methwyd cael adeilad addas ar gyfer ei pherfformio, a bu'n rhaid aros am flwyddyn cyn ei llwyfannu. Credai Gwynn fod cynhyrchiad Caerdydd yn un rhagorol.

Bu'n trafod yr awdlau gyda Saunders Lewis. 'Gwyrfai' oedd bardd gorau'r gystadleuaeth, yn ôl Gwynn. 'Ag eithrio ychydig fân bethau a rhyw ddwy linell aneglur, y mae ei iaith yn lân, ei gynghaneddion yn gywir, rhediad ei linellau'n llyfn, ei eirfa wedi ei dewis yn dda, heb ddim ond rhyw un o'r pethau chwydlyd, a'i naws yn argyhoeddi dyn ei fod o ddifrif,' meddai wrth ei gyd-feirniad.[73] Gwilym R. Jones a gadeiriwyd gan y ddau, a hynny am awdl gelfydd iawn.

Ddiwedd Awst, daeth profedigaeth i'w ran. Ar Awst 26, lladdwyd ei hen gyfaill E. Stanton Roberts mewn damwain. Bu'n brifathro Ysgol Pentrellyncymer hyd at 1920. Bu wedyn yn brifathro Ysgol Cyffylliog, hyd at 1931, pan benodwyd ef yn brifathro Ysgol Gellifor. Yn y swydd honno yr oedd pan laddwyd ef. Ceir englyn coffa iddo gan Gwynn ar garreg ei fedd ym mynwent Eglwys Sant Ioan, Cynwyd:

> Bydd dyner drosto, weryd, – un addwyn
>   Bonheddig ei ysbryd;
>   Dewraf fu drwy ei fywyd,
>   Un heb ofn dim yn y byd.

Blwyddyn y gwobrau a'r anrhydeddau oedd 1938 iddo. Daeth tair anrhydedd fawr iddo yn ystod y flwyddyn, ond yr un a brisiai fwyaf oedd y radd Doethur mewn Llenyddiaeth, D. Litt. *honoris causa*, a gyflwynwyd iddo gan Brifysgol Iwerddon ar Fai 19, i gydnabod ei gyfraniad aruthrol i lenyddiaeth Geltaidd, ac am ledu diddordeb mewn llenyddiaeth Wyddeleg drwy gyfrwng ysgrifau a chyfieithiadau. Un o'r rhai a'i llongyfarchodd am ennill y fath anrhydedd oedd David Thomas. Anfonodd Gwynn lythyr ato i ddiolch am ei gyfarchion. Roedd yr Iwerddon weriniaethol rydd wedi creu cryn argraff arno:

> Treuliais ychydig ddyddiau yn Iwerddon, a theithiais rai cannoedd o filltiroedd yno, i'r gogledd, y gorllewin a'r de o Ddul[y]n. Ni buaswn yn Nul[y]n er 1909 o'r blaen. Mawr y cyfnewid. Dim arwydd o'r hen uchafiaeth estron mwy. Dul[y]n cyn laned ag un dref fawr yn Lloegr bellach. Yn y wlad, yr hen dai clai a'r toau gwellt wedi diflannu bron i gyd (onid ambell un o'r goreuon, a thoau newyddion ar y rheiny), a thai

brics glân a thaclus, gyda gerddi o'u cwmpas, yn eu lle. Ffyrdd, nad oes eu cystal yng Nghymru na Lloegr, ym mhob cyfeiriad. Gwnaeth y Saorstat [Saorstát Éireann – Gwladwriaeth Rydd Iwerddon] gamp mewn llai nag ugain mlynedd. Yr oedd hyn oll yn llawenydd tanbaid i mi.[74]

'Y mae Iwerddon yn gwella'n rhyfeddol er pan gymerodd y bobl at eu llywodraethu eu hunain,' meddai wrth E. Morgan Humphreys, gan awgrymu bod y Cymry yn ddigon ffôl ac yn ddigon llwfr i adael i Loegr wneud fel y mynnai â'r wlad.[75]

Tegla, fodd bynnag, a gafodd y cofnod llawnaf o'r ymweliad ag Iwerddon:

> Daeth fy ngwraig gyda mi i Ddul[y]n, er bod arni ofn y môr ac na bu erioed cyhyd ar long o'r blaen. Fe wyddai hi faint fy hoffter i o Iwerddon, ac yr wyf yn tybio na allai hi ddeall yn iawn sut y byddwn felly bob amser. Ond wedi mynd yno, hi ddeallodd, ac nid wyf yn meddwl na buasai hithau hefyd yn gwbl gartrefol yno …
>
> Cawsom groeso mawr, a gwelais amryw hen gyfeillion nas gwelswn ers deng mlynedd ar hugain. Dr. Bergin, y bûm yn ddisgybl iddo, oedd yn ein cyflwyno – nid oedd onid dau ohonom, Miss Eleanor Knott a minnau – a'r Tywysog, De Valéra, yn ein derbyn. Bûm yn siarad am ryw hanner awr ag ef. Gŵr gwylaidd, dirodres yw, ac urddasol ym mhob modd … Yn yr Wyddeleg y cyflwynwyd ni gan y Dr. Bergin. Deallais bob gair a lefarodd, a chyn fy mod yn troi'n ôl nos Sadwrn, yr oedd fy nhafod yn ystwytho, a'r geiriau'n dyfod i'm cof yn rhwyddach-rwyddach o hyd … Yn 1909 y buaswn ddiwethaf yn Nulun. Mawr y newid sydd yno. Y mae'r dref yn lanach na Lerpwl yn awr. Ni welais un ferch droednoeth a phennoeth yno, fel y byddent gynt. Diflannodd llawer o'r aflerwch a welid yma ac acw o'r blaen. Yn y wlad, diflannodd yr hen fythynod bychain a'r muriau clai a'r toau gwellt, oddieithr ychydig o'r rhai mwyaf yma ac acw, sydd eto'n edrych yn brydferth gyda'u toau newydd, a'u muriau gwynion a'u gerddi, ynghanol y coed gwyrdd. Ond aeth y rhai drylliog, di-drefn gynt. Ceir tai bychain taclus o briddfeini a llechi erbyn hyn, a rhyw arbenigrwydd celfyddus arnynt oll. Y maent yn lanwaith, a chedwir y gerddi blodau o'u cwmpas yn ofalus. Diflannodd y felltith estron. Cwbl gyfiawnhawyd y llywodraeth newydd eisoes …[76]

Dyfarnwyd iddo hefyd radd D. Litt. *honoris causa* gan Brifysgol Cymru, yn ogystal â Bathodyn Anrhydeddus Gymdeithas y Cymmrodorion. Cynhaliwyd cyfarfod arbennig i gyflwyno'r bathodyn iddo, a hefyd i Ifor Williams, yn Neuadd Cymry Llundain ar Dachwedd 24. H. Idris Bell a'i cyflwynodd i'r gynulleidfa, ac meddai amdano:

> ... anturiaf ddweud y saif am byth, ymhlith sêr disgleiriaf ein llenyddiaeth. Fel bardd, y mae'n gynganeddwr meistrolgar, sydd wedi adnewyddu gogoniant oes aur y farddoniaeth glasurol a chyfaddasu celfyddyd Dafydd ab Edmwnd a Thudur Aled at ddibenion a phrofiadau ein hoes ni. Cyfansoddodd delynegion gwych, sonedau grymus a soniarus, baledau cofiadwy, cerddi ardderchog, penillion â rhyw raen naturiol arnynt. Cymhwysodd hefyd, mewn modd hynod lwyddiannus, y gynghanedd at y mesurau rhyddion.
>
> Ond ni chyfyngodd ei hun i farddoniaeth yn unig; nid oes lwybr yn y byd llenyddol nad yw ei ddirgelwch yn hysbys iddo; yr ysgrif – y nofel – y cofiant – y ddrama – y llyfr taith – fe'u hysgrifennodd oll yn llwyddiannus a chymeradwy. Goleuodd lawer pwnc dyrys yn hanes llenyddiaeth Gymreig.[77]

'Cawsom gyfarfod digon difyrrus gyda'r Cymrodorion,' meddai Gwynn wrth Morgan Humphreys.[78] Idris Bell, meddai, a draddododd yr anerchiad gorau. Disgwyliai i W. J. Gruffydd fod yn bresennol yn y cyfarfod, ond ni ddaeth. Roedd Gwynn erbyn hyn wedi llwyr anobeithio ynghylch W. J. Gruffydd. Gŵr chwit-chwat, cwbl ddi-ddal, oedd Gruffydd, rhyw fath o geiliog y gwynt llenyddol a gwleidyddol a drôi i bob cyfeiriad yn ei dro, yng ngwyntoedd croesion bywyd Cymru. Meddai wrth Morgan Humphreys:

> Ni wn i yn y byd paham na buasai W.J.G. yno fel y lleill, onid oherwydd ei syniad am Seisnigrwydd y Cymrodorion. Byddaf weithiau yn ofni bod yr hen gyfaill yn gweled cloddiau o'i gwmpas ef nad ydynt yno o gwbl, wrth fynd yn hŷn.[79]

Ymddeol neu beidio, dôi llawer ar ei ofyn o hyd. Ym mis Rhagfyr 1938, gofynnwyd iddo olygu'r cylchgrawn poblogaidd, *Y Ford Gron*, a chyhoeddwyd ei fod yn bwriadu ymgymryd â'r gwaith, ond roedd y dyddiau hynny y tu ôl iddo. Ni allai fyth ddal y straen o orfod chwilio am ddeunydd i'r cylchgrawn.

Collodd Gwynn un arall o'i gyfeillion ym 1938. Tom Owen, Hafod Elwy, oedd y cyfaill hwnnw, ac un arall o blant Hiraethog. Roedd Gwynn yn ei adnabod oddi ar 1905 o leiaf. Bardd a hanesydd oedd Tom Owen, ac awdurdod ar lên gwerin Uwchaled. Bu am flynyddoedd yn oruchwyliwr fferm Tan Graig, Hafod Elwy, a glynodd Hafod Elwy wrth ei enw. Roedd yn gefnder i Thomas Jones, Cerrigellgwm. Wedi iddo ddychwelyd o Iwerddon, gofynnodd David Owen, brawd Tom Owen, a fyddai Gwynn yn fodlon llunio englyn i'w roi ar garreg fedd ei frawd. Cydsyniodd, heb betruso, yn enwedig gan i Tom Owen fod yn 'gyfaill a garwn yn fawr iawn am flynyddoedd lawer'.[80] Anfonodd bedwar englyn at David Owen, iddo ddewis un o'u plith, lai na phythefnos ar ôl derbyn y cais. A dyma'r pedwar englyn:

> Gwaed Hiraethog trwy'i wythi fu redlif
>   O radlon haelioni,
>   A'i awen lefn oedd ddwfn li
>   O'i lynnoedd a'i oleuni.

> Hoyw ei droed a dewr ei wedd, fynyddwr
>   O fonheddig osgedd,
>   Od yw yn fud yn ei fedd,
>   Bydd ei awen heb ddiwedd.

> Mwyn gâr sydd yma'n gorwedd, mwy yn fud,
>   Cymen feistr cynghanedd;
>   Er ei fwyn a'i wâr fonedd,
>   Haul a fo'n anwylo'i fedd.

> Na, Tom, nid wyt ti yma – dihengaist,
>   Nid angau a'th rwyma;
>   I bridd na dŵr bardd nid â –
>   Cawn hwyl ac awn i hela![81]

Credai Gwynn mai'r englyn olaf o'r pedwar y byddai Tom Owen ei hun yn ei ffafrio, neu efallai'r cyntaf. Yr englyn cyntaf, fodd bynnag, a ddewisodd David Owen i'w roi ar y garreg ym mynwent yr Eglwys, Cerrigydrudion. 'I mi, y mae Tom gyda'r anfarwolion ar Barnasws mynydd Hiraethog o hyd,' meddai Gwynn wrth David Owen.[82] Colli Silyn, Daniel Rees a Thomas Jones, felly, ar ddechrau'r degawd, a cholli Tom Owen tua diwedd y degawd. Colli cyfoedion a chyfeillion yw un o'r prif arwyddion fod dyn yn dechrau heneiddio.

Trwy gydol y 1930au, roedd ffasgiaeth ar gynnydd yn yr Almaen, yr Eidal a Sbaen. Roedd rhyfel byd arall ar y gorwel, am yr eildro o fewn rhyw ugain mlynedd. 'Y mae Heddwch bob amser yn anrhydeddus ac yn ddewr ac yn ddi-ofn,' meddai wrth Tegla ym mis Hydref 1938, gan synhwyro fod y byd ar fin gwallgofi eto.[83]

NODIADAU

1   Bangor MS/19262, llythyr oddi wrth T. Gwynn Jones at David Thomas, Mai 28, 1930. Robert Burns biau'r llinellau 'the best-laid schemes of mice an' men gang aft agley', o'i gerdd 'To a Mouse, on Turning Her Up in Her Nest with the Plough, November, 1785'.

2   'Ysgolhaig', *Manion*, t. 95.

3   LLGC TGJ, B110, llythyr oddi wrth T. Gwynn Jones at Daniel Rees, Medi 10, 1930.

4   Ibid.

5   Ibid.

6   Ibid.

7   'Cyfaill', *Manion*, t. 97.

8   LLGC EMH, A/2112, llythyr oddi wrth T. Gwynn Jones at E. Morgan Humphreys, Rhagfyr 31, 1930.

9   LLGC EMH, A/2114, llythyr oddi wrth T. Gwynn Jones at E. Morgan Humphreys, Mawrth 4, 1931.

10 Ibid.

11 LLGC TGJ, B111, llythyr oddi wrth T. Gwynn Jones at Daniel Rees, Chwefror 16, 1931.

12 Ibid.

13 Ibid., B113, llythyr oddi wrth T. Gwynn Jones at Daniel Rees, Gorffennaf 29, 1931.

14 LLGC EMH, A/2118, llythyr oddi wrth T. Gwynn Jones at E. Morgan Humphreys, Gorffennaf 30, 1931.

15 'Daniel Rees', *Cymeriadau*, tt. 125–6.

16 LLGC TGJ, B163, llythyr oddi wrth T. Gwynn Jones at J. Herbert Lewis, Rhagfyr 4, 1932; LLGC EMH, A/2122, llythyr oddi wrth T. Gwynn Jones at E. Morgan Humphreys, Ionawr 4, 1933.

17 CRG, llythyr oddi wrth T. Gwynn Jones at Thomas Jones, Tachwedd 7, 1930.

18 Ibid., llythyr oddi wrth T. Gwynn Jones at Thomas Jones, Chwefror 28, 1931.

19 Ibid.

20 'Rhagair', *Pitar Puw a'i Berthynasau*, t. 7.

21 'Sipsiwn Cymru', *Y Ford Gron*, cyf. ll, rhif 3, Ionawr 1932, t. 58.

22 LLGC EMH, A/2122, llythyr oddi wrth T. Gwynn Jones at E. Morgan Humphreys, Ionawr 4, 1933.

23 Ibid., A/2142, llythyr oddi wrth T. Gwynn Jones at E. Morgan Humphreys, Ionawr 31, 1938.

24 LLGC TGJ, 21672C, 40, llythyr oddi wrth T. Gwynn Jones at E. Tegla Davies, Mai 2, 1933.

25 'Rhagair', *Caneuon*, [t. 7].

26 LLGC 21672C, 40.

27 'An Austrian Who Acts in Welsh', *The Western Mail*, Awst 7, 1933, t. 11.

28 'The Wrexham Eisteddfod', *The Welsh Outlook*, cyf. XX, rhif 9, Medi 1933, t. 236.

29 'Memorable Opening Day at the Eisteddfod', *The Western Mail*, Awst 8, 1933, t. 11.

30 'Triumph of "Pobun"', Ibid., Awst 8, 1933, t. 11.

31 'Detholiadau o Pobun, o Gyfieithiad yr Athro T. Gwynn Jones', *Y Ford Gron*, cyf. III, rhif 11, Medi 1933 t. 246.

32 'Twenty Years of Change in Wales: Literature', *The Welsh Outlook*, cyf. XX, rhif 12, Rhagfyr 1933, t. 317.

33 Ibid., t. 318.

34 Ibid., t. 319.

35 *Manion*, [t. 5].

36 *Cymeriadau*, [t. 5].

37 LLGC EMH, A/2127, llythyr oddi wrth T. Gwynn Jones at E. Morgan Humphreys, Gorffennaf 12, 1934.

38 Adolygiad ar *Caniadau*, *Y Traethodydd*, cyf. LXXXIX, rhif 393, Hydref 1934, t. 245.

39 Ibid., t. 247.

40 'Fy Marn ar Waith fy Athro', cyf. IV, rhif 11, *Y Ford Gron*, t. 247.

41 Ibid., t. 264.

42 Ibid.

43 'Beirniad Awdl Castell Nedd yn Awyddus am Newid Ffasiwn Lenyddol', *Y Cymro*, Medi 1, 1934, t. 12.

44 Ibid.

45 Ibid.

46 Ibid.

47 'T. Gwynn Jones yn Canmol Cynildeb Tawel yr Awdl Orau', *Y Cymro*, Awst 25, 1934, t. 12.

48 Ibid., t. 13.

49 Ibid.

50 'Ogof Arthur (Awdl na fu yng Nghystadleuaeth Castell-nedd)', *Cyfres y Meistri 3*, t. 488. Cyhoeddwyd yn wreiddiol yn *Yr Efrydydd* X, 1933–1934, tt. 292–5.

51 Ibid., t. 489.

52 'Yr Haf', *Yr Haf a Cherddi Eraill*, 1924, t. 57.

53 'Ogof Arthur', t. 489.

54 'Y Dwymyn: Hanes Llyfr', *Cyfres y Meistri 3*, t. 318.

55 Ibid., t. 319.

56 LLGC EMH, A/2129, llythyr oddi wrth T. Gwynn Jones at E. Morgan Humphreys, Hydref 1, 1934.

57 'Awdlau Caernarfon: Beirniadaeth yr Athro T. Gwynn Jones, M.A.', *Y Faner*, Awst 20, 1935, t. 7.

58 LLGC EMH, A/2139, llythyr oddi wrth T. Gwynn Jones at E. Morgan Humphreys, Chwefror 25, 1937.

59 Ibid., A/2136, llythyr oddi wrth T. Gwynn Jones at E. Morgan Humphreys, Tachwedd 5, 1936.

60 LLGC TGJ, B179, cerdyn oddi wrth T. Gwynn Jones at J. G. Thomas, Mai 23, 1937.

61 LLGC EMH, A/2139, llythyr oddi wrth T. Gwynn Jones at E. Morgan Humphreys, Chwefror 25, 1937.

62 Ibid.

63 Dyfynnir yn *Thomas Gwynn Jones: Cofiant*, t. 353; llythyr oddi wrth T. Gwynn Jones at William Eames, Mai 23, 1937.

64 LLGC TGJ, 21672C, 43, llythyr oddi wrth T. Gwynn Jones at E. Tegla Davies, Mai 6, 1934.

65 *Supplement to the London Gazette*, Mai 11, 1937, t. 3089.

66 *Annwyl D. J. : Detholiad o'r ohebiaeth rhwng D. J. Williams, Kate Roberts a Saunders Lewis*, Golygydd: Emyr Hywel, 2007, llythyr oddi wrth D. J. Williams at Kate Roberts a Morris T. Williams, Ebrill 1, 1936, t. 82. Cyfeiriad at ragair Gwynn yn *Y Gelfyddyd Gwta* (t. 5) a geir yn 'Llundain i'r llundai' etc.': 'Ni ddiainc dim rhag amgylchiadau a dyfeisiau mechanegol y cyfnod. Onid aeth Llundain i'r llundai, ac oni ddaw campau'r rhai a ŵyr o'r awyr?'

67 'Englyna', *Beirniadaeth a Myfyrdod*, t. 74.

68 'Cynghanedd', Ibid., tt. 58–9.

69 LLGC TGJ, 21672C, 50, llythyr oddi wrth T. Gwynn Jones at E. Tegla Davies, Medi 18, 1936.

70 LLGC EMH, A/2142, llythyr oddi wrth T. Gwynn Jones at E. Morgan Humphreys, Ionawr 31, 1938.

71 Ibid.

72 Ibid.

73 LLGC TGJ, B165, llythyr oddi wrth T. Gwynn Jones at Saunders Lewis, Mehefin 2, 1938.

74 Bangor MS/19263, llythyr oddi wrth T. Gwynn Jones at David Thomas, Mehefin 2, 1938.

75 LLGC EMH, A/2144, llythyr oddi wrth T. Gwynn Jones at E. Morgan Humphreys, Rhagfyr 18, 1938.

76 LLGC TGJ, 21672C, 59, llythyr oddi wrth T. Gwynn Jones at E. Tegla Davies, Mai 26, 1938.

77 'Cyflwyno'r Athro T. Gwynn Jones, C.B.E., D. Litt., i'r gynulleidfa, gan H. Idris Bell ...', *Trafodion Anrhydeddus Gymdeithas y Cymmrodorion*, Sesiwn 1938, 1939, t. 42.

78 LLGC EMH, A/2144, llythyr oddi wrth T. Gwynn Jones at E. Morgan Humphreys, Rhagfyr 18, 1938.

79 Ibid.

80 CRG, llythyr oddi wrth T. Gwynn Jones at David Owen, Medi 8, 1938.

81 Ibid., llythyr oddi wrth T. Gwynn Jones at David Owen, Medi 20, 1938.

82 Ibid.

83 LLGC TGJ, 21672C, 63, llythyr oddi wrth T. Gwynn Jones at E. Tegla Davies, Hydref 6, 1938.

Pennod 11

ANATIOMAROS
Y BLYNYDDOEDD OLAF
1939–1949

Ddeng niwrnod ar ôl i Gwynn ddathlu'i ben-blwydd yn 68 oed, bu farw cyfaill a chymydog iddo yn ystod y cyfnod pan oedd yn byw yn Bow Street. Roedd dau frawd diwylliedig yn byw yn yr Elms, neu Garth Lwyfain, Ifor a Merfyn Davies. Ar Hydref 20, 1939, bu farw Merfyn ar ôl i gar ei daro. Canodd Gwynn gywydd er cof amdano. Roedd cenhedloedd y byd yn ymladd benben â'i gilydd eto, ond roedd Merfyn o leiaf yn cysgu'n dawel yn naear Cymru, ymhell o gyrraedd y byd a'i boen:

> Daear hen Gymru dawel
> heno'n y cwsg dwfn a'i cêl;
> a gwnaed yn hedd gwndwn hon
> ei fedd gyda'r Celfyddion.[1]

Crefftwr, saer coed wrth ei alwedigaeth oedd Merfyn:

> Addfwyn oedd ef yn ei ddydd,
> wyneb a threm awenydd;
> dros orwel pell y gwelai
> lendid heb ofid na bai.

> Diwyd, astud a distaw,
> anwylai ef a wnâi'i law,
> dilunwch nis bodlonai
> a byddai wych a'i boddhâi.

Carai bob crefftwaith cywrain,
  dylifai hud o'i law fain;
  difai y gweai gywydd,
  nid oedd gamp nad eiddo â gwŷdd.

Ei gu wên a garem gynt,
  a'i air mwyn, ni cheir monynt,
  o dewi nwyd ei awen
  a rhoi ei law dan oer len.

Am ei gartref y meddyliai pan oedd yn marw, ac yn y cartref hwnnw roedd gwarineb yr oesoedd: celfyddyd, moes, llenyddiaeth, hen hanes. Dyna'r gwerthoedd a oedd bellach ar goll:

Eiddo ef ryw hendref fraith
  a rhin oes aur yr heniaith,
  "Garth Lwyfain" cain yn y co',
  ei ddawn a luniodd honno.

Nid oedd ond o a wyddad
  y lle yr oedd na'i holl rad –
  yno yr oedd Celfyddion, res,
  moes a llên, pob hen hanes.

Yn ei wŷn, hon a enwai,
  yn hon o'i gŵyn, hun a gâi,
  "Garth Lwyfain", gwyrth ei lafur,
  oedd fyw'n ei gof drwy'i ddwfn gur.

A wŷr un na cheir yno
  froydd ei deg freuddwyd o?
  oni ddaw, wedi'r boen ddwys,
  i brydydd ei baradwys?[2]

Roedd Gwynn wedi ymddeol ers tair blynedd. Câi bellach yr hamdden prin hwnnw i ddarllen y llyfrau y bu'n dyheu am eu darllen ers blynyddoedd, clasuron Groeg a Lladin yn enwedig, ond surwyd blynyddoedd ei ymddeoliad iddo gan ryfel byd arall. Roedd yr hen wallgofrwydd hwnnw a brofai'r byd bob hyn a hyn, y gwallgofrwydd a yrrai ddynion i ddifa'i gilydd yn y ffyrdd mwyaf ciaidd a chreulon, wedi codi ei ben eto. Credai Gwynn fod rhyw haint neu dwymyn yn gafael yn y ddynoliaeth bob hyn a hyn, rhyw wallgofrwydd a oedd yn gyrru dynion i ddinistrio'i gilydd wrth y miloedd. Cyhoeddwyd cerdd newydd o'i eiddo, 'Yr Haint', yn *Yr Efrydydd* ac yn *Y Tyst* ym 1940, er mai ym 1938 y lluniodd y gerdd honno, mewn gwirionedd. Ymddengys mai cyfeirio at y Ffrwydrad Mawr, damcaniaeth ynglŷn â dechreuad y bydysawd a ffurfiwyd yn y 1920au, a wneir yn y llinellau agoriadol

> Torrodd rhu yn uchteroedd yr awyr,
> rhyw glecian megis pe bai greigiau a laciai,
> gan ysgaru ac ymrygnu'n ysgyrion,
> a threiglo i safn rhyw aruthr wagle serth,
> ag un grec groch;
> yna suad hir a distawrwydd –
> defnydd yn ymddadofni,
> ac yn huno'n ei syrthni cynhenid,
> yn un llyn llwch.[3]

Ar ôl y ffrwydrad, mae'r gofod yn sefydlogi, ond ar ôl biliynau o flynyddoedd, yn y 1930au, y mae gwyddonwyr, trwy ddysgu sut i hollti'r atom, yn dod i ddeall cyfrinach y Ffrwydrad Mawr, a thrwy hynny, alluogi dyn i greu ei ffrwydrad atomig ei hun. Trwy gydol y 1930au clywid sôn fod gwyddonwyr ar fin perffeithio math newydd o arf, sef y bom atomig. Yn ôl 'Yr Haint':

> Wedi huno dwfn, pan daniai defnydd,
> o'i ddeffro gan chwilfrydedd rhy ddiffrwyth,
> chwilfrydedd yr hil uchelfryd, haer,
> rhy haer i ffrwyno'i hoffer ei hunan,
> nes troi yn gaeth i'w hystrywiau;
> balchter munud yn bylchu trwy ymennydd,
> gan yrru gwewyr i gnoi'r gïau,
> a gwenwyno gwaed gan wŷn gwyllt,
> oni bo'r ofn a wynebo'i ryw,
> yn nydd y dwymyn ofn,
> yn un briw braen,

> yn gignoeth oddf, a'i bigog wŷn ni thyr,
>
> ni thyr ac ni thau,
>
> â'i groch ysgrechian,
>
> na sŵn ei lid a'i gasineb,
>
> nes yfed o'r llwch holl lysnafedd
>
> hen haint ein hil.[4]

Dyma ddydd 'y dwymyn ofn', y dwymyn hon o ladd a difa sy'n gafael yn y ddynoliaeth bob hyn a hyn. Mae chwilfrydedd naturiol dyn yn ei ysgogi i geisio deall cyfrinachau'r cread, a thrwy ddod i ddeall mai'r atom yw'r elfen leiaf mewn mater, neu 'ddefnydd' y gerdd, gallai dyn bellach ail-greu'r Ffrwydrad Mawr ac ailddeffro'r elfennau hynny a fu'n cysgu'n dawel ers canrifoedd. Ni ddaw'r ofn na'r dioddefaint i ben nes y bydd dyn wedi gwenwyno'r ddaear i gyd a throi'r byd yn llwch â'i arfau newydd dinistriol.

Mae'r gerdd yn diweddu ar nodyn o obaith:

> Er hynny, fe saif gair Hwnnw,
>
> Hwnnw na wybu ofn ei hunan.
>
> Y mae, er pob grym o hyd,
>
> un nwyd a fwrw allan ofn,
>
> Hon, a dim onid Hi.[5]

Crist, mae'n debyg, yw'r 'Hwnnw', a chariad yw'r 'un nwyd' a all ddileu ofn. Mewn gwirionedd, un o gerddi Rhufawn yw hon, o ran thema a chyfrwng, ond ni cynhwyswyd mohoni yn *Y Dwymyn*.

Roedd yn anodd i neb gwâr ddygymod â'r rhyfel. 'Y mae digwyddiadau'r dyddiau hyn mor wallgofus a chythreulig fel nad oes i ni'r lleill ddim i'w wneud onid tewi,' meddai mewn llythyr at Tegla ym mis Ebrill 1940.[6] Ond hyd yn oed yng nghanol y dioddef cafodd dangnef. Meddai wrth Tegla, yn yr un llythyr:

> Yr oedd fy nghymydog J. T. Rees, y cerddor, yn fy ngwahodd o hyd i sgrifennu emyn iddo. Ni wneuthum innau emyn yn f'oes, er i mi drosi nifer o hen rai Lladin, a rhai Saesneg. Ryw nos Sul, yn y gwasanaeth, daeth awydd drosof am y goleuni yn yr hwyr. Ni adawai'r awydd lonydd i mi, a daeth y penillion megys o honynt eu hunain.[7]

Cyhoeddwyd yr emyn, 'Emyn Gosber', yn *Iesu Biau'r Gân*, casgliad J. T. Rees o emyn-donau, ym 1939, ond ar ôl iddo ymddangos yn *Y Goleuad* ym mis Ionawr 1940 y daeth yr emyn yn boblogaidd, ac nid rhyfedd hynny. Mae'r emyn yn ymbil ar Dduw am oleuni yn y tywyllwch, ac am drugaredd a thangnefedd yn hedd yr hwyr, trugaredd yng nghanol cynddaredd y rhyfel:

> Pan fo'n blynyddoedd ni'n byrhau,
> Pan fo'r cysgodion draw'n dyfnhau,
> Tydi, yr unig un a ŵyr,
> Rho olau'r haul ym mrig yr hwyr.

> Er gwaeled fu a wnaethom ni
> Ar hyd ein hoes a'i helynt hi,
> Er crwydro ffôl ar lwybrau gŵyr,
> Rho di drugaredd gyda'r hwyr.

> Na chofia'n mawr wendidau mwy,
> A maint eu holl ffolineb hwy;
> Tydi, yr unig un a'i gŵyr,
> Rho di drugaredd gyda'r hwyr.

> Mae sŵn y byd yn cilio draw,
> A dadwrdd ynfyd dyn a daw;
> A fydd ein rhan, tydi a'i gŵyr:
> Rho di oleuni yn yr hwyr.[8]

Roedd Dewi Morgan, a oedd yn byw yn Garn House, Pen-y-garn, nid yn unig yn gyfaill i Gwynn ond yn gymydog iddo hefyd; ac roedd Dewi a J. T. Rees hefyd yn gyfeillion. Ac er cof am J. T. Rees y lluniodd Dewi un o'i englynion gorau:

> Ef a wyddai gelfyddyd – yn ei ardd,
>   A'i throi'n wyrth o fywyd;
>   Yn Seion yr un ffunud –
> Garddwr y gerdd orau i gyd.[9]

Daeth ail Nadolig y rhyfel, a derbyniodd air oddi wrth Gwynfor. Cwynai fod rhyw adwyth arno. Ac meddai Gwynn:

> Yr oedd yn drist gennyf ddarllen eich geiriau, a deall eich bod yn teimlo ei bod "bron yn ddistyll" arnoch. Euthum i feddwl am y dyddiau gynt, pan fyddem yn ddiadwyth, ac yna am fy nistyll fy hun, fel y byddai raid fy nghario ar gefn cyfaill drwy afon Laslyn! Er nad wyf bellach cystal ag y bûm, nid rhaid cwyno, ag ystyried popeth. Ond ni welwn ni byth eto amser fel yr hen ddyddiau yng Nghaernarfon.[10]

Roedd amser, erbyn hyn, yn chwarae castiau â'r cof. Drwy afon Gwyrfai y cariodd Gwynfor ei gyfaill ar ei gefn.

Blinder enaid a diflastod eithafol i heddychwr fel Gwynn oedd gorfod byw trwy gyfnod arall o farbareiddiwch. 'Nid anhyfryd yw meddwl nad rhaid fydd i ni ei oddef yn hir iawn eto!' meddai wrth ei gyfaill claf.[11] Roedd hynny yn fwy gwir yn achos Gwynfor nag yn ei achos ef ei hun. Ymhen ychydig fisoedd, ni fyddai'n rhaid iddo oddef ffolineb a diawlineb y byd byth eto.

Bu'n gohebu am blwc ddiwedd 1940 a dechrau 1941 â gŵr o'r enw Edwin Stanley James, a elwid yn 'Merlin'. Arferai Merlin farddoni yn Gymraeg ac yn Saesneg. Cyhoeddodd gasgliad o gerddi ym 1921, *The Statue and Other Poems*, a chyhoeddai gerddi yn achlysurol yn y cylchgronau, yn ogystal â chyfieithiadau Saesneg o gerddi Cymraeg. Anfonodd gywydd at Gwynn i ofyn iddo am ei farn a'i gymorth, ac aeth yntau ati i'w drwsio a'i ailwampio iddo, gan restru nifer o welliannau a chywiriadau. Un o'r beirdd Cymraeg a gyfieithai Stanley James i'r Saesneg oedd Gwynn ei hun. Cyhoeddwyd ei gyfieithiad o 'Ystrad Fflur' yn *Wales*, cylchgrawn Keidrych Rhys, ym 1945, a'r cyfieithiad hwnnw yn cynnwys odlau mewnol y gerdd wreiddiol:

> The voice of leaves in Ystrad Fflur
>   Is clear upon the air,
> And twelve dead Abbots buried deep
>   In sleep are resting there.
>
> And where the sombre yew-trees wave
>   Ap Gwilym's grave was made,
> And fighting men who dreamed of fame
>   Without a name were laid.

Though Summer comes again to wake
　　The brake to leaf and flower,
Man sleeps – while slowly fall
　　Cornice and wall and tower.

But though oblivion wrought by death
　　On ruined faith I see,
Yet in the pale of Ystrad Fflur
　　My fear and sorrow flee.[12]

Yn un o'i lythyrau at Edwin Stanley James soniodd Gwynn am ei gerdd 'Broséliâwnd':

> During the last bout of barbarism, I was spending a holiday on Hiraethog. From the window of the house where we stayed, in the distance, we could see a gap cutting into a small forest. The colours were so wonderful & the place seemed so quiet that I evolved the poem. The sentiment comes back to me again during this barbarism –
>
> > "O'i mud rigolau tremiai dirgelwch
> > Esmwyth, hudolus, a maith dawelwch."
>
> There the magician disappears, & is never more seen. I often see the sight & experience the sentiment again these days. I suppose ap Nudd will disappear there first, & Merlin will follow. And we may meet somewhere there in the great stillness ...[13]

Treuliodd Gwynn a Megan gyfran o haf 1941 ar wyliau yn Ninbych a Llangollen. Bu'r ddau hefyd yn teithio ar draws Mynydd Hiraethog, hyd nes cyrraedd Pentrefoelas, yng nghar modur nith i Megan. Roedd yn ddiwrnod heulog braf, a chafodd Gwynn fodd i fyw. 'Tawelwch a distawrwydd urddasol, fel pe buasai'r byd eto yn ei bwyll,' meddai am y mynydd.[14] Nid dyna'r unig arwydd fod y byd heb golli ei bwyll a'i warineb yng nghanol y diawlineb. Ym mis Mai, cafodd wahoddiad i fod yn un o is-lywyddion Cymdeithas Geltaidd Rhydychen. Do, cyrhaeddodd Rydychen yn y pen draw.

Ar Fedi 17, 1941, cafodd Gwynn a Megan ymwelwyr annisgwyl. Cafodd Llysgennad Latfia, ynghyd â'i wraig o Ffrances a'u merch, fymryn o de gyda'r ddau yn Hafan. Yn ôl Gwynn, 'pobl rywiog, ddirodres, fel y Cymry ar eu gorau' oedd y Latfiaid.[15] Adferwyd rhywfaint o ffydd Gwynn yn y ddynoliaeth gan ymweliad y tri o Latfia:

> Yr wyf yn dysgu tipyn o Latvian, yr iaith Slafonig gyntaf i mi ymhel â hi (oddieithr tipyn o Rwsieg, flynyddoedd yn ôl) ... Collodd y Llysgennad bob peth a feddai yn y rhyfel diwethaf. Daeth adref o Rwsia ac ail ddechrau. Colli'r cwbl drachefn pan ddaeth chwyldro'r Bolshefiaid. A bellach, difa'i bethau yno ac yn Llundain gan y Nazïaid. Ac eto 'roedd yntau'n llawen ac yn fyw iawn, yn cyfieithu prydyddiaeth Latvian i mi. Dyma'r bobl sy'n cadw mewn dyn rywfaint o ffydd mewn dynoliaeth sy'n gallu cadw'i pwyll drwy'r cwbl.[16]

Roedd yr ymweliad yn ysgogiad ac yn esgus i Gwynn ddechrau ymhél ag iaith arall eto fyth. Nid oedd ball ar ei chwilfrydedd a'i frwdfrydedd hyd yn oed ar drothwy ei ben-blwydd yn 70 oed.

Ond wedyn, ergyd arall. Bu Gwynfor farw ar Awst 21, 1941, yn ei gartref, Dwylan, yng Nghaernarfon. Roedd yn 66 oed. Ni chlywodd Gwynn am ei farwolaeth mewn pryd i allu mynd i angladd ei hen gyfaill. 'Y mae'r hen gyfeillion yn mynd o un i un,' ebychai.[17] A Gwynfor oedd un o'i gyfeillion pennaf. Brodor o Bwllheli oedd Gwynfor, ond symudodd i Gaernarfon ym 1893, ac ar ôl gweithio mewn siop yno i gychwyn, agorodd ei siop ei hun yn y dref. Siop gigydd oedd honno, a bu'n gwerthu cig i drigolion tref Caernarfon nes iddo gael ei benodi yn llyfrgellydd cyntaf Llyfrgell Sir Gaernarfon. Daeth Gwynn a Gwynfor yn gyfeillion ar ddiwedd y bedwaredd ganrif ar bymtheg, wedi i Gwynn symud i Gaernarfon i weithio ar *Yr Herald* ym 1898. Un arall o gyfeillion Gwynfor, yn ddiweddarach, oedd R. Williams Parry.

Y ddrama, fodd bynnag, oedd angerdd mawr bywyd Gwynfor, er ei fod hefyd yn prydyddu ac yn ysgrifennu straeon byrion. Ar gyfer cwmni Gwynfor y lluniodd Gwynn y ddrama honno am y Tywysog Dafydd, ac wrth dalu teyrnged i'w gyfaill yn *Y Faner*, cofiai Gwynn am achlysur perfformio'r ddrama ym 1904, â chwithdod lond ei chwerthin:

> Cof gennym amdano ef yn cymryd rhan yn 'Y Tywysog Dafydd' yng Nghaernarfon. Yr oedd amryw o'r rhannau wedi eu sgrifennu ar gyfer rhai o'r prif chwaraewyr, a Gwynfor yn cymryd rhan y tywysog. Drwy fod un chwaraewr wedi clafychu a'i gymryd i'r ysbyty ryw ddeuddydd

neu dri cyn y chwaraead cyhoeddus cyntaf, gorfu i awdur y ddrama gymryd dwy ran hwnnw, am y tybid ei fod ef yn medru pob gair o'r holl chwarae. Y gwir oedd fod gan hwnnw burion cof o'r ystyr ond na allai yn ei fyw ei dywedyd yn yr un geiriau bob tro, felly byddai raid i'r cofiwr fod wrth law yn gyson er mwyn chwythu yn ei glust, gael iddo orffen ei frawddeg fel yr oedd yn y chwarae, rhag drysu'r neb a fyddai'n chwarae yn ei erbyn.

Tua'r diwedd, yr oedd Gwynfor a'r awdur gyda'i gilydd ar y llwyfan, aethai'r cofiadur i rywle ac ni allai'r awdur gofio mo'i ran. Cerddodd y ddau o gwmpas gan wneud osgo gwrando, ac wrth basio'i gilydd, medrodd yr awdur sibrwd bod yn rhaid iddynt lunio ymddiddan yn y fan a'r lle nes dôi pethau i drefn. Felly fu, ac ni wybu neb fod yno un anffawd.[18]

Lluniodd Gwynn gywydd i Gwynfor ryw ddeng mlynedd ar hugain cyn ei farwolaeth. Yn y cywydd, clyw sŵn trist y môr o'i ystafell yn Aberystwyth, a'r sŵn hwnnw yn codi hiraeth arno am y Fenai bell a'i gyfeillion yng Nghaernarfon:

> Mi glywaf o'm ystafell
> Ofid calon beiston bell
> Yn wylo oesol alaeth
> Ar wyw, drist, ddigysur draeth,
> Heno, a mi fy hunan,
> O hiraeth tost wrth y tân,
> Yn ôl yn olrhain helynt
> Dau oedd gu, y dyddiau gynt.
>
> Ai mwyn hun Menai heno,
> Ai ton greg sy'n tynnu gro
> I'w maith hwrdd anesmwyth hi –
> Storm oer drist o'r môr drosti?
> Neu a ddaw maith floedd y môr
> I'th anfon dithau,Wynfor,
> Er edrych lle bu rywdro
> Rywun fu ran o'r hen fro? ...

> Dithau, fy nghymrawd, weithion,
> A glywi di lef y don
> Yn dywedyd ein didol,
> Na ddaw ein hen ddyddiau'n ôl,
> Namyn yn llwyd freuddwydion –
> A! dristed wyd, drwst y don![19]

Cywydd cyfarch oedd 'Breuddwydion', a hiraeth am rywun byw oedd y cywydd, er ei fod hefyd yn gywydd marwnad i'r hen ddyddiau, yr amser a fu ac a ddarfu. Bellach, roedd yn rhaid i Gwynn lunio marwnad i'w gyfaill mud. Cyhoeddwyd cerdd ganddo er cof am Gwynfor yn *Y Faner* ar ddechrau mis Hydref, cerdd dyner, lawn hiraeth, a'r chwarae ar y syniad o ieuenctid a henaint yn rhoi undod a grym i'r gerdd:

> Nid oeddem ond ieuainc, os teimlem yn hŷn,
> A daethom mewn amser yn iau, os yr un;
> Pan welais ef olaf, a chydlawenhau,
> Os hŷn oeddwn i, aeth yr actor yn iau.
>
> Yn ieuanc fe'i gwelais yn troi yn hen ŵr,
> Pob golwg a goslef ac osgo yn siŵr,
> Yn dwysog urddasol, yn dlodaidd ei lun,
> Ni'n twyllai ni chwaith – argyhoeddai bob un.
>
> Am dro Dros-yr-Aber 'rwyf heno, fy hun ...
> Ai fo sydd yn dyfod? ... Mae'n debyg ei lun;
> Efô. Ond mi welaf, o wylio ei wên,
> Nad yw ac na bydd-o byth eto yn hen.[20]

Lluniodd hefyd gerdd *vers libre* er cof am Gwynfor, gyda'r pum llinell gyntaf yn unig ar gynghanedd, bum niwrnod cyn Nadolig 1941, 'Yr Olygfa Olaf':

Distaw oedd yr holl dystion ...

Mwy, 'roedd yr actor yn mynd,
fe welai'r Olygfa Olaf,
un drom, drist –
iddynt hwy, oedd yn y tywyll ...

Ac yntau? Meddai:
"O, mae'r olygfa'n lledu ...
'Does arnaf i ddim eisiau gormod o gnawd.
Maent yn cuddio'i wyneb hoff ...
Na, 'does raid i neb ofni mynd."

Ennyd fud ...
Fforchai'r goleuni ar ei dalcen,
fel bysedd llaw wen,
a'r awyr yn tonni wrth rediad y geiriau mwyn
a lefarodd Meistr Llwyfan y byd:
"Da was da a ffyddlon,
Dos i mewn i lawenydd dy Arglwydd."

A daeth y llen i lawr.[21]

Mae'n ymddangos mai drafft cyntaf o ryw fath yw'r gerdd hon, ond fe'i gadawodd, yn anorffenedig.

Parhâi i farddoni, ond nid cymaint â chynt. Ym 1941, gofynnodd Aneirin Talfan Davies iddo am gerddi ar gyfer blodeugerdd yr oedd yn ei pharatoi. Anfonodd Gwynn ddilyniant o chwe cherdd ato, dan y teitl 'Y Dynged'. Ni lwyddodd Aneirin Talfan Davies i gyhoeddi'r flodeugerdd oherwydd anawsterau'r cyfnod, ond cadwodd y cerddi. Bellach y mae Gwynn, ar ôl cyrraedd oed yr addewid, yn myfyrio ar ystyr bywyd, yn edrych yn ôl ar droeon yr yrfa, ac yn ceisio deall dirgelwch dyn a Duw, bywyd ac angau. 'Dirgelwch' yw'r gerdd gyntaf yn dilyniant, cerdd ar Fesur Madog, ac y mae'n chwarae â'r gair 'bod' wrth geisio deall a datrys dirgelwch bywyd:

Bod ydyw'r pwnc, neu beidio, a diau
   y deall dyn hynny;
Bod yr ŷm, ac fe beidiwn â bod
   heb wybod ba awr;
Dyn, os o anfod y daeth, a ddyfydd
   i ddifod pan beidio?
Adfod drwy ledfod, a ludd y bod
   a fu ac a baid?
Isfod ac uchfod, a geir? neu ranfod
   drwy enfawr barhadau?
Anfod, dyfod a difod, difod
   a dyfod heb dawl?[22]

Y mae dyn yn bod, ac wedyn yn peidio â bod, er na ŵyr pa bryd y bydd yn marw. Os daeth dyn o'r stad o anfodolaeth, y dim sy'n bod cyn i'r hedyn gyrraedd y groth, a ydyw'n dychwelyd i'r cyflwr hwnnw o beidio â bod, sef marwolaeth, ar ôl iddo ddyfod? Ail fodolaeth o ryw fath yw 'adfod', ond dim ond rhyw led-fodoli a wnawn, felly, sut y gellir cael ail fodolaeth ar ôl marwolaeth, gan mai rhyw hanner bodoli neu rith-fodoli a wnawn, cysgodion annelwig dros dro yn unig. Mae llawer o amwysedd bwriadol yn y gerdd wrth chwarae â'r syniad hwn o fodolaeth ac anfodolaeth, o ddod, o fod ac o ddarfod. Gofynnir cwestiynau. A oes y fath beth ag isfod ac uchfod yn bod? Gall uchfod neu uwchfodolaeth olygu Duw, neu'r profiadau goruwchnaturiol, arallfydol hynny a ddaw i ran dynion, profiadau sy'n codi dyn uwchlaw cyffredinedd a normalrwydd. Yn gyferbyniol i uwchfod ceir isfod, sef y fodolaeth isaf oll, bodolaeth feidrol dyn ac aderyn a thrychfilyn. Gall isfod olygu isfyd hefyd, annwfn y meirwon, tra bo uwchfod yn golygu bodolaeth uwch na bodolaeth feidrol dyn ar y ddaear. Yn y ddaear yr oedd annwfn, uwch ein pennau y mae'r nefoedd. Ac wedyn, y rhanfod drwy enfawr barhadau. Rhannau ydym, nid endidau cyflawn, dolenni yng nghadwyn parhad y cenedlaethau. Yr unig bwrpas i'n bywydau ni yw sicrhau parhad yr hil yn olyniaeth y cenedlaethau. A daw'r gerdd i ben gyda thri chyflwr pob meidrolyn: y stad o lwyr anfodolaeth cyn y beichiogi ('anfod'), y geni ('dyfod') a marwolaeth ('difod'). Ac fel yna y mae bywyd drwy'r cenedlaethau: 'difod' a 'dyfod', geni a marw, bodolaeth a marwolaeth. Cerdd amwys ac anodd yw hon, ond mae'r thema hefyd yn amwys ac yn anodd. Yn ei flynyddoedd olaf, roedd Gwynn yn wynebu ei feidroldeb ef ei hun, ac yn dod i'r casgliad nad yw dyn yn ddim ynddo'i hun. Rhan o'r patrwm diddarfod yw dyn, rhan o drefn nad oes iddi ddiwedd ('heb dawl').

Yn y soned 'Blinder', mae'r syniad o lafurio'n ofer drwy gydol oes yn codi ei ben eto:

> Un hwyr, ar ofer lafur oes yn flin,
>> Myfyriais wrth y tân oedd, yn ei dro,
>> Yn gwneuthur breuder gwelw o ddüwch glo,
> Gan ollwng trysor pridd a heulog lin
> Yn llinyn mwg i wagle maith y nen
>> I blith aneirif arfau'r oerfel llaith,
>> Dimeiddiad ebrwydd ei garchariad maith,
> Diddwysad defnydd oesau'n cyrraedd pen.
>> Felly bydd ofer dyn a'i hiraeth taer,
> Na wypo les o'i lafur ef ei hun;
>> Bydd megis mwg a gollo yn yr aer,
> Dadfeiliad ei obeithion ef bob un,
>> A chwâl y gwynt holl darth ei uchel gaer –
> Ai ceisio'r dasg, bid ddim, fydd cysur dyn?[23]

'Dadfeiliad ei obeithion ef bob un', dyna'r llinell allweddol yn y gerdd, llinell sy'n mynegi dadrith diwedd oes wrth i holl obeithion a breuddwydion bore oes fynd i'r gwellt. Ond rhaid nodi mai dynion sy'n methu gweld gwerth yn eu gwaith hwy eu hunain, dynion sy'n credu na wnaeth eu gwaith les i neb, y bobl hynny sy'n teimlo mai ofer fu eu holl lafur. Fel hynny y teimlai Gwynn yn aml.

Myfyrio am feidroldeb a marwolaeth a dirgelwch bodolaeth dyn ar y ddaear a wneir yn 'Ffordd yr Holl Ddaear':

> Y ffordd na ddianc rhagddi hi
>> Ddim un creadur byw,
> Yr un gyffredin ffordd i ni,
>> Ffordd yr holl ddaear yw.
>
> Erioed ar hyd-ddi hi yr aeth
>> Plant dynion o bob rhyw;
> Yn ôl ar hyd-ddi un ni ddaeth,
>> Ffordd yr holl ddaear yw.

Os tywyll fydd pan gerddom hi,
 A ninnau'n wan a gwyw,
Rho, dirion Dad, nad ofnom ni –
 Ffordd yr holl ddaear yw.

Ffordd ydyw hon a beraist Ti,
 Dirgelwch ola'r byw,
Boed dy drugaredd drosti hi –
 Ffordd yr holl ddaear yw.[24]

Ceir yn y gerdd hon eto yr ymwybyddiaeth mai dolen fechan yng nghadwyn y cenedlaethau yw pob unigolyn o feidrolyn – 'plant dynion o bob rhyw'. Yr hil sy'n parhau, nid yr unigolyn.

Parhâi hefyd i gydweithio â cherddorion. Cyhoeddwyd *Cerddi Canu* ym 1942, sef detholiad o'r cyfieithiadau a wnaeth Gwynn ar gyfer cwmni W. S. Gwynn Williams, Cwmni Cyhoeddi Gwynn, yn Llangollen, ond heb y gerddoriaeth, dim ond y geiriau. Mewn gwirionedd, mae'r gyfrol hon yn gyfrol o farddoniaeth ynddi hi ei hun, gyda'r gwahaniaeth sylfaenol mai cyfrol o gyfieithiadau ydyw yn bennaf. Lluniwyd y cerddi a'r cyfieithiadau i gyd o fewn cwmpas pum mlynedd, 1937–1942. Ceir yn y cyfrol gyfieithiadau o gerddi gan feirdd fel Robert Burns, Robert Herrick, Walter de la Mare, Syr Walter Scott, a chyfieithiad Saesneg o'i gerdd ef ei hun, 'Crinddail'.

Gwawriodd 1943 yn ddigon trugarog, ond ni fyddai'n parhau felly. Roedd y rhan fwyaf o'r teulu oll ynghyd ac yn ddiogel yn Aberystwyth, pawb ac eithrio Arthur a'i deulu, a Wynn, gŵr Eluned, fel y nododd Gwynn mewn llythyr at Morgan Humphreys ym mis Ionawr:

> Y mae Arthur yn Abertawe, a'i deulu i'w ganlyn, er tua mis Mawrth, yn Llifftenant gyda'r N.F.S. [National Fire Service], yn gwneud pob math o drefniadau a chadw cofnodion, gwaith caled iawn, ond y mae yntau'n gyfeillgar â'i staff ac yn cymryd diddordeb ynddo, mi debygwn. Ar hyn o bryd y mae Llywelyn adref, yn byw yn ymyl yma gyda'i wraig, wedi bod am dros ddwy flynedd yn Abergafenni ac Aberhonddu, fel gŵr lleyg. Y mae'n disgwyl rhyw swydd arall cyn hir. Yn Llundain y mae Wynn (gŵr Eluned) a hithau a'r plant yma gyda ni o nos Wener hyd ddydd Llun a'r gweddill o'r amser mewn fflat yn y dref, wrth fod y ddau blentyn yno yn yr Ysgol Sir.[25]

Y mis Ionawr hwnnw roedd isetholiad i gynrychioli Prifysgol Cymru yn y Senedd yn San Steffan i'w gynnal. Roedd pum ymgeisydd am y sedd, ac yn eu plith yr oedd W. J. Gruffydd a Saunders Lewis, a safai yn enw Plaid Cymru. Ymhlith cefnogwyr W. J. Gruffydd yr oedd Lloyd George, a Gwynn yntau yn un o gefnogwyr Saunders Lewis. Meddai wrth Morgan Humphreys:

> Rhyfedd yw helynt yr etholiad, onid e? – D.Ll.G. [David Lloyd George], yn cynnig W.[J.G.]! A'r dwthwn hwnnw yr aeth ... Gofynnwyd i mi enwi S.L. Gwneuthum hynny, am ei fod yn gymrodeddwr a gŵr didwyll, dealltwriaethus a dewr.[26]

I gwblhau'r adnod, 'A'r dwthwn hwnnw yr aeth Pilat a Herod yn gyfeillion; canys yr oeddynt o'r blaen mewn gelyniaeth â'i gilydd' (Luc 23:12). Roedd W. J. Gruffydd wedi beirniadu Lloyd George yn llawdrwm fwy nag unwaith. Efallai na fu Gwynn a W. J. Gruffydd mewn gelyniaeth â'i gilydd erioed, ond mae'n rhyfedd meddwl fod Gwynn wedi penderfynu cefnogi Saunders Lewis yn hytrach na'i gyfaill bore oes. Roedd gagendor amlwg wedi lledu rhwng y ddau erbyn blynyddoedd yr Ail Ryfel Byd. Cynhaliwyd isetholiad y Brifysgol rhwng Ionawr 25 a 29, a W. J. Gruffydd a etholwyd i gynrychioli'r Brifysgol yn y Senedd, gyda 3,098 o bleidleisiau, a Saunders Lewis yn ail iddo gyda 1,330 o bleidleisiau.

Yn gynnar ym 1943, bu'n rhaid i Gwynn a Megan symud o Hafan i fflat ym Mryn Peirian, Ffordd y Frenhines, Aberystwyth, gan fod Hafan yn rhy fawr iddynt bellach, ac yn rhy anodd i Megan ofalu amdano, yn enwedig gan nad oedd modd iddi gael morwyn yn unman. Rhoddodd Gwynn hanner ei lyfrgell i'r Llyfrgell Genedlaethol, gan eu bod yn symud i le llai. 'Yma ers deufis,' meddai wrth Tegla Davies ar y diwrnod olaf o Ebrill, ac roedd ganddo newyddion da:

> Y mae'r wraig yn gwella eto ar ôl diffyg anadl ac annwyd go dost. Y mae'r hogyn bach yn gwella'n dda yn ôl pob hanes, yn St Albans, wedi triniaeth lawfeddygol go anodd, mi allwn feddwl.[27]

Yr hogyn bach oedd Rhys, mab Arthur ac ŵyr Gwynn, ond ni wellhaodd, a bu farw yn bedair oed. Trasiedi enbyd oedd hon, nid yn unig i rieni Rhys ond i bob aelod o'r teulu, taid a nain Rhys yn enwedig. Roedd Gwynn yn gwirioni ar ei wyrion a'i wyresau, Nia ac Emrys, plant Eluned, Nonn, Rhys a Ceredig, plant Arthur. Fel y cofiai Arthur ei hun:

Yn ei hoffter at y rhai lleiaf yr oedd, mi dybiwn, yn hollol eithriadol. Gweld rhyw newydd-deb diderfyn a pherffeithrwydd y byddai ynddynt, a gallai eistedd am hydion yn gwylied yn astud un bychan blwydd oed ar lawr gyda'i deganau, neu'n dechrau dysgu'i fwydo'i hun, neu'n cropian ar hyd y llawr. Ni fyddai byth ball ar ei amynedd yn ceisio'u cysuro pan ddigwyddai anffawd, nac ar ei falchder pan lwyddai. Gyda'r plant, ac yn erbyn y rhieni, y byddai'n ochri pan âi hi'n ddrwg rhwng y ddwy blaid, 'cadw chware teg i'r creadur bach' fel y dywedai.[28]

Ac yntau'n fardd, roedd Gwynn yn hoff iawn o wrando ar iaith ei wyrion a'i wyresau, ac efelychu eu hiaith:

Ei brif bleser fyddai cael cwmni plentyn a fyddai'n dechrau siarad. Nodai a chofiai bob gair newydd a glywai, ac weithiau, efallai, taclusai dipyn arnynt er mwyn eu gwneud yn hynotach i'w hadrodd i eraill. Ymhen blynyddoedd wedyn, a phawb ond ef wedi anghofio, dyfynnai air plentynnaidd er syndod i'r rhieni – ac weithiau swildod i'r plentyn. 'Llatfflom', gair ei ŵyr Emrys am blatfform, oedd, ond odid, y greadigaeth a roddodd fwyaf o bleser iddo erioed; ond bu 'Eddepots' gair ei wyres Nonn am fwyd yn nofio ar hylif, yn gystadleuydd agos. Ef ei hun, hefyd, a ddarganfu beth oedd gwraidd y gair 'Eddepots', sef *apricots*. Bu'r cwestiwn 'Os gen ti fflashbant, Gwynn?' yn enwog ganddo am flynyddoedd. Bachgen pedair oed oedd awdur yr orchest hon, wedi colli tegan dan y bwrdd ac yn mynnu *flashlamp* at chwilio amdano.[29]

Teimlai Gwynn yn agos iawn at un o'i wyrion, a bu'r ŵyr hwnnw yn gysur enfawr iddo ar ôl marwolaeth ei frawd, Rhys:

Ceredig, ei ŵyr ieuangaf, a fu'r cysur mwyaf oedd ganddo, at ddiwedd ei oes. 'Roedd rhyw gydymdeimlad ysbryd rhwng yr henwr dwy ar bymtheg a thrigain a'r bachgen pedair oed yn cau'r bwlch rhyngddynt fel pe na bai yno. Pallu [yr] oedd cof fy Nhad am eiriau a'i allu i'w dweud, ond eisteddai Ceredig yn ei ymyl a phan âi'n ddrwg arno am ddiwedd gair ei orffen drosto.[30]

Lluniodd Gwynn gerdd fechan ddirdynnol, 'Gloes', er cof am Rhys, ac y mae'n efelychu ieithwedd plentyn yn y gerdd, er mwyn pwysleisio'r ing a'r golled:

> Myned i edrych amdano gynt –
>   Gloes yr anwyldeb ni phaid;
> Gweled ei wên a chlywed ei lais –
>   "Seidel al y gadel 'na, Taid."
>
> Disgwyl yn ofer amdano mwy,
>   Hynny i'r diwedd fydd raid,
> Cofio ei wên a chlywed ei lais –
>   "Seidel al y gadel 'na, Taid."[31]

Mae'r hiraeth a'r galar am Rhys yn gwaedu drwy'r cywydd a luniodd iddo hefyd:

> Efô oedd lawn o fywyd,
>   Mwynhâi fo gymain' o'i fyd;
> Wedi'i ddwyn ym mlodau'i ddydd
>   Môr lân, mae'r mawr lawenydd?[32]

Cyhoeddwyd dau lyfr pwysig ganddo ym 1944. Ar gais Aneirin Talfan Davies a'i frawd Alun, cyd-sefydlwyr Llyfrau'r Dryw, y lluniodd ei gyfrol fechan o atgofion, *Brithgofion*. Yn yr un flwyddyn, ym mis Awst, y cyhoeddwyd *Y Dwymyn*, sef cerddi Rhufawn wedi eu hel ynghyd. Gwasg Aberystwyth a gyhoeddodd y gyfrol, ac fe'i cyflwynwyd i Prosser Rhys, perchennog a rheolwr y wasg, Kate Roberts a Morris T. Williams, gŵr Kate. Arferai Gwynn alw heibio i swyddfa Gwasg Aberystwyth a'r *Faner* ar Rodfa'r Gogledd i gael sgwrs â Prosser, ac eraill a ddôi heibio, gan gynnwys Kate Roberts a Morris T. Williams.

Ychydig fisoedd cyn iddo ddechrau gweithio ar gerddi Rhufawn, cyhoeddwyd sgwrs radio o'i eiddo yn *Y Ford Gron*, 'Popeth o'r Newydd'. Ynddi trafododd rai o ddyfeisiau'r oes. Oes grym oedd yr oes newydd. Grym a lywodraethai; grym a reolai. Meddai am gyfnod y Rhyfel Mawr: 'Gellid ym marddoniaeth y cyfnod olrhain tuedd fwyfwy at edrych ar orthrech fel peth gwych, at edmygu caledwch y dyn cyntefig, at edrych ar dosturi fel gwendid'.[33] Trais a gorthrwm, creulondeb a chaledwch, dyma'r pethau a edmygid bellach; ond gallai'r dyn modern gyfuno meddylwaith gwyddonol oer â'r gynneddf gyntefig, hynny yw, roedd effeithiolrwydd trefnus a dyfeisgarwch y dyn modern yn cynyddu ei greulondeb ac yn lluosogi ei weithredoedd treisgar, didostur:

> Y mae gwahaniaeth eglur rhwng y duedd hon at fawrygu grym a gorthrech a'r ddefod gynt i glodfori rhyfelwyr a'u gorchestion. Nid ymffrost hanner rhamantus yr hen wladgarwch sydd yma mwy, ond effaith apêl aruthrwch y byd cyntefig at feddyliau mwy cyfundrefnus nag eiddo'r chwedleuwyr fel dosbarth.[34]

Roedd artistiaid fel Epstein a Picasso yn efelychu celfyddyd gyntefig. Roedd dyn yn ei foderneiddiwch yn troi'n ôl at y cyntefig. 'Dywed beirniaid credadwy y gellir olrhain dylanwadau tebig – adlam y dyn cyntefig, megis – ar gelfyddydau eraill, megis cerddoriaeth, tynnu lluniau neu beintio, cerfio ac adeiladu,' meddai.[35]

Cyrhaeddodd oes newydd, yn sicr:

> Yr ŷm, yn ôl pob tebig, ar derfyn un o gyfnodau mawr hanes dyn. Dywed Berdyaev, athronydd Rwsiaidd, fod y peth y buom ni yn ei alw yn Gyfnod Rhamantusaeth ar ben, a bod yn debig y daw *Oes Dywyll* eto ar ei ôl. Nid anhebig hynny, canys y mae cyfraith fel pe bai'n torri i lawr ymhobman.
>
> Os gwir hynny, os daw Oes Dywyll eto, nid oes dywyll heb lawer o wybodaeth fydd hi, a mwy na hynny o fedr, a bydd y wybodaeth honno a'r medr hwnnw at alwad elfennau heb y peth a gyfrifwyd hyd yma, o leiaf, yn synnwyr moesol.[36]

Os daw oes dywyll eto, meddai, bydd yn oes lawn gwybodaeth, gwybodaeth wyddonol yn enwedig. Os cyfunir y reddf gyntefig â gwybodaeth a chyflawniadau modern, bydd dinistr ar raddfa eang ryfeddol yn anochel. Gellir rheoli'r ddeubeth, creulondeb y dyn cyntefig a thueddiadau hunanddinistriol y dyn modern, drwy ymarfer 'synnwyr moesol'. Geiriau eraill am y 'synnwyr moesol' hwn yn *Y Dwymyn* yw 'pwyll' a 'doethineb'. Ymarfer pwyll neu ddoethineb neu synnwyr moesol yn unig a allai achub dyn rhag cael ei hyrddio i ganol rhyfeloedd a distryw, ond dyna'r union beth yr amddifadwyd y dyn modern ohono – doethineb.

Roedd Gwynn, yn y sgwrs radio hon, heb yn wybod iddo'i hun efallai, yn casglu deunydd ar gyfer llunio swp o gerddi newydd, a llawer o'r rheini yn gerddi am y bywyd modern, ei ddyfeisiau a'i dechnoleg:

Nodwedd arbennig ar ein dyddiau ni ydyw bod cymaint o ddynion yn dywedyd wrthym beunydd mor arswydus fydd ein tynged, a hynny fel pe na bai i ddynoliaeth ddim i'w wneud onid mynd yn aberth i'w dyfeisiau hi ei hun, a'i difyru ei hun yn y cyfamser drwy ddychmygu sut beth fydd y trychineb hwnnw.

Wedi holl fuddugoliaethau deall a medr dyn, a ddinistrir ef o ddiffyg doethineb, ynteu a fyn greddf Dynoliaeth unwaith eto ei hachub hi, er gwaethaf ei gwybodaeth a'i medr, ei rheswm a'i dealltwriaeth, rhag y distryw a ddramadeiddir i ni, fel pe baem ag un ochr i'n hymwybod yn chwarae'r dynged honno er mwyn syndod i nerfau drylliedig yr ochr arall? – Fel plentyn wedi ffraeo â'i fam, yn dychmygu fel y byddai hi'n tosturio wrtho wedi ei farw, druan bach!

> When knowledge has reached manhood but to see
> Wisdom still babbling in its infancy

meddai Huw Menai am ein cyfnod ni. Diau.[37]

Gan ddilyn Berdyaev, a ddywedodd fod 'Cyfnod Rhamantusaeth' ar ben, y mae Gwynn hefyd yn ffarwelio â rhamant yn *Y Dwymyn*. Yn wir, mae'n dechrau cwestiynu'r holl gysyniad o ramant. Roedd llawer o'i gerddi ef ei hun wedi eu lleoli yn y cyn-oesoedd neu'r Canol Oesoedd rhamantus. Oes ramantus oedd oes Arthur, a 'Rhamant' oedd y pennawd a roddodd Gwynn i drydydd caniad 'Gwlad y Bryniau'. Ond beth o ddifri oedd yn rhamantus ynghylch Brwydr Camlan, lle clwyfwyd Arthur yn angheuol? Oes a ladd a llarpio, oes o greulondeb eithafol, oedd yr oes Arthuraidd, gwir neu chwedlonol. A pha ramant a all fod mewn difodiant a chreulondeb?

Y mae un gerdd yn *Y Dwymyn* sy'n adleisio'r pethau a ddywedwyd yn yr ysgrif yn *Y Ford Gron* yn uniongyrchol. 'Y Duwiau' yw honno. Lleolir y gerdd mewn hen gastell. Y mae gwledd newydd fod a'r gwesteion i gyd wedi mynd i'w gwlâu, pawb ac eithrio un. Mae hwnnw'n aros ar ôl 'mewn ystafell/a drysorai gelfyddyd yr oesau hirion'.[38] Mae campau artistig a thrysorau o'r gorffennol o'i gwmpas ymhobman. Mae'n myfyrio ar yr oesoedd rhamantus pell hynny

> pan fyddai meibion dewrion ym mhob rhyw daro,
>
> a merch yn gywely i bob marchog,
>
> na bai ddim nis beiddiai ef;
>
> y gynoes pan ddeuai gogoniant
>
> a rhamant o bob rhyw ymwan,
>
> ac aur, a hyd yn oed chwaer brenin, yn ged
>
> i ryw glerwr a fyddai rugl ei eiriau,
>
> a dewr anorfod ar drin arfau ...[39]

O 'ymwan', o ymladd, y deilliai'r rhamant a'r gogoniant. Rhamantu lladd a threisio a wneid. Dyma oes y marchogion dewr, ond llofruddion oedd y marchogion hynny mewn gwirionedd. Arwriaeth a dewrder oedd rhinweddau uchaf a phennaf y cyfnodau hynny.

Mae'r un a arhosodd ar ôl yn edrych ar drysorau ac artistweithiau godidog y castell, ond gwrthrychau sy'n gysylltiedig â lladd a difa yw'r rhain eto:

> Yno byth yr oedd cywrain bethau,
>
> o ddawn neu gamp y celfyddion gynt;
>
> arfwisgoedd a phob eirf ysgeifn,
>
> a breuddwyd ym mhob rhyw addurn
>
> a geid ar ddyrnfol a gwain,
>
> a medr awen yn y cadwynau a'r modrwyau ...
>
> ysbail yr oes y bu hela'r hydd,
>
> ysbail oedd hŷn o oes y blaidd ei hunan;
>
> trysor gogoniant yr oesau ...[40]

Mae'r gŵr yn y gerdd yn cwympo i gysgu ei hun, ac wrth freuddwydio, 'canfu'r ofer addurn,/y rhamant gynt yn ymwasgar ymaith'.[41] Yn ei freuddwyd, gwêl 'rhyw fud, aneglur fodau' mewn 'dieithr fforestydd duon'.[42] Ymddengys mai'r llwythau barbaraidd a drechodd ac a ddarostyngodd Rufain yw'r rhain. Er ei holl ogoniant a'i holl ysblander, y llwythau barbaraidd hyn â'u harfau cyntefig a fu'n gyfrifol am gwymp Rhufain. Ac ar ôl darostwng gwareiddiadau Groeg a Rhufain y cychwynnwyd yr Oesoedd Canol Cynnar, neu'r Oesoedd Tywyll. Ac fe ofynnir cwestiwn:

> Onid ef, y dyn cyntefig,
>
> oedd gywir i'w lin pan fyddai greulonaf,
>
> y galon oer, gŵr nis treiglai neb
>
> o'i arfaeth, onid ef a orfu,
>
> a orfu erioed, am mai sicraf ei rym? ...
>
> Onid hynny oedd rhamant hanes?[43]

Trechaf, treisied. Y sicraf ei rym, yr ymladdwr cryfaf, hwnnw erioed a fu'n fuddugol mewn brwydr. Ai rhamant yw'r gallu hwn i ladd a difa? Ai cyfnodau rhamantus oedd y cyfnodau barbaraidd gynt o ladd a llarpio?

Ac yna, mae'n cael ail freuddwyd:

> Yntau draw oddi wrth y ffug ramant a droes
>
> at fagad o'r cyntefigion
>
> a welai draw o'i flaen fel drwy wyll,
>
> yn gwylio ac megis yn galw,
>
> galw ar un o'u gwehelyth,
>
> gŵr heb un ofn yn y gwaed,
>
> gŵr megis hwnnw gynt
>
> o dueddau Gododdin,
>
> a ymaelai â'i ddwylaw moelion
>
> heb ludd ym mwng y bleiddiau,
>
> a'u gwasgu oni phlygai eu hesgyrn,
>
> a thynnu pob chwyth ohonynt
>
> â gwân ei finiog ewinedd ...[44]

Mae'r bobl gyntefig hyn yn galw arno, gan mai un ohonynt hwy yw'r breuddwydiwr, mewn gwirionedd. Ni lwyddodd dyn i ddofi ei natur gyntefig. Llwyddodd i guddio'r natur honno i raddau â'i addurniadau a'i ysblanderau, ond ei chuddio yn unig a wnaed, nid ei dileu. A ffug ramant oedd y rhamant gynt am ymladdwyr a marchogion.

Ar ddiwedd y gerdd mae'r gŵr yn breuddwydio bod blaidd yn ymosod arno, ond erbyn y bore, mae'n gorwedd yn gelain. Nid y blaidd a'i lladdodd ond un o westeion y castell. Cyflawnwyd gweithred ysgeler yn y castell addurnfawr hwn oherwydd bod y reddf gyntefig yn dal i lechu yn y natur ddynol, er gwaethaf moes a moethusrwydd ei gwleddoedd rhwysgfawr.

Yn *Y Dwymyn* mae Gwynn yn gadael y cyn-oesoedd a'r Canol Oesoedd ac yn camu i mewn i fyd swnllyd ac aflonydd yr ugeinfed ganrif. Ac eto, nid yw'n llwyr ymadael â'r gorffennol. Un o gerddi mawr *Y Dwymyn* yw 'Cynddilig', ac mae'n sicrach ei afael ar ei gyfrwng yn y gerdd hon, oherwydd ei fod yn teimlo'n fwy cartrefol gyda'i ddeunydd. Mynach fel Mabon a mynachod Penmon ac eraill yw Cynddilig; mynach fel Gwynn ei hun.

Dadrith a siom sy'n nodweddu'r canu, nid dychan, ac nid yr harddwch a'r gogoniant a fu ychwaith. Darfu am y rheini. Gofynnir cwestiynau drwy'r gyfrol. Myfyrdodau ar fodolaeth dyn ar y ddaear mewn byd o amser yw llawer o'r cerddi. Mae amser yn thema allweddol yn y farddoniaeth, amser fel dinistriwr, yr un sydd yn difa delfrydau, yn dirymu rhamant, yn dileu pob hudoliaeth, yn priddo pob breuddwyd. Disodlwyd broydd hud eang a gwledig a diamser y bardd gan ddinasoedd brwnt a swnllyd sy'n gaeth i guriadau'r cloc. Gwneir defnydd symbolaidd o nos a thywyllwch drwy'r gyfrol – nos y ddynoliaeth, dynion yn ymbalfalu yn y tywyllwch wrth chwilio am ryw fath o ystyr i fywyd, y bywyd hwnnw a ddinistriwyd gan ddyn a'i ryfeloedd. Lleolir rhai o'r cerddi yn y nos yn y llinellau cyntaf oll:

'Dadannudd': 'Nos oedd.'
'Cynddilig': 'Daeth distawrwydd y nos dros y ffosydd ...'
'Y Duwiau': 'Tywyll oedd ...'
'Dynoliaeth': 'Nos oedd hi yn un o'r dinasoedd hen.'

Thema arall yw dieithrwch. Dieithrwch rhwng dau yw thema cerdd *vers libre* cynganeddol gyntaf y gyfrol, 'Dadannudd'. Ystyr 'dadannudd' yw adfeddiant, y weithred o ennill rhywbeth a gollwyd unwaith yn ôl eto, 'y ddefod o ddadorchuddio neu agor y tân ar aelwyd y rhieni i feddiannu tir a fuasai'n eiddo iddynt' yn ôl diffiniad *Geiriadur Prifysgol Cymru*. Eironig yw'r teitl. Cariad wedi marw, wedi hen oeri, angerdd wedi darfod ac asbri a chyffro ieuenctid wedi hen gilio gydag amser yw thema 'Dadannudd', ac ni ellir byth adfeddiannu'r hyn a gollwyd. Mae'r llinellau agoriadol yn bwrw'r thema ar ei phen:

Nos oedd. Ni ddôi un sŵn
i'r clyw, namyn cnith oer cloc
yn manu awr a munud,
tinc y marwor yn y tân
fel rhyw grin gri wrth oeri'n araf,
a thyniad anesmwyth anadl
y gŵr canol oed oedd yn hanner gorwedd
yn ôl ar ei ddau benelin
yn ei sedd, ei wedd yn wyw,
a'i lygaid fel ar gil agor.[45]

Tŷ tawel yw hwn. 'Does dim bywyd ynddo. Yr unig sŵn yn y tŷ yw trawiad oer y
cloc a thinc y marwor; 'oer' a marw yw popeth: y cloc oeraidd, difater; y tân wedi
hen oeri, ac 'oeri'n araf' hefyd, fel cariad y ddau. Tŷ heb gynhesrwydd yw hwn. Tŷ
sy'n llawn crinder a gwywder hefyd – 'fel rhyw grin gri', 'ei wedd yn wyw'.
     Mae'r gŵr canol oed yn deffro o'i hepian swrth. Mae'n dyheu am ailbrofi

pethau a fu, a ddarfu, ac na ddoent
byth mwy, na gobaith ym myd
am edfryd y gwynfyd gynt,
fel petai na bâi bywyd
ond ofer geisio a dderyw –
pob heddiw fel pe bai waddod,
diflastod ... a doe a'i felyster ...[46]

Ni ddaw'r hen gyffro gynt yn ôl, ac nid yw bywyd yn ddim byd mwy na chwilio'n
ofer am yr hyn sy'n ddarfodedig yn ei hanfod. Gwaddod yng ngwaelod y cwpan
yw pob heddiw, ar ôl yfed gwin y gorffennol ohono. Cyffes a geir yn *Y Dwymyn*.
Yn y gyfrol hon y ceir y sylweddoliad a'r cyfaddefiad nad oes i ddyn na hedd na
harddwch ar y ddaear anwar a rhyfelgar hon, ac ofer chwilio amdano, mor ofer ag
ymdrech Madog gynt am lonyddwch i'w enaid.
     Cofio y mae'r gŵr am ddyddiau cyffrous carwriaeth y ddau:

> Bryd y tymor dibryder,
>> eu hantur hi ac yntau
>> yn eu dyddiau diddan,
>> gynt, pan wybuant gyntaf
>> ymroddi, megys ym mreuddwyd ...[47]

A beth am y wraig?

> Hithau ... a wyddai hi, weithion,
> oriau yr hoed a'r hiraeth
> byth a fynn bethau a fu,
> hi, y dawedog a didwyll,
> hi, yr un mor hael a roes
> iddo bob peth heb fethu,
> o gariad gwirion,
> o ddydd i ddydd gan ddwyn
> yn dawel bob peth fel y deuai,
> bid lwydd, bid loes,
> heb achwyn, heb ofn, rhag baich yn y byd,
> hi, a wyddai dewi a dwyn,
> na ffaelai, ac eto nis ffolid?[48]

Gofynnir a yw'r wraig yn cofio weithiau am wefr dyddiau'r garwriaeth. Ni roir ateb i'r cwestiwn gan nad oes angen ateb. Un dawel, dawedog yw'r wraig. Gofalu am ei gŵr yn ddigwestiwn fud a wnaeth drwy'i bywyd priodasol, aberthu ei bywyd ei hun er mwyn gweini ar ei phriod a dilyn dyletswydd. Gwnâi bopeth er ei fwyn, a phwysleisir mai 'dwyn yn dawel' a thewi a dwyn a wnaeth drwy'r blynyddoedd, gweld at anghenion ei gŵr yn ddiachwyn dawel. Ni fethodd unwaith yn hyn o beth, ond ni ffolid mohoni ychwaith gan ddim. Oer yw'r tŷ o ddiffyg cariad, oer yw'r berthynas rhwng y ddau, a gwraig oeraidd yw hon, peiriant o wraig sy'n mynd o gwmpas ei phethau yn ddirwgnach. O leiaf y mae ei gŵr yn cofio'r hen angerdd a'r hen gyffro a fu gynt. Ond tybed?

Awgrymir mai un hunanol yw'r gŵr, ac mai porthi ei hunanoldeb a wnaeth ei wraig drwy'r blynyddoedd, gadael iddo ei rheoli a'i defnyddio:

> Efô ei hun, erioed, a fynnodd
> onid ei fryd ei hunan? ...[49]

Gofynnir a yw'r naill neu'r llall yn edifar fod eu priodas wedi cyrraedd y fath gyflwr o anobaith:

> Bai? ... oni byddai i bawb
> oriau o edifeirwch,
> i bawb oni bo
> rhyw dro yn ei natur a drwg
> o'i mewn a'i camo hi?[50]

Hynny yw, mae pawb yn edifarhau am rywbeth neu'i gilydd, pawb ond y rhai y mae rhyw wyrdroad yn eu natur, rhyw aflwydd neu ddiffyg sy'n camu neu'n ystumio'u natur, fel nad oes ganddynt gydwybod. Awgrymir bod y gŵr yn poeni am y sefyllfa, a bod ei edifeirwch yn ei gadw'n effro yn y nos. A allant faddau i'w gilydd am adael i'r briodas oeri a throi'n fwrn?

> Uffern nid oedd, namyn affwys
> y meddwl ... ac yno ceid maddau.
>
> A maddau? ... A anghofiai'r meddwl?[51]

Yr awgrym yw nad yw'r meddwl na'r cof yn fodlon maddau.

Stori fer ar gynghanedd yw'r gerdd mewn gwirionedd, ac adeiladu awgrym ar awgrym a wneir drwyddi. Ac awgrymog yw rhan olaf y gerdd hefyd. Daw'r wraig yn ôl i'r tŷ wedi iddi hi fod allan ers oriau ar ryw berwyl neu'i gilydd:

> Clywai'r ddôr yn agoryd.
>
> Yno a'i braich dros ei bron,
> a gofyniad dau lygad leddf,
> yr oedd hi, yn hardd o hyd,
> er y gwyn oedd drwy aur ei gwallt –
> harddach, ond odid, erddo.[52]

Am eiliad mae'r gŵr yn sylwi ar ei harddwch. Problem y ddau yw bod mân ddyletswyddau a mân ofynion diflas bywyd wedi diffodd angerdd y garwriaeth gynt. Dim ond am eiliad y sylwir ar harddwch y wraig. Eir yn syth wedyn at ofynion ac anghenion bywyd:

> Meddai hi â'i llais meddal lleddf:
> "F'annwyl, oes unpeth a fynni?
> 'rwy'n mynd – mae hi'n hwyr iawn, i mi."
> Meddai yntau: "Maddau i mi ...
> "f'annwyl ... nid oes dim a fynnwn.
> Y mae'n hwyr – mwynha hun ...
> Nos da!"[53]

Yn ôl at ddyletswyddau a gweini ar reidiau eto: 'F'annwyl, oes unpeth a fynni?' Dyna'i rhan mewn bywyd, digoni a bodloni ei gŵr. Ac ymhle y bu'r wraig? Yn y capel, yn ymweld â ffrindiau neu berthnasau? Ym mha le bynnag y bu, arhosodd allan am oriau cyn dod yn ôl i'r tŷ. Pwysleisir ddwywaith ei bod yn hwyr. Yr awgrym yw fod y wraig wedi aros allan mor hir ag y gallai, i osgoi bod yng nghwmni ei gŵr. Yn union ar ddiwedd y gerdd, mae'r cloc yn taro un, ychydig funudau ar ôl i'r wraig fynd i'w gwely. A chwrtais oeraidd, yn hytrach nag angerddol gynnes, yw'r 'f'annwyl' a ddefnyddiant i gyfarch ei gilydd.

Â'r wraig i'w gwely:

> Caeodd y drws, ac oddi draw,
> torrai sŵn ei hymsymud, tros ennyd,
> yna darfu yn y dirfawr ddistawrwydd ...[54]

Nid oes dim byd cyffrous ym mywydau'r ddau hyn – 'mwynha hun', meddai'r gŵr, gan nad oes yna fawr ddim byd arall i'w fwynhau, ac eithrio cwsg i ysgwyd ymaith y blinder ar ôl diwrnod arall o weithio'n galed.

Tŷ distaw yw hwn, tŷ oeraidd, di-sgwrs. Mae sŵn y wraig wrth iddi gerdded yn ei hystafell wely a pharatoi i fynd i gysgu yn torri ar draws y tawelwch – ond dim ond am ennyd. Yna daw'r 'dirfawr ddistawrwydd' yn ôl, distawrwydd trwm, llethol y gellir ei deimlo. Mae'r gŵr ar ei ben ei hun unwaith eto:

Ag ochenaid, a'i lygaid yn wlyb,
ei drem at y bwrdd a droes ...
ac yno, yn dwyn ei enw, yn y canol,
'roedd ei llun, a than arwydd ei llaw,
neges heb na'i gweld na'i hagor –
"Ar ddiwrnod pen-blwydd ei phriodas."

A'r cloc yn taro un.[55]

A dyna'r neges. Mae'r wraig yn ceisio atgoffa'i gŵr am ddiwrnod eu priodas, mewn ymgais i aildanio'r hen berthynas. Nid yw mor oeraidd ag y tybiwyd. Ond ar ddiwrnod pen-blwydd 'ei phriodas' yw'r geiriad, nid 'ein priodas', na hyd yn oed 'eu priodas'. Pwysleisir yma eto yr arwahander mawr rhwng y ddau hyn. Ond gyda'r cloc yn taro un, yr awgrym yw ei bod yn rhy hwyr i adfer y cariad coll. Dadansoddiad o briodas farw a geir yn 'Dadannudd', a'r modd yr oedd amser wedi lladd cariad yn raddol.

Mewn gwirionedd, priodas debyg i briodas rhieni Meilir Gruffydd yn y nofel *Rhwng Rhaid a Rhyddid* yw priodas y ddau hyn. 'Credai Meilir fod y ddau erbyn hyn yn caru eu gilydd yn gywir ddigon, ond credai hefyd mai priodas heb lawer o serch angherddol a fuasai eu priodas, priodas rheswm yn hytrach na phriodas serch,' meddir yn y nofel.[56]

Nid 'Dadannudd' yw'r unig gerdd yn *Y Dwymyn* sy'n trafod cariad rhwng dau yn marw, neu'n cael ei fygu, yn hytrach. Yn 'Dau' adroddir stori dau gariad sy'n colli eu serch ifanc am resymau gwahanol i'r pâr priod yn 'Dadannudd', ac eto mae amser yn elfen anhepgor yn y stori. Ar ddechrau'r gerdd mae'n wanwyn bywyd, ac mae dau gariad – 'dau yn nwyf deunaw oed' – yn eistedd ar y mwsogl 'ar grib yr hen gaer gron':

Deuddyn ieuainc ddiofid, ddiniwed,
oedd yno, yn eu cyfaredd eu hunain;
efô â threm ag ynddi fath o ramant,
yn gymysg ag antur ag amau;
hithau, dim onid seml enethig,
un dirion, â dau lygad araf,
leddf, las.[57]

Mae'r ddau mewn cariad: 'dau a'r ymlyniad ieuanc/a ddaethai i'w rhan yn dal yn ddieithr o hyd'.[58] Ond mae'r llanc ifanc, yn wahanol i'w gariad, sydd yn 'seml enethig', 'â threm ag ynddi fath o ramant,/yn gymysg ag antur ag amau'. Ac mae amheuon yn cydio yn y llanc. Nid yw'n siŵr o'r berthynas. Y gwir yw fod y llanc yn dyheu am yrfa lewyrchus ac am lwyddiant materol a gallai priodi'r ferch ddrysu ei gynlluniau uchelgeisiol. Ac mae'n torri'r berthynas rhyngddo a hi.

Aeth y llanc yn awdur llwyddiannus, ond nid oedd yn ddedwydd ei fyd. Daliai i feddwl drwy'r blynyddoedd am y ferch ddeunaw oed a garai gynt, yn enwedig ar ôl iddo glywed ei bod wedi marw o dor-calon:

> Anniddig a maith fu'r blynyddoedd
> y bu ef ym mhellteroedd byd,
> yn ei ing am nad âi'n angof
> roi honno, a fu gynt mor annwyl,
> iddo ef yn y bedd oer,
> o'i herwydd ef, fel y clybu ryw ddydd,
> ac y diangodd megis un ar ffo rhag ei dynged,
> o'r ddinas a yrrodd o'i enaid
> beth mor gu, a'u gwahanu hwy.[59]

A hi, a'i atgofion amdani, oedd deunydd ei lyfrau. Ni fedrodd anghofio amdani am un eiliad:

> Iddo y daeth y glod a haeddodd
> o'i lafur hir a'i lyfrau ef;
> ei lafur dwfn, a'i delfrydai hi,
> onid oedd ei henw yn hud i ddynion.[60]

Yna, un hwyr yn yr hydref, wedi i wanwyn ieuenctid y ddau gilio ers blynyddoedd lawer, mae'n mynd i chwilio am fedd ei hen gariad, ond ni all weld ei henw yn unman. Mae hen wraig yn digwydd mynd heibio i'r fynwent, hen wraig fethiannus a 'gwael a hurt ei golwg', ac mae'n mentro gofyn iddi a ŵyr hi unrhyw beth am ei hen gariad.[61] Mae ateb yr hen wraig yn rhoi sioc enbyd iddo:

"Bedd rhyw ferch oedd yn byw
yn Nhyn y Lôn?" meddai'r hen wreigan lesg,
"honno, onid Elin oedd ei henw? ...
Syr, mae hi'n aros o hyd,
yn hen ac yn hurt ...
honno oeddwn i fy hunan ...
ond y mae o wedi mynd,
a mae o'n hir hir yn dwad yma'n 'i ôl."[62]

Yn ei feddwl, mae'r hen wraig, yn ogystal â'i chariad, yn ddeunaw oed o hyd –
'ifanc ydi hi, ac yntau hefyd'.[63] Mae meddwl yr hen wraig wedi dadfeilio'n llwyr, a
hithau wedi ffwndro'n lân. Mae'r diweddglo yn ddirdynnol:

A gwenodd yr hen wraig, ac yna,
dros ei chof dyfnhaodd y dyryswch hurt;
hen, hen a di-ddeall oedd ei hwyneb,
a'i threm yn llonydd a thrist.

"Elin!" meddai yntau, ag ing yn ei lais a'i olwg,
"Elin! wyt ti ddim yn cofio Aled?"

Mud oedd hithau mwy,
o gof aethai'r gwynfyd a'r gofid gynt,
gwag oedd ei meddwl i gyd.[64]

Cerdd am gyfle a gollwyd ac am gariad a aberthwyd ar allor uchelgais yw hon;
cerdd am ddau fywyd ofer ac am greulondeb amser.

Cerddi am arswyd ac ansicrwydd y bywyd modern yw rhai o'r cerddi. Oes ofn
yw'r oes fodern, a hynny a fynegir yn y gerdd 'Ofn'. Dechreuir â dadl ynghylch
bodolaeth Duw. Mae'r 'beilch sydd yn meddu'r byd', sef arweinwyr ac unbeniaid y
byd, yn datgan nad yw Duw'n bodoli.[65] Grym yw'r gwir dduw i'r rhain:

ni orfydd onid a fynno'i arfaeth
drwy rym, ac nid grym onid a grymo
i'w ewyllys bob dim ar a allo,
fel na bo mewn un cyfle'n y byd
un hawl namyn hi.[66]

Y gwir rym yw'r grym hwnnw sy'n ewyllysio popeth, y grym sy'n mynnu rheoli pawb a phopeth fel nad oes yr un hawl arall yn bod. Cytuno â'r unbeniaid a wna'r 'ufuddion difeddwl/a ymostwng i ddelw grymuster', sef y cyffredin mud, y rhai sy'n gaeth i fympwy ac ewyllys yr arweinwyr unbenaethol hyn.[67] Mae'r duwiau newydd, arweinwyr militaraidd y dydd, wedi hawlio meddyliau'r bobl. A'r bardd wedyn? Y mae yntau hefyd yn datgan nad oes un Duw, dim ond duwiau

> a luniant ar eu delw eu hunain,
> a'i ddelw a addolant,
> bawb fel y bo ei obaith;
> onid oes un Duw, y mae duwiau,
> a duwiau od oes, nid oes un Duw.[68]

Penaethiaid y byd yw'r duwiau bellach. 'What huge imago made/A psychopathic god?' meddai W. H. Auden am Adolf Hitler.

Ac eto, fe geir rhai sy'n mynnu herio'r penaethiaid, y rheini sy'n meddu ar yr 'ewyllys na phlyg ddim i allu'. Un felly oedd Iesu Grist ei hun:

> sef yw hi, yr ewyllys a faidd;
> honno a wyneba bob rhyw anobaith
> heb gŵyn na bugunad,
> na geirio'i chur o ryw hunan-dosturi,
> eithr dal hyd y weithred olaf,
> megis efô a ddirmygodd
> ddewis teyrnasoedd y ddaear,
> a gâi od addolai ddiawl;
> hwnnw a safodd ei hunan,
> a fu mor gryf â marw ar grog ...[69]

Ailadroddir y llinell 'A Duw ni ddywed air' sawl tro yn y gerdd. Dynion yn unig sy'n llefaru ac yn dadlau â'i gilydd yn y gerdd – y gormeswr, y dioddefus rai sydd dan fawd a sawdl y gormeswr, a'r bardd. Mae dau fath o ddyn yn bod: y doeth a'r annoeth, a'r un annoeth yw'r peryclaf. Hwnnw sy'n bygwth hyrddio'r byd bendramwnwgl i ebargofiant; hwn sy'n dyfeisio arfau a pheiriannau, ond ni all reoli ei ddyfeisiau ef ei hun; yn hytrach, y dyfeisiau sy'n rheoli'r dyfeisydd:

I'w ddyfais a'i gyrfa y bydd ef was gorfod,
hi a'i gyrr am na ŵyr ef ei gyrru
na darostwng ei grym a'i medruster
i bwyll na dynoliaeth na barn;
ei rhyfyg nis arafa,
a'i frys a wna ei frad;
ei gwrs fydd amheuaeth ac arswyd;
ni wêl yn un man onid gelyn,
trais a genfydd lle try,
o dir a môr, o'r uchelder maith;
i hwn a'i lu ni bydd wybren las
a'i glaned onid maes gelyniaeth;
yntau a fynn er maint ei fost
fwgwd, neu gell, fel na fygo
o wehynnu ei wenwyn ei hunan.[70]

Er mor ddigwmwl las yw'r wybren, y mae dyn yn troi'r wybren hyd yn oed yn faes brwydr gyda'i awyrennau a'i fomiau. A phan ddaw'r bomiau, rhaid chwilio am loches ym mherfeddion y ddaear, a dychwelyd at y llaid cyntefig ar ôl canrifoedd o geisio creu gwareiddiad:

Yntau ei hun yr ennyd honno,
yn hurt yn ei artaith
y dianc o'i foethus deiau,
i lawr i dywyll selerydd,
o gyfyl ei gamp i ogofau,
fel anghenfil yng nghynfyd;
fel anwar afluniaidd ...[71]

Rhybudd sydd yn 'Ofn'. Rhaid i ddyn reoli ei ddyfeisiau ef ei hun cyn i'w ddyfeisiau ei reoli ef, a'i droi'n gaethwas iddynt:

> Er hyn, ei ddyfais gywrain fydd ofer,
> a'i fedr ni bydd ond ynfydrwydd,
> canys dyfais a fag wanc, onis dofer
> o bwyll ac uniondeb ewyllys –
> hwnnw a'i meistrolo'i hunan,
> meistr fydd ef ar rymuster ei ddyfais,
> a dyfais nis dofer
> o bwyll ac anuniondeb ewyllys,
> ni bydd namyn barn,
> dinistr ar feibion dynion,
> a chaethwas i'w huthrwch hithau
> fydd ef yng nghnofeydd ei ofn ...[72]

Weithiau mae'n rhaid dadblethu'r gystrawen i ganfod yr ystyr. Bydd dyfais gywrain dyn yn ofer os na all dyn ddofi ei ddyfais trwy bwyll a doethineb, oherwydd mae dyfeisiau yn magu grym ac yn troi'n bethau treisgar a pheryglus; ond y mae'r sawl a all ei feistroli ei hun, y sawl sydd yn meddu ar ddoethineb a disgyblaeth, yn feistr ar ei ddyfais, ond heb y gallu hwn i reoli'r ddyfais, hynny yw, y ddyfais nad yw pwyll nac uniondeb ewyllys yn ei dofi, ni fydd y ddyfais honno yn ddim byd mwy na barn ar y byd, damnedigaeth lwyr, a dinistr ar ddynion, gan beri bod dyn yn gaethwas i'w ddyfeisiau ef ei hun. Dyfeisiodd dyn yr awyren i deithio, ond buan y trowyd y ddyfais gyfleus yn ddyfais trais.

Ceir rhybudd tebyg yn 'Yr Haint':

> ... chwilfrydedd yr hil uchelfryd, haer,
> rhy haer i ffrwyno'i hoffer ei hunan,
> nes troi yn gaeth i'w hystrywiau ...

Gweledigaeth hunllefus o'r bywyd modern a geir yn *Y Dwymyn*, yn enwedig yn 'Dynoliaeth'. Ac yn y cerddi hyn am y bywyd modern, dryllir gwareiddiad, er bod y gerdd 'Y Saig' yn dychanu gwarineb a moesgarwch, wrth droi'r ddefod o gydwledda'n foethus yn ysglyfaethu cyntefig; ac, wrth gwrs, dyna un o themâu amlycaf *Y Dwymyn*, y cyntefigrwydd o dan y moethusrwydd. Yn wir, gofynnir beth yw gwareiddiad. Onid trwy drais a lladd a llarpio y crewyd dinasoedd ysblennydd dyn? Dinas o'r fath yw'r ddinas yn 'Dynoliaeth':

> Nos oedd hi yn un o'r dinasoedd hen,
>
> aeres pob camp a wybu ac a fedrodd yr oesau hirion,
>
> honno a'i haddurnodd ei hunan
>
> ag ysbail y gwledydd a gosbodd
>
> yn nydd ei nerth ...[73]

Hynny yw, ysbeilio gwledydd eraill a wnaed i addurno'r ddinas, cosbi gwledydd a lladrata eu cyfoeth.

Yn 'Dynoliaeth' mae nifer o westeion yn cael pryd o fwyd mewn gwesty, ond mae cyrch awyr yn torri ar draws y ciniawa moethus, ac mae'r gwesteion yn rhuthro am loches rhag y bomiau:

> I lawr i'r selerydd,
>
> yn haid, â'r cwmpeini dychrynedig,
>
> fel haid a ffy o anifeiliaid i'w ffeuau,
>
> am nawdd yng ngholuddion ein mam ni oll,
>
> daear dywyll ...[74]

Disgrifir y bomio a'r dinistrio fel 'haint ufel y nwyd gyntefig'.[75] Modern yw'r arfau ond hen yw'r gynneddf.

Ac yn y seleri, mae'r gwesteion yn cydgyplu'n wallgof fel anifeiliaid:

> Ac yno yn y braw a'r cynnwrf,
>
> wyneb yn wyneb ag angau yr enynnwyd
>
> yn un ias mewn mynwesau
>
> y nwyd rhwng deugnawd annedwydd,
>
> y wanc am uno cyn myned,
>
> brys y reddf am barhad,
>
> eiliad o gyd-ddialedd,
>
> gweithred anorfod gythrudd,
>
> cyd cas ...[76]

Esgorir ar genhedlaeth ryfelgar a dialgar arall, wrth i'r reddf i ladd a threisio gael ei throsglwyddo i blant pob cenhedlaeth:

> ... A daeth y dydd,
>
> dydd nwyd hil y deuoedd annedwydd,
>
> nwyd y gynnen yng nghnawd ac enaid,
>
> honno yn ei thro a aned
>
> i fyd a'i haeddfedodd,
>
> a'i roddi ei hun yn arf i'w ffyrnigrwydd noeth,
>
> yn ei wendid a'i anundeb,
>
> yn ei ddireswm ddyryswch,
>
> yn nibyn ei anobaith.[77]

Yn un o gerddi mwyaf *Y Dwymyn*, 'Cynddilig', eir yn ôl i fyd chwedloniaeth a llenyddiaeth y gorffennol eto. Un o bedwar mab ar hugain Llywarch Hen oedd Cynddilig, a'r unig un heddychlon yn eu mysg. Edliwir iddo'i lwfrdra gan y tad yng Nghanu Llywarch Hen – 'Och, Gynddilig, na buost wraig!' Mynach yw Cynddilig, nid ymladdwr, fel meibion eraill Llywarch Hen. Mae Cynddilig yn mentro i faes y celanedd ar ôl brwydr fawr, ac mae'n canfod celain ei frawd, Gwên, ochr yn ochr ag un o filwyr y Mers, 'ei elyn olaf'. Er mai gŵr heddychlon sy'n ffieiddio rhyfela yw Cynddilig, wrth iddo weld corff Gwên y mae hen reddf dreisgar yr hil yn deffro ynddo yntau hefyd, ac yn ei feddiannu:

> A daeth rhysedd ei hil arno yntau Gynddilig,
>
> a'i waed yn ffrwd o dân i'w ffroen,
>
> gan losgi drwy ganol ei esgyrn,
>
> gan gnoi ei gnawd,
>
> a Duw o'i enaid yn edwino,
>
> onid oedd ei holl anwydau ef
>
> yn ddolur o ddialedd,
>
> dialedd hen ei dylwyth.[78]

Ac mewn gweithred ddialgar, mae Cynddilig yn tynnu'r ddagr allan o gorff y milwr o'r Mers ac yn ei phlannu yn ôl yn ei galon. Daw iddo bangfeydd o euogrwydd oherwydd iddo gyflawni'r fath weithred ysgeler. Bellach, Cynddilig yn unig sydd ar ôl, o holl feibion Llywarch, sef y mab y mae gan y tad gywilydd ohono.

Ar ddiwedd y gerdd mae Cynddilig yn achub caethferch glwyfedig rhag nifer o wŷr y Mers sy'n ei herlid. Saif rhwng y gwŷr hyn a'r gaethferch, a chais ei hachub rhag ei hymlidwyr trwy godi cywilydd arnynt:

A chyfododd y mynach ei law a gofyn yn dawel:

"Ai camp gennych ymlid y caeth

a gorfod ar y sawl ni ddwg arfau?

ai hyn fydd eich defod a'ch hanes?"[79]

Er bod gwŷr y Mers yn encilio, mae un yn aros ar ôl yn y dirgel, ac mae'n lladd y mynach â saeth o'i fwa. Bellach, mae'r hen ŵr wedi colli pob un o'i feibion, ond o leiaf gall ymfalchïo yn newrder Cynddilig:

A'r hen ŵr yn ei wae,

heb un mab o'i feibion, mwy,

dyrysai, ymsoniai'n syn:

"Gynddilig! dy gwyno oedd ddyled;

yn d'olwg ni safai d'elyn,

a chan buost fab im ni thechaist;

ofered fu roi dy fywyd

er mwyn fy nghaethes o'r Mers!

och, Gynddilig, na buost unben

a elwid yn nydd rhaid,

ti, nad eiddot oedd

nac arf

nac ofn!

A thraw yn yr aither rhydd,

nofiai tair colomen wen wâr.[80]

A dyna ddiweddglo'r gerdd. Ond beth yw'r awgrym neu'r ystyr? Ai cyfaddef a wneir fod hen reddf dreisgar a rhyfelgar yr hil yn fyw ymhob un ohonom, ac nad oes modd ei dofi na'i diddymu? Ar y llaw arall, ai dweud a wneir, fel y dywedodd Madog, 'Dyn ni chaiff na daioni na hedd ar y ddaear hon'? Ni all yr addfwynaf a'r gwareiddiaf o blant dynion osgoi creulondeb y byd. Ac eto, colomennod Gwên yw'r tair colomen ar ddiwedd y gerdd, a'r rheini'n golomennod 'gwâr', colomennod heddwch mewn geiriau eraill. Symbol o obaith yw'r colomennod hyn, ac ar nodyn gobeithlon y diweddir y gerdd. A dyna godi cwr y llen ar rai o gerddi rhyfeddol rymus *Y Dwymyn*.

Cafodd Gwynn lawdriniaeth feddygol yn Ysbyty Aberystwyth yn ystod haf 1944. Hynny a'i rhwystrodd rhag bod yn bresennol mewn cyfarfod arbennig a drefnwyd gan Gyngor yr Eisteddfod Genedlaethol i gyflwyno tysteb genedlaethol iddo yn ystod wythnos Eisteddfod Genedlaethol Llandybïe. Treuliodd ychydig ddyddiau yn Awelfryn, Beacon's Hill, Dinbych, gyda'i wraig ar ôl y driniaeth, er mwyn ceisio ymadfer. Cyflwynwyd y ddeiseb iddo yn Neuadd y Sir, Dinbych, gan ei hen gyfaill, Syr John Herbert Roberts, sef siec werth canpunt, ac anerchiad mewn albwm goreuredig.

'Yr wyf yn gwella'n lled dda ar ôl effaith y driniaeth a gefais, ac yn dyfod eto i gymryd tipyn o ddiddordeb yn y pethau a garwn gynt,' meddai wrth Morgan Humphreys ar ddydd Nadolig 1944.[81] Erbyn hynny roedd wedi cyrraedd ei gartref olaf, Willow Lawn, Ffordd Caradog, Aberystwyth. Un o'r pethau a garai gynt oedd rhoi ambell donc ar y piano, ond bu'n rhaid iddo gael gwared â'r offeryn hwnnw, fel ei lyfrau, pan adawodd Hafan. Roedd Idris Lewis, y cerddor a'r cyfansoddwr, a chyfarwyddwr cerdd Rhanbarth Cymru o'r BBC ar y pryd, wedi gosod 'Ystrad Fflur' ar gerddoriaeth ym 1944, ac anfonodd gopi o'r gosodiad at Gwynn. Ni allai bellach ddefnyddio'r piano i glywed y gosodiadau cerddorol a yrrid ato. 'Living now in a flat I have had to dispose of my piano, a fact I greatly deplore, though I am no way a musician myself,' meddai wrth y cerddor.[82] Bwriadai gael cyfaill i chwarae'r darn iddo. Arferai godi gini am gyfieithu caneuon o'r Gymraeg i'r Saesneg ac o'r Saesneg i'r Gymraeg, a byddai hefyd yn derbyn cyfran o'r arian a geid trwy berfformiadau cyhoeddus.

Ac ar y dydd Nadolig hwnnw, sylweddolodd hefyd nad cwbl ofer fu ei flynyddoedd yn gweithio fel newyddiadurwr, ar ôl credu drwy'r blynyddoedd mai swydd ddiffrwyth a diddim hollol oedd swydd y dyn papur newydd:

> Gwir na bu crefft y papur newydd yn ddim ond cam gorfod yn fy ngyrfa i, ac na adewais i ddim ar f'ôl y gallai neb ei adnabod, ond fe adawodd y gwaith ei ôl arnaf i, a dysgais fwy oddiwrtho nag a wybûm nes myned i gylch arall, lle sylweddolais nad cwbl ofer fu'r blynyddoedd a dreuliais fel isolygydd, a'r profiad a gefais yng Nghymru, Lloegr a'r Aifft. Dysgais drin dynion â mesur o hunan-hyder a'm gwasanaethodd mewn cylch newydd, yr oedd arnaf beth petruster yn ei wynebu ar y dechrau.[83]

Ychydig fisoedd yn unig y bu Prosser Rhys fyw ar ôl cyhoeddi *Y Dwymyn*. Bu farw ar Chwefror 6, 1945. Lluniodd Gwynn gerdd er cof amdano, ac fe'i cyhoeddwyd yn *Y Faner*. Roedd rhywun a oedd wedi gweld corff Prosser yn y marwdy wedi dweud, 'Yr oedd ei wên ardderchog ar ei wyneb o hyd. Ni allwn feddwl ei fod wedi mynd', a rhoddod Gwynn 'Y Wên' yn deitl i'w gerdd:

Gorweddai yn llonydd a mud,
  Poen wedi peidio, gofid wedi mynd;
Diwedd y dewrder a'r gobaith i gyd?
  Tyngem yn erbyn tynged ein ffrynd!

Y gobaith a'i cadwodd cyhyd yn fyw
  Er gorfod wynebu clwy ar ôl clwy,
Y dewrder addfwyn a'r sadrwydd doeth,
  A ddarfu amdanynt, ers awr neu ddwy?

Bu dost yr ing cyn bod esmwythâd,
  Ing y cof am lawenydd hen;
A ddaliodd gobaith priod a thad
  Heb ôl yr ing, heb bylu o'r wên?

Os mwy na thrist oedd yr olaf awr,
  Os creulon eithaf y dynged hen,
Gwyrodd efô i'r Drugaredd Fawr,
  Ni wŷr namyn Duw ddirgelwch y wên.[84]

Gallai Gwynn ei uniaethu ei hun â Prosser Rhys. Er ei fod yn gryfach na Prosser yn gorfforol, bregus oedd iechyd y ddau drwy eu hoes, a thueddent i orweithio. Mae'n sicr y byddai Gwynn wedi rhoi ei gerdd mewn cyfrol, pe bai cyfrol arall i ddod. Ond ni ddaeth cyfrol arall.

Lluniwyd portread ohono gan yr arlunydd enwog, Evan Walters, yng nghartref ei ferch Eluned yn Ealing yn Llundain ym mis Mai, 1945. Gwynn yn ei hen ddyddiau a bortreedir yn y darlun, a newydd wella ar ôl cael rhyw aflwydd i'w lygad yr oedd. Gŵr o'r enw Iorwerth Hughes Jones, meddyg o Abertawe ac un o garedigion mwyaf y byd celf yng Nghymru, oedd y tu ôl i gael Evan Walters i lunio portread o Gwynn, ac fe gyflwynwyd y darlun i Amgueddfa Genedlaethol Cymru.

Cymerodd Gwynn yntau ran mewn tysteb genedlaethol. Ym mis Medi 1946 cysylltodd Dan Thomas, Caerdydd, ag ef i ofyn iddo am air o gyfarchiad i'w ddarllen mewn cyfarfod arbennig a drefnwyd i gyflwyno tysteb genedlaethol i George M. Ll. Davies, yr heddychwr mawr. Roedd George Davies yn un o sylfaenwyr Cymdeithas y Cymod a bu'n gweithio i'r Gymdeithas am gyfnod yn ystod y Rhyfel Mawr. Roedd Gwynn yn aelod o Gymdeithas y Cymod, a daeth i adnabod George M. Ll. Davies yn dda yn ystod blynyddoedd y Rhyfel Mawr.

Iddo ef y cyflwynodd *Beirniadaeth a Myfyrdod*, 'o gof am a fu gynt'.[85] Ac yntau'n heddychwr digymrodedd ei hun, roedd Gwynn yn falch o'r cyfle i lunio pwt o gyfarchiad i'w gyfaill. Ac meddai amdano: 'Nid edmygais i undyn byw megis yr edmygais ef oblegid mawredd ei ffydd a'i obaith ef pan oedd ffydd a gobaith cynifer ohonom ar ballu ac ym min darfod'.[86]

Ond roedd y brenhinbren yn prysur ddadfeilio. Pwysai'r blynyddoedd yn drwm arno, a'i grymu tua'r ddaear. Cwympodd ar y grisiau ddiwedd 1946, ond teimlai'n well erbyn i'r flwyddyn newydd gyrraedd, fel yr eglurodd wrth ei hen gyfaill, E. Morgan Humphreys:

> Bûm innau'n cerdded yn waeth ar ôl codwm a gefais ar y grisiau yn y tŷ a chracio f'arddwrn de, ond fe'i trwsiwyd mewn tair wythnos, a thrwsio'r briw a gefais ar fy mhen yn yr un codwm, ond euthum yn betrus ar fy ngham am ysbaid gan ofn codwm arall. Yr wyf yn ymsymud yn weddol bellach.[87]

Roedd Gwynn wedi bod wrthi ers tro yn paratoi geiriadur Cymraeg-Saesneg a Saesneg-Cymraeg ar gyfer cwmni cyhoeddi Hughes a'i Fab. Tua diwedd y 1930au, gwelodd y cwmni fod angen geiriadur newydd ar gyfer ysgolion a dysgwyr. Gofynnwyd i Gwynn am ei farn a'i gyngor, a chynigiodd yntau wneud y gwaith i'r cwmni. Erbyn hydref 1946, roedd wedi cwblhau'r rhan Gymraeg-Saesneg o'r geiriadur, ac wedi gwneud llawer iawn o waith ar yr ail ran, ond bu'n rhaid iddo roi'r gorau i'r gwaith dan orchymyn ei feddyg. Cwblhawyd y gwaith gan ei fab Arthur, a chyhoeddwyd y geiriadur ym 1950.

Daeth ei ymwneud â'r Eisteddfod Genedlaethol i ben yn raddol yn ystod deng mlynedd olaf ei fywyd. Roedd yn un o dri beirniad y Gadair yn Eisteddfod Genedlaethol Dinbych ym 1939, ar drothwy'r Ail Ryfel Byd, ond atal y Gadair a wnaed. Yn Eisteddfod Bangor ym 1943, roedd yn beirniadu cystadleuaeth y Gadair eto, gyda Sarnicol a Gwilym R. Jones, a dyfarnwyd awdl Dewi Emrys, 'Cymylau Amser', yn fuddugol. A dyna'r tro olaf iddo feirniadu prif gystadlaethau barddol y Brifwyl. Gwahoddwyd Gwynn i fod yn Llywydd y Dydd yn Eisteddfod Genedlaethol Bae Colwyn ym 1947, a hyd yn oed os nad oedd yn un o feirniaid y Gadair yn yr Eisteddfod honno, roedd yn bresenoldeb amlwg yn y gystadleuaeth. John Eilian a enillodd y Gadair y flwyddyn honno am ei awdl 'Maelgwn Gwynedd', awdl ar fesur Madog Gwynn, ac nid y mesur yn unig a efelychwyd ganddo. Roedd llawer iawn o gynnwys yr awdl yn hynod o debyg i 'Madog', mor debyg yn wir nes gorfodi Cynan i ystyried peidio â chadeirio awdl John Eilian, gan mor llethol oedd dylanwad campwaith Gwynn arni.

Fe'i cysylltwyd ag eisteddfod arall yn ogystal ym 1947. Cynhaliwyd Eisteddfod Ryngwladol Llangollen am y tro cyntaf ym mis Mehefin y flwyddyn honno. Penodwyd cyfaill a chydweithiwr Gwynn, W. S. Gwynn Williams, yn gyfarwyddwr cerdd yr Eisteddfod, a naturiol oedd iddo ofyn i Gwynn am arwyddair i'r Eisteddfod. Gan mai un o ddibenion pennaf sefydlu'r eisteddfod ryngwladol hon oedd creu gwell cytgord rhwng y gwledydd a defnyddio cerddoriaeth i hyrwyddo brawdoliaeth, rhoddodd Gwynn y pwyslais ar fyd o heddwch, byd llawn bendith, ar gerddoriaeth a gwareiddiad:

> Byd gwyn fydd byd a gano,
> Gwaraidd fydd ei gerddi fo.

Yn Willow Lawn y treuliodd ei flynyddoedd a'i ddyddiau olaf. Bu'n llesgáu fwy a mwy o wythnos i wythnos, ac ar ddydd Llun, Mawrth 7, 1949, ysgrifennodd Llywelyn lythyr trist iawn at E. Tegla Davies:

> Dymuna Mam i mi anfon atoch. Bu 'nhad yn wael iawn ers tro, ac er dydd Sul, wythnos i ddoe, y mae yn wael iawn. Bu'n ddiymwybod er nos Sadwrn a 'does dim gobaith iddo ddeffro. Ni all y meddyg ddywedyd pa mor hir y bydd byw. Ofnwn bydd rhaid i ni aros heb allu wneud dim am ddiwrnod, neu efallai ddau ddiwrnod eto.[88]

Ond 'doedd dim angen aros. Bu farw ar yr union ddiwrnod yr anfonodd Llywelyn lythyr at Tegla, Mawrth 7. Aeth Anatiomaros at y meirwon. Cynhaliwyd y gwasanaeth coffa yng Nghapel Salem, Aberystwyth, a Tegla a siaradodd yn bennaf. Fe'i claddwyd ym Mynwent Gyhoeddus Aberystwyth. Priodwyd enw ei briod hoff â'i enw yntau ar y garreg ym 1963.

Yn ystod ei hen ddyddiau, bu'r teulu'n gysur ac yn ddiddanwch iddo, yn enwedig ei wyrion a'i wyresau. Roedd Nia Wynn, merch Eluned, yn ugain oed, ac ar fin cyrraedd ei hun ar hugain oed pan fu farw ei thaid, ac roedd Emrys Wynn ryw dair blynedd yn iau na'i chwaer. Roedd plant Arthur gryn dipyn yn iau na phlant Eluned. Ganed Nonn Gwynn ar Fawrth 26, 1934, a Rhys Gwynn ar Ebrill 9, 1939, ar drothwy'r Ail Ryfel Byd. Rhys, wrth gwrs, oedd yr ŵyr a fu farw mor annhymig ac mor drasig yn Ysbyty Hill End, St Albans, Llundain, ym 1943. Dŵr ar yr ymennydd oedd natur ei dostrwydd, ac ni fu'r llawdriniaeth i leihau pwysau'r dŵr ar yr ymennydd yn llwyddiannus. Llosgwyd gweddillion Rhys yn

Amlosgfa Golders Green ar Fehefin 18, 1943. Ddwy flynedd yn ddiweddarach, ar Fai 11, 1945, ganed Dafydd Ceredig Gwynn yn Abertawe, lle'r oedd ei dad yn gweithio gyda'r gwasanaeth tân yn ystod y rhyfel, er mai llyfrgellydd ydoedd wrth ei alwedigaeth. Fel y nodwyd eisoes, ar ôl colli Rhys, roedd Ceredig yn gysur mawr i'w daid.

Pensaer wrth ei alwedigaeth oedd Llywelyn, ond bu hefyd yn ffermio ieir ar un adeg. Priododd ag Edith Ceinwen Felstead, merch 'Lieut. Quartermaster Robert Felstead, Suffolk Regiment' a'i briod Elizabeth, yn Kensington, Llundain, ym mis Medi 1937, ond ni chawsant blant. Gŵr hwyliog oedd Llywelyn, cerddor dawnus, a dylunydd ac ysgythrwr crefftus. Yn ystod y rhyfel, wedi i Arthur, ei brawd-yng-nghyfraith, fynd i Abertawe i weithio gyda'r gwasanaeth tân, Ceinwen a gyflawnai ei waith fel Llyfrgellydd Coleg Prifysgol Cymru yn Aberystwyth. Yn y Trallwng yr oedd Llywelyn yn byw ac yn gweithio, er iddo dreulio cyfnodau byr yn y Fenni ac yn Bow Street adeg yr Ail Ryfel Byd.

Neilltuwyd rhifyn Haf 1949 o'r *Llenor* i goffáu T. Gwynn Jones. Cafwyd ynddo ysgrifau atgofus gan gyfeillion ac ysgrifau beirniadol gan ysgolheigion, a swp o gerddi er cof amdano. Yn ôl Gwenallt, un o'i gyd-ddarlithwyr yn Aberystwyth, cwympodd y brenhinbren:

> Gwynt digyngor fu'n torri
> Awen ein brenhinbren ni;
> Aeth ei wybodaeth o'n byd,
> A'i afiaith o'n mysg hefyd;
> Darfu ei wylo dirfawr,
> A mud yw ei chwerthin mawr;
> Ragor ni ddaw ei regi
> Yn ei nwyd i'n hysgwyd ni ...[89]

Gwyddai Gwenallt yn iawn am hoffter Gwynn o regi'r byd pan welai ormes neu anghyfiawnder. Edmygai lewder y Gwyddelod a dirmygai lwfrdra'r Cymry:

Cwyn arw oedd cwyn ei werin,
A thrwm ei thrafel a'i thrin;
Diawliai uwchben ei dolur,
Rhegi ei chyni a'i chur:
A Chymru oedd mor druan,
Wfft i'r gachadures wan
Na roed angerdd Iwerddon
Ym marw waed ac ym mêr hon.[90]

Creodd Gwynn fyd iddo ef ei hun, byd hardd, perffaith, heddychlon, byd gobeithion a breuddwydion, byd dyhead y galon:

Ac yna yn ei ganu
Ef a aeth at oes a fu;
Canfu oleuni'r cynfyd,
Rhamantiaeth mabolaeth byd:
Lluniodd genedl ddiedlaes,
Berffaith â'i holl obaith llaes,
Cymru nwyd ei freuddwydion,
Creadigaeth hiraeth hon.[91]

Methu dod o hyd i'r byd hwnnw a barodd iddo newid cywair ei ganu, a choledd siom, anobaith a dadrith. Creadur ynfyd, peryglus yw dyn, ac nid oes iddo unrhyw lwybr ymwared:

Wylo uwch y bom atomig,
Y llid oer, y gorffwyll dig;
Holi hanes a dilyn
Ffolineb, doethineb dyn.[92]

Cerdd fer, seml oedd cerdd goffa un arall o'i gyd-weithwyr, T. H. Parry-Williams:

Canodd ei gerdd i gyfeiliant berw ei waed;
Canodd hi, a safodd gwlad ar ei thraed.

Canodd ei gân yn gyfalaw i derfysg Dyn;
Canodd hi, ac nid yw ein llên yr un.[93]

Ar Awst 3, 1949, yn Eisteddfod Genedlaethol Dolgellau, ychydig fisoedd ar ôl marwolaeth Gwynn, cynhaliwyd cyfarfod arbennig i'w goffáu gan Gymdeithas y Cymmrodorion. Cadeiriwyd y cyfarfod gan W. J. Gruffydd, a chafwyd anerchiadau ganddo ef a chan ddau o gyfeillion pennaf Gwynn, E. Morgan Humphreys a Tegla. O blith y tri, gellid honni mai E. Morgan Humphreys oedd ei gyfaill agosaf, Tegla yn ail a W. J. Gruffydd yn drydydd. Meddai wrth Morgan Humphreys un tro: '... amdanom ni ein dau, nid wyf yn meddwl y gallai dim dorri ar draws y peth gwerthfawrocaf mewn bywyd, cyfeillgarwch araul, dealltwrus, na fennai arno na hindda na drycin'.[94]

Mae'n rhaid bod Gruffydd wedi maddau i Gwynn am gefnogi Saunders Lewis adeg isetholiad y Brifysgol ym 1943, oherwydd fe ddywedodd bethau clodforus iawn amdano. Roedd ganddo, meddai, 'ryw ddawn "wyrthiol," rhyw allu i roi mynegiant i gyflawnder ei brofiad sydd yn annibynnol ar ansawdd a chynnwys ei allu prydyddol pur ac yn annhebyg i bopeth arall y gwyddom amdano yn hanes ein llenyddiaeth oddieithr efallai yng nghywyddau Dafydd ap Gwilym'.[95]

Ni hoffai Gruffydd gerddi dychanol Gwynn, fel 'Gwlad y Gân', oherwydd fe'i ganed 'i harddu ac i urddasoli bywyd'.[96] Ond, meddai, cyfran fechan o holl gyfanswm ei waith yw ei gerddi dychanol, ac am y gweddill, 'fe safant yn gofadail fyw i'r athrylith lenyddol ddisgleiriaf y deuthum i erioed i gyfarfod â hi. Af ymhellach: yr athrylith fwyaf yn holl hanes Cymru'r gorffennol'.[97]

Yn ôl E. Morgan Humphreys: 'Utgorn y deffroad oedd i ni, arweinydd y gwrthryfel, gobaith newydd llenyddiaeth ac iaith y Cymry, cludydd y faner lle'r oedd y frwydr boethaf'.[98] Amddiffyn ei gyfaill yn erbyn y cyhuddiad mai gŵr croes a checrus ydoedd a wnaeth E. Morgan Humphreys. 'Y mae'n anodd i lawer ohonoch erbyn hyn sylweddoli ffyrnigrwydd y gwrthwynebiad i Gwynn Jones,' meddai.[99] Ymhelaethodd:

> Edliwid i Gwynn fod ei waith yn annealladwy ac yn dryfrith o eiriau na allai'r werin eu deall – a hynny gan bobl a oedd yn proffesu meddwl y byd o Ddewi Wyn a'i "pob paladr yn ffladr a fflwch." Mynnid ei fod yn ddigrefydd ac yn anffyddiwr – am na chredai fod Hwfa Môn a Chadfan yn feirdd mawr, y mae'n debyg – a cheid hwyl anghyffredin wrth ymosod ar "geiliogod y colegau" a "hogiau difarf," gan anwybyddu'r ffaith nad oedd Gwynn Jones y pryd hwnnw wedi bod ar gyfyl coleg.[100]

A rhoddodd E. Morgan Humphreys enghraifft o ysgrif o waith Gwynn a oedd wedi cynddeiriogi a chythruddo rhai o ddarllenwyr Y Genedl:

Llawer tro y dywedwyd mai "Burns Cymru" oedd Ceiriog. Pe bai Cymry diragfarn y wlad yn darllen Burns yr wyf yn sicr na byddent fawr o dro cyn dywedyd yn groyw fod yn well ganddynt ei gerddi o'r hanner na rhai Ceiriog. Yr oedd yn gywirach a chryfach dyn, er maint ei bechodau a'i wendidau. Nid ofer-redodd ei deimladau fel y gwnaeth Ceiriog. Ni allasai Burns byth ysgrifennu "Ti wyddost beth ddywed fy nghalon," ac nid hawdd meddwl am neb yn medru gwir fwynhau y gerdd honno drwyddi ond y to o feirdd Cymreig a fyddai yn cynnal eisteddfodau preifat yn y tafarndai, ac yn rhy weiniaid i gyfaddef yn onest yn eu cerddi eu bod yn hoffi gwneud hynny. Nid wyf yn dywedyd na chanodd Ceiriog bethau rhagorol, er fy mod yn barnu Burns yn rhagorach. Gwnaeth lawer o waith da, yn enwedig drwy arfer iaith symlach – nid prinnach, cofier, ond symlach a thebycach i iaith y bobl. Ond ni chanodd fywyd gwerin Cymru fel y canodd Burns fywyd gwerin Scotland, oddigerth mewn rhannau o *Alun Mabon*. Eto, er rhagored *Alun Mabon* ar ei gorau, at gerdd lawer mwy annaturiol, fel *Myfanwy Fychan*, y dotiodd y "beirniaid llenyddol," ac at deimlad ystumiog y bardd yn "Ti wyddost beth ddywed fy nghalon" yn hytrach nag at ei gynhildeb dwysach yn rhai o'i fân gerddi.[101]

'Nid yw hyn yn feirniadaeth sydd yn debyg o gynhyrfu neb heddiw, ond ystyrid hi bron yn gableddus pan gyhoeddwyd hi ryw ddeunaw mlynedd ar hugain yn ôl,' meddai Morgan Humphreys.[102] Ac fe ymosodai yn gyson ar feirdd anfedrus yr Orsedd, a oedd yn dibynnu ar fympwy noeth wrth farddoni, yn hytrach na mabwysiadu a meithrin estheteg ac egwyddorion beirniadol cadarn.

Cafodd ei eni yn ystod storm, ac arhosodd y storm honno yn ei enaid drwy gydol ei fywyd. Gostegodd y storm yn raddol, ac ym mis Mawrth 1949, tawodd yn llwyr. Gostegodd am byth, er bod olion y dymestl ar dirweddau llenyddol Cymru o hyd. Creodd ysgolion: ysgolion o feirdd yn ogystal ag ysgol gynradd. Rhoddodd batrymau ardderchog ar gyfer y beirdd caeth traddodiadol, a rhoddodd gyfrwng newydd, cyffrous i'r beirdd mwy modernaidd a mentrus eu gogwydd, y wers rydd gynganeddol. Gwynn, ac nid Gwyndaf, a ddatblygodd y cyfrwng hwn, gan ddangos ar yr un pryd fod iddo fyrdd o bosibiliadau. Dilynwyd ei esiampl gan nifer o feirdd: Euros Bowen, Gwilym R. Jones, Gwynne Williams, Donald Evans, Dewi Stephen Jones, Moses Glyn Jones, a llawer o rai eraill. Ac fe sefydlwyd ysgol Gymraeg yn ei enw, Ysgol T. Gwynn Jones yn Hen Golwyn, lle bu'r Gwynn ifanc – neu'r Thomas ifanc yn hytrach – yn ddisgybl. Agorwyd yr ysgol yn swyddogol ar Fehefin 23, 1970.

Gadawodd gynhysgaeth lenyddol ysblennydd ar ei ôl. Ehangodd faes barddoniaeth gynganeddol – a barddoniaeth yn gyffredinol. Roedd yn un o wir arloeswyr y nofel Gymraeg a'r stori fer Gymraeg. Ystwythder a naturioldeb ei ddeialog oedd un o'i gyfraniadau mwyaf i ryddiaith greadigol yn y Gymraeg. Ac roedd graen ar ei waith a'i iaith bob amser. Poenai drwy'i fywyd fod gafael y Cymry ar eu hiaith yn llacio. Nid rhyfedd iddo feddwl felly, ac yntau'n ddisgybl i'r Pen Garddwr ei hun, Emrys ap Iwan, y gŵr a fynnai chwynnu'r iaith o bob ymadrodd Seisnigaidd a chlogyrnaidd, a'i gadael yn ei blodau yn unig. Emrys hefyd a'i hysbrydolodd i ddysgu Ffrangeg ac Almaeneg, ac i barchu ieithoedd yn gyffredinol. Poenai'n aml fod geirfa'r Gymraeg yn crebachu mwy a mwy, a'i gwestiwn mawr oedd: sut y gallai beirdd neu lenorion gyfleu dyfnder o unrhyw fath heb eirfa ddigonol? Môr ac nid nant oedd ei ganu ef ei hun. Roedd yn ymgyrchwr cynnar dros y Gymraeg, a thros degwch a chyfiawnder hefyd.

Dywedid gan rai mai gŵr pigog, ymfflamychol oedd T. Gwynn Jones, a'i fod yn rhy barod i regi'r byd a'i bethau. Y gwir yw fod ganddo ddigon o bethau i regi yn eu cylch. Mae rhai straeon digon doniol wedi goroesi o'r cyfnod pan oedd yn byw yn Bow Street ynglŷn â'i regfeydd a'i ragfarnau. Pan alwodd cymydog arno i gael sgwrs un tro, ar adeg o sychder mawr, dywedodd fod y fynwent dan Lyn Llanwddyn yn dod i'r golwg. 'Mae'r Sais yn hoff o gawl esgyrn,' atebodd Gwynn. Safai wrth y cae plant unwaith yn Bow Street yn gwylio'r plant yn chwarae. Daeth capelwr selog heibio, ac meddai Gwynn wrtho, 'Ond tydi'r plant 'ma'n rhegi'n felys!' Trodd y capelwr ar ei sawdl, a cherddodd i ffwrdd![103] Roedd y byd yn llawn o 'ffyliaid', 'damffyliaid' a 'bolcloddiaid' ganddo. 'Lord, what fools these mortals be!' meddai Shakespeare, a dyna union feddwl Gwynn hefyd. Ffyliaid oedd y Cymry. Gadawent i Loegr eu rheoli, ymfalchïent yn yr Ymerodraeth Brydeinig, addolent deulu brenhinol Lloegr, a diraddient eu hiaith eu hunain. Casâi ragrith a chasâi rwysg; ffieiddiai greulondeb a gorthrwm. Ac yn anad dim, casâi ryfel a militariaeth.

Ond yn y bôn, ac uwchlaw popeth arall, bardd oedd Gwynn, a bardd mawr. Un o'i gerddi pwysicaf yw 'Anatiomaros', ac ystyr Anatiomaros yw 'eneidfawr'. Ac un eneidfawr oedd Gwynn, gŵr hael â'i athrylith – 'Y mawr ei enaid, y mwya'i rinwedd', fel y dywed yn y gerdd.[104] Anatiomaros oedd cynghorydd ac amddiffynnydd y llwyth:

Athro hen eu gwybodaeth a'u rhiniau,
Efô, rhag angen, fu orau'i gyngor,
A nawdd ei dylwyth yn nyddiau dolur,
Efô o'i gariad a fu gywiraf
O'u tu ym mherygl, Anatiomaros.[105]

Felly hefyd Gwynn. Ym mis Mawrth 1949, aeth Gwynn at ei gyndeidiau. Aeth Anatiomaros at y meirwon.

NODIADAU

[1] 'Cywydd Coffa o Waith T. Gwynn Jones: Er Cof am Merfyn Davies', *Barddas*, rhif 21, Gorffennaf/ Awst 1978, t. 3.

[2] Ibid.

[3] 'Yr Haint', *Yr Efrydydd*, y drydedd gyfres, cyf. V, rhif 4, 1940, t. 7; *Y Tyst*, Mehefin 20, 1940, t. 1; Ibid., Gorffennaf 18, 1940, t. 1.

[4] Ibid.

[5] Ibid.

[6] LLGC TGJ, 21672C, 70, llythyr oddi wrth T. Gwynn Jones at E. Tegla Davies, Ebrill 16, 1940.

[7] Ibid.

[8] Emyn Gosber', *Iesu Biau'r Gân*, J. T. Rees, 1939, t. 79; *Y Goleuad*, Ionawr 31, 1940, t. 1.

[9] 'J. T. Rees, y Cerddor', *Y Flodeugerdd Englynion*, Golygydd: Alan Llwyd, 1978, t. 41.

[10] LLGC TGJ, B155, llythyr oddi wrth T. Gwynn Jones at T. O. Jones, Ionawr 24, 1941.

[11] Ibid.

[12] 'Ystrad Fflur', *Wales*, cyf. V, rhif 7, Haf 1945, t. 19.

[13] LLGC TGJ, B136, llythyr oddi wrth T. Gwynn Jones at Edwin Stanley James, Ionawr 27, 1941.

[14] LLGC EMH, A/2149, llythyr oddi wrth T. Gwynn Jones at E. Morgan Humphreys, Medi 18, 1941.

[15] Ibid.

[16] Ibid.

[17] Ibid.

[18] 'Marwolaeth Gwynfor'/'Atgofion y Dr. T. Gwynn Jones'/'Ei Wasanaeth i'r Ddrama yng Nghymru', *Y Faner*, Awst 27, 1941, t. 8.

[19] 'Breuddwydion', *Caniadau*, tt. 177, 179.

[20] 'Yr Hen Actor (Aeth O yn Berffaith Ieuanc)', *Y Faner*, Hydref 8, 1941, t. 1.

[21] Ni cheir rhif catalog i'r gerdd, dim ond y llythyren 'B'. Ceir y dyddiad '20.XII.'41' dan y gerdd.

[22] 'Dirgelwch', *Cyfres y Meistri 3*, t. 498.

[23] 'Blinder', Ibid., t. 499.

[24] 'Ffordd yr Holl Ddaear', Ibid., tt. 501–2. Cyhoeddwyd y cerddi yn wreiddiol yn *Llafar*, cyf. III, rhif 1, Haf 1953, ac fe'u darlledwyd ar *Awr y Beirdd*, Gorffennaf 29, 1953.

[25] LLGC EMH, A/2151, llythyr oddi wrth T. Gwynn Jones at E. Morgan Humphreys, Ionawr 13, 1943.

[26] Ibid.

[27] LLGC TGJ, 21672C, 84, llythyr oddi wrth T. Gwynn Jones at E. Tegla Davies, Ebrill 30, 1943.

[28] 'T. Gwynn Jones', *Cyfres y Meistri 3*, t. 58. Cyhoeddwyd yn wreiddiol yn *Yr Efrydydd*, Cyfres Newydd I, 1950.

[29] Ibid.

[30] Ibid.

[31] Cafwyd gan Ceredig Gwynn.

[32] *Bro a Bywyd: T. Gwynn Jones*, Golygydd: David Jenkins, 1984, t. 71.

[33] 'Popeth o'r Newydd', *Y Ford Gron*, cyf. IV, rhif 4, Chwefror 1934, t. 78.

[34] Ibid.

[35] Ibid.

[36] Ibid.

[37] Ibid.

[38] 'Y Duwiau', *Y Dwymyn*, 1944, t. 58.

[39] Ibid.

40 Ibid., t. 59.

41 Ibid., t. 61.

42 Ibid.

43 Ibid., tt. 62–3.

44 Ibid., t. 63.

45 'Dadannudd', Ibid., t. 8.

46 Ibid.

47 Ibid., tt. 8–9.

48 Ibid., t. 10.

49 Ibid.

50 Ibid.

51 Ibid., t. 11.

52 Ibid.

53 Ibid.

54 Ibid., t. 12.

55 Ibid.,

56 *Rhwng Rhaid a Rhyddid, Papur Pawb*, Awst 31, 1901, t. 10.

57 'Dau', *Y Dwymyn*, t. 72.

58 Ibid.

59 Ibid., t. 77.

60 Ibid.

61 Ibid., t. 79.

62 Ibid.

63 Ibid.

64 Ibid., t. 80.

65 'Ofn', Ibid., t. 16.

66 Ibid.

67 Ibid.

68 Ibid., t. 17.

69 Ibid.

70 Ibid., tt. 19–20.

71 Ibid., t. 20.

72 Ibid., t. 21.

73 'Dynoliaeth', Ibid., t. 65.

74 Ibid., tt. 66–7.

75 Ibid., t. 69.

76 Ibid., t. 67.

77 Ibid.

78 'Cynddilig', Ibid., t. 28.

79 Ibid., t. 40.

80 Ibid., t. 42.

81 LLGC EMH, A/2153, llythyr oddi wrth T. Gwynn Jones at E. Morgan Humphreys, Rhagfyr 25, 1944.

82 LLGC TGJ, B156, llythyr oddi wrth T. Gwynn Jones at Idris Lewis, dim dyddiad manwl, 1944.

83 LLGC EMH, A/2153.

84 'Y Wên', *Y Faner*, Chwefror 14, 1945, t. 1.

85 *Beirniadaeth a Myfyrdod*, [t. 5].

[86] LLGC TGJ, B188, 'George M. Ll. Davies/Er Gwerthfawrogiad/Hydref 1946'.

[87] LLGC EMH, A/2155, llythyr oddi wrth T. Gwynn Jones at E. Morgan Humphreys, Ionawr 2, 1947.

[88] LLGC TGJ, 21672C, 100, llythyr oddi wrth Llywelyn ap Gwynn at E. Tegla Davies, Mawrth 7, 1949.

[89] 'Thomas Gwynn Jones', *Y Llenor*, cyf. XXVIII, rhif 2, Haf 1949, t. 57.

[90] Ibid., t. 58.

[91] Ibid., t. 59.

[92] Ibid.

[93] 'Y Bardd', Ibid., t. 67.

[94] LLGC EMH, A/2115, llythyr oddi wrth T. Gwynn Jones at E. Morgan Humphreys, Ebrill 20, 1931.

[95] 'T. Gwynn Jones', *Trafodion Anrhydeddus Gymdeithas y Cymmrodorion*, Sesiwn 1952, 1954, t. 43.

[96] Ibid., t. 46.

[97] Ibid.

[98] 'T. Gwynn Jones', Ibid., t. 46.

[99] Ibid., t. 47.

[100] Ibid., t. 48.

[101] Ibid., t. 48.

[102] Ibid.

[103] Cafwyd y straeon hyn gan Vernon Jones, Bow Street, a fu'n gymydog i Gwynn ar un adeg.

[104] 'Anatiomaros', *Caniadau*, t. 84.

[105] Ibid., t. 80.

MYNEGAI